SPICILEGII FRIBURGENSIS SUBSIDIA

HERAUSGEGEBEN VON

G. G. Meersseman – A. Hänggi – P. Ladner

Vol. 11

1982

ÉDITIONS UNIVERSITAIRES FRIBOURG SUISSE

JEAN DESHUSSES – BENOIT DARRAGON
Moines bénédictins d'Hautecombe

CONCORDANCES ET TABLEAUX POUR L'ÉTUDE DES GRANDS SACRAMENTAIRES

TOME III, 1
CONCORDANCE VERBALE
(A–D)

1982
ÉDITIONS UNIVERSITAIRES FRIBOURG SUISSE

Publié avec l'aide du Fonds national suisse de la recherche scientifique
et du Conseil de l'Université de Fribourg

Tirage: 700 exemplaires

INTRODUCTION

La Concordance verbale, dont voici le premier volume, s'articule avec la Concordance des Pièces (volume 1 du présent ouvrage). Elle relève, dans son contexte, chacun des mots utilisés par les grands sacramentaires : Léonien, Gélasien ancien, Grégorien Hadrianum, Grégorien de Padoue, Gélasien de Gellone, Gélasien de Saint-Gall, Supplément.

Elle permet de retrouver immédiatement telle ou telle pièce dont on ne connaît pas les premiers mots, mais aussi elle facilite toutes les comparaisons entre mots ou membres de phrases.

Pour alléger le système des références, cette Concordance renvoie, non aux sacramentaires eux-mêmes, mais à la Concordance des Pièces, où les pièces semblables se trouvent groupées. Le ou les numéros qui suivent chaque citation correspondent donc aux numéros d'ordre des pièces dans ladite Concordance.

Ici les mots sont classés selon l'ordre alphabétique de leur forme primitive, comme dans tous les dictionnaires latins ; mais, à propos de chaque mot, les citations sont classées, elles aussi, par ordre alphabétique : d'abord, ordre alphabétique de chaque forme du mot considéré (quelle que soit la valeur grammaticale de cette forme) ; ensuite, ordre alphabétique du mot qui suit (ou, à défaut, qui précède) le mot considéré. De cette façon, on peut trouver très rapidement la citation dont on a besoin, même quand le mot comporte un grand nombre de citations.

LISTE DES ABREVIATIONS

dne = domine

ds = deus

m = misericors

o = omnipotens

qs = quaesumus

s = sempiterne

AARON

sicut perfundisti ora vestimentorum AARON, benedictionem...   1508
ut AARON fratrem suum prius aqua lotum...   3945
quam AARON in tabernaculo, haeliseus in fluvio...   924
dixit dominus ad moysen et AARON, in terra egypti...   1874
et populum tuum de terra aegypti per manu moysi et AARON liberasti...
   2066
electum AARON mystico amictu vestiri (vestire) inter sacra iussisti...
   819, 820
... Sic (et) (h)elezearo et ithamar (imar), filiis AARON, paternae...
   1349, 1350
barbam aeius sicut sanctum AARON unguentum pinguidinis...   898

ABBAS

beatus benedictus ABBA pro nobis intercedendo...   2921
ut famulo tuo illo ABBATE atque sacerdote... donis sedem honorificatam...
   2355
intercedente beato benedicto ABBATE quae pro illius...   2563
praetende super famulum ill. ABBATEM vel super cunctam... spiritum...
   2392
Ds, qui famulum tuum illum sacerdotem atque ABBATEM sanctificas...   989
Intercessio nos qs dne (dne qs) beati benedicti ABBATIS commendet...
   1945
quam tibi pro anima famuli tui illius ABBATIS atque sacerdotis
   offerimus...   1755
ut anima famuli tui illi ABBATIS atque sacerdotis per haec sancta...   477

ABBATISSA

universis subditis sibi ABBATISSA esse constituaetur...   1317
ut qui per manus nostrae hodiae inpositione ABBATISSA instituaetur...
   2303
... ABBATISSAM hodiae (o)vium tuorum esse instituit...   561

ABDENAGO

qui tres puerus, id est sidrac, misac et ABDENAGO, iusso regis...   850

ABDICO

si cunctis abominationibus ABDICATIS...   4139

ABDO

unigeniti a iudaeis ABDITUM gloriosum inventum est triumphum...   3847

ABDO

Ds qui sanctis tuis ABDO et sennen(s) ad hanc gloriam veniendi...   1204
ut aecclesia tua et martyrum tuorum ABDO et senis confisa suffragiis...
   2723
Munera tibi, dne, pro sanctorum martyrum ABDO et senis occisione
   deferimus...   2145
Sancti tui nos, dne, ABDO et senis piis oracionibus prosequantur...   3213
... De quorum collegio sunt martyres tui ABDON et sennes qui in
   ecclesiae...   3737

ABEL

sanctificesque libens in morte hinc muneris ABEL, ac tribuas...   3832
sicuti accepta habere dignatus es munera pueri tui iusti ABEL et
   sacrificium...   3383
et pari benedictione sicut munera ABEL iusti sanctifica...   1058
cuius figuram ABEL iustus instituit...   3962

ABEL

cui HABEL munera obtullit...   4126
et pari benedictione, sicut munera ABEL, sanctifica...   1058

ABEO

ut qui hucusque terrebat, territus ABEAT et victus abscedat...   764
Defende aeum ABIRE (a diri) serpentis incursibus...   330

ABERRO

et ABERRANTEM longius ab itinere salutis...   2297

ABICIO

omnis infestatio inmundi spiritus ABICIATUR, terrorque...   848
ut sit spiritalis imperator ad ABICIENDOS daemones de corporibus
   obsessis...   726, 727
ad ABICIENDOS (ABIENDUS) daemones (demonis) (et) morbosque pellendos...
   896
non ABICIEIS a promissionis tuae munificentia...   3082
... Ille ABICITUR qui traxit ad mortem, et suscepitur ille qui reduxit
   ad vitam...   1706
retia s(a)eculi quibus inpli(e)cabatur ABIECIT, ut aeternitatis...   3608,
   3609a, 3610
et ABIECTA ignorantiae caecitate(m)...   1664
qui dignaris infima et ABIECTA non despicis...   1358
... Moriuntur ABIECTI, et orbis terrarum capiunt principatum...   3678
depulsis atque ABIECTIS vetusti hostis atque primi facinoris intentoris
   insidiis...   3459
non facundos aut divites, sed ABIECTOS et pauperes...   4055

ABLUO

ieiuniis (et) elymosinis (aelimosinus) ABLUAMUS (ABLUAMUR) : auxiliante...
   179, 180
ABLUAE culpas aeius obtentu baptistae tuae...   3048
a quo et a peccatis nostris nos ABLUE et a necessitatibus...   1459
tu pius et misericors ABLUE indulgendo.   771
tua pietate ABLUE indulgendo.   747
adque a cunctis ABLUE sordibus...   330
Sanctam hanc aquae qui post fontem tuum ABLUENDAS albas offeremus...   1366
et super has ABLUENDIS aquis et vivificandis hominibus preparatas...   1336
Benedic dne has aquas quas... vel ad ABLUENDUM omnium peccatorum
   criminum...   313
ut ABLUENDUS per eam et sanitatem simul et vitam mereatur aeternam.   1503
Ds qui discipulorum tuorum pedibus ABLUENS, pio affectu...   963
ds, qui nocentis mundi crimina per aquas ABLUENS regenerationis...   1045,
   1047
ipsas aquas dilueris, cum ABLUI non aegeris...   855
... Cuius carne dum pascimur roboramur, et sanguine dum potamur ABLUIMUR.
   3786
ut quos aqua baptismatis ABLUIS continua protectione...   975
et culpas ABLUISTI per lamenta.   913
quo peccatis vitae prioris ABLUTI reatuque deturso...   1336
Sicut hic exteriora ABLUUNTUR inquinamenta...   71

ABLUTIO

sacrosancti lavacri ABLUTIONE loti...   3949
trina ABLUCIONE purgati indulgenciam omnium delictorum tuo munere
   consequantur.   2345
... Tuum est ABLUTIONEM criminum dare...   1308

ABLUTIO
Ds, qui... secundum ABLUTIONEM peccatorum elimosinis indidisti...   1170

ABNEGO
... Et quae terrenae fragilitatis carnalibus epulis ABNEGAMUS humanae...
3731
... Et quae terrena delectatione carnalibus aepulis ABNEGAMUS humanae...
3732
et que terrena felicitate (carnales) epulis ABNEGAMUS humanae...   4140
Quatenus vosmetipsos ABNEGANDO crucemque gestando...   346
... ABNEGANSQUE semetipsum crucem peregrinationis adsumpsit...   4127
Ut dum se sibi ABNEGAT, te persultat...   3216
et de non ABNEGATA pietate devoti.   3652

ABNUO
pro unius exorantem ABNUAS, sed similium...   4143
... Nam si ideo delicias corporales ABNUIMUS... ne spiritum...   3964

ABOLEO
omni ritu pestifere vetustatis ABOLITO...   4139

ABOLITIO
et ABOLITIO peccatorum, et tua nobis sanctificatio praeveatur.   3361
sacramentum sit ABOLITIO peccatorum, sit fortitudo fragilitatis
humanae...   1790
sit ABOLITIO peccatorum... sit fortitudo fragilium, sit contra mundi...
2361
omnium criminum ABOLITIONE(UM) purgentur...   1744

ABOMINATIO
si cunctis ABOMINATIONIBUS abdicatis...   4139

ABORIOR
dum ABORTA tempestas maria conturbasset...   2262

ABRAHAM
ut huius famuli tui illius animam... ABRAHAE amici tui sinu recipias...
3470
et in sinibus (sinu) (H)ABRAHAE (et) isa(h)ac et iacob collocare
dignetur.   2483, 2484, 2521, 2522, 2523
et sacrificium patriarchae nostri ABRAHAE et quod tibi obtulit summus...
3383
Ds qui in ABRAHAE famuli tui opere...   1025
et in ABRAHAE filios et in israheliticam dignitatem tocius mundi transeat
plenitudo.   777
da gratiam sacerdotibus quam HABRAHAE in holocaustu...   924
Qui ABRAHAE isaac et iacob in praesentis viae et vitae circulo...   3590
in sinibus ABRAHAE isaac et iacob, ut cum dies agnicionis tuae venerit...
2312
in sinu ABRAHAE patriarchae collocatus...   2215
deducendam in sinum amici tui ABRAHAE patriarchae...   771
qui ex utero fidelis amici tui patriarchae HABRAHAE praelegisti...   842
in luce sancta, quam olim ABRAHAE promisisti et semini eius...   3462
deducendam in sinu amici tui patriarchae ABRAHAE, resuscitandam...   747
Ds, qui (et)mortuam vulvam sarrae ita per ABRAHAE semen fecundare dignatus
es...   977
Ds qui et mortuam vulvam sarrae ita per HABRAAE semen fecundare dignatus
es...   977
ad locum refrigerii et quietis in sinu transferatur ABRAHAE.   2493

ABSOLVO

et vincula nostrae pravitatis ABSOLVAT, et tuae nobis...   1798
per id quod tibi est aequalis ABSOLVAT, Iesus...   1183
indulgentiae tuae piaetatis ignuscat et ABSOLVAT ut altaribus...   1007
indulgentiae tuae miseratio(nis) ABSOLVAT.   1455, 1465
magnitudo tuae pietatis ABSOLVAT.   2288
et quos delictorum catena constringit miseratio tuae pietatis ABSOLVAT.
    773
laquaeos aeternae suffragio plebs ABSOLVAT.   426
ut qui propriis oramus ABSOLVE delictis, non gravemur externis
    (aeternis).   1779
alienis(que) (qs) propitius (propitiatus) ABSOLVE delictis ut divino...
    3031, 3032
ABSOLVE dne animam famuli tui ill. vel illa ab omni vinculo delictorum...
    13
ABSOLVE, dne, qs, iniquitates nostras...   14
ABSOLVE, dne, qs, (qs, dne) tuorum delicta populorum...   15, 17
ABSOLVE qs dne (dne qs) nostrorum vincula peccatorum...   16
Delicta, (fragilitatis nostrae) dne, qs, miseratus ABSOLVE et aquarum...
    713, 714, 1285
Ab omnibus nos, qs, dne, peccatis propitiatus ABSOLVE et eos qui nos...
    10
Peccata nostra dne qs memor humanae(i) condit(c)ionis ABSOLVE et quidquid
    eorum...   2548, 2549
Peccata nostra, dne, propitiatus ABSOLVE et quidquid pro peccatis...   2548
qs, ABSOLVE nostros placatus errores...   1209
ab omnibus ABSOLVE peccatis et a cunctis...   3543
ab omnibus nos ABSOLVE peccatis ut ad omnia...   3434
qs, ab omnibus ABSOLVE peccatis ut paenitentiae...   2272
Propitiare, dne, populo tuo et ab omnibus ABSOLVE peccatis ut quod
    nostris...   2865
et famulum tuum ab omnibus ABSOLVE peccatis.   1836
ab omnibus (propitius) ABSOLVE peccatis.   3091, 3110, 3543
eos (nos) et a peccatis ABSOLVE propicius...   1280, 1609
reatibus et periculis propitiatus ABSOLVE, quos tantis...   560
Ab omnibus nos qs dne peccatis propitiatus ABSOLVE ut percepta...   11
animam famuli tui benignus ABSOLVE, ut resurrectionis...   1783
et ab alienis pravitatibus benignus ABSOLVE, ut tua sancta...   4
nostrorum qs ABSOLVE vincula peccatorum...   912
conscientiam nostram benignus ABSOLVE.   564
a temporalibus culpis diganter ABSOLVE.   398, 3117
et par haec sancta commertia vincula peccatorum nostrorum ABSOLVE.   1806,
    1807
iniquitates nostras quibus merito affligimur placatus ABSOLVE.   3715
et peccata nostra propiciatus ABSOLVE.   2621
et ab omnibus tribulationibus propitiatus ABSOLVE.   3106
iniquitates nostras quibus iuste retribuuntur ABSOLVE.   2028
iniquitatis quibus nos affligimur, rogamus, ABSOLVE.   1412
et eius uterum vinculum sterelitatis ABSOLVENS...   1772
cuius remediis dignaris ABSOLVERE peccatores.   1838
quod nequiter admisi, clementissime digneris ABSOLVERE.   3381
ut qui propriis oramus ABSOLVI delictis, non gravemur externis.   1779
per quam et nostris reatibus possimus ABSOLVI, et his mysteriis...   3489
in nostris oramus ABSOLVI ieiuniis...   4182
ab omni vinculo iniquitatis ABSOLVIS, da indulgentiam...   922, 923

ABSOLVO

traditio ABSOLVIT, poena redimit, crux salvificat...   3658
et patris linguam natus ABSOLVIT, solusque...   342, 3688, 3772
cuius nos vinculis haec redempcio paschalis ABSOLVIT.   2981

ABSOLUTIO

hinc laeticia(e) de ABSOLUTIONE paenitencium(tum)...   58, 59
sed in hac poc(t)ius perficias (facias) ABSOLUTIONE persistere...   3735,
4142
sed mitem ex ore tuo sententiam ABSOLUTIONIS exspectent.   1319

ABSQUE

nec ABSQUE aeterna sit bonitate iustitia...   3652
ABSQUE continentia non viget mentis imperium...   4033
ABSQUE lesionem anime et corporis sui, exias omnino...   1888
et dispersas ABSQUE pastore ovis fur nocturnis invadat.   3281
et in cuius conspectu nullus est hominum ABSQUE sorde et poena peccati...
792
... ABSQUE te deo montrarentur inania...   4055
Ds, qui ABSQUE ulla temporis mutabilitate cuncta disponis...   886
ita nunc diem ABSQUE ullis maculis peccatorum transeamus...   741

ABSTERGO

clementer ABSTERGAS ab his aquis pollutionem originem.   893
ut facinorum meorum squalores ABSTERGAS et me ad peragendum...   815
ABSTERGAT a vobis omnes macolas peccatorum...   3485
et vetustatem nostram clementer ABSTERGAT et novitatem...   1843
ut vetustatem nostram clementer ABSTERGAT.   1843
totum ineffabili pietate ac benignitate sua deleat et ABSTERGAT.   2584
Delicta nostra, dne, quibus adversa dominantur ABSTERGE, et tua nos...
715
tu venia misericordissimae pietatis ABSTERGE.   3475
procul omnis pollucio nequitiae ABSTERSA vaniscat.   2907
Praesta dne ut ABSTERSIS ab aeis omnium peccatorum maculis...   296, 297
sed potius peccatum mundi idem verus agnus ABSTERSIT.   4019
qui te genetricis sterelitatem conceptus ABSTERSIT.   3772
peccatorum labe ABSTERSUS de visibilibus...   3912

ABSTINENTIA

ut cum ABSTINENTIA corporali mens quoque nostra sensus declinet
inlicitos...   3731, 3732
... ABSTINENTIA fructuosa et casti pectoris opulenta frugalitas...   1301
ut qui per ABSTINENTIA macerantur in corpore...   1266
qui sanctificatur et institutor es ABSTINENTIAE cuius nullus...   4014,
4190
ut vitiis pariter adque corporibus ABSTINENTIAE frena inponatis.   357
qui nos per primum adam ABSTINENTIAE lege violata...   3787
ut ABSTINENTIAE nostrae restaurationis exordiis conpetentem...   671
ut quorum corpora ABSTINENTIAE observatione macerantur...   4199
fraternitatis amore, ABSTINENTIAE virtutem.   980
ut celebraturi sancta mysteria non solum ABSTINENTIAM corporalem...   435
in luxuriam ABSTINENTIAM, in varitatebus moderatione...   2303
ut qui per ABSTINENTIAM macerantur in corpore...   1266
sic ad aeternam patriam per ABSTINENTIAM redeamus...   3636
O. s. ds, qui per ABSTINENTIAM salutarem et corporibus nostris mederis...
2439
et ABSTINENTIAM tam salubrem ut nec caro escis...   357

ABSTINENTIA
per ABSTINENTIAM tibi gratias referre (agere) voluisti...   3969, 3970
ABSTINENTIAM vestram praeteritam acceptet...   1241

ABSTINEO
dilegant caritatem, ABSTENEANT se a cupiditate...   842
et ABSTINENDO cunctis efficiamur hostibus fortiores.   626, 662
ut qui de paradiso non ABSTINENDO (d)cecedimus...   4182
ut (ad) paradisum de quo non ABSTENENDO credimus (cecidimus)...   3794,
   3889
ut quod a te obtinere ABSTINENDO nititur...   969
ut dum a cibis corporalibus (se) ABSTINENT, a vitiis mente ieiunent.   2714
ut qui terrenis ABSTINENT cibis, spiritalibus pascantur alimoniis.   3110
ut qui se affligendo carnem ab alimentis ABSTINENT sectando...   2784
sed a peccatis omnibus ABSTINENTES devotionis tibi...   3740, 4183
ut a peccatis omnibus ABSTINENTES et necessariis...   2604
ut non solum a cibis, sed a peccatis omnibus ABSTINENTES grato tibi...
   4179
ut ab his quibus offenderis ABSTINENTES non iracundiam (iram)...   2488
ut a peccatis omnibus ABSTINENTES prompta tibi...   3539
ut a terrenis delectationibus ABSTINENTES propensius...   2471
a (noxiis) (omnibus) etiam viciis ABSTENENTES propitiationem...   2735
ut de transituriis operibus ABSTENENTIS ea potius operemur...   2817
ut familia tua quae se affligendo carne ab alimentis ABSTINET sectando...
   2758
et quos ab escis carnalibus praecipis ABSTINERE a noxiis...   2612, 2895
Praesta qs dne sic nos ab epulis ABSTINERE carnalibus...   2745
ita vos etiam a vitiis omnibus ABSTINERE concedat.   1241
qui tuae mensae participes a diabolico(a) iubes ABSTINERE convivio...
   2458
et a suis semper et ab alienis ABSTINERE delictis...   1863
a diabolicis quibus renintiavit laqueis ABSTINERE et toto...   651
quatenus ab omnibus possimus semper ABSTINERE peccatis.   1139
sic nos ab aepulis carnalibus ABSTINERE ut a vitiis...   2745
ab ipsius mentis debemus excessibus ABSTINERE ut inordinatis...   3964
ut qui se adfligendo carnem ab alimentis ABSTENIT...   2784

ABSTRACTE
post spatia temporum a voragine terrae ABSTRACTE...   899

ABSTRAHO
ut nos a malis operibus ABSTRAHAS et ad bona facienda convertas...   4009a
tuis semper auxiliis et ABSTRAHATUR a noxiis et ad salutaria dirigatur.
   563
sed a peccatis ABSTRAHE fragiles...   2984

ABSUM
ABSINT in posterum omnem nequitiae spiritales elimentur.   782
ABSIT a vobis invidia diaboli...   2905
neopem sanis de infirmorum lisione queramus - ABSIT - per spetiem...   3674

ABSUMO
ab hostibus patiaris ABSUMI.   3598

ABSURDUS
quis non veluti putaret ABSURDUM ?...   3957

ABUNDANTIA

et HABUNDANTIA benedictionis tuae largiter infundat.   2289
sed secundum HABUNDANTIA clementiae tuae...   2305
tribuae aeis de rore caeli et HABUNDANTIA, et de pinguidine...   3461
in pauper(i)tate (H)ABUNDANTIA, in ieiunio cibus...   758, 759, 760
de HABUNDANTIA misericordiarum tuarum famulos et famulas tuas...   1345
refrigerium de HABUNDANTIA miserationum tuarum sentiatur.   2273
de HABUNDANTIA piaetatis tuae consolemur...   2273
O. s. ds, qui ABUNDANTIA pietatis tuae et merita supplicum excedis...
   2375
benedicas, dne, benedictionis tuae HABUNDANTIA, per quod, qui haec...
   2293
... HABUNDANTIA remediorum faciat comsolatus.   1245
ut animae... de tua semper (caritate) HABUNDANTIA repleantur.   1261, 2371
ut tuae pacis (pacis tuae) (H)ABUNDANTIA tempora nostra (et episcopi...)
   cumulentur (adcomola)...   954, 2860
tribuae aeis, dne, in hoc seculo HABUNDANTIA tritici, vini et olei...
   2362
huic orreo famulorum tuorum non desit benedictione(is) tuae
   (H)ABUNDANTIA.   2280
pro HABUNDANTIAE clementiae tuae...   2029
et pacis a tuae HABUNDANTIAE tempora nostra praetende et conserva.   1165
et ABUNDANTIAM benedictionis tuae largiter infundat.   2294
conferri posse confidimus ABUNDANTIAM devotionis et pacis...   4192
Sempiternae (Semper) pietatis tuae HABUNDANCIAM, dne, supplicis
   inploramus...   3274
ut hanc ABUNDANTIAM in nostra quoque salvatione defendas.   1792
in victu(m) HABUNDANTIAM, in pacem(ae) laetitiam...   318
et HABUNDANTIAM misericordiae suae cor vestrum (corrum) conroboret.   340,
   356
ut celerem (caeleriter) (caelebrem) nobis tuae propitiationis
   (H)ABUNDANTIAM multiplicatis...   2430
O. s. ds, qui (H)ABUNDANCIAM pietatis tuae et meritis(a) supplicum
   excedis et vota...   2375
Presta famulis tuis, dne, ABUNDANTIAM protectionis et gratiae...   2678
paternae plenitudinis (H)ABUNDANTIAM transfudisti...   1348, 1350, 2549

ABUNDANTER

et multiplicare HABUNDANTER offerentium (offerentibus) tibi...   1357

ABUNDE

et ex magnificis beneficiis HABUNDE ditasti a seculo...   3837
temporalia dona ditasti HABUNDE, quesumus te...   2290

ABUNDO

ut sit, dne, aeiusdem HABUNDANS in annum alimentum...   299
veniam quoque substantiam HABUNDANTEM, arborum faetus...   1369
misericordiam HABUNDANTEM, humilem...   3281
sic aeodem iugiter HABUNDARE affectus est sine fine vivendi.   4040
clementer ABUNDARE et conservare facias...   987
et HABUNDARE facet semper perfecte gratiae caritatem.   351
ut quibus indigere nos perspicis, clementer facias HABUNDARE.   589
ut in nomine dilecti filii tui mereamur bonis operibus ABUNDARE.   2335
ut confirmati benedictionibus tuis HABUNDENT in omni gratiarum actione...
   1345
... ABUNDET in eis (eo) (aeum) totius forma virtutis...   136, 137, 138
... ABUNDET in his (eo) constantiam fidei...   819

ABUNDO
tua caritas ABUNDET in nobis, per quam peccata mundantur. 1164

ABUTOR
sic gloriemur nobis, ut non ABUTAMUR antiquis. 648
dum reo (dum reus) tua patientia non HABUTI oporteat... 4135

ABYSSUS
invistigabilibus contagia per HABYSI magnitudinem largitatis tuae... 1365
cui patent ABYSI (ABISSI), quem infernus pavescit (patiscit)... 2299

ACCEDO
ut ad mysteria tua purgatis sensibus ACCEDAMUS praesta qs... 806, 4235
ut ad eius celebrandam passionem purificatis mentibus ACCEDAMUS. 3658
per quem nobis (re)splendit suffragiis ACCEDAMUS. 904, 911
puris mentibus ad aepulas aeternae salutis ACCEDANT (ACCEDAT). 2458
sed potius ad affectum salvationis ACCEDANT. 3803
ACCEDAT ad te vox illam (illa) intercedens pro populo... 1230
Ut illuc suo interventu grex ACCEDAT per lavacrum... 465
pro fidelibus tuis suffragator ACCEDAT qui dum bene... 295, 263
beatus michahel archangelus... tibi, dne, praecatur ACCEDAT. 124
beatus confessor tuus (tuo) ille (agustinus) qs precator ACCEDAT. 3577
Sacrificium... gratum tibi beatus ill. suffragator ACCEDAT. 3156
efficia(n)tur ACCEDERE ad gratiam baptismi tui... 165, 2369
... Et ut ad eius cognitionem possimus ACCEDERE parvularum... 3978
quo marthyres meruaerunt ACCEDERE per turmenta. 1509
illic grex possit ACCEDERE quod pervenerunt pariter... 1033
et ut ad propitiationem tuam possimus ACCEDERE spiritum... 2530
dignis adque sapienter ad confessionem tuae laudis ACCEDERE ut
    dignitate... 638
ad paschalia festa purificatis cordibus ACCEDERE valeatis. Amen. 2249
Ut populi illuc per fidem ACCEDERENT ubi... 1219
Ad altaria, dne, veneranda cum hostiis laudis ACCEDIMUS... 42
sub cuius lege sibi unusquisque formidat quod aliis ACCEDISSE videat...
    201
ut quanto (quantum) magis (maius) dies salutiferae festivitatis ACCEDIT...
    3798
Signate illus, ACCEDITE ad benedictionem. 3573, 3574
... ACCEDITE suscipientes evangelicae symbuli sacramentum... 1287
... ACCESSIT ad hoc amplior honor, cum filius tuus... 3945
... In cuius gloriam etiam illud ACCESSIT ut valerianum... 3775
magnalia, per quae nobis laetitia hodiernae festivitatis ACCESSIT Vere...
    4091
per que nobis laetitia hodierna festivitatis ACCESSIT. 4092

ACCELERATIO
(deferimus) et pro ADCAELERATIONE caelestis auxilii. 1802, 1803

ACCELERO
velociter adtente (adtende) (et) ACCELERA ut eripias... 1354, 1355
indulgenciae (indulgentia) tuae propiciacionis ACCELERET. 1517, 1519

ACCENDO
Tu inluminasti omnem mundum ut ab eo lumen ACCENDAMUR et inluminemur...
    1304
ut quorum gaudemus meritis ACCENDAMUR exemplis. 1101
potius nos semper ACCENDANT. 2983
ACCENDAT in vobis dominus vim sui amoris... 18

ACCENDO
ACCENDAT in vobis piae devotionis affectum...   2248
tui amoris ignem nutriat, et nos ad amorem fraternitatis ACCENDAT.   3830
ACCENDE, dne, aeius mentem et corda...   1364
et splendore gratiae (gloriae) tuae cor eius (eorum) semper ACCENDE ut
    salvatoris...   1175, 1856, 1927
et spiritus sancti lucem in nos semper ACCENDE.   231
ut ad ACCENDENDUM claritates aecclesiae tuae...   1364
ut ad propitiationem tuam possimus ACCENDERE, spiritum...   2530
nisi tu hanc flammam clementer ACCENDERES...   758
et sui amoris in eis ignem ACCENDERET et per diversitatem...   4029
in ea ignem divini amoris ACCENDERET Imploramus...   3872
hunc amorem virginitatis clementer ACCENDERIS...   759
ut ignis quam gratia tua fecit ACCENDI nullis...   1223
quem dominus... et voluit vehementer ACCENDI.   1855
flammam tuae dilectionis ACCENDIS, da...   2411
triumpho nos sancti Laurenti, quam hodie celebramus, ACCENDIS.   4108
... ACCENDIT intentionem, qua ad bona opera peragenda inardescamus...
    3659
quam in honorem dei rutilans ignis ACCENDIT. Qui licet...   3791
sed eum ut magis luceret ACCENDIT. Quoniam sicut...   3615
in camino ignis missus, ACCENSA furnace, salvasti...   850
caelestibus desideriis ACCENSI fontem vitae sitiamus.   487, 494
ut caelestem sponsum ACCENSIS lampadibus cum oleo...   759
... ACCENSIS lampadibus eius digni praestulemur occursum.   382
nec tamen erat poena patientis sed pie confessionis ACCENSUS, neque
    terreno...   3777
... Qui igne ACCENSUS tui amoris constanter ignem sustinuit passionis...
    3689

        ACCEPTABILIS
ut tibi sit (H)ACCEPTABILE ieiunium nostrum...   3941
ut ad te elevatio manuum nostrarum sit... ACCEPTABILE sacrificium...
    1666
sit meum ACCEPTABILE votum qui se tibi obtulit in sacrificium...   3893
ratam rationabilem ACCEPTABILEMQUAE facere digneris...   3011
Scimus tamen quod est ACCEPTABILIS deo...   3021
templum ACCEPTABILIS vitae innocens odor redolescat...   3627

        ACCEPTO
hoc sacrificium quod indignis manibus meis offero ACCEPTARE dignare...
    1220
sanctorum tuorum commendatio reddat ACCEPTAS.   1478
... Hodie ACCEPTES confessionem nostrorum peccaminum...   3950
Abstinentiam vestram praeteritam ACCEPTET...   1241

        ACCEPTUS
ut et tibi fiat ACCEPTIOR, purificatis mentibus immolemur.   1398

        ACCERSO = ARCESSO

        ACCESSIO
servientium morborum restingatur ACCESSIO, salus...   3824

        ACCESSO = ARCESSO

ACCESSUS

Presta, qs, dne, cum ACCESSU temporum recti moderaminis incrementum...
   2708
ad bona quoque perpetua piae devotionis crescamus ACCESSU.   1210
ad aeternae beatitudinis redeamus ACCESSUM (ACCENSUM) per tuorum...   188
Procul a nobis sit malignorum ACCESSUS, et comis...   1360
ut cui ad te per te fuerat ACCESSUS, per ipsum...   4169

ACCINGO

aurum inductum ab eas tonicam ACCINCTUS sedeas...   1860
habitus debere indesinenter ACCINGI.   4176

ACCIPIO

et vestem quam eginus ACCEPERAT, mundi dominus induisset.   4148
et qui eius ACCEPERAT potestatem diabolus calcaretur...   4096, 4110
ut quidquid hic novum regenerandi per spiritum sanctum ACCEPERINT...   3447
ut si quis ACCEPERIT ex hac creaturam tuam...   1670
cuius muneris pignus ACCEPIMUS manifesta...   3818, 3843
et quod vobis sicut ACCEPIMUS tradimus...   1288
cuius per haec mysteria pignus ACCEPIMUR (ACCEPIMUS).   2664, 2995
ut non solum ACCEPIS, sed a peccatis omnibus...   4183
quod gratis ACCEPISTIS gratis date...   1852
qua mors interitum et vita ACCEPIT aeterna principium...   58
virgo in utero ACCEPIT et peperit filium...   3677
salem ACCEPIT et proiecit ad exitus aquarum...   1346
petrus ACCEPIT in clave...   924
... ACCEPIT panem in sanctas ac venerabiles manus suas...   3014, 3015
(H)ACCEPIT panem in suis sanctis manibus...   1972, 3013
Subdiaconus, cum ordinatur, quia manus inpositione non ACCEPIT, patenam...
   3313
ut per quos initium divinae cognitionis ACCEPIT per eos...   3909
a cuius sancto nomine ch(r)isma nomen ACCEPIT, unde...   3945
Inlese custodiat quod ACCEPIT, ut adquirat...   920
panem de manu salvatoris exiturus ACCEPIT ut saginatum...   3867, 3868
pro nobis qs tuam pietatem exoret, quae a te ACCEPIT ut vinceret...   3866
sanguinis praecium a Iudeis ACCEPIT ut vitam...   3867, 3868
sed etiam spiritum sanctum quo matrem domini et salvatoris agnosceret
   ACCEPIT.   3755
ut in quo peccatorum remissionem ACCEPITIS...   1706, 1707
ut ACCEPTA ad te ds, secundum meriti (munus) obteniat...   2549
sacrosancta mysteria tuae sint pietati semper ACCEPTA. Concedas...   4199
quae munera nostra tibi reddat ACCEPTA et nobis...   369
sit in ocolis tuis semper ACCEPTA, et si quis (et sicut)...   3710, 3920
sanctorum tuorum interventio, qs, sit ACCEPTA (fiat grata) pro nobis...
   3018
petimus, uti ACCEPTA habeas (et benedicas) haec dona...   3464
Suprae quae propitio ac sereno vultu respicere digneris et ACCEPTA
   habere...   3383
sicuti ACCEPTA habere dignatus es munera pueri tui iusti Abel...   3383
Nostra tibi qs dne sint ACCEPTA ieiunia...   2185
Oblatio tibi, dne, sit nostra semper ACCEPTA (per) quae angelis...   2197
Et ACCEPTA potestate confessus in seculo...   913
Oblatio tibi sit dne (qs) hodierna(e) festivitatis ACCEPTA qua (quia) et...
   2199, 2200
sic nostrae servitutis ACCEPTA reddantur officia.   1891
ut per ACCEPTA remissione omnium peccatorum...   922

ACCIPIO
ut per lavacrum regenerationis ACCEPTA remissionem...   2513
pia merita creaturae semper ACCEPTA sint certum est...   2307
Ut ACCEPTA sint, dne, nostra ieiunia...   3571
ut in hac mensa (hanc mensam) sint tibi libamina ACCEPTA sint grata...
   866
VD. Haec tibi nostra confessio... semper ACCEPTA sit de cordibus...   3762
ACCEPTA sit in conspectu tuo, dne, nostra (sancta) devotio...   19
ACCEPTA sit tibi qs dne haec oblatio plebi tuae...   23
merita venerantium ACCEPTA tibi reddat(ur) oblatio.   2699
(Ut) ACCEPTA tibi sint dne (qs) nostri (nostra dona) ieiunii (ieiunia)...
   20, 3571
ACCEPTA tibi sit, dne, nostrae devotionis oblatio...   22
ACCEPTA tibi sit, dne, nostrae servitutis oblatio...   21
ACCEPTA tibi sit, dne, qs, hodiernae festivitatis oblacio...   1652
ACCEPTA tibi sit, dne, sacratae (sacrae) plebis oblatio...   24, 25
ACCEPTA tibi sit in conspectu tuo, dne, nostrae devocionis oblacio...   26
obstaculis, illius meritis reddan(tur) ACCEPTA.   2151
haec devocio... ita (sic) sit deo semper ACCEPTA.   2509
ut aeorum ieiunia oculis tuae piaetatis sint semper ACCEPTA.   3110
ut sacrificia nostra tibi sint semper ACCEPTA.   228
et ut tibi reddantur ACCEPTAE...   1815
oblationem nostram sibi faciat ACCEPTAM.   3569
ut tibi et mentes nostras reddat ACCEPTAS et continentiae...   3151, 3152
piaetati tuae perfice benignus ACCEPTAS et illam quae...   3417
Hostias nostras, Iuvenalis nomine(i) tuo reddat ACCEPTAS qui eas sibi
   (tibi)...   1813
pietati tuae perfice benignus ACCEPTAS.   3416
quas sancti hermetis praecibus tibi esse petimus ACCEPTAS.   4086
suffragiis eius reddamur ACCEPTI(S).   46
ut ACCEPTIS bonis perseverent inlesi...   2475
Placare, dne, muneribus semper ACCEPTIS et diuturna...   2586
Sacramenti(s), dne, muniamur ACCEPTIS et sanctorum...   3130
quibus succurris indignis, propitieris ACCEPTIS.   4121
ut his muneribus... et te placemus exhibitis et nos vivificemur(s)
   ACCEPTIS.   454
ut ACCEPTO a patrefamilias remunerationis denario...   347
huic altare munera super ACCEPTO ferre digneris...   3844
... ACCEPTO pignore salutis aetern(a)e...   1569
Subsidium nostrae salutis ACCEPTO supplices, dne, te rogamus...   3316
annua solemnitas pietati tuae nos reddat ACCEPTOS per haec piae...   3203
sic nos tuae pietati salutaris humilitas prestet ACCEPTOS.   200
nosque eius veneracio tuae maiestati reddat ACCEPTOS.   1946
et tuo nomini reddat ACCEPTOS.   3161
et tibi nos reddat ACCEPTOS.   1982, 4256
supernis promissionibus reddat ACCEPTOS.   3228
intercessio (intercessione) sancta (sanctae) (sanctorum) martyris
   (eufymiae) (illius) tibi reddat ACCEPTOS.   3229
sed potius ad cultum nominis tui reddat ACCEPTOS.   2966
sed nos quoque mirando consortio reddit ACCEPTOS.   4093
... ACCEPTUM a(d) te ds secundi(s) (um) meritis munus obtinea(n)t...
   1348, 1349, 1350
Adest, o venerabilis pontifex, tempus ACCEPTUM dies propitiationis...   58
sit tibi munus ACCEPTUM et tam viventibus...   2646
uti ACCEPTUM habeas et benedicas haec superinposita munera...   4181

ACCIPIO

ds, sacrificium nostrum reddat ACCEPTUM qui discipulis...   1956
et haec oblacio(nem) nostra sit tibi munus ACCEPTUM sit fragilitatis...
   3115
ut quod offerimus sit tibi munus ACCEPTUM sit nostras...   3116
et ACCEPTUM tibi nostrum, qs, famulatum...   171
hoc sacrificium cum exhibetur ACCEPTUM ut efficiatur...   3302
ut cuius honore(m) solem(p)niter exhibetur, meritis efficiatur ACCEPTUM...
   3160
illorum potius meritis efficiatur ACCEPTUM.   2229
eius praecibus efficiatur ACCEPTUM.   207
Dilectissimi nobis, ACCEPTURI sacramenta baptismatis...   1287
apostolicae praedicationis famosissimus et ACCEPTUS alumnus...   4097
apud te semper reddat ACCEPTUS cuius me vice...   4213
Sacramenta dne muniamur ACCEPTUS et sanctorum...   3126
apostolicae praedicationis fidelissumus et alumnus ACCEPTUS sacerdos...
   4097
in odorem suavitatis ACCEPTUS, supernis luminaribus misceatur...   3791
et caelestis patriae gaudiis reddatur ACCEPTUS.   457
ACCIPE dne munera quae in beatae Mariae iterata solemnitate deferimus...
   27
ACCIPE, dne, qs, nostrae servitutis officia...   28
ACCIPE, dne, qs, sacrificium singulare...   29
ACCIPE et commenda (memoriae) (et) habeto (habitum) potestatem...   30
ACCIPE et esto verbi(um) Dei relator...   31
... ACCIPE eum dne, et quia dignatus es dicere petite et accipietis...
   829
ACCIPE ille sal sapiencie propiciatur (proficiatus) in vitam aeternam...
   32
ACCIPE illum sal sapientiae in vita propitiatus aeterna.   2638
ACCIPE munera, dne, quae in eorum tibi solemnitate deferimus...   34
... ACCIPE propitius, quae de tuis donis tibi nos offerre voluisti...   942
ACCIPE, qs, dne, hostias tua nobis dignatione collatas...   35
ACCIPE, qs, dne, munera dignanter oblata...   36
ACCIPE, qs, dne, munera populi tui pro martyrum festivitate...   37
ACCIPE, qs, dne, munus oblatum...   38
... ACCIPE sacrificium devotis tibi famulis...   1058
... ACCIPE sal sapientiae propitiatus in vitam aeternam.   32
ACCIPE signum crucis tam in fronte quam in corde...   39
ut si quis HACCIPERE ex hac creaturam tuam...   1670
et in aeterna beatitudine... mereantur ACCIPERE premium.   1334
offerimus quae dedisti, ut te ipsum mereamur ACCIPERE.   1527
cuncta quae bona sunt mereantur (mereatur) (mereamur) ACCIPERE.   1377,
   1600
venia a te mereat ACCIPERE.   856
cum ex aeadem ACCIPERENT vel gustaverint...   849
et consolationem vitae praesentis ACCIPIANT et futura gaudia...   1658
cibum vel potum, te benedicente, cum gratiarum accione ACCIPIANT, et
   hic...   2283
ex aeo ACCIPIANT tam corporis quam animae sanitatem...   299
uterque sexus... in cuncta aetate hac pro securitates ACCIPIANT.   397
affectus in odore(m) suavitatis (H)ACCIPIAS, hac moribus...   3476
ut hanc creaturam salis et aquae dignanter ACCIPIAS benignus illustres...
   848

ACCIPIO

Hanc igitur oblationem... quaesumus, dne, ut placatus ACCIPIAS diesque
   nostros...   1769
qs, dne, placatus ACCIPIAS, eique propiciatus concedas...   1731
Hanc igitur oblationem... placatus ACCIPIAS eorumque nomina...   1752
interveniente suffragio et placatus ACCIPIAS et ad salutem...   1825
ut huius tabernaculi receptaculum placatus ACCIPIAS, et altarem...   782
qs, dne, placatus ACCIPIAS et cum praesolibus...   1766
quaesumus, dne, ut placatus ACCIPIAS et ineffabili...   1741
qs dne propitiatus (placatus) ACCIPIAS et miserationum(nis)...   1738,
   1749, 1758, 1767
qs dne ut placatus ACCIPIAS et propitius in eo...   1770
quaesumus dne ut placatus ACCIPIAS et quem in corpore...   1747
qs dne placatus (benignus) ACCIPIAS et tua pietate...   1736, 1744, 1757,
   1760, 1762, 1765
sacerdotalem subire famulatum, qs, placatus ACCIPIAS et tuae pietate...
   1754
quaeso placatus ACCIPIAS, maiestatem tuam suppliciter depraecans...   1753
plagatus ACCIPIAS nostrasque praeces dignanter exaudias...   1733
qs, dne, placatus ACCIPIAS praebe ei...   1764
qs, dne, placatus ACCIPIAS pro qua maiestati...   1728
Hanc etiam oblationem... qs, placatus ACCIPIAS pro quibus...   1709a, 1773
qs, dne, placatus ACCIPIAS tuaque in eo (eum)...   1730
qs, dne, placatus ACCIPIAS ut per haec salutis...   1743
qs, dne, placatus ACCIPIAS ut quod divino...   1750
te supplicis deprecamur ut placatus ACCIPIAS.   23
Hanc igitur oblationem... qs dne (ut) placatus ACCIPIAS.   1723, 1764,
   1768, 1771, 1774
Et Gloria. Item. Hic ACCIPIAT benedictionem.   1382
... ACCIPIAT corporis sanitatem et animae tutillam.   301
(et vitae subsidia) praesent(e)is ACCIPIAT et gracia(m)...   534
et incrementa libertatis ACCIPIAT et in religionis...   1680
exaudi dne ut... caelestem benedictionis ACCIPIAT et praesentis...   800
sorte(m) fecunditatis ACCIPIAT et quod fideliter...   1145, 1146
et solacia vitae mortalis ACCIPIAT et sempiterna...   2619
O. ds ieiuniorum vestrorum victimas clementer ACCIPIAT et sua vos...   2249
De manu archidiaconi ACCIPIAT orciolo...   3313
Plebs tua, dne, qs, benedictionis sancte munus ACCIPIAT per quod et...
   2599
Benediccionem tuam, dne, populus fidelis (H)ACCIPIAT quae corpore...   373
... ACCIPIAT vestem incorruptam et inmaculatam...   1359
... ACCIPIAT virtute nominis tui adversus omnem telam...   1670
ut salvationem mentis et corporis... et adfluenter ACCIPIAT.   3303
ut officium suum redivivum corpus ACCIPIAT.   3668
ut beneficia tua... iustorum tuorum suffragiis incessanter ACCIPIAT. 3272
gratanter quae praecipis exsequatur, ut quae promittis ACCIPIAT.   2853
quae placatus ACCIPIENS, et acceptum tibi nostrum, qs, famulatum...   171
... ACCIPIENS et hunc praeclarum calicem in sanctas ac venerabiles manus
   suas...   3014
a beata maria exemplum castitatis (virginitatis) ACCIPIENTES praesentis...
   3805, 3853, 3854
ut HACTIPIENTIBUS hac sumentibus nobis legitima permaniat aeucharistia...
   1342
ut ACCIPIENTIBUS ex ea cum gratiarum actione sanctificetur...   1335

ACCIPIO

ut fiat(que) omnibus ACCIPIENTIBUS perfecta(m) medicina...   327, 1540,
  1542, 1544
praesta qs ut aea que ACCIPIMUS salubriter degeramus.   1675
et quod vobis sicut ACCIPIMUS tradimus...   1287
cuius per haec misteria pignus ACCIPIMUS.   2995
qua mors interitum et vita ACCIPIT aeterna principium...   59
semper baiulet quod ACCIPIT signaculum crucis...   1931
... ACCIPIT tua virtute dominatum.   4054
dicens : ACCIPITE et bibete ex eo omnes...   3014
dicens : ACCIPITE et manducate ex hoc omnes...   3014
ut in quo peccatorum remissionem ACCIPITIS in eo gloriam...   1706, 1707
pater et filius deitate indiscretus ACCIPITUR. Hic postremo...   1706
Singo(u)li ACCIPIUNT christum dominum...   3739, 4181

ACCOMODO

Voci nostrae, qs, dne, aures tuae pietatis ACCOMODA et cordis nostri...
  4246
Aurem tuam qs dne precibus nostris ACCOMODA et mentis nostrae...   234
Precibus nostris qs dne aurem tuae pietatis ACCOMODA et orationes...   2834
famulae tuae perseveranciam perpetuae virginitatis ADCOMODA ut...   2211
cunctis petentibus aures tuae pietatis ACCOMODA.   2994
ad humanam benediccionem plenitudinem divini (devine) favoris ACCOMODET...
  2504

ACCRESCO

ut tuis obsequiis expediti sanctis altaribus ministri puri ADCRESCANT...
  1372
sanctis altaribus minister tuus purus ADCRESCAT, et indulgentia...   1372
fructibus nostrae devotionis ADCRESCAT.   3233
piae nobis devocionis fructus ADCRESCAT.   2737

ACCUMBO

supra cuius pectus carus iohannes ACCUBUIT.   1229

ACCUMULO

Benedictionem tuam, dne, populo supplicanti benignus ADCUMULA ut et de
  bona...   372
et tuis (beneficiis semper) ADCUMULA ut (et de) (ad) praesentis...   1679
et episcopi nostri tua gracia benignus ADCOMULA.   954a
Gratiam tuam nobis, dne, semper ADCUMULET divini participatione...   1662
dne, qs, affectum dilectionis ADCUMULET et in cordibus...   2545
ut nostra devocio... patrocinia nobis eius ACCOMULET.   2999

ACCUSATOR

... ACCUSATOR veritatis, umbra vacua...   3259

ACCUSO

et ACCUSANTES conscientias ab omni vinculo iniquitatis absolvis...   922,
  923
nos pocius ACCUSANTES qui ex ipsis flagellacionibus...   4135
nec te protervis sensibus ACCUSARE nitimur...   3802
ut quos propriae conscienciae reatus ACCUSAT bonitatis tuae...   792
flevili lamentacione suos ACCUSAT excessus...   1368
ut quos conscientiae reatus ACCUSAT indulgentiae tuae...   1455, 1465
purificat, quos conscientiae reatus ACCUSAT. Te igitur...   3657
tua misericordia protegat quem conscientiae reatus ACCUSAT.   1060

ACERVITAS
... A quo perpetuae mortis superatur ACERVITAS...   3976
in passionis ACERVITATE ferenda unius amoris societas...   3852

ACERVUS
et inter ACERVA supplicia nec sinso (sensu) potuit terreri (terriri)...
  3618
qui manifestis ACERVA supplicia sustinuere tormentis...   3959
et subeatur quidquid temporaliter est ACERVUM...   4059

ACHILLEUS
martyrum tuorum nerei (et) ACHILLEI (et pancratii) deprecationibus...
  2974
martyrum tuorum nerei (et) ACHILLEI (et pancratii) foveat (foveant)...
  3273
nerei (et) ACHILLEI (et pancratii) profectione (provectione) laudemus
  (laudamus).   4083
Sanctorum tuorum dne nerei (et) ACHILLEI (et pancratii) tibi grata...
  3244

ACIES
quam tu, caelestis agricula, falcis tuae ACIAE conponis et purgas...   1155
Sis aei contra ACUS (= ACIES) inimicorum lurica...   842

ACOLYTUS
famulum tuum quem in ACCHOLYTI officium consecramus...   2342
ita benedicere famolum tuum ill. in officio ACOLITI, ut ad accendendum...
  1364
Oremus et pro omnibus... diaconibus, subdiaconibus, ACOLYTIS,
  exorcistis...   2517

ACQUIESCO
... ADQUIESCE rogare, et rogatus indulge.   3828

ACQUIRO
ut per haec ADQUIRAMUS gaudia sempiterna.   4024
ut suae (sui) castitatis (castitates) exemplo imitationem (imitatione)
  sanctae plebis ADQUIRANT et bonum...   136, 137, 138
et gloriam aeternae beatitudinis ADQUIRANT.   2099
et suae castitatis exemplum immitationum sancta plebs ADQUIRAT, et
  bonum...   136
quae et nobis opem semper ADQUIRAT et veniam.   1656
ut ADQUIRAT, te remunerante, quod indiget.   920
ad caelebranda principia suae redemptionis desideranter ADQUIRAT.   1586
et subsidia propriae fragilitatis ADQUIRAT.   1565
salutarem (salvatorem) nobis fructum mentis ADQUIRAT.   1839
munus oblatum... et effectum (beatae) perennitatis ADQUIRAT.   353, 469
et eius dona perseveranter ADQUIRAT.   1586
sollemnitas indulgentiam nobis tuae propitiationis ADQUIRAT.   3006
et illis praemia remunerationis ADQUIRAT.   296, 297
et tuam (tua) (quae) nobis opem semper ADQUIRAT.   1656, 1657
ut per bonorum operum incrementa, beata ADQUIRATUR inmortalitas.   3636
et fiduciam sibi tuae maiestatis ADQUIRERE et aliis...   762
et tuae gratiam possir maiestatis ADQUIRERE et bene...   1464
Ut sincerissimes actibus ADQUIRERE possint per merita...   1514
Sit huic familiae tuae dona salutis ADQUIRERE, tuae maiestati...   1509
vel nobis fructum pietatis ADQUIRERE.   3922
et remedium sempiternum valeamus ADQUIRERE.   2233

ACQUIRO

quia et corporis ADQUIRETUR et anima sanctitas...   180
auxilium nobis tuae propitiationis ADQUIRIMUS nec...   3895, 4044
ieiunii puritatem, qua et corpuris ADQUIRITUR et animae sanctitas...   179
defunctis domicilium perpetuae felicitatis ADQUIRITUR tibi igitur...   3915
defunctis domicilium perpetuae felicitatis ADQUIRITUR.   3916
et sanctificationis tuae munus ADQUIRITUR.   3175
et nos ADQUISISSE gaudemus suffragia gloriosa.   1793
quia beatam illam virginem ADQUISISTI fide...   3216
et veni ad salutationem populi tui quem ADQUISISTI sanguine tuo.   1518
in familia sacramento tui nominis ADQUISITA gratiae tuae...   2372
perveniat illuc plebs ADQUISITA per gratia ubi te...   1230
quam effusione cruoris almi arnimus ADQUISITAM.   1960
in eius conceptu non solum sterilitatem amisit, fecunditatem ADQUISIVIT...
   3755

ACQUISITIO

populus ADQUISITIONIS et gens sancta (sancta gens) vocaremur...   3645,
   3651

ACTIO

quam competens ACTIO dignitatis...   4171
lingua voce proferat, ACTIO facti non offendat.   354
ut oblatio tibi nostra sacrificium pariter reddat et ACTIO.   2939
cibum vel potum, te benedicente, cum gratiarum ACCIONE accipiant...   2283
Ds qui conspicis quia ex nulla nostra ACTIONE confidimus...   927
Munera nomini tuo, dne, cum gratiarum ACTIONE deferimus...   2128
... ACTIONE gratiarum propensius intuere.   3119
ad percipiendum nobis cum gratiarum ACTIONE in nomine...   306, 317
... Pro quibus operibus tuis adque muneribus multiplici gratiarum ACTIONE
   laetantes...   4017
indefessa te gratiarum ACTIONE laudemur.   932
in gratiarum (tuarum) semper ACTIONE maneamus.   3071, 3077
VD. Quamvis enim semper in tui gaudeamus ACTIONE mysterii...   3864
et licet (licit) ACTIONE paenitentiae (penitentiam) metas (aetas) temporum
   preficiamus (proficiamus)...   2297
et dedisti ea ad usus nostros cum gratiarum ACTIONE percipere...   305
cibum vel potum te benedicente cum gratiarum ACTIONE percipiant...   2283
et debitae servitutis ACTIONE perfrui.   3208
Haec in nobis sacrificia ds, et ACTIONE permaneant...   1694
ut quae temporali caelebramus ACCIONE perpetua salvacione capiamus...
   3243
Da, qs, dne, fidelibus tuis in sacra semper ACTIONE persistere...   645
Sacrificium (nostrum) dne (qs) (nostrorum) ipsa tibi sit ACTIONE
   placabile...   3155
ut in exequendis mandatis tuis et voluntate tibi et ACTIONE placeamus...
   833
... Renova in eum... quod ACTIONE, quod verbo... viciatum est...   858
ut accipientibus ex ea cum gratiarum ACTIONE sanctificetur...   1335
et debitae servitutis ACTIONE sectari.   3208
ut semper et fide, quae praecipis, et ACTIONE sectemur.   3312
ut in gratiarum ACTIONE semper maneamus.   3071
ut cuius aexequimur ACTIONE sentiamus effectu.   3298
habundent in omni gratiarum ACTIONE teque perpetua...   1345
et quod professione respuimus, ACTIONE vitemus...   4139

ACTIO
et in perpetua (perpetuam, perpetuum) gratiarum constituat ACTIONE
  (ACTIONEM).   3431, 3432
aliud profiteatur verbis (verbo), aliud exerceat ACTIONE.   2329
ad gratiarum tuae clementiae redeat ACTIONE.   3058
... ACTIONEM gratiarum propensius intuere.   3119
HACTIONEM percipientes benedictionibus repleantur.   2386
ut que temporali caelebramus ACTIONEM perpetua...   3243
de preteritis muneribus ACTIONEM promptius quae...   4120
et in prosperitate gratiarum tibi referens ACTIONEM quanto nos...   3591
suscipe gratiarum propitius ACTIONEM quod anni...   2492
Renova in aeum... quod ACTIONEM, quod verbo, quod ipsa denique...   858
et (ut) cuius exequimur ACTIONEM sentiamus effectum (affectu, affectum).
  3298
cui parva fiducia subpetit ACTIONEM sola gratia...   2103
dum ad paenitudinis (plenitudinis) ACTIONEM tantis excitatur exemplis.
  58, 59
sed ad gratiarum ACTIONEM tibi propinsius exhibendam...   2983
Da nobis, dne, rationabilem, qs, ACTIONEM ut te solum...   592
et de suorum votorum plenitudine gratiarum ACTIONEM.   3062
gratiarum tibi (in aecclesia tua) referant (referat) ACTIONEM.   1458,
  2277, 2470
ut devotio supplicantum ad gratiarum transeat ACTIONEM.   377
et de die in diem ad caelestis vitae transferat ACTIONEM.   2194
gratiarumque tibi ACTIONES etiam si iugiter offeratur...   3903
ut cuius natalicia colimus etiam ACTIONES imitemur.   1105
ACTIONES nostras qs dne et aspirando praeveni...   41
Indignos, qs, dne, famulos tuos quia ACCIONES proprie culpa contristat...
  1910
et nostras ACTIONES religiosus exornet effectus...   3679
tibi inmensas refferat gratiarum ACTIONIS.   331
et de suorum votorum plenitudinem gratiarum referant ACTIONES.   3062
gratiarum (tibi in ecclesia tua referant) ACTIONES.   2277
ut... adpraehendamus rebus effectum, quod ACTIONIBUS celebramus affectu.
  3169
ut sacris ACTIONIBUS herudita (heriduta)...   2855
et piis ACTIONIBUS et ieiuniis salubribus expiando.   2311
... Hoc patriarchae diversis ACTIONIBUS et vocibus signaverunt...   4100
ut quod dignitate praeferimus, iustis ACTIONIBUS exsequamur.   2708
ut quae sacris mysteriis profitemur, piis ACTIONIBUS exsequamus.   2574
ut eorum, quorum ACTIONIBUS inheremus, plenis effectibus gaudeamus.   2218
ut paschalibus ACTIONIBUS inherentibus (inherentes) plenis eius effectibus
  gaudeamus.   2219
adque in cunctis ACCIONIBUS nostris et aspirando nos praeveni...   135
ut qui incessabiliter ACTIONIBUS nostris offendimus...   2057
Ds, qui sensos nostros terrenis ACTIONIBUS perspicis retardari...   1208
Ds qui sensus nostros terrenis ACTIONIBUS prospicere tardari...   1208
ut qui ex merito nostrae ACTIONIS affligimur...   486
et quia (nos) pondus propriae ACTIONIS gravat...   1918
quos ACTIONIS proprie (propriae) culpa (culpe) contristat...   1910
et nec sub inanis opinationis affectum ACTIONIS, salutifere...   3674
ut ubi nulla fiducia suppetit ACTIONUM gratia tua...   3284
una sit fides mentium (cordium) et pietas ACTIONUM.   964, 965, 1142

ACTOR
ACTUR aeorum in tua direge voluntate...   124

ACTUS

Ut sincerissimes ACTIBUS adquirere possint per merita...   1514
Itaque qui de aeius ACTIBUS aut moribus noveritis...   3021
Nutri aeos spiritu sancto in operibus et ACTIBUS bonis...   316
ut sacris ACTIBUS eruditi (erudita)...   2855
piis ACTIBUS et ieiuniis salubribus expiando.   3378
ut veterem cum suis ACTIBUS hominem deponentes...   501
et superent in bonis ACTIBUS inimicum.   312
de eorum sevitia vindicari pro nostris ACTIBUS non meremur dum...   3948
et quod nostris ACTIBUS non meremur sanctorum...   192
et qui placere de ACTIBUS nostris non valemus...   1604
ut qui incessabiliter ACTIBUS nostris offendimus...   2057
ut te votis exspectent, se claris ACTIBUS orent.   359
et te adiuvante, perfecta vita, perfectis HACTIS placeunt tibi...   3736
ut in adventu (adventum) filii tui... placitis tibi ACTIBUS praesentemur.
   2857
inveniat (inveniatur) ACTIBUS que tuis displicere possit obtutibus...
   1932, 1933
ut (et) correctis ACTIBUS suis conferre (conferri) tibi sibi...   429,
   1308
... Nihil in ea ex ACTIBUS suis ille auctor praevaricationis usurpet...
   1171
et in bonis ACTIBUS tuo nomini sit devota.   1598
quo malis ACTIBUS vel in hac vita possimus abscondi...   3653
sed ita in eorum (sit) ACTIBUS vita perfecta...   1932
hoc in horum moribus ACTIBUSQUE clariscat...   819, 820
ut de ACTU atque incolomitate (est) secundum...   2875
ut quod frequentamus ACTU, conpraehendamus effectum (effectu).   2539
quo eorum pariter et ACTU delectemur (delectemus) et fructu (fructum).
   2641, 2811
in aeum virtutem perfectionis boni operis tribuat in HACTU, et ab omni...
   2503
qui de HACTU et conversationem presenti, quod nonnumquam ignoratur...
   3021
... Quapropter huiusmodi declinantes ACTU et solo...   3653
ut quae ACTU gerimus, mente sectemur.   2719
et mentes vestras ab omni ACTU intelligentiam erudiat...   360
iustitiam tuam... ACTU meliore placeamus...   4206
ut per hoc amoneamor in HACTU nostro debere succinctus...   4176
in opere virtutem, in HACTU prosperitatem in consumatione...   355
in affectu devotionem, in HACTU prosperitatem in victum...   318, 1332
relictis retibus suis, quorum usu ACTUQUE vivebat...   3907
mysteria, quae frequentamus ACTU, subsequamur et sensu.   2960, 2962
ne nos ad illum sinas redire ACTUM, cui iure dominatur inimicus...   3735,
   4142
et caelestis dilegant (diregant) ACTUS, et sene (sine) vitio...   3081,
   3082
si (et) ACTUS illorum pariter subsequamur.   3294
quatenus quorum sollemnia agimus, etiam ACTUS imitemur.   476
et mentes vestras ad boni ACTUS intelligentiam benignus institutur erudiat.
   360
... ACTOS nostros a tenebrarum distingue caligine (caliginem)...   953
O. s. ds, dirige ACTUS nostros in beneplacito tuo...   2335
ACTUS probet, opera confirmet...   218
sacrosancta misteria que sumpsimus ACTUS sequamur et sensu.   2962

ACTUS

nulla inpediant (opera) ACTUS terrini (terrenis)... 1616
ACTUS vestros corrigat, vitam emendet, mores componat... 2117
misericordia providentiae, ACTUUM disciplina.   3082
ut fiat ei ad veniam delictorum et ACTUUM emundationem... 1749
ut gravitate (gravitatem) ACTUUM et censura videndi (vivendi) probant
  (probit)...   3225
... Ut praeteritorum ACTUUM meorum mala obliviscens...   3898
ita per eum tibi sit ieiuniorum et ACTUUM nostrorum semper victima
  grata.   3669
... Ut et hic devotorum ACTUUM sumamus augmentum...   3752
ad inmundicia ACTU(U)M terrenorum... discernas.   3476

ACULEUS

de diabolo et mortis ACULEO ad hanc gloriam vocaremur...   3645
Hic portas inferni, ille mortis vicit ACULEUM et paulus...   3823
et ille tristis ACULEUS evidentis inferni...   4110
cum ungula raderent, cum ACULEUS flagellaret.   3216
ut ille tristis ACULEUS saevientis inferni...   4096

ADAM

qui ADAE comitem tuis manibus addedisti...   2541, 2542
... Qui pro nobis aeterno patri ADAE debitum solvit...   3791
... O certe necessarium ADAE peccatum nostrum, quod christi morte deletum
  est...   3791
qui nos per primum ADAM obtinentiae (abstinentiae) lege violata...   3787
et tu ADAM caelestis, quadam similitudinem...   950
ut diabolum (diabolus) qui ADAM in fragili carne devicerat...   3930
et salutem quam per ADAM in paradiso ligni clauserat temerata
  praesumptio...   1265, 3254
Ds qui de terra virgine ADAM pridem conderae voluisti...   950
qui ADAM primum hominem de limo terrae formavit...   1551

ADAPERIO

ut ADAPERIAT aures precordiorum...   2513
... Effeta, quod est ADAPERIRE, in odorem suavitatis...   1397

ADAUTUS

Sancti Felicis et ADAUTI natalicia recensentes munus offerimus...   3196

ADCELERATIO = ACCELERATIO

ADCOMMODO = ACCOMODO

ADCUMULO   = ACCUMULO

ADDICO

qui primi hominis peccato et corruptioni ADDICTA est humana condicio...
  201
et ADITARUM tibi mencium custus...   2908

ADDO

et (romanis) viris (vires) ADDE principibus nostris...   1217, 4030
... ADDENDO et deus erat verbum et hoc erat in principio aput deum...
  3613
qui adae comitem manibus tuis (tuis manibus) ADDEDISTI cuius ex ossibus...
  2541, 2542
doctores (doctoris) fidei comites (conmittas) ADDEDISTI quibus...   1348,
  1349, 1350

ADDO

ut quorum ADDIMUR habitacula, tu in aeorum cordibus... 1492
primi hominis peccato et corruptione ADDITA est humana condictio... 201
ut presentia vascula que olim sunt terrae baratro ADDITA et nunc... 770
que nobis ADDITUM est christus filius dei benedicat. 2644
VD. In quo ieiunantium fides ADDITUR, spes provehitur, caritas roboratur...
   3786
... ADDITUS fortiori (forciorae) sexus infirmior... 2541

ADEO

et miles invictus rapidi hostis insaniam, interritus ADIIT... 3855
ut quorum ADIMUS habitacula... 1492
Quo sicut illa sexu fragili virile nisa est certamen ADIRE et post... 341
et ne vellis cum servis tuis ADIRE iudicium... 1459
relaxa nobis qui clemens ADIT misereris... 3736
que nobis ADITUM est redemptor omnium benedicat. 2490

ADEPS

non ADIPE carnis pollutum, non profana unctione viciatum... 861
interius sermo tuus ADIPE frumenti saciet eos... 1330

ADDUCO

et ad misericordiam sempiternam pius interventor ADDUCAT. 3611
et ad portum perpetuae salutis ADDUCAT. 2835
sed apostolica observatio predicatio ad portum salutis ADUCAT. 166

ADFATUS	= AFFATUS
ADFECTIO	= AFFECTIO
ADFECTUS	= AFFECTUS
ADFERO	= AFFERO
ADFINGO	= AFFINGO
ADFIRMO	= AFFIRMO
ADFLATUS	= AFFLATUS
ADFLICTIO	= AFFLICTIO
ADFLIGO	= AFFLIGO
ADFLUENTER	= AFFLUENTER
ADGRAVO	= AGGRAVO
ADGREDIOR	= AGGREDIOR
ADGREGO	= AGGREGO

ADHAEREO

Miserere, o., famulos tuos libenter ADHERENTES tibi... 3736
ut nullis iniquitatibus a te separati tibi semper ADHERERE possimus. 68
nos mereamur... et unigenito tuo domino ADHERERE. 3854
tibi semper domino valeat ADHERERE. 108
ut si que in aeum (ei) maculae de terrenis contagiis ADHESERUNT,
   remissionis... 3410

ADHIBEO

VD. Quidquid enim sanctorum tuorum meritis ADHIBEMUS ad tuam laudem...
   4080
quas et pro reverentia paschali supplices ADHIBEMUS et pro... 3426

ADHIBEO
Munera supplices, dne, tuis altaribus ADHIBEMUS quantum de...   2138
VD. Qui singulis quibusque temporibus convenienter ADHIBENDA dispensas...
   4028
qui ad regiminem altaris ADHIBENDI sunt, consoletur...   3021
quam lavandis possunt ADHIBERI (ADHIBERE) corporibus...   1045, 1046, 1698
tu veraciter in eis caeleste potes (potis) ADHIBERE iudicium...   136, 137
et salus regenerationis ADHIBETUR, et imputatur corona martyrii.   3696
ut castigatio peccatoribus convenienter ADHIBITA fiat correctio
   salutaris.   533
ut exterius parsimonia convenienter ADHIBITA intrinsecus...   4072
sponsum sibi, qui perpetuus est, praesumpto praemio castitatis ADHIBUIT...
   3775

ADHONORO
prumpti ADHONORANT honorifice, et timeant gloriosae.   326

ADHUC
... ADHUC cybum eius Iudas in ore ferebat...   3867
et obstrictos ADHUC condicione (condicionem) mortalium...   758
ut ADHUC constitutus in terris...   4193
cui admirandam gratiam in tenero ADHUC corpore et necdum virili...   3618
ut aetiam cum ADHUC corpore habitaret in terris...   906
... ADHUC exsuperans caritas tua...   3837
ut in eo cui ADHUC intelligencia integra non suppetit...   825
quorum ADHUC latentem gloriam iam tamen etiam in huius vitae regione
   manifestas.   3971
Ds, qui nos gloriosis remediis in terris ADHUC positus...   1117
et ADHUC, (quod) maius est, iacta terrae semina surgere facis...   2280
et ADHUC utero (ad) adventum salutis humanae... gestivit (significavit)...
   3688, 3772
quem ADHUC utero clausus agnovit...   3774

ADICIO
populo lucis auctore ADICIAS angelum...   2640
ut ADICIAS ei (annos) et tempora vitae...   1714a, 1715, 1719a
ut dimittas quae conscienta metuit, et ADICIAS quod oratio non praesumit.
   2375
et ADICIAT sanitatem tuam et benedictionem tuam...   2180
... ADIECTAM carnis sarcina, ad aeternam iubeas perducere regnam.   2461

ADIMO
Ds, qui renatis (renascentes) baptismate mortem ADIMIS et vitam tribuis
   sempiternam...   1192

ADIMPLEO
... ADIMPLE eos (eum dne) spiritum (spiritu) timoris dei...   867, 868, 869,
   1312, 1313, 2445, 3192
et salutare baptismi tui gratia ADIMPLE ut tui muneris...   1611
cunctaque familiam tuam pius ADIMPLE, votisque responde augmenta...   1733
eiusdem conditorum omnia desideria cordis conplicta tibi pius ADIMPLE
   votisque responde...   1777
Et sine ulla offensione maiestatis tuae praecepta ADIMPLEANT, et ad vitam...
   1845
et vitam tuam longitudinem diaerum ADIMPLEAT.   874
et ADIMPLENDA quae viderit convalescat.   4250
et ADIMPLENTES ea quae praecepit, dona percipere mereamur quae promisit.
   3940

ADIMPLEO

ut fidem promissionis suae ADIMPLERE mereantur.   1961
nos ADIMPLERE valeamus illius adiuti largissima miseratione...   3940
O. ds cuius unigenitus... ne legem solveret quam ADIMPLERE venerat...   2242
ordinem tui dispositionis cotidiae cernimus ADIMPLERE.   3918
plenissimae dignatus est ADIMPLERE.   3648, 3649
nos quoque per partes dierum facias ADIMPLERE.   1116
te auxiliante mereant preceptis ADIMPLERE.   2310
et tuorum praeceptorum rectitudinem ADIMPLERE.   1025
Et qui eum ut legem ADIMPLERET ministrum voluit effici legis...   2256

ADIPISCOR

... ADEPTA est promissum sponsionis aeternitatis.   3781
tribue, qs, ill. famulo tuo ADEPTAM bene gerere dignitatem...   2487
pro qua sancti tui... sempiterna gloria sunt ADEPTI.   2893
ambo igitur virtutes aeterne praemia sunt ADEPTI.   3823
locum lucis et refrigerii se ADEPTUM esse gaudeat...   2215
... ADEPTUM temporaliter hunc honorem potius fieri speramus aeternum.   4028
ut ardore careat aeternae ignis ADEPTURA perpetui regni refugium...   2217
in sacramento sunt baptismatis (baptismi) ADEPTURI.   838, 839, 1240
ADEPTURIS perpetuis regni refugium...   57
... ADEPTUS in regno caelorum sedem apostolici culminis...   3609
et cum illis omnibus regna caelorum ADEPTUS, quatenus...   561
consortium ADIPISCAR tibi placentium sacerdotum...   1567
cum virginitatis ct martyrii palma aeternam mereretur ADIPISCI beatitudi-
    nem.   3942
et peccatorum remissionem et sanctorum mereamur ADIPISCI consortium.   3748
suffragio tui mereantur ADIPISCI custodiam.   4008
tua possimus ADIPISCI subsidia, et pervenire ad praemia repromissa.   4154
... ADIPISCI mereantur regni gloriam sempiterni.   879
et iuste potius ADIPISCI praemia vitae...   3770
eius ADEPISCI praesidiis mereamur.   1494
facias misericorditer ADIPISCI.   966

ADITUS

Ds, qui per unigenitum tuum aeternitatis nobis ADITUM devicta...   1003,
    1159
ut sicut nobis aeternae securitatis ADITUM passione... reserasti...   3625
per gloriam resurrectionis vitae aeternae ADITUM patefecit et per suam...
    3929
et vobis ubi ille est ascendendi ADITUM patefecit.   344
de hoste generis humani, qui ADITUM per illam mortis invenerat,
    triumpharet...   3788
Ds, qui per unigenitum tuum devicta morte aeternitates nobis ADITUM
    reserasti...   1160
... O noctem in qua... caelestis patriae ADITUS aperitur...   4160
qui nos vetite arboris adtactu iuste morte ADITUS eiusdem coaeterni...
    2321
resurgendo a mortuis vitae aeternae ADITUS (ADITUM) praestitit (praestetit)
    ...   4013

ADIUDICO

non inveniantur fluctu bonorum operum, te ADIUDICANTE, ieiunii.   2298

ADIUMENTUM
fragilitati nostrae ADIUMENTA concede...   1179
Quapropter infirmitati (infirmitate) nostrae quoque (quoque nostrae)
    (nostra), dne, (qs) haec ADIUVENTA (ADIUMENTA) largire...   1348, 1349,
    1350, 2549
Ds, qui nos de praesentibus ADIUMENTIS esse voluisti (vetuisti)
    sollicitos...   1112
temporalibus proveat ADIUMENTIS et sanctorum...   157
Guberna, qs, dne, temporalibus ADIUMENTIS quos (quod) dignaris...   1681
et terrestribus non deseras ADIUMENTIS quos caelestium...   63
quia nullis egebimus ADIUMENTIS, si tuae providentiae clementia gubernemur.
    3521
Ut cunctis nos, dne, foveas ADIUMENTIS tuis apta...   3575
ad eorum societates et operis ADIUMENTUM sequentis ordinis...   1348, 1349,
    1350

ADIUNGO
... ADIUNGI mereamini in caelesti regione bene vivendo.   1157
ut ei in aeternae patriae felicitate possitis ADIUNGI. Amen.   342
illi possitis in caelesti regione ADIUNGI. Amen.   2263
ab his quos tuaeris ADIUNGUNT, adesto...   844

ADIURO
... Tanta gloria, tanta claritate ADIURASSE te, maledicti satanas...   225
... Recide ergo nunc ADIURATUS in nomine eius ab homine quem ipse
    plasmavit...   1355, 1859
spiritus inmundus ADIURATUS per eum qui venturus est iudicare...   1546
Audi, maledicte satanas, ADIURATUS per nomen aeterne dei...   222
... Per illum te ADIURO, damnate, non per aurum neque per argentum...
    224, 225
ADIURO ergo te, draco nequissime, in nomine agni inmaculati...   141, 1355
ADIURO ergo te, serpens antique...   1354
... In illius virtutibus te ADIURO qui fecit caelum et terram...   1881
... Per deum te ADIURO, qui Petrum mergentem manum porrexit...   224, 225
... Per eundem dominum nostrum Iesum Christum te ADIURO qui venturus est...
    1529
ADIURO te ergo, serpens antique, per iudicem vivorum et mortuorum...   142,
    1355
ADIURO te et per iesum christum filium aeius unicum...   1535
ADIURO te non mea infirmitate, sed in virtute spiritus sancti...   1354,
    1355
... ADIURO te per Iesum Christum filium eius unicum dominum nostrum...
    1535
... Per trea testimonia te ADIURO : ADIURO te per patrem...   225
... ADIURO te per regem caelorum, per Christum creatorem...   224, 225
Audi tanta virtute, tanta maiestate, per quem te ADIURO.   224, 225

ADIUTOR
Ds patur gloriae sit ADIUTUR tuus, in cunctis exaudiat...   874
Sit dne beatus iohannes (matheus) evangelista nostrae fragilitatis ADIUTOR
    ut pro nobis...   3295
ita sit fragilitatis nostrae promptus ADIUTOR.   2751
sic in perpetuum eius interventu habeamus ADIUTOREM.   3681
quibus ille ADIUTORIBUS usus in populo...   1348, 1349, 1350, 2549

ADIUTORIUM

Quo illius ADIUTORIO fulti...   2951

ita tuo fulciatur ADIUTORIO, quatenus quibus potuit praesse valeat et prodesse.   1207

ideo inseparabilem mulieris ADIUTORIUM condidisti...   1171

et praesens capiamus ADIUTORIUM et futurum.   3206

ut hii qui in ADIUTORIUM et utilitatem vestrae (vel) salutis eleguntur...   3300

Dent vobis in labore ADIUTORIUM, in opere virtutem...   355

cui etiam in ADIUTORIUM suum similem ex ossibus illis auferendo efficians...   3910

ADIUVO

eorum piis ADIUTA praesidiis et consolationem referat et salutem.   2847

ut visibilibus ADIUTA solaciis...   3535

ut secura semper et necessariis ADIUTA subsidiis...   2593

quibus indiget humana condicio, conpetenter ADIUTI ad inmortalitatis...   706

ut fructum terrenorum commodis sufficienter ADIUTI ad te omnium...   3362

ut ope misericordiae tuae ADIUTE (ADIUTI) aecclesiae tuae...   845

ut ope (opem) misericordiae tuae ADIUTI et a (ad) peccatis...   2030

nos adimplere valeamus illius ADIUTI largissima miseratione...   3940

ut ADIUTI necessario (necessarium) fragilitatis (tui) auxilio...   1300

ut praesentibus subsidiis sufficienter ADIUTI sempiterna...   832

nos praeclaris aeius meritis ADIUTI sine errore...   2237

ut conpetentibus ADIUTI subsidiis...   1231

et salutaribus praesidiis semper ADIUTUM beneficiis...   3537

et eorum tibi praecibus ADIUTUS conplaceat.   1563

... ADIUVA contra vicia certantes...   1924

ADIUVA, dne, fragilitatem plebis tuae, ut...   143

ADIUVA nos, ds salutaris noster, et ad beneficia recolenda...   144

ADIUVA nos ds salutaris noster et in sacrificio...   145

ADIUBA nos, ds salutaris noster ; et quibus...   146

ADIUVA nos, ds salutaris noster, ut quae conlata nobis...   147

ADIUVA nos, beati Laurenti martyris tui praecibus exoratus...   148

ADIUVA nos, dne ds noster, beati tui illius praecibus exoratus...   148

ADIUVA nos, dne, qs, eorum depraecatione sanctorum...   149

ADIUVA nos, dne, tuorum praece sanctorum...   150

benedicimus et sanctificamus ignem hunc ; ADIUVA nos.   1367

per invocationem sancti nominis tui, trinitas sanctas, ADIUVA nos.   3468

dne qs (qs dne) intercessione nos ADIUVA pro quorum (cuius) sollemnitate...   259, 288

ipse ADIUVA ut implere possimus.   2316

quas sancti illius martyris confessione praesenti confidimus ADIUVANDAS.   4086, 4087

et aspirando praeveni et ADIUVANDO costodi.   135

Actiones nostras... et ADIUVANDO prosequere...   41

vota nostra quae praeveniendo adspiras, etiam ADIUVANDO prosequere.   1003

apud beatum Petrum, cuius nos intercessionibus credemus ADIUVANDOS...   179

ut sancti illius patrocinio nos ADIUVANTE debita...   3594

ut sic in hac mortalitate peccata sua te ADIUVANTE defleat...   823

et victoriosissima semper perseveret, te ADIUVANTE devotio.   4071

... ADIUVANTE domino nostro iesu christo qui cum eo vivit et regnat...   727, 729

ut ea quae devote agimus te ADIUVANTE fideliter teneamus.   1126

ADIUVO

ut famulus tuus ill... et in huius saeculi cursu te ADIUVANTE peragat...
  1069
et te ADIUVANTE, perfecta vita, perfectis hactis placeunt tibi...   3736
cuncta nobis adversantia, te ADIUVANTE, superemus (superemur).   2775
ad aeterna praemia te ADIUVANTE venire mereamur.   193
cuncta nobis adversantia te ADIUVANTE vincamus.   2775
ut ea quae pro peccatis nostris patimur, te ADIUVANTE vincamus.   1122
salutaribus proficiant institutis, qui talibus praesidiis ADIUVANTUR.   644
ipse te ADIUVARE et conservare dignetur.   334
ut ADIUVARE nos aput misericordiam tuam exemplis aeius sentiamus...   3944
et quam tantis facis patrociniis ADIUVARE (ADIUVARI) perpetuis non
  desinas...   2594
et quem salutaribus (sanctorum tuorum) praesidiis non desinis ADIUBARE
  perpetuis tribue...   517, 518
ita non desinis ADIUVARE ut et scientiam...   3900
ita non desines (desinas) ADIUVARE ut recte...   4046
... Quatenus nos ADIUVARI apud misericordiam tuam...   3692
... Per quem nos petimus eorum praecibus ADIUVARI, quorum festa...   3852
quorum (cuius) nos fecisti (dedisti) patrociniis ADIUVARI tribue...   2808
Presta nobis, dne, qs, apostolicis doctrinis et praecibus ADIUBARI ut
  quod...   2683
quos talibus auxiliis concesseris ADIUVARI.   285
eius precibus mereamur ADIUVARI.   3687
eius nos tribue meritis ADIUVARI.   1104
eorum nos semper et beneficiis praeveniri et oracionibus ADIUVARI.   1082
quorum nos voluisti patrociniis ADIUVARI.   2550
eorum nos facias praecibus ADIUVARI.   2410
apostolicis tribue nos, dne, qs, praecibus ADIUBARI.   3572
et spiritaliter praecipias ADIUVARI.   3631
quos tantis voluisti sanctorum tuorum suffragiis ADIUVARI.   2957
qui sanctos suos semper ADIUVAT, ipse te...   334
quae tantis intercessionum (intercessionem) deprecacionibus ADIUVATUR. 2597
ut beati marcelli... meritis ADIUVEMUR, cuius passione laetamur.   2830
Beati martyris tui ill. nos qs dne precibus ADIUBEMUR, et aeius...   277
ut et temporalibus beneficiis ADIOVEMUR et erudiatur...   1643
ut apud misericordiam tuam eorum et meritis ADIUVEMUR et precibus.   982
beatorum apostolorum praecibus ADIUVEMUR et quorum praedicatione...   3813
Beati georgii martyris tui qs dne precibus ADIUBEMUR et tuam semper...   266
beatis martyribus et confessoris tuis ill. auxiliis ADIUVEMUR exempla
  eorum...   2025
ut cuius in terram gloriam praedicamus, praecibus ADIUVEMUR in caelis.   601
virgo martyra tua (virginis martyraeque tuae) illis ADIUVEMUR meritis cuius
  beatitudinis...   1043
ut ADIUVEMUR meritis, cuius castitatis inradiamur exemplis.   1118
illius apud maiestatem tuam et ADIUVEMUR meritis, et instruamur exemplis.
  3705
ut eius interventionibus ADIUBEMUR, pro cuius meritis immolantur.   3114
meritis muniamur, intercessionibus ADIUVEMUR qualiter ad caeleste...   3655
presta, ut eorum praecibus ADIUVEMUR quorum providisti...   1110
meritoque transeuntium rerum potius consolationibus ADIUVEMUR si bona...
  4132
martyrum tuorum illorum (nos) qs dne precibus ADIUVEMUR ut quod nostra...
  3239

ADIUVO

Sanctorum tuorum (Beati) (evangelistae iohannis) (mathaei aevangelistae)
   dne precibus ADIUVEMUR ut quod possibilitas...   263, 3245
Beati illius qs dne precibus ADIUVEMUR ut tuam semper...   266
ut sanctae martyris Eufimiae tibi placitis depraecationibus ADIUVEMUR.   198
aeius meritis et intercessionibus ADIUVEMUR.   1203
si beati apostoli tui iacobi intercessionibus ADIUVEMUR.   4053
eius (eorum) apud te intercessionibus ADIUBEMUR.   680, 946
et aeius semper interventionibus ADIUVEMUR.   3193
ut (et) apud misericordiam tuam (et) exemplis eorum (eius) et meritis
   ADIUVEMUR.   982, 983
aeius triumphalibus et infurmemur exemplis et meritis ADIUVEMUR.   4149
eorum (eius) qui tibi placuerunt (placuit) (placuerint) meritis ADIUVEMUR.
   81
eorum semper meritis ADIUVEMUR.   985
(ut) quorum sollemnitatibus (solemnia) consolamur (caelebramus)
   (caelebremus) (eius) oracionibus ADIUVEMUR.   2105, 2973, 2976
semper aeius patrociniis ADIUVEMUR.   78
et eorum qui tibi sunt placiti patrociniis ADIUBEMUR.   3121
ut quorum hic corpora pio amore amplectimur, aeorum praecibus ADIUVEMUR.
   2440
ita exemplis muniamur, et precibus ADIUVEMUR.   3905
sanctae (sancti) (felicitatis) quoque martyris (martyre) (illius) precibus
   ADIUVEMUR.   2670, 2734
eorum (aeius) qui tibi placuerunt (placuit) praecibus ADIUVEMUR.   81, 3250
sancti quoque martiris Prisci praecibus ADIUVEMUR.   2734
beatorum (beati) apostolorum tuorum (martyris tui timothaei) (qs) precibus
   ADIUVEMUR.   2235
Praecepta, dne, sancta nos ADIUVENT et suis repleant instituis...   2642
ADIUVENT (nos) qs dne (dne qs) (et) haec mysteria sancta quae sempsimus...
   151
apostolorum (sanctorum) tuorum praecibus ADIUBENTUR...   2134, 3406
nos eius et informes exemplis et ADIUVES meritis...   3722
ADIUVET ecclesiam tuam tibi dne supplicando beatus andreas apostolus...
   152
virginis mariae... intercessio nos ADIOBIT et ad portum...   2835
ADIUVET familiam tuam tibi, dne, supplicando venerandus Andreas...   152
in temperatione (temptatione) ADIUVET, in conversatione castiget...   360
ADIUVET nos qs dne haec misteria sancta...   151
ADIUVET nos qs dne sanctae mariae (gloriosa) intercessio (veneranda)...
   153
ADIUVET nos, qs, dne, sanctum istud paschale mysterium...   154
quia nihil valet humana fragilitas, nisi tua hanc ADIUVET pietas...   3866
... ADIUVET te christus filius dei...   334
ut beati Laurenti martyris meritis ADIUBETUR, cuius passione laetatur...
   2337
ut et temporalibus beneficiis ADIUVETUR et erudiatur aeternis...   1642,
   1643
ut aecclesia tua eorum semper intercessionibus ADIUBETUR quorum iugiter...
   2161
semper eius patrociniis ADIUVETUR...   78

ADMINICULUM

Ds, qui humane fragilitate necessaria providisti m. ADMOENICOLA
   iumentorum...   1009
O. et m. ds qui... ADMINICULA temporalia contulisti...   2284

ADMINISTRATIO
sed potius modestos efficiat ADMINISTRATIO legitima caritatis.   4171
sua dispensatione, et tua ADMINISTRATIONE faciat feliciter gubernari.   337

ADMINISTRO
qui de suis iustis laboribus victum indigentibus ADMINISTRAT...   3256
te auxiliante, ADMINISTRAVIT officium...   1331
solacia propitius ADMINISTRET, quae humana poscit infirmitas...   1513

ADMIRABILIS
sed AMIRABILE pietate qua nos fecisti ignosce peccantibus...   1391
manifestans plebi tuae unigeniti tui... et adventus ADMIRABILE
  sacramentum...   3634
ossa crescentia parem formam ADMIRABILI (ADMIRABILE) diversitate
  signarent...   2541
qui sua AMMIRABILI operatione, et sui amoris in eis ignem accenderet...
  4029
qui te in channa (chanaan) galilae signo AMMIRABILI convertit in vinum...
  1045, 3565
et vocabitur ADMIRABILIS, consiliarius, deus fortis...   3677

ADMIROR
VD. Tuas enim, dne, virtutes tuasque victorias ADMIRAMUR...   4201
quae semper esse non desinunt (desinant) ADMIRANDA.   2738
... O ADMIRANDAM divinae dispensationis operationem...   3989
cui ADMIRANDAM gratiam in tenero adhuc corpore...   3618
per sanctum et gloriosum et ADMIRANDUM dominum nostrum...   4003

ADMISCEO
et humilitatis nostrae officiis gratiae tuae visitationis ADMISCE...   1492
et sancti spiritus ei AMMISCERE virtutem...   3945
ut hii hanc humanis usibus ADMIXTA conderit...   3191

ADMITTO
largior corde conpunctio et indulgentia concedatur ADMISERUNT atque
  intercedente...   2321
iudei christum qui (est) dominus et caput prophetarum est, ADMISERUNT.
  4000
quod nequiter ADMISI, clementissime digneris absolvere.   3381
sive ignoranter vel scienter ADMISEMUS...   852
ut quidquid iniuste vel nequiter... contra voluntate tuae ADMISIMUS
  clementissime...   3379
ut mala que neglegenter ADMISIMUS, pius hac benignus indulgeas...   3821
et si qua per fragilitatem mundanae conversationis peccata AMMISIT tu
  venia...   3475
quo semper praevales et AMMISSA purgare...   138
ut et ADMISSAM defleam, et postmodum non amitas...   1264
ut ad sacramentum reconciliationis ADMISSAS...   1368
ut ecclesiae tuae... ADMISSORUM veniam consequendo reddatur innoxius.   2716
... ADMISSORUM reddatur innoxius veniam consequendo.   2716
ut ad sacramentum reconciliationis ADMISSUS...   1368
sic transeamus per bona temporalia ut non ADMITTAMUS aeterna.   2915
ut in aeternum requiae tecum dominatur ADMITTAS.   1162
sed veniae qs largitor AMMITTE.   1951
Ecclesiae tuae dne votis placatus AMITTE ut distructis...   1388
Praeces nostras, qs, dne, propiciatus ADMITTE et decatum tibi...   2826
Praeces nostras, dne, propitiatus ADMITTE et a terrenis...   2821

ADMITTO

Aecclesiae tuae dne voces (praeces) placatus ADMITTE ut destructis
  (et distutis) (ut destitutis)...   1388
ad sacramentum reconciliationis ADMITTE quia nullius...   858
omnemque hominem venientem adorare in hoc loco plagatus ADMITTE propicius
  dignare...   1249
Praeces nostras, dne, qs, propitiatus ADMITTE et ut dignae...   2822
sed veniam (veniae) qs largitor ADMITTE.   2178
praeces nostras placatus ADMITTE.   1456
postulacionis sacrata tibi plebis ADMITTE.   3448
ad sacramentum reconciliationis ADMITTE (ADHYMITTE).   859
cuiusque confessionem libenter AMMITTENS aeclesiae tuae...   1368
dum mulier per peccatum prime prevaricationis ADMITTERIT, ne
  sterelitatem...   3918
... Cum quibus et nostras voces ut ADMITTI iubeas depraecamur...   2556,
  3589
si aeum ad spem reconciliationis ADMITTIMUS ut effectum...   2297

ADMIXTIO

nihil hic loci habeat contrariae virtutis AMMIXTIO non insidiendo...
  1045, 1046
ita ut in eo ultra locum non habiat contrarii virtutes ADMIXTIO.   3566
archano (arcana) sui luminis ADMIXTIONE (AMMIXTIONE) fecundet...   1045,
  1046, 1047
ut non solum sacrificium... luminis tui ADMIXTIONE refulgeat...   3588

ADMONEO

ut per hoc AMONEAMOR in hactu nostro debere succunctus...   4176
te pariter ADMONENTE, cum peccatoribus ista prestentur...   3948
ut vestram praesenciam nobis ADMONENTIBUS non negetis.   1286
Idio (ideo) ADMONEO (AMMONEO) tu ita (talem) te exibi (exhibe) ut deo
  placere possis.   4228, 4231
hac est et vitam AMMONERIS custodire perpetuam...   2321
magna pietate nos ADMONES multo potiora...   4045
qui sacris quod ADMONUIT dictis sanctis implevit operibus...   3766

ADMONITIO

fortitudinem in se ostendant et exemplo probent ADMONITIONEM confirment...
  3225

ADNISUS   = ANNISUS

ADNUMERO   = ANNUMERO

ADNUNTIATIO   = ANNUNTIATIO

ADNUNTIO   = ANNUNTIO

ADOLESCENTIA

Ds qui ADULISCENTIAM aetatis primitii florum ornamentum...   898
adultis inmaculatam ADULESCENTIAM senibus...   1493

ADOPERIO

vestem quam famula tua illa pro conservandae castitatis signo se
  ADOPERIENDAM exposcit...   751

ADOPTIO

ut ADOPTIO quam in id ipsum sanctus spiritus advocavit...   82, 2688
Ds per quem nobis et redemptio venit et praestatur ADOPTIO respice...   878
in ADOPTIONE carnis et spiritus eis que ex eo unguerre habent...   1536

ADOPTIO

ut omnes in hoc fonte regenerandos universali ADOPCIONE custodi. 2859
et promissionis filios sacra ADOPTIONE delata... 2363
unde vos dilectissimi dignos exibete ADOPTIONE divina... 1695
ut fiat omnibus qui ex eo ungendi sunt in ADOPTIONE filiorum... 1538
promissionis tuae filios diffusa ADOPTIONE multiplicas... 812
ut qui tua gratia sunt redemti tua sunt ADOPTIONE securi... 2405
ut et qui tua gratia sunt redempti tua ADOPTIONE sint filii (tui). 2404,
  2405
ut qui tua gratia sunt redemti, tua ADOPTIONE sint securi. 2405
in ADOPTIONEM carnis et spiritus... 1537
ut omnes in hoc fonte regenerandos universali ADOPTIONEM custodi. 2859
ut ADOPTIONEM filiorum sanctorum conubiorum faecunditas pudica
  servaretur... 3926
ut quem fecisti ADOPCIONEM participem... 215
quatenus ADOPTIONEM tuam possit cum gaudio sanitatis percipere... 1931
ut multiplicandis ADOPTIONES filii... 3925
ut qui omnis in filiis ADOPCIONES operaris... 2037
ut filii tuae ADOPTIONIS effecti... 2438
promissum spiritum sanctum in filios ADOPTIONIS effudit... 3876, 3877
et ad creandos novos populos... spiritum ADOPTIONIS emitte... 2302
quibus (per) unigeniti tui consortium filius ADOPCIONIS esse tribuisti...
  4011
promissionis tuae filios diffusa ADOPTIONIS gratia multiplicas... 812
ut recolentibus huius nativitatis insignia plenam ADOPTIONIS gratiam
  largiaris. 1193
spiritum sanctum hodierna die in filios ADOPTIONIS infudit... 3876
et plenitudo ADOPTIONIS optineat (obteneat), quod praedixit testificatio
  veritatis. 1470, 1472
ut quem fecisti ADOPCIONIS participem... 215
... Fecitque filios ADOPTIONIS, qui tenebantur vinculis iustae
  damnationis... 3949
et habeat plenitudo ADOPCIONIS quod pertulit testificacio veritatis. 3633
... Percipiantque dignitatem ADOPTIONIS, quos exornat confessio veritatis.
  3634
in ADOPTIONIS sorte facias dignanter adscribi. 1255
conserva, in nova (novam) familiae tuae progeniem ADOPTIONIS spiritum...
  999
Ds qui... vobis contulit et bonum redemptionis et decus ADOPTIONIS suae
  vobis... 1157
ut renati fonte baptismatis ADOPTIONIS tuae filiis adgregentur. 2384
tu per Iesum Christum dominum ADOPTIONIS tuae filiis contulisti... 4096
quatenus ADOPTIONIS tuam possit cum gaudium sanitatis percipere. 1931
ut multiplicandis ADOBCIONUM filli sanctorum conubiorum fecunditas... 3925

ADOPTIVUS

propitiare populis ADOPTIVIS ut novo... 1017

ADOPTO

sed perducas ad veniam que hic tibi ADOPTASTI per gratiam. 3082
mysteria quibus eos ADOPTASTI regalibus institutis... 1735
novi (testamenti) heredibus ADOPTATIS inter ceteras (ceteris)... 758,
  759

ADORNO

... Laetetur et mater ecclesia, tanti luminis ADORNATA fulgoribus... 1564

ADORO

Nos aenim ADORAMUS supplici corde...   4217
et magnificentiae tuae in mortificatione (mortificationem) ipsius
   ADORAMUS, tua in...   3694
invisibilem deum laudamus, benedicimus, ADORAMUS.   4175
ut (qui) sicut (in) ADORANDA filii tui natalicia praevenimus...   607
misericordia ADORANDA, piaetas amplectenda...   3662
Ds, cuius ADORANDAE (ADORANDA) potentiam (potentia) maiestatis...   776
in qua (ad) ADORANDAM veri reges infantiam...   3816
ut qui (ad) ADORANDAM vivificam crucem adveniunt...   1232
per sanctum et gloriosum et ADORANDUM dominum nostrum...   4004
sonitu dulcidinis populus monitus ad te ADORANDUM fiaerit preparatus...
   1154
... ADORANT dominationes, tremunt potestates...   2556, 3589
... Et clauso ostio deum ADORARE debere...   1373
omnemque hominem venientem ADORARE in hoc loco plagatus admitte...   1249
ut sicut ADORARE meruimus...   1851
VD. Nos (et) sursum cordibus erectis divinum (divino) ADORARE mysterium...
   3714, 3814
VD. In hoc ieiunium nostrum suppliciter ADORARE quem unigenitus...   3785
VD. Te in confessorum meritis gloriosis ADORARE qui eos...   4149
VD. Te in beati martini... laudibus ADORARE qui sancti spiritus...   4148
... Teque ineffabilem atque invisibilem deum laudare benedicere ADORARE.
   3738
quod videntes magi oblatis maiestatem tuam muneribus ADORARENT (ADORARUNT)
   concede ut...   2462
et tu eum prostratus ADORASTI et dixisti ei : Quid nobis et tibi...   224
qui cum patre et filio simul ADORATUM et conglorificatum...   554
nomen maiestatis tuae ubique veneratur ADORATUR praedicatur et colitur...
   3841
et deum fecisse (fecissit) omnia ADORAVIT.   3389
prumpti ADORENT, honorificent, et timeant gloriosa...   326
aut quis tantam maiestatem non prostratus ADORET ? ...   4217
et in personis proprietas et essentiae unitas et in maiestate ADORETUR
   aequalitas.   3887
nec a nostra divisus natura, nec a tua descretus ADORETUR essentia.   2710

ADPETITUS	=	APPETITUS
ADPETO	=	APPETO
ADPONO	=	APPONO
ADPRAEHENDO	=	APPRAEHENDO
ADPROBO	=	APPROBO
ADPROPINQUO	=	APPROPINQUO
ADQUIRO	=	ACQUIRO
ADQUISITIO	=	ACQUISITIO
ADSCISCO	=	ASCISCO
ADSCRIBO	=	ASSCRIBO
ADSENSUS	=	ASSENSUS
ADSEQUOR	=	ASSEQUOR
ADSERO	=	ASSERO

ADSERTOR = ASSERTOR

ADSIDUUS = ASSIDUUS

ADSIGNO = ASSIGNO

ADSISTO = ASSISTO

ADSPIRO = ASPIRO

ADSTO   = ASTO

ADSTRUO = ASTRUO

ADSUM

qui confidenti ADAERAS ne facerent plage preputium...   546
... ADAERIT per spiritum sanctum consensus unus omnium animarum.   3021
quia tanto nobis salubrius ADERIT, quanto id devotius sumpserimus.   3305
ut quos caelesti gloria sublimasti, tuis ADESSE concide fidelibus.   2061
ad sanctificacionem loci huius propicius ADESSE dignare ut qui haec...
   1201
famulis tuis propicius ADESSE dignare veniat super eos...   2909
locum hunc frequentantium semper ADESSE digneris sit eorum...   2282
loco huic frequentantium semper ADESSE digneris ut aeorum sermo...   2282
ut principibus nostris propitius ADESSE digneris ut qui tua...   4134
habitantibus in hac domo (domus) famulis tuis propitius ADESSE digneris ut
   quos nos...   2906
ut huic prumptuario gratia tua ADESSE dignetur qui cuncta adversa...   2289,
   2294
et praesentia sancti spiritus nobis... ubique ADESSE dignetur.   848
tuis ADESSE fidelibus concede...   2061
qui salvatorem mundi et cecinit adfuturum et ADESSE monstravit.   3509,
   3510
ut quos veneramur obsequio, ADESSE nobis sentiamus auxilio.   1983
etiam hic ADESSE te in nostris (his) praecibus senciamus (senciamur).   2343
vel (et) quorum nomina ante sancto (sanctum) altario (altare) (tuo) (tuum)
   scripta ADESSE videntur...   1751, 2806, 2874, 3008, 3247
et auxilium nobis de sancto celerius fac ADESSE.   2890
sanctorum martyrum tuorum patrocinia fac ADESSE.   428
VD. (Quoniam) ADEST enim (nobis) dies (diei) magnifici votiva martyrii
   (misteria) (misterii)...   3595, 4084
VD. ADEST enim nobis optatissimum tempus...   3596
VD. ADEST enim nobis sancti sacerdotis et martyris tui Xysti...   3597
ADEST, o venerabilis pontifex, tempus acceptum...   58
ADESTO, ds noster, famulis tuis...   60
ADESTO, dne ds noster, ut per haec quae fideliter sumpsimus...   61
ADESTO, dne, famulis tuis, et opem tuam largire poscentibus...   62
ADESTO, dne, famulis tuis et perpetua largire poscentibus...   62
ADESTO, dne, fidelibus tuis, ADESTO supplicibus...   63
ADESTO, dne, fidelibus tuis, et quibus...   64
ADESTO, dne, fidelibus tuis et quos...   65
ADESTO, dne, fidelibus tuis, et tua sancta...   66
ADESTO, dne, fidelibus tuis, nec eos...   67
ADESTO, dne, fidelibus tuis sacre benedictionis effectus...   156
ADESTO, dne, invocationibus nostris et...   68
ADESTO, dne, martyrum depraecatione (depraecationem) sanctorum...   69
ADESTO, dne, muneribus Innocentum festivitate sacrandis...   70
ADESTO, dne, officiis nostrae servitutis...   71

ADSUM

ADESTO, dne, plebi tuae, et in tua misericordia... 72
ADESTO, dne, populis qui sacra donaria (mysteria) contigerunt
  (contingerunt)... 73
ADESTO, dne, populis tuis tua protectione fidentibus... 74
ADESTO, dne, populo tuo cum sanctorum patrocinio supplicanti... 75
ADESTO, dne, populo tuo, et concede... 76
ADESTO, dne, populo tuo, et quem... 77
ADESTO, dne, populo tuo ut beati nicomedis... 78
ADESTO, dne, populo tuo ut que sumpsit fideliter... 79
ADESTO, dne, praecibus nostris et die nocteque protege... 80
ADESTO, dne, praecibus nostris quas... 81
ADESTO, dne, praecibus nostris, ut adoptio... 82
ADESTO, dne, praecibus populi tui, ADESTO muneribus... 83
ADESTO, dne, propicius plebi tuae, et temporali... 84
ADESTO, dne, propitius plebi tuae et ut... 85
ADESTO, dne, qs aeclesiae tuae votis, ADESTO muneribus... 86
ADESTO, dne qs (nostri) redemptionis affectibus (effectibus)... 88
ADESTO, dne, qs, populo tuo (populum tuum) et quem... 87
ADESTO, dne supplicationibus nostris et apostolicis... 89
ADESTO, dne, subplicacionibus nostris et famulos... 90, 91
ADESTO, dne, supplicacionibus nostris et hanc domum... 92
ADESTO, dne, supplicationibus nostris et hanc famuli tui ill. oblationem...
  93
ADESTO, dne, supplicacionibus nostris et hanc oblacionem... 94, 95, 96
ADESTO, dne, supplicationibus nostris et hoc... 112
ADESTO, dne, supplicationibus nostris, et hunc famulum tuum benedicere...
  97
ADESTO, dne, supplicationibus nostris et institutis... 98
ADESTO, dne, supplicationibus nostris et intercedentibus... 99
ADESTO, dne, supplicationibus nostris et intercessione... 100
ADESTO, dne, supplicationibus nostris et me qui etiam... 101
ADESTO, dne, supplicationibus nostris et nihil... 102
ADESTO, dne, supplicacionibus nostris et populum... 103
ADESTO, dne, supplicacionibus nostris et praesentis... 104
ADESTO, dne, supplicationibus nostris (supplicibus tuis) et sperantes...
  105
ADESTO, dne, supplicationibus nostris et ut et nos... 106
ADESTO, dne, subplicationibus nostris et viam... 107
ADESTO, dne, supplicacionibus nostris nec sit ab hoc famulo tuo... 108
ADESTO, dne, supplicationibus nostris quas... 81
ADESTO, dne, supplicationibus nostris ut sicut... 109
ADESTO, dne, subplicibus tuis et nihil... 110
ADESTO, dne, supplicibus tuis et spem... 111
ADESTO, dne, supplicibus tuis ut hoc... 112
ADESTO, dne, tuis ADESTO muneribus... 113
Sed ADESTO et proximus semper... 2188
... ADESTO familiae tuae precibus... 1203
ADESTO familiae tuae, qs, clemens et misericors ds... 114
... ADESTO famulis tuis in te ubique fidentibus... 844
et florem primis auspiciis (aspiciis) adtundentem (adtundente) ADESTO in
  omnibus (nominibus)... 796
... ADESTO invocationibus nostris et... 896
O. s. ds, ADESTO magne pietatis tuae mysteriis ADESTO sacramentis... 2302
ADESTO, misericors ds, ut quod actum est nostrae servitutis officio... 115

ADSUM

Votivis, qs, dne, famulae tuae illius ADESTO muneribus... 4255
ADESTO nobis, dne ds noster, et quos... 116
ADESTO nobis m. ds et tua circa nos propitiatus dona custodi. 117
ADESTO nobis, misericors ds, et tuae pietatis in nobis propitius dona
   concede. 118
ADESTO nobis o. ds beatae agnes (agnetis) (mariae) festa repetentibus...
   119
ADESTO nobis, omnipotens et misericors ds, et... 120
ADESTO nobis qs dne, et preces nostras benignus exaudi... 121
ADESTO o. ds huic populo tuo... 122
dilectarum tibi ovium ADESTO pastori... 2281
Ds... ADESTO pius (piis) ecclesiae tuae precibus... 1244
ADESTO plebi tuae, misericors ds, et ut... 123
ADESTO plebi tuae, misericors ds ob odierna diae solemnitate... 124
et romani regni ADESTO principibus... 1190
... ADESTO propitius invocationibus nostris et elimento (haelimento)...
   896
... ADESTO propitius invocationibus nostris, et haec vascula... 899
... ADESTO propitius invocationibus nostris et pacem tuam... 781
... ADESTO propitius invocationibus nostris et quia sine te... 833
... ADESTO propitius invocationibus nostris et tranquillitatem... 765
... ADESTO propitius huic servo tui (famulo tuo)... 4237
... ADESTO propitius populo tuo ut... 2380
ADESTO, qs dne, fideli populo tuo... 125
ADESTO, qs dne, fidelibus tuis, ut... 126
ADESTO, qs dne, plebi tuae, ut quae... 127
ADESTO, qs dne, pro anima famuli tui illi... 128
ADESTO, qs dne, pro animabus famulorum famularumquae tuarum... 129
ADESTO, qs dne, supplicationibus nostris, et in tua misericordia... 130
ADESTO, qs dne, supplicationibus nostris, ut esse... 131
ADESTO, qs dne, supplicationibus nostris, ut qui ex iniquitate... 132
ADESTO, qs dne, (tuae) familiae (tuae) et diganter impende (infunde)...
   133
ADESTO, qs, omnipotens ds, ad ieiunio corporali... 134
ADESTO, qs, o. ds, adque in cunctis accionibus nostris... 135
ADESTO, qs, omnipotens ds, honorum dator ordinum distributor... 136, 137,
   138
et romani imperii ADESTO rectoribus... 835
aecclesiae tuae similibus ADESTO remediis... 776
propitius christianorum ADESTO semper principibus... 1250
Ds, fidelium lumen animarum, ADESTO supplicacionibus nostris et da
   omnibus... 811
ADESTO supplicationibus nostris, o. ds, et (ut) quibus fiduciam... 139
ADESTO supplicationibus nostris omnipotens ds et quod humilitatis... 140
Tuis qs dne (dne qs) ADESTO supplicibus (suppliciis) et inter... 3555
clemens ADESTO, tu benignus aspira... 1045, 1698
Sed tu, ds o., propicius ADESTO, ut corporibus daemoniis obsessus... 3497
... ADESTO votis sollemnitatis hodiernae... 2271
auxilium nobis tuae propitiationis ADFORE depraecamur... 3895
et praesentis vite remediis gaudeant ADFUISSE. 2606
ut omnes sibi in necessitatibus suis misericordiam tuam gaudeant ADFUISSE.
   2354
ut qui tunc ADFUISTI israheli ne peririt victus... 3473
ut qui gedeon cum trecentis ADFUISTI trinitas... 3466
Repleatur ille spiritu qui martyre ADFUIT cum torriret ignis... 3216

ADVENIO

et desideratae noctis lumen ADVENIT. Quid enim... 3596
ut qui (ad) adorandam vivificam crucem ADVENIUNT... 1232

ADVENTUS

VD. In cuius ADVENTU cum geminam iusseris sistere plebem... 3770
ut apertis ianuis summi regis ADVENTU cum laeticia mereatur intrare.   2211
tempore conpetenti dominico repperiamur ADVENTU famulosque... 3796
ut in ADVENTU filii tui domini nostri placitis tibi actibus praesentemur.
  2857
ut in ADVENTU fratrum conservorumquae nostrum... 1083
in ipsius ADVENTU inmortalitatis vos gaudiis vestiat.   361
unigeniti (filii) tui nos ADVENTU laetifica.   1910
ut secundo mediatoris ADVENTU manifesto munere capiamus...   1498, 4173
Ut qui de ADVENTU redemptoris nostri secundum carnem devota mente
  laetamini...   2261
... Iustificetque in ADVENTU secundo, qui nos redemit in primo...   3650
nec turbata inprovisi regis ADVENTU sequitura cum lumine...   759
qui sacratissimo ADVENTO suo subvenire dignatus est mundo...   1375, 2296
ut qui de ADVENTU unigeniti tui secundum carnem laetantur...   2831
ut qui unigeniti tui celebramus ADVENTUM continuum...   4014
VD. In cuius ADVENTUM, cum geminam iusseris...   3770
summi regis ADVENTUM cum laetitia mereantur intrare.   2211
ut possetis ADVENTUM aeius interriti (intrepidi) prestulare.   1375, 2296
ut cuius celebramus ADVENTUM, eius multimodae gratiae capiamus effectum.
  4007
cuius unigeniti ADVENTUM et praeteritum creditis et futurum
  exspectatis...   2241
pervigiles atque sollicitos ADVENTUM expectare Christi filii tui domini
  nostri...   1575
per ADVENTUM filii tui a (ad) cunctis adversitatibus liberemur.   2785
ut in ADVENTUM fili tui domini nostri placitis tibi actibus presentemur.
  2857
Ds qui ADVENTUM fili tui... omnia tuis mundasti fidelibus...   899
ut in ADVENTUM fratrum cumservorumque nostrorum...   1083
ob cuius paraclyti spiritus ADVENTUM mentes vestras... praeparatis...   345
que ante tuum ADVENTUM praedixit spiritus prophaeta iohannes...   202
ut per eius ADVENTUM purificatis tibi servire mentibus (mentibus servire)
  mereamur.   1515, 1522
VD. Quia hodie sancti spiritus caelebramus ADVENTUM qui principiis...
  4049
qui ADVENTUM redemptoris mundi necdum natus cognovit...   342
ad ADVENTUM salutis humanae prophetica exultatione gestivit (significavit)
  ...   3688, 3772
nec turbate inprovisi regis ADVENTUM, secutura...   759
qui cor credum peccatis originalibus mundum ADVENTUM sui nitore purificavit
  ...   841
et per ADVENTUM unigeniti tui aeternam vitam tribuat nobis.   528
... ADVENTUM unigeniti tui cum summa vigilancia expectare (spectare)...
  475
ut cum ADVENTUM unigeniti tui quem summo cordis desiderio sustenimus...
  2815
ut et te per ADVENTUM unigeniti tui tota mente cognuscat...   657
quam glorificacionis eius... et desideranter expectemus ADVENTUM.   272
ut per eos (hos) in quibus habitas tuum (que) (in) nobis sentiamus ADVENTUM.
  827

ADVENTUS

manifestans plebi tuae unigeniti tui... et ADVENTUS admirabile
  sacramentum...   3634
ut cum dies tuae (diae tui) ADVENTUS effulserit (effulseris)...   1090
conscientias nostras sancti spiritus salutatis ADVENTUS emundet.   1815
... ADVENTUS filii tui nos visitatione custodi.   1137
VD. Cuius primi ADVENTUS mysterium ita nos facias dignis laudibus...   3663
ut ADVENTUS tui consolationibus (consolationis) subleventur (sublevetur)...
  1614
... ADVENTUS tui nos visitacione costodi.   1137
quem ADVENTUS tui potentiam dudum liberasti per gratiam.   1518
ut sancti ADVENTUS tui sint exspectatione securi.   955
eiusdem ADVENTUS vos inlustratione sanctificet...   2241
qualiter nos culpis omnibus emundatos, inveniat secundus eius ADVENTUS.
  3700
conscientias nostras sancti spiritus salutaris emundet ADVENTUS.   1815

ADVERSARIUS

inania (in anima) ADVERSARIAE potestatis temptamenta aevaniscant
  (vanescant).   763, 764
Omnis (omnes) virtus ADVERSARII (et) omnis (omnes) incursio (exercitus)
  diaboli...   1531, 1532, 1533, 1538, 3566
... Claudatur ergo clave fidei pectus nostrum contra insidias ADVERSARII
  et soli deo...   1373
omnis nequissima virtus ADVERSARII omnis inveterata...   1536
adsis regibus nostris proeliantibus victoria cum ADVERSARIIS in affectum...
  3466
sed sanctis tuis, ADVERSARIIS superatis...   3392
ut devicto ADVERSARIO cui (cuius) renunciatis (renuntiastis)...   1706,
  1707
(nec) ne ADVERSARIO liceat usque ad temptacionem animae (animae
  temptacionem)...   3463, 3463a
nullam seviente (servientem) ADVERSARIO tribuat potestatem...   725
et ADVERSARIORUM caeteras te protegente fecit...   3473
... ADVERSARIORUM hostium a moda fortitudine.   3473
et conterendas potestates ADVERSARIORUM insidias...   3158
Elide omnium ADVERSARIORUM nostrorum superbiam...   2610
et nefas ADVERSARIORUM per auxilium sanctae crucis digneris conterere...
  114
hunc eundem eius ADVERSARIUM, ut eum non solum virilis sexus...   3788
et fuge, et devulgaviste et vos ADVERSARIUS confundere.   507
quem vetus ADVERSARIUS, et hostis antiquus atrae formidinis horrorae
  circumvolat...   764
quia ipse confundit christus ADVERSARIUS nonaginta novem generationis.   507

ADVERSIO

qui pondus tuae a nostre ADVERSIONIS cognovimus...   940
prave ADVERSIONIS impiaetas deviet...   329

ADVERSITAS

ut quos humiliavit ADVERSITAS, adtollat reparationis tuae prosperitas.
  1086
quia nulla eidem nocebit ADVERSITAS, si nulla dominetur iniquitas...   3536
ab omni nos, (qs), ADVERSITATE custodi.   3023
praesta qs ab omni ADVERSITATE custodias.   3024
et ab huius seculo ADVERSITATE defendas.   1924
In praesentis vitae stadio vos ab omni ADVERSITATE defendat...   2241

ADVERSITAS

ut omni (omne) (omnem) ADVERSITATE depulsa...   3409, 3427
ut hi qui in tua pietate confidunt ab omni citius ADVERSITATE liberentur
  (liberemur).   1526
tu pius semper in omni ADVERSITATE protector esse dignare.   124
ut per ea famulum tuum ab omni ADVERSITATE protegas.   3326
nulla possint ADVERSITATE superari.   1217
nullis ADVERSITATIBUS adfligantur...   644
et a peccatis libera nullis ADVERSITATIBUS adteratur.   631
et liberet ab ADVERSITATIBUS cunctis.   338
et ab huius saeculi ADVERSITATIBUS defendas...   1924
et nullis iam patiaris (parciaris) ADVERSITATIBUS fatigari (fatigare)...
  2535
et nos a totius ADVERSITATIBUS incursu perpeti protectione custodis.   1029
ab omnibus mereamur (mereatur) ADVERSITATIBUS liberari.   1204
a cunctis ADVERSITATIBUS liberatus (liberati)...   2309, 3741, 3660
per adventum filii tui a (ad) cunctis ADVERSITATIBUS liberemur.   2785
et a cunctis ADVERSITATIBUS liberemur in corpore...   2764
ab omni cicius ADVERSITATEBUS liberentur.   1526
et a (ab) (ad) cunctis (omnibus) ADVERSITATIBUS muniamur in corpore...
  926, 2727
quo (quod) nullis ADVERSITATIBUS obruta superetur.   4010
... ADVERSITATIBUS omnibus carentes, bonis omnibus exuberantes...   337,
  4198
ut quia tua gubernatione confidit, nullis ADVERSITATIBUS opprimatur.   76
nullis ADVERSITATIBUS opprimatur, qui de tua protectione confidit.   3111
(A) cunctis aeum ADVERSITATIBUS paterna piaetate custodi...   2616
ut nullis ADVERSITATIBUS perfruamur...   3301
ut de gravioribus mundi huius ADVERSITATIBUS... populus tuus ereptus
  exultet.   776
ut in hac nave famulis tuis, (navi famulos tuos) repulsis ADVERSITATIBUS,
  portu semper...   1035, 1224
ut nullis ADVERSITATIBUS premamur qui tanti remediae participatione
  munimur.   3296
et ab omnibus quae meremur ADVERSITATIBUS redde securum...   525
sed etiam ipsis ADVERSITATIBUS saeculi benignus erudis...   3928
ab (a) omnibus (cunctis) ADVERSITATIBUS tua (tuam) opitulatione
  (opitulationem) (miseratione) defensus...   1457, 1458, 1460, 3590
ut a cunctis ADVERSITATIBUS te protegente sit libera...   1598
et distitutis (destructis) ADVERSITATIBUS universis secura tibi serviat
  libertate.   1388
a cunctis praesentis et futurae vitae ADVERSITATIBUS vos reddat indemnes.
  2261
nullo compraematur ADVERSITATIS angore...   897
... Quia sicut totius ADVERSITATIS est causa tuis non oboedire praeceptis...
  4136
et nos a totius ADVERSITATIS incursu perpeti protectione custodi.   1029
nihil illius ADVERSITATIS noceat, nihil difficultatis obsistat...   844

        ADVERSOR
frangor aurarum turbam repellet ADVERSANTEM...   2262
et ADVERSANTES ei tua virtute prosterne.   1168
et contra cuncta nobis ADVERSANTIA dexteram...   2824
O. et m. ds, universa nobis ADVERSANTIA propitiationis (propitiatus)
  exclude...   2295

ADVERSOR
cuncta nobis ADVERSANTIA te adiuvante vincamus superemus (superemur).   2775
ut destructis ADVERSANTIBUS universis...   1388
mutus lapidius quibus ADVERSANTIUM cingibatur exercitus...   2378
Nec minis (moenis) ADVERSANTIUM nec ullo perturbemur (conturbemur) incursu.
   89
quarum clangore ortatus ad bellum tela prosterneret ADVERSANCIUM praesta
   ut...   1154
ut si quae illis (maculae) ADVERSANTIUM spirituum (maculae) inherere
   (inhaeserunt) reliquiae...   838, 839, 1240
peccata, quae ADVERSANTUR, avertat...   1513
universa obstacula qui servis tuis ADVERSANTUR expugna...   1070
relaxare, qui nobis ADVERSANTUR, offensas...   3981
peccata que nobis ADVERSANTUR relaxa...   3824
ut per virtute brachii tui omnibus qui nobis ADVERSANTUR revictis...   810a
et protegant te ab omnibus languoribus qui corpori ADVERSANTUR.   2180

ADVERSUS
qui cuncta ADVERSA ab eo repellat...   2289, 2294
et qui fecisti fidem inter ADVERSA constantem...   3977
nobis praeveant inter ADVERSA constantiam.   3396
aeclesiam tuam inter ADVERSA crescere tribuisti...   4071, 4073
et prospera tribuis et ADVERSA depellis...   1070
Doce me dne queso paciencia ad sustinendum ADVERSA doce scientiam...   1296
Delicta nostra, dne, quibus ADVERSA dominantur absterge...   715
qui ADVERSAE dominationis vires reprimis...   848
ut tua providentia eius vita inter ADVERSA et prospera ubique dirigatur.
   2854
et et nulla nobis dominentur ADVERSA et salutaria...   2106a
Omnipotens deus universa a vobis ADVERSA excludat...   2260
sed cum eadem etiam mansit et inter ADVERSA felicitas...   3780
et nulla eius ADVERSA formidare.   914
quam tuis dispositionibus ADVERSA mente nocituri.   3808
et inter ADVERSA mundi inveniamini indemnes...   2260
et ADVERSA mundi te gubernante non sentiant...   1997
contra omnia ADVERSA muniamur.   928, 3001
intercessione sua inter mundi huius ADVERSA nobis praestet auxilium.   3866
ut contra ADVERSA omnia doctoris gentium protectione muniamur.   927
et contra ADVERSA omnia eorum intercessione muniri.   3232
ut a vobis ADVERSA omnia quae peccatorum retributione meremini avertat...
   2243
contra ADVERSA omnia tua semper protectione muniamur.   2774
cum in tua misericordia confidentes nulla ADVERSA percellant...   3790
et quia infidelium turba in isto loco conveniebat ADVERSA populus...   1260
qui inter mundanae conversationis ADVERSA praecipua...   4108
nec ADVERSA praevalent, nec prospera negabuntur.   4066
O. s. ds, universa nobis ADVERSA propitiatus exclude...   2295
et inter prospera humiles, et inter ADVERSA securi.   131, 2075
ne nos talis patiaris exsistere, quibus merito dominentur ADVERSA sed huius
   modi...   2971
ut si qua sunt ADVERSA, si qua contraria in hac domo famuli tui illius...
   1496
dum gratior redit post ADVERSA tranquillitas...   3656
et contra ADVERSA tuaeantur incursus.   3513
quae nec sibi noxia, nec cuiquam inveniatur ADVERSA.   995
nec teror terreatur fortitudinum partis ADVERSAE, terrore...   3392

ADVERSUS

ex ADVERSAM (adversa) valetudinem (valetudine) corporis laborante
   (laborantem) placidus (placatus) respice...   986
ut qui nos a corporalibus tueris ADVERSIS ab hostibus...   3628
in quo tibi atque ADVERSIS angelis tuis aeternus veniet interitus.   2174
Defendatque vos a cunctis ADVERSIS apostolicis praesidiis...   1243
hi bono opere perseverantiam, in ADVERSIS constantiam...   2303
spei suffragium, in ADVERSIS deffensis...   903
ut tuis misteriis perfruentes nullis subdamur ADVERSIS et a cunctis...
   3029
Ab omnibus nos defende, qs, dne, semper ADVERSIS et continues...   9
et a praesentibus liberentur ADVERSIS et mansuris...   655
in ADVERSIS et prosperis praeces (eius) exaudias...   114
ut exerceatur ADVERSIS et prosperis sublevetur...   4005
vetex creator ADVERSIS et prosperis sublevetur...   4006
ut qui in tot ADVERSIS ex nostra infirmitate deficimus...   682
Sis aei contra acus inimicorum lurica, in ADVERSIS galea...   842
in prosperis adsistat, in ADVERSIS manum porregat...   351
non tumencant prosperis, non fraguntur ADVERSIS, nec tristitia...   854
quo te et in prosperis et in ADVERSIS pia semper confessione laudemus.
   3890, 3936, 4009
ut iam digneris fluctuantibus in ADVERSIS prebere suffragium...   3501
et de ADVERSIS prospera sentire perficiant.   3139
Haec dne oratio salutaris famulum tuum ill. ab omnibus tueatur ADVERSIS
   quatinus et...   1685
et (ab) omnibus quae meremur (meretur) ADVERSIS redde securum...   520
confessio nec capiatur umquam falsis nec perturbetur ADVERSIS sed
   caelestis...   4076
ut ad confessionem nominis tui nullis properare terreamur ADVERSIS sed
   tantae...   232
nec capiatur umquam falsis nec perturbetur ADVERSIS sed ut potius...   4077
Illius obtentu ab omnibus ADVERSIS tueamini...   342
ut in sancta conversatione viventes nullis adfligantur (afficiantur)
   ADVERSIS.   2024
et a cunctis eripe benignus (benignus eripe) ADVERSIS.   1280, 1609
et a cunctis nos protegere digneris ADVERSIS.   2124
nec succumbamus viciis nec obpraemamus (obpremamur) ADVERSIS.   2777
nec opprimi patiaris ADVERSIS.   2094
et a suis offensionibus liberetur, et ab omnibus protegatur ADVERSIS.   1471
ut tuis mysteriis perfruentes nullis subdamur (subdamus) ADVERSIS.   3030
et ab omnibus tueatur (tueantur) ADVERSIS.   161, 576, 1703
et de ADVERSUM prospera sentire perficiant.   3139

ADVERSUS

ut mihi auxilium praestare digneris ADVERSUS hunc nequissimum spiritum...
   744
accipiat virtute (virtutem) nominis tui ADVERSUS omnem telam et iaculam
   inimici.   1670
... ADVERSUM omnia resistere sibi arma praevaleant.   835

ADVOCATOR
ipse sit ADVOCATOR in praecibus nostris.   1373

ADVOCATUS
Hic nobis dominus et minister salutis, ADVOCATUS et iudex...   4003
ut cum habitat in cordibus nostris, ipse sit ADVOCATUS in praecibus
   nostris...   1373

ADVOCATUS
Hic nobis dominus et minister salutis, ADVOCATUS iudex...   4004

ADVOCO
et ad lanianda (lanienda) membra eius iudeos carnifices (carbifices)
 ADVOCABAT.   3867, 3868
et quibus eum traderet persecutores ADVOCABAT sed filius...   3868
illi ADVOCANDUS testes divinae legis scientiae contullisti.   3823
ut adoptio, quem in id ipsum sanctus spiritus ADVOCAVIT nihil habeat...   82
ut adoptio, quam in id ipsum sanctus spiritus ADVOCAVIT nihil in
 dilectione...   2688
recta corda ADVOCET, terrena...   351

AECCLESIA = ECCLESIA

AEDIFICATIO
ut cuius AEDIFICATIONE subsistit, huius fiat habitationis praeclara.   1378
ieiunium quod nos ad (ob) AEDIFICATIONEM animarum et castigatione
 (castigationem) corporum servare docuisti...   3740, 4183
potestatem quam tribues in AEDIFICACIONEM non in distructionem...   820
et vocum varietas AEDIFICATIONI aeclesiaticae non difficultatem faceret...
 3762
et hoc in templo AEDIFICACIONIS appare...   2037
de AEDIFICACIONIS tuae incrementa caelestia...   985

AEDIFICIUM
et sanctis martiribus illis famulus tuus ille in hoc AEDIFICIO deputavit
 (depotavit)...   1064

AEDIFICO
caritatem AEDIFICA, castitatem munda...   3081, 3082
... AEDIFICANT cellulas caereo liquore fundatus (fundatas)...   861, 862
sitque AEDIFICANTIBUS in praecio delictorum...   1734
adque sensus vestros in bonis operibus semper AEDIFICET.   356

AEGER
qui benedictionis tuae graciam EGRIS infundendo corporibus...   1356
atque AEGRIS restituas pristinam sanitatem...   2371

AEGREGIUS = EGREGIUS

AEGRITUDO
famulum tuum liberatum AEGRITUDINE et sanitatem donatam (donatum)...   1356
omnesque infirmitates, omnem AEGRITUDINEM corporis...   1404
famulum tuum liberatam EGRITUDINEM et sanitate donatam...   1356
ad evacuandos... omnem EGRITUDINEM mentis et corporis...   1407
... EGRETUDINES cures, praeces audias (exaudias)...   866
O. s. ds, qui AEGRITUDINIS et animorum (animarum) depellis (depelles) et
 corporum...   2377
erige (erege) (hunc) famulum tuum EGRETUDINIS (AEGRITUDINIS) languore
 (languoris) depraessum...   1931
ita et famulum tuum illum a lecto EGRITUDINIS tua potentia erigat ad
 salutem.   988

AEGROTO
pro quibus misericordiam tuam EGROTANTIBUS imploramus...   1253

AEGYPTIUS

dum quod uni populo a persecutione AEGYPTIA liberando...   777
et liberata plebs ab AEDYPTIA servitute christiani populi sacramenta
   praeferret...   1178
ds qui tribus israhel de AEGYPTIA servitute liberatas...   739
ut sicut priorem populum ab AEGYPTIIS liberasti...   778
O vere beata nox quae expoliavit AEGYPTIOS, ditavit hebraeos...   3791

AEGYPTUS

et filios Israhel de terra AEGYPTI eduxisti (deduxisti)...   737
de AEGYPTI partibus proficiscentem ad te...   3389
post Israhelis exitu ex AEGYPTO deprecemur...   2217
qui populo tuo ex AEGYPTO educto donis mirificis contullisit inmerito...
   2290
quos velut vineam ex AEGYPTO per fontem baptismi pertulisti
   (transtulisti)...   2442
... In quo primum patres nostros filios israel eductos de AEGYPTO rubrum...
   3791

AELEAZARUS = ELEAZARUS

AELIMOSINA = ELEEMOSINA

AELECTIO   = ELECTIO

AELEMENTUM = ELEMENTUM

AEMULA

et AEMULA integritatis angelicae, illius thalamo, illius cubiculo se
   devovit...   758, 759

AEMULOR

hostias AEMULARE, gracias agere...   3821

AENEUS

aereo altare cum AENEIS vasis (vasibus) tenturiis, funibus...   1283

AENIGMA

et aput nos certiora essent experimenta rerum quam ENIGMATA figurarum...
   819

AENUS

Recedo ergo... ab oculis, ab AENIS, ab intistino...   2180

AEPULUM = EPULUM

AEQUALIS

honore maiestate (maiestatis) atque virtute AEQUALEM cum sancto spiritu...
   3638
qui nobis hodiae AEQUALEM tibi ipse consolatorem spiritum misisti.   1173
per id quod tibi est AEQUALIS absolvat, Iesus...   1183
... Hic dei patris et filii una AEQUALIS pronuntiatur potestas...   1706,
   1707

AEQUALITAS

et (in) essentiae (escientiam, essentia) unitas et in maiestate adoretur
   AEQUALITAS.   3887
passionis AEQUALITATE consimiles, in uno semper domino gloiriosi...   3612

AEQUANIMITER

... Quando enim humana fragilitas vel passionem AEQUANIMITER ferre
   sufficeret...   4168

AEQUIPERO
ut aulam, qs, beati martyris tui ill. meritis AEQUIPERARE non potuit...
  1734

AEQUIPETO
ut aulam, que beati martyris tui ille meritis AEQUIPETERE non possit...
  1734

AEQUITAS
tanta AEQUITATE percipitur.   1197
et divinam laceramus AEQUITATEM quam nostra dilecta corregimus (corrigamus)
  ...   4135
qui custos es pacis et iudicas AEQUITATEM, tu iudica...   850
et ideo cuncta refuntanda docuisti quae praepediunt AEQUITATI...   3934
quantum ab AEQUITATIS tramite deviamus...   3885

AEQUO
ut martyres festivitatis hodiernae, quos meritis AEQUARE non possunt...
  3487

AEQUOR
Cuius typum virga tenuit in separatas AEQUORIS undas...   3847

AEQUOREUS
inter AEQUORIAS undas cum thymphanis et choris...   1317

AEQUUS
... AEQUI nos parcendo sustentas...   2104
Vere dignum et iustum est, AEQUUM et salutare...   3589, 3945

AER
terrore volitantium licenter in AERE, neque ab hisdem...   3392
per ipsos modos (muros) AERIS ad cultum tuae (tui) maiestatis institues...
  1144, 1145
ut has primicias... quas AERIS et pluviae temperamento nutrire dignatus
  es...   2525
vel hostis AERIS nequitiae vinceretur...   4168
Ds, qui ad mutandam AERIS qualitatem operis caelum nubibus...   895
et AERIS serenitatem nobis tribuae supplicantes...   55

AEREUS
hostiis (husteis), AEREO (HAEREO) altare cum aeneis (haeneis) vasis
  (vasibus)...   1283, 1420

AERIUS
et AERIARUM discedat malignitas potestatum (tempestatum).   2, 3
prosternat HAEREAS potestates dextere tuae virtutis...   1154
vel hostis AERII nequitias vinceretur (vinceret)...   4168

AERUCTO = ERUCTO

AESTIFER
Nulla veterni criminis AESTIFERA paciaris inflammari contagia...   2298

AESTIMATOR
intra quorum nos consortio (consortium) non AESTIMATOR meriti (meritis)...
  1951, 2178

AESTIMO
et sub mirationis ignavi vitam quantum possimus, ESTIMAMUS.   136
horum vitam quantum possumus AESTIMAMUS. Te...   137
et quia ipsi se non vident, AESTIMANT nec ab aliis se videri...   3653

AESTIMO
ut munus trepida servitute propositum non de nostris meritis AESTIMETUR
   sed quod... 3367

AESTUO
sit ab AESTUANTIS gehennae truci incendio segregatus... 3470

AESTUS
Nec aeos iam pervaga nobile ventus maris HAESTUS inpellat... 166
quibus pariter ESTUUM mitigentur ardoris... 3824

AETAS
et quos aut sexus in corpore aut AETAS discernit in tempore... 1045, 1047
ut sicut eos... per tuam gratiam bene placitos fecit AETAS exitu... 200
sed potius tenera (tenere) AETAS malignis (maligni, maligno)
   opraessionibus libera (liberata)... 1371
Et licit actione penitentiam AETAS temporum proficiamus... 2297
seraque in (supprema) parentum AETATE concretus et editus... 3754
famulum tuum ill. iuvenili AETATE corde laetantem... 800
ne eruditio doctrinae tuae ulli deesset AETATI (AETATE) cum et apud...
   819, 820
nec AETATE nutabili (mutabili) praepedita est... 3993, 3994, 3995
qui apostolici pontificatus dignus in sua AETATE successor... 3810
et martyrii palma mirabilis praecessit AETATE, ut etiam... 3603
nec sinso potuit terreri, nec frangi AETATE ut gloriosior... 3618
ut omne (omnem) tibi exigat (exiat) placiturus AETATE. 2476
et te annuente per felicem provectus AETATEM ad principatum... 1262
ut sicut eam ad AETATEM nuptiis congruentem pervenire tribuisti... 1729
senibus sanctam seriae conversationis AETATEM omnibusque... 1493
da aeis dne AETATEM perfectam ut te timeant... 2310
ut famuli tui illius... longevam (ei) largiaris AETATEM quatenus fidei...
   1202
et martyrii palma mirabilis praecessit AETATEM ut etiam... 3603
respice propicius a nostri temporis AETATEM ut tibi... 779
ne herudicia doctrinae tuae ulle deesset AETATI, aeum et... 820
in utroque (huteroque) sexu fidelium cunctis AETATIBUS contulisti... 3856
famulum tuum iuvenilia (iuvinale) AETATIS decorem (decore) laetantem...
   796
tu aei AETATIS et fidaei aucmento concede... 2325
respice propitius ad nostrae tempus AETATIS et ut tibi... 779
vim consuetudinis et stimulos AETATIS evinceret... 758, 759
ut nec AETATIS lubrico ab intentione mutetur... 3942
ut ad tui nominis ad profectum AETATIS perveniat. 321
in mensuram (mensura) AETATIS plenitudinis Christi... 3225
Ds qui aduliscentiam AETATIS primitii florum ornamentum... 898
tu aei dne profectum ETTATIS sensum sapientiae concede... 321
... Praebe ei, qs, AETATIS spacia prolixiora... 1764
ut conversationis ornatum cantis venerande AETATIS suscedant. 898
finem ultimum pervenire possit AETATIS. 924

AETERNALIS
et hic inhereas platitus magistas AETERNALIS obtutum... 3997

AETERNITAS
contra vitae praesentis adfectum venturae salutis AETERNITAS et in
   omnibus... 3861
O aeterna veritas, et vera karitas, et cara AETERNITAS. 3792
et amissa recuperetur AETERNITAS. 2454

AETERNITAS

hac temporale vite subrogatur AETERNITAS.   3767
qui hominem invidia diabuli ab AETERNITATE deiectum...   822, 823
vel de promissae beatitudinis AETERNITATE dubitarent...   4023
VD. Quia AETERNITATE sacerdotii sui omnes...   3875
Qui novit te, novit AETERNITATEM, caritas novit te.   3792
Redemptor animarum, ds, AETERNITATEM concide defunctis...   3038
et AETERNITATEM vitae maluit, quam ut mundo procrearet originem...   3775
ut populo ad AETERNITATEM vocato...   965
et AETERNITATIBUS effectibus gratulari.   1114
ut quod est nobis in praesenti vita mysterium, fiat AETERNITATIS auxilium.
   390
ut AETERNITATIS dona mente libera sectaretur (secteretur)...   3609a, 3610
et AETERNITATIS effectibus gratulari.   1114
ut et vitae nobis praesentis auxilium et AETERNITATIS efficiant sacramentum.
   1306
... Ipse est enim panis verus et vivus qui substantia AETERNITATIS et
   esca...   3786
et (hac) lumen AETERNITATIS gratiae (gratia) concedat.   2761
ut quos sacramentis AETERNITATIS instituis...   88
per unigenitum tuum (devicta morte) AETERNITATIS nobis aditum devicta
   morte (aditum) reserasti...   1003, 1159, 1160
ad AETERNITATIS nobis medillam te operante proficiant.   3412
Frugalitatis gaudium, AETERNITATIS praemium...   354
et AETERNITATIS promissa dona largire.   1423
et AETERNITATIS sufficiant sacramentum.   1306
... AETERNITATIS tuae lumen cunctis gentibus suscitasti...   1151
... AETERNITATIS tuae potius delectatione laetentur.   2336
Ita populus iste pollititatione alitus benedictione AETERNITATIS, ut
   semper...   842
adepta est promissum sponsionis AETERNITATIS.   3781

AETERNUS

ETERNA hac iustissima pietatem tuam deprecor...   165
da nobis in AETERNA beatitudine de eorum societate gaudere.   1108
et in AETERNA beatitudine, te remunerante, mereantur accipere premium.
   1334
et AETERNA beatitudinis percipiat.   1396
ad AETERNA beatitudinis redeamus ascessum per tuorum custodia mandatorum.
   188
Sumpsimus, dne, pignus salutis AETERNA celebrantes...   3337
(et) AETERNA celebritas, et (adque) triumphi caelestis perpetuus sit
   natalis...   3599
qui filio tuo tecum AETERNA claritate regnante...   4129
ds, qui caelestia simul ETERNE complecteris...   1249
et praemia AETERNA concedat.   2760
et fiducialius ad AETERNA contendat.   1293
quam (que) vis ad AETERNA contendere.   84, 1420
... AETERNA coronatorum capiamus augmenta.   181
O. s. ds salus AETERNA credentium exaudi nos pro famulis tuis ill...   2470
atque ab AETERNA damnatione nos eripe (eripi)...   1769
ut natura humana... nequaquam in AETERNA damnatione periret...   4032
et ad tua AETERNA deduc praemissa.   124
libens protege, dignanter exaudi, AETERNA defensione conserva...   1249
ac temporalibus solaciis incitati promptius AETERNA desiderent.   3061
adque ad AETERNA dona gratiarum venire mereantur.   1370

AETERNUS

et AETERNA dona percipiat.   523
et colata non perdant et ad AETERNA dona perveniant.   3446
Ds, qui ad imaginem tuam conditos ideo das temporalis, ut largiaris
   AETERNA ecclesiam tuam...   894
dignanter exaudi et AETERNA eos proteccione conserva...   1718, 1720
... In memoria AETERNA erit iustus...   1886
... AETERNA et invisibilia intenta meditatione dilegant.   1297
temporali sollemnitate congaudet, ita perfruatur AETERNA et quod votis...
   2671
ut sicut illos manet AETERNA felicitas...   4155
Ds qui nobis... praecepisti... atque ad AETERNA festinare...   1084
ac tribuas nobis AETERNA gaudia adnectasque...   3832
quibus ad AETERNA gaudia consequenda...   2817, 3939
quatenus ad AETERNA gaudia pertingere mereamur.   3744
ad AETERNA gaudia perveniamus inlesi.   3949
et ad AETERNA gaudia perveniant hunc liberi.   3102
humiles et modestus ad AETERNA gaudia redeat per merore (merorem).   3767,
   4088
... Quem semper filium et ante tempora AETERNA generatum (genitum)...
   3638
ut bono et prospero sociata consortio leges AETERNA iussa custodiat...
   2542
da nobis in AETERNA laetitia de eorum (deorum) societate gaudere.   1108
et gaudia nobis AETERNA largire.   1128
per haec contingere ad gaudia AETERNA mereamur.   488
pervenire ad gaudia AETERNA mereamur.   1129
et AETERNA miseratione redemptus agnoscat.   2894
illius dono... et AETERNA munera capiamus.   3962a
ad AETERNA nobis proficere fac salutem.   2596
et mors quae olim fuerat AETERNA nocte damnata...   861
ut de profectu sanctarum ovium fiant gaudia AETERNA pastorum.   1166
et ad AETERNA percipiamur et eorum interventu digni iudicemur.   4068
ut nos de profundo iniquitatis eripias et ad gaudia AETERNA perducas.   399
et ad gaudia AETERNA perducant.   381
vos ad aeternorum gaudiorum pascua AETERNA perducat. Amen.   2254
per quod eum ad premia AETERNA perducat.   2502
continentes AETERNA, perfruantur cum gloria sempiterna.   2293
Concede... ad beatae Mariae semper virginis gaudia AETERNA pertingere
   de cuius...   472
Concede qs o. ds ad eorum nos gaudia AETERNA pertingere de quorum...   472
ut mereamur ad gaudia AETERNA pervenire.   1067
lux (eas) AETERNA possideat.   2656, 2866, 2885
O. s. ds, qui regnis omnibus AETERNA potestate dominaris...   2447
promissionum tuarum AETERNA praemia consequi mereatur.   875
ad AETERNA proemia te adiuvante venire mereamur.   193
qua mors interitum et vita accepit AETERNA principium...   58
et ad remedia iugiter AETERNA proficiant.   66
et famulos tuos AETERNA protectione sanctifica...   3053
ut nos ad AETERNA provehas...   3928
ut ad AETERNA proveaeris, temporalia dona...   2290
Sanctificationibus tuis... et remedia nobis AETERNA proveniant.   3224
sanctificet vos dominus... benedictione AETERNA, qua benedixit...   320
sicque tota effecta in AETERNA recipiatur tabernacula.   3392
con felicitatis AETERNA recoluntur exordia.   3759

AETERNUS

ut quod pia devotione gerimus, AETERNA redemptione capiamus.   543
per ea quae sumpsimus AETERNA remedia capiamus.   254, 3242
ut eum in AETERNA requie suscipiat et beatae resurrectione repraesentet.
   201
hic et in AETERNA secula seculorum.   1548, 2654
sed pro ipso tu qui AETERNA salus es voluisses et mori.   2298
qui ex aea gustaverent, proficiant illis ad AETERNA salutem.   548
nec absque AETERNA sit bonitate iustitia.   3652
triumphique caelestis perpetua et AETERNA sit celebritas...   3601
0. et m. ds, sempiterna dulcido et AETERNA suavitas...   2293
ut huius operatione vegetati tam praesentia quam AETERNA subsidia capiamus.
   3484
reparare voluisti spiritalis gratia AETERNA suffragia...   4129
et anima famuli tui illius gaudia AETERNA suscipiant...   215
ut anima fratri nostri illius... requies AETERNA suscipiat...   2483, 2484
ut in christo renatis et AETERNA tribuatur hereditas...   878
... AETERNA tua dignetur revocare maiestas.   2297
0 AETERNA veritas, et vera karitas, et cara aeternitas.   3792
ad AETERNA vitam sacrifitiis caelestibus pascamur.   3622
ut proficiat ad AETERNA.   3359
ad gaudia sempiterna perveniat et adsumat AETERNA.   515
sic transeamus per bona temporalia, ut non amittamus AETERNA.   2915
que ereat in visceribus nostris et vita concedat AETERNA.   1342
ut eius sacrata natalicia et... et conspiciamus AETERNA.   1946
ut promissa non desperemus AETERNA.   1820
et praesentia nobis subsidia postulent et AETERNA.   2810
vitae nobis remedia (remedio) praeveant (praeveniant) et AETERNA.   3333
et praesentia (temporalia) nobis subsidia praebeas et AETERNA.   2439
bona praesentia sumamus et AETERNA.   4025
et temporalia subsidia nobis tribuas et AETERNA.   2439
ut nobis experiamur AETERNA.   793
sic praesentia dona percipiat, ut capere mereatur AETERNA.   816
ut praemia mereatur AETERNA.   1730
ad caelestis patriae gaudia migravit AETERNA.   3766
ieiunia quae nos... et ad remedia perducant AETERNA.   2185
et ad vitam perducat AETERNA.   255
et indulgentiam nobis referat, et remedia procuret AETERNA.   2197
dices : Accipe illum sal sapientiae in vita propitiatus AETERNA.   2638
et amissa recuperetur AETERNA.   2454
non carnem sed spiritum, non temporalia sed AETERNA.   311
damus temporalia, ut sumamus AETERNA.   172
et temporalia subsidia nobis tribuas AETERNA.   2439
Accipe ill. sal sapientiae, proficiatus in vita AETERNA.   32
et in nomine dominis nostri... signo crucis signetur in vita AETERNA.   1312
Corpus domini nostri Iesu Christi sit tibi in vita AETERNA.   545
per gloriam resurrectionis vitae AETERNAE aditum patefecit...   3929
resurgendo a mortuis vitae AETERNAE aditus (aditum) praestitit...   4013
Ds qui (spe) salutis (spes) AETERNAE beatae mariae virginitate...   1214
quietis ac lucis AETERNAE beatitudine perfruatur...   3390
et gloriam AETERNAE beatitudinis adquirant.   2099
et AETERNAE beatitudinis dona percipiat.   1396
ut vos AETERNAE beatitudinis heredes, et supernorum civium consortes
   efficiat.   18

AETERNUS
in congregatione iustorum AETERNAE beatitudinis iubeas esse consortem.
2748
et illic AETERNAE beatitudinis percipiamus emolumentum.   3752
et AETERNAE beatitudinis percipiat claritatem.   1396
... AETERNAE beatitudinis praemia consequantur (consequatur, consequamur).
1348, 1349, 1350, 2549
Ds qui animae famuli tui gregorii (leonis) AETERNAE beatitudinis praemia
contulisti...   900
et AETERNAE beatitudinis praemia largiatur.   2789
spes nobis AETERNAE beatitudinis propensius intimatur.   4153
ad AETERNAE beatitudinis redeamus accessum (accensum)...   188
Sumpsimus dne pignus salutis AETERNAE caelebrantes...   3337
ut cum temporalibus incrementis prosperitatis AETERNAE capiamus aumentum.
181
... Qua maiestatis AETERNAE claritate deprompta...   3613
Ds AETERNAE claritatis et perpetuae lucis inventur...   741
Inveniant, qs, dne, animae famulorum famularumque tuarum... lucis AETERNAE
consorcium...   1952
indulgentiae fructum, et vite AETERNAE consortium.   3485
prosperitati AETERNAE coronatorum capiamus augmentis.   181
Omnipotens sempiternae ds, salus AETERNAE credentium...   2470
et temporalis viriliter et AETERNAE donae perficiat.   523
ut nos de tenebris et umbra mortis regnum lucis AETERNAE efficeret.   3763
spei rursus AETERNAE et caelestis gloriae reformetur.   2837
panem sanctum vitae AETERNAE et calicem salutis perpetuae.   3567
... Quem tribuas evadare flammas poenae AETERNAE et iuste...   3770
qualiter in tremendi iudicii die, sententiam damnationis AETERNAE evadat...
823
quem tribuas poenae AETERNE aevadere flammas...   3770
ad spem vitae AETERNAE ex aqua et spiritu sancto renasceremur (nascimur)...
3836
corporis animaeque salvator, AETERNAE felicitatis benigne largitur.   1184
et AETERNAE felicitatis tribuat esse consortem.   337
et lumen ei AETERNAE gratiae concedat.   2503
eo largiente consortes efficiamini AETERNAE hereditatis.   1157
ut ardore careat AETERNAE ignis adeptura perpetui regni refugium...   2217
ut anima famuli tui illius... AETERNAE illius lucis solatio potiatur...
746
et indumentum AETERNAE iocunditatis tuis fidelibus promisisti...   1237
et remedia salutis AETERNAE isdem patrocinantibus adsequantur.   368
in die iustitiae AETERNAE iudicii...   3225
legis AETERNAE iura (iussa) custodiat...   2541, 2542
... Sit AETERNAE lucis habitaculum temporalem (temporale)...   1734
... O noctem quae finem tenebris ponit, et AETERNAE lucis viam pandit...
4160
Ds, et temporalis vitae auctor et AETERNAE miserere supplicum...   810a
Ds, qui humani generis et salutis remedii vitae AETERNAE munera contulisti
...   1015
et mitte aei angelum salutis AETERNAE, nec terror...   3392
hanc memoria (et memores) salutis AETERNAE, non timemus...   3862
et ad AETERNAE pacis gaudia te donante pervenire mereatur.   2309
vos faciat pervenire ad gaudia AETERNAE patriae.   2252
ut ei in AETERNAE patriae felicitate possitis adiungi.   342

AETERNUS

Quo per eorum intercessionem perveniatis ad AETERNAE patriae hereditatem...
  1243

quia tibi pleno atque perfecto AETERNAE patris nomen non defuit...   3638

praemium vitae AETERNAE percipiant.   2831

ut de custode (te custodi) servata hereditatem (hereditate) benediccionis
  (benedictiones) AETERNAE percipiat.   4255

et ad redemptionis AETERNAE pertingat (pertineat) te docere (docente,
  ducente) consortium.   241, 242

AETERNAE pignus vitae capientes humiliter imploramus...   164

lucis AETERNAE praedicator...   3774

et ad pacis AETERNAE premia pervenire.   850a

ambo igitur virtutes AETERNE praemia sunt adepti.   3823

ad perpetua lucis AETERNE premia venire mereretur.   3766

ad redempcionis AETERNAE proficiamus (proficiat) augmentum. 3344, 3347

Da nobis qs o. ds AETERNE promissionis gaudia quaerere...   625

et AETERNAE promissionis gaudia quaerere...   625

ut nos ad AETERNE proveas, sed aetiam...   3928

ut remedia salutis AETERNAE quae te miserante...   4240

ad redempcionis AETERNAE, qs, proficiamus augmentum...   3344, 3346

incrementa laetitiae cum felicitatis AETERNE recoluntur exordia.   3759

ut per ea quae sumpsimus AETERNE remedia capiamus.   3242

ut (et) salutis AETERNAE remedia quae te aspirante requirimus...   3548

per haec sacrificia redemptionis AETERNAE remissionem...   177

et AETERNAE repperire subsidium (subsidiis).   1451

puris mentibus ad aepulas AETERNAE salutis accedant (accedat).   2458

dator graciae spiritalis, largitor AETERNAE salutis tu permitte...   549

in AETERNE salvationis parte constituas.   3840

in AETERNAE salvacionis partem (parte) restituas.   3840

ut ad viam salutis AETERNAE secura mente curramus.   559

ut sicut nobis AETERNAE securitatis aditum... reserasti...   3625

accepto pignore salutis AETERNAE sic tendere...   1569

Sumpsimus, dne, pignus redemptionis AETERNAE sit nobis...   3336

hereditatem benedictionis AETERNAE sorte perpetua possederent...   136,
  137, 138

laquaeos AETERNAE suffragio plebs absolvat.   426

et nullum redempcionis AETERNAE susteneant (susteneat) detrimentum.   922

et praesentis vitae nobis pariter et AETERNAE tribuas conferre (ferre)
  praesidium (subsidium).   4253, 4254

et AETERNAE tribuas praemium sempiternum...   3707

ad salutis AETERNAE tribuas provenire suffragium.   2753

et praesentis, qs, vitae pariter et AETERNAE tribue conferre praesidium
  (subsidium).   4251

ut amborum meritis AETERNAE trinitatis gloriam consequamur.   785

et qui per te redempti sunt ad spem vitae AETERNAE tua moderatione...   1322

et lava eam sanctum fontem (sancto fonte) vitae AETERNAE ut inter
  gaudentes...   3391

et dirige eum secundum tuam clementiam in viam salutis AETERNAE ut te
  donante...   2358

ut noctis AETERNAE valeant caliginem evadere...   3917

et AETERNAE vitae beatitudinis praemia largiatur.   2789

Pignus AETERNAE vitae capientes humiliter inploramus...   164

digni inveniamur AETERNAE vitae convivio...   2643

in secundo... praemiis AETERNAE vitae ditemini.   2261

... AETERNAE vitae felicitati reddi...   3917

AETERNUS

et AETERNAE vitae fidelibus tribuitur integritas.   3976
et salutis remedium et AETERNAE vitae munera contulisti...   1020
eosque AETERNAE vitae participes et caelestis gloriae facias esse
   consortes...   3945
... AETERNAE vite percipiant porcionem.   1751
in secundo... praemium AETERNAE vitae percipiat (percipiant).   2831
ut et sacramentum nobis AETERNAE vitae praeveant et profectum.   2178a
... AETERNAE vitae praemia consequamur.   1022
... AETERNAE vitae secutus est largitorem...   3907
ut vitalis ligni praecio AETERNAE vitae suffragia consequamus
   (consequamur).   1035
quo possint, te auxiliante, ad praemia adtingere AETERNAE vite.   124
et perveniamus ad patriam claritatis AETERNE.   537
tu vitae praesentis sustentator et rector, tu conlator AETERNAE.   3504
sacramentum et praesentes vitae subsidiis nos foveat et AETERNAE.   3351
ut et praesentis vitae subsidiis (praesidiis) gaudeat, (et) AETERNAE.
   800, 1679
ut et temporalis vitae nobis remedia (remedio) praeveant (praeveniant)
   et AETERNAE.   3333
qui nos et temporalibus subsidiis refovis et pacis AETERNAE.   2056
tuae nobis fiat praemium redemptionis AETERNAE.   3443
sed potius exsequentibus conpetenter fiat causa remunerationis AETERNAE.
   4166
et omnium fidelium mentes dirige in viam salutis AETERNAE.   1174
AETERNAM ac (hanc) iustissimam pietatem tuam deprecor...   165
quatenus AETERNAM ad gloriam cum omnibus introeat laeta...   1317
captus oculis corporalibus, lucem vidit AETERNAM atque uno...   4055
et ad AETERNAM beatitudinem feliciter pervenire.   1749
et ad AETERNAM beatitudinem mereat pervenire diesque nostros.   1767
adque ad AETERNAM beatitudinem, te praeveniente, sint perducti.   2461
et ad AETERNUM beatitudinem, te praevium, feliciter valeant pervenire.
   2441
et ad AETERNAM beatitudinem valead pervenire.   1512
et magnificentur per istam precationem AETERNAM benedictionem...   513
ut AETERNAM caelestis lavacri benedictionem consecutus...   829
... AETERNAM consequi gratiam spiritali generatione desiderat...   829
carnis resurrectionem, vitam AETERNAM ? Credo.   551
... Requiem AETERNAM dona ei dne.   1886
ut fiat fons salientis (saliens) in vitam AETERNAM et cum baptizatus...
   1530, 1531
temporalia relinquaere adque ad AETERNAM festinare...   1089
humilis et modestus ad AETERNAM gaudia redeat per merorem.   4088
sancti martyres et confessores ill. et ill. pervenerunt ad AETERNAM
   gloriam.   4004
vitam AETERNAM glorientior potestatem...   820
ad AETERNAM iubeas perducere regnam.   2461
ad AETERNAM mereamur pervenire laetitiam.   1887
cum virginitatis et martyrii palma AETERNAM mereretur adipisci
   beatitudinem.   3942
ac resurrectione sua AETERNAM nobis contulit vitam.   3932
ad AETERNAM nobis proficere fac ss salutem.   2596
Conservent nos qs dne munera tua, et AETERNAM nobis tribuant vitam.   526
et resurrectione sua AETERNAM nobis vitam contulit.   3891

AETERNUS

nec impedis competentem vitam, vitam AETERNAM non persuadebis...   1529
sic ad AETERNAM patriam per abstinentiam redeamus...   3636
ad AETERNAM patriam redire valeatis per viam virtutum.   853
et post istius temporis decursum, ad AETERNAM perveniat hereditatem.   1685
et ad AETERNAM perveniatis securi.   2245
ut ad vitam AETERNAM pervenire mereamur.   1304
qui per tormenta passionis AETERNAM pervenit ad gloriam.   3742
et inter possidentes vitae (vitam) AETERNAM possideat.   3433
... AETERNAM premiam consequi mereantur.   876
ad AETERNAM premiam venire mereamur.   186
pro temporalibus gestis ad AETERNAM provehis ad coronam.   4127
benedictionem AETERNAM quam benedixit omnes sanctos patris...   319
ut efficiaris... fons aquae sallientis in vitam AETERNAM regenerans...
   1535
quos salutare lavacro spiritali et in vitam AETERNAM regenerari dignatus
   es.   854
qualiter ad AETERNAM remunerationem pervenire mereatur.   2342
et ad vitam AETERNAM, te auxiliante, perveniant.   1845
continenciae (continentiam et) vitam AETERNAM te largiente percipiat.   757
quos ante constitutionem mundi in AETERNAM tibi gloriam praeparasti...
   3727
ut in Christo renatis et AETERNAM tribuatur hereditas et vera libertas.
   878
ut amborum meritis AETERNAM trinitatis graciam consequamur.   785, 786
et AETERNAM unitatem in supraemo meatu sine fine constare credimus.   1283
quos ad AETERNAM vitam et beatum gratiae tuae...   1726
... Per quem in (ad) AETERNAM vitam filii lucis oriuntur...   4162
O. s. ds (Ds, Et) qui ad AETERNAM vitam in christi (unigeniti sui)
   resurrectione (resurrectionem) (nos) (vos) reparas, (raparat).   361,
   887, 888, 2376
lucem... per quam ad AETERNAM vitam pervenire mereamur.   1328
ad AETERNAM vitam sacrificiis caelestibus pascamur (pasceremur).   3622,
   3760
et AETERNAM vitam tribuant nobis (deprecantibus).   527
et per adventum unigeniti tui AETERNAM vitam tribuat nobis.   528
ut tui muneris praeceptione (perceptionem) in AETERNAM vita (vitam) valeat
   exultare.   1611
per cuius temporalem mortem AETERNAM vos evadere creditis.   2255
et familiae tuae corda... ad promerendam beatitudinem aptis AETERNAM.   1501
quod temporaliter gerimus ad vitam capiamus AETERNAM.   3350
ut promissa (promissam) (nobis) non disperemus AETERNAM.   1820
et praesentem (praesentis) (temporalem) nobis misericordiam conferant
   (conferat) et AETERNAM.   2022
et praesencia nobis subsidia postulent et AETERNAM.   2810
et coronam largiaris (largioris) AETERNAM.   133
et vitam percipere mereatur AETERNAM.   97
et vitam mereatur (mereantur) AETERNAM.   1503, 2845
Refecti, dne, panae caelesti, ad vitam, qs, nutriamur AETERNAM.   3042
ita et nos vitam optineamus AETERNAM.   2576
tua gratia gubernando ad misericordiam perducat AETERNAM.   1205
Tua nos dne qs gratia benedicat, et ad vitam perducat AETERNAM.   3518
intercessio nos gloriosa protegat et ad vitam perducat AETERNAM.   255
et inculpabiles ad vitam perducat AETERNAM.   1610
ad vitam pertineamus AETERNAM.   3373

AETERNUS

et ad vitam perveniamus AETERNAM.   3401
qui et temporalem vitam muniat et prestet AETERNAM.   3297
nobis conlata praesidia ad vitam converte propitiatus AETERNAM.   3388
et consigna eos signo crucis in vitam propitiatus AETERNAM.   2445
in futuro autem vitam AETERNAM.   2362
Corpus domini nostri iesu christi in vitam AETERNAM.   545
Signum Christi in vitam AETERNAM. Respondet : Amen.   3290
et iube eum consignari signum crucis in vitam AETERNAM.   869
ipse te linit chrisma salutis in Christo iesu domino nostro in vitam
   AETERNAM. Respondet : Amen.   870
Accipe ille sal sapiencie propiciatur (propitiatus) in vitam AETERNAM.   32
ipse te linet (liniet) chrisma salutis, in vitam AETERNAM.   870
Corpus domini nostri iesu christi custodiat te in vitam AETERNAM. Amen.
   544
nec impidias querentem vitam AETERNAM.   2180
... AETERNARUM depium vobiscum aepulas reportetis.   353
quia AETERNARUM rerum non vis subire dispendium...   3812, 3972, 3973
Ds AETERNAE, ante cuius conspectu (conspectum) adsistunt angeli fulgendi...
   742
Ad te corda nostra, pater AETERNAE, converte...   54
Da, qs, dne, rex AETERNAE cunctorum, ut...   659
Nomini tuo, qs, ds AETERNE, da gloriam...   2179
dignanter exaudi, AETERNE deffensione conserva...   1249
Dne, sanctae pater, omnipotens AETERNAE ds, aquarum...   1336
Dne, sancte pater, omnipotens AETERNAE ds, benedicere...   1337, 1338,
   1339, 1340, 1341
Dne sanctae, pater o., AETERNE ds, clemens et propitius...   1342
Dne, sancte pater, omnipotens AETERNE ds, da nobis...   1343
Dne, sancte pater, omnipotens AETERNAE ds, da servis...   1344
Ds misericors, rex AETERNAE, da servituti...   860
Dne, sancte pater, o. AETERNE ds, de habundantia...   1345
clementiae tuae dne sanctae pater omnipotens AETERNE ds, et discendat...
   4224
Exaudi nos, dne, sanctae pater, omnipotens AETERNAE ds et humilitatis...
   1492
Exaudi nos, dne, sanctae pater, omnipotens AETERNAE ds, et miterre...
   1493
Itaque te deprecamur te, dne sanctae pater o., AETERNE ds, et per iesum...
   3918
gratias agere, dne sancte pater, omnipotens AETERNE ds et praecipue...
   3819, 3820
Exaudi nos, piae pater omnipotens, AETERNE ds, et praesta...   3568
Dne, sanctae pater, omnipotens AETERNAE ds, exaudi praecem meam...   1346
Dne, sancte pater, omnipotens AETERNE ds, gratiae...   1347
Dne, sancte pater, omnipotens AETERNE ds, honorum omnium...   1348, 1349,
   1350
Dne, sanctae pater, omnipotens AETERNAE ds, osanna in excelsis...   1354,
   1355
Inmensam clementiam tuam o. AETERNE ds humiliter imploramus...   1929
Dne sancte pater o., AETERNE ds, instaurator et conditor...   1351, 1352
Dne, sanctae pater, omnipotens AETERNAE ds, iteraris praecibus...   1353
sancte pater omnipotens AETERNE ds luminis et veritatis...   165
Dne, sancte pater, omnipotens AETERNE ds, oblationes...   1353a

AETERNUS

sancte pater, o. AETERNAE ds, per Christum dominum nostrum per quem
    maiestatem...   3589
dne, sanctae pater, omnipotens AETERNAE ds per iesum christum filium
    tuum...   3945
... Te, AETERNE ds, quae a nobis sint ignota non traseunt...   136
depraecamur, dne, sanctae pater, omnipotens AETERNE ds quas...   1931
Dne, sanctae pater, omnipotens AETERNAE ds, qui benedictionis...   1356
Dne sanctae pater omnipotens AETERNE ds, qui caelum et terram... creasti...
    1357
Dne sanctae pater o., AETERNE ds, qui es ductur sanctorum...   1360
Dne, sanctae pater, omnipotens AETERNAE ds, qui es et eras...   1359
Dne, sanctae pater, omnipotens AETERNAE ds, qui fragilitatem...   1361
Omnipotens AETERNAE ds, qui humano corpori...   2236
gratias agere, dne, sanctae pater, omnipotens AETERNAE ds qui in...   3945
Dne, sancte pater, omnipotens AETERNE ds, qui me nulla...   1362
Maiestatem tuam quaesumus, dne, sanctae pater, omnipotens AETERNAE ds qui
    non...   2055
Gratias tibi agimus, dne, sanctae pater, omnipotens AETERNAE ds qui nos...
    1667
Dne, sancte pater, omnipotens AETERNAE ds, qui peccancium...   1363
Exaudi nos, dne, sanctae pater, omnipotens AETERNE ds, qui per beatae...
    1494
Omnipotens AETERNE ds qui per gloriosa beati benedicti exempla...   2237
Dne sanctae, pater o., AETERNE ds, qui per iesum...   1364
Dne sanctae pater o. AETERNE ds, qui per invisibilitatis tuae potentiam...
    1365
Dne sanctae pater o. AETERNE ds qui per te redempti sumus...   1366
Omnipotens AETERNAE ds, qui primitias martyrum in sancti levitae Stephani...
    2238
Medellam tuam deprecor dne sancte pater o. AETERNAE ds qui subvenis...
    2064
AETERNE ds qui zebedei tui geminam prolem magnifica...   166
Dne sanctae pater o. AETERNE ds quod in nomine tuo...   1367
Dne, sanctae pater, omnipotens AETERNE ds, respice super hunc famulum...
    1368
Opus misericordiae tuae est, pater o., AETERNAE ds, rogare pro aliis...
    2493
Te invocamus dne, sancte pater, omnipotens AETERNAE ds, super has famulas
    tuas...   3465
(Te) dne, sanctae pater, omnipotens AETERNAE ds, supplices (te) deprecamur
    ...   1369, 1370, 3462
O. AETERNE ds tuae gratiae pietatem supplici devotione deposco...   2239
Te depraecamur, omnipotens AETERNE ds, ut benedicas...   3459
Rogamus te dne sanctae pater o. AETERNE ds ut digneris...   3120
Deprecamur misericordiam tuam o. AETERNE ds, ut hoc altare...   718
Te depraecor, dne, sanctae pater, omnipotens AETERNAE ds, ut huic (hunc)
    famulo...   3460
Exaudi nos, dne, sanctae pater, omnipotens AETERNAE ds, ut quod...   1495
Exaudi nos, dne, sanctae pater, omnipotens AETERNAE ds, ut si qua...   1496
Dne, sanctae pater, omnipotens AETERNE ds, virtutem...   1371
tibi referimus, sancte pater, omnipotens AETERNE ds.   1442, 3327
in holocaustum tuo rex AETERNAE imperiae...   2262
ut gregem tuum, pastor AETERNAE, non deseras...   4138, 4146
dne, rerum genitor AETERNAE, omnipotens ds cuius spiritus...   2818

AETERNUS

Obsecramus misericordiam tuam AETERNAE omnipotens ds qui hominem...   2215
salutis nostrae praesidium, pater AETERNAE, posuisti...   3978
Dne ds AETERNE, qui utrumque sexu de interitu perpetuae mortis...   1297
Praesta nobis AETERNAE salvator ut...   2681
augmentum amoris AETERNE te qs sanctae salvator christe...   3017
adiuratus per nomen AETERNE dei et salvatoris nostri fili dei...   222
et ad AETERNI infinita gaudia te miserante perveniat.   3912
in diae iustitiae AETERNI iudicii...   3225
ad patrem AETERNI luminis transeant in regnum hereditarii claritatis.   1248
quia tibi plenum (pleno) atque perfectum (perfecto) AETERNI patris nomen
    non defuit...   3638
sed nativitatem panis AETERNI purificatis suscipiamus mentibus honorandam.
    4101
... AETERNI regis castra introaeat.   1163
... AETERNI regis est sociata consortio...   3686
Ds, qui praedicando (ad praedicandum) AETERNI regis evangelio (evangelium)
    ...   1172
boni pastoris humeris reportatum in comitatu AETERNI regis perenni
    gaudio...   701
... Gaudeat se tellus inradiatam fulgoribus, et AETERNI regis splendore
    lustrata...   1564
... AETERNI regni inter sanctos et electus capiunt praemiam.   3736
hic est enim calix sanguinis mei novi (et) AETERNI testamenti...   3014
ut ardore careat ignis AETERNI.   2216
qui in caelestibus AETERNIS angelorum misteriis...   1372
et quam (quem, quia) AETERNIS dignatus (dignanter) es renovare misteriis...
    398, 3117
Ds, qui regnis omnibus AETERNIS dominaris imperio...   1190
et AETERNIS effectibus adpraehendant.   463
ut quod temporaliter gerimus, AETERNIS gaudiis consequamur.   3325, 3339,
    3340
et animam famuli tui illi episcopi... AETERNIS gaudiis iubeas sociare.
    2870
intercessionibus eius ab AETERNIS gehennae incendiis liberemur.   864, 1077
Quos dignaris AETERNIS informare mysteriis.   1681
et AETERNIS instruere non omittas.   3482
in caelesti regione AETERNIS perfruuntur gaudiis...   3857
ut ecclesia tua AETERNIS proficiat institutis...   1038
cum sanctis et electis tuis (sanctus et aelectus tuus) AETERNIS sedibus
    precipias sociari (sociare).   2236, 2401
et bonis aptetur AETERNIS.   3511
quam suppliciis deputemur AETERNIS.   538
ut et temporalibus beneficiis adiuvetur et erudiatur AETERNIS.   1642, 1643
ut bonis quibus perpetua gratia nunc focemur ETERNIS.   1436
et temporalibus (praesentibus) sustenta beneficiis et (futuris) AETERNIS.
    3094
et praesentis vitae praesidiis gaudeat et AETERNIS.   796
et presentis vitae presidiis gaudiat AETERNIS.   796
ut qui propriis oramus absolve dilectis, non gravemur AETERNIS.   1779
ut et praesentibus fulciamur auxiliis, et instruamur AETERNIS.   1323a
quos alimoniis pascis AETERNIS.   2673
ut bonis quibus per tuam gratiam nunc fovemur, perfruamur AETERNIS.   1436
ut eorum tenuitate correpti proficiamus AETERNIS.   3827
triumphale nobis ostendisti AETERNO da qs...   2237

AETERNUS
tibi reddunt vota sua AETERNO Deo vivo et vero.   2068
ut te custode pervigile ac pastore AETERNO, et presente...   3102
O. s. ds, cuius AETERNO iudicio universa fundantur...   2318
... Qui pro nobis AETERNO patri adae debitum solvit...   3791
reparare voluisti spiritalis gratiae AETERNO suffragio...   4129
Ds, AETERNORUM bonorum fidelissimi (fidelissime) promissor, certissimi
    persolutor...   743
et AETERNORUM civium consortio adscisci mereantur.   4198
et tecum AETERNORUM civium consortio potiri mereantur.   337
degustare faciat AETERNORUM dulcedinem gaudiorum...   349
ad perceptionem pervenies (provehis) AETERNORUM et haec tribuis...   3968
pervenire mereamur ad AETERNORUM gaudiorum continuationem.   3708
vos ad AETERNORUM gaudiorum pascua aeterna perducat. Amen.   2254
et presentium bonorum et AETERNORUM munerum largituri.   359
fiant AETERNORUM patrocinia graciarum (gaudiorum).   284
Da ei (eis) (et) AETERNORUM plenitudinem (plenitudine) gaudiorum.   890,
    2112, 2204
et in futuro perducat ad societatem AETERNORUM praemiorum. Amen.   349
spiritalium gaudiorum et AETERNORUM praemiorum vobiscum munera reportetis.
    1149
AETERNUM adque omnipotentem deum unianimiter orantis petamus...   167
ut eius, AETERNUM capiat (capiat) te miserante consorcium.   2904
et gentem populumque tuum in AETERNUM conservet.   874
huic mundo lumen AETERNUM effudit iesum christum dominum nostrum.   3725
Suscipe, dne, servum ill. in bonum habitaculum AETERNUM, et da aei...   3433
recurrens una dies in AETERNUM et una corona sociavit.   3668
Sis illis protectur et dominus in AETERNUM fidaei integritas...   122
Suscioe, dne, servum tuum illum in AETERNUM habitaculum...   3433
signum erit in diem iudicii, quod tu non dissipavis in AETERNUM inventum...
    3563
Ds qui de vivis et electis lapidibus AETERNUM maiestati tuae condis
    habitaculum...   951
et in ovium tibi placitarum benedictione AETERNUM numerentur ad regnum.
    3915
vitae fontem AETERNUM pectus scilicet recubuerat salvatoris...   3608
et hic et in AETERNUM per te semper salvi esse mereantur.   2283
... Ipse nos qs ad AETERNUM perducat praemium...   3650
Populum tuum... AETERNUMQUE perficiant tam devotionibus acta
    sollempnibus...   2615
tuae piaetatis AETERNUM perfrui auxilium.   4016
ut cohercendo in AETERNUM perire non sinas...   3884, 3891
ut eis proficiat in AETERNUM, quod in te speraverunt et crediderunt.   176
ut in AETERNUM requiae tecum dominatur admittas.   1162
Ds inconmutabilis virtus, (et) lumen AETERNUM respice propicius...   836,
    837
vitae fontem AETERNUM scilicet pectus recubuerat salvatoris...   3609
ut qui ex aea gustaverit, numquam moritur in AETERNUM sed sapientes...
    1370
et hic et in AETERNUM semper sentiant protectorem.   1334
caelestis pontifex factus in AETERNUM solus omnium...   4019
Ds lumen AETERNUM, splendor siderum...   852
ita nunc manens in AETERNUM summi sacerdos sacerdotem...   1283
Suscipe, dne, anima servi tui ill. in AETERNUM tabernaculum...   3433
ut hic et in AETERNUM, te auxiliante, semper salvi esse mereamur.   4224

AETERNUS

sanctorum AETERNUM tibi condis habitaculum... 985
ut quod temporaliter gerimus, capiamus AETERNUM. 3349
vitam et regnum consequatur AETERNUM. 202, 3462
sicut nos eius opere fieri iugiter desideramus AETERNUM. 3039
simulque nobis temporalem (temporale) remedium conferant et AETERNUM. 3528
et intelligibile nobis faciat et AETERNUM. 4234
virum... martyrii foedere secum virgo casta fecit AETERNUM. 3881, 4103
tua gracia fiat AETERNUM. 3447
ut tibi famulari valeant in AETERNUM. 122
nosmet ipsos tibi perfice munus AETERNUM. 2674
sed panem praeveret AETERNUM. 4074
adeptum temporaliter hunc honorem potius fieri speramus AETERNUM. 4028
ut quod praenuntiatum est ad remedium, in remedium transferatur AETERNUM.
  817
VD. Verum AETERNUMQUE ponteficem... 4221
Aspiciat in vos rectur AETERNUS adque conservit... 318, 319
Ds qui humanarum animarum AETERNUS amator es... 1013
Miserere nobis dne miserere nobis, quia tu es AETERNUS creatur... 2097
VD. Qui est dies AETERNUS, lux indeficiens, claritas sempiterna... 3917
sed verus agnus et AETERNUS pontifex hodie natus Christus implevit. 4194
in quo tibi atque universis angelis tuis AETERNUS veniat (veniet)
  interitus... 2174

AEVUM

ut maiestatis tuae protectione confidens et EVO augeatur et regno. 1713
... AEVO longiore provectus (profectus)... 796
materque pariter sterilis AEVOQUE confecta... 3754, 3755

AFFATUS

ds qui Mosen famulum tuum, secreti familiaris ADFATU... 819

AFFECTIO

aut decipiat adsensio aut fallat AFFECTIO, sententiam... 3021
sacerdote magis pro merito, quam pro AFFECTIONEM aliqua tribuatis. 3021
et corporis AFFECTIONEM corrobora. 3317
ne terrenis ADFECTIONIBUS inherendo... 4215

AFFECTUS

nosque de terrenis AFFECTIBUS ad caelestem transferat institutum. 1862
ut quod passionis mysterio gerimus, piis AFFECTIBUS consequamur. 3444
ut inordinatis AFFECTIBUS expedita... 3964
Praesta, dne, qs, ut terraenis AFFECTIBUS expiatis... 2674
plenis AFFECTIBUS exsequamur. 2231
quae nos a terrenis AFFECTIBUS incessanter expediat... 160
ut terrenis AFFECTIBUS mitigatis facilius caelestia capiamus. 2788, 3028
ut mentes nostras quas conspicis terrenis AFFECTIBUS praegravari... 3745
mentesque nostras terrenis AFFECTIBUS praegravatas... 3317
et ad tuam magnificentiam capiendam divinis AFFECTIBUS semper instauret.
  2946
Adesto, dne, qs, nostri redemptionis AFFECTIBUS ut quos... 88
iustorum desideriorum potiatur AFFECTIBUS. 1460
ut in iugali consortio AFFECTU conpari mente consimili... copulentur. 1078
in labore virtutem, in AFFECTU devotionem... 318, 1332
Adque in eum AFFECTU (dirige) cor plebs et praesolis... 1165
pio AFFECTU eis exemplem presens mandatum dedisti... 963

AFFECTUS
et (ut) pio (pius) semper (tibi) devotus AFFECTU et ab infestis...   1620,
    1621, 2610, 4030
humana fabulatio relegiosa excolat AFFECTU et idio...   4216
ut eorum et mundemur AFFECTU et muniamur auxilio.   3079
toto cordis ac mentis AFFECTU, et vocis ministerio personare...   3791
ut quia AFFECTU filiorum maxime in matrum visceribus indedisti...   3407
Pio recordationis AFFECTU fratres carissimi commemorationem facimus cari
    nostri illius...   2584
cum aeis AFFECTU gedionis proeliante utatur et dicat...   4143
ut quae sedulo celebramus AFFECTU grato tibi...   2093
Ds qui facturae tuae pio semper dominaris AFFECTU inclina aurem...   986
ds qui Moysen famulum tuum, secreti familiaris AFFECTU inter cetera...   820
da mihi lacrimas ex tuo AFFECTU internas...   575
sed subdito tibi semper AFFECTU nec in tribulatione...   4005
... Et qui loco ceteris praesidemus, cunctis rationabili subdamur AFFECTU
    nec nos...   4171
Pio recordationis AFFECTU quem dominus commemoratione faciamus cari nostro
    illo...   2583
et corporaliter gubernatum piae mentis AFFECTU tuis muneribus...   696
Da plebi tuae dne piae semper devotionis AFFECTU, ut quod prava...   2606
Proficiat, dne, qs, plebs tibi decata pie devociones AFFECTU ut sacris...
    2855
toto cordis ac mentis AFFECTU ut vocis misterio personare...   4206
ut... adpraehendamus rebus (effectum), quod actionibus celebramus AFFECTU.
    3169
ut eorum nobis fiant depraecatione salutaria, quorum celebrantur AFFECTU.
    3341
et in excelsa tendamus, quae in beati archangeli Michael contemplamur
    AFFECTU.   4027
debitae venerationis contingamus AFFECTU.   3626, 3682
et solo miserantes quo debemus AFFECTU.   3653
et omnes homines rationabili diligamus AFFECTU.   436
ita piae devotionis erudiamur ADFECTU.   1485
ut quod professione caelebramus imitemur AFFECTU.   2435
ut cuius exequimur accionem, senciamus AFFECTU.   3298
et nec sub inanis opinationis AFFECTUM actionis...   3674
ad plenae devotionis AFFECTUM beati baptistae...   2732
et quibus supplicandi tribues miseratus AFFECTUM concede...   64
Patientia praetiosa iustorum tuae nobis, dne, qs, AFFECTUM dilectionis
    adcumulet...   2545
et in hunc AFFECTUM dirige cor plebis et praesulis...   808
dum peccandi cohercet AFFECTUM dum ad supplicandum...   3656
ut fidelibus tuis ordinatum praeveamus AFFECTUM eisque nos...   2759, 2800
que nobis huius solemnitatis AFFECTUM et confessione dedicavit et
    sanguine.   2141
sacramentorum tuorum mirabiliter operaris AFFECTUM et licet nos...   1047
ut sui reparationis AFFECTUM et pia conversatione recenseat...   474
Accendat in vobis piae devotionis AFFECTUM et praebeat...   2248
et magnae fidei largiris AFFECTUM et tolerantiam...   3721
ut quia AFFECTUM filiorum maximae in matrum visceribus indidisti...   3407
Piae recordationis AFFECTUM, fratres karissimi, suppliciter deprecamur...
    2583
per omnia elimenta voluntatis tuae defundas (defundit) AFFECTUM hos (hunc)
    quoque...   1372

AFFECTUS

Ds, qui facturae tuae pio semper dominaris AFFECTUM inclina... 986

ut AFFECTUM iugis paenitudinis non omittat... 2297

beatus ille Clemens hodiernae (hodierna) nobis exultationis AFFECTUM magnificae passionis... 4097

da nobis AFFECTUM maiestatem tuam iugiter depraecandi... 1072

adsis regibus nostris proeliantibus victoria cum adversariis in AFFECTUM, nec gens... 3466

O. s. ds, qui maternum AFFECTUM nec in ipsa sacra semper virgene Maria... denegasti... 2417

sed subdita tibi semper AFFECTUM, nec in tribulatione... 4006

et quibus prestas devotionis (devotionis praestas) AFFECTUM praebe supplicantis... 3219, 3226

et cui tribuis supplicandi benignus AFFECTUM praebe placatus... 2622

Quod AFFECTUM procreandorum filiorum ita in visceribus... 3918

infundas aetiam devotionis AFFECTUM quo efficiantur ingrati. 3795

sed AFFECTUM quoque nobis quo gratias referamus inspirat... 4104

et quibus supplicandi tibi prestas AFFECTUM tribue... 146, 425, 719

da cordibus nostris inviolabilem caritatis AFFECTUM, tuae desideria... 960

et desideria voti aeorum ad AFFECTUM tuae miserationis perducas... 3461

et corporaliter gubernatum pie mentis AFFECTUM tuis muneribus... 696

da servis tuis hunc caritatis AFFECTUM ut bona... 943, 1344

Da plebi tuae, dne, pie semper devotionis AFFECTUM ut quae prava... 631

tunc circa eos verum probantes AFFECTUM ut quemadmodum... 4025

concede plebi tuae petitionis AFFECTUM ut quibus dedisti... 902

tribue permanentem peracte quam colimus solemnitatis AFFECTUM ut quod... 877

Proficiat qs dne plebs tibi dicata pie devotionis AFFECTUM ut sacris... 2855

Da, qs, dne, fidelibus tuis hunc caritatis AFFECTUM ut sanctorum... 644

concede nobis piae paetitionis AFFECTUM ut sicut in passione... 731

infunde cordibus nostris amoris tui AFFECTUM ut te in omnibus... 959

contra vitae praesentis ADFECTUM venturae salutis aeternitas... 3861

optate misericordiae praesta benignus AFFECTUM. 1641, 2796

ut divino muneri congruentem nostrae devotionis offeramus AFFECTUM. 2662

bene placitum tibi nostrae mentis offeramus AFFECTUM. 3430

ita perennitatis eius gloriae salutaris potiamur AFFECTUM. 1851

salutaris auxilii nobis praestet AFFECTUM. 3198

ut cuius exequimur actionem, senciamus AFFECTUM. 3298

ita summa debet humilibus unitatis AFFECTUM. 3632

et ut sacrae purificationis AFFECTUS aquarum natura conceperit... 3772

et AFFECTUS eius digna conversatione sectemur. 455

sic aeodem iugiter habundare (redundare) AFFECTUS est sine fine vivendi. 4040

Crescat, dne, semper in nobis, sanctae iocunditatis AFFECTUS et beatae agnae... 556

ut et nobis proficiat huius pietatis AFFECTUS et illis impetret... 1757

ut et nobis proficiat huius pietatis AFFECTUS et illum beatitudo... 1739

Moveat pietatem tuam qs dne subiectae tibi plebis AFFECTUS et misericordiam... 2107

ut per hanc ieiuniorum observationem crescat nostrae devotionis AFFECTUS et nostrae... 3679

(et) carnales amoveat spiritus sanctus AFFECTUS et spiritalia... 2720

Da, qs, dne, nostrae AFFECTUS ieiuniis salutare... 649

... AFFECTUS in odore suavitatis accipias... 3476a

AFFECTUS

ut devotio paenitentiae, quam gessit eius AFFECTUS perpetuae...   177
tuorum tamen fidelium praesumit AFFECTUS pro tuae...   4170
Fiant tua gratia, dne, fructuosius nostrae devotionis AFFECTUS qui actu...
  1619
sed indulgentiae tuae praeveniat semper AFFECTUS qui nos a noxiis...
  3704, 4208
... Cibus eius est, totius bonae voluntatis AFFECTUS qui nos docuit...
  3880
Fiat tua gratia dne fructuosior nostrae devotionis AFFECTUS quia tunc
  nobis...   1619
Fiat, qs, dne, per gratiam tuam fructuosus nostrae devotionis AFFECTUS quia
  tunc...   1619
ut illuc (semper) tendat (christianae) (nostrae) devotionis AFFECTUS, quo
  tecum est nostra substantia.   3498, 3499
Proficiat, qs, dne, plebi tibi decata pie devotionis AFFECTUS ut sacris...
  2855
continentiae virtus, benignitas AFFECTUS.   359
quibus proficiat nostrae devotionis AFFECTUS.   2848
timentium voluntatum respuamus AFFECTUS.   2675
tuam frequentationem (frequentatione) mysterii crescat nostrae salutis
  AFFECTUS.   3348
et mentibus desideratus virtutum succedat AFFECTUS.   1838

AFFERO

afferentem clementer excolens, AFFERAT ampliores...   2442
sed dignus semper AFFERAT fructus.   2188
... AFFERENTEM clementer excolens, fructus afferat ampliores...   2442
si autem mortuum fuerit, multum fructum ADFERET...   3757
et nunc humanis usibus ADLATA...   770
que nobis est ALLATUM creatur omnium benedicat.   1890
quicquid in hoc saeculo proprius error ADTULIT...   2583

AFFICIO

ut in sancta conversatione viventes, nullis AFFICIANTUR adversis.   2024
non dolor horrendae visionis AFFICIAT...   746
ut qui diu pro nostris peccatis AFFICIMUR.   610

AFFIGO

... Illius enim te perurguet potestas, qui te ADFIGENS cruce suae
  subiugavit...   142
lignum crucis simul quo nostra secum christo ADFIXIT delicta...   3847
per idem lignum crucis simul quo nostra secum ADFIXIT delicta...   3847

AFFINIS

ut coniugem suum valerianum ADFINEMQUE suum tibortium tibi fecerit
  consecrate...   758

AFFIRMO

nescientes quae loquantur neque de quibus ADFIRMENT...   3879

AFFLATUS

Concedat vobis quod ille spiritus sancti munere AFFLATUS vestris auribus...
  2246
tumentium voluntatum respuamus ADFLATUS.   2675

AFFLICTIO

dum simul et experientiam fidei declinarat ADFLICTIO, et per te...   4073
dum simul experientiam fidei declarat AFFLICTIO et victoriosissima...   4071
Ne despicias (dne qs) (o. ds populum tuum) in AFFLICTIONE clamantes
   (clamantem)...   2171, 2172
et corporis ADFLICTIONE conrobora.   3317
ut qui in AFFLICTIONE nostra (ADFLICTIONEM nostram) de tua pietate
   confidimus...   2774
ut sicut ninevitis in AFFLICTIONE (AFFLICTIONEM) positis pepercisti...   400
... Et per AFFLICTIONEM corporum, proveniat nobis robur animarum.   3745
et miserator in omnem ADFLICTIONEM aeorum hac caris...   3035
AFFLICTIONEM familiae tuae qs dne intende placatus...   168
... AFFLICTIONEM populi et lacrimas respice...   1050
Respice propitius, dne, qs, ADFLICTIONEM populi tui...   3097, 3112
que nunc gentium barbararum ADFLICTIONIBUS, pro suis menbris...   3501

AFFLIGO

nec mens ADFLICTA degeneret.   357
occultae proposito castigationis ADFLICTI et cruciati...   3959
et qui non operando iustitiam correptionem meremur AFFLICTI in tribulatione
   (tribulationem)...   1938
... AFFLICTI populi lacrimas respice...   1050, 2977
parce propitiatus AFFLICTIS, et praesta ut pacem...   2077
et qui iuste verberas peccatores, parce propitiatus AFFLICTIS.   2076
... Da indulgentiam reis, ut nobis subvenias propitiatus ADFLICTIS.   3098
... Quo ita supplicanti et misericordiam dei ADFLICTO corde poscenti...
   58, 59
... AFFLICTORUM gemitum propitius respice...   1110
ut quos (quis) iustitia verberum fecit AFFLICTOS (AFFLICTUS) habundantia...
   1245
per quem nos contrictione cordis AFFLICTUS intuere serenus.   3789
Ds, qui non dispicis corde contritos et ADFLICTOS miseriis (misereris)...
   1086
ut non sub imagine consolendi percellamus ADFLICTUS, ne opem...   3674
ut in sancta conversatione viventes nullis ADFLIGANTUR adversis.   2024
ut nullis periculis ADFLIGANTUR, qui te protectore confidunt.   73
nullis adversitatibus ADFLIGANTUR salutaribus...   644
Praesta, qs, o. ds, ut quia pro peccatis nostris meremur AFLIGE per
   adventum...   2785
ut qui iuste pro peccatis nostris ADFLIGEMUR pietatis...   2829
... Nullis quippe forinsecus miseriis ADFLIGEMUR si vitia...   3888
ut qui (quae) se ADFLIGENDO carnem (carne) ab alimentis abstenit...   2758,
   2784
et qui nos confidentes virtute moliuntur ADFLIGERE a nobis...   2651
ut qui pro peccatis nostris meremur ADFLIGI per adventum...   2785
VD. Qui cumque pro nostris meritis iugiter meremur (mereamur) AFFLIGI tu
   tamen...   3884
et qui merito nostrae iniquitatis ADFLIGIMUR apostolicis...   3002
Ds, qui prospicis, (conspicis) quia ex nostram pravitatem (nostra
   pravitate) ADFLIGIMUR concede...   1187
ut qui ex nostra culpa AFFLIGIMUR, ex tua pietate misericorditer liberemur.
   2987
ut qui diu pro nostris peccatis AFFLIGIMUR intercedente...   610
ut qui pro peccatis nostris iuste ADFLIGIMUR misericordia...   55
ut qui nostris excessibus incessanter AFFLIGIMUR per unigeniti...   2778
et merito nostrae iniquitatis AFFLIGIMUR pietatis tuae gratiam...   3003

AFFLIGO

ut qui iuste pro peccatis nostris AFFLIGIMUR pietatis tuae visitatione
   consolemur.   2829
iniquitates nostras quibus merito AFFLIGIMUR placatus absolve.   3715
ut qui iuste pro peccatis nostris AFFLIGIMUR pro tui nominis...   2828
iniquitatis quibus nos AFFLIGIMUR rogamus absolve.   1412
ut qui ex nostra culpa ADFLIGIMUR, salvatore nostro adveniente respiremur.
   2986
ut qui ex merito nostrae actionis AFFLIGIMUR tuae gratiae...   486
Praesta qs o. ds, ut qui pro nostris excessibus incessanter AFFLIGIMUR tuae
   pietatis...   2781
in quo exterior homo noster AFFLIGITUR, dilatatur interior...   4179, 4183
in qua homo noster AFFLIGITUR exterior, dilatatur interior...   3740
cor suum luctu (luctum), corpus ADFLIXIT ieiuniis...   58

AFFLUO

... AFFLUAS indomentorum caelestium dignitatem donati...   4176
qui gratiae tuae AFFLUENTE impetum letificas civitatem tuam...   1046
O. s. ds, AFFLUENTEM ill. spiritum tui benedictionis super famulum...
   infunde...   2303
ut a fertilitate terrae aesurientium animas (animae) bonis AFFLUENTIBUS
   repleas...   2525
qui gratiae tuae AFFLUENTIS impetu...   1045

AFFLUENTER

ut salvationem mentis et corporis... et ADFLUENTER accipiat.   3303

AGAPITUS

Sancti martyris AGAPITI, dne, qs, veneranda festivitas...   3205
VD. Qui nos sanctorum Felicissimi et AGAPITI festa...   3977
Laetetur ecclesia tua ds beati AGAPITI martyris confisa suffragiis...   1985
Sancti martyri AGAPITI merita nos, dne, praeciosa tueantur...   3206
sanctorum martyrum tuorum felicissimi et AGAPITI natalicia...   1108
Munera tibi, dne, pro sancti martyris AGAPITI passione deferimus...   2142
intercedentibus sanctis tui felicissimo et AGAPITO ut quae ore...   2686

AGATHA

... Perpetua AGATHAE Lucia Agnem...   2178
Beatae AGATHE martyris tuae dne praecibus confidentes...   254
Indulgenciam nobis, dne, beatae AGATHAE martyrae (tuae) inploret...   1911,
   1912
et intercedente beata AGATHE martyre tua sempiterna...   247
Suscipe munera dne quae in beatae AGATHE martyris tuae sollemnitate
   deferimus...   34
Exultemus... et de tuae, dne, festivitate martyrae AGATHAE qualiter...
   1555
Ds qui nos annua beatae AGATHE virginis tuae sollemnitate laetificas...
   1097
adsit intercessio beatae tuae martyrae AGATHAE.   1617
... AGATHEN quoque beatissimam virginem victrici patientia coronares...
   3856

AGER

ut squalentis AGRI secundis imbribus inrigentur...   3824
ut ubicumquae effusa fuerit, vel aspersa, sive in domo, sive in AGRO
   effuges...   1532
iosuae in AGRO, iesu nave in proelio...   842
ut ubicumque asparse fuaerint per AGROS aut angulus domus...   1346

AGER
Dispersaque Dispersaeque per AGROS libratis... 3791, 4206

AGGRAVO
Presta, dne, qs, ut quam inmensis erroribus ADGRAVATI fiduciam... 2668
ne aut malis propriis ADGRAVEMUR, aut infestemur ab hostibus. 3369
ne aput iustitiam tuam peccata nostra nos ADGRAVENT quam tuae... 2957

AGGREDIOR
ut ad promissam hereditatem ADGREDI valeamus per debitam servitutem. 882
non ADGREDIENS in bivio, non in trivio, non in quatruvio... 394
Huius tutillam (tutilla) confisi, calleam (callem) ADGREDIMUR tenuem
    (tenue)... 3847

AGGREGO
et ADGREGA ecclesiae tuae sanctae ad laudem et gloriam nominis tui. 2419
intra levitarum numerum dignatus es ADGREGARE luminis... 1564
sanctorum tuorum coetibus ADGREGARE praecipias. 1289
sanctorum tuorum numero facias ADGREGARE (ADGREGARI). 2317
et eius animam sanctis et fidelibus iubeat ADGREGARI cuique in iudicio...
    701
et eius spiritum sanctis ac fidelibus ADGREGARI iubeat... 702
omnium sanctorum coetibus ADGREGATUS cum electis... 3470
ut renati fonte baptismatis adoptionis tuae filiis ADGREGENTUR. 2384
in electorum tuorum societatibus ADGREGENTUR. 774
ut eorum quoque (et) perpetuo ADGREGETUR consorcio. 1040

AGMEN
et in septenario inter beatorum spirituum AGMINA requiescatis... 2242
et collocare inter AGMINA sanctorum tuorum digneris... 1263
sed similium tuarum virtutum AGMINE roborata... 4143

AGNES
et beatae AGNAE (AGNETIS) intercessio veneranda. 151
et beatae AGNAE virginis adque martire tue veneranda festivitas augeatur...
    556
et intercedente beata AGNE martyre tua. 1807
ut qui beatae AGNE martyris (martyre) tuae sollemnia colimus... 2414
Ds qui nos annua (annuae) beatae AGNE martyris tuae (martyre tua)
    solemnitate (solemnitatem)... 1097
... Lucia AGNEM (AGNEM, AGNE) Caecilia Anastasia... 2178
quo beatae AGNES (AGNETIS) caelestem victoriam recensentes... 1793
Adesto nobis, o. ds, beatae AGNES (AGNETIS) festa repetentibus... 119
ut beatae AGNES martyris (martire) tuae... etiam fidei constanciam
    subsequamur. 2718
qua beata AGNES pretiosam mortem... suscipiens... 3781
de participacione sacramenti festivitatis sanctae martyris AGNES (AGNETIS)
    suppliciter... 3330
munera, quibus sanctae AGNETIS magnifica solemnitas recensetur... 1651
VD. Recensentis (recensemus) (enim) diem beatae AGNETIS martyrio
    consecratum (consecratam)... 3686
VD. Beate AGNETIS (AGNIS) natalitia gaeminantes... 3604

AGNITIO
et in ispius agni immaculati AGNICIONE gloriantes... 3622
ut huic famulo tuo... viam veritatis et AGNICIONIS tuae iubeas demonstrare
    ... 3460
ut cum dies AGNICIONIS tuae venerit... 2312

AGNITOR

testes Christi (christi testes), qui eius nondum fuerant AGNITORES
  O infinitas...   3696, 3851

AGNOSCO

ut AGNITA veritatis tuae luce, quae Christus est, a suis tenebris
  eruantur.   2389
ut AGNOSCAS officium tuum, ut (et) impleas illud...   1403
AGNUSCAT dominus in vobis proprium signum...   169
et noticiam (innocentia) mysteriorum AGNOSCAT et inter...   3391
ut... te protectorem suum semper AGNUSCAT et sui...   4126
ut salvatorem suum (et) incessanter AGNOSCAT et veraciter adpraehendat.
  1927
et aeterna miseratione redemptus AGNOSCAT.   2894
... AGNOSCATUR a tuis et misericordia bonitatis tuae...   2493
... AGNOSCE depositum fidelem quod tuum est...   3389
ingressusque ecclesiam dei evasisse te laqueos mortis laetus AGNOSCE
  horresce...   39
evassisse de laqueos mortis laetus AGNUSCE.   39
tribuae ei continuam (continua) sanitatem ad AGNOSCENDAM (AGNOSCENDUM)
  unitatis tuae veritatem.   2446
ipse ad AGNUSCENDUM se, delicta ignuscendo concedat.   855
... AGNOSCENTES ad magnum pietatis tuae pertinuisse consilium...   4098
vel permanentis boni tempus AGNOSCENTES indefessas...   3719
et quos providentur (quae profidentur) AGNUSCERE et caelesti (ad
  caeleste)...   650
qui ex ipsis flagellationibus et erroris nostros debeamus AGNUSCERE, et
  magis...   4135
ut aeum vigilanter mereamini AGNUSCERE, fideliter colere...   3485
da plebi tuae redemptoris sui plenum AGNOSCERE fulgorem...   1151
sed etiam spiritum sanctum quo matrem domini et salvatoris AGNOSCERET
  accepit.   3755
ita te fontem pietatis AGNOSCIMUS a quo et...   1459
te miserante, AGNUSCIMUS cessare.   2532
VD. AGNOSCIMUS enim, dne ds noster, AGNOSCIMUS sicut propheta...   3598
... Quem in susceptione mortalitatis deum maiestatis AGNOSCIMUS et in
  divinitatis...   4162
et gente quam super nos AGNUSCIMUS, per auxilium...   2934
in his tamen speciale tuum munus AGNOSCIMUS quos et fratres...   4052
ut qui reatum nostrae infirmitatis AGNOSCIMUS tua consolatione liberemur.
  2977
ut qui offensa nostra per flagella AGNUSCIMUS, tuae consolationis...   2779
et quod profitentur AGNUSCIRE et caeleste...   650
qui ex ipsis flagellationibus errores nostros debeamus AGNUSCIRE et
  magis...   4135
quorum meritis semper coepisse in tribulacione AGNOSCIT auxilium.   25
et confessio in dextera paterne maiestatis AGNOSCITUR.   1706
... Iniquitates meas ego AGNOSCO et delictum meum contra me est semper...
  58
qui te post longas tenibras hodiae natum AGNUSCUNT, sed haec plebs...   1090
ut per eum quem similem nobis foras AGNOVIMUS intus reformare mereamur.
  803
ut qui gratiam dominicae resurrectionis AGNOVIMUS ipsu per amorem...   2773
Praesta qs o. ds, ut qui iram tuae indignationis AGNOVIMUS misericordiae...
  2776
... AGNOVIT auctorem suum beata virginitas...   758, 759

AGNOSCO
... Illic namque AGNOVIT bos possessorem suum er asinus praesepium domini
   sui...   3648
quem adhuc utero clausus AGNOVIT meritoque...   3774
Et qui te simel AGNOVIT principem universitatis et dominum...   1073

AGNUS
ut expulsis azymis vetustatis illius AGNI cibo satiemur et poculo...   3799
in figura AGNI domini nostri iesu christi...   1257
et in ipsius AGNI immaculati agnicione gloriantes...   3622
Adiuro ergo te, in nomine AGNI inmaculati qui ambulat (ambulavit)...   141,
   1355
et in ipsius AGNI immolatione gloriantes...   3760
Media nocte ab angelo vastatore sanguis AGNI israel defenditur...   2065
Quatenus ipsius AGNI quem ille digito ostendit...   342
Ds qui legiferi ne lederetur israel iussisti postis AGNI sanguine
   delinire...   1059
servans populum tuum AGNI sanguine prenotatum...   1257
et in AGNI tui perpetuo (perpetua) comitatu probabilis mansura castitate
   permaneat.   759
sic oves gubernentur et AG(NI) ut lupus...   1044
qui AGNO in aegypto moyse et populo tuo in vigilia paschae comedere
   precepisti...   1257
in io(se)ph (isaac) venundatus, in AGNO occissus...   744
que nobis, AGNO vincente, conversa est in salute.   903
... O AGNUM inter suas aepulas mitem ! ...   3867
adque ut samuhel crinigerum AGNUM mactantem in holocaustum...   2262
sequantur AGNUM quocumque ierit, prestante.   1317
seipsum tibi sacram hostiam AGNUMQUE inmaculatum... pro salute nostra
   immolavit.   3986
sed potius peccatum mundi idem verus AGNUS abstersit.   4019
sed verus AGNUS, aeternus pontifex, hodie natus Christus implevit.   4194
... AGNUS dei qui tollis peccata mundi miserere nobis.   2547
sed verus AGNUS et aeternus pontifex hodie natus Christus implevit.   4194
idem sacerdos et sacer AGNUS exhibuit.   3985, 4018
sed imperat tibi AGNUS inmaculatus christus deus dei filius.   2180
quam AGNUS inmaculatus redemptione suae fuso sanguine liberavit.   1059
dum pro vita omnium pius vellis AGNUS occidi...   1180
... Haec sunt enim festa paschalia, in quibus verus ille AGNUS occiditur...
   3791
... Ipse enim verus est AGNUS qui abstulit peccata mundi...   4159, 4161
... AGNUS quoque legalis ostendit...   4194

AGO
Populum tuum... aeternumque perficiant tam devotionibus ACTA
   sollempnibus...   2615
... ACTO modesta, pudor constans...   136
ut quod ACTUM est nostrae servitutis officio, tua benedictione firmetur.
   115
ut et quod ACTUM est per obsequium deputatum...   2489
... Quoniam tuo dono ACTUM est ut... sexus fragilis esset fortis...   3854
et per omnem quam ACTURI sunt viam dux eis et comis esse dignare...   844
sabbatorum die hic sacras ACTURI vigilias...   182
VD. Cuius nos misericordia... subsequitur ne frustra AGAMUS accendit...
   3659
si AGAMUS corde sincero...   3888

AGO

... Gratias AGAMUS domino deo nostro.   1978, 2556, 3119a, 3384, 3791
ut quecumque praecipis ut AGAMUS, ipse...   2316
VD. Cuius nos misericordia praevenit ut bene AGAMUS subsequitur...   3659
Laudis et gratias AGAMUS tibi dne et nomini tuo sancto...   2003
ut liberati hospitalis AGAMUS tibi, dne, paper o., laudes et gratias. 1346
aut cogitamus, aut AGAMUS tu nobis semper et intellegendi que recta sunt...
   4212
te tuente prospera AGANT.   2475
et ducis curam AGAT et reducis.   2905
tuae sit pietatis quo id feliciter AGAT quetenus...   3912
Quod aenim AGAT the indignus tecum...   3792
Sic AGE quasi redditurus deo racionem...   3288
Gracias tibi AGEMUS, dne, custodisti per diem...   1665
et amissa purgare, et ea quae sunt AGENDA concedere...   138
et AGENDA dicat, et dicta opere compleat...   1337
quam natalitiis AGENDA divinis Iesu Christi domini nostri.   2615
ut qui ad haec AGENDA saluberrimam dedisti doctrinam...   3807
ut per haec, quae his oblationibus sunt AGENDA, salvemur.   2666
ut videre possimus quae AGENDA sunt et quae recta...   2086
ut et quae AGENDA sunt videant (videat)...   4250
spiritum cogitandi quae bona (recta) sunt promptius (propitius) et AGENDI
   ut qui...   1993, 1994, 1995
contra voluntatem sui creatoris AGENDO contraxerat...   3956
et instructionem gratiae tuae praeveamus et AGENDO tuis fidelibus et
   docendo.   2367
solicite vobis AGENDUM est, ut...   3281
ut eius qui tibi placuit exemplis ad bene AGENDUM informemur...   3655
item tibi gratias AGENS benedixit dedit discipulis suis...   3014
tibi gratias AGENS benedixit fregit dedit discipulis suis...   3014
ut peracto diei tibi suppliciter gratias AGENTES etiam mane...   2497
... AGENTES gratias et de remedii largitate et de provisione suffragii.
   1941
... AGENTES igitur indefessas gratias...   3645
Concede AGENTI normam, loquendi fiduciam...   740
et quod ex his parcius sumeremus AGENTIUM proficerit alimentis...   3970
... Dum enim sine te nihil recti velle possimus aut AGERE aut perficere...
   3665
te confitente gratias AGERE cui dedisti...   4163
VD. Nos tibi in omnium sanctorum (tuorum) profectu (profectibus) gratias
   AGERE dne...   3819, 3820
nos tibi semper (hic) et ubique gratias AGERE, dne.   3589, 3945
praesta qs ut et convenienter haec AGERE et remedium...   2233
VD. Nos tibi semper et ubiaue gratias AGERE et suppliciter exorare...   3822
gracias AGERE, gloriose, ineffabiles trinitas...   3821
ut tibi semper sanctificatori et salvatori omnium domino, gratias AGERE
   mereatur.   717
una nobiscum sancto nomini tuo gratias AGERE mereatur.   1368
in honore apostulorum et martyrum tuorum gratias AGERE quo sit.   3823
VD. Tantoque propensius AGERE quod pro nostro...   4141
ut inperturbatis mentibus AGERE tua sancta possimus.   2346
de tuis muneribus tibi semper gratias AGERE ut a (ad) fertilitate
   (fertilitatem)...   2525
et in praesenti festivitate sancti martyris tui illius... gratias AGERE
   ut cui dedisti...   3729

AGO
Dona aei in hac domo tua ita AGERE, ut iniunctum...   3531
et quae recta sunt AGERE valeamus.   2086
per abstinentiam tibi gratias AGERE voluisti...   3970
etiam si id quod digne agimus digne AGERIMUS, id quoque tibi deberimus...
   3792
ut qui festa paschalia AGIMUS caelestibus... fontem vitae sitiamus.   487
etiam si id quod digne AGIMUS digne agerimus...   3792
Gratias tibi AGIMUS dne custoditi per diem...   1665
Gratias tibi AGIMUS dne ds o. qui nos...   1666
Gratias AGIMUS, dne, multiplicatis...   1663
Gratias tibi AGIMUS, dne, sanctae pater, omnipotens aeternae ds...   1667
pro famulos et famulabus tuis quorum conmemorationem AGIMUS et pro
   animabus...   1751
fidelium catholicorum orthodoxorum quorum commemorationem AGIMUS et
   quorum...   3247
quatenus quorum sollemnia AGIMUS, etiam actus imitemur.   476
ut hoc quod devote AGIMUS etiam rectitudine vitae teneamus.   836
Gratias AGIMUS inenarrabile pietati (piaetatis) tuae, o. ds...   1664
gratias AGIMUS nomini tuo...   3069
que pro illius venerando AGIMUS obitu, nobis proficiat ad salutem.   2563
ut per temporalia festa quae AGIMUS pervenire...   1129
ut quod mysteriis AGIMUS, piis effectibus celebremus.   38
Perceptis, dne, caelestibus sacramentis gratias AGIMUS pio nomini tuo...
   2562
tibi gratias AGIMUS pro his quae te largiente suscipimus (suscepimus)...
   3262
animabus famulorum famularumque tuarum quorum commemorationem AGIMUS
   remissionem...   2949
quae corporaliter AGIMUS spiritaliter consequamur.   2167
ut ea quae devote AGIMUS te adiuvante fideliter teneamus.   1126
Gratias AGIMUS tibi dne multiplicasti...   1663
cui in depositionem suam officium conmemorationis AGIMUS, ut si qua...
   2495
que tibi placuerunt, quorum conmemorationem AGIMUS vel quorum...   3008
famulis et famolabus tuis quorum cummemorationem AGIMUS vel quorum...
   2806, 3247
ut quod AGIT misterio virtute perficiat.   371
quia (in) initio suo nihil aliud AGIT, nisi nativitatem salvatoris...
   1633, 1634
quid AGIT, nisi ut crescendo discrescat...   3289
ut quicquid in tuo nomine digne perfecteque AGITUR, ante fiaeri...   2291
VD. Ita dignus es pro qua AGITUR et ita dignus es...   3792
cuius hodie annua dies AGITUR, pro qua tibi offerimus sacrificium laudis...
   2879
famuli tui ill., cuius hodie annua dies AGITUR qs placatus...   1722
nec imitarentur quod nuptiis (nuptias) AGITUR sed diligerent...   758, 759
VD. Tibi enim (etenim) (dne) festa sollemnitas (sacra festivitas) AGITUR
   tibi dies...   4177, 4178, 4180
et ita dignus es cui AGITUR, ut ita dignus non sit a quo AGITUR.   3792
VD. Cuius aeclesia sic veris confessoribus falsisque permixta nunc AGITUR
   ut tamen...   3639
Gracias AGO tibi de donis tuis, sed mihi ea serva.   3792
sum scilicet vel AGUNTUR crimina vel canuntur...   4139
... Nulla tibi gracia AGUNTUR iam conpleti...   1852

                    AGO
dicens : Peccavi, impie EGI, iniquitatem feci... miserere mei dne...   58
ut qui festa paschalia venerando EGIMUS per haec contingere...   488
et peccata que labentibus viciis nostris contraximus et EGIMUS per
   ipsorum...   857

                    AGON
ut de tanti AGONE certaminis discat populus christianus...   438
... Quae dum duplicem vult sumere palmam in sacri certaminis AGONE et de
   corporis...   3866
Et qui illis voluit centesimi fructus donum... et AGONE martyrii conferre...
   2264
et confessione fidei et AGONE martyrii mentes vestras circumdet...   915
mirabilis appareret in eorum AGONE mutatio...   3951
exultationis affectum magnificae passionis AGONE sacravit...   4097
qui largiris in AGONE victoriam.   4109
quod sanctis omnibus ostensum (ostenditur) est post AGONEM.   4185, 4186,

                    AGRICOLA
quam tu, caelestis AGRICULA, falcis tuae aciae conponis et purgas...   1155

                    AHARON = AARON

                    AIMINA = LIMINA

                    AIO
ut, sicut AIT apostolus, non efficiantur pueri sensibus...   3487
et sicut evangelium AIT, Christum in cubiles requirentes...   3653
... AIT enim : In principio erat verbum...   1953
... AIT enim propheta Hiezechihel : Et similitudo vultus eorum...   203
... Hoc ideo AIT, quia dixit apostolus : Nescitis, quid vos oporteat
   orare...   1789
qui divini oris sui voce discipulis AIT Vos estis sal terrae...   1545
et apustulus suos AIT : vos estis sal terrae...   1547

                    ALA
et tuae deffensionis decernas ALA protegis...   1233
ut sub umbra ALARUM tuarum protegatur...   1500

                    ALACRITAS
non fragilitate carnis, sed ALACRITATE mentis ascenditur...   2266

                    ALBA
Sanctam hanc aquae qui post fontem tuum abluendas ALBAS offeremus...   1366

                    ALBUS
et illius erant capilli sicut lana ALBA...   1860

                    ALEXANDER
ut qui sanctorum tuorum ALEXANDRI, eventi et theoduli natalicia colimus...
   2771
... Ignatio ALEXANDRO Marcellino Petro...   2178

                    ALIENUS
nec nostra nobis praevaleant nec ALIENA peccata.   566
a nullis sit ALIENA promissis.   919
et lapsus nostros ALIAENA ruina suscepit.   3661
et a suis semper et ab ALIENIS abstinere delictis...   1999
... Suscipe, dne, creaturam tuam non ex diis ALIENIS creatam...   3389
sub conspectu nostro (nostris) manibus diripiantur ALIENIS et quae
   desundantibus...   3598

ALIENUS

nec ALIENIS inpietatibus praevere consensum... 3833, 4209
et amissos parentes ALIENIS invenit in terris... 3616
nec nostris excessibus, nec ALIENIS nos permittas violari peccatis. 120
et ab ALIENIS pravitatibus benignus absolve... 4
ut nec propriis iniquitatibus implicentur nec subdantur ALIENIS. 3051
propriis ALIENISQUE (qs) propitius (propitiatus) absolve delictis...
3031, 3032
sed ut sollicite dolos caveamus ALIENOS ita mittes... 3981
ita nemo sit ALIENUS a venia. 1254
quo non altaribus tuis ignis ALIENUS nec inrationabilium... 2160

ALIMENTUM

ubi ALIMENTA panis preparantur... 2386
ut qui caelestia ALIMENTA percepimus (percipimus)... 3001
quibus et salus nobis et ALIMENTA praestentur. 3824
Quos caelaesti dne ALIMENTA saciasti... 3022
et spiritalibus enutriens (eos) ALIMENTIS a cunctis... 2924
ut qui se adfligendo carnem (carne) ab ALIMENTIS abstenit (abstinent,
abstinet)... 2784
ut et corporeis non destituamur ALIMENTIS et ab hostium... 1177
et spiritalibus (nos) expient (expleant, repleant, instruant) ALIMENTIS
et corporalibus... 2165, 3124, 3125
et temporalibus usquequaque non deseramur ALIMENTIS et sustentaculis...
3827
et quod ex his parcius sumeremus, agentium (egentium) proficerit
(proficeret) ALIMENTIS et ut salutaris... 3970
sicut ab ALIMENTIS in corpore, ita a viciis ieiunemus in mente (mentem).
1896
dispensatis mentis et corporis ALIMENTIS per humanorum... 3982
Refecti vitalibus ALIMENTIS quaesumus, dne... 3044
non solum percelli mediocribus ALIMENTIS sed universa... 3652
Dne ds noster, qui nos vegetare dignatus es caelestibus ALIMENTIS
suavitatem... 1307
ut digni simus caelestibus ALIMENTIS. 1778
et caelestibus semper instruat (instituant, instruant) ALIMENTIS. 2078
divinis aecclesia tua pascitur ALIMENTIS. 3676
et ALIMENTO animarum ieiunii nobis medicinam indedisti. 3941
VD. Qui in ALIMENTO corporis humani frugum copiam producere iussisti...
3941
ut sicut nos corporis et sanguinis sacrosancti pascis ALIMENTO ita
divinae... 2044
Quos caelesti, dne, ALIMENTO saciasti... 3022, 3023, 3024
praesentium munerum et ALIMENTO ALIMENTUM vegetas et renovas sacremento...
1018
et quod eis parcius sumeremus, egentium proficeret ALIMENTO. 3969
benedicere ALIMENTORUM panis substantiam adque multiplicare digneris...
2386
et in ALIMENTUM animarum ieiunii nobis medicicam indidisti... 3941
VD. Qui in ALIMENTUM corporis humani frugum copiam producere iussisti...
3941
que non iam ALIMENTUM desiderit lactis... 355
ut sit, dne, aeiusdem habundans in annum ALIMENTUM, gustantesque... 299

ALIMONIA

Repleti ALIMONIA caelesti et spiritali poculo recreati... 3063

ALIMONIA
ac simul ALIMONIA carni non desit unde subsistat...   4033
Inmortalitatis ALIMONIA consecuti...   1858
sic per ALIMONIA tuo munere destributam...   2454
et ALIMONIA vitae mortalis expleta germen inmortalitatis exsisteret...
    4074
beatus Stefanus... fidelis apostolicae dispensator ALIMONIAE novi
    testamenti...   3761
ut carnalis ALIMONIAE refrenatione castigati...   3657
ut cum refrenatione (refrenationem) carnalis ALIMONIAE sancta tibi
    conversatione placeamus.   600
Repleti cibo spiritali (spiritalis) ALIMONIAE supplices te dne
    deprecamur...   3065
Immortalitatis ALIMONIAM consequuti, qs dne...   1858, 1930
sed in omni verbo tuo vitalem habeamus ALIMONIAM nec tantum...   3889
spiritalem sumentes ALIMONIAM per ieiuniorum...   347
Ds, qui hominem, eciam spiritalem ALIMONIAM praeparasti...   1008
et ALIMONIAM tui muneris preparasti.   3592
sic per ALIMONIAM tuo munere destributam (distributam)...   2454
et necessariis foveamur ALIMONIIS et ab infestis...   2604
quatenus fecunditatis tuae ALIMONIIS omnis terra laetetur.   2320
quos ALIMONIIS pascis aeternis.   2673
ut qui terrenis abstinent cibis, spiritalibus pascantur ALIMONIIS.   3110
ut sicut nos filii tui corporis et sanguinis sacrosancti pascis ALIMONIO
    ita nos et...   3374

        ALIQUANDO
ut tandem ALIQUANDO confugeremus ad lamenta et penitentiae remedium...
    3837
ut domus haec careret ALIQUANDO frigore (frigorem) a vicinitate ignis...
    2322

        ALIQUIS
ne aeclesia tua ALIQUA sui corporis porcione vastetur...   822
sacerdote magis pro merito, quam pro affectionem ALIQUA tribuatis.   3021
per ALIQUAM mentis serpat incuriem...   759
per ALIQUAM serpat mentis incuriam...   758
partem ALIQUAM sotietatis (et societatem) donare digneris cum sanctis...
    2178
... ALIQUIS pro defunctis a viventibus piae voluisti placere sacrificiis.
    3837
Si quis culpabilis, pro ALIQUO malificio...   850
ne ALIQUO potritum in sacrario remaneat.   4231

        ALITER
quia nec ALITER femine fuit post prevaricationem...   3918
non nos ALITER peccatorum posse veniam (venia) promereri...   1791

        ALIUS
... Ibique ALIAE inaestimabili arte, cellulas tenaci glutino instruunt...
    3791
... ALIAE liquantia mella stipant, ALIAE vertunt flores in ceram...   3791
... ALIAE ore natos fingunt, ALIAE collectis e foliis nectar includunt...
    3791
sub cuius lege sibi unusquisque formidat quod ALIIS accedisse (caecedisse)
    videat...   201
et bene vivendi ALIIS exemplum praebere.   1464

ALIUS

oleo unccionis et ceteris ALIIS in figura nostri...   1283
ut nec fingamus ALIIS, nec aliorum fictionibus inludamur.   2432
et ALIIS praebere facias perfectae devotionis exemplum.   762
ut tam in nobis quam in ALIIS quae sunt iusta servemus.   3833, 4209
Opus misericordiae tuae est... ds, rogare pro ALIIS, qui (pro) nobis non
   sufficimus...   2493
decidentibus ALIIS quique dignissime subrogentur...   3281
nisi prius nos in nobis delinquentibus ALIIS relaxemus...   1791
et quia ipsi se non vident, aestimant nec ab ALIIS se videri...   3653
in alio vase debent lavi, in ALIO corporalis pallae.   4231
Palle vero que sunt in substratorio in ALIO vase debent lavi...   4231
ut nec fingamus aliis, nec ALIORUM fictionibus inludamur.   2432
sicut ante ALIOS imitator dominicae passionis et pietatis enituit...   2751
quia (in) initio suo nihil ALIUD (ALIUT) agit, nisi nativitatem
   salvatoris...   1633
nullum lentiaminum ibidem ALIUT dabit lavi...   4231
... ALIUD, ne per inprovidam benignitatem capiamus, intendere...   3981
... ALIUD profiteatur verbis, ALIUD exerceat actione.   2329
... Longe ALIUD quippe est contumeliam praeterire...   3981
qui praeter te ALIUM non noverunt...   1864

ALLELUIA

summique trinitate concinnunt ALLELUIA.   3736

ALLEVO

Piaetatem ADLEVA, caritatem aedifica...   3081

ALLOQUOR

Si verba hominum mitteris dne nimo ADLOQUENDO invenitur idoneus...   3282

ALMUS

quam effusione cruoris ALMI arnimus adquisitam.   1960

ALO

simul in ALENDIS pauperibus eclesiasticae pietatis... exemplum.   3614,
   3644
tu cupiditatem in earum corde benignus ALERIS tu fortitudinem ministraris ?
   759
qui famulis tuis ABIS (ALIS) refectione carnale...   2283
O. et m. ds, qui famulos tuos in hac domo ALIS refectione carnali...   2283
Quatenus oratio vestra ieiunii et elemosinae ALIS subvecta...   18
... ALITUR liquentibus ceris quas in substantiam praetiosae.   3791
ut sine quibus non ALITUR humana condicio...   1057
Ita populus iste pollititatione ALITUS benedictione aeternitatis...   842
... Corpus ALITUS aescis, anima ieiuniis saginatur...   4033

ALOSA

oraculo, cherubin, ALOSIS, velis, columnis, candilabra...   1283

ALPHA

... Vincit te ALPHA et omega...   3259

ALTARE

ut legis liberaturi tuo pararetur ALTARE annue dignanter...   871
candilabra, ALTARE, argenteis basibus, tabulis deauratis...   1283
et super hoc ALTARE benediccionis tuae munus effunde...   2397
quam se in ALTARE crucis nobis redemendis obtullit inmolandum...   3292
aereo ALTARE cum aeneis vasis, tenturiis, funibus...   1283

ALTARE

ut ALTARE hoc sanctis usibus praeparatum caelesti dedicacione
    sanctifices...   3844
vasa haec cum hoc ALTARE lentiaminibus ceterisque vasis...   1283
ita inposita (inposito) novo huic ALTARE munera super accepto ferre
    digneris...   3844
O.s. ds, ALTARE nomini tuo dicatum caelestis virtutibus benedictione
    sanctifica...   2304
Oblationis que veniunt in ALTARE, panis proposicionis vocantur.   4231
Descendat qs dne ds noster spiritus sanctus tuus super hoc ALTARE qui et
    populi...   721
ut hoc ALTARE sacrificiis spiritalibus consecrandum...   707, 718
Ds o., in cuius (cus) honore (honorem) ALTARE sub invocatione tui nominis
    consecramus...   866
ALTARE tuo dne superposita munera spiritus sanctus benignus assumat...   170
iube haec perferri per manus angeli tui in sublime ALTARE tuum in
    conspectu...   3375
ad ALTARE tuum recurrentes tibi deo gratias referamus.   1024
vel quorum nomina ante sanctum ALTARE tuum scripta adesse videntur...
    2874, 3247
quarum ante sanctum ALTAREM tuum oblata nomina recitantur...   1709a
et ALTAREM tuum quam insectantis est inimici fraude pollutum...   782
atque matutinis horis ad ALTAREM tuum recurrentes...   1024
Oblationes quae veniunt in ALTARI panes propositionis appellantur.   4228
De ipsis oblationibus, tantum debet in ALTARI poni...   4228
quae in hoc ALTARI proposita (dne qs) oculis tuae maiestatis offerimus...
    2954, 2958
quod de sancti ALTARI tui benedictionem percipimus...   3301
... Tuum est enim me ad ministrandum ALTARI tuo dignum efficere...   3898
Tua, dne, muneribus ALTARIA comulamus...   3509, 3510
Pro martyrum nataliciis, dne, tua muneribus comulamus ALTARIA da qs...
    2848
Ad ALTARIA, dne, veneranda cum hostiis laudis accedimus...   42
quibus honorarentur ALTARIA, honorificarenet templa...   3997
et quicumque tua replent ALTARIA sacris...   3832
VD. Circumdantes ALTARIA tua, dne virtutum... et in ipsius...   3622, 3760
... Unde laetantes inter ALTARIA tua, dne virtutum hostias...   3877
... ALTARIA tua sive suarum elaverit lacrimarum.   3828
Exultantes, dne, cum muneribus ad ALTARIA veneranda concurrimus...   1561
Munera supplices, dne, tuis ALTARIBUS adhibemus...   2138
... Sicque me facies tuis ALTARIBUS deservire...   3893
ut sacrificiis tuis ac divinis ALTARIBUS deservirem...   1724
Sacris ALTARIBUS dne hostias superpositas...   3166
Concede nobis, m. ds, et dignae tuis servire semper ALTARIBUS et eorum...
    448
sanctisque ALTARIBUS et sacramentis restitutus...   596
Hostias, qs, dne, propitius intende quas sacris ALTARIBUS exhibemus ut
    nobis...   1817
Propitius intuere munera, dne, qs, quae tuis ALTARIBUS exhibemus ut quod
    nostra...   2892
dignum sacris ALTARIBUS fac ministrum...   863
et sanctis ALTARIBUS fideliter subministret...   1339
ut digne tuis servire semper ALTARIBUS mereamur...   2689
sanctis ALTARIBUS minister tuus purus adcrescat...   1372
ut tuis obsequiis expediti sanctis ALTARIBUS ministri puri adcrescant...
    1372

ALTARE

... Talia igitur, dne, dignae sacris ALTARIBUS munera offeruntur...   861
Sicut qui invitatus renuit, quaesitus refugit, sacris est ALTARIBUS
   removendus...   3289
et sanctis ac sacris ALTARIBUS restitutus...   2837
ob diem, quo me sacris ALTARIBUS sacerdote consecrare iussisti...   4050
ut ad ALTARIBUS sacris recepta veritatis tuae communione (communio,
   communionem) reddatur.   1007
et ut digne famulemur ALTARIBUS sancti tui...   2131
et ut dignae tuis famulemur ALTARIBUS sanctorum...   2822
ut post longa peregrinationis famae de sanctis ALTARIBUS satietur...   2055
ut sacris ALTARIBUS servientes et fidei veritate fundati...   52, 53, 1347
ut sicut me sacris ALTARIBUS tua dignatio pontificali (sacerdotali) servire
   praecipit officio...   1753, 2072
sed coram sanctis ALTARIBUS tuis capite menteque...   898
ecclesiae tuae sanctisquae (sanctaeque) ALTARIBUS tuis cum omni
   desiderata...   1356
... ALTARIBUS tuis dignum fiat tua benedictio ne pretiosum (adque
   sanctificatum).   1281, 1282
ALTARIBUS tuis, dne, munera nostrae servitutis inferimus...   171
ALTARIBUS tuis, dne, munera terrena gratanter offerimus...   172
Hostias ALTARIBUS tuis, dne, placationis (placationum) inponimus...   1800
sanctis ALTARIBUS tuis fideliter subministret.   1364
quo non ALTARIBUS tuis ignis alienus...   2160
Intende munera, dne, qs, ALTARIBUS tuis pro sancte... proposita...   1935
ut his sacris ALTARIBUS vitales escas perpetua vita conferat renatorum.
   3596
De ipsis oblationibus tantum debit in ALTARIO poni...   4231
aeclesiae tuae purificatum restituae ac tuo ALTARIO repraesenta...   1368
quorum nomina ante sancto ALTARIO tuo scripta adesse videntur...   1751,
   2806, 3008, 3385
ut de aelectionem aeorum qui ad regiminem ALTARIS adhibendi sunt...   3021
et homnia instrumenta ALTARIS huius aeclesiae sive basilicae...   1283
ut quotquot ex hac ALTARIS participatione (participationem).   3375
ad consecrationem huius aeclesiae vel ALTARIS proficiat (percipiat).   549
... ALTARIS sancti ministerium tribuas sufficienter implere...   762
lenteamina in usum ALTARIS tui ad tegendum...   1318
quod de sanctis (sancti) ALTARIS tui benedictione percipimus...   3296,
   3301
et respice ad hoc ALTARIS tui holocaustum...   1342
... Et qui ALTARIS tui ministerium suscepi indignus, perago trepidus...
   815
de sanctis ALTARIS tuis saciaetur...   2055
Ut cum presens vasculum, sicut reliqua ALTARIS vasa...   2378

ALTER

ad quam illi ALTER cruce ALTER gladio hodierna die pervenere.   348
Fac plebem tuam imitari quod... ALTER aevangelizando eructavit.   1229
Exite... de gula, de ALTERA gula, de uva...   1888
ut nec ALTERI quisquam (quisque) moliretur (molire) infligere...   3923,
   3924

ALTERNATIO

ut quibuslibet ALTERNATIONIBUS temporum...   80

ALTERNUS

... ALTERNAM vobis dilectionem indulgeat...   169
et per eum cibum, qui beneficiis praerogatur (prorogatur) ALTERNIS
   perveniamus...   4060

ALTERUTER

ut quia sine his non potest constare, quibus refovetur ALTERUTRUM ac
   temperie...   4033
quatenus dum per ALTERUTRUM pietatem (piaetate) se repperiunt communes
   (communis)...   3923, 3924

ALTITUDO

Dne ds o. qui in huius putei ALTITUDUNEM.   1314

ALTUS

Ds, cuius filius in ALTA caelorum potenter ascendens...   787
cui devotum pectore decrevit ad ALTA contemplatione suspendere.   4126
ds, cuius unigenitus hodierna die caelorum ALTA penetravit...   344
Iohannis habet similitudinem aquilae eo, quod nimis ALTA petierit...   1953
spiritalis prudentia, ALTA sapientia...   1319
etaerica ALTA voce laudant et benedicunt...   3736
... Nam qui nititur ad ALTIORA conscindere...   3289
Ds, qui in ALTIS habitas et humilia respicis...   1026
Intende, praecamur, ALTISSIME, vota quae reddimus...   1936
Ascendat vox illius ad aures ALTISSIMI, qui maternis...   910
et dixisti ei : Quid nobis et tibi, Iesus Nazareni, fili dei ALTISSIMI ?
   224
cum sublimis illa substantia, quae similem se iactabat ALTISSIMO.   4103
per viscera misericordiae tuae, in quibus visitavit nos oriens ex ALTO
   benedictus...   3763
qui sedis in ALTO caelum (caelorum) thronum sedens.   2475, 3736
Aemitte spiritum tuum de ALTO, et inriga...   202
Christe, deus oriens ex ALTO, rex regum...   395

ALUMNUS

apostolicae praedicationis fidelissimus et ALUMNUS acceptus...   4097
apostolicae praedicationis famosissimus et acceptus ALUMNUS sacerdus...
   4097

ALVEUS

Ds qui ad hoc in Iordanis ALVEUM sanctificaturus aquas discendisti...   893

ALVUS

Ds qui... verbum tuum beatae virginis ALVO coadunare voluisti...   1005
infra ALVUM virginis mariae continere voluisti.   2461

AMABILIS

sed haec plebs tua est (sit haec plebis tuis) preceptis oboedienter
   AMABILIS, sicut est...   1090, 3109
... Sit AMABILIS ut Rachel viro (suo) sapiens ut Rebecca...   1171, 2541,
   2542

AMARUS

cum populus tuus aquam gustare non posset eo quod esset AMARA.   1346
qui te in deserto AMARAM suavitatem inditam (indita) fecit esse
   potabilem...   1045, 1046, 3565
qua per manus haelisaei prophaete in ulla heremica (heremitica) gustus
   AMARISSIMOS dulcorasti...   742
et antiquae arboris AMARISSIMUM gustum crucis medicamine indulcavit...
   3992

AMARUS
Ds, qui ob AMMARUM medillam ieiunii devotione castigare corpora
  praecepisti...   1139

AMATOR
et incorruptarum, ds, AMATOR animarum...   758, 759, 760
Ds, largitor pacis et AMATOR caritatis...   851
et incorruptarum ds animarum AMATUR, ds qui humanam...   759
Ds innocentiae restitutor (et reparator innocentiae) et AMATOR dirige ad
  te...   810, 846, 847
Ds qui humanarum animarum aeternus AMATOR es...   1013
Ds, castitatis AMATOR et continenciae conservator...   757
Ds, auctor pacis et AMATOR quem nosse (nos se)...   749
O. ds ieiunii ceterarumque virtutum dedicator atque AMATOR sua vos...   2248
familiam supplicem tui AMATORIS inter festam plaudentem.   1230
Exaudi praecem familiae tuae AMATORIS inter festa plaudentem.   1230

AMBIGO
quibus te laetari relegio christiana non AMBIGIT.   861
ad suam quoque pertinere non AMBIGUNT dignitatem...   3632

AMBIGUITAS
... Tu in merore solacium (consolatio) tu in AMBIGUITATE consilium...
  758, 759, 760

AMBIGUUS
nec cuiquam esset AMBIGUUM, in secreta...   4055

AMBIO
ut eadem (et) sumamus iugiter et incessabiliter AMBIAMUS.   3076
Da, qs, o. ds, ut quae divina sunt iugiter AMBIANTES donis semper...   678
qui omnem creaturam intrinsecus AMBIENDO concludis...   3332
quae prumptis cordibus AMBIENTES oblatis muneribus et suscipimus et
  praeimus.   2033
Dilitias, dne, mirabiles mensae caelestis AMBIMUS...   712
et AMBIRE dona faciant caelestium gaudiorum.   3010
fac nos atria supernae civitatis et te inspirante semper AMBIRE et tua
  indulgentia...   2266
Da nobis, dne, qs, AMBIRE quae recta sunt et vitare quae noxia...   584
veraciter adque fideliter eos proposito christianae sinceritatis AMBIRES
  cum tibi...   4002
sic que ultro AMBIT, vel inportunus se ingerit, est procul dubio
  repellendus...   3289

AMBITIO
O. s. ds, qui non sacrificiorum AMBITIONE placaris...   2420
ut qui pollutam vestimentorum faciem calmus seculi AMBITIONIS affluas...
  4176

AMBITUS
ut quicumque intra templi huius... AMBITU continemur...   186, 193
urbis istius AMBITUM coronares...   3865
quibus orbis huius praecipue coronatus est AMBITUS etiam hunc...   4089

AMBO
... Utrique igitur germani piscatores, AMBO cruce elevantur ad caelum...
  4084
... AMBO igitur virtutes aeterne praemia sunt adepti.   3823
ut AMBORUM meritis aeternam (aeternae) trinitatis graciam (gloriam)
  consequamur.   785, 786

AMBULO

usque et AMBOLABANT in medio flamme laudante deum et benedicentes.   1867
dirige nos in eam quam inmaculati AMBULANT viam...   1258
separate vos ab omni fratre inordinate AMBULANTE...   3879
Ds, cuius dextera beatum Petrum... AMBULANTEM in fluctibus ne mergeret
  (mergeretur) erexit...   786
non vigilantem nec dormientem nec sedentem nec AMBULANTEM nec tacentem...
  394
separate vos ab omni fratre inordinate AMBULANTEM.   3879
et in via tua AMBULANTES nihil patiamur errorem (errores, erroris).   1405,
  1406
et inter mortalium tenebras mortales AMBULANTES tua semper...   3540
servans misericordiam tuam populo tuo AMBULANTI ante conspectum gloriae
  tuae...   1249
et in novitate spiritus AMBULARE a quo...   3976
et AMBULARE in via recta, in mandatis tuis...   3468
... AMBULARE mereamur in luce virtutum (virtutis).   1557, 1558
... Qui sic sequaces suos in luce praecepit AMBULARE ut noctis...   3917
VD. A quo deviare mori, CORAM quo AMBULARE vivere est...   3590
neque per dolore, neque dum AMBULAT, neque dum sedit...   2552
qui AMBULAT super aspidem et basiliscum...   141
qui pedibus super te AMBULAVIT et a iohanne...   1045, 3565
qui pedibus super mare AMBULAVIT et petro...   1549
qui super mare AMBULAVIT, qui caecus inluminavit...   2552
agni inmaculati, qui AMBULAVIT super aspidem et basiliscum...   1355
et in speciae vulnerati medicus AMBULAVIT.   4003, 4004
claudi AMBULENT, et omnem multitudinem curate...   1852

AMEN

patris linguam natus absolvit. AMEN.   342
ut ei in aeternae patriae felicitate possitis adiungi. AMEN.   342
illi possitis in caelesti regione adiungi. AMEN.   2263
ut ei inter choros angelorum post obitum mereamini adscisci. AMEN.   347
Signum Christi in vitam aeternam. Respondet : AMEN.   3290
ipse te linit chrisma (chrismate) salutis in Christo... in vitam aeternam.
  Respondet : AMEN.   870
Corpus domini nostri iesu christi custodiat te in vitam aeternam. AMEN.
  544
et caelestis vobis regni ianuas dignetur aperire. AMEN.   802
et praebeat supplicantibus suum benignus auditum. AMEN.   2248
tribuat consolationis auxilium. AMEN.   425
ipse vos sua miseratione dignetur benedicere. AMEN.   1241
ab eo quem ille a dextris dei vidit stantem mereamini benedici. AMEN.   915
et suam in vos infundat benedictionem. AMEN.   2242
suae nobis conferat praemia benedictionis. AMEN.   1157
infundat in vobis donum suae benedictionis. AMEN.   18
et confirmet vos in spe regni caelestis. AMEN.   2117
sic ei serviatis in terris, ut ei coniungi valeatis in caelis. AMEN.   2951
omnium delictorum maculis careatis. AMEN.   802
et beatorum spirituum efficiamini coheredes. AMEN.   2260
Ita vos etiam a vitiis omnibus abstinere concedat. AMEN.   1241
et suae vobis benedictionis dona concedat. AMEN.   1268, 2243, 2248
et donis caelestibus exuberare concedat. AMEN.   2244
ut vos in omnibus sibi placere concedat. AMEN.   2249
et in resurrectione unigeniti sui spem vobis resurgendi concessit. AMEN.
  362

AMEN

qui beatum ill. sibi adscivit virtute confessionis. AMEN. 2263
et mentes vestras in suae vobis pacis tranquillitate consolidet. AMEN.
  2245
et aeternae felicitatis tribuat esse consortem. AMEN. 337
nova in vobis perseveret consparsio. AMEN. 353
qua in chana galileae lympha est in vinum conversa. AMEN. 853
percipere mereamini inmarcescibilem gloriae coronam. AMEN. 347
mentes vestras... virtutum copiis faciat coruscare. AMEN. 948
cuius vos bonitate creatos esse creditis. AMEN. 425
per cuius temporalem mortem aeternam vos evadere dreditis. AMEN. 2255
quem resurrexisse a mortuis veraciter creditis. AMEN. 362
et liberet ab adversitatibus cunctis. AMEN. 338
vos dominus benedicat et ab omni malo defendat. AMEN. 275
sua tueatur gratissima defensione. AMEN. 348
ut vobiscum immo in vobis eum iugiter habitare delectet. AMEN. 1268
et tribuat veniam quam ab eo deposcitis. AMEN. 2243
... Complete orationem vestram in unum et dicite AMEN. Et respondet omnes :
  AMEN. 2496, 2629, 3573, 3574
Quod ipse praestare dignetur. AMEN. 2248, 2256
pedes voluit lavare discipulorum. AMEN. 353
Deus lumen verum... sua vos dignetur benedictione ditare. AMEN. 853
in secundo... praemiis aeternae vitae ditemini. AMEN. 2261
cuius patientiae veneramini documenta. AMEN. 2255
qui vos eorum voluit ornari et munerari exemplis et documentis. AMEN. 1243
mentes vestras instruat legis suae spiritalibus documentis. AMEN. 2256
et benedictionum suarum repleat dono. AMEN. 2244
per eandem humilitatem percipere suae benedictionis ineffabile donum. AMEN.
  2255
et supernorum civium consortes efficiat. AMEN. 18
et caelestis militias consortes efficiat. AMEN. 2254
et sua vos benedictione dignos efficiat. AMEN. 2249
ut paradysi vos in futuro habitatores efficiat. AMEN. 1268
ut subripientium delictorum laqueos salubriter evadatis. AMEN. 722
ita vos eorum mereamini consortium per bonorum operum exhibitionem. AMEN.
  353
vos dignetur... et virtutum lampadibus exornare. AMEN. 2264
bonis operibus faciat exornari. AMEN. 2256
et eiusdem spiritus donis exuberare. AMEN. 1002
et pro pullis columbarum spiritus sancti donis exuberetis. AMEN. 2256
et in eius laudibus exultetis. AMEN. 1903
et ad gloriam sempiternam pervenire vos faciat. AMEN. 1903
ut fidem veram... etiam mores probi et vita inculpabilis fateatur. AMEN.
  2252
et in futuro perducat vos ad corona gloriae. AMEN. 915
suae vobis benedictionis tribuat dona gratissima. AMEN. 2252
per diuturna tempora faciat feliciter gubernari. AMEN. 337
eo largiente consortes efficiamini aeternae hereditatis. AMEN. 1157
et praesentem diem solemnibus laudibus honoratis. AMEN. 345
ds qui... genus redemit humanum. AMEN. 346
qui venturus est iudicare vivos et mortuos et saeculum per ignem. AMEN.
  1530
Quod ipse praestare dignetur cuius regnum et imperium. AMEN. 2264
intercessione sua a tenebrosorum operum vos liberet incentivis. AMEN. 1242
et benedictionis suae vobis tribuat incrementa. AMEN. 2951

AMEN

bonorum omnium exuberent incrementis. AMEN.   2248
vos exornet bonorum operum incrementis. AMEN.   2263
ad sanctum pascha pervenire possitis indemnes. AMEN.   1241
a cunctis praesentis et futurae vitae adversitatibus vos reddat indemnes.
  AMEN.   2261
et virtutum spiritalium ornamentis induamini. AMEN.   2951
qui vestrae est conscius infirmitatis. AMEN.   425
et (suae) in vos (suae) benedictionis dona infundat. AMEN.   948, 2261
et donum in vos spiritus paraclyti infundat. AMEN.   2243
et suae super vos benedictionis dona propitiatus infundat. AMEN.   2260
et sensum in vobis sapientiae salutaris infundat. AMEN.   2258
ut cum eis caelestis sponsi thalamum valeatis ingredi. AMEN.   2264
per quorum doctrinam tenetis fidei integritatem. AMEN.   1243
benedicere vobis dignetur beati apostoli sui ill. intercedentibus meritis.
  AMEN.   1243
illius tremendi examinis diem exspectetis interriti. AMEN.   2241
sua vos dignetur benedictione locupletare. AMEN.   1149
eiusdem adventus... et sua benedictione locupletet. AMEN.   2241
et suae benedictionis dono locupletet. AMEN.   2240
et tecum aeternorum civium consortio potiri mereantur. AMEN.   337
ex cuius intemerato utero auctorem vitae suscipere meruistis. AMEN.   1149
Resuscitet vos de vitiorum sepulchris, qui eum resuscitavit a mortuis.
  AMEN.   362
caelesti etiam protectione muniamini. AMEN.   2240
et contra adversa omnia eorum intercessione muniri. AMEN.   3232
qui hanc studuit etiam inter lapidantium impetus obtinere. AMEN.   915
ipse vero caelestium vestimentorum induat ornamentis. AMEN.   349
et viam vobis pacis et caritatis ostendat. AMEN.   2258
et se vobis in iudicio placabilem ostendat. AMEN.   2241
eorum festivitatis diem celebratis ovantes. AMEN.   3232
Convertat vultum suum ad vos et donet vobis pacem. AMEN.   339
et repleat vos spiritu veritatis et pacis. AMEN.   722
qui beatae virgini ill. concessit... et gloriam passionis. AMEN.   341
qui eum suscepit per supplicia passionis. AMEN.   275
et vobis ubi ille est ascendendi aditum patefecit. AMEN.   344
Quod ipse praestare dignetur qui cum patre. AMEN.   2255
vos faciat pervenire ad gaudia aeternae patriae. AMEN.   2252
tribuat vobis... et suae benedictionis dona percipere. AMEN.   1242
vos ad aeternorum gaudiorum pascua perducat. AMEN.   2254
et vos ad caelestis paradysi hereditatem perducat. AMEN.   2117
vos ad caelestia regna perducat. AMEN.   345
et sui luminis infusione corda vestra perlustret. AMEN.   1002
ad quam illi alter cruce alter gladio hodierna die pervenere. AMEN.   348
ad gaudia sine fine mansura perveniatis. AMEN.   2242
valeatis... et ad regna caelestia pervenire. AMEN.   341
ad caput vestrum quod christus est vos faciat pervenire. AMEN.   1242
et per hanc ab spe ad speciem pervenire. AMEN.   1002
ita vobis in iudicium veniens videatur placatus. AMEN.   344
Talique intentione repleri valeatis, qua ei in perpetuum placeatis. AMEN.
  2117
ut contriti ei cordis, et humiliati sacrificio placeatis. AMEN.   18
mente devota conprehendere possitis. AMEN.   346
ut templum sancti spiritus ipso tribuente esse possitis. AMEN.   345

AMEN

ad huius sponsi thalamum... cum prudentibus virginibus intrare possitis.
AMEN.   948
et in futuro perducat ad societatem aeternorum praemiorum. AMEN.   349
et ab omni miseratus dignetur defendere pravitate. AMEN.   361
quorum in conspectu eius est mors pretiosa. AMEN.   338
ad caelestia pervenire possitis promissa. AMEN.   3232
servitutem, per quam suam consequi valeatis propitiationem. AMEN.   2244
et in sanctis operibus perseverabiles reddat. AMEN.   2258
Quod ipse praestare dignetur cuius regnum. AMEN.   347, 853
aeternorum dapium vobiscum aepulas reportetis. AMEN.   353
et aeternorum praemiorum vobiscum munera reportetis. AMEN.   1149
ad dona pervenire mereamini quae idem iesus christus... repromisit. AMEN.
2246
perveniatis... et ad gloriosam cum sanctis omnibus resurrectionem. AMEN.
347
qui per eum archana verbi sui voluit ecclesiae revelare. AMEN.   2246
vivit et gloriatur deus, per omnia saecula. AMEN.   18
... Spero (Et expecto) resurrectionem mortuorum et vitam futuri saeculi.
AMEN.   554, 555
et adiciat... et benedictionem tuam hic et in futuro seculo. AMEN.   2180
sic seas iscommunicatus qui aerat in secula seculorum. AMEN.   2552
per quem et cum quo est tibi honor et gloria in saecula saeculorum. AMEN.
1313
cuius regnum et imperium sine fine permanet in saecula saeculorum. AMEN.
337, 343, 349, 2254
qui cum patre et filio vivet et regnat in saecula saeculorum. AMEN.   2275
qui regnat una cum spiritu sancto per infinita secula seculorum. AMEN.
1637
vivit et gloriatur deus per omnia saecula saeculorum. AMEN.   915, 2246
qui... vivit et regnat ds, per omnia saecula saeculorum. AMEN.   2522,
2584, 3261
est tibi deo patri... omnis honor et gloria per omnia saecula saeculorum.
AMEN.   2555
vivit et regnat per omnia saecula saeculorum. AMEN.   345
in hunitate spiritus sancti, per omnia secula seculorum. AMEN.   729, 848,
850
per omnia saecula saeculorum. AMEN.   867, 2556, 3588
et det vobis... et praemium sempiternae salutis. AMEN.   1903
O. ds... sua vos benedictione sanctificet. AMEN.   2248
et ad aeternam perveniatis securi. AMEN.   2245
ut ad caeleste regnum pervenire possitis securi. AMEN.   722
quo possint repleri beneficiis sempiternis. AMEN.   2260
ut cuius solemnia colitis patrocinia sentiatis. AMEN.   342
usque in finem saeculi secundum suam promissionem sentiatis. AMEN.   344
qui hanc sacratissimam diem natibitatis filii sui fecit esse solemnem.
AMEN.   349
ds qui vos beati petri... in ecclesiasticae fidei fundavit soliditate.
AMEN.   348
et praesentium dierum observatione placare studetis. AMEN.   343
vos possitis... et antique hostis machinamenta superare. AMEN.   341
quibus... devincere valeatis antiqui hostis sagacissima temptamenta. AMEN.
347
qui de antiquo hoste... verum etiam per feminas voluit triumphare. AMEN.
2264

AMEN

cuius devotis mentibus in terra celebratis triumphum. AMEN.   275
ad paschalia festa purificatis cordibus accedere valeatis. AMEN.   2249
et in futuro sanctorum coetibus adscisci valeatis. AMEN.   802
et post obitum apparere valeatis. AMEN.   343
et sempiterna gaudia conprehendere valeatis. AMEN.   2240
eiusdem spiritus dono capere mente valeatis. AMEN.   2246
ad ea festa... ipso opitulante exultantibus animis veniatis. AMEN.   361
ad... et vestrae remunerationis praemia ipsius fulti munimine veniatis.
    AMEN.   343
in ipsius adventu inmortalitatis vos gaudiis vestiat. AMEN.   361
Inluminet faciem suam super vos et misereatur vestri. AMEN.   339
et inradiet corda vestra luce virtutum. AMEN.   2254
et faciat perseverare in novitate virtutum. AMEN.   2242
ad aeternam patriam redire valeatis per viam virtutum. AMEN.   853
adiungi mereamini in caelesti regione bene vivendo. AMEN.   1157
Benedicat vobis dominus et custodiat vos. AMEN.   339

AMICIO

ut his exterius utentes, interius indumento AMICTI iustitiae...   987

AMICTUS

et novae vitae indutus (novitate inductus) AMICTU resurgat...   1611
electum Aharon mystico AMICTU vestiri inter sacra iussisti...   819, 820

AMICUS

per noctem AMICA quies ipsa gratia relatura confoveat...   2905
qui ex utero fidelis AMICI tui patriarchae habrahae...   842
deducendam in sinu (sinum) AMICI tui patriarchae Abrahae (abrahae
    patriarchae)...   747, 771
ut huius famuli tui illius animam... abrahae AMICI tui sinu recipias...
    3470
qui per filium suum reconciliavit AMICUS, Iesum Christum dominum nostrum.
    1955

AMIRABILIS = ADMIRABILIS

AMITTO

quos terrenae generationis AMISERAT, divinae reddis naturae participes...
    4127
totius orbis se sentiat AMISISSE caliginem...   1564
in eius conceptu non solum sterilitatem AMISIT, fecunditatem adquisivit...
    3755
... Cuius genitor dum eum dubitat nasciturum, sermonis AMISIT officium...
    3755
et AMISSA recuperetur aeternitas (aeterna).   2454
et AMISSOS parentes alienis invenit in terris...   3616
ut ad sacramentum reconciliationis AMMISSUM una nobiscum...   1368
sic transeamus per bona temporalia, ut non AMITTAMUS aeterna.   2915
ut nullo erroris incursu gratiam tuae benedictionis AMITTANT.   935
ut et admissam defleam, et postmodum non AMITAS ut cum extrema...   1264
quam vitae praesentem cito AMITTERE per tormenta...   3866
Et qui pro veritate quae deus est caput non est cunctatus AMITTERE suo
    interventu...   1242
sic eum ad spem reconciliationis AMITTIMUS ut affectum...   2297

AMMITTO = ADMITTO

AMOR

quam (cuius) odiae (hodie) capiti (capitis) coma (comam) suam pro divinum
   (divino) AMORE deposuimus...   2703, 2704
et fiat magnae glorificationis AMORE devotior.   262
Ds qui populis tuis indulgentiam consulis indulgendo consoleris et AMORE
   dominaris...   1166
Sancti nominis tui dne timore pariter et AMORE fac nos habere perpetuum...
   3207
famulo suo ill. qui ad deponendam comam capitis sui pro eius AMORE
   festinat...   2503
et suo semper ficiant (faciant) AMORE ferventes.   3240, 3251
VD. Pro cuius AMORE gloriosi martyres iohannes et paulus martyrium...   3852
VD. Qui pro AMORE hominum factus in similitudinem carnis peccati...   4003
VD. Qui pro AMORE humano homo factus...   4004
digno (digne) tanto AMORE martyrii persecutoris turmenta non timuit.   4148
in tenero adhuc corpore et necdum virili (A)MORE maturo...   3618
igne conpunctionis tui AMORE mundemur incursu.   3469
tuo ministerio fideli AMORE obsequentes...   337
ut nos ad tuae reverentiae cultum et terrore cogas et AMORE perducas.
   3737, 3961, 4174
per hunc invisibilium AMORE rapiamur...   4061
intercessione eius in tui nominis AMORE roboremur.   2770
qui pro dei nostri AMORE sanguinem suum effuderunt...   2490
... AMORE te timeant, AMORE tibi serviant...   758, 759, 760
... AMORE tui nominis refutetur...   4059
tribue pro AMORE tuo prospera mundi despicere...   914
virtus ignitus spiritus vinceretur AMORE.   3694
qui ad deponendam comam capiti sui propter AMOREM christi filii tui
   festinat...   2761
Sanctae nominis tui, dne, timorem pariter et AMOREM fac nos habere
   perpetuum...   3207
tui amoris ignem nutriat, et nos ad AMOREM fraternitatis accendat.   3830
modesti AMOREM, innocentes vite sinceritas...   359
per hunc ad invisibilium AMOREM rapiamur.   4061
ipsi per AMOREM spiritus a morte animae resurgamus.   2773
insere pectoribus nostris AMOREM tui nominis et praesta ut...   1259
ad AMOREM tuum nos misericorditer per sanctorum tuorum exempla restaura.
   1109
... AMOREM unigeniti tui semper ardere...   4176
nisi tu per liberum arbitrium hunc AMOREM virginitatis clementer
   accenderis...   759
ut dum ab ea aquae peteret, in ea ignem divini AMORIS accenderet...   3872
augmentum AMORIS aeterne te qs sanctae salvator christe...   3017
... Qui igne accensus tui AMORIS constanter ignem sustinuit passionis...
   3689
Accendat in vobis dominus vim sui AMORIS et per ieiuniorum...   18
tui AMORIS ignem nutriat, et nos ad amorem fraternitatis accendat.   3830
qui sua ammirabili operatione, et sui AMORIS in eis ignem accenderet...
   4029
spiritum sanctum paraclytum in ignis fervore tui AMORIS mittere...   962
in passionis acervitate ferenda unius AMORIS societas...   3852
infunde cordibus nostris AMORIS tui (tui AMORIS) affectum...   959
Accende, dne, aeius mentem et corda ad AMORIS tui caeleste...   1364
Proficiant huic preceptis fidei vigilantia AMORIS tuae, perseverantia...
   3082

AMO

ita et eorum quos AMAMUS optemus...   4025
et AMANDO quod tradidit et praedicando quod docuit...   2246
inestimabilis, AMANDE, et metuende, sempiterne ds...   3821
VD. Et te suppliciter rogamus pro AMANTISSIMUS carusque nostros ill...
3736
quae terrena desideria mitigantes, discamus AMARE caelestia.   1781
terrena despicere et AMARE caelestia...   2700, 3065
et instituant AMARE caelestia.   2898
non terrena sapere, sed AMARE caelestia...   583
et cum necessaria studeamus AMARE censura...   3796
sed potius AMARE concedas qui veraciter arguunt...   2048
ut et te nostrum nitamur AMARE factorem...   3937
Ds, quem diligere et AMARE iusticia est...   881
fac nos AMARE iustitiam.   14
et sanctam semper AMARE iustitiam.   449
confregit terra, montes ardebunt, sicut caera exiat AMARE leva mane...
2552
et AMARE quae iusta sunt.   3804
sed potius AMARE quae praecipis.   2729
da nobis, qs, et AMARE quae recta sunt, et perversa vitare.   1054
et prestet nobis AMARE, quae recta sunt.   676
studeamus AMARE quod amavit, et opere exercere quod docuit.   1516
da aecelsiae tuae, qs, AMARE quod credidit...   2399
fac nos AMARE quod praecepisti.   1056
doce nos et metuere quod irasceris, et AMARE quod praecipis.   1081
da populis tuis id AMARE quod praecipis...   993
fac nos AMARE quod praecipis.   1055, 2327
sed potius AMARE quod precepis.   2729
devitare quod nocet et AMARE quod solvit...   660
Nihil in his ulterius de ostis AMARI veneno remaneat...   2298
Da in nobis quod AMAS (AMIS) et misericors repelle quod odis.   4184
studeamus amare quod AMAVIT, et opere exercere quod docuit.   1516
qua nomen tuum timeamus et AMEMUS cordibus nostris...   1299
qua et (ut et) (et ut) nos AMEMUS eius meritum passionis...   3748, 4195

AMODO

si usque nunc inhonestus, AMODO castus.   4231
... AMODO debis esse adsiduus...   4231
et confirmet illud et corroboret AMODO et usque in sempiternum...   3677
si usque nunc ebriosus, AMODO sobrius...   4231
si usque nunc somnolentus, AMODO vigilis...   4231

AMOENITAS

et paradysi AMOENITATE confoveri iubeas.   1263
ut usque ad resurrectionis diem in lucis AMOENITATE requiescat.   1910

AMOR

sed indeficiens AMOR in populo.   395
fraternitatis AMORE, abstinentiae virtutem.   980
ut quorum hic corpora pio AMORE amplectimur...   2440
qui ad deponendam comam capitis sui pro AMORE christi festinat...   2503
qui mundo nobilis, AMORE Christi nobilior...   4097
Quaesumus o. ds instituta providentiae tuae pio AMORE comitare...   2982
ut quorum hic reliquiae pio AMORE complectimur...   985
carnalem se matrem habere virginitatis AMORE constituit...   861
de consolatione nostra in tuo AMORE crescamus.   4248

AMOR
et gratiam timoris et AMORIS tuae tribuae mihi.   1296

AMOVEO
adversariorum hostium AMOTA fortitudine.   3473
... AMOVE a nobis iniquitatis viam...   1206
AMOVE ab aeis pestifera serpentis blandimenta...   124
... Repelle dne virtutem diaboli, fallacesque eius insidias AMOVE procul
   impius...   764
iracundiae ab aeo flagella AMOVEAS, adque mortifero...   1088
ut noxia cuncta AMOVEAS et omnia...   795
ut dum tibi devotus extiterit iracundiae (iniracundia) (ab eo) flagella
   AMOVEAS.   1087
quae (et) errores (terrores) nostros semper AMOVEAT, et noxia cuncta
   depellat.   2985, 2986
ut (a) nostris mentibus (et) carnales AMOVEAT spiritus sanctus affectus...
   2720
adque pro aecclaesiae tuae unitatem iubeas AMOVERE decursum.   3637
universas procellas et grandinis AMOVERE digneris.   1369

AMPLECTOR
misericordia exoranda, pietas AMPLECTANDA.   3660, 3662
aelegat quod iusseris, AMPLECTATUR quod dices (dilegis)...   431, 950
ut quorum hic corpore pio amore AMPLECTIMUR, aeorum praecibus...   2440
quia tua carismata fideliter AMPLECTUNTUR.   1180
quicquid in sacerdoti pro laude tui nominis AMPLECTUNTUR.   1176

AMPLIFICO
... AMPLIFICANTES semper in melius naturae...   1349
sanctificare et bonis omnibus AMPLIFICARE digneris...   3461
... AMPLIFICATIS semper in melius naturae (naturale) rationabilis
   (rationalis) incrementis...   1348, 1349, 1350, 2549
vitam AMPLIFICIT (AMPLIFICET), castimoniam (castimonia) decoret...   340,
   356
Subiectum tibi populum qs dne propitiatio caelestis AMPLIFICET et tuis
   semper...   3315
corporalibus proficit spatiis, spiritalibus AMPLIFICETUR augmentis.   951

AMPLUS
... Accessit ad hoc AMPLIOR honor, cum filius tuus...   3945
efferentem (afferentem) clementer excolens, fructus afferat AMPLIORES...
   2442
quia multo AMPLIUS continuata subsidia devotis mentibus ministrabis.   3802
nihil AMPLIUS, nihil minus, nossemus esse quaerendum.   3943
et gens a qua flagellatur AMPLIUS praemi non permittantur...   4048

AMPUTO
Adque omnia AMPUTARE radicitus vitia...   2441
ut mortiferis (sacrilegiis) oblectationibus AMPUTATIS aeternitatis...   2336
Et qui ab eorum pectoribus adtactu sui corporis vulnus AMPUTAVIT
   dubietatis...   802
humanae voluntatis pravis intentionibus AMPUTEMUS quatenus...   3732
humanae voluptatis (voluntatis) (pravis) intentionibus AMPUTEMUS ut ad
   sancta...   3731, 4140
ne malus vindimiatur falcefera manu AMPUTET simul et perdat.   4233

ANACHORETA
in nomine monachorum et ANICHORITARUM, in nomine...   2856

ANASTASIA
... Agnem Caecilia ANASTASIA et cum omnibus sanctis tuis...   2178
ut qui beatae ANASTASIAE martyris tuae sollemnia colimus...   679

ANATHEMA
Exi vel exite, ANATHEMATAE.   1888

ANATHEMO
ut qui ruinae suae lapsum ANATHEMANDO (ANATHEMANDUM) nunc arrium...   2297

ANCHORA
Catholice fidei ANCHORA teneantur...   1961

ANCILLA
Ingredientis, dne, (in) hunc tabernaculum ANCILLARUM tuarum tibi
   servientium...   1924

ANDREAS
intercedente beato ANDREA apostolo tuo...   2568
Sanctae ANDREAE apostuli atque doctores aecclesiae praecibus...   3184
ut qui beati ANDREAE apostoli festum solemnibus ieiuniis et devotis
   praevenimus ieiuniis...   3705
quod apostolica beati ANDREAE apostoli merita...   4123
Protegat nos, dne, saepius beati ANDREAE apostoli (tui) repetita
   solempnitas...   2923
Beati ANDREAE apostoli supplicatione qs dne...   256
Respice, qs, dne, munera, quae pro beati ANDREAE apostoli tui
   commemoratione deferimus...   3114
et beati ANDREAE apostoli tui cuius natalicia praevenimus, semper guberna
   praesidiis.   3544
Beati ANDREAE apostoli tui, dne, qs, intercessione nos adiuva...   288
et beati ANDREAE apostoli tui intercessione...   2945
quo beati ANDREAE apostoli tui venerandus sanguis effusus est...   3782
ut exultationem cordis sui, quam de beati ANDREAE apostoli tui veneratione
   percepit...   3486
ut intercedente beato ANDREAE apostolo tuo quae pro illius...   2568
quibus beati apostoli ANDREAE caelestem nobis tribuant martyria...   1417
Beati apostoli ANDREAE, dne, sollemnia recensemus...   257
quo beati apostoli tui ANDREAE festa praevenientes...   3990
beati (apostoli tui) ANDREAE festivitate laetantes...   3335
... Petri Pauli ANDREAE Iacobi Iohannis Thomae...   417, 418
beati apostoli tui ANDREAE intercessionibus sublevari...   611
qui (quique) hunc diem beati ANDREAE martyrio consecrasti...   983
qua apostolica beati ANDREAE merita desideratis praevenimus officiis...
   4123
Exaudi dne populum tuum cum sancti... ANDREAE patrocinio (patrocinia)
   supplicantem...   1450
Sacrificium nostrum tibi, dne, qs, beati ANDREAE precacio sancta
   conciliet...   3160
quo maiestatis tuae confessione magnifica... ANDREAE sacer natalis
   inluxit...   3368
ut beati apostoli tui ANDREAE semper nobis adsint et honranda sollemnia...
   2491
ut beati apostoli tui ANDREAE simul fiat et veneratione incundus...   3045

ANDREAS

quo beati ANDREAE sollemnia recolentes...   3134
... De quorum collegio beati ANDREAE sollemnia celebrantes...   3907,
   3908, 4047
ut beati ANDREAE suffragiis cuius natalicia praeimus...   208
quae venerabilis ANDREAE suffragiis offeruntur.   1915
sanctus ANDREAS apostolicus extitit praedicator et rector.   2053
ut sicut ecclesiae tuae beatus ANDREAS apostolus extitit (stetit)
   praedicator et rector...   2052
qua venerandus ANDREAS apostolus germanum se gloriosi apostoli tui petri...
   monstravit...   4084
Qs o. ds ut beatus ANDREAS apostolus pro nobis imploret auxilium...   2988
Adiuvet familiam tuam tibi, dne, supplicando venerandus (beatus) ANDREAS
   apostolus tuus et pius...   152
ut beatus ANDREAS apostolus tuus pro nobis imploret auxilium...   2989
et sanctis apostolis tuis Petro et Paulo atque ANDREAS da propitius...
   2030
quo venerandus ANDREAS germanum se... Petri... monstravit...   3595
Beatus ANDREAS (pro) nobis, (dne, qs,) imploret apostolus...   294, 971

ANGELICUS

cum ANGELICA creatura... honoratur...   3809
aecclaesia conventum munus servet ANGELICA frugis...   2262
illius vite per ANGELICA gradentur mandata...   3736
in quo principaliter ANGELICA natura praecellit...   4167
... Ut quod ANGELICA nuntiavit sublimitas...   3870
ut quandoque ANGELICA pocius voce fecundaretur...   794
quibus et ANGELICA praestetisti suffragia non deesse.
Exultet iam ANGELICA turba caelorum, exultent divina mysteria...   1564
Quamvis aenim nobis sit (omnis) ANGELICA veneranda sublimitas...   4128
multo magis in ANGELICAE veneratione substantiae...   3235
et ANGELICA voce proferret...   3608
... Sed et supernae virtutes atque ANGELICAE concinunt potestates...   4159
et aemula integritatis ANGELICAE, illius thalamo, illius cubiculo se
   devovit...   758, 759
sed et supernae virtutes atque ANGELICAE potestates hymnum...   3876
unum deum caeli caelorum, et ANGELICAE potestatis.   4176
ut iugi super eam ANGELICAE protectionis custodia (custodiat) perseveret.
   1493
pro quibus et sancti tui et ANGELICAE tibi supplicant potestates.   704
multo magis in ANGELICAE veneratione substantia grata...   3235
O. s. ds totifix et totiger ANGELICARUM superni populi phangum...   2475
ita cum illic tua miseratio societ ANGELICIS choris.   1584
cum pariter et in caelis pane satiantur ANGELICO et pro eorum...   3676
... ANGELICO ministerio beate mariae semper virgine declarasti...   2380
deducatur cum triumpho choro coniuncta ANGELICO, patriarcharum...   3392
ut easdem ANGELICO pro nobis interveniente suffragio et placatus
   accipias...   1825
ut praesenti famulo tuo a nobis egrediente ANGELICUM tribuas comitatu...
   897

ANGELUS

... Per quem maiestatem tuam laudant ANGELI adorant...   2556, 3589
quem laudant ANGELI adque archangeli, vel omnes miliciae caelestis...   4004
Custodiant te ANGELI et archangeli ut liberent te...   2180
Ds aeterne ante cuius conspectum adsistunt ANGELI et cuius nutu...   742

ANGELUS

quem laudant ANGELI et non cessant clamare dicentes : sanctus.   4003
Ds aeternae, ante cuius conspectu adsistunt ANGELI fulgendi...   742
... Merito caeli locuti sunt, ANGELI gratulati pastores laetati...   3646,
   3648
... ANGELI gratulati, magi mutati...   3649
sanctorum tuorum meritis, fuga daemonum, ANGELI pacis ingressus.   2291
quem supernarum virtutum plene valent nec ANGELI, qui, etsi...   4143
iube haec (et) perferri per manus ANGELI tui in sublime altare tuum (tuo)...
   3375
Urguant te ANGELI, urgeant te archangeli urgeant te prophetae...   2180
omnia surrexerunt per ipsius maiestatem quam laudant ANGELI.   3661
VD. Qui mirantibus ANGELIS angelorumque principibus...   3953
ibique exultantes cum ANGAELIS, canentes cantica nova...   1317
Exorcizo te per omnes ANGELIS et archangelis contradico...   1551
et ideo cum ANGELIS et archangelis cum thronis...   4061
Et cum ANGELIS et cum archangelis, thronis et dominacionibus...   3792
ut iuncta cum ANGELIS in excelsis deo tibi cantet gloria...   1175
ut anima (animam) famuli tui illi ab ANGELIS lucis susceptam...   2747
promanentes (permanentem) cum ANGELIS qui gloriam tuam concinunt...   3612
et ipsum inimicum eradicare et explantare cum ANGELIS suis apostaticis.
   1534
in quo tibi atque universis (adversis) ANGELIS tuis aeternus veniat
   interitus...   2174
per quae ANGELIS tuis sanctisque praecantibus...   2197
in quo tibi atque ANGELIS tuis (praeparatus sempiternus erit) sempiternus
   est praeparatus interitus...   2175, 2176
VD. Multoque magis in archangelis ANGELISQUE tuis tua praeconia non
   tacere...   3809
verbum tuum ANGELO adnuntiante carnem suscipere voluisti...   935
nam et ANGELO deferente migantium...   758
ut qui ANGELO nuntiante christi filii tui incarnationem cognovimus...   1661
ab ANGELO nuntiatus, a virgine conceptus...   3871
quique ANGELO promittente (dum) non credit (crededit) ommutuit...   3754
... Quae ab ANGELO salutata, ab spiritu sancto obumbrata...   4032
... ANGELO tuo visitante (aeas) custodias...   1924
media nocte ab ANGELO vastatore sanguis agni israel defenditur...   2065
gaudium magnum pastoribus ab ANGELO voluit nuntiari...   2254
diem quo exaltata est super choros ANGELORUM ad caelestia...   3815
te falanges ANGELORUM, archangelorum, thronique sedum cherubim...   3736
animam famuli tui illius per manus sanctorum ANGELORUM deducendam...   747
Ds caelorum, ds ANGELORUM, ds archangelorum ds patriarcharum...   755
Ds caeli, ds terre, ds ANGELORUM, ds archangelorum ds prophetarum...   744,
   752, 753
in nomine ANGELORUM et archangelorum...   2856
cum pariter et in caelis pane satiantur ANGELORUM et pro aeorum...   3676
qui filiis dei ad similitudinem proficienitibus ANGELORUM, hoc totum...
   4074
non solum humanarum mentium, sed ipse panis est ANGELORUM hunc panem...
   3786
ipse in caelis inferat meritorum ANGELORUM illorum.   874
Et qui eum panis est ANGELORUM in praesepi...   349
inflate inanis, filius tenebrarum, ANGELORUM iniquitas...   3259
Ds qui miro ordine ANGELORUM ministeria (mysteria) hominumque dispensas...
   1068

ANGELUS

qui in caelestibus et terrenis ANGELORUM ministeriis ubique dispositis...
  1372
quem caeli glorificant, ANGELORUM multitudo conlaudat...   884
qui in caelestibus aeternis ANGELORUM misteriis...   1372
ut ei inter choros ANGELORUM post obitum mereamini adscisci.   346
quando dominus noster Iesus Christus discendit cum multitudinem ANGELORUM ?
  quattuor tubae...   3563
VD. Qui mirantibus angelis ANGELORUMQUE principibus...   3953
laudisque tuas dne fidenter intendas coniungere vocibus ANGELORUM qui
  gloriam...   4039
iam ad similitudinem proveas ANGELORUM respice dne...   758, 759
preparatas ANGELORUM sanctitatis emittas...   1336
qui es doctor cordium (humanorum) omnium et magister ANGELORUM, te
  humiliter...   2282
animam famuli tui illius per manus sanctorum ANGELORUM tuorum deducendam...
  771
quatenus ANGELORUM tuorum presidium fulti (praesidio fultus)...   4008
sed ipsorum quoque patrociniis erigis ANGELORUM.   3960
et precibus (multitudinem) exercitus ANGELORUM.   308
perpetuaque vite conferat gaudium ANGELORUM.   3485
et inter ANGELOS et archangelos claritatem dei pervideat...   3391
Coniuro te per ANGELOS, excommunico te per archangelos...   1950
... Emitte ANGELOS tuos sanctos in obviam (inoviam) illius...   3389
Da (huic) plebi ANGELUM custodem qui filium...   805
contradico tibi per ANGELUM gabrihel...   507
et mitte custodem ANGELUM in circuitu supplicantum...   325
... ANGELUM licis, ANGELUM defensionis adsignare dignetur...   167
et infra pariaetis domus ipsius ANGELUM lucis tuae inhabitet.   3461
Ds qui beatum iohannem baptistam magnum nuntiavit per ANGELUM, maximum...
  910
Coniuro te per ANGELUM micahael contradico...   507
Interdico te, per ANGELUM micahel exorcizo...   1950
Ds qui per tuum ANGELUM nuntiasti christum venturum in seculo...   1158
uti aeis dominus ANGELUM pacis ANGELUM licis...   167
... Cui tu, dne, ANGELUM pacis mittere digneris, ANGELUM tuum sanctum...
  1714
direge ANGELUM pacis nobiscum qui nos ad loca distinata perducat.   1360
mittas ad eos ANGELUM pacis, qui introitum nostrum exitumquae custodiat.
  310
deputans eis ANGELUM pietatis tuae, qui custudiret eos die ac nocte...
  737
et famulo tuo tobi ANGELUM praevium praestitisti...   3590
sicut misisti famulo tuo Tubiae Rafahel ANGELUM qui eum salvum...   1714
exorcizo te per ANGELUM rafahel, per ANGELUM raguhel...   1950
et mitte aei ANGELUM salutis aeternae...   3392
... ANGELUS sanctitatis emittas...   1336
aemittere dignare ANGELUM tuum de caelis...   1493
necnon et tobi famulo tuo ANGELUM tuum ducem previum praestitisti...   4008
et inlesus per ANGELUM tuum aeduxisti...   850
ut mittere ei digneris ANGELUM tuum sanctum ad custodiendos...   1717
et mittere (aemittere) dignare (digneris) ANGELUM tuum sanctum de caelis...
  1493
Media nocte dne ANGELUM tuum sanctum misisti...   2066
ut mittere digneris sanctum ANGELUM tuum ut similiter...   737

ANGELUS
populo lucis auctore adicias ANGELUM, ut diem... 2640
ut cum tuum duce ANGELUM victur exteterit... 2640
praebeatque ante fatiem vestram divini pacis ANGELUS comis.   2905
et inter ANGELUS et archangelus claritatem dei providiat... 3391
ut in his parietibus ANGELUS lucis inhabitet... 310
et gabrihel ANGELUS mariae iam praesentia nuntiavit... 3635
emundatis dilectis omnibus me ANGELUS sanctitatis suscipiat. 1264
... Adsit ei ANGELUS testamenti tui Machahel... 2493
sed ANGELUS tuus inter sanctos et aelictus tuos conlocit...   756

ANGOR
nullo conpraematur adversitatis ANGORE nullus irruentis...   897

ANGULARIS
qui te ANGULAREM lapidem et saxum... nominare ipsum voluisti. 3997
qui penitrabis et lapis ANGULARIS es... 3997

ANGULUS
ut ubicumque adparsae fuerint per (agros aut) ANGULOS domus... 1346

ANGUSTIA
ut et inter quaslibet ANGUSTIAS constituti... 2712
quia et inter ANGUSTIAS necessarium prestat auxilium... 3591
et expelle ab eo omnem inimici infestacionem atque ANGUSTIAS satane...
  1363
exvasisse (se) carnalis (carnales) gloriaetur ANGUSTIIS (ANGUSTIAS),
  diemque... 3862
ab omnibus liberentur ANGUSTIIS impetrent... 4227

ANGUSTUM
pro suis menbris in vallem lacrimarum gemit ANGUSTA, cuius confessione...
  3501
aut per iuga montium, ANGUSTA vallium... 4008
... Cum sit minima corporis parvitate, ingentes animos ANGUSTO versat in
  pectore... 3791

ANGUSTIO
... ANGUSTIARIS quomodo angustiatur saeculus... 225
... Angustiaris quomodo ANGUSTIATUR saeculus... 225

ANIMA
in ANIMA adversariae potestatis temptamenta vanescant... 764
nec servire in corpore istius, et spiritu et ANIMA aut vestimento... 1888
deprecemur clemenciam dei patris pro ANIMA cari nostri illius quem dominus
  de laqueo huius mundi... 2217
Oremus... pro ANIMA cari nostri illius quem dominus de laqueo huius
  saeculi... 2521
Proficiscere, ANIMA, de hoc mundo... 2856
... Nullam laesionem susteneat ANIMA eius. 3462
ubicumque intercesserit, ad ANIMA et corpore proficiat sanitatem. 2676
O. s. ds, conlocare dignare corpus et ANIMA et spiritu famuli tui illius
  cuius diem... 2312
Propitiare... pro ANIMA et spiritum (spiritu) famuli tui illi cuius
  hodie... 2879
His sacrificiis qs o. ds purgata ANIMA et spiritu famuli tui illius
  episcopi... 1784

ANIMA
et sincerum corpore et ANIMA et spiritu in domini... derelinque. 1888
quam tibi pro ANIMA famuli tui illius abbatis atque sacerdotis offerimus...
   1755
ut ANIMA famuli tui illi abbatis atque sacerdotis per haec sancta... semper
   clara consistat... 477
Suscipe, qs, dne, pro ANIMA famuli et sacerdotis tui ill... 3422
ut ANIMA famuli tui illius a peccatis omnibus expiatam... 2382
ut ANIMA famuli tui illi ab angelis lucis susceptam... 2747
Absolve dne ANIMA famuli tui ill. vel illa ab omni vinculo delictorum...
   13
quam tibi offerimus, dne, pro ANIMA famuli tui illius benignus adsume...
   1742
Precamur ergo inmensam clementiam tuam pro ANIMA famuli tui ill. cui
   parva... 2103
ut ANIMA famuli tui illius cuius anniversarium... indulgentiam pariter et
   requiem capiat sempiternam. 2660
quam tibi offeret famula tua illa pro ANIMA famuli tui illius cuius
   depositionis... 1741
tibi offerimus pro ANIMA famuli tui illius cuius deposicionis... 1721,
   1745
ut ANIMA famuli tui illius cuius diem celebramus... indulgenciam largire.
   3840
exoramus pro ANIMA famuli tui ill. cuius diem deposicionis... 3837
oblationem quam tibi offerimus pro ANIMA famuli tui ill. cuius hodie
   annua... 1722
Adesto, qs, dne, pro ANIMA famuli tui illi. cuius in deposicione... 128
oblacionem quam tibi offerimus pro ANIMA famuli tui illius dne, qs
   plagatus intendas... 1746
Pro ANIMA famuli tui illius, dne, (tibi) sacrificium (deferentes)
   supplices exoramus... 2844
ut ANIMA famuli tui ill. episcopi (episcopus) in congregatione iustorum...
   2748
et ANIMA famuli tui ill. episcopi in vivorum... 2870
suscipe pro ANIMA famuli tui illi episcopi praeces nostras... 791
quam tibi offerimus pro ANIMA famuli tui illi episcopi qs dne plagatus...
   1766
Presta, qs, dne, ut ANIMA famuli tui illius episcopi quam in saeculo semper
   exultet. 2721
quas tibi offerimus pro ANIMA famuli tui illius et cui donasti... 2204
preces... quas... pro ANIMA famuli tui ill. fratris humiliter deprecamur...
   2273
et ANIMA famuli tui illius gaudia aeterna suscipiant... 215
auge super ANIMA famuli tui illius graciae tuae dona... 919
Praesta, dne, qs, ut ANIMA famuli tui ill. huius mortalitatis... 2661
quam tibi pro requiem et ANIMA famuli tui illius offerimus... 1762
ut ANIMA famuli tui illius per haec piae... perpetua misericordia
   consequatur. 1822
quam tibi offerimus... pro ANIMA famuli tui illius placatis (placidus) ac
   benignus... 95, 96
ut ANIMA famuli tui illius plenam (plena) capiat de huius aecclesiae
   perfeccione (perfectionem) mercedem. 2000
... ANIMA famuli tui ill. pro habundantiae... pium te sentiat in inferis...
   2029
Propiciare... pro ANIMA famuli tui illius pro qua tibi offerimus... 2880

ANIMA

ut ANIMA famuli tui illius quae temporali aeternae illius lucis solatio
   potiatur...   746
humiliter trementerque deprecemur pro ANIMA famuli tui ill. quem dominus...
   2481
ut ANIMA famuli tui ill. remissionem... mereatur percipere peccatorum.   189
et ANIMA famuli tui illi sacerdotis in beatitudinis sempiternae lucis
   constituae.   148
et ANIMA famuli tui illius sacerdotis sanctorum tuorum iunge consorciis.
   278
Satisfaciat tibi, dne, qs, pro ANIMA famuli tui illius sacrificii
   praesentis oblatio...   3267
ut ANIMA famuli tui Simplici episcopi...   2047
ut ANIMA famuli tui illius terrenis... in tuae redemptionis parte
   numeretur.   775
exaudi praeces quas... pro ANIMA famuli tui ill. tibi lecrimabiliter
   fundimus...   1263
Propiciare, dne, ANIMA famuli tui illius ut quem in finem...   2858
propiciare ANIMA famuli tui illius ut qui de hac vita...   2317
Suscipe dne praeces nostras pro ANIMA famuli tui illius ut si quae ei...
   3410
ne inimicus de ANIMA huius sine redemptione baptismatis incipiat
   triumphare...   3463
... Corpus altius aescis, ANIMA ieiuniis saginatur...   4033
ne inimicus de ANIMA ista incipiat triumphare !   3463a
ne inimicus de ANIMA ista sine redemptione baptismatis incipiat
   triumphare...   2064
aut dolores in ANIMA istius, vel carne sive ossa derelinquas.   1888
Laudent te, dne, ora nostra, laudet ANIMA, laudet et vita...   2002
et ab huius possessione ANIMA liberata ab auctore (ad auctorem) suae
   salutis recurrat...   2299
et ANIMA mea sequatur te ut ingrediaris et coabtis tibi...   3792
tua virtute hoc manifestit, ANIMA per penitentia salvetur.   850
Nec ultra inimicus in aeius habeat ANIMA potestatem...   1368
quia et corporis adquiretur et ANIMA sanctitas...   180
ut medellam tuam non solum in corpore sed etiam in ANIMA sentiat.   1015
Libera, dne, ANIMA servi tui illi ex omnibus...   2023
Suscipe, dne, ANIMA servi tui ill. in aeternum tabernaculum...   3433
Suscipe, dne, ANIMA servi tui ill. revertentem ad te...   3391
Libera, dne, ANIMA servi tui illius sicut liberasti noae per diluvium.
   2023
exaudi nos pro illius famuli tui ANIMA supplicantes...   783
Pro ANIMABUS famulorum famularumque tuarum et hic omnium catholicorum...
   2845
Adesto, qs, dne, pro ANIMABUS famulorum famularumquae tuarum et omnium
   quiescentium...   129
Praesta (propitiare), qs, dne, ANIMABUS famulorum famularumque tuarum
   misericordiam sempiternam (misericordiam sempiternam)...   2656, 2885,
   2886
Hostias, qs, dne, quas tibi pro ANIMABUS famulorum famularumquae tuarum
   offerimus propitiatus...   1818
quam tibi pro requiem et ANIMABUS famulorum famularumque tuarum offerimus
   qs dne propitius...   1763
Et ANIMABUS famulorum famularumque tuarum omnium fidelium chatolicorum...
   1751, 2806, 3008

ANIMA
Munera, qs, dne, quae tibi pro requie et ANIMABUS famulorum famularumque
    tuarum omnium in... offerimus...   2136
Supplices, qs, dne, pro ANIMABUS famulorum (famularum tuarum) tuorum
    praeces effundimus sperantes...   3366
et ANIMABUS famulorum famularumque tuarum quorum commemorationem...
    remissionem peccatorum.   2949
quam tibi pro ANIMABUS famulorum famularumque tuarum veneranter
    deferimus...   1756
Pro ANIMABUS famulorum tuorum illorum et illorum et hic omnium...   2845
has oblationes quas... et pro ANIMABUS omnium fidelium catholicorum
    orthodoxorum... deferimus...   2874
ANIMABUS qs, dne, famulorum famularumquae tuarum illorum oracio
    proficiat...   175
ANIMABUS qs, dne, famulorum famularumquae tuarum misericordiam concede
    perpetuam...   176
pro inmortalibus et bene quiescentibus ANIMABUS sine dubio œlebramus...
    3668
et invenietis requiem ANIMABUS vestris.   1446
esurientium ANIMAE bonis affluentibus repleas...   2525
ut fraternae teneantur conpagine caritatis uni ANIMAE ; continentia...
    1195
atque ANIMAE corporeo ergastulo liberati (liberatae)...   3862
ita et isti pristina (pristinum) sanitate ANIMAE corporisque recepta...
    2277
et illo regi ad obtinendam ANIMAE corporisque salutem...   2123
et in quo electorum ANIMAE deposito carnis onere plena felicitate
    laetantur...   746
plena tibi adque perfecta corpore (corporis) et ANIME devotione
    placeamus...   186, 193
ut sacrificium presentes oblatio ad refrigerium ANIMAE aeius... perveniat.
    3387
et sis omnibus te sumentibus sanitas ANIMAE et corporis et effugiat...
    1546
Absque lesionem ANIME et corporis sui, exias omnino...   1888
per fragilitatem ANIMAE et corpore vel negligentiis nostris...   3379
... Et tua sancta benedictio sit... tutamentum corporis ANIMAE et
    spiritus...   1407
ut ANIMAE famuli et sacerdotis tui ill. episcopi, haec prosit oblatio...
    190
pro commemoratione depositionis ANIMAE famuli et sacerdotis tui illi
    episcopi quaesumus...   1747
Ds, qui ANIMAE famuli tui gregorii (leoni) aeternae beatitudinis praemia
    contulisti...   900
Annue nobis dne (ut) ANIMAE famuli tui gregorii (leoni haec) prosit
    oblatio...   190
ut ANIMAE famuli tui illius ad perfectum... paenitentiam desideranter
    voluisse sufficiat.   2268
ut ANIMAE famuli tui ill., cuius diem ill. celebramus...   3840
propiciare ANIMAE famuli tui illius deposicione deferimus...   1141
Memento, dne, qs, ANIMAE famuli tui illius episcopi...   2070
Hanc igitur oblationem quam tibi pro requie ANIMAE famuli tui ill.
    offerimus...   1760
Propiciare, qs, dne, ANIMAE famuli tui illius pro qua tibi...   2886

ANIMA

Prosit, qs, dne, ANIMAE famuli tui illi sacerdotis misericordiae...
   misericordiae tuae inplorata clemencia...   2904
Propitiare dne ANIMAE famuli tui illius, ut quem in fine...   2858
propitiare ANIME famuli tui illius ut qui de hac vita...   2317
Presta, dne, qs, ANIMAE famuli tui misericordiam sempiternam inmensam...
   2656
sicut ANIMAE famuli tui paenitentiam (poenitenciae) velle donasti...   733,
   734, 735, 736
ANIMAE famuli tui, (qs, dne)... remissionem tribue (omnium) peccatorum...
   177
ut ANIMAE famulorum famularumque tuarum ab omnibus exutae peccatis...   774
ut ANIMAE famulorum famularumquae tuarum ab omnibus quae... in tuorum
   censeantur sorte iustorum.   2046
Inveniant, qs, dne, ANIMAE famulorum famularumque tuarum omnium in
   christo... lucis...   1952
ut ANIMAE famulorum famularumque tuarum per haec placationis... perpetuam
   (tuam) misericordiam consequantur.   1822
ut ANIMAE famulorum famularumque tuarum, quorum diem commemorationis
   celebramus...   3915
dum ad te vitae cunctore toto vigore ANIMAE festinarent...   1198
Ds, (in) cuius miseratione ANIMAE fidelium requiescunt...   789
... ANIMAE huius subveniat sublimis dominus...   2217
in sanitate mentis, in protectione ANIMAE in confirmatione...   1545
quia nullius (nullus) ANIMAE in hoc corpore constituti...   858
et si ad plenam veniam ANIMAE ipsius obtinere non possimus...   2273
Populus tuus, qs, dne, renovata semper exultet ANIMAE iuventute...   2618
quod (A)NIME meae est hobium repelle a me...   1296
ipsut ANIME meae inserere ut iugis dilectionem aeius ipse sis...   575
salus esto infirmitatis meae et verus resuscitatur ANIME meae.   1895
simul ad eius ANIMAE medilla proficiant (proficiat).   2135
quae ANIMAE nostrae conveniunt rationabilia exequamur.   453
ANIMAE nostrae, qs, o. ds, hoc pocientur desiderio...   178
ne adversario liceat usque ad temptacionem ANIMAE pervenire...   3463
exsisterent tamen sublimiores ANIMAE quae in viri (quas in viris)...   758,
   759
et ANIMAE quae promissiones... de tua semper caritate habundancia
   repleantur.   2371
ut ANIMAE quae promissiones tuas sitiunt...   1261
sicut famulus tuus ille pro suae (suis) ANIMAE requie reputavit
   (depotavit)...   672
per innovatione (amorem) (peronvocationem nominis) (tui) spiritus a morte
   ANIMAE resurgamus.   493, 1159, 2773
quia strictis (resticitis) corporibus ANIMAE saginantur...   3740, 4179,
   4183
sic ieiuniis et virtutibus ANIMAE saginantur...   3889
corporis ANIMAEQUE salvator, aeternae felicitatis benigne largitur.   1184
ieiunii puritatem, qua et corpuris adquiritur et ANIMAE sanctitas...   179
redde ANIMAE sanitatem ; non temptabis aeam...   2180
gustantes(que) ex aeo accipiant tam corporis quam ANIMAE sanitatem.   299,
   300
quam tibi offeret ob desiderium ANIMAE suae commendans...   1714
Te in sanctitate corporis, te in ANIMAE suae puri(tate glori)ficit...   759
ut ANIMAE suae reciperet quam perdiderat sanitatem...   58, 59

ANIMA
nec adversario liceat usque ad ANIMAE temptacionem sicut in iob...   3463a
ut non praevaleat inimicus usque ad ANIMAE temptacionem sicut in iob...
   2064
gratiam tuam ad profectu ANIME tuae in te augeat.   334
ut omnes qui te sumpserint, sis eis ANIMAE tutamentum...   1545
(accipiat) corporis sanitatem et ANIMAE tutillam (percipiat).   301
Per ipsum cui confitetur omnes ANIME ut miseriaris...   3792
exclude a mentibus aeorum noxias ANIMAE vagationis...   567
ne sine baptismate facias eius ANIMAM a diabulo possideri (possidere)...
   1371
ut cari nostri illius ANIMAM ad te datorem... blande leniterquae
   suscipias...   1289
et reples omnem ANIMAM benedictionem...   742
Item alio : Ne tradas, dne, bistias ANIMAM confitentem tibi.   1271
ut fidei ipsius sitis baptismatis mysterio ANIMAM corpusque sanctificet.
   2464
illam nobis lucem in ANIMAM et corpore nos semper tribuae...   1328
puram tibi ANIMAM et purum pectus semper exhibeant.   2398
O. s. ds, conlocare dignare corpus, ANIMAM et spiritum famuli tui illius...
   2312
ut ANIMAM famuli et sacerdotis tui ill. episcopi... sanctorum tuorum
   coetui...   594
Suscipe, qs, dne, pro ANIMAM famuli et sacerdotes tui illi quas offerimus
   hostias...   3422
... ANIMAM famuli tui benignus absolve...   1783
ut ANIMAM famuli tui ill. ab angelis... in praeparatis habitaculis, deduci
   facias beatorum.   2747
ut ANIMAM famuli tui ill. vel illam de hoc saeculo migrare iussisti...
   1899
et ANIMAM famuli tui illi episcopi aeternis gaudiis iubeas sociare.   2870
ut ANIMAM famuli tui illius cuius diem ill. celebramus...   3840
et regrigerare dignare ANIMAM famuli tui illius cuius diem
   conmemorationis...   1684
et ANIMAM famuli tui illius episcopi in beatitudinis sempiternae luce
   constitue.   148
et ANIMAM famuli tui illius episcopi sanctorum tuorum iunge consortiis.
   278
Suscipe, dne, qs, hostias pro ANIMAM famuli tui illius episcopi ut cui...
   3422
et ANIMAM famuli tui illius gaudia aeterna suscipiant...   215
auge super ANIMAM famuli tui ill. gratiae tuae dona...   919
multiplica super ANIMAM famuli tui illius misericordiam tuam...   890
ut suscipi iubeas ANIMAM famuli tui illius per manus sanctorum angelorum...
   747, 771
... ANIMAM famuli tui illius, qs, ab omnibus absolve peccatis...   2272
oblationem, quam tibi offeret pro ANIMAM famuli tui illius, qs, dne...
   1848
... ANIMAM famuli tui illius quam vera dum in corpore maneret tenuit
   fides...   1013
ut spiritum et ANIMAM famuli tui illius quem hodierna die... blande et
   misericorditer suscipias...   2215
Suscipe, dne, ANIMAM famuli tui ill. revertente ad te...   3392
et ANIMAM famuli tui illius sacerdotis in beatitudines sempiternae lucae
   constituae.   148

ANIMA

et ANIMAM famuli tui illius sacerdotis sanctorum tuorum iunge consortiis.
   278
Tibi dne commendamus ANIMAM famuli tui illius, ut defunctus seculo tibi
   vivat...   3475
ut ANIMAM famuli tui simplici episcopi ab omnibus...   2047
ut ANIMAM fratri nostri illius corporis nexibus absolutam...   1234
Commendamus tibi, dne, ANIMAM fratri nostri illius praecamur...   404
ut ANIMAM fratri nostri illius requies aeterna suscipiat...   2423
Sic liberare digneris ANIMAM hominis istius...   2023
O. ae. (s.) ds qui humano corpori (humanum corpore) ad (a) te ipso
   ANIMAM inspirare.   2236
et ANIMAM meam vivifica in te.   219
tu ANIMAM nostram corpusque castifica...   1184
... Nec ultra inimicus in eius habeat ANIMAM potestatem...   1368
ut huius famuli tui illius ANIMAM quam de huius mundi... abrahae amici
   tui sinu recipias...   3470
et ANIMAM refove quam creasti...   3085
et eius ANIMAM sanctis et fidelibus iubeat adgregari...   701
Suscipe, dne, ANIMAM servi tui ille ad te revertentem (revertentem ad te).
   2493, 3389, 3391
... Laetifica, dne, ANIMAM servi tui ille, clarifica, dne, famulum tuum...
   3389
Suscipe dne ANIMAM servi tui illius quam de ergastulo huius saeculi vocare.
   3390
Libera, dne, ANIMAM servi tui ill. sicut liberasti danihaelem...   2023
Libera, dne, ANIMAM servi tui ill. sicut liberasti david...   2023
Libera, dne, ANIMAM servi tui ill. sicut liberasti henoch...   2023
Libera, dne, ANIMAM servi tui ill. sicut liberasti iob...   2023
Libera, dne, ANIMAM servi tui ill. sicut liberasti ionam...   2023
Libera, dne, ANIMAM servi tui ill. sicut liberasti petrum et paulum...
   2023
Libera, dne, ANIMAM servi tui ill. sicut liberasti susannam...   2023
Libera, dne, ANIMAM servi tui ill. sicut liberasti tres pueros...   2023
exaudi pro illius famuli tui ANIMAM supplicantes...   783
quod deposito corpore ANIMAM tibi creatori reddidit quam dedisti...   1721
Dne iesus, pastur bone, qui ANIMAM tuam pro ovibus posuisti...   1333
sed eum qui corpus ANIMAMQUE mittere poterat in gehennam...   3654
adque escis carnalibus expeditis cibus nasceretur mirabiliter ANIMARUM
   ac tempore...   4074
(O. et m.) Ds, fidelium lumen ANIMARUM, adesto supplicacionibus nostris...
   811
Ds qui humanarum ANIMARUM aeternus amator es...   1013
et incorruptarum, ds, amator ANIMARUM (ANIMARUM amator) ds qui humam...
   758
Fidelium, ds, ANIMARUM conditor et redemptor famulo tuo...   1628
Omnipotens sempiterne ds, ANIMARUM conditor et redemptor qui propter...
   2305
Det vobis ANIMARUM conpunctionem, inmaculatam fidem...   351
qui aegritudinis et ANIMARUM depelles et corporum...   2377
sed ANIMARUM desideravit potius sanctitatem...   3880
Redemptor (Redemptio) ANIMARUM, ds, aeternitatem concide defunctis...   3038
tribus pueris in splendore demutatum (mutatum) est ANIMARUM ecclesiae
   tuae...   776

ANIMA

et famulum tuum ill. vel illam quem ad regimen ANIMARUM eligimus...   473,
479

ut sacrificii praesentis oblatio ad refrigerium ANIMARUM eorum...
perveniat.   2874

ieiunium quod nos ad aedificationem ANIMARUM et castigatione
(castigationem) corporum servare docuisti...   4183

Ds qui es custur ANIMARUM et corporum...   980

Ds, qui pro ANIMARUM expiacione nostrarum sacri ieiunii instituta
mandasti...   1179

oblationem quam tibi pro requie ANIMARUM famulorum famularumque tuarum
offerimus...   1763

... ANIMARUM famulorum famularumquae tuarum remissionem cunctorum tribue
peccatorum...   1629

et alimento (in alimentum) ANIMARUM ieiunii nobis medicinam indedisti.
3941

quam tibi pro commemoracione ANIMARUM in pace dormiencium...   1757

quod nos ANIMARUM medellam castigatione corporum servare docuisti...   4179

Ds qui ad (VD. Qui ob) ANIMARUM medellam ieiunii devotione castigari
corpora praecepisti...   889, 3984

ad refrigerium ANIMARUM meorum te miserante perveniat.   3385

et (omnibus) ANIMARUM nostrarum medere languoribus...   841, 2871

... Adiuro te per Iesum salvatorem ANIMARUM nostrarum per illum te...
224, 225

VD. Inluminator et redemptor ANIMARUM nostrarum qui nos per...   3787

Custos fidelium ANIMARUM, o. ds, protege...   567

Ad custodiendam gregem huius ANIMARUM, pastor bone...   44

sit... redemptio ANIMARUM, perfectio hac tutilla...   3120

Ds fidelium receptor ANIMARUM, praesta, qs, ut famulus tuus...   813

Ds, fidelium remunerator ANIMARUM, praesta, ut...   814

et per augmenta corporea profectum clementer tribuas ANIMARUM quae
immutabilis...   3825

O. s. ds, fidelium splendor ANIMARUM qui hanc solemnitatem...   2341

non iam nobis honorem commendat vestium sed splendorem ANIMARUM quia et
illa...   820

salubritatem corporum, ANIMARUMQUE salutem.   354

... ANIMARUM quoque suarum salute perpetua (salutem perpetuam) consequatur.
3844

Ds castorum corporum benignus inhabitator et incorruptarum amator ANIMARUM
respice...   760

VD. Qui es redemptor ANIMARUM sanctarum...   3915, 3916

pro se suisque omnibus, pro redemptione ANIMARUM suarum...   2068

... Tu cognitor pectorum, tu scrutator ANIMARUM tu veraciter...   136

cum subsidiis corporalibus profectum (quoque) capiamus ANIMARUM.   3717,
3758

adaerit per spiritum sanctum consensus unus omnium ANIMARUM.   3021

ut mortem evadere possimus ANIMARUM.   3586

castigatio corporalis cunctis ad fructum proficiat ANIMARUM.   646

purior atque tranquillior appetitus... fidelium reddatur ANIMARUM.   4039

... Et per afflictionem corporum, proveniat nobis robur ANIMARUM.   3745

non iam nobis honorem commendet vestium, sed splendorem ANIMARUM.   820

castigatio corporalis ad fructum cunctis (cunctarum) transeat (transeant)
ANIMARUM.   3495

ut castigatio carnis adsumpta ad nostrarum vegetatione (vegetationem)
transeat ANIMARUM.   649

ANIMA
qui devictis gemitibus inferni ANIMAS ad lucem produxit (perduxit)...
   142, 1355
ut a fertilitate terrae aesurientium ANIMAS bonis affluentibus repleas...
   2525
... Ne tradas bestiis ANIMAS confitentium tibi.   1886
respice ad ANIMAS diabolica fraude deceptas...   2434, 2449
ut misericordiam sempiternam, pro qua illi felices ANIMAS exalarunt...
   2450
ut ANIMAS famulorum famularumquae tuarum in pacis ac lucis regione
   constituas...   1901
Multiplica, dne, super ANIMAS famulorum famularumquae tuarum misericordiam
   tuam...   2112
et ANIMAS famulorum famularumque tuarum omnium videlicet... electorum
   tuorum iungere digneris consortio.   3247
ut ANIMAS famulorum famularumque tuarum, quorum diem conmemorationis
   caelebramus...   3916
quam tibi pro ANIMAS famulorum famularumquae tuarum venerantes deferimus...
   1756
quod iacobum et iohannem ad inlustrandas ANIMAS, inter vasa...   1229
Tibi coniuro... per castitatem virginum, per ANIMAS iustorum...   3474
... ANIMAS legandi adque solvendi pontificium tradedisti...   907
ut ANIMAS mundanis gurgitibus inmersas calamo doctrinae salutaris
   abstraheret...   3610
Ds qui peccantium ANIMAS non vis perire...   1147
sanctificet ANIMAS nostras per quod tui esse possimus.   2744
ut sancti tui... sanctas ANIMAS odiendo diligerent...   4075
et sicut haelisaeus ANIMAS orando sanavit aquas in latice...   893
qui peccantium non vis ANIMAS perire sed culpas...   1363, 2287, 3987
velut fulgentes lampadas in eius occursum nostras ANIMAS praeparemus.   475
propter hoc ex signo credunt homines ANIMAS salvare...   3666
... ANIMAS vestras corporaque purificet a dilecto.   1375
... ANIMAS vestras corporaque sanctificet.   355, 2296
ita corpora eorum ANIMASQUE custodias...   1192

          ANIMADVERSIO
ut qui pondus tuae ANIMADVERSIONIS cognovimus...   940

          ANIMAL
et reples omne ANIMAL benedictione salvator mundi.   742
qui noae et filiis suis de mundis et inmundis ANIMALIBUS precepta
   dedisti...   1257
Ds, qui laboribus hominum eciam de mutis ANIMALIBUS solacia subrogasti...
   1057
in praesepi ecclesiae cibum fecit esse fidelium ANIMALIUM ipse vos...   349

          ANIMALIS
quia ANIMALES atque carnales...   3879

          ANIMO
Apis ceteris quae subiecta sunt homini, ANIMANTIBUS antecellit...   3791
omne tantu mirabilibus praestantiorem caeteris ANIMANTIBUS, quantum...
   3918
quod cunctis ANIMANTIBUS summae rationis participatione praetuleris...
   4090
nec inrationabilium cruor effunditur ANIMANTUM sed sancti spiritus...   2160
hominem... ad speciem tui decoris ANIMASTI aeumque credula...   4129

ANIMUS
sed ab ipsius ANIMI noxiis delectationibus praecipis ieiunare...   3964
... Te in sanctitate corporis, te in ANIMI sui puritate glorificent
   (glorificet).   758, 759
VD. Praetiosam mortem sancti Laurenti... exultantibus ANIMIS celebrantes...
   3850
ieiunium, quod ANIMIS corporibus(que) curandis salubriter institutum est...
   112
VD. Et te in veneratione sacrarum virginum exultantibus ANIMIS laudare...
   3725
VD. Nos te in tuis sacratissimis virginibus exultantibus ANIMIS laudare...
   3815
ut ad eius nativitatem pace concessa liberioribus ANIMIS occurramus.   2380
Ds, qui nos exultantibus ANIMIS pascha tuum caelebrare tribuisti...   1114
... Intentis itaque ANIMIS symbulum discite...   1287
ad ea festa... ipso opitulante exultantibus ANIMIS veniatis.   361
et ANIMIS vestris veram conversationem mutatis ad deum...   1287, 1288
ut ubicumque intercesserit, ad ANIMO et corpore proficiat sanitatem.   2676
ut medillam tuam non solum in corpore sed etiam in ANIMO sentiat.   1015
sed in nominis tui signo famulus tuus, et ANIMO totus (tutus) et corpore.
   763
plena fide ANIMOQUE permaniat...   674
O. s. ds, qui egritudinis et ANIMORUM depellis et corporum...   2377
si vitia frenemus ANIMORUM nec visibili...   3888
Ds, qui ANOMORUM prodire facis sufficientiam corporalem.   1182
pontificalem gloriam... commendat... sed splendor ANIMORUM quia et illa...
   819
... Tu cognitor peccatorum, tu scrutator es ANIMORUM tu veraciter...   137
... Cum sit minima corporis parvitate, ingentes ANIMOS angusto versat in
   pectore...   3791
ne rudes ANIMOS parvulorum... honeraret austerioribus disciplinis...   3996
liberiores ANIMOS praestitisti...   1081
O. s. ds, qui humanum corpus ad teipsum ANIMUM sperare dignatus es...   2236
quibus carnis lege sedata purior ANIMUS emineret...   4072
... Quando enim ANIMUS mortali (mortale) carne circumdatus...   758, 759

ANNA
gemitum ANNAE, dum eam fecundaris, in gaudium convertisti...   2381

ANNECTO
... ADNECTASQUE tuis laudis iustis caeloque receptis.   3832
et unitate corporis aeclesiae membrum tuae redemptionis ADNECTE miserere...
   858

ANNISUS
quantocumque etiam bonae conversationis ADNISU fieri tribuas sectatorem.
   3670

ANNIVERSARIUS
ANNIVERSARIA, fratres karissimi, ieiunii puritatem...   179
salubriter ex huius diei ANNIVERSARIA solemnitate...   3459
ANNIVERSARII fratres dilectissimi ieiunii puritatem...   180
templi huius cuius ANNIVERSARIUM dedicationis diem celebramus...   193
anima famuli tui illius, cuius ANNIVERSARIUM depositionis diem
   celebramus...   2660
cuius ANNIVERSARIUM deposicionis diem commemoramus...   840

ANNIVERSARIUS

et ecclesia tua in templo cuius ANNIVERSARIUS dedicationis dies
  celebratur tibi collecta...   976
quod beati martyris illius ANNIVERSARIUS dies intrat...   2187

ANNUALIS

quam tibi offeret ob diem trecesimum coniunctiones suae vel ANNUALEM.   1719

ANNUMERO

in hereditarium populum clementer ADNUMERA ut qui a multitudine...   3055,
  3056

ANNUNTIATIO

... Quae utique ADNUNCIATIO est (domini nostri iesu christi) Iesu Christi
  domini nostri...   203
... Evangelium dicitur proprie bona ADNUNTIATIO quae utique...   203

ANNUNTIO

ADNUNTIA fidem ipsorum qualiter credunt...   1631, 1788, 2952
angelo ADNUNTIANTE carnem suscipere...   946
vel qui sunt ipsi quattuor qui divino spiritu ADNUNTIANTE propheta signati
  sunt...   203
... Discendit autem evangelium ab eo, quod ADNUNTIET aut ostendat...   203

ANNUO

induc aeum, dne, ANNUAE a mandatorum tuorum...   2325
... ANNUAE dignanter huius institutor misterii...   871
ANNUE, dne, praecibus nostris et tuis servitiis...   183
ANNUE, dne, praecibus nostris, ut sicut de praeteritis...   184
ANNUAE dne qs ut misteriis tuis iugiter repleamur...   185
ANNUE misericors ds ut hostias...   187
ANNUE, misericors ds, ut qui divina...   188
ANNUAE nobis dne ut anima famuli tui ill. remissionem... mereatur
  percipere peccatorum.   189
ANNUE nobis dne ut animae famuli et sacerdotis tui ill...   190
ANNUE nobis dne ut animae famuli tui gregorii (leoni) prosit oblatio...
  190
nostris praecibus ANNUAE, nostris peccatis ignusce.   4226
O. s. ds, ANNUE praecibus nostris ea quae poscimus (possimus)...   2306
ANNUAE propitius circumstanti familiae ut...   908
ANNUE, qs, dne ds noster, ut per hoc tuae sapientiae sacramentum...   191
ANNUE, qs, dne, praecibus familiae tuae...   192
ANNUE qs dne precibus nostris, ut quicumque.   193
ANNUE, qs, dne, praecibus nostris ut sancti...   194
ANNUE, qs, dne, sacris martyribus tuis...   195
ANNUE, qs, dne, ut et tuis semper sollemnitatibus occupemur...   196
ANNUAE, qs, dne, ut merita tibi placita sancti... Iuvenalis...   197
ANNUE, qs, dne, ut sanctae martyris Eufimiae tibi placitis depraecationibus
  adiuvemur.   198
ANNUE, qs, omnipotens ds, ut sacramentorum tuorum gesta recolentes...   199
ANNUAE, qs, omnipotens ds, ut sicut eos, quorum natalicia recensemus...
  200
ut te ANNUENTE per felicem provectus aetatem...   1262
ut te ANNUENTE valeamus quae mala sunt declinare...   3749

ANNUS

quod ANNI cursu remeante...   2492
... Denique commonemur ANNI docente (ducente) successu...   4060

ANNUS

Fac ANNIS esse multiplicem...   924
ad hanc diem natalis sui genuini exemto ANNO perducere dignatus es...
  1262
quatenus fidei eius augmentum multisquae ANNORUM curriculis...   1202
... Iam conpleti sunt sex millia ANNORUM in co oportit...   1852
ut per multa curricula ANNORUM laetus tibi haec vota sua persolvat...
  1719a
ut per multa curricula ANNORUM laetus tibi in pauperes tuos haec
  operetur...   1714a, 1715, 2466
et dies eius ANNORUM numerosite (nomerusitatem) multiplica...   1262
ut per multa curricula ANNORUM salva (salvi)...   1712
tuaque in eo munera ipse custodias donisque ei ANNORUM spacia...   1730
adque ad optatam seriem cum suo coniuge proveas benignus ANNORUM.   1729
Ds qui famulo tuo ezechiae ter quinos ANNOS ad vitam donasti...   988
ut adicias ei ANNOS et tempora vitae...   1719a
et ANNOS famuli tui illius... prosperos plurimosquae largire...   2476
Ds qui nobis per singulos ANNOS huius sancti templi tui consecrationis
  reparas diem...   1085
... Sed inter puellares ANNOS, inter saeculi blandimenta...   3993, 3994,
  3995
augmenta eis ANNOS vitae et temporum felicitatem...   1777
ut sit, dne, aeiusdem habundans in ANNUM alimentum, gustantesque...   299
... ANNUS vitae et temporum felicitate...   1733

ANNUUS

Ds qui nos ANNUA apostolorum tuorum (philippi et iacobi) sollemnitate
  laetificas...   1096
Ds qui nos ANNUA beatae agne (agathe) (caeciliae) martyris tuae
  sollemnitate laetificas...   1097
Ds qui nos ANNUA beati cyriaci (clementis) martyris tui sollemnitate
  laetificas...   1098
qui nos ANNUA beati Iohannis baptistae sollemnia frequentare concedes...
  1099, 4238
Ds qui nos ANNUA beatorum... martyrum tuorum sollemnitate laetificas...
  1100
Observationis huius ANNUA caelebritate laetantes...   2219
ut quibus ANNUA caelaebritates huius vota multiplicas...   3825
VD. Per ANNUA dedicatione tabernaculi huius...   3828
ut observationes sacras (observationis sacrae) ANNUA devotione recolentes
  et corpore...   2730
... Cuius hodie natalem passionis diem, ANNUA devotione recolentes hostias
  tibi...   3907
ut quorum diem passionis ANNUA devotione recolimus...   2655, 2718
cum per supplicacionibus nostris ANNUA devocione venerandus...   4120, 4122
cuius hodie ANNUA dies agitur, pro qua tibi offerimus sacrificium laudis...
  2879
famuli tui ill., cuius hodie ANNUA dies agitur qs placatus...   1722
Ds, qui nos redempcionis nostrae ANNUA expectacione laetificas...   1127
et festivitatem dudum muneris immolati ANNUA festivitate concelebrant...
  4124
... ANNUA festivitatis huius dona prosequere...   1211
O. s. ds, qui nos ad observantiae huius ANNUA festa perducis...   2422
Beati Sixti, dne, tui sacerdotis et martyris ANNUA festa recolentes...   284
ad sanctorum tuorum ANNUA festa recolimus singulare suffragium...   2550
... ANNUA festa repetente (repetentes) sacerdotalis exordii...   46

ANNUUS
... ANNUA maiestati tuae vota persolvimus.   4178
ANNUA martyrum tuorum, dne, vota recurrimus...   181
ANNUA nobis est, dilectissimi, ieiuniorum celebranda festivitas...   182
Ds qui ecclesiam tuam ANNUA quadragesimali observatione purificas...   969
ut per ANNUA quadragesimalis exercitia sacramenti...   455
oblacionem... quam tibi offerunt ANNUA recolentes mysteria...   1735
cuius honorabilis ANNUA recursione solemnitas et perpetua semper et nova
   est...   3759
quam ANNUA recursione venerantes hostias tibi laudis offerimus.   3597
Ds qui nos ANNUA sanctorum tuorum protasii et gervasii sollemnitate
   laetificas...   1101
ad ea festa quae non sunt ANNUA sed continua... veniatis.   361
Sancti Marcelli... qs, ANNUA solemnitas pietate tuae nos reddat acceptos...
   3203
quem maiestati tuae ANNUA solempnitate caelebramus officiis...   3592
quas in honore beatae... Mariae ANNUA solempnitate deferimus...   2203
de cuius nos veneranda assumptione tribuis ANNUA solemnitate gaudere.   472
de quorum nos virtute tribuis ANNUA sollemnitate gaudere.   472
da nobis in beati Clementis ANNUA sollemnitate laetari...   2409
ut sancte Caeciliae martyris ANNUA sollemnitate laetemur...   687
Ds qui nos beati martyris tui caesarii ANNUA sollemnitate laetificas...
   1105
Ds, qui nos resurrectionis dominicae ANNUA solempnitate laetificas...   1129
Ds qui nos beati eusebii confessoris ANNUA solemnitate laetificas...   1102
Ds, qui nos hodie beatae... virginis martyrisque ANNUA solemnitate
   laetificas concede...   1118
Ds qui nos beati stephani martyris tui atque pontificis ANNUA sollemnitate
   laetificas...   1106
Ds, qui nos... exaltacione (exultatione) sanctae crucis ANNUA sollemnitate
   laetificas praesta ut...   1119
atquae ANNUA tibi vota persolvat.   1715
et quae extrinsecus ANNUA tribuis (tribues) devotione venerari (venerare)...
   1416
cuius ANNUA vota celebramus...   4077
VD. Beati Laurenti ANNUA vota repetentes...   3614
Ds qui nos ANNUAE beate agne martire tuae solemnitatem laetificas...   1097
Observationis ANNUAE celebritate gratlantes...   2218
beatae Agnes... cuius diem passionis ANNUAE devocione recolimus...   2718
ANNUAE festivitatis cultum, supplicis te, dne, deprecamur...   186
Sumpsimus, dne, celebritatis ANNUAE votiva (votivae) sacramenta
   (sacramentum)...   3333
ut festivitatem nobis ANNUAM beatorum Petri et Pauli...   3666a
O. s. ds, qui nos et sustentationibus ANNUIS et sollemnitatibus consolaris
   ...   2427
... Nobis tamen eorum festa ANNUIS recursibus tribuis frequentare...   3600
ut cuius depositione (depositionem) ANNUO caelebramus obsequia (obsequio)
   ...   3194
ut quorum venerabilem diem ANNUO frequentamus obsequio...   3234

          ANTE
sicut ANTE alios imitator dominicae passionis et pietatis enituit...   2751
O. s. ds qui ANTE archam federis per clangorem tubarum...   2378
et deficiant te ANTE conspecto dei ubi tu potes caelare...   2552
servans misericordiam tuam populo tuo ambulanti ANTE conspectum gloriae
   tuae...   1249

ANTE

quas pro famulo tuo ill. ANTE conspectum maiestatis tuae humiliter fundimus... 2305

quas ANTE conspectum magestatis tuae pro animam famuli tui... 2273

fac aeos ANTE conspecto tuo (conspectum tuum) cum iustitia vivere... 318, 1333

nec ANTE conspectum tuum veniant parentum delicta... 1371

quos ANTE constitutionem mundi in aeternam tibi gloriam praeparasti... 3727

Ds aeternae, ANTE cuius conspectu (conspectum) adsistunt angeli fulgendi... 742

Ds, ANTE cuius conspectu defertur ommem quod genitur... 745

... ANTE decorasti professione, secundo funere. 546

qui maternis visceribus ANTE dominum meruit confiteri quam nasci. 910

praebeatque ANTE fatiem vestram divini pacis angelus comis. 2905

id in homine tantum quod ANTE factum est, relinquatur. 3191

... ANTE fiaeri creditur... 2291

ubi tu potest fugire ANTE iracundiae domini. 2552

fiat domus oracionis quod perditum erat ANTE latibulum... 1260

vel qui sint hii quattuor qui per prophetam ANTE monstrati sunt... 203, 204

ut quae ANTE mundi principium in tua semper est praesentia praeparata... 1291

Ille vos benedicat ANTE nativitatem... 1158

de patre natum (natum de patre) ANTE omnia saecula... 554, 555

... ANTE passio quam membra idonea passioni... 3696

... ANTE passio quam membra passionis (passione) exsisterent... 3851

ut qui ANTE peccatorum veternoso in mortis venerat senio... 2618

ut ANTE per gratiam purificis quam percutias per furorem... 782

quod vatum oraculis fuit ANTE promissum... 3634

et ANTE profeta quam natus... 3774

qui dixit : "Lux fiat" ANTE seculum. 1158

et fugiant ANTE sanctae crucis vixillum. 1154

vel quorum nomina ANTE sancto altario tuo scripta adesse videntur... 1751, 2806, 2874, 3008, 3247, 3385

quarum ANTE sanctum altarem tuum oblata nomina recitantur... 1709a

conferri sibi ANTE sempiterna gaudia gratuletur. 429

ut ANTE sonitum aeius longius effugiantur ignite iacolae inimici... 2378

ut ANTE sonitum illius semper fugiat inimicus... 2262

aeorum nobis qui ANTE te iusti inventi sunt oratione donetur. 3239

tales ANTE te representententur in iudicium... 1073

Ita, pater, quoniam sic fuit placitum ANTE te. 1446

et si conscienciam discutis dne nimo est qui non reus sit ANTE te. 3282

... Quem semper filium et ANTE tempora aeterna generatum (genitum)... praedicamus... 3638

... ANTE tempus venisti perdere nos ?... 224

Ut cum ANTE tremendi diem iudicii conspectu tuo adstiterint... 1319

ut ANTE tronum gloria christi tui segregatus cum dextris... 1684

que ANTE tuum adventum praedixit spiritus prophaeta iohannes... 202

sic noxia cuncta succumbent, si nosmet ipsos ANTE vincamus. 3888

ANTEA

ut qui ANTEA in suis perversitatibus displicebat... 58

qui ANTEA peccatorum in mortis venerat seneo... 2618

ANTECEDO
quam venerabilis pater benedictus inlesus ANTECEDEBAT nos praeclaris...
    2237
ut nostra devocio qua (quem) natalicia beati (Laurenti) martyris ANTECEDIT
    patrocinia...   2999

ANTECELLO
Apis ceteris quae subiecta sunt homini, animantibus ANTECELLIT cum sit...
    3791

ANTEQUAM
... Qui ac die (in hac die), ANTEQUAM traderetur, accepit panem in suis
    sanctis manibus, elevatis...   1972, 3013
testis veritatis, ANTEQUAM visus...   3774

ANTERIOR
... Illius namque sacerdotii ANTERIORIS habitus nostrae mentis ornatus
    est...   819

ANTICIPO
... ANTICIPANS (ANTECIPIANT) benefacere cognoscaris indignis.   3274
Ds, qui omne meritum vocatorum donis tuae bonitatis ANTICIPAS propiciare...
    1141
et voces nostras clementiae tuae propitiationis ANTICIPET.   2814

ANTIDOTUM
medicator ANTITOTO, dum quem astra non capiunt...   996

ANTIQUUS
in (et protectionem) protectione fidelium populorum ANTIQUA brachii tui
    operare mracula...   2349, 3405
Ds, cuius ANTIQUA miracula etiam nostris saeculis curruscare sentimus...
    777
Ds cuius ANTIQUA miracula in praesenti quoque saeculo coruscare sentimus...
    778
et ANTIQUAE arboris amarissimum gustum crucis medicamine indulcavit...
    3992
vetustatis ANTIQUE contagiis exuamur.   1150
Servanda est... in excessum sacerdotum et ANTIQUAE aecclaesiae...   3281
dispositionis (depositionis) ANTIQUE munus (manus) explevit...   3785
fortioris ieiunii remedio ad ANTIQUAE patriae beatitudinem per gratiam
    revocasti...   3787
VD. Qui non solum debitum mortis ANTIQUE quo idem...   3956
Sed peccatum matres ANTIQUE quod inlicita vetustate usrupatione conmisit...
    4182
... Et ANTIQUAE virginis facinus, nova et intemerata virgo maria piaret...
    4032
ad ANTIQUAM patriam per gratiam revocasti...   3787
hostis, qui per ANTIQUAM virginem genus humanum se vicisse gloriabatur...
    3854
... Ne memineris iniquitatum eius ANTIQUARUM et ebrietatem...   3389
ut ANTIQUARUM non memineat voluptatum...   529
et observationis ANTIQUAS iugiter recensendo (recensendum) proficiat in
    futurum.   1671
Tuasque ANTIQUAS, rex inclite, inploramus misericordias...   3736
Adiuro te ergo, serpens ANTIQUE, per iudicem vivorum et mortuorum...   142,
    1354, 1355
Per quem ita virtus ANTIQUI hostis elisa est...   3933

ANTIQUUS

et ANTIQUI hostis facis superari machinamentum...   3721
ut nulla inimicorum ANTIQUI hostis insidiis...   980
vos possitis... et ANTIQUI hostis machinamenta superare.   341
quibus... devincere valeatis ANTIQUI hostis sagacissima temptamenta.   347
... In quibus et ANTIQUI hostis superbia triumphatur...   3669
laboriosius duxit longa ANTIQUI hostis sustinere temptamenta...   3866
VD. Qui sic hostis ANTIQUI machinamenta destruxit...   4023
ANTIQUI memores chyrographi, fratres karissimi...   201
Deus, qui vastatoris ANTIQUI perfidiam... destruendo.   1236
depulsis atque abiectis vetusti hostis ANTIQUI, primi facinoris...   3459
Extinguat ANTIQUI serpentis invidiat...   782
qui eos dimicantes contra ANTIQUI serpentis machinamenta...   3722
VD. Qui ab ANTIQUIS patribus exspectatus...   3871
sic gloriemur nobis, ut non abutamur ANTIQUIS.   648
qui de ANTIQUO hoste non solum per viros... voluit triumphare.   2264
spreto ANTIQUO hoste, spretisque contagiis vitiorum...   853
ne hostis ANTIQUOS, qui excellentiora studia subtilioribus...   759
ut et hostem ANTIQUUM devincat, et vitiorum squalores expurget...   760
valeatis et ANTIQUUM hostem devincere...   341
et hostes ANTICUS ad reformidinis horore circumvolat...   763
quem vetus adversarius, et hostis ANTIQUUS atrae formidinis horrorae
    circumvolat...   764
ut (ne) hostis ANTIQUUS, qui excellentiora studia subtilioribus infestat
    insidiis...   758, 759
... ANTIQUUSQUE hostis, qui per antiquam virginem genus humanum se vicisse
    gloriabatur...   3854

ANTISTES

summo pro nobis ANTESTITE interpellante (interventiente) salvatur.   4221
et ANTESTITE nostro illo et omnibus ortodoxis...   3464
una cum famulo tuo papa nostro illo et ANTESTITE nostro illo episcopo...
    3464
Oremus et pro ANTESTITE nostro Illo ut deus omnipotens...   2515
quos per tui muneris largitatem sacrae familiae subrogamus ANTISTITES bene
    tibi...   4141
et electos a te nobis ANTESTITES tua pietate conserva...   2318, 2319
Hanc igitur oblationem famuli (tui) et ANTESTITES (tui) ill... quam tibi
    offerit...   1730
ut ANTISTITUM decus priorum qui tibi placuerunt mereamur consortia
    optinere.   956

ANXIETAS

in infirmitate relevit, in ANXIAETATE laetificit...   360
dum ANXIETATE (ANXIETATEM) prolem (prole) quaereret (quaererit) meruit
    fecundare...   1145, 1146
Ds, qui ANXIETATE sterelium pie respiciens (respicies)...   901
ut omni tempore in hoc loco supplicantis tibi familiae tuae ANXIETATES
    releves...   866

ANXIOR

Te lecit ANXIAT tota supplix gemensque...   3466

APERIO

... APERI aures pietatis tuae...   325
APERE dne ianuas caeli, et veni...   202
... APERI eis (ei) dne, ianuam pietatis tuae...   2369

APERIO

... APERI ei ianuam misericordiae tuae... 2467
... APERI ei portas iusticiae et repelle ab ea principes tenebrarum...
3389
Mentem familiae tuae... et munere conpunctionis APERI et largitate... 2081
... APERE (APERI) fontem benignitatis tuae... 895, 2448
et quia ad hoc venistis, ut aures vobis APERIANTUR nec incipiat... 203
et ab omni cecitate spiritale oculus APERIAT, hac lumen... 2503
famem depellat, APERIAT carceres, vincula dissolvat... 2505
ut (et) ab omni caecitate humana oculos (eius) APERIAT et lumen... 2761
et munere et conpunctionis APERIAT largitatem piaetatis exaudi. 2082
et salutem... ligni rursum fides APERIAT. 1265, 3364
et ianua regni caelestis APERIAETUR inculpabiles... 3269
quaerite et invenietis, pulsate et APERIETUR vobis... 829
APERIRE pulsantibus spiriisque peccaminum cathenis... 3736
Praesta, dne, qs, famulis tuis... gratiae tuae ianuas (ianuis) APERIRE
qui dispecto... 2658
et caelestis vobis regni ianuas dignetur APERIRE. Amen. 802
Hanc plebem placitus inspice, qui caelus fecisti APERIRE. 1033
et porta caeli desuper APERIRETUR oraculum... 3292
sed pulsantis misericordiae tuae ianuam APERIS paenitentis... 858
fontemque baptismatis APERIS toto orbe terrarum gentibus innovandis...
1045, 1047
Nam ille introoducit, hic APERIT ambo igitur... 3823
qui aperit quod nemo claudit, et claudit quod nemo APERIT in illius...
1881
In illius virtutibus impero, qui APERIT quod nemo claudit... 1881
... O noctem in qua... caelestia patriae aditus APERITUR in qua
baptismate... 4160
et ianua regni caelestis APERITUR inculpabilem... 3269
et inter pulsantes pulsans portas caelestis Hierusalem APERTAS reppereat...
3391
ut sint oculi tui APERTI super domum istam die hac nocte... 1249, 1733
ut APERTIS ianuis summi regis adventu cum laeticia mereatur intrare. 2211
perveneibat... ubi te, caelis APERTIS, ipse vidit in gloria. 1230
APERTURI vobis, filii karissimi, evangelia (aevangelica) id est gesta
divina... 203
... APERUISTI caelos ascendens. 1219
et inferum APERUISTI claustra pro mortuis... 397
qui ceco nato oculos APERUIT et quatriduanum... 1550

APEX

piaetatis tuae vocationem ad cornu apostolice APICIS sublimasti... 166

APIS

... APES vero sunt frugalis in sumptibus, in procreatione castissimae...
861
APIS ceteris quae subiecta sunt homini, animantibus antecellit... 3791
... O vere beata et mirabilis APIS, cuius nec sexum masculi violant...
3791
quam (quas) in substanciam praetiose huius lampadis APIS mater aeduxit.
3791, 4206
... APIUM necesse est laudemus originem... 861
per ministrorum munus de operibus APUM sacrosancta reddit eclesia. 4206

APOSTATA

tui muneris aspiratione resipiscentes APOSTATE redeunt... 2297

APOSTATICUS
et ipsum inimicum eradicare et explantare cum angelis suis APOSTATICIS.
   1534

APOSTOLATUS
per os ipsius domini dei nostri verbi tui vocatum in APOSTOLATUM et
   inmutatum...   4158
... APOSTOLATUS ordine primus et minimus...   3666a

APOSTOLICUS
quo APOSTOLICA beati Andreae (apostoli) merita desideratis praevenimus
   officiis...   4123
Aeclesiae tuae, qs, dne, praeces et hostias APOSTOLICA commendet oratio...
   1390
ut qui iugiter APOSTOLICA defensionum (defensione) munimur (muniamur)...
   2777
Munus populi tui, dne, qs, APOSTOLICA depraecatione sit gratum...   2161
Infunde sinsibus nostris APOSTOLICA dogmata retenere...   971
Munus populi tui dne qs APOSTOLICA intercessione sanctifica...   2119
APOSTOLICA nos muniat, dne, semper oratio...   206
sed APOSTOLICA observatio predicatio ad portum salutis aducat.   166
nobis prophetica et APOSTOLICA potius instituta quam filosophiae verba
   delectent...   3480
... Qui APOSTOLICA praedicatione imbutus...   3690
quos tuae providentiae constitutis APOSTOLICA praesidia non relinquunt.
   2985
Munus hoc, dne, qs, APOSTOLICA pro nobis interventio prosequatur...   2159
APOSTOLICA pro nobis interventio, qs, dne, prosequatur munus oblatum...
   207
Hostias... APOSTOLICA prosequatur oratio...   1805
ut... et ad APOSTOLICA reverentia dignitatis... proveniat sanctificata
   presidium.   2198
sed (sit) APOSTOLICA semper (et) institutione (institutionem) sit firma et
   interventione secura.   968
(VD.) Qui aeclesiam tuam in APOSTOLICA soliditate fundatam (fundata)
   (firmasti)...   2383, 3904, 3905, 4202
piaetatis tuae vocationem ad cornu APOSTOLICE apicis sublimasti...   166
ut praedicationis APOSTOLICAE claritatem...   4190
... APOSTOLICAE collegio dignitatis et martyrii est claritate germanus...
   3782
nec inferni portas APOSTOLICAE confessioni praevalituras esse promisisti...
   1029
quos in APOSTOLICAE confessionis petra solidasti.   2767
... APOSTOLICAE confessionis (confessioni) superna dispensatione largiris
   (dignatione largiaris)...   4020, 4021
in APOSTOLICAE dignitatis culmen ascitum...   4169
et cum praesolibus APOSTOLICAE dignitatis, quorum est secutus officium...
   1766
beatus Stefanus... fidelis APOSTOLICAE dispensator alimoniae...   3761
adque contra inimicos (inimicorum) sanctae catholicae et APOSTOLICAE
   aeclesiae...   2250, 2506
et omnibus ortodoxis adque APOSTOLICAE fidaei cultoribus.   3464
ut APOSTOLICAE fidei doctrinaeque vestigia vel longe sequamur imitando...
   1186
quia pariter APOSTOLICAE gaudia passionis...   2212

APOSTOLICUS

et quem in corpore constitutum sedis APOSTOLICAE gubernacula tenere
   (gubernaculo praeesse) voluisti...   1747, 2070
Oremus et pro famulo dei papa nostro sedis APOSTOLICAE Illo et pro
   anteteste...   2515
Sollemnitatis APOSTOLICAE multiplicatione gaudentes...   3306
et APOSTOLICAE numerum dignitatis simul passione supplevit et gloria...
   3595
perpetuae dignitatis APOSTOLICAE percipiat portionem.   1775
ut APOSTOLICE Petri et Pauli natalis insignia...   3345
redintegra in eo APOSTOLICAE pontifex, quicquid diabulo scindente
   corruptum est...   58, 59
... APOSTOLICAE praedicationis fidelissimus et alumnus acceptus
   (famosissimus et acceptus alumnus)...   4097
et APOSTOLICAE principem dignitatis et magistrum gentium collocasti.   4035
APOSTOLICAE reverenciae culmen offerimus sacris mysteriis inbuendum...   208
et APOSTOLICAE reverentiam dignitatis...   2198
VD. Qui sanctum Xystum sedis APOSTOLICAE sacerdotem...   4017
et in pontificatum APOSTOLICAE sedis evectum...   3806
quem APOSTOLICAE sedis praesulem et primatum omnium...   818
non solum per propheticam et APOSTOLICAM doctrinam...   3668
... In unam (hunam) sanctam catholicam (chatolicam) et APOSTOLICAM
   ecclesiam...   554
VD. Qui aecclesiam tuam in APOSTOLICAM predicationem constantem...   3906
et ad sanctam matrem aeclesiam catholicam atque APOSTOLICAM revocare
   dignetur.   2516
et APOSTOLICAM tuitionem supplici decerne propitiatus...   220
ut eidem APOSTOLICARUM committeretur praerogatio sancta mensarum...   4193
... Adeptus in regno caelorum sedem APOSTOLICI culminis...   3609
qua sancti Xysti praesulis APOSTOLICI natalicia praelibantes...   4178
ut APOSTOLICI petri et pauli natalis insignia...   3345
qui APOSTOLICI pontificatus dignus in sua aetate successor...   3810
ius APOSTOLICI principatus in Romani nominis arce posuisti...   2413, 3947
... APOSTOLICI roboris in eadem praecipua membra posuisti...   4002
Supplicationibus APOSTOLICIS beati Iohannis (mathei) (domine)
   evangelistae...   3358
ut APOSTOLICIS beati Iohannis evangelistae inluminata doctrinis...   1393
et APOSTOLICIS defende praesidiis...   1594
Presta nobis, dne, qs, APOSTOLICIS doctrinis et praecibus adiubari...   2683
... APOSTOLICIS facis constare doctrinis...   3909
ut APOSTOLICIS fulti patrociniis...   164
ut APOSTOLICIS gubernata (munita) praesidiis...   1418
... APOSTOLICIS intercessionibus ab omni nos, qs, adversitate custodi.
   3022
et APOSTOLICIS intercessionibus confidentes...   89
dne, APOSTOLICIS iugiter fultuas doctrinis...   561
APOSTOLICIS nos, dne, qs, beatorum Petri et Pauli adtolle praesidiis...
   209
... APOSTOLICIS nos institutionibus erudiri...   3972, 3973
... Inter que praeceptis nos APOSTOLICIS pariterque...   3812
ut APOSTOLICIS petri et pauli natalitia insignia...   3345
Defendatque vos a cunctis adversis APOSTOLICIS praesidiis...   1243
... APOSTOLICIS satisfactionibus protegamur.   3002
quatenus APOSTOLICIS suffragantibus meritis...   1682
... APOSTOLICIS tribue nos, dne, qs, praecibus adiubari.   3572

APOSTOLICUS

VD. Qui aeclesiam tuam in APOSTOLICIS tribuisti consistere fundamentis...
    3907, 3908
VD. Qui (quia) (ds qui) aecclesiam tuam in APOSTOLI(CI)S tribuisti
    (tribuit) consistere fundamentis...   971, 1243, 3339, 4047
APOSTOLICO, dne, qs, beatorum Petri et Pauli patrocinio nos tuere...   210
et APOSTOLICO interveniente suffragio...   2912
Ds, qui inter APOSTOLICOS sacerdotes famulum...   1040, 1041
ut sicut aeclesiae tuae sanctus Andreas APOSTOLICUS extitit praedicator et
    rector...   2053

        APOSTOLUS

quibus beati APOSTOLI Andreae caelestem nobis tribuant martyria praeventa
    laetitiam.   1417
Beati APOSTOLI Andreae, dne, sollemnia recensemus...   257
quo APOSTOLI apostolorumque discipuli...   416
Sanctae andreae APOSTULI atque doctores aecclesiae praecibus...   3184
Ecclesiae tuae, qs, dne, praeces et hostias beati Petri APOSTOLI conmendet
    oracio...   1390
ubi te APOSTOLI cum gloriam viderunt intrare.   1219
Deus, qui beati Petri APOSTOLI dignitatem ubique facis esse gloriosam...
    905
Beati andreae APOSTOLI dne qs intercessione nos adiuva...   288
per intercessionem beati iohannis APOSTOLI et evangelistae...   2246
Conservent te prophete et APOSTOLI et protegant...   2180
beati iohannis APOSTOLI festivitate laetantes...   3335
ut qui beati andreae APOSTOLI festum solemnibus ieiuniis et devotis
    praevenimus ieiuniis...   3705
VD. Beati Iohannis APOSTOLI gloriam recensentes...   3613
ut suffragiis beati thomae APOSTOLI in nobis tua munera tuearis...   700
Ds qui per os beati APOSTOLI iohannis...   1156
beati Petri APOSTOLI magnificis potestatem...   4037
... APOSTOLI mente una locuti sunt, ore diverso.   1173
quod apostolica beati andreae APOSTOLI merita...   4123
Beati iohanni aevangeliste atque APOSTOLI orationibus...   269
in honore beati APOSTOLI Petri cui haec est basilica sacrata deferimus...
    3423
quem beati APOSTOLI Petri eruditionibus institutum...   3806
quo venerandus Andreas germanum se beati APOSTOLI Petri tam praedicatione
    monstravit...   3595
beati iohannis APOSTOLI precatio sancta consiliet...   3160
Praedicatores adque doctores gentium beati pauli APOSTOLI precibus...   2644
Ds qui universum mundum beati pauli APOSTOLI predicatione docuisti...   1235
Ds, qui multitudinem gencium beati Pauli APOSTOLI praedicacionis
    docuisti...   1076
Natalicia sancti Iohannis APOSTOLI, qs, dne, munera capiamus...   2170
Protegat nos, dne, saepius beati Andreae APOSTOLI repetita solempnitas...
    2923
Ut qui beati Petri APOSTOLI sedem vicario secutus officio...   1775
quo beati illius APOSTOLI sollemnia recolentes...   3134
benedicere vobis dignetur beati APOSTOLI sui ill. intercedentibus
    meritis.   1243
Beati andreae APOSTOLI supplicatione qs dne...   256
ut suffragiis beati APOSTOLI Thomae in nobis tua munera tuearis...   696
Da nobis, qs, dne, beati APOSTOLI Thomae solempnitatibus gloriari...   609
beati APOSTOLI tui Andreae festa praevenientes...   3990

APOSTOLUS

beati APOSTOLI tui Andreae festivitate laetantes... 3335
beati APOSTOLI tui Andreae intercessionibus sublevari... 611
Exaudi dne populum tuum cum sancti APOSTOLI tui andreae patrocinio
  (patrocinia) supplicantem... 1450
beati APOSTOLI tui Andreae sacer natalis... 3368
ut beati APOSTOLI tui Andreae semper nobis adsint et honoranda sollemnia...
  2491
ut beati APOSTOLI tui Andreae simul fiat et veneratione iucundus... 3045
Beati APOSTOLI tui bartholomei cuius solemnia recensimus... 258
beati APOSTOLI tui bartholomaei festivitate... 2399
pro beati Andreae APOSTOLI tui commemoratione... 3114
et beatae Andreae APOSTOLI tui cuius natalicia praevenimus... 3544
Praeveniant (Praebeant) nobis, dne, qs, APOSTOLI tui desiderata conmercia...
  2810
Beati Andreae APOSTOLI tui, dne, qs, intercessione nos adiuva... 288
Beati APOSTOLI tui (et) evangelistae Iohannis gloriosa (veneranda)
  natalicia celebrantes... 3608, 3609
Ds qui per os beati APOSTOLI tui et evangelistae iohannis... 1156
Da nobis o. ds ut baeati mathaei APOSTOLI tui et evangeliste quam
  praevenimus... 604
de natalicia tanti APOSTOLI tui festivitate laetari... 983
Beati APOSTOLI tui iacobi cuius hodiae festivitate... 259
si beati APOSTOLI tui iacobi intercessionibus adiuvemur. 4053
dum sancti APOSTOLI tui iacobi meritis intervenientibus exibitur. 4053
ut APOSTOLI tui iacobi munita presidiis... 1418
beati APOSTOLI tui iacobi passio beati (beata) conciliet... 2206
in huius consummacionis requiem beati APOSTOLI tui illius et sanctorum...
  672
VD. Beati APOSTOLI tui evangelistae iohannis veneranda natalicia... 3609a
quos APOSTOLI tui in septinarium numerum... elegerunt... 1372
ut beati iohannis APOSTOLI tui intercessio gloriosa nos protegat. 931
beati iohannis APOSTOLI tui intercessio sancta conciliet... 3160
et beati Andreae APOSTOLI tui intercessione... 2945
VD. Beati APOSTOLI tui Iohannis evangelistae natalicia venerantes... 3610
beati APOSTOLI tui Iohannis evangelistae verbi tui... 1156
iuxta vocem APOSTOLI tui pauli nisi per... 3918
VD. Qui ecclesia tua in beati APOSTOLI tui pauli predicatione constantem...
  3908a
APOSTOLI tui pauli precibus dne plebis tuae dona sanctifica... 205
Ds qui ecclesiam tuam APOSTOLI tui petri fide et nomine consecrasti...
  970
... Qui gloriosi APOSTOLI tui Petri pariter sorte nascendi, consortia
  fidei... 3782
beati APOSTOLI tui Petri sinis commemoratione foveri... 365
qua venerandus andreas germanum se gloriosi APOSTOLI tui petri tam
  predicatione... 3595, 4084
sedem tamen beati APOSTOLI tui Petri tanto propensius intueris... 1320
Ds qui multitudinem gentium beati pauli APOSTOLI tui predicatione
  docuisti... 1076
ut ecclesiam tuam beati pauli APOSTOLI tui praedicatione edoctam... 3703
VD. Quoniam beatus Petrus et Paulus APOSTOLI tui quod in lacrimis... 4085
Protegat nos dne sepius beate andreae APOSTOLI tui repetita sollemnitas...
  2933

APOSTOLUS

de quorum collegio beati thomae APOSTOLI tui solemnia celebrantes... 3908
ut exultationem cordis sui, quam de beati Andreae APOSTOLI tui veneratione
    percepit... 3486
caelebrantes beati bartholomei APOSTOLI tui votiva solemnia... 3337
urgeant te APOSTOLI, urgeant te martyres, urgeant te confessores. 2180
hodie in caelo (caelos) APOSTOLIS adstantibus ascendisti... 890, 892
in prophetis praeparasti, in APOSTOLIS condidisti... 3728
Ds, qui legandi solvendiquae lecenciam tuis APOSTOLIS contulisti... 1063
cum sanctis APOSTOLIS et martyribus, cum Iohanne Stephano... 2178
Ac (Hac) providentia (providentiae, providentiam) dne (domini) APOSTOLIS
    filii tui doctores (doctoris) fidei comites (commitas) addedisti
    (addidisti)... 1348, 1349, 1414, 2549
Requiescat in istis propitius qui condam requievit in APOSTOLIS gloriosus.
    1327
quo spiritus sanctus APOSTOLIS innumeris linguis apparuit. 415
evangelicae symbuli sacramentum... ab APOSTOLIS institutum... 1287, 1288
beatis APOSTOLIS intervenientibus depraecamur... 2564, 3349
tradedisti APOSTOLIS, mandasti victoris. 924
quo spiritus sanctus APOSTOLIS plebemque credencium praesenciae suae
    maiestatis implevit. 406
ut intercedentibus beatis APOSTOLIS quod temporaliter. 3350
qualis laevita aelaectus ab APOSTOLIS sanctus sthephanus meruit perdurare.
    2303
intervenientibus semper APOSTULIS tuis conscientiam... 564
in huius consumationis requiem beatis APOSTOLIS tuis ill. et sanctorum...
    672
Concede, qs, dne, APOSTOLIS tuis intervenire pro nobis... 459
ut intercedentibus beatis APOSTOLIS tuis nobis proficiant... 2566
spiritum sanctum APOSTOLIS tuis orantibus emisisti... 3479
et sanctis (beatis) APOSTOLIS tuis (tui) Petro et Paulo atque Andreas...
    2030
rogantibus sanctis APOSTOLIS tuis praesta continuum. 221
ut intervenientibus beatis APOSTOLIS quae pro eorum... 2567
ut intercedentibus beatis APOSTOLIS quae pro illorum... 2568
Ds qui APOSTOLIS tuis sanctum dedisti spiritum... 902
qui sacrosancto APOSTULO gressum firmasti per lubrica... 913
ut quod beato APOSTOLO illo et sanctis martyribus famulus tuus ille in hoc
    aedificio deputavit... 1064
Qui, precipiente APOSTOLO, in omnem... 3281
... APOSTOLO praestante cum de primis hominibus loqueretur... 4100
beatissimo Petro APOSTOLO suffragante... 182
intercedente beato petro APOSTOLO tuae pietatis... 2746
intercedente beato petro APOSTOLO tuo caelesti... 105
beato matheo APOSTOLO tuo et evangelista interveniente... 2564
quam beato APOSTOLO tuo ill. et sanctis martyribus tuis ill. famolis
    tuis... 4031
ut intercedente beato Paulo APOSTOLO tuo nobis profociat... 2565
Ds, qui beato APOSTOLO (tuo) Petro conlatis clavibus regni caelestis...
    907
ut sicut in APOSTOLO tuo Petro te mirabile praedicamus... 1990
intercedente beato petro APOSTOLO tuo propitius exequeris. 1823
intercedente beato petro APOSTOLO tuo propitius muniendo... 542
ut intercedente beato (andreae) APOSTOLO tuo quae pro illius... 2568
et intercedente pro nobis beato thomae APOSTOLO tuo tua circa... 117

APOSTOLUS
intercedente beato petro APOSTOLO tuo tuae pietatis...   2746
sed et beatorum APOSTULORUM ac martyrum tuorum Petri Pauli...   417, 418
Ds, qui nobis APOSTOLORUM beatorum Petri et Pauli natalicia gloriosa
    praeire concedis...   1082
quae duodecim solidata lapidibus APOSTOLORUM chorus...   3943
VD. Apud quem cum beatorum APOSTOLORUM continuata festivitas...   3600,
    3601
et beatorum APOSTOLORUM defende subsidiis...   3534
sed APOSTOLORUM derelicto consortio sanguinis praecium a Iudeis accepit...
    3867
ds prophetarum, ds APOSTOLORUM, ds martyrum, ds virginum...   744, 755
APOSTOLORUM, dne, beatorum Petri et Pauli desiderata sollemnia recensemus...
    211
... APOSTOLORUM, dne, beatorum praecibus foveamur...   2537
Beatorum AFUSTOLORUM dne petri et pauli desiderata sollemnia recensentes...
    287
Beatorum APOSTOLORUM, dne, qs, intercessione nos adiuva...   288
... APOSTULORUM domino beatorum praecibus foveamur...   2537
in nomine APOSTULORUM et martyrum in nomine confessorum...   2856
patriarcharum, prophetarum, APOSTULORUM et martyrum omniumque...   3392
in honore APOSTULORUM et martyrum tuorum gratias agere...   3823
Munera... beatorum APOSTOLORUM fiant grata suffragiis...   2132
... Imperat tibi APOSTOLORUM fides, sancti Petri et Pauli et ceterorum
    APOSTOLORUM...   1437
Ut gemina APOSTULORUM fulti presidia...   166
VD. Te in tuorum APOSTOLORUM glorificantes honore...   4154
et beatorum APOSTOLORUM Iacobi et Philippi gloriosa confessio...   4067
fides sancti petri et pauli vel cetirorum APOSTOLORUM, imperat tibi...
    1354
Omnium APOSTULORUM intercessionibus...   2486
Beati petri principes APOSTULORUM interventionibus (intercessionibus)...
    282
quibusque hunc diem beatorum APOSTOLORUM martyrio consecrasti...   982
ut intercessio nos... sanctorumque omnium APOSTOLORUM martyrum et
    confessorum... letificet...   482
qui nos omnium APOSTOLORUM merita...   2430
praecipuorum APOSTOLORUM natalem diem plena devotione venerari...   2331
ut APOSTOLORUM natalicia beata sanctorum et temporali consolatione
    fultus...   2894
et APOSTOLORUM natalicia nos tuorum continua devotione venerari...   2709
dum splendorem gemmarum duodicem totidem APOSTULORUM nomina presignasti...
    1330
et APOSTULORUM nos tuere praesidiis...   1480
et APOSTOLORUM patrocinio confidentem perpetua defensione conserva.   2930
Gloriam, dne, (sanctorum) APOSTOLORUM perpetuam praecurrentes
    (recurrentes)...   1645
VD. Aput quem cum beatorum APOSTOLORUM Petri et Pauli continuata
    festivitas...   3599
ut beatorum APOSTOLORUM Petri et Pauli gloriosa confessio...   4076, 4077
quod pro reverentia (beatorum) APOSTOLORUM Petri et Pauli maiestati
    tuae...   2228
Deus, qui hunc (hodiernam) diem beatorum APOSTOLORUM Petri et Pauli
    martyrio consecrasti...   1023, 2402
beatorum APOSTOLORUM Petri et Pauli multiplici...   2423

APOSTOLUS

quos beatorum APOSTOLORUM Petri et Pauli munit gloriosa confessio.   67
qui hunc diem beatorum APOSTOLORUM Petri et Pauli mysterio consecrasti...
   2403
praecipuorum APOSTOLORUM Petri et Pauli natalem diem...   2330
beatorum APOSTOLORUM petri et pauli natalicia...   1082
beatorum APOSTOLORUM Petri et Pauli nataliciis nobis intercessionibus...
   2139
quae pro beatorum APOSTOLORUM Petri et Pauli nataliciis obtulerunt...
   3441
beatorum APOSTOLORUM Petri et Pauli passio beata...   2206
sanctorum APOSTOLORUM petri et pauli qs deprecatio...   2127
caelebrantes APOSTOLORUM Petri et Pauli votiva solemnia...   3337
ut beatorum APOSTULORUM philippi et iacobi gloriosa confessio...   4067
Beatorum APOSTOLORUM phylippi et iacobi honore continuo dne...   293
quique hunc diem beatorum APOSTOLORUM Plilippi et Iacobi martirio
   consacrasti...   982
beatorum APOSTOLORUM praecibus adiuvemur...   3813
fac, qs, ut APOSTOLORUM praecibus paschalis sacramenti dona capiamus...
   809
beatum petrum APOSTOLORUM principem ob confessionem unigeniti filii tui...
   3728
sanctorum APOSTOLORUM, qs, depraecacio (deprecatione) quorum solempnia
   praevenimus, efficiat.   2127
sed APOSTOLORUM relicto consortio...   3868
Muneribus nostris dne APOSTOLORUM simonis et iudae festa praecedimus...
   2152
Gloriam dne sanctorum APOSTOLORUM simonis et iudae perpetuam
   praecurrentes...   1645
beatorum APOSTOLORUM supplicationibus propitiatus adsume.   2954
pro beatorum APOSTOLORUM triumphis oblata...   3397
et APOSTOLORUM tuere praesidiis...   1480
quae pro APOSTOLORUM tuorum beata celebravimus passione...   2558
Celebratis, dne, quae pro APOSTOLORUM tuorum beata passione peregimus...
   393
Munera dne que APOSTULORUM tuorum iacobi et philippi solemnitatem
   differimus...   2121
Ds qui nos annua APOSTOLORUM tuorum ill. et ill. solemnitate laetificas...
   1096
ut sicut APOSTOLORUM tuorum illorum natalicia gloriosa praevenimus...
   499
Munera dne quae pro APOSTOLORUM tuorum illotum solemnitate deferimus...
   2121
et APOSTOLORUM tuorum nos tuere praesidiis...   1480, 2930
Oblationes populi tui, dne, qs, APOSTOLORUM tuorum passio beata
   conciliet...   2206
et APOSTULORUM tuorum patrocinio confitentem...   2930
Ds qui hodiernam diem APOSTOLORUM tuorum petri et pauli martyrio
   consecrasti...   1006
in sanctorum APOSTOLORUM tuorum Philippi et Iacobi commemoracione...   3087
quibusque hunc diem beatorum APOSTULORUM tuorum philippi et iacobi
   martirio consecrasti...   982
Ds qui nos annua APOSTOLORUM tuorum philippi et iacobi sollemnitate
   (soempnitatem) laetificas...   1096

APOSTOLUS

Ds qui nos annua APOSTULORUM tuorum philippi et iacobi solempnitatem
  laetificas...   1096
beatorum APOSTOLORUM tuorum praecibus adiubemur.   2235
... APOSTOLORUM tuorum praecibus adiubentur.   2134
APOSTOLORUM tuorum praecibus, dne, (qs) plebis tuae dona sanctifica...   212
ut sicut haec APOSTOLORUM tuorum praedicatione cognovimus...   1191
beatorum APOSTOLORUM tuorum, qs, praecibus expientur.   2235
Muneribus nostris dne APOSTULORUM tuorum simonis et iudae festa
  praecedimus...   2152
VD. Te in tuorum APOSTULORUM tuorum simonis et iudae glorificantes
  honore...   4154
ut sicut APOSTULORUM tuorum simonis et iudae gloriosa natalicia
  praevenimus...   499
ut omnes qui ad APOSTOLORUM tuorum sollemnia convenerunt...   970
beatorum APOSTOLORUM tuorum supplicationibus propitiatus adsume.   2958
ut te per APOSTOLORUM tuorum vestigia sequeretur...   4127
duodecim cophani fragmentorum, quod typus XII APOSTOLORUM.   1881
quo apostoli APOSTOLORUMQUE discipuli...   416
Ds, qui nos per beatos APOSTOLOS ad cognicionem tui nominis venire
  tribuisti...   1123
et inter APOSTOLOS Christum sequi studeat (custodiat)...   3391
et per beatos APOSTOLOS continua protectione custodias...   4138
Tibi coniuro... per sanctos APOSTOLOS et beatis martyris christi...   3474
qui beatos APOSTOLOS nominis tui gloriam (gloria) consecrasti...   2365
et per beatos APOSTOLOS perpetua protectione custodi...   1678
quo spiritus sanctus APOSTOLOS plebemque credentium...   406
Ds qui tuos APOSTULOS praetiosa gentium lumina praeparasti...   1229
Ds qui nos per beatos APOSTOLOS symonis et iudae ad cognitionem...   1123
et APUSTULUS suos ait : Vos estis sal terrae...   1547
per APOSTOLOS traditum, ipsius resurrectionis exemplo sit firmatum.   3668
sed per beatos APOSTOLOS tuos continua protectione custodias...   4146
Concede, qs, dne, (beatos) APOSTOLOS tuos intervenire pro nobis...   459
per APOSTOLOS tuos iugiter eam et erudis et protegis.   3910
sed per APOSTOLOS tuos iugiter erudis et sine fine custodis.   3911
per beatos APOSTOLOS tuos nobis prodesse sentiamus auxilio.   3064
et per APOSTOLOS tuos pervigili protectione custodi...   1677
beatum petrum APOSTOLUM a vinculis absolutum...   912
beatum Petrum APOSTOLUM ambulantem in fluctibus...   786
Nam quod APOSTULUM aeius paulum mentem cum nomine commutavit...   3823
et per APOSTOLUM inquid : Cor vestrum sale sit conditum...   1545
... Huic quoque beatum APOSTOLUM Paulum ad salutem gentium...   4169
ut quae secundum beatum APOSTOLUM Paulum docentem...   4171
... Beatum quoque APOSTOLUM Paulum, dne, simili dignatione glorificas...
  4055
VD. Qui, sicut nos per APOSTOLUM tuum dignanter informas...   4027
... Tales cavere nos iubes per APOSTOLUM tuum docens...   3879
VD. Cuius inspiratione beatus Paulus APOSTOLUS aeclesiae dicens...   3653
supplicando venerandus Andreas APOSTOLUS (tuus) et pius interventor...   152
ut sicut aecclesiae tuae sanctus (beatus andreas) APOSTOLUS (Paulus)
  extetit praedicator (praedicare)...   2050, 2052
qua venerandus andreas APOSTOLUS germanum se gloriosi apostoli tui petri...
  monstravit...   4084
dixit APOSTOLUS : Nescitis, quid vos oporteat orare...   1789
ut, sicut ait APOSTOLUS, non efficiantur pueri sensibus...   3487

APOSTOLUS

et ille quondam Petrus piscator exiguus, repente factus APOSTOLUS non
   potentibus...   4055
quo spiritus sanctus APOSTULUS plebemque... implevit...   406
qui benedixit APOSTULUS post passionem.   1158
Qs o. ds ut beatus andreas APOSTOLUS pro nobis imploret auxilium...   2988
et per APOSTOLUS tuus in hoc seculo lumen gratiae spiritali misisti...
   1364
ut beatus (andreas) APOSTOLUS tuus pro nobis imploret auxilium...   2989
cuius APOSTOLUS tuus subolus esse dixisti.   166
Beatus Andreas (pro) nobis, (dne, qs,) imploret APOSTOLUS ut (et)
   nostris...   294, 971

APOTHECA

mereatur recondi caelestibus APOTHYCIS.   1960

APPARATUS

Tu lapidis istus divinis cultibus APPARATUS benedic...   3997

APPAREO

et subditis tibi populis per luminis tui APPARE claritatem.   2341
et pius remunerator APPARE, et praesta...   1331
et hoc in templo aedificacionis APPARE ut qui omnia...   2037
sicut institutur, ita etiam sanctificatur APPARE.   3997
ac totius habitaculi huius habitator APPAREAS.   2353
cum tibi sufficienter APPAREAT, quae bene meritis dona conferrent...   4002
ut semper in mentibus nostris tuae APPAREAT stella iustitiae...   2462
et tunc APPAREBUNT corpora sanctorum...   3563
... Sicut autem beatiores illi qui nondum APPARENTIA crediderunt...   3957
per quem potestas deitatis Moyse APPARERE dignata est...   861
Deus cuius unigenitus... discipulis suis ianuis clausis dignatus est
   APPARERE suae vos...   802
ei post obitum APPARERE valeatis.   343
cuius tam insignis nuntius APPARERET convenienterque...   3774
mirabilis APPARERET in eorum agone mutatio...   3951
ceteris eius nuntiis eminentior APPARERET.   4095
satis evidenter APPARET haec eos in occulto gerere, quae etiam turpe sit
   dicere...   3879
signum illud glorificum redemptionis nostrae APPARUAERAT in caelo...   634
ds qui Moysi famulo tuo in monte Synai APPARUISTI et filios...   737
qui iacob in somnis APPARUISTI innixum scale.   315
VD. Qui post resurrectionem suam omnibus discipulis suis manifestus
   APPARUIT et ipsis...   3999
visibilis per carnem APPARUIT in nostra tecumque unus...   3647
VD. Quia cum unigenitus tuus in substantiae (subtantia) nostrae
   mortalitatis APPARUIT in novam (nova) nos...   4043
usque in quadragensimum diem manifestus APPARUIT ipsisque...   3998
in veritate nostrae carnes APPARUIT magisde...   413
Ille ignis qui super discipulos APPARUIT peccatorum...   1002
Ds, cuius unigenitus in substantia nostrae carnis APPARUIT praesta qs...
   803
... Qui sic in ministrando strenuus et fidelis APPARUIT ut eidem...   4193
et via veritatis et vita regni caelestis APPARUIT.   2200
magis de longinquo venientibus visibilis et corporalis APPARUIT.   413
in veritate carnis nostrae visibiliter corporalis APPARUIT.   414
quo spiritus sanctus apostolis innumeris linguis APPARUIT.   415

APPARESCO
maledicti satanas, APPARISCE, inlebisce...   225

APPARITIO
Hostias tibi, dne, pro nati tui filii APPARITIONE deferimus...   1830
... Hanc etenim festivitatem dominicae APPARITIONIS index stella
   praecessit...   3726

APPARO
qui nos docuit operari non cibum (solum) qui terrenis dapibus APPARATUR
   sed qui...   3880

APPELLO
Oblationes quae veniunt in altari panes propositionis APPELLANTUR.   4228
Si facta hominum respicis dne nimo est dignus qui patrem APPELLIT et si...
   3282

APPETITUS
ut sicut per inlicitos APPETITUS a beata regione decidimus...   3636
purior atque tranquillior APPETITUS ad caelestia contemplanda...   4039
ut sicut per inlicitos ADPETITOS de indultae (indulgentiae) beatitudinis
   regione decidimus...   2454
Presta, qs, dne, ds noster, ut declinemus noxios ADPETITOS et reatum...
   2711

APPETO
ut omnem terrena dispiciam de caelestia ABPEDAM.   3476
ea potius APPETAMUS, quibus possimus habere placatum.   3934
sempiterna fiducialius APPETAMUS.   832
si bona mansura non segnius sacro ieiunio purgatis mentibus ADPETAMUS.
   4132
et bona mansura non signius sacro ieiunio purgatis sensibus APPETAMUS.
   4132
et aquarum subsidia praebe caelestium quibus terrena condicio vegetata
   APPETAMUS.   714
ut semper aeadem per que vivimus veraciter ADPETAMUS.   385
ut semper eadem quo (per quae) veraciter vivemus (vivimus) ADPETAMUS.   385
laudabiliter vivant laudarique non APPETANT te in sanctitate...   758
quod pie credit (credidit) APPETAT (et) quod iuste...   220, 1453
... In te habeat omnia, quem dilegere APPETAT super omnia...   759
laudabiliterque vivat et laudari non APPETAT te timeat...   760
Laudabiliter vivat, laudareque (non) APPETAT.   759
cum ea, quae tibi sunt placita et nobis salutaria, desideramus ADPETERE
   dum enim...   3665
... Per te quem diligere super omnia APPETIT, quod est professa custodiat...
   760
In te habeat omnia, quem diligere APPETIT super omnia...   759
respice super famulum tuum hunc qui dolis invidi serpentis APPETITUR quem
   vetus...   764
... Isti iam nec iustos APPETUNT se videri...   3879

APPONO
ut principibus nostris famulis tuis illis regimen tuae ADPONE sapientiae
   (sapientia).   830
que nobis ADPOSITA sunt omnipotens deus benedicat.   2486
que (quod) nobis est ADPOSITUM (est) redemptor omnium benedicat.   3186
que ADPOSITUM nobis est christus dei filius benedicat.   716

APPRAEHENDO
... ADPRAEHENDAMUS rebus (effectum)...
sacramentis caelestibus ADPRAEHENDANT.   2137
et aeternis effectibus ADPRAEHENDANT.   463
et intellegant quod (quos) sequantur et sequendo (sequentes) fideliter
    ADPRAEHENDANT.   1525
et quod visibiliter exsequuntur, invisibiliter ADPRAEHENDANT.   3099
tua misericordia largiente et quae recta sunt ADPRAEHENDANT.   248
ut omnis generacio (omnes regenerati) ADPRAEHENDAT meritis quod suscipit
    (suscipere) mysteriis.   1160
quod gustu diluat, moribus ADPRAEHENDAT quod iustis...   2600
et mala cuncta declinet, et omnia quae bona sunt ADPRAEHENDAT.   2622
ut salvatorem suum et incessanter agnoscat et veraciter ADPRAEHENDAT.   1927
Det vobis leges suae precepta virtute spiritus sancti ADPREHENDERE, ut
    possetis...   1375, 2296
In diebus illis ADPREHENDERUNT septem mulieris virum unum... , 1970
per haec quae offerimus facias sacrificia ADPRAEHENDI.   1094
ut portum salutis tuae valeant ADPRAEHENDI (APPRENDERE).   114

        APPROBO
non solum fide cernitur, sed etiam visibiliter ADPROBATUR.   3951
et inmensae gratiae muneribus APPROBATUS...   3608

        APPROPINQUO
... Qui APPROPINQUANTE nativitatis suae festo...   3871
... Quatenus ADPROPINQUANTE unigeniti filii tui passione...   4163
VD. Cuius salutiferae passionis et gloriosae resurrectionis dies
    ADPROPINQUARE noscuntur...   3669
... Tu autem effugare, diabule, ADPROPINQUAVIT enim iudicium dei.   1397

        APTABILIS
portu semper ABTABILE cursuque lucifero tenearis.   1224

        APTE
... APTIUS siquidem adque decentius his diebus...   4028

        APTO
et (in) singulis quibusque temporibus (temporalium) (convenienter) APTANDA
    dispensas.   136, 137, 138, 1029
Ds, qui singulis quibusque conpetenter APTANDA temporibus...   1210
eosdem (isdem) protegas dignanter APTANDOS.   88
ut effectibus nos eorum veraciter APTARE digneris.   3033
Fac nos, qs, dne, hiis muneribus offerendis convenienter APTARE quibus
    ipsius...   1576
conpetendi (conpetenti) ieiunio valeamus APTARI tanto nobis...   3732, 4140
Da, qs, dne, fidelibus tuis ieiuniis paschalibus convenienter APTARI ut
    suscepta...   646
et his mysteriis convenienter APTARI.   3489
ut muneribus tuis semper possimus APTARI.   3167
et ut muneribus tuis possimus semper APTARI.   3167
competenti ieiunio valeamus APTARI.   3731
ut sacris sollemnitatibus convenienter APTATI et sanctificationis...   1606
sed APTATUR caelestibus ornamentis.   3615
nos quoque delictis omnibus expiati remediis tuae pietatis APTEMUR et
    mysterium...   4133
concede, qs, ut tuo potius munere tuis APTEMUR remediis.   1208
Oblati sacrificii, dne, qs, prestet effectus, ut eidem convenienter
    APTEMUR.   2192

APTO
ut suscipiendo muneri tuo per ipsum munus APTEMUR.   1131
ut tua dignatione mundati sacramentis magnae pietatis APTEMUR.   1556
et ieiuniis pascalibus (ieiunium mensis septimi) convenienter APTENTUR et
  suscepta...   3495
et bonis APTETUR aeternis.   3511
nisi gratia tuae miserationis praeventus APTETUR ? cum ergo...   4166

APTUS
ut sacris APTA muneribus fiant nostra servitia.   1079
Omnipotens et misericors ds, APTA nos tuae propicius voluntati...   2267
Munera nostra, dne, qs, (qs dne) nativitatis hodiernae mysteriis APTA
  perveniant (proveniant)...   2130
tuis APTA propitius disciplinis.   3575
et ea quae sunt APTA sectari.   978, 979
tam devotionibus APTA solemnibus quam...   2615
et quae nostris (minus) non APTA sunt meritis...   2206
sacrari tamen tibi loca tuis mysteriis APTA voluisti...   3886
et quae nostris minus (non) APTAE sunt meritis...   2206
ut APTI sint ad percipiendam gratiam (baptismi tui.) tuam.   165
caelestibus mysteriis efficiat APTIORES.   3519
cunctis reddantur eius muneribus APTIORES.   618
et familiae tuae corda... ad promerendam beatitudinem APTIS aeternam.   1501
quia tu solus sine operibus APTIS iustificas peccatores...   3894
Haec nos beata mysteria, ds, principia sua APTOS efficiant recensire.   1699
in Christo... venienti in operibus iustis APTOS occurrere...   667
cum tuis APTUM feceris institutis.   3478
ut APTUS sit ad percipiendam gratiam baptismi tui.   165
... Quibus conpraehendendis adque servandis nemo non idoenus, nemo non
  APTUS hic dei...   1706
Quibus comprehendendis adque servandis nemo non idoneus nemo APTUS.   1707

APUD
et verbum erat APUD Deum et Deus erat verbum.   3608

APULEUS
Sanctorum (tuorum) nos, dne, Marcelli et APULEI beata merita
  prosequantur...   3251
et sanctorum tuorum Marcelli et APULEI contra omnis armis caelestibus
  protigamur.   3130

AQUA
et ad suggerendum vinum et AQUA, ad conficiendum sanguinis tui...   1364
et sit illi, dne, hac AQUA adasparsionis, aqua virtutis...   1346
ut quos AQUA baptismatis abluis...   975
et qui christum AQUA baptizaverat...   4000
hanc creaturam (creatura) salis et AQUA benedicere digneris...   1351
Ds qui renatis AQUA et spiritu sancto caelestis regni pandis introitum...
  1194
ut sit his qui renati fuerint ex AQUA et spiritu sancto chrisma salutis...
  3945
ut renatus ex AQUA et spiritu sancto expoliatus...   1359
ad spem vite aeternae ex AQUA et spiritu sancto nascimur.   3836
Ds, qui ad caeleste regnum nonnisi renatis ex AQUA et spiritu sancto
  pandis introitum...   891
qui regenerasti famulos tuos (famulum tuum) (et famulas tuas) ex AQUA et
  spiritu sancto quique dedisti...   867, 868, 869, 2445, 2446

AQUA

qui te regeneravit ex AQUA et spiritu sancto quique dedit...   870
offerimus pro his, quos ex AQUA et spiritu sancto regenerare...   1752
ad spem vitae aeternae ex AQUA et spiritu sancto renasceremur...   3836
Ut quicumque sunt ex AQUA et spiritu sancto renati...   1327
quos regenerare dignatus es ax AQUA et spiritu sancto tribuens...   1773,
   1774
sanguine et AQUA ex latere pro genere humano dignatus es fundi...   1364
ut fias AQUA exorcidiata ad effugandam omnem potestatem inimici...   1534
in his locis in quibus asparsa fuerit AQUA haec...   1540, 1541
... Ego baptizo vos AQUA, ille vero baptizavit vos spiritu sancto.   3311
ipsa AQUA in baptisterio debet vergi.   4228
Exorcizo te creatura AQUA in nomine domini iesu christi...   1530
Exorcizo te, creatura salis et AQUA, in nomine domini nostri...   1539
ut Aaron fratrem suum prius AQUA lotum...   3945
qui te per Heliseum in AQUA mitti iussit ut sanaretur sterelitas...   1545
tu permitte spiritum tuum super vinum cum AQUA mixtum...   549
sit fons vivus AQUA regenerans unda purificans...   1045, 1046
ut efficiaris AQUA sancta, AQUA benedicta...   1532
vel in quibuslibet necessariis usibus hausta AQUA usus fuerit...   717
in chana gallileae ex AQUA vinum fecisti...   1335
... Ille tibi imperat... qui AQUA vinum fecit in Canna Gallilea...   1881
... Sit nobis, (illi) dne, hanc aquam (hac aqua) adsparsiones AQUA
   virtutis, AQUA refrigerans...   1346
et aemanavit simul sanguis et AQUA.   4233
ut hanc creaturam salis et AQUAE dignanter accipias...   848
aspersione (aspersionis) (aspersionem) huius AQUAE effugiat...   896
Qui convertit solidam petram in stagnum AQUE et rupes...   2378
et per gratiam piaetatis tuae AQUAE fontem beati renascimur...   1366
et sanatae sunt AQUAE illae...   1346
Exorcizo te, creatura AQUAE, in nomine dei patris omnipotentis...   1531,
   1532, 1534
Exorcizo te, creatura salis et AQUE, in nomine domini nostri I.C.   1539,
   1540, 1541
Benedic qs o. ds hanc cisternam AQUAE in qua ex iacto...   331
... Lavant AQUAE, lavant lacrimae...   58
... Unde exorcizo te, creatura AQUAE, per deum verum...   1531, 1532
Exorcizo te, creatura AQUAE, per deum vivum...   1535
Unde benedico te, creatura AQUAE, per deum vivum...   1045, 3565
ut sanarentur sterelis AQUAE qui divina...   1547
Sanctam hanc AQUAE qui post fontem tuum abluendas albas offeremus...   1366
... Sit fons vivus, AQUAE regenerans, unda purificans...   1047
et vos qui ad fidem curretis ad lavacrum AQUAE regenerationis perducat...
   3310
ut efficiaris... fons AQUAE sallientis in vitam aeternam...   1535
... Qui a muliere samaritana AQUAE sihi petiit porrigi potum...   3872
et totam huius AQUAE substantiam regenerandis (regenerandi) fecundet
   effectu...   720
et in huius AQUAE substantiam tua inmitte virtutem...   1503
eradicare et effugare ab hac creatura AQUAE unde exorcizo...   1532
in aquam mitti iussit ut sanaretur sterilitas AQUAE ut efficiaris...   1546
omnes fantasma : eradicare et effugare ab hac creatura AQUAE ut fiat...
   1530, 1531, 1533
ex hoc fonte AQUAE vitae perennis qui est spiritus veritatis...   304
ad iordanis fontem, fons AQUAE vive, discendere...   855, 1175

AQUA

.. Sit nobis, dne, hanc AQUAM adsparsiones aqua virtutis, aqua
refrigerans... 1346

et sit illi, dne, hanc AQUAM adsparsionis velut clybanus ardens ignis
inextinguibilis... 1346

et qui christum AQUAM baptizaverat, ab ipso in spiritu baptizatus... 4000

Benedic dne hanc AQUAM benedictionem caelesti... 308

ita hunc per hanc AQUAM benedictionem confirma. 1366

Ds, qui renatis per AQUAM et spiritu sancto caelestis regni pandis
introitum... 1194

renatis per AQUAM et spiritum sanctum pandis introitum... 890

cum populus tuus AQUAM gustare non posset eo quod esset amara... 1346

per deum qui te per heliseum prophetam in AQUAM mitti iussit... 1546

et transvexisti per AQUAM nimiam laudem... 1224, 1225

ut sicut innocens de hanc furtum in hanc AQUAM per ignem ferventem manum
miserit... 850

tu hanc AQUAM per igne fervente sanctifica. 850

ut dum ab ea AQUAM peteret, in ea ignem divini amoris accenderet... 3872

ut AQUAM putei huius caelesti benedictione sanctifices... 717

... Qui hanc AQUAM regenerandis hominibus praeparatum (praeparatam)...
1045, 1046, 1047

ut fiat eius templum per AQUAM regenerationis in remissionem... 2174,
2177

id in salute (salutem) gentium per AQUAM regenerationis operaris... 777

et huius AQUAM substantiam tuam inmisce virtutem... 1503

inormitatem AQUARUM a nobis depelle propitius... 3637

per crepidinem festularum AQUARUM copiae mariare iussisti... 1314

... Sic et Heliseus... salem accepit et proiecit ad exitus AQUARUM et
benedixit... 1346

qui sicut cervus AQUARUM expectat (expetit) fontem... 2464

Plantati secus decursus AQUARUM, fructum... 541

et ut sacrae purificationis effectum (affectus) AQUARUM natura conceperet...
(conciperet)... 3688, 3772

ut (iam tunc) virtutem sanctificationis AQUARUM natura conciperet... 1045,
1047

vox dei erant ut AQUARUM pedibus aeius... 1860

Dne ds qui in mysterio AQUARUM salutis tuae nobis sacramenta sanxisti...
1324

... AQUARUM spiritalium sanctificator, te suppliciter depraecamur... 1336

et AQUARUM subsidia praebe (plebae) caelestium... 713, 714, 1285

maxima quaeque sacramenta in AQUARUM substancia condedisti... 896

qui sicut cervus, AQUARUM tuarum expetit fontem... 2464

Qui convertit... et rupes in fontes AQUARUM. 2378

ds qui nocentis mundi crimina per AQUAS abluens... 1045, 1047

Benedic, dne, has AQUAS ad husus humani generis... 313

hoc ad salutem gentium per AQUAS baptismatis opereris. 778

cuius providentia... liquentes AQUAS caelaesti igne solidasti... 3191

ds, cuius spiritus ferebatur super AQUAS cuius oculi... 2818

Ds qui ad hoc in iordanis alveum sanctificaturus AQUAS discendisti... 893

ut lavacrum sancti corporis ipsas AQUAS dilueris... 855

has AQUAS ex nihilo conditas in huius materia furma visibilis prebuisti...
1365

et dixit : Sanavit dominus AQUAS has ; non erit... 1346

et sicut haelisaeus animas orando sanavit AQUAS in latice... 893

cum super AQUAS in mundi creationis exordio (exordium) fereretur... 2350

AQUA

has AQUAS influente digneris ad mundicia revocare per dominum...   893
... Peccator AQUAS ingreditur et iustificatus egreditur...   1706
ds, cuius spiritus super AQUAS inter ipsa mundi primordia ferebatur...
   1045, 1047
et benedixit eam et dixit : Sanavit dominus AQUAS istas non erit...   1346
... Ita tu, dne, dignare sanare AQUAS istas ut ubicumque...   1346
qui te per eliseum prophaeta in AQUAS mittit iussit ut sanarentur...   1547
deus magistatis intonuit, dominus super AQUAS multas.   3557
... AQUAS mutare dignatus es in vinum...   893
Benedic dne has AQUAS quas ad husus hamani generis... praestetisti...   313
ut hii has AQUAS, quas neglegentia polluit...   1365
tu has simplices AQUAS tuo ore benedicito...   1045, 1698
et aridam terrae faciam fluentis AQUIS caelestibus diganter infunde.   588
et super has abluendis AQUIS et vivificandis hominibus preparatas...   1336
et terram aridam AQUIS fluentibus (fluenti) caelestis diganter infunde.
   2448
ut qui regenerantibus AQUIS gaudeant (gaudent) renatos...   1324
caelestibus AQUIS (AQUIBUS) infunde...   3472
cum baptismatis AQUIS omnium criminum commissa delentibus...   3945
clementer abstergas ab his AQUIS pollutionem originem.   893
etiam sine rata quis AQUIS sedead.   3666

AQUAEMANALIS

accipiat orciolo cum AQUAMANILE hac manumtergium.   3313

AQUILA

et facies vituli et facies AQUILAE ad sinistris illius...   203
Iohannis habet similitudinem AQUILAE eo, quod nimis alta petierit...   1953
... Et David dicit de persona Christi : Renovabitur sicut AQUILAE iuventus
   tua...   1953

ARA

ut idem (ipse) tibi (et) ARA adque (et) sacrificium (idem) sacerdos esset
   et templum.   3746

ARBITER

Inspice, pius ARBITER, ad desideria plebis...   3048
Transacto diei et consummate noctis ARBITER ds...   3483

ARBITRIUM

Ds, qui sub tuae maiestatis ARBITRIO omnium regnorum contines potestatem...
   1216
VD. Sub cuius potestatis ARBITRIO omnium regnorum continetur potestas...
   4134
Ds, (sub) cuius ARBITRIO omnium saeculorum (caelorum) ordo decurrit...
   765, 779, 780, 781
O. s. ds, in cuius ARBITRIO regnorum omnium iura consistunt...   2347
nisi tu per liberum ARBITRIUM hunc amorem virginitatis clementer
   accenderis...   759

ARBITROR

et digna, ut ARBITROR, aecclesiastici honoris augmentum.   3021

ARBOR

quod si illa humani generis mater interdicta sibi ARBORE custodissit...
   4182
ne fulgora aut sidera que inmissa videntur in hanc ARBOREM, aut
   hominibus...   1541

ARBOR

fulgora et sidera quae missa videntur (inmissa dentur) in hanc ARBOREM non
   hominibus... 1414
qui nos vetite ARBORIS adtactu iuste morte aditus... 2321
et antiquae ARBORIS amarissimum gustum crucis medicamine indulcavit...
   3992
ut qui aesu interdicti (interdicte) ARBORIS laetalis pummi (pomae)...
   multati sumus... 3459
Ds, qui hanc ARBORIS pumma (poma) tua iussione et providencia (providentiae)
   progenitam esse voluisti... 998
... ARBORUM faetus, proventum omnium rerum... 1369

ARCA

Exi ab eo, quomodo exivit corvus de ARCA Noe... 1404
et quemadmodum sanctificasti officia tabernaculi testimonii olim cum ARCA
   oraculo (oracula)... 1283
qui ex summa caeli ARCHAE discendens... 222
ut discerent habitatores ARCHAE per spiritum sanctum... 3955
O. s. ds qui ante ARCHAM federis per clangorem tubarum... 2378

ARCANUM

clipeus fidaei peccatorum ARCHANA conservet... 1163
Purificet omnipotens deus vestrorum cordium ARCHANA et benedictionis...
   2951
sacrificium quod ac nocte litatum est ARCHANA luminis tui... 3588
qui tuae maiestatis ARCHANA naturali... 1653
ad intellegenda divinae legis ARCHANA qua in chana... 853
Ds, qui per os... Iohannis evangelistae verbi tui nobis ARCANA reserasti...
   1156
Qui hanc aquam... ARCANA sui luminis ammixtione fecundet... 1045, 1046
qui per eum ARCHANA verbi sui voluit ecclesiae revelare... 2246
qui domini Iesu Christi ARCANAE nativitatis mysterio gerimus... 2731
Sumentes pignus caelestis ARCANI et in terris... 3329
qui tuae maiestatis ARCANIS naturali devotis semper excubiis est propinquus.
   2307
et ab uteri virginalis ARCANO ineffabili editione promisisti... 3763
... ARCHANO sui luminis admixtione fecundet... 1047
et ad intellegendum Christi proficiamus ARCANUM et affectus... 455
qui pascalis sollemnitatis ARCANUM hodierni... 2438
quibus maiestatis tuae potentiam et coaeterni tibi filii revelaris ARCANUM
   ut non... 4055

ARCESSO

famuli tui illius, quem... et ad te ACCERSIRE iussisti... 2215
quem ab originibus huius saeculi ad te ARCESSIRE praecepisti... 3462

ARCHANGELUS

beati Michahelis ARCHANGELI fac supplicem depraecacionibus sublevari.   123
VD. Sancti michahelis ARCHANGELI merita praedicantes... 4128
et in excelsa tendamus, quae in beati ARCHANGELI Michael contemplamur
   affectu. 4027
Da nobis, o. ds, beati ARCHANGELI Michahelis eotenus honore proficere...
   601
Beati ARCHANGELI Michael (michaelis) interventione suffulti supplices, dne,
   te praecamur... 260
In honorem beati ARCHANGELI Michael loca nomini tuo dicata... 1880
quo in honorem beati ARCHANGELI Michael sacrata... 4170

ARCHANGELUS

beati michahelis ARCHANGELI solemnia celebramur...   124
sed sancti ARCHANGELI tui Michael (michaelis) depraecatione sit gratum.
    2162
Custodiant te angeli et ARCHANGELI ut liberente te...   2180
quem laudant angeli adque ARCHANGELI, vel omnes miliciae caelestis...   4004
VD. Multoque magis in ARCHANGELIS angelisque tuis tua praeconia non
    tacere...   3809
Exorcizo te per omnes angelis et ARCHANGELIS contradico...   1551
et ideo cum angelis et ARCHANGELIS cum thronis...   4061
Et cum angelis et cum ARCHANGELIS, thronis et dominationibus...   3792
ds angelorum, ds ARCHANGELORUM, ds patriarcharum...   755
ds angelorum, ds ARCHANGELORUM, ds prophetarum, ds maryrum...   744, 752,
    753
in nomine angelorum et ARCHANGELORUM, in nomine...   2856
te falanges angelorum, ARCHANGELORUM, thronique sedum cherubim...   3736
et inter angelos et ARCHANGELOS claritatem dei pervideat...   3391
excommunico te per ARCHANGELOS, exorcizo te per prophetas...   1950
exorcizo te... per gabrihel ARCANGELUM, per marcum et matheum...   1950
et inter angelus et ARCHANGELUS claritatem dei providiat...   3391
beatus michahel ARCHANGELUS, cuius frequentamus sollemnia...   124
sicut sanctus michahel ARCHANGELUS in conspectu adsistit...   1088
VD. Quem pro salute hominum nasciturum gabrihel ARCHANGELUS nuntiavit...
    3870

ARCUS

dum superborum ARCHUM conteris armaque confringes...   4143

ARDEO

... Totus mundus ARDEBIT ab oriente usque ad occidentem...   3563
confregit terra, montes ARDEBUNT, sicut caera exiat amare...   2552
et sit illi, dne, hanc aquam asparsionis velut clybanus ARDENS ignis
    inextinguibilis...   1346
diem qui venturus est velut clibanus ARDENS in quo tibi...   2174, 2175,
    2176, 2177
sicut liberasti tres puerus de camino ignis ARDENTIS et de manibus regis
    iniqui.   2023
amorem unigeniti tui semper ARDERE, ardoris...   4176
da nobis caritatis tuae flamma ARDERE succensi...   955

ARDOR

Ds, cuius caritatis ARDORE beatus Laurencius edaces incendii flammas...
    devicit...   784
ut ARDORE careat aeternae ignis adeptura perpetui regni refugium...   2217
ut ARDORE careat ignis aeterni.   2216
pectora tantum fidei ARDORE inflammasti...   1198
VD. Pro cuius caritatis ARDORE ista (istae) et omnes sanctae virgines...
    3853, 3854
qui huius fidei tribuis clementer ARDOREM qui suggeris...   4109
ut sancte conpunctionis ARDORIS ab omnium caetherorum propositum
    segregasti...   3476
... ARDORIS inlecebrarium omnium huberimis fletibus indisinenter
    extinguaere...   4176
quibus pariter estuum mitigentur ARDORIS, servientium...   3824

ARDUUS

pateantque in vias directas ARDUAM montium...   2905

AREA

ut in hac AREA famuli tui illius spiritum tuum sanctum... mittere
  digneris...   2364
qui benedixisti orrea ioseph, AREA (AREAM) gedeonis...   2280
qui te in AREA hostias offerendo placuit...   2113, 2114
Multiplica dne in hanc AREAM frumenti tua dona repleta...   2110
ita veniat qs super hanc AREAM speratae benedictionis ubertas...   2114

ARENA

tamquam stellas caeli et ARENA que est in litore maris.   320
et ARENAM que est ad litus maris.   319

ARGENTEUS

Ds qui per moysen legiferas tubas ARGENTEAS fiaeri precepisti...   1154
altare, ARGENTEIS basibus, tabulis deauratis...   1283

ARGENTUM

... Per illum te adiuro, damnate, non per aurum neque per ARGENTUM neque
  per...   224, 225

ARGUO

non in ira tua pro nostra pravitate nos ARGUAS sed inmensa...   3579
sed potius amare concedas qui veraciter ARGUUNT quam qui...   2048

ARIANUS

qui dignatus es famulus et famulas tuas ab herrore et mendacio hereseos
  ARRIANAE eruere...   1313
et nequicia ARRIANAE perfidiae (perfidi) nocuit (innocuit)...   1007
Digni aei ARRIANORUM subiacuit feritas...   4148

ARIDITAS

et terram squalidam et ARIDITATEM pulveream laeto ymbre fecunda...   895
nec ARIDITATIS aut terrores aut insidias ullas ingerere presumas.   1888

ARIDUS

per deum (sanctum) qui te in principio verbo separavit ab ARIDA et in
  quattuor...   1045, 3565
et terram ARIDAM aquis fluentibus (fluenti) caelestis diganter infunde.
  2448
qui te in principio verbum separavit ab ARIDAM, et in quattuor...   1535
et ARIDAM terrae faciem fluentis (aquis) caelestibus dignanter infunde.
  588
Nam ut in illo pleno ARIDIS ossibus campo...   3668

ARIPIO

ubi inimicus celatus fuerit, statim AREPTUS effugiat...   1346

ARIUS

nunc ARRIUM iugi (iuge) lamentacione castigat (castigit)...   2297

ARMA

praetende famulis tuis illis principibus nostris ARMA caelestia...   1172
qui est ARMA christianorum et triumphum domini ihesu...   1888
O. s. ds, hostilia, qs, ARMA confringe...   2346
et seva furentis inimici potentia (potenter) ARMA contereres contereris.
  4168
per lignum sanctae crucis filii tui, ARMA iusticiae pro salutem mundi...
  3063
Rege dne corda plebis tuae per ARMA iustitiae ut ad te...   3048
adversum omnia resistere sibi ARMA praevaleant.   835

ARMA

Detque vobis spiritalium virtutum invictricia ARMA quibus exemplo...   347
nulla prorsus ARMA terrerent...   4002
ut qui defensione tua fidemus (confidimus), nullius hostilitatis ARMA
   timeamus (teneamus).   749
Mitte in aeis dne defensionis tuae semper ARMA victricia...   2609
dum superborum archum conteris ARMAQUE confringes...   4143
contra omnis nequicias inruentes ARMIS caelestibus protigamur.   3130
In quibus gloriamur iustitiae ARMIS per quam nobis...   3847
Adque aeam ARMIS spiritalibus integra munitione confirma.   1163
... Invicta est enim semper talium ARMORUM potestas...   1706, 1707

ARMO

qui beatum vencentium prius ARMASTI pectore...   546
... Quos ita spiritu veritatis ARMASTI ut formidinem...   3727
Qui beatum helarium ad hoc ARMASTI virtute...   981
cuius est ARMATA vexillum.   903
ut ARMATA virtute caelestis defensionis...   548, 549
etiam sanctos suos spiritu veritatis ARMATOS redderet...   4023
contra nostrae condicionis errorem et contra diabolicas (diabolicis)
   ARMEMUR insidias (insidiis).   2168

ARO

in deserta loca, ubi non ARATUR nec seminatur...   224, 1852

ARS

quarum humanae peritiae ARS magistra non quoequat...   861
... Ibique aliae inaestimabili ARTE, cellulas tenaci glutino instruunt...
   3791
qui ex summa caeli ARTE discedens...   223
et haec vascula ARTE fabricata gentilium...   2352
et quod ARTE vel metallo officii conpositum est...   1281
et quod ARTE vel mettalo officii (effici) non potest altaribus tuis
   dignum...   1281, 1282
ut beati petri singolarem piscandi ARTEM in divino dogma converteret...
   3823
Deficiant te ARTIS diabuli in diae, in nocte...   2180
... Moriuntur soliti maria perscrutari mediocris ARTIS officio...   3678
super huius famuli tui barbam non ferro prius ARTIS tunsuris...   898

ARTICULUS

Effuge... de plantis, de calcaniis, de ARTICULIS, de interarticulis...
   1888

ARTIFEX

et in his natura ARTIFEX et unus magister gignentium...   3191
ut qui in artificum cordibus fabricandis vasibus sublimis ARTIFEX
   extetisti...   770
Ds o., universarum rerum rationabilis ARTIFIX qui inter...   871
potens es ARTIFIX tibi iterum placitum figurare.   219
ut liberent te ab omnibus malis et ARTEFICIS diabule.   2180
ut qui in ARTIFICUM cordibus fabricandis vasibus sublimis artifex
   extetisti...   770

ARX

ius apostolici principatus in Romani nominis ARCE posuisti...   2413, 3947

ASCELLA
Exite... de scapulis, de ASCELLIS, de interscapulas...   1888

ASCENDO
petitiones eius (nostrae) ASCENDANT ad (aures) clementiae tuae...   1500,
  1975
ASCENDANT ad te dne praeces nostrae et ab aecclesia...   213
ASCENDANT ad te, dne, praeces nostras et anima...   215
ASCENDANT ad te, dne, praeces nostrae et tuorum...   214
sed ASCENDANT et fugiant per invocationem nominis domini...   1539
et ad aures tuae piaetatis ASCENDANT.   4258
Vespertina oratio ASCENDAT ad aures clementiae tuae...   4224
in hodorem suavitatis ASCENDAT, ut hactipientibus...   1342
Vox clamantes aecclesiae ad aures dne qs tuae maiestatis ASCENDAT ut
  percepta...   4257
Vox clamantis aeclesiae ad aures, qs, dne, (dne qs) tuae pietatis ASCENDAT
  ut percepta...   4257
ita ad aures vestri conditoris ASCENDAT ut vos...   18
ASCENDAT vox illius ad aures altissimi...   910
Vos nostra te semper deprecetur et ad aures tuae pietatis ASCENDAT.   4258
sicut incensum in conspecto tuo cum hodore suavitatis ASCENDAT.   1709
et vobis ubi ille est ASCENDENDI aditum patefecit.   344
et per suam ascensionem ad caelos nobis spem ASCENDENDI donavit.   3929
... ASCENDENDO ad patrem caelestis ianuas reparavit.   4013
Respice ASCENDENS caelum propter quos...   1219
Ds, cuius filius in alta caelorum potenter ASCENDENS captivitatem...   787
VD. Qui ASCENDENS super omnes caelos...   3876, 3877
aperuisti caelos ASCENDENS.   1219
et ASCENDENTEM in caelis, et sedentem ad dexteram patris...   554
a mortuis resurgentis et in caelum (caelos) ASCENDENTIS exigimus
  (exegimus)...   3846
ad supernae vocationis ASCENDIS, pectoribus...   1091
ut qui... unigenitum tuum... ad caelos ASCENDISSE credimus...   489
hodie in caelos apostolis adstantibus ASCENDISTI concede nobis...   890,
  892
pro redemptionem mundi crucis ASCENDISTI lignum...   1328
... Iuda filius meus catulus leonis, de germine mihi ASCENDISTI recubans...
  2059
rumpens legem tartari, ad caelus ab inferis ASCENDISTI.   955
ASCENDIT ad celos sedit ad dexteram (dei) patris.   551, 555
id est Iesu Christi... qui resurgens a mortuis ASCENDIT in caelos.   1953
qui mediante die festo ASCENDIT in templo docaere...   3829
non valeamus adtollere, quo salvator noster ASCENDIT ne diabolica...   4215
... Haec nox est, in qua... christus ab inferis victor ASCENDIT nihil
  enim...   3791
VD. Qui ASCENDIT super omnes caelos...   3877
sed ut luceret magis ASCENDIT.   3615
non fragilitate carnis, sed alacritate mentis ASCENDITUR fac nos...   2266
Ds post illum resurrectionis ASCENSUM, nostrum te...   879

ASCENSIO
... ASCENSIO ad caelestia regna perducit...   3829
... Hic ASCENSIO ipsius super caelos... agnoscitur...   1706
quia in caelos ASCENSIO mediatoris dei et hominum...   3793
Suscipe dne munera quae pro filii tui gloriosa ASCENSIONE (gloriosam
  ASCENSIONEM) deferimus et concede.   3401

ASCENSIO

Sacrificium, dne, pro filii tui supplices venerabili nunc ASCENSIONE
   deferimus praesta.   3153
et per suam ASCENSIONEM ad caelos nobis spem ascendendi donavit.   3929
et diem sacratissimum celebrantes ASCENSIONIS in caelum...   407
Ds, qui nos resurrectionis dominice et ASCENSIONIS letabunda solemnia...
   1130
sed et in caelos (caelo) gloriosae ASCENSIONIS offerimus...   3567

ASCISCO

electorum tuorum ADSCICI mereamur collegio.   3987
et aeternorum civium consortio ADSCISCI mereantur.   4198
et in futuro sanctorum coetibus ADSCISCI valeatis.   802
ut ei inter choros angelorum post obitum mereamini ADSCISCI. Amen.   346
qui beatum ill. sibi ADSCIVIT virtute confessionis.   2263
in apostolicae dignitatis culmen ASCITUM ita ad confitendum...   4169

ASCRIBO

ut novo testamento sobolem novi (novae) prolis ADSCRIBE ut filii...   1017
et perpetuae (tuae) misericordiae nos praeparet (praeparent) ASCRIBENDOS.
   3127
eorumque nomina (ut nomina eorum) ASCRIBI iubeas in libro viventium.
   1752, 1773
eos in libro vitae ADSCRIBI iubeas in regno...   2108
ut qui in haec fluenta descenderint, in libro vitae ADSCRIBI mereantur.
   2109
ut eam in numero sanctorum tuorum tibi placentium facias dignanter
   ADSCRIBI.   1740, 1755
in adoptionis sorte facias dignanter ADSCRIBI.   1255
libro (librum) beatae (beati) vitae mereantur ADSCRIBI.   3836
et oblata devotioni nostrae servitutis ASSCRIBIS qs clementiam...   2433
sed paginis vestri cordis ASCRIBITE confessio...   1287
Quam oblationem... ASCRIPTAM ratam rationabilem... facere digneris...
   3011

ASINUS

... Illic namque agnovit bos possessorem suum et ASINUS praesepium domini
   sui...   3648

ASPECTUS

multo magis... grata tuis ASPECTIBUS esse confidimus.   3235
Oblatio, dne, tuis ASPECTIBUS immolanda (immolandam) quaesumus...   2193
ut quos tuae pietatis ASPECTIBUS offerimus consecrandos...   1483
et quem tua piaetas ASPECTIBUS offerimus consecrandum...   1483
ut famulum tuum digneris serenis ASPECTIBUS praesentari (praesentare)...
   2274
etsi humano generi corpore negatur ASPECTU fidei tamen...   4167
hos quoque famulos tuos nostri speciali dignare inlustrare ASPECTO ut
   tuis...   1372
ita perpetuo laetemur ASPECTU.   637
hunc quoque famulum tuum ill. spitiale dignare inlustrare ASPECTUM, ut
   tuis...   1372
et extrinsecus humanos quoque non vitamus ASPECTUS nihil ergo...   3653
... ASPECTUS tuus sit sicut flamma ignis...   1860

ASPER

Per cuius quoque umbram ASPERA mors populis lignum (ligno) deducta
   cucurrit...   3847

ASPERGO

ut sis purgatio et purificatio in his locis in quibus ASPERSA fueris ad
   effugandos...   1539
in his locis in quibus ASPARSA fuerit aqua haec...   1540, 1541
ubicumque ASPERSA fuerit, vel a quolibet potestate (potestatem)...   313
ut ubicumque fuerit ASPERSA, per invocationem sancti tui nominis...   848
ut ubicumquae effusa fuerit, vel ASPERSA, sive in domo, sive in agro...
   1532
ut ubicumque ASPERSAE fuerint, omnis spiritus...   1351, 1352
ut ubicumque ADPARSAE fuerint per (agros aut) angulos domus...   1346
et illud lumen... quod trium magorum mentibus ASPERSISTI.   828
et effugiat atque discedat ab eo loco quo ASPERSUS fueris, omnia
   fantasia...   1546

ASPERSIO

et sui roris intima ASPERSIONE fecundet.   3211
hanc aquam ADSPARSIONES aqua virtutis, aqua refrigerans...   1346
... ASPERSIONIS (ASPERSIONE, ASPERSIONEM) huius aquae effugiat...   896
Praesta, dne, per hanc creaturam ASPARSIONIS sanitatem mentis...   2654
et sit illi, dne, hanc aquam ADSPARSIONIS velut clybanus ardens ignis
   incxtinguibilis...   1346

ASPICIO

quibus in tua omnem virtutem fidentes ASPEXERIS, utque tam inmensis...
   4143
cuius oculi excelsi ASPEXERUNT super Iordanem fluvium...   2818
Protector noster ASPICE, ds, et ab hostium...   2916
Protector noster ASPICE, ds et misericordiam...   2917
Portector noster ASPICE ds, et qui malorum...   2918
Redemptor noster ASPICE ds, et tibi nos iugiter servire concede.   3039
Placidus ASPICE, dne, plebem tuam...   2590
ASPICE nos, dne, praecibus exoratus...   216
ASPICE, qs, dne, quae oculis tuae maiestatis offerimus...   217
nondum consummato certamine palam solus ASPICERET quod sanctis...   4185,
   4186
ne in cruce ASPICERET salvatorem.   3661
ut solus ASPICERIT qui percussit cuius dolore...   3661
Hanc igitur oblationem... qs, dne, placatus ASPICIAS pro qua...   1729
ASPICIAT in vos rectur aeternus...   318, 319
et pro sua quemque necessitate clamantem benignus ASPICIAT solacia...   1513
quem omnis irarum motus ASPICIENS humiliatur...   2299
(VD.) Ut modulum terrenae fragelitatis ASPICIENS non in ira tua...   3699,
   4207
et ideo licet in singulis, quae ad cultum divinitatis ASPICIUNT conpetens...
   4188

ASPIRATIO

tui muneris ASPIRATIONE resipiscentes apostate redeunt...   2297

ASPIRO

in nobis ADSPIRA benignus.   3417
clemens adesto, tu benignus ASPIRA tu has simplices...   1045, 1698
O. s. ds, aeclesiae tuae votis propitiatus ASPIRA ut beati laurenti...
   2337
de beatorum martyrum illor. gloria manifestatione conceptis benignus ASPIRA,
   ut et...   2271

ASPIRO

ita et huic famulo tuo illo placare dne et precibus eius benignus ASPIRA ut
   in confessione...   596
Praecibus populi tui, dne, qs, placatus ADSPIRA ut veniam...   2836
adque in cunctis accionibus nostris et ASPIRANDO nos praeveni...   135
Actiones nostras qs dne et ASPIRANDO praeveni...   41
ut salutis aeternae remedia quae te ASPIRANTE requirimus...   3548
et beate castitatis habitu, quem te ASPIRANTE susciperit...   743
vota nostra quae praeveniendo ADSPIRAS, etiam adiuvando prosequere.   1003
quem trium magorum mentibus ASPIRASTI.   828
mox puelle credentis in hutero fidelis verbi mansit ASPIRATA conceptio...
   3635

ASPIS

qui ambulat (ambulavit) super ASPIDEM et basiliscum...   141, 1355

ASSENSIO

Sed ne unum fortasse vel paucus aut decipiat ADSENSIO aut fallat affectio...
   3021

ASSENSUS

Ut inpendendo pontifex plebs ADSENSUM, mereatur...   740
cui ADSINSUM prebuaerit ordinandum.   3021

ASSEQUOR

et fiducialius quae tua sunt postulemus, et facilius ADSEQUAMUR.   592
perpetuae salvationis gaudiis ADSEQUAMUR.   2683
ut propiciacionem tuam... pii suffragatoris intercessionibus ADSEQUAMUR.
   3162
ut quae conlata nobis honorabiliter recensimus, devotis mentibus
   ADSEQUAMUR.   147
ut sicut tuam cognovimus veritatem, sic eam dignis moribus (et mentibus)
   ADSEQUAMUR.   1124, 1125
et mysterium... principalis recordatione muneris ADSEQUAMUR.   4133
ut quod nostris meritis non valemus, aeius patrocinio ADSEQUAMUR.   1945
sic indulgentiam tuam piis eius praecibus ADSEQUAMUR.   2794
placentium tibi praecibus ADSEQUAMUR.   2901
... Benedictiones tuas iugiter ADSEQUANTUR quas suppliciter...   3534
et remedia salutis aeternae isdem patrocinantibus ADSEQUANTUR.   368
ut te toto corde perquirant et quae (qui) dignae postolant ADSEQUANTUR.
   2802, 2805, 2806
Benedictiones tuas iugiter ADSEQUATUR, quas suppliciter...   3024
Copiosa beneficia, qs, dne, christianus populus ADSEQUATUR ut qui in
   odore...   534
et quae votis expetit, salubriter ADSEQUATUR.   374
tuis muneribus ADSEQUENDIS effice prumptiorem (promptiore).   696
et ADSEQUI faciat semper mente (mentem) quae gerimus...   3208
interius ADSEQUI gratiae tuae lucem (luce) concede.   1416
ut filii promissionis, quod non potuerint (poterant) (potuerunt) ADSEQUI
   per naturam...   1017
et ut mereamur ADSEQUI quod promittis...   1056, 2327
et facilius possit ADSEQUI quod rationabiliter...   1399

ASSERO

Ds, qui te rectis ac sinceris manere pectoribus ADSERIS da nobis...   1221
Ds, qui te sinceris ASSERIS manere pectoribus...   1222
vita caelestis ASSERITUR viam domini preparare.   3755

ASSERO

ut excellentiam verbi tui, quam beatus evangelista Iohannes ADSERUIT et
   convenienter...   2756
... Hoc illa legis observantia figuralis ADSERUIT haec praedixerunt...
   4100
spiritu divinitatis vitae caelestis ASSERUIT via domini praeparetur.   3756

ASSERTOR

inter diversa discrimina veritatis ADSERTUR firmitatem...   3684, 3685
ille intellegendae clarus ADSERTOR hic christum...   3666a
novi testamenti inter contradicentes promptus ADSERTOR primus...   3761
ipseque progenitor, utpote viae caelestis ADSERTOR viam domino...   3754
Sit aput te exoratus, qui contra hereticus pro te extetit tunc ADSERTUR.
   981

ASSIDUE

et festivitatem martyrum tuorum... quam (que) nobis tradis ASSIDUAE debita
   tibi...   2928

ASSIDUITAS

ut ASSIDUITATE leccionum distinctus...   1337, 1340

ASSIDUUS

qui et sanctorum nos ADSIDUA festivitate comitaris...   2562
... ADSIDUA nos sanctorum celebritate solaris...   2394
et famulos tuos (famulum tuum) ASSIDUA proteccione conserva (conserves).
   90, 1051
et quam martyrum tuorum ADSIDUA tribues festivitate devotam...   2929
Sanctorum tuorum, qs, dne, quorum nos ADSIDUIS festitatibus consolaris...
   3255
VD. Qui nos ASSIDUIS martyrum passionibus consolaris...   3965
et quae casticacionibus ADSIDUIS postolat, tua consolacione percipiat.   997
Sit ipse confessor huius populi ASSIDUUS custus...   1176
amodo debis esse ASSIDUUS ; si usque nunc...   4231
Et ideo si usque nunc fuisti tardus ad ecclesiam, a modo debes esse
   ASSIDUUS.   4228

ASSIGNO

angelum licis, angelum defensionis ADSIGNARE dignetur...   167
nec inmerito, ut diximus, huic mysterio ADSIGNATA est Mathei persona.   1633
... Videtis, quia non inmerito (huic) hominis ADSIGNATA persona est...
   1633, 1634
nunc sua quaeque nomina singulis ADSIGNEMUS indiciis...   203

ASSISTO

praesenti familiae tuae exauditor propitius ADSISTAS.   718
in prosperis ADSISTAT, in adversis manum porregat...   351
procul diabuli fraudis ADSISTAT procul omnis...   2907
ut pro nobis intercessor ADSISTAT, qui pro suis etiam persecutoribus
   supplicavit.   2238, 2444
et ADSISTAT super aeam virtus spiritus sancti...   308
praecanti familiae suae prumptus exauditor ADSISTAT.   707
expulsa diabolicae fraudis nequitia virtus tuae maiestatis ADSISTAT.   3588
ad invocationem nominis tui benignus ADSISTE et hunc famulum...   1356
tu eum praecibus benignus ADSISTE ut in confessione...   2837
quibus propagationem humani generis ordinasti, benignus ADSISTE ut quod
   te...   98

ASSISTO

Ds qui congregatis in nomine tuo famulis medium te dixisti ADSISTERE,
  corona...   924
et in tua pace semper ADSISTERE mereantur.   1218
cuius potestas... in mare et inferis plene ADSISTIT humiliter...   2481
sicut sanctus michahel archangelus in conspectu ADSISTIT, ita et ibi...
  1088
ut quibus tibi ministrantibus in caelo semper ADSISTITUR ab his...   1068
Ds aeternae, ante cuius conspectu (conspectum) ADSISTUNT angeli fulgendi...
  742
ut illuc adtollamur mente, ubi quos veneramur ADSISTUNT et in excelsa...
  4027

        ASSUMO

ad gaudia sempiterna perveniat et ADSUMAT aeterna.   515
Sacrificia dne tuis oblata conspectibus ignis ille divinus ADSUMAT qui
  discipulorum...   3140
munera spiritus sanctus benignus ASSUMAT qui odiae...   170
non in terrore discutiat, sed in gloria remunerandus ADSUMMAT.   1375, 2296
et qui non derelinques devium, ADSUME correctum...   822, 823
et qui non derelinquis devium, ADSUME corruptum...   822
Hostias nostras (tibi) dne (tibi) dicatas placatus benignus (placatus)
  ADSUME et ad...   1832
Hanc igitur oblacionem... propicius et benignus ADSUME et exoratus...   1713
ieiunantium vota clementer ADSUME et fidelibus...   1301
Hostias, qs, dne, nostrae devotionis ADSUME et (per) sacrificia...   1816
Hostias, dne, qs, quas immolamus, placatus ADSUME et pro nostris...   1803
Munera nostra, qs, dne, (dne qs) propiciatus ADSUME et ut digne...   2131,
  2822
et has oblationis famulorum et famularumque tuarum... benignus ADSUME et ut
  nullius...   2873, 2876
Fidelium tuorum munera... propitiatus ADSUME et ut tibi...   1630
quas tibi offerimus pro famulo tuo illo benignus ADSUME, et viam...   2875
Hanc igitur oblacionem... benignus ADSUME eumque regenerationis...   1742
Aeclesiae tuae, dne, munera placatus ADSUME quae et misericors...   1386
Tanto, qs, dne, placatus ADSUME quanto sacrandas...   3458
Hostias, dne, qs, (qs dne) placatus ADSUME quas et pro...   1802
Munera, quae deferimus, dne, benignus ADSUME quia nostris...   2134
Sacrifitia dne... immolata dignanter ADSUME quibus ecclesia...   3137
Munus populi tui, dne, qs, dignanter ADSUME quod non nostris...   2162
et has populi tui oblaciones benignus ADSUME ut nullius...   2876
et has oblationes famulorum famularumquae tuarum... benignus ADSUME ut
  nullius sit...   2873
et has oblaciones... benignus ADSUME ut per intercessione...   2813
Munera, qs, dne, tuae plebis propitiatus ADSUME ut quae fidei...   2137
et hanc famuli tui ill. oblationem benignus ADSUME ut qui auxilium...   93
praeces nostras... propitiatus ADSUME ut qui nomini...   767
et has oblaciones famulorum famularumquae benignus ADSUME ut quod
  singuli...   2872
oblacionem... placidus ac benignus ADSUME ut quod tua...   94
et has oblationes... nomini tuo consecrandas deferimus benignus ASSUME ut
  sacrificii...   2874
et has oblationes, quas tibi offerimus pro famulo tuo illo, benignus ADSUME
  ut viam...   2875
et hanc oblationem famuli tui illius... placidus ac benignus ADSUME.   95,
  96

ASSUMO

beatorum apostolorum tuorum supplicationibus propitiatus ADSUME.   2954,
   2958

qui ADSUMENS scutum fidei...   4149

famulum suum quem in sacro ordine dignatur ADSUMERE benedictionis...   2502

specialiter pro famulo tuo ill. quae in pacem ADSUMERE dignatus es...
   1026

ab hostibus paciaris ADSUMMI.   3598

et ADSUMPSISTI consumatione felice...   989

formam servi dominus ADSUMPSIT et in specie...   4003, 4004

quem dominus de (in) temptacionibus huius saeculi ADSUMPSIT obsecrantes...
   2583, 2584

Ds, qui in hodierna die unigenitus tuus in nostra carne quam ADSUMPSIT pro
   nobis...   1031

tibi devocionem suam offeret, a quo ipsa vota ADSUMPSIT quando enim...
   759

naturae, quam unigenitus tuus in utero perpetuae virginitatis ADSUMPSIT
   respice nos...   2315

a quo et ipsa eundem votum ADSUMPSIT sit in ea dne...   760

abnegansque semetipsum crucem peregrinationis ADSUMPSIT ut te per
   apostolorum...   4127

spem resurrectionis per renovatam originis dignitatem ADSUMPSIT.   3712

ut castigatio carnis (carnalis) ADSUMPTA ad nostrarum vegetatione transeat
   animarum.   649

0. ds qui unigenitum suum... in ADSUMPTA carne in templo voluit
   praesentari...   2256

quia ad tuae praeconia recurrit ad laudem, quod vel talis ADSUMPTA est.
   33

quod vel talis orta est vel talis ASSUMPTA.   27

conservata iustitia a deo, carne vinceretur ADSUMPTA.   3930

... Qui per humilitatem ADSUMPTAE humanitatis lazarum flevit...   3917

quo infirmitatis eius sunt ADSUMPTAE primitiae...   2647

ut ADSUMPTAM castitatis graciam te auxiliante custodiat.   2820

Mysteriis tuis, (dne), veneranter ADSUMPTIS qs (dne) ut contra...   2168

... ASSUMPTO scuto fidei, et galea salutis...   3722

ASSUMPTIO

et cupiosior per gratiam ADSUMPTIO renascentum (renascentium)...   58, 59

... ADSUMPTIONE sacratissime virginis tuae genetricis beate mariae...   2461

de cuius nos veneranda ASSUMPTIONE tribuis annua solemnitate gaudere.   472

... Inde gaudium de ADSUMPTIONE vocatorum...   58

virgo maria cuius ADSUMPTIONIS diem caelebramus...   3725

cuius ADSUMPTIONIS diem omni devotione praesenti sacrificio caelebramus.
   3815

cuius ASSUMPTIONIS diem quo exaltata est super choros angelorum...   3815

Cuius secundum ADSUMPTIONUM carnis, dormiente in nave...   2262

ASSUMPTOR

Christe ds... humilitatis ADSUMPTUR, mansuitudine habitator...   396

ASSURGO

ut quodquod hic oblatum sacrum fuaerit nomini tuo ADSURGAT relegione...
   871

ASTO

hodie in caelos apostolis ADSTANTIBUS ascendisti...   890, 892
... Quapropter ADSTANTIBUS vobis fratres carissimi...   1564
quoddam retinere pignus in terris ADSTANTIUM in conspectu tuo iugiter
  ministrorum.   4170
Ut cum ante tremendi diem iudicii in conspectu tuo ADSTITERINT, non
  dampnandam...   1319

ASTRINGO

erraticum college ad te, et vincola mea tuae piaetatis ADSTRINGE.   1296
ut aeum tuae gratiae perhenniter iuberis ADSTRINGI.   1176

ASTRUM

medicator antitoto, dum quem ASTRA non capiunt...   996
sed etiam nascentem voluisti hominem de terris ad ASTRA transire...   1090
atque hominem remeans invidia inimici deiectum mirantibus intulit ASTRIS...
  3596
sed salus omnium, propter quod (quos) homo factus est, creatur ASTRORUM.
  996, 3109

ASTRUO

vas factus electionis ADSTRUXIT.   3666a

ASTUTIA

Non conculcet botrus tuos ASTUTIA sua, neque disperdat...   4233
et illam vobis tribuant ASTUTIAM mentis que...   355

ASTUTUS

et ASTUTOS fieri more serpentum...   3981

ATER

quem vetus adversarius, et hostis antiquus ATRAE formidinis horrorae
  circumvolat...   764
ubi nox nulla suas defendit ATRAS (ATRA) tenibras...   3770

ATRIUM

fidelibus regni caelestis ATRIA reserantur...   4162
ut hunc famulum tuum ad sancta tua quae reliquerat ATRIA reventem...
  2297
fac nos ATRIA supernae civitatis et te inspirante semper ambire...   2266
in ATRIIS domus tuae tamquam potamina viva plantati...   1155
neque ab hisdem un hergastulo concludatur ATRIO, sed sanctis tuis...   3392

ATROCITAS

nulla dirarum ATROCITATE poenarum...   4082

ATTACTUS

qui nos vetite arboris ADTACTU iuste morte aditus...   2321
Et qui ab eorum pectoribus ADTACTU sui corporis vulnus amputavit
  dubietatis...   802

ATTAMEN

... ADTAMEN necessaria humanae miseriae tuae clarissimae conspitiunt
  oculi...   742

ATTENDO

Quaesumus, o. ds, ne multitudinem nostrae pravitatis ADTENDAS sed a
  peccatis...   2984
ad humilitatis meae praeces placatus ADTENDE et me famulum...   863
respice flentem famulum tuum, ADTENDE prostratum...   2055
ut ignorantiam nostrae mortalitatis ATTENDENS ex tua inspiratione...   3697

ATTENDO
et vota totius populi praecantis ADTENDITE ut qui de...   3454

ATTENTE
ut ad te ADTENTE dilegens, fugiat lascivitas carnis iniqui.   3048
velociter ADTENTE (ATTENTE) et accelera, ut eripias hominem...   1354, 1355
tibi ADTENCIUS pro nostris offensionibus supplicare...   3821
Idio precamur ADTENTIUS, ut quibus...   3795

ATTERO
et a peccatis libera nullis adversitatibus ADTERATUR.   631, 2606
ut (quae) sua conditione ATTERITUR tua clementia reparetur.   2100

ATTINGO
non eum tormentum mortis ATTINGAT non dolor...   746
quo possint, te auxiliante, ad praemia ADTINGERE aeternae vite.   124
per resurrectionis eius ATTINGERE mereamur ineffabile mysterium.   3843
... ADTINGERE mereamur resurrectionis dominicae firmitatem.   3818
quod nec humanus potest sensus ADTENGERE pro(ni) famuli...   770

ATTOLLO
ut illuc ADTOLLAMUR mente, ubi quos veneramur adsistunt...   4027
et suae beneficiis (sui beneficii) intercessionis (intercessione)
   ADTOLLANT.   3209
et praesidiis tuae propitiationis ADTOLLANT.   2900
ut hinc ad te recoperatorem suum sensum semper ADTOLLAT intentus.   920
ut quos humiliavit adversitas, ADTOLLAT reparationis suae prosperitas.
   1086
Hos (dne), quos (dne) reficis sacramentis, ADTOLLE benignus auxiliis...
   1797
Tu semper, qs, dne, tuam ADTOLLE benignus familiam...   3508
beneficiis ADTOLLE continuis et mentis et corporis.   3537
et temporalibus ADTOLLE praesidiis, et renova sempiternis.   3556
Apostolicis nos, dne, qs, beatorum Petri et Pauli ADTOLLE praesidiis ut
   quanto...   209
et quos non deseris sacramentis, necessariis ADTOLLE praesidiis.   1486
... ADTOLLE quos (quod) suscitas et guberna quos eriges...   1358, 1362
et quanto fragiliores sumus, tanto magis necessariis ADTOLLE suffragiis.
   2580
et toto tibi corde subiectam praesidiis invicte pietatis ATTOLLE.   3093
non valeamus ADTOLLERE, quo salvator noster ascendit...   4215
quo redemptor noster conscendit ADTOLLI.   1498
et intercessionibus benignus ADTOLLIS.   3978
et sanctorum patrociniis benignus ADTOLLIS.   3069
quicquid in hoc mundo proprius error ADTOLLIT, totum ineffabile...   2583

ATTRAHO
utere es vita ADTRAHAE me ad te...   1296
ut anima famuli... ab omnibus, quae humanitus ADTRAXIT, exuta...   2047

ATTRIBUO
non iudicium nobis pareat, sed profectum ATTRIBUAT ut per quo...   2355
in uno eodemque hominem suum cuique convenienter ADTRIBUIS.   4033

ATTRIBUTOR
honorum omnium ADTRIBUTOR, dignitatumque largitor...   3912

ADTUNDENS
famulum tuum... et florem primis auspiciis ADTUNDENTEM (ADTUNDENTE)
   adesto...   796

ATTUNDO
famulum tuum ill... et primis auspiciis ADTONDENDUM exaudi dne...   800

AUCTOR
Ds, vere beatitudinis AUCTOR atque largitor dirige nos...   1258
Donorum omnium, ds, AUCTOR adque largitor qui sanctorum...   1381
Bonorum omnium, dne, AUCTOR adque largitor qui ut humanum...   376
quae nobis ipse salutis nostrae AUCTOR Christus instituit.   3645
(Ds) Sanctificationum (omnium) AUCTOR, cuius vera consecratio... est...
   3225
Ds, qui sacrandorum tibi AUCTOR es munerum...   1200, 1201
ut sicut ipse nostrorum AUCTOR est munerum...   1830
Ds, et temporalis vitae AUCTOR et aeternae...   810a
Offerendorum tibi munerum, (ds), AUCTOR et dator...   2221, 2222
ds. honorum AUCTOR, et distributor omnium dignitatum...   1348
Ds invictae virtutis AUCTOR et inseparabilis imperii rex...   848
Veritatis AUCTOR et misericordiae ds...   4223
Tu igitur qui es creature AUCTOR, humani defensor est(o)...   3592
quo sollemnitatis (solempnitas) hodiernae gloriosus AUCTOR ingressus est...
   2766
Ds... adesto piis ecclesiae tuae precibus AUCTOR ipse pietatis...   1244
sicut divinae nobis generationis est AUCTOR ita et inmortalitatis...   2680
Ds, mundi conditor, AUCTOR luminis, siderum fabricator...   861
Ds inenarrabiles AUCTOR mundi, conditur generis humani...   842
ut sicut ipse AUCTOR noster salutis docuit...   475
Ds AUCTOR omnium iustorum honorum, dator cunctarum dignitatum...   748
Ds, AUCTOR pacis et amator, quem nos se vivere...   749
... Nihil ex hac subsicibus (ex hac subsitivus) (in ea ex actibus) (ex hac
   sub cuius) ille AUCTOR praevaricationis usurpet...   1171, 2541, 2542
VD. misericordiae dator et totius bonitatis AUCTOR qui ieiuniis...   3807
Ds, omnium misericordiarum ac totius bonitatis AUCTOR qui peccatorum...
   873
Ds, AUCTOR sincerae devotionis et pacis...   750
Ds mirabiliorum et virtutum A(U)CTUR, te supplicis exoramus...   855
VD. Qui es fons vitae, origo luminis, et AUCTOR totius bonitatis...   3913
ut quorum AUCTOR tu bonorum, sis ipse perfector.   1362
populo lucis AUCTORE adicias angelum...   2640
beato Stephano duce adque praevio sancto spiritu AUCTORE elegerunt
   (aelegerint)...   1372
ut his qui te AUCTORE et gubernatore gloriantur...   62
ut quae te AUCTORE facienda cognovimus, te operante impleamus.   2572
cum devicto mortis suae AUCTORE gratuletur.   58
ut quod te AUCTORE iungitur, te auxiliante servetur.   98
ne nos patiaris induci ab eo qui temptat, pravitatis AUCTORE nam dicit...
   1847
ut bona, quae te AUCTORE percipit, te protegente serventur.   2372
ut propositum castitatis, quod te AUCTORE professae sunt...   1709a
ut non solum hoc in ipso nostrae redemptionis AUCTORE sed etiam in...   4096
ut christiana plebs quae tali gubernatur AUCTORE sub tanto...   2318, 2319
et ab huius possessione anima liberata ab AUCTORE suae salutis recurrat...
   2299

AUCTOR

Ut qui te AUTORE (AUCTORUM) subsistimus, te dispensante dirigamur...   4210
VD. Ut, qui te AUCTORE sumus conditi, te reparante salvemur...   4211
ut his, qui AUCTORE te gubernatore gloriantur...   62
te (teque) est reparatus AUCTORE te (etiam) iugiter...   103, 370
si te totius vitae sequamur AUCTORE.   1568
felicitas sub bonorum omnium serviunt AUCTORE.   1582
Te lucem veram et lucis AUCTOREM, dne, deprecamur...   3467
ut his qui te AUCTOREM et gobernatorem gloriantur...   62
VD. Te AUCTOREM et sanctificatorem ieiunii...   3715, 4145
ut sicut te solum credimus AUCTOREM, et veneramur salvatorem...   3681
ut qui te AUCTOREM facienda cognovimus...   2572
ut quo te AUCTOREM iugiter, te auxiliante serviatur.   98
cuius AUCTOREM lavacri sacra dextera tincxit in fonte.   910
qui spiritum tuum sanctum... humani (humanae) declarasti salutis AUCTOREM
    praesta qs...   2350
ut non hereamus in perditionis AUCTOREM sed ad redemptoris...   1021
ad AUCTOREM suae salutis recurrat...   2299
... Agnovit AUCTOREM suum beata virginitas...   758, 759
VD. Ut te AUCTOREM suum pronis visceribus humana fabulatio...   4216
per quem meruemus (meruimus) AUCTOREM vitae nostrae suscipere.   1214, 2461
ad consedentem in dextera tua (dexteram tuam) nostrae salutis AUCTOREM ut
    qui propter nos...   887
per quam meruimus AUCTOREM vitae suscipere.   1214
ex cuius intemerato utero AUCTOREM vitae suscipere meruistis.   1149
per quem suae regeneracionis cognovit AUCTOREM.   3324
prosperitatis effectus est bonorum omnium sequi convenienter AUCTOREM.
    4136
sanctificandis Iordanis fluentis ipsum (baptismo) baptismatis lavit
    AUCTOREM.   3688, 3772
ne nos patiaris induci ab aeo qui temptat pravitatis AUCTOREM.   1847
ad te omnium proficiamus AUCTOREM.   3362
si unum te fideliter omnium revereamur AUTOREM.   3641
si (te) totius vitae sequamur AUCTOREM.   1568, 1573
... AUCTOREMQUE vite perennis tam in hanc (hac) vita sequi...   3595, 4084
et exitum doctrinae caelestis AUCTORES moriuntur...   3678
ad formam caelestis transferamus AUCTORES.   1581
si bonorum omnium iugiter serviamus AUCTORI.   612, 1574
ut christiana plebs quae talibus gubernatur AUCTORIBUS sub tantos...   2318
Ds qui a sacrandorum tibi AUCTORIS munerum...   885
ita et AUCTORIS nostri e(s)t lapsa restituere, mutantia stabilire.   841

AUCTORITAS

... Abundet in eis... AUCTORITAS modesta, pudor constans...   136, 137, 138
... Sis eis AUCTORITAS, sis eis potestas, sis eis firmitas (sis ei
    firmitas sis ei potestas)...   819, 820
... AUCTORITATE maiestatis (maiestati, maiestate) tuae pellantur
    (pellentur).   1496

AUDEO

tu maledicte diabule numquam AUDEAS violare.   1411, 3270
VD. Quis enim aut possit aut AUDEAT a tua laude cessare...   4081
ut... mortalis mortalem, cinis cinerem, tibi domino deo nostro AUDEAT
    commendare...   3470
et divina institutione formati AUDEMUS dicere...   2526

AUDEO

et ob hoc non AUDEMUS revertenti (revertendi) atquae pulsanti (pulsandi)
    reconsiliacionis ianuam claudere...   2297
quod nunc AUDEMUS sperare promissum.   1498, 4173
quem temptare AUSUS es et crucifigere presumpsisti...   574, 1354, 1355

AUDIO

AUDI ds meus, AUDI lumen oculorum meorum, AUDI que peto...   219
AUDI, dne, populum tuum toto tibi corde (mente) subiectum...   220, 221
... AUDI ergo et time satanas victus et prostratus...   744
Fili karissimi : audistis symbulum graecae, AUDI et latine...   1631
AUDI, maledicte satanas, adiuratus per nomen aeterne dei...   222
AUDI tanta virtute, tanta maiestate, per quem te adiuro...   224, 225
et AUDI vota praesentes populi...   1227
surdi AUDIANT, claudi ambulent...   1852
et incessabiliter AUDIANTUR.   2071
praeces AUDIAS, vota suscipias...   866
audi que peto et da que petam ut AUDIAS.   219
et inter viginti quattuor seniores cantica canticorum AUDIAT et inter...
    3391
... AUDIAT nunc dilectio vestra, quemadmodum doceat discipulos suos orare
    deum...   1373
ut pro nobis tibi supplicans, copiosius AUDIATUR.   3295
te adiuro qui fecit... surdum AUDIENTEM, mutum loquentem...   1881
et inter AUDIENTES auditu (auditui) caelesti (caelestem) sonum exaudiat.
    3391
... State cum disciplina et cum silentio, AUDIENTES intente...   3310
ut haec AUDIENTES tinnibulum tremiscant...   1154
et ubicumque nomen tuum AUDIERIMUS, gementes et trementes exibimus...   224
ut cum clangorebus illius AUDIAERINT filii christianorum...   308
ubicumque AUDIAERITIS inimici exorcissimo isto domini nostri...   1551
que pro aeorum meritis possis AUDIRE (AUDIRI) dignanter.   3724
Ipsut mihi da precare quod te AUDIRE dilectit ut praestit...   575
atque te, dne, conlaudante, AUDIRE mereatur...   561
suffragia, que AUDIRE possis pro nobis.   4154
quia propensius AUDIRE poterit et defende (defendi)...   2724
et infirmitati nostrae talia praeparasti suffragia, quae possis AUDIRE pro
    nobis.   4156
quos digne possis AUDIRE.   893, 3428
plebs pro saluti possit AUDIRE.   740
Quia nostrae voces, dne, non merentur AUDIRI sanctorum tuorum...   3018
sanctos tuos et iugiter orare pro nobis et semper clementer AUDIRI.   3496
pro his etiam possis AUDIRI.   295
... AUDISTIS, dilectissimi, dominicae orationis sancta mysteria...   226,
    3310
Fili Karissimi : AUDISTIS symbulum graecae, audi et latinae...   1631
in tribulatione clamantes respiremus AUDITI.   1938
ut ubicumque latet, AUDITO nomine tuo velociter exeat vel recedat...   744
VD. AUDIVIMUS etenim profetam dicentem...   3603
qui mox ut vocem domini salvatoris AUDIVIT unigeniti tui...   3907

AUDITOR

... Deus autem noster fidei et non vocis AUDITOR est...   1373
qui dum bene sit tibi placitus, pro his etiam prosit AUDITOR.   295

AUDITUS
et inter audientes AUDITU (AUDITUI) caelesti caelestem sonum exaudiat.
    3391
praebe (praebeat) supplicantibus pium (suum) benignus AUDITUM.   2248, 3219,
    3226
et pium pandas tuae propitiationis AUDITUM.   4187

AUFERO
quae sola nec per originalis peccati poenam nec per diluvii est ABLATA
    sententia.   1171
aeas multiplicibus, ABLATA spe concipiente in senectute...   3918
ita (in) nobis ABLATO vetustatis (vetustate) errore...   731
... Qui et genetricis sterelitatem conceptus ABSTULIT et patris...   3688
cui fidem confessionemque non ABSTULLIT ignis ingestus...   3615
matris sterilitatem nascendo ABSTULIT patris linguam...   342
... Ipse enim verus est agnus qui ABSTULIT peccata mundi...   4159, 4161
cui fidem confessionemque ignis passionis ingestus ABSTULIT sed eum ut...
    3615
AUFER (AUFERS) a nobis, dne, qs, (qs dne) iniquitates nostras...   227
AUFER a nobis dne spiritum superbiae cui resistis...   228
AUFER a nobis qs nostras dne pravitates...   229
morbos AUFERAT, famem depellat...   2505
ut deus omnipotens AUFERAT iniquitatem a cordibus eorum...   2518, 2519
AUFERAT omnia mala que gessistis...   356
Bella comprimat, famen AUFERAT, pacem tribuat...   169
ut deus et dominus (dominus et deus) noster AUFERAT velamen de cordibus
    eorum...   2520
cui etiam in adiutorium suum similem ex ossibus illis AUFERENDO
    efficians...   3918
tribuendo beatitudinem, AUFERENDO terrorem...   817
Ds, qui obprobrium sterilitatis (a) Rachel AUFERENS dum anxietate
    (anxietatem)...   1146
ut quod licentiae carnis AUFERIMUS salutarem...   1839
tenebras de cordibus nostris AUFERRE digneris...   1238
quam eidem nec mors AUFERRE potuit, sed effecit potius sempiternam.   3780

AUFUGIO
... Procul impius temptator AUFUGIAT sit nominis...   764

AUGEO
tuis regantur AUCTA praesidiis.   2492
et tua sancta celebrantibus AUGE devotionis effectum...   66
... AUGE fidem et intellectum caticuminis nostris...   2384
AUGE fidem tuam, dne, qs, miseratus in nobis.   230
... AUGE in cordibus nostris virtutem fidei quam dedisti...   1223
AUGE in nobis dne qs fidem populi tui...   231, 232
... AUGE nobis fidei pietatisque constantiam...   2388
... AUGE populi tui vota placatus...   2473
... AUGE populos in tui nominis sanctificatione renovandos...   1326
AUGE qs dne fidem populi tui...   231, 232
... AUGE semper super famulos tuos gratiae tuae dona...   891
... AUGE super anima (animam) famuli tui illius graciae tuae dona...   919
... AUGE super famulos tuos gratiam quam dedisti.   1194
te largiente copiosius AUGEANTUR.   2372
proficiendi AUGEAS voluntatem...   2640
... AUGEAT aeis a rore caelis a pinguidine terrae...   167

AUGEO

sollemnitas (et) devotionem (devotionis) nobis AUGEAT et salutem.   604
et novitatem nobis AUGEAT et salutem.   1843
eorum merita nobis AUGEAT te donante suffragium.   3159
potens est enim deus, ut AUGEAT tibi graciam.   31, 1403
gratiam tuam ad profectu anime tuae in te AUGEAT.   334
hereditias tua in numero AUGEATUR et devocione perficiat.   801a
ut maiestatis tuae protectione confidens et evo (tuo) AUGEATUR et regno.
   1713
AUGEATUR in nobis, dne, qs, tuae (tua) virtutis operatio...   233
et beatae martyrae tuae veneranda festivitas AUGEATUR.   556
gratia nobis tuae largitatis AUGEATUR.   1083
sub tantos pontifices (tanto pontifice) credulitatis suae meritis AUGEATUR.
   2318, 2319
ut merito et numero sacratus tibi populus AUGEATUR.   1325
quanto maiestati tuae fit gratior, tanto donis potiora (potioribus)
   AUGEATUR.   2855
ut (in) diebus nostris (ut) merito et numero populus tibi serviens
   AUGEATUR.   587, 1311
et AUGEBUNTUR et perficientur que dedisti mihi.   3792
... AUGEMUR regenerandis, crescimus reversis...   58
nec te AUGENT nostra praeconia, sed nobis proficiunt ad salutem...   4040
sed AUGERET potius unitatem.   3762
da, qs, aecclesiam tuam et nova prole semper AUGERI et devocionis...
   1014
da nobis gratia tuae dignationis AUGERI et mortalitatis...   1343
ut gratia tua semper mereamur AUGERI qui talium...   3542
ut divina participatione semper mereamur AUGERI.   4243

AUGMENTO

votisque responde, AUGMENTA aeis ad aule...   1733
... AUGMENTA eis annos vitae et temporum felicitatem...   1777
gratiam in eo vite protectoris AUGMENTA et dies eius...   1262

AUGMENTUM

et per AUGMENTA corporea profectum clementer tribuas animarum...   3825
... Da continuae (continua) prosperitatis AUMENTA et tibi semper...   2678
quia nostrae salutis AUGMENTA sunt...   2536
aeterna coronatorum capiamus AUGMENTA.   181
rectitudo, qua pietatis tuae mereamur AUMENTA.   2421
et in eis te praedicare mirabilem confidit ad suae pertinere salutis
   AUMENTA.   2212
ut quod ecclesiae tuae corporalibus proficit spatiis, spiritalibus
   amplificetur AUGMENTIS.   951
ut cum temporalibus incrementis prosperitati aeternae Coronatorum capiamus
   AUGMENTIS.   181
eius promoveatur (proveatur) AUGMENTIS.   1640
tu aei aetatis et fidaei AUCMENTO concede...   2325
Praesta, dne, qs, (qs dne) ut et de nostrae gaudeamus provectionis
   (profectionis) AUMENTO et de congruo...   2663
quatenus fidei aeius AUGMENTO multisque...   1202
subiecti populi AUGMENTO prosperitate et securitate exhilaratus...   3912
ut in nobis religionis AUGMENTO, quae sunt bona nutrias...   1259
Pro nostrae servitutis AUGMENTO sacrificium tibi dne laudis offerimus...
   2849
non reatum de neglecto domini subeamus AUMENTO sed divinorum...   3796

AUGMENTUM

in nostrae fidei AUGMENTO succrescimus. 3620
patrocinia in AUGMENTO virtutum sentiamus. 3562
Concede, dne, populo tuo veniam peccatorum et religionis AUMENTUM adque ut
   ei... 428
... AUGMENTUM amoris aeterne te qs sanctae salvator christe... 3017
Plebs tua, dne, capiat sacrae benediccionis AUGMENTUM et copiosis... 2597
ut nostre gaudeamus profectionis AUGMENTUM, et de congruo... 2663
... Ut et hic devotorum actuum sumamus AUGMENTUM et illic aeternae...
   3752
percipiat sempiternae redemptionis AUGMENTUM et quod in membris... 1385
et piae conversationis AUGMENTUM et tuae protectionis (propitiationis)...
   3122, 3123
da nobis fidei (et) spei (et) caritatis (caritatisque) AUMENTUM et ut
   mereamur... 2327
ut cor aeorum fidei salutaris AUGMENTUM impleatur. 1961
quatenus fidei eius AUGMENTUM multisquae annorum curriculis... 1202
... AUMENTUM nobis tribue religionis et pacis. 2276
ut et nobis relegionis AUGMENTUM (ut) quae sunt bona nutrias... 1259
confessio recensita conferat nobis pie devocionis AUGMENTUM qui in
   confessione... 3195
ut et securitatem nobis temporum tribuas et religionis AUMENTUM quo
   magnum... 4137
Pro nostrae servitutis AUGMENTUM sacrificium tibi dne laudis offerimus...
   2849
in AUMENTUM templi tui crescere dilatarique largiris... 137
crescat in aeis devotionis AUGMENTUM ut festinantes... 308
Da nobis, dne, fidei tuae miseratus AUMENTUM ut quae sanctos... 582
Largire, qs, dne, famulis tuis fidei et securitatis AUMENTUM ut qui de
   nativitate... 1997
percipiat sempiternae redemptionis AUMENTUM ut quod in menbris... 1385
patrocinia in AUGMENTUM virtutum sentiamus. 3562
per eos usque (utique) in finem saeculi (nobis) capiat regni caelestis
   AUMENTUM. 3909, 4067
ut cum temporalibus incrementis prosperitatis aeternae capiamus AUMENTUM.
   181
ut pacis donum proficiat ad fidei et caritatis AUGMENTUM. 2365
ut cuius per te sumpsit inicium, per te consequatur AUGMENTUM. 2115
nostrae fidei crescit AUGMENTUM. 3620
prestare cognosceris devotionis AUMENTUM. 3935
in nostrae proficiant firmitatis AUGMENTUM. 3338
ut digna, ut arbitror, aecclesiastici honoris AUGMENTUM. 3021
regeneracio ad aeclesiae (aecclesia) perducat AUGMENTUM. 3925, 3926
sacramenta sancta... ad tuae (tua) nobis proficiant (perficiant)
   placacionis AUGMENTUM. 2974
festivitas salutaris auxilii nobis prestet AUMENTUM. 3205
ad redempcionis aeternae proficiamus (proficiat) AUGMENTUM. 3344, 3346,
   3347
quibus concesseris religionis AUMENTUM. 85
crescamus etiam religionis AUMENTUM. 2324
Cotidianis, dne, qs, munera sacramenti perpetuae (perpetua) nobis tribue
   (tribuas) salutis AUGMENTUM. 547
plene capiamus securitatis AUMENTUM. 1099, 4238
salvationis tuae sentiamus (suscipiamus) AUMENTUM. 3170
et continuate devotionis sumat AUGMENTUM. 1528

et neglegentiae terror inlatus ad fidei transferatur AUMENTUM.   3625
ut illorum (eorum) saepius iterata sollemnitas nostrae sit tuitionis
  AUMENTUM.   2423,2425

        AUGUSTINUS
Per quod pietatis officium in conmemorationem beati AGUSTINI confessoris...   3694
martini AGUSTINI gregorii hieronimi...   418,419
Sancti confessoris tui AUGUSTINI nobis dne pia non desit oratio...   3249
intercedente beato AGUSTINO confessore tuo adque pontefice...   139
VD. Qui beatum AUGUSTINUM confessorem tuum et scientiae documentis
  replesti...   3878
beatus confessor tuus AGUSTINUS (atque) pontifex qs praecator accedat.
  3577

        AULA
in ipsius AULA benedicat nomen (nomine) gloriae tuae semper.   2055
et magnis populorum vocibus, haec AULA resultet...   1564
cunctam familiam tuam ad AULAE huius suffragia concurrentem benignus
  exaudi...   1733,1777
caelestis AULE mereantur intrare palacia.   166,3048
Ds qui... martyribus regiam caelestis AULE potenti dextera pandis...
  1227
Ds qui virginalem AULAM beatae mariae in quam habitare eligere dignatus
  es...   1239
mereamur AULAM paradisi introire salvator mundi.   4227
ut AULAM, que (qs) beati martyri tui ille meritis aequipetere
  (aequiperare) non possit...   1734

        AURA
non illic resedeat spiritus pestilens, non AURA corrumpens...   896
semper inextinctam habere luminis AURAM dignare...   3770
frangor AURARUM turbam repellet adversantem...   2262

        AURIS
evangelicam (aevangelica) vocem non frustratoria AURE capiens...   58
etiam ad meam observationem AUREM piaetatis tuae inclina...   2907
Inclinet dominus AUREM suam ad preces vestuae humilitatis...   1903
Precibus nostris qs dne AUREM tuae pietatis accommoda...   2834
Inclina dne AUREM tuam ad preces nostras...   1899
AUREM tuam qs dne precibus nostris accommoda...   234
inclina AUREM tuam supplicationibus nostris...   986,2908
Ascendat vox illius ad AURES altissimi...   910
peticionis nostrae (peticionis eius) ascendant ad AURES clementiae
  tuae...   1975
Vespertina oratio ascendat ad AURES clementiae tuae...   6049
Pateant AURES misericordiae, (tuae) dne, precibus supplicancium
  (supplicantum).   2540
Ad AURES misericordiae tuae, dne, supplicum vota perveniant...   43
inclina ad praeces humilitatis nostrae AURES misericordiae tuae et
  romani...   1190
et ad AURES misericordiae tuae postulacionis...   3448
inclina ad praeces humilitas nostrae AURES misericordiae tuae ut
  principibus...   830
aperi AURES pietatis tuae...   325
gemitis qui AURES possent pulsare tuas...   575

ut deus... adaperiat AURES praecordiorum ipsorum genuamque misericordiae...   2513
Vox clamantis aeclesiae ad AURES, qs, dne, (dne qs) tuae pietatis
   ascendat...   4257
... AURESQUE salubres tribuas...   2371
Voci nostrae, qs, dne, AURES tuae pietatis accomoda...   4246
cunctis petentibus AURES tuae pietatis accommoda.   2994
Vox nostra te semper deprecetur et ad AURES tuae pietatis ascendat
   (ascendant).   4258
etiam ad nostras praeces AURES tuae pietatis inclina (inclinas).   1045,
   1047
Inclina, dne, precibus nostris AURES tuae piaetatis et anima famuli
   tui...   1910
AURES tuae pietatis qs dne precibus nostris inclina...   235
inclina, qs, venerabiles AURES tuas ad exiguas preces nostras...   2273
Inclina, qs, dne, (dne qs) AURES tuas ad praeces nostras...   1901
inclina AURES tuas ad vota populi propitius...   920
ita ad AURES vestri conditoris ascendat...   18
et quia ad hoc venistis, ut AURES vobis aperiantur...   203
quod in hac diae de sacris misteriis tuis susciperunt in AURES.   122
Exite... de temporibus, de AURIBUS, de naribus...   1888
ut quod ille nostris AURIBUS excellenter infudit...   1156
Concedat ut vobis quod ille... vestris AURIBUS infudit...   2246
et petitionis vestrae divinis AURIBUS innotiscant.   1185
Et cum melodia illius AURIBUS insonuaerit populorum...   1154
AURIBUS percipe qs dne verba oris nostri...   236

AURORA
Oreatur, (oriatur) dne, nascentibus tenebras (tenebris) AURORA
   iusticiae...   2497

AURUM
ut quicquid illa velamina in fulgore AURI in nitore signabant...   819,
   820
Nam (Quoniam) sicut AURUM flammis non uritur...   3615
... AURUM inductum ab eas tonicam accinctus sedeas...   1860
... Per illum te adiuro, damnate, non per AURUM neque per argentum...
   224,225
quibus non iam AURUM, tus, (thus) et murra (myrra) profertur...   1389

AUSPICIUM
famulum tuum... et (florem) primis AUSPICIIS adtundentem (adtondendum)
   (adtundente) adesto...   796,800

AUSTERITAS
VD. Cuius nobis etiam ipsa medetur AUSTERITAS dum peccandi...   3656

AUSTERUS
honeraret AUSTERIORIBUS disciplinis...   3996

AUTEM
... Sicut AUTEM beatiores illi qui nondum apparentia crediderunt.   3957
Explicantes AUTEM breviter, quid sit evangelium...
... Tu AUTEM cum orabis, intra in cubiculum tuum et clauso ostio ora
   patrem tuum...   1373
sacramentum hoc magnum est, ego AUTEM dico in Christo et in aeclesia...
   4100
Tu AUTEM dne nec dormis nec dormitas ad custodiendos nos.   3089

... Te AUTEM, dne, (ea) quae nobis sunt ignota non transeunt...   137,138
... Tu AUTEM effugare, diabule, adpropinquavit enim iudium dei.   1397
iohannes AUTEM et fidelis praenuntiatus...   4000
... Discendit AUTEM evangelium ab eo, quod adnuntiat et ostendat...   203
Iohannes AUTEM fidelis pronunciator, implevit officium praecursoris...
   4000
... Si quis AUTEM habet aliquid contra hos viros...   237
si AUTEM mortuum fuerit, multum fructum adferet...   3757
... Deus AUTEM noster fidei et non vocis auditor est...   1373
Obsequias AUTEM raecte caelebrantes...   2216
Obsequiis AUTEM rite celebratis...   2217
Nos AUTEM sicut in exequendis (exiguendis) mysteriis tuis probamur
   indigne...   2297
illum AUTEM tercio naufragantem pelagi fecit aevitare discrimina.   3823
in futuro AUTEM vitam aeternam.   2362

                    AUXILIATRIX
Da AUXILIATRICEM cunctis populis...   397
Sit manus domini AUXILIATRIX vestri, et brachium...   218, 319

                    AUXILIETATES
ut omni tempore in hoc loco supplicantes tibi familiae tuae
   AUXILIETATES releves...   866

                    AUXILIOR
quo possint, te AUXILIANTE, ad praemia adtingere aeternae vite.   124
te AUXILIANTE, admenistravit officium...   1331
... AUXILIANTE christo qui cum patre et spiritu sancto...   180
quatenus aeternam ad gloriam, te AUXILIANTEM, cum omnibus introeat
   laeta...   1317
ut adsumptam castitatis graciam te AUXILIANTE (AUXILIANTEM) custodiat.
   2820
AUXILIANTE domino deo et salvatore nostro Iesu Christo...   237
AUXILIANTE domino nostro iesu christo, qui cum eo vivit...   2498
... AUXILIANTE domino nostro Iesu Christo, qui cum patre et spiritu
   sancto...   179
... Quatenus te AUXILIANTE et ab humanis semper retrahamur excessibus...
   3679
te AUXILIANTE mereant preceptis adimplere.   2310
sic te AUXILIANTE nobis eorum sentiamus ubique praesentiam.   688
ut ita perceptum ministerium te AUXILIANTE peragat...   2342
et utilitatem servorum tuorum, te AUXILIANTE perfectissime expleat...
   3531
et in sanctis operibus te AUXILIANTE perseverent...   3913
et ad vitam aeternam, te AUXILIANTE, perveniant.   1845
ut hic et in aeternum, te AUXILIANTE, semper salvi esse mereamur.   4224
ut quod te auctore (auctorem) iungitur, (iugiter) te AUXILIANTE servetur
   (serviatur).   98
Tuis sem(per) AUXILIANTIBUS suffragiis...   297,3556
sed omnibus AUXILIARE adque defende.   1500
AUXILIARE, dne, famulis tuis...   238
AUXILIARE, dne, fragilitati nostrae, ut...   239
AUXILIARE, dne, plebi tuae...   239
AUXILIARE, dne, populo tuo, ut sacris (sacrae)...   241, 242
AUXILIARE dne quaerentibus misericordiam tuam...   243
AUXILIARE, dne, supplicibus tuis, ut oprem...   244
AUXILIARE, dne, temporibus nostris...   245

... AUXILIARE inplorantibus misericordiam tuam...   932
AUXILIARE nobis, misericors ds, ut et cunctos hostes expugnare possimus...
   246
... AUXILIARE populum (populo) supplicanti...   951
O. s. ds, Romanis AUXILIARE principibus...   2587
... AUXILIARE, qs, inimici furore vexato...   1371
AUXILIENTUR nobis, dne, sumpta mysteria...   247

              AUXILIUM
crebriora nobis ministrantur AUXILIA dum multiplicter...   4153
et hic experiantur AUXILIA et aeternis...   463
festivitas salutaris AUXILII nobis prestet aumentum (effectum) (affectum).
   3197, 3198, 3205
ut qui AUXILII tuae miserationis inpende...   93
... Tribue eis brachium infatigabilem (infatigabile) AUXILII tui mentes
   eorum...   2658
et (ut) omnibus (in) te invocantibus (sperantibus) AUXILII tui munus
   ostende (ostendas)...   2304, 2339
... AUXILII tui super infirmos nostros ostende virtutem...   845, 2377
Praetende, dne, dexteram (dexterae) caelestis AUXILII ut (et) te toto
   corde...   2802, 2805, 2806
et pro adcaeleratione caelestis AUXILII.   1802, 1803
beatis martyribus et confessoris tuis ill. AUXILIIS adiuvemur...   2025
quos talibus AUXILIIS concesseris adiuvari.   285
tuis semper AUXILIIS et abstrahatur a noxiis et ad salutaria dirigatur.
   563
nec temporalibus destituatur AUXILIIS et bonis...   3511
ut et praesentibus fulciamur AUXILIIS, et instruamur aeternis.   1323a
et a tribulatione respirans continuis protegatur AUXILIIS et religiosa...
   1984
et temporalibus non destituatur AUXILIIS et sempiternis...   3049
Hos (dne) quos reficis, (dne) sacramentis adtolle benignus AUXILIIS et
   tuae redemptionis...   1797
ut fragiliores sumus, tanto validioribus AUXILIIS foveamur.   209
sicque temporalibus AUXILIIS foveantur...   3538
et copiosis beneficiorum tuorum sublevetur AUXILIIS quae tantis...   2597
Presta, dne, qs, ut temporalibus non destituamur AUXILIIS quos
   alimoniis...   2673
tuis non destituas benignus AUXILIIS.   2969
et temporalibus non destituatur AUXILIIS.   1038
ut haec sancta mysteria, quae celebramus votis, experiamur AUXILIIS.
   3070
et sanctorum tuorum... continuis foveamur AUXILIIS.   1462
ut quorum circumdamur suffragio, foveamur AUXILIIS.   2935
te habentes nullis indigeamus AUXILIIS.   1996
continentiae (continentiam) muniamur AUXILIIS.   439
et sanctorum semper muniamur AUXILIIS.   185
caelestibus semper muniantur (nutriantur) AUXILIIS.   1902
et praesentibus referentes praefoveamur AUXILIIS.   4102
ut quorum gloriamur triumphis, protegamur AUXILIIS.   387
et corporalibus tueantur AUXILIIS.   2165, 3124, 3125
intercessionis eius AUXILIO a nostris iniquitatibus resurgamus.   430
ut intercessionis eius AUXILIO a peccatorum nostrorum nexibus liberemur.
   907
ut in omnibus protectionis tuae munitus AUXILIO caelestem...   800
tuo AUXILIO conservetur...   757

ut AUXILIO eius tua beneficia capiamus... 258
Familiam tuam, dne, dextera tua perpetuo circumdet AUXILIO et ab omni...
    1591
caelesti protege (protegas) benignus AUXILIO et assidua... 1051
Omnipotens deus dexterae suae perpetuo vos circumdet AUXILIO et
    benedictionum... 2244
ut sub tuae protectionis AUXILIO et colata non perdant... 3446
ut adiuti necessario fragilitatis AUXILIO et corpore... 1300
Miseracionum tuarum, dne, qs, praeveniamur AUXILIO et in huius... 2092
et fideli muniamur AUXILIO et magnifico proficiamus exemplo. 3563
Ds, qui misericordiae tuae potentes AUXILIO et prospera tribuis... 1070
gerenda servitio tuo (suo) prosequaris benignus (benignus prosequaris)
    AUXILIO, et quos (quae) sacris... 1321, 2499
ut paternae protectionis AUXILIO et regenerandos munias et renatos. 944
et quos venia feceris innocentes, AUXILIO facias efficaces. 3434
proteccionis tuae AUXILIO muniamur. 784
et hic et ubique defensionis tuae AUXILIO muniantur. 314
ut tuae virtutis AUXILIO, omnem hostilitate depulsa... 991
ut eius AUXILIO protectus nulla mali concuciatur formidine... 897
ut tuo semper munimine et tuo AUXILIO protegamur. 1926
ut tuo semper AUXILIO secura tibi possit devotione servire. 1450
ut eius AUXILIO tua beneficia capiamus... 257, 279
Converte nos, dne, tuae propitiationis AUXILIO ut castigatio... 533
Familiam tuam qs dne dextera tua perpetuo circumdet AUXILIO ut
    paschali... 1599
pro quibus misericordiae tuae inploramus AUXILIO ut reddita... 2470
et sperantes in tua misericordia (in tua misericordia confidentes)
    caelesti protege benignus AUXILIO. 105, 3100
ut quos obsequio veneramur, pio iugiter experiamur AUXILIO. 289
quibus quod (et que) eius dignatione suscipiunt, eius exsequantur
    AUXILIO. 2500
ut te solo praesule gloriantes tuo semper foveantur AUXILIO. 386
ut quod est gerendum servitio, tuo impleatur AUXILIO. 113
da, ut quorum sollemnia frequentamus, incessabili iubemur AUXILIO. 1121
benigno refove miseratus AUXILIO. 1419
et (ut) eorum emundemur (et mundemur) effectu (affectu) et muniamur
    AUXILIO. 3079
cuius solemnia veneramur eius semper muniamur AUXILIO. 606
ut in omnibus protectionis tuae muniamur AUXILIO. 417, 418
sed laborantibus celeri succure placatus AUXILIO. 2171
et tuae protectionis continuo praestit AUXILIO. 3122
ut omnem variaetatum seculorum casus, tuo semper protegamur AUXILIO.
    1490
ut inter(omnes) (viae et) vitae huius varietatis tuo semper protegatur
    (protegamur) AUXILIO. 107, 1491, 1975
et iter famulum tuum ill. inter vitae huius pericula tuo semper regatur
    AUXILIO. 1491
ut et doctrinis eorum tibi placentia et pio sequamur AUXILIO. 2451
ut quorum obsequio veneramur AUXILIO. 290
in omnibus (nominibus) tuae protectionis muniatur AUXILIUM aevo
    longiore... 796
et copiosae protectionis AUXILIUM adque ad spem. 3971
quae nobis operante te, dne, et AUXILIUM contulit et profectum. 2226
ut adiuti necessarium fragilitatis tui AUXILIUM, corpore... 1300
et mittas aei AUXILIUM de sancto... 2155

Da AUXILIUM, dne, qs, maiestati tuae potestatique subiectis...   568
Protegat vos AUXILIUM domini...   2905
ut AUXILIUM aeius tua beneficia capiamus...   258
ut et vitae nobis praesentis AUXILIUM et aeternitatis efficiant
  sacramentum.   1306
Is populos tuos dne tuo gubernetur AUXILIUM et brachyum...   1961
Presta populo tuo, dne, qs, (o. ds) consolationis AUXILIUM et diurtunis...
  2706
et vitae nobis conferant praesentis AUXILIUM et gaudia...   1473
... Percipiant, qs, dne, vitae praesentis AUXILIUM et gratiam...   74
quia et inter angustias necessarium prestat AUXILIUM et in prosperitate...
  3591
ut inbicillitate nostrae tribuantur AUXILIUM et mentibus...   1838
Ds, qui misericordiae tuae potentis AUXILIUM et prospera...   1070
ut et creations tuae circa mortalitatem nostram testificentur AUXILIUM
  et remedium...   2230
et hostias (preces) misericordiae tuae praecedat AUXILIUM et salutem...
  1265, 3364
Grande mundo spondebatur AUXILIUM, femine...   3635
ut hoc nobis perpetuae salutis AUXILIUM fides semper vera perficiat.
  3037
Deus qui in AUXILIUM generis humani caelestia simul et terrena
  dispensas...   1027
ut per AUXILIUM gloriae tuae quod nostra peccata praepediunt...
  acceleret.   1517
ut per AUXILIUM gratiae tuae in illius inveniamur forma...   2460
Exsurgentes de cubilibus nostris AUXILIUM gratiae tuae matutinis...
  1557
ut adicias ei ANNOS et tempora vitae...   1714a
ut per AUXILIUM gratiae tuae quod nostra peccata praepediunt...   1519
Praesta nobis, dne, qs, AUXILIUM gratiae tuae ut ieiuniis...   2684
praesta AUXILIUM gratiae tuae ut in exequendis...   831
Presta nobis, dne, qs, AUXILIUM gratiae tuae ut sine...   2685
Te quaesumus, dne, famulantes, praece humili AUXILIUM implorantes...
  3469
per AUXILIUM misericordiae tuae sentiamus cessante.   2934
protectionis tuis AUXILIUM muniamur.   784
et AUXILIUM nobis de sancto celerius fac adesse.
... AUXILIUM nobis superne virtutis inpende.   1614, 2620
Ds... AUXILIUM nobis tuae defensionis benignus impende.   754
... AUXILIUM nobis tuae propitiationis adfore depraecamur...   3895
... AUXILIUM nobis tuae propitiationis adquirimus...   3895
et sui AUXILIUM opem indesinenter inveniat.   4126
Inpetret, qs, dne, fidelibus tuis AUXILIUM oratio iusta sanctorum...
  1861
... Sit nobis... vitae praesentis AUXILIUM pariter et futurae.   3336
Tua sancta nobis... et AUXILIUM perpetuae defensionis inpendant.   3529
ad (nostre) (te dne) salutis AUXILIUM pervenire concede.   36, 3393
ut mihi AUXILIUM praestare digneris adversus hunc nequissimum spiritum...
  744
Tu nobis, dne, AUXILIUM praestare digneris tu opem...   3507
et nobis AUXILIUM proveniat de eorum sanctissima intercessione.   3601
ad nostrae salutis AUXILIUM provenire concede.   36
tuae protectionis AUXILIUM purgati...   1073
exorta nutrimenta, nutrita fructum, fructuosa perseverandi AUXILIUM qui
  me...   3893

Parce, dne, parce supplicibus ; da propitiationis AUXILIUM qui praestas...
2534

ne longius defferas gemitus nostris tuae piaetatis AUXILIUM quod
possimus... 3466

Consequatur, dne, qs, tuae benedictionis AUXILIUM quod supplex... 515

et nefas adversariorum per AUXILIUM sanctae (sancti) crucis digneris
conterere... 114

et vulnerato AUXILIUM sanitatis indulgeas... 1368

defensionis (tuae) AUXILIUM senciatur. 1200

ad tuorum facias AUXILIUM transire fidelium. 3965

pro quo in hac habitatione AUXILIUM tuae maiestatis deposco (deposto)...
1717

ut qui AUXILIUM tuae miserationis implorat... 93

ut ab omnibus hic invocantibus te AUXILIUM tuae misericordiae senciatur.
1064

et omnibus in te sperantibus AUXILIUM tui munus ostende... 3886

inplorantibus (inplorantem) ergo AUXILIUM tuum, dne et confirmari
(confirma)... 758, 759

AUXILIUM tuum, dne, nomini tuo subdita poscunt corda fidelium... 248

ut AUXILIUM tuum et misericordiam sentiamus. 2220

ut AUXILIUM tuum ieiuniis tibi placitis et bonis operibus impetremus...
47

AUXILIUM tuum monentes omnibus visitentur... 2609

AUXILIUM tuum nobis dne qs placatus inpende... 249

ut beatus andreas apostolus pro nobis imploret AUXILIUM ut a nostris...
2988, 2989

Solempne nobis intercessio beati Laurenti martyris, qs, dne, praestet
AUXILIUM ut caelestis... 3304

Et concedat vobis suae piaetatis AUXILIUM, ut aeum. 354

transeat ad correctionis AUXILIUM, ut gentem... 2532

Familiam tuam qs dne dextera tua perpetuo circundit AUXILIUM ut
paschali... 1599

pro quibus misericordiae tuae inploramus AUXILIUM, ut reddita... 2470

concede nobis tuae pietatis AUXILIUM ut secundum... 892

et cui tribuis supplicandi affectum, praebe placatus AUXILIUM ut te
ductore... 2622

ut quod est nobis in praesenti vita mysterium, fiat aeternitatis AUXILIUM.
390

quorum meritis semper coepisse in tribulacione agnoscit AUXILIUM. 25

praesta continuo (continuum) benignus AUXILIUM. 3471

sic nobis indulgentiae tuae praebe benignus AUXILIUM. 434

et in tua misericordia confitentes caelesti protege benignus AUXILIUM.
3100

ut consequenter (et corporum) praesens pariter et futurum capiamus
AUXILIUM. 2938

quorum (se) meritis (se) (semper cepisse) percepisse de tribulatione
cognoscit AUXILIUM. 24

ut propicius largiaris consequenter AUXILIUM. 3664, 4214

concede benignissime consolationis AUXILIUM. 64

tribuat consolationis AUXILIUM. Amen. 425

ut quod ad perpetuum meremur exitium, transeat ad correptionis AUXILIUM.
2531

et magnifice benedictionis non deesset AUXILIUM. 3865

tribue defensionis AUXILIUM. 719

et quorum celebramus meritum, experiamur (expiemur) AUXILIUM.   2062
in nostrae proficiant firmitatis AUXILIUM.   3338
nostrae crescit fragilitatis AUXILIUM.   3621
ut quod nostrum est regendum servitio tuo impleatur AUXILIUM.   113
et que (qui) tibi placuit nobis imploret AUXILIUM.   261
ut beatus ille apostolus tuum pro nobis imploret AUXILIUM...   2989
in nostrae proficiant infirmitatis AUXILIUM.   3338
ut propitius largiaris AUXILIUM.   1422
quorum providisti nobis miseratus AUXILIUM.   1110
et fidelis muniamur AUXILIUM.   3560
cuius solemnia veneramur eius semper muneamur AUXILIUM.   606
ut confessorum... obtentu mereamur tuum obtinere AUXILIUM.   3702
et proviso (provisum) nobis percipiamus AUXILIUM.   2385
tuae piaetatis aeternum perfrui AUXILIUM.   4016
et per eam nobis imploramus tuae pietatis AUXILIUM.   4252
qui et veniam peccatoribus et miseris prestas AUXILIUM.   2034
et infirmis aput te prestat AUXILIUM.   4094
ita nobis continuum prestet AUXILIUM.   2698
et tuae propitiationis continuum praestet (prestent) AUXILIUM.   3122
et fragilitatibus prestat AUXILIUM.   4116
intercessione sua inter mundi huius adversa nobis praestet AUXILIUM.
   3866
et nobis conferant tuae propitiationis AUXILIUM.   2819
tuo semper protegamur AUXILIUM.   107
continuum eius sentiamus AUXILIUM.   4014
ut quorum (cuius) festa gerimus, sentiamus AUXILIUM.   150, 1256
quorum continuum sentimus AUXILIUM.   2728
et oportunum tribue nobis (nobis tribue) pluviae sufficientis
   (sufficienter) AUXILIUM.   2210
et corporalibus tuaeantur AUXILIUM.   2165

          AVARITIA
origo AVARITIAE, causa discordiae, excitator dolorum...   744

          AVERTO
... AVERTANTUR ab eis inimici omnes insidiae...   1353
ut a vobis adversa omnia quae peccatorum retributione meremini AVERTAT
   et donum...   2243
peccata, quae adversantur, AVERTAT pariterque...   1513
... AVERTE ab aecclesia tua mundanae sapienciae oblectamenta fallaciae...
   3480
AVERTE ab his inhonesta et turpia libidinum propra...   1248
AVERTE, dne, qs, a fidilibus tuis cunctis (cunctos) miseratus errores...
   250
... AVERTE faciem tuam a peccatis meis...   58, 59
AVERTE invidiam tui beneficiis et bonis omnibus inimicam...   1248
... AVERTE iocundas et noxias corporum voluntatis.   1248
Placatus, qs, dne, quidquid pro peccatis meremur AVERTE nec aput te...
   2589
delicta populi tui, qs, AVERTE propiciatus...   792
duritiam nostri cordis AVERTE qua nec...   401
... AVERTE qs a nobis quam meremur iram...   3987
AVERTE qs dne iram tuam propitiatus a nobis...   251
Iram tuam, qs, dne, a populo tuo miseratus AVERTE quam nostris...   1959
et pestilenciam famemque propiciatus AVERTE ut mortalium...   619
et iram tuae indignationis AVERTE ut qui reatum...   2977

et totius hostilitatis a nobis erroris AVERTE ut romani...   2608
ab ea obprobrium sterilitatis benignus AVERTE.   2381
atque ab eo flagella tuae iracundiae clementer AVERTE.   2614
et tocius hostilitatis a nobis errores AVERTE.   2610
sanctorum tuorum luciae et geminiani intercessione AVERTE.   1917
et mala omnia... sanctorum tuorum intercessione AVERTE.   1917
et mala omnia quae mereamur AVERTE.   1110
et quicquid aeorum retributionem mereamur AVERTE.   2548
et quidquid pro eis meremur AVERTE.   16
et flagella tuae iracundiae quae pro peccatis nostris meremur AVERTE.
    939
et mala nostra (omnia) quae (queque) meremur AVERTE.   2121
et quidquid eorum retributione meremur AVERTE.
et quidquid pro peccatis meremur miseratus AVERTE.   2548
supplicia quae nostris meremur operibus potenciae tuae pietatis AVERTE.
    1475
et quidquid pro eis meremur propitiatus AVERTE.   16
et iram tuae indignationis quam (quae) iuste meremur, propitiatus
    (propitius) AVERTE.   1050, 3500
iram AVERTIT, indulgentiam impetravit...   2113, 2114

        AVIUS
nec inpurtuna AVIAM vastatione vexetur.   2188

        AZYMUS
ut expulsis AZYMIS vetustatis illius agni cibo satiemur et poculo...
    3799

        BABYLON
iusso regis BABILLONIS nabocodonosor...   850

        BAIULO
et gloriosum semper BAIULET quod accipit signaculum crucis...

        BAPTISMA
... Confiteor unum BAPTISMA in remissionem (remissione) peccatorum...
    554, 555
Et cui consurrexistis in BAPTISMATE credendo...   1157
... In qua BAPTISMATE delictorum turba perimitur, filii lucis oriuntur...
    4160
ut qui in BAPTISMATE eius sanctificemur, (sanctificamur) in id quod esse
    incipimus perseveremur.   1848
ne sine BAPTISMATE facias (facies) eius animam a diabolo possideri
    (possidere).   1371
Ds, qui renatis (renascentes) BAPTISMATE mortem adimis et vitam tribuis
    sempiternam...   1192
dignare eadem sacro (sacrum) BAPTISMATI praeparata maiestatis tuae
    praesenciam consecrare...   2343
Servetur hic populus, purgatus BAPTISMATE, qui tibi platita...   465
ut (et) confessione tui nominis et (ut) BAPTISMATE renovati...   3217,
    3415
et tuo BAPTISMATE sanctificare...   1175
ut omnes qui diluintur sacro BAPTISMATE tua semper...   1326
ut quos aqua BAPTISMATIS abluis...   975
in sacramento (sacramentum) sunt BAPTISMATIS adepturi...   838, 839
ut renati fonte BAPTISMATIS adoptionis tuae filiis adgregentur.   2384
fontemque BAPTISMATIS aperis toto orbe terrarum gentibus innovandis...
    1045, 1047

cum BAPTISMATIS aquis omnium criminum commissa delentibus...   3945
Ds, qui renatis fonte BAPTISMATIS delictorum indulgentia (indulgentiam)
   tribuisti...   1193
et benedictionem fontemque BAPTISMATIS donum (dono) vocare dignatus est...
   1411, 2174, 2177
Et quos veteribus maculis BAPTISMATIS emundavit unda sacrata per
   lavacrum...   1073
Dilectissimi nobis, accepturi sacramenta BAPTISMATIS et in novam...   1287
ut sanctis edocti mysteriis et renoventur fonte BAPTISMATIS et inter...
   427
quos tuae dulcidinis reddiderunt innotius BAPTISMATIS flumina medicata.
   2298
ut mereatur post obitum veniam qui vivens meruit BAPTISMATIS gratiam.
   3837
ne inimicus de anima huius (ista) sine redemptione (redemptionem)
   BAPTISMATIS incipiat triumphare...   2064, 3463
Hos, dne, fonte BAPTISMATIS innovandos...   1796
Ds, qui credentes in te fonte BAPTISMATIS innovasti...   935
sanctificandis Iordanis fluentis ipsum (baptismo) BAPTISMATIS lavit
   auctorem.   3688, 3772
ut fidei ipsius sitis BAPTISMATIS mysterio animam corpusque sanctificet.
   2464
detulit famulatum perfecti BAPTISMATIS mysterium consecranti...   3774
hoc ad salutem gentium per aquas BAPTISMATIS opereris.   778
et ad creandos novos populos, quos tibi fons BAPTISMATIS parturit...
   2302
famulos tuos quos fonte BAPTISMATIS quosque gratiae tuae.   1255
ut sanus tibi in aeclesia tua gratia BAPTISMATIS renascatur...   3463
lavagro BAPTISMATIS renascentis...   1953
ut et confessione tui nominis et BAPTISMATIS renovati...   3437
ut qui sacramento BAPTISMATIS sunt renati...   937
da ut renatis fonte BAPTISMATIS, una sit fides...   964

            BAPTISMUM
in sacramento sunt BAPTISMI adepturi...   1240
qui fontem BAPTISMI confessionem peccata extinguit...   1366
quae et vos ad BAPTISMI fidem currentes perducat...   1706
ut universalis aecclesiae talis tibi repraesentetur per BAPTISMI
   gratiae...   1059
et familiae tuae corda... cui perfectam BAPTISMI graciam contulisti...
   1501
Famulum tuum, dne, ad tui BAPTISMI gratiam recurrentem...   1611
fidelibus tuis, quos velut vineam ex Aegypto per fontem BAPTISMI
   pertulisti...   2442
Et quicumque meruaerunt purgare unda BAPTISMI, presentari...   955
... Releva quem perducas ad BAPTISMI sacramenti (sacramentum)...   3463
... BAPTISMI sacramentum huc (huic) spei expremit formam...   1706
et cui donasti BAPTISMI sacramentum, longeva tribuas sanitatem.   2274
Ds, qui post BAPTISMI sacramentum secundum ablucionem... indidisti...
   1170
et cui (quibus) donasti BAPTISMI sacramentum da ei aeternorum...   2112,
   2204
et incontaminatum transitum post BABTISMI sacramentum da ei et
   aeternorum...   890
ut BAPTISMI sit in illo palma non mortis...   1931
quos velut vineam ex aegipto per fontem BAPTISMI transtullisti...   2442

te invoco super hunc famulum tuum, qui BAPTISMI tui donum petens...   829
qui electos tuos suscepturi sunt ad sanctam gratiam BAPTISMI tui et
    omnium...   2069
et salutare BAPTISMI tui gratia adimple...   1611
ut idonii efficiantur accedere ad graciam BAPTISMI tui perceptae
    medicinae.   2369
ut digni efficiantur (efficiaris) accedere ad gratiam BAPTISMI tui
    teneant...   165
ut has famulas tuas perducere et custodire digneris ad gratiam BAPTISMI
    tui.   752
et perducere eas digneris ad gratiam BAPTISMI tui.   738, 739, 753
et perducat eos ad gratiam BAPTISMI tui.   737
revela quem perducas ad gratiam BAPTISMI tui.   2064
apti sint ad percipiendam gratiam BAPTISMI tui.   165
qui fraude diabolicae (diabolica) malignitatis a BAPTISMI unitate
    discedunt (discendunt)...   2297
ipsum BAPTISMUM (BAPTISMO) baptismatis lavit auctorem.   3688, 3772
ut illum gracia tua sicut donavit BAPTISMO, ita donet et regno.   783
quos fecisti BAPTISMO regenerare, (regenerari) facias beata inmortalitate
    vestiri.   888
quales nunc processerunt ex BAPTISMO.   1073
... Sit illud pristinum templum sanctum quod fuit in BAPTISMUM
    inhabitet...   1363
et tu clementissime pater recraeasti per BAPTISMUM necnon et...   3837
et expectantes horam, qua possit circa vos dei gratia BAPTISMUM operari.
    1632
non quod amiserunt BAPTISMUM recipiunt...   2297
ut spiritalis lavacri BAPTISMUM (BAPTISMO) renovandis creaturam
    chrismatis...   3627
et cui donasti caelestem et incontaminatum pus BAPTISMUM sacramentum da
    ei...   890
Ds, qui post BAPTISMUM sacramentum secundum...   1170

        BAPTISTA
quo beatus ille BAPTISTA Iohannis exortus est...   3774
et intercedente beato iohanne BAPTISTA nos per haec...   2119
intercedente beato iohanne BAPTISTA per haec contra...   3001
Ds qui nos beati iohannis BAPTISTAE concedis natalicia perfruit...   1104
Deus qui vos beati iohannis BAPTISTAE concedit solemnia frequentare...
    1242
Sancti Iohannis BAPTISTAE et martyris tui, dne, qs, veneranda festivitas
    ...   3198
Sumat aecclesia tua, ds, beati Iohannis BAPTISTAE generacionis
    laeticiam...   3324
quam beati iohannis BAPTISTAE in deserto vox clamantis edocuit.   2326
de quibus Iohannis BAPTISTA in summa natus est senectute...   2031
beati iohannis BAPTISTAE intercessione...   342
et beati BAPTISTAE Iohannis cuius nos... fac gaudire suffragiis.   2133
ut misticis aecclesiae tuae (ecclesia tua) beati BAPTISTAE Iohannis
    exordiis...   665
in diebus beati BAPTISTAE Iohannis inplesti...   2415
beati BAPTISTAE Iohannis nataliciis praeparetur...   2732
Beati nos, dne, BAPTISTAE Iohannis oracio...   280
quam beati BAPTISTAE Iohannis vox clamantis edocuit.   2326
quo beati Iohannis BAPTISTAE natalicia praevenimus...   3754, 3755

ut populus tuus... beati iohanne BAPTISTAE nataliciis praeparatur...
2732
Beati Iohannis BAPTISTAE nos, (qs) dne, praeclara comitetur oratio...
267
Sancti nos dne qs Iohannis BAPTISTAE oratio... 3208
Munera tibi, dne, pro sancti martyris Iohannis BAPTISTAE passione
deferimus... 2142, 2144
ut qui beati iohannis BAPTISTAE sollemnia colimus... 485
qui nos annua beati Iohannis BAPTISTAE sollemnia frequentare concedes
(concedis)... 1099, 4238
Abluae culpas aeius obtentu BAPTISTAE tuae, qui pro te... 3048
Perpetuis nos, dne, sancti Iohannis BAPTISTAE tuere praesidiis... 2580
Ds qui beatum iohannem BAPTISTAM magnum nuntiasti per angelum... 910
O. et m. ds, qui beatum iohannem BAPTISTAM tua providentia (providentiam)
destinasti... 2279

    BAPTISTERIUM
Hanc igitur oblacionem, quam tibi offerimus in huius consecracione
(consecrationem) BAPTISTERII qs dne... 1744
ipsa aqua in BAPTISTERIO debet vergi. 4228
hoc BAPTISTERIUM caelesti visitacione (visetatione) dedicatum (dedicato)
... 2345
ipsa (aqua) in BAPTISTERIUM debit mergi. 4231

    BAPTIZO
ut emundes et purifices interiorem hominem, qui BAPTIZABITUR ex ea...
2818
VD. Quem iohannes praecessit... et in fluentis iordanicis BAPTIZANDO...
3869
ut efficiaris in eo qui in te BAPTIZANDUS erit fons aquae sallientis...
1535
docete omnes gentes BAPTIZANTES eos in nomine patris et filii et
spiritus sancti. 1045, 3565
et discipulis suis iussit, ut credentes BAPTIZARENTUR in te dicens...
1045, 3565
inponendi manum (manus) super inerguminum, (inherguminum) sive
BAPTIZATUM sive caticuminum. 30
ut efficiaris in aeo qui in te BAPTIZATUS aerit fons aquae... 1535
et a Iohanne in Iordane in te BAPTIZATUS est qui te una cum... 1045,
3565
et (cum) (qui ex ea) BAPTIZATUS fuerit, fiat templum dei vivi in
remissione peccatorum... 1531, 1533
et cum BAPTIZATUS fuerit hic famulus domini fiat templum dei vivi...
1530
et qui christum aquam (aqua) baptizaverat ab ipso in spiritu BAPTIZATUS
pro eodem... 4000, 4001
... Ego baptizo vos aqua, ille vero BAPTIZAVIT vos spiritu sancto. 3311
... Et ego te BAPTIZO in nomine patris. Et mergat semel... 1432
BAPTIZO te in nomine patris et filii et spiritus sancti. 253
... Ego BAPTIZO vos aqua, ille vero baptizavit vos spiritu sancto. 3311

    BARATHRUM
ut presentia vascula que olim sunt terrae BARATRO addita... 770

    BARBA
benedictionem profluentem a capite in BARBA unguenti. 1508
... BARBAM benedicendam dicimus... 898

... BARBAM aeius sicut sanctum aaron unguentum pinguidinis... 898
ornamentum BARBAM aetiam vultum vestire iussisti... 898
super huius famuli tui BARBAM non ferro prius artis tunsuris... 898

BARBARUS
que nunc gentium BARBARARUM adflictionibus... 3501
ut deus omnipotens subditas illis faciat omnes BARBARAS nationes
(nationis)... 2514
et propter gloriam nominis tui BARBARUM gentium conpraeme feritatem...
2359
... Pascit igitur mitis deus BARBARUM Iudam... 3867

BARNABAS
... Matthia BARNABAN (BARNABA) Ignatio Alexandro... 2178

BARTHOLOMEUS
caelebrantes beati BARTHOLOMEI apostoli tui votiva solemnia... 3337
Beati apostoli tui BARTHOLOMEI cuius solemnia recensimus... 258
beati apostoli tui BARTHOLOMEI festivitate... 2399
... Iacobi Philippi BARTHOLOMEI Matthei Simonis... 417, 418

BASILICA
quo dicata nomini tuo BASILICA beatus Stefanus martyr honore suo
signavit... 3761
et omnium fidelium... in hac BASILICA in Christo quiescencium... 1743
in honore beati apostoli Petri cui haec est BASILICA sacrata... 3423
... Ideoque (Idioque) huius BASILICAE dedicacione, (dedicationem) quam...
4031, 4033
hancque BASILICAE in honorem sancti illius sacris misteriis institutam...
1249
et homnia instrumenta altaris huius aeclesiae sive BASILICAE quae inter...
1283
respice super hanc BASILICAM in honore (honorem) beati illius nomini
tuo decatam... 886
hancque BASILICAM in honore sancti ill. sacris misteriis instituta...
1249

BASILIDES
Sanctorum BASILIDIS cyrini naboris et nazari qs dne natalicia... 3233
Pro sanctorum BASILIDIS cyrini naboris et nazari sanguine... 2850
sanctorum martyrum BASILIDIS cyrini naboris et nazari solemnia... 3271

BASILISCUS
qui ambulat (ambulavit) super aspidem et BASILISCUM qui conculcat...
141, 1355

BASIS
argenteis BASIBUS, tabulis deauratis, holochaustis... 1283

BEATITUDO
in secreta BEATITUDINE collocatum... 4055
da nobis in aeterna BEATITUDINE de eorum societate gaudere. 1108
quae in caelesti (caelestae) BEATITUDINE fulgere (fulgore) novimus
sempiterna. 1976
donet cunctis intra eum habitu constitutos divinarum BEATITUDINE
largitatem... 1493
quietis ac lucis aeternae BEATITUDINE perfruatur... 3390
et caelesti BEATITUDINE te donante digni efficiantur. 3624
et in aeterna BEATITUDINE, te remunerante, mereantur accipere premium.
1334

et familiae tuae corda... ad promerendam BEATITUDINEM aptis aeternam.
  1501
tribuendo BEATITUDINEM, auferendo terrorem...   817
sempiternam (sempiterna) BEATITUDINEM consequantur.   3415, 3437
ad caelestis regni BEATITUDINEM facias pervenire.   2858
et ad aeternam BEATITUDINEM feliciter pervenire.   1749
Donet... donorum BEATITUDINEM largitate...   1493
refrigerii sedem, quietis (quietem) BEATITUDINEM, luminis claritatem
  (largiaris).   811, 840, 2306
et ad aeternam BEATITUDINEM mereat pervenire, diesque nostros.   1767
tribuendo BEATITUDINEM offerendo terrorem...   817
fortioris ieiunii remedio ad antiquae patriae BEATITUDINEM per gratiam
  revocasti...   3787
et ad BEATITUDINEM pervenire quam resurrectionis...   4176
quo egregii martyres tui ad capiendam supernorum BEATITUDINEM
  praemiorum...   3721
et ita patrocinantibus sanctis perenni domui huic BEATITUDINEM prestet...
  1493
Et quicquid sancti ill. martyris tui... profuit ad BEATITUDINEM, prosit...
  1319
et illis BEATITUDINEM sempiternam et fragilitati...   4155
qui et illis tribuisti BEATITUDINEM sempiternam et infirmitati...   4154,
  4156
ds, ad cuius BEATITUDINEM sempiternam non fragilitate (fragilitatem)
  carnis...   2266
et illis impetret BEATITUDINEM sempiternam.   1757
adque ad aeternam BEATITUDINEM, te praeveniente, sint perducti.   2461
et ad aeternum BEATITUDINEM, te praevium, feliciter valeant pervenire.
  2441
qui et illis... BEATITUDINEM tribuisti sempiternam...   3724
et ad aeternam BEATITUDINEM valead pervenire.   1512
cum virginitatis et martyrii palma aeternam mereretur adipisci
  BEATITUDINEM.   3942
et gloriam aeternae BEATITUDINIS adquirant.   2099
vel de promissae BEATITUDINIS aeternitate dubitarent...   4023
Ds, vere BEATITUDINIS auctor atque largitor...   1258
et aeternae BEATITUDINIS dona percipiat.   1396
ut per haec sancta supernae BEATITUDINIS gratiam obtineant...   2099
ut vos ad aeternae BEATITUDINIS heredes... efficiat.   18
cui (cuius) BEATITUDINIS inradiamur exemplis.   1043
permittis a sempiternae BEATITUDINIS itinere deviare...   3972, 3973
in congregatione iustorum aeternae BEATITUDINIS iubeas esse consortem.
  2748
... Ut quorum sumus martyria venerantes, BEATITUDINIS mereamur esse
  consortes.   3602
et illic aeternae BEATITUDINIS percipiamus emolumentum.   3752
et aeternae BEATITUDINIS percipiat (claritatem).   1396
habere tribuas sempiternae BEATITUDINIS porcionem.   1766
aeternae BEATITUDINIS praemia consequantur (consequantur) (consequamur).
  1348, 1349, 1350, 2549
Ds qui animae famuli tui gregorii (leoni) aeternae BEATITUDINIS praemia
  contulisti concede...   900
quibus pro meritis suis BEATITUDINIS praemia contulisti quoniam...   3723
ut promissae (promissa) BEATITUDINIS praemia largiaris.   1735
et aeternae (vitae) BEATITUDINIS praemia largiatur.   2789

spes nobis aeternae BEATITUDINIS propensius intimatur.   4147
ad aeternae BEATITUDINIS redeamus accessum (accensum) (ascessum)...   188
de indultae (indulgentiae) BEATITUDINIS regione decidimus... (deicimus)...
  2454
in BEATITUDINIS sempiternae luce (lucis) constitue.   148
quam prosperitate mundana a BEATITUDINIS sempiternae tramite deviare...
  3812
... donis (domus) sedem honorificatam et fructum BEATITUDINIS sempiternae
  ut ea quae...   2355
et meruit triumphum BEATITUDINIS sempiternae.   3616
quos te custodiente BEATITUDINIS sinus intercludit...   3721
et de tua misericordia nobis impetret BEATITUDINIS suae consortium.   3723
qui ore BEATITUDINIS tuae prodisti...   2386
ad portum BEATITUDINIS tui nos ut suscipias deprecamur.   880
et ad tuae quandoque BEATITUDINIS visionem pervenire mereatur.   3768
cuius sit obumbratio salus omnium patrocinium BEATITUDO cunctorum.   325
... Gloriosum denique virum nec inferior BEATITUDO discipuli...   4015
Ds, vita fidelium, gloria humilium, (et) BEATITUDO iustorum...   1261,
  3581
qui cum sis tuorum BEATITUDO sanctorum...   1234
et illum BEATITUDO sempiterna glorificet.   1739

        BEATRIX
ut sanctorum tuorum simplicii faustini et BEATRICIS caelestibus...   3006
martyrum tuorum simplicii (et) faustini et BEATRICIS conmemoratione...
  1831
martyrum tuorum simplicii faustini et BEATRICIS temporale solemnitate...
  2671

        BEATUS
et per bonorum operum incrementa, BEATA adquiratur inmortalitas.   3636
Indulgentiam nobis dne BEATA agathe martyr inploret...   1911
et intercedente BEATA agathe martyre tua...   247
et intercedente BEATA agne martyre tua...   1807
qua BEATA Agnes pretiosam mortem... suscipiens...   3781
... Cuius munere BEATA caecilia et in virginitatis proposito...
  roboratur...   3942
Ds cui BEATA caecilia ita castitatis devotione conplacuit...   768
... Cuius gloriae nobis diem BEATA caecilia martyr inlustrat...   4103
ut intercedente BEATA caecilia martyra tua...   1688
interveniente BEATA caecilia martyrae tua...   1688
quae pro apostolorum tuorum BEATA celebravimus passione...   2558
ad perseverantiam pietatis BEATA commemoratione perducas...   3971
et confessio veneranda et BEATA commendet oratio.   1799
Sanctorum martyrum nos, dne, Gerbasi et Protasi confessio BEATA
  communiat...   3237
martyr (mater) BEATA conceptos per fidem (fide) denuo (dinuo) felicius
  peperit martyres...   4091, 4092
Oblationes populi tui dne qs... passio BEATA conciliet et quae nostris...
  2206
Maiestatis tuae nos, dne, martyrum supplicatio BEATA conciliet ut qui...
  2057
et misericordiae tuae intercessio BEATA conciliet.   3202
sed BEATA confessio sublimavit.   3654
inter quas BEATA dei genetrix intemerata Maria gloriosissima effulsit...
  3815

intercedente (pro nobis) BEATA et gloriosa semperquae virgine dei
  genetrice Maria...   1987, 2030, 2096, 3023, 3346
... O vere BEATA et mirabilis apis, cuius nec sexum masculi violant...
  3791
ut BEATA et sancta virgo martyra tua illis adiuvemur meritis...   1043
... BEATA facias inmortalitatem (inmortalitate) vestiri.   743
meritoque in omnibus BEATA Felicitas.   3764
qua BEATA genetrix sacratum tibi gregem carne procreatum per tuam
  gratiam mente perfecit...   3780
qua BEATA gloriosaque Caecilia... ad consortia superna contendens...
  3993, 3994, 3995
Indulgentiam nobis dne BEATA ill. martyr imploret...   1911
quos fecisti baptismo regenerare, facias BEATA inmortalitate vestiri.
  888
intercedente pro nobis BEATA lucia martyra tua...   1987
et omnes sanctae virgines a BEATA Maria exemplum castitatis
  (virginitatis) accipientes...   3805, 3853, 3854
tibi etiam intercedente BEATA maria semper virgine placitis moribus...
  3377
Sanctorum tuorum nos, dne, Marcelli et Apulei BEATA merita prosequantur
  (prosequatur)...   3240, 3251
ut divina (BEATA) mysteria castis iucunditatibus celebremus.   3057
Haec nos BEATA mysteria, ds, principia sua aptos efficiant recensire.
  1699
ut sicut per haec BEATA mysteria illis gloriam contulisti...   1935
Libantes, dne, mensae tuae BEATA mysteria qs ut martyrum...   2022
Haec, quae nos reparent, qs, dne, BEATA mysteria suo munere dignus
  efficiant.   1704
et recordatio BEATA nos incitet...   2416
O vere BEATA nox quae expoliavit aegyptios, ditavit hebraeos...   3791
... O BEATA nox quae sola meruit scire tempus et horam in qua christus
  ab inferis resurrexit...   3791
VD. Qui creasti (christi) tui BEATA passione nos reparas...   3882
Celebratis, (caelebrantes) (dne) quae pro apostolorum (martyrum) tuorum
  BEATA passione peregimus...   393
ut sicut per inlicitos appetitus a BEATA regione decidimus...   3636
et (eam) BEATA resurrectione praesentet representit...   2483
et illum BEATA retribucio comitetur et nobis graciae tuae dona
  conciliet.   3203
intercedente BEATA sabina martyre tua...   1295
ut haec nobis dona (munera) martyrum tuorum duplicacio BEATA
  sanctificet...   380
ut apostolorum natalicia BEATA sanctorum...   2893
et ut nostrae saluti proficiant, adsit intercessio BEATA sanctorum.   1617
intercedente BEATA semper virgine maria...   2970
caeli caelorumque virtutes ac BEATA syrafin sotia exultatione
  concaelebrant...   3589
Semper nos, dne, martyrum tuorum Nerei et Achillei, foveat qs, BEATA
  solemnitas et tuo dignos...   3273
Magnificet te, dne, sanctorum Cosme et Damiani BEATA solempnitas quia
  et illis...   2040
et dicatum tibi sacrificium BEATA sotheris martyr commendet.   2826
martyrum tuorum nobis supplicatio BEATA subveniat.   2668
... Agnovit auctorem suum BEATA virginitas...   758, 759
VD. Quem BEATA virgo pariter et martyr ill. et diligendo timuit...   3866

Indulgenciam (Indulgentia) nobis, dne, BEATAE Agathae martyrae tuae
  inploret...   1912
BEATAE agathe martyris tui dne praecibus confidentes...   254
Suscipe munera dne quae in BEATAE agathe martyris tuae sollemnitate
  deferimus...   34
et BEATAE Agnae (agnetis) intercessio veneranda.   151
Ds qui nos annuae (annua) BEATE agne martire tuae solemnitatem
  (solemnitatem) laetificas...   1097
ut qui BEATAE agne martyris (martyre) tuae sollemnia colimus...   2414
Ds qui nos annua BEATAE agne martyris tuae sollemnitate laetificas...
  1097
et BEATAE Agnae virginis adque martire tue veneranda festivitas
  augeatur.   555, 556
Ds qui nos annua BEATAE agathe martyris tuae sollemnitate laetificas...
  1097
quo BEATAE Agnes (agnetis) (agnis) caelestem victoriam recensentes...
  1793
Adesto nobis, o. ds, BEATAE Agnes (agnetis) festa repetentibus...   119
VD. (Recensentis aenim) (et) diem BEATE agnetis martyrio consecratum
  (consecratam)...   3686
VD. BEATE agnetis (agnis) natalitia gaeminantes...   3604
ut BEATE agnis martire (martyris) tuae, cuius diem passionis...   2718
ut qui BEATAE anastasiae martyris tuae sollemnia colimus...   679
et BEATAE caeciliae martyrae tuae veneranda festivitas augeatur.   555
Ds qui nos annua BEATAE caeciliae martyris tuae sollemnitate
  laetificas...   1097
VD. Et te BEATAE caeciliae natalitia praeveniendo laudare...   3716
VD. BEATAE ceciliae natalicium (diem) (dne) debita veneratione
  prevenientes laudare...   3605
ut BEATAE castitatis habitum (habitu), quem te spirante suscipiunt,
  (suscepetit) te protegente custodiant custodiat...   743, 1237
nos tamen BEATAE confessionis initia recolentes...   3599, 3600
quia trina celebratio BEATAE conpetit mysterium (misterio) trinitatis.
  1986
Ds qui BEATE crucis patibulum quod prius...   903
... Et praecipue pro meritis BEATAE dei genetricis et perpetuae virginis
  mariae...   3820
BEATAE et gloriosae semper(quae) virginis dei genetricis Mariae...
  255, 264
in honore BEATAE et gloriosae semper virginis dei genetricis Mariae...
  2203
per intercessione BEATAE et gloriosae semperquae virginis dei genetricis
  Mariae...   2620
pro nativitate BEATAE et gloriosae semperquae virginis dei genetricis
  Mariae...   3421
in BEATAE et sacratissimae virginis martyraeque tuae ill. festivitate...
  3805
Ds, qui nos hodie BEATAE et sanctae illius virginis martyrisque... annua
  solemnitate laetificas...   1118
ut BEATAE et sanctae virginis martyreque tuae illius adiuvemur
  meritis...   1043
quo BEATE aeufemiae martirae tuae passionem consummata recolimus...
  3781a
qua BEATAE eufemiae martyris tuae passionem venerando recolimus...   3693
ut qui BEATAE eufimiae martyris (martyre) tuae sollemnia colimus...   2414

quae munera nostra depraecante BEATAE Eufimiae tibi reddat accepta...
367

ut BEATAE felicitatis martyris (martyre) tuae sollemnia recensentes...
2749

quatenus BEATAE genetricis integritate probata dilecti virginitas
deserviret...   3608, 3609

et BEATE inmortalitatis (tuae) victoris...   222

et BEATAE illius intercessio veneranda.   151

Hostias tibi dne BEATAE illi. martyre tuae dicatas meritis... assume...
1832

Suscipe munera dne quae in BEATAE illius martyris tuae solemnitate
deferimus...   34

sicut de BEATAE luciae festivitate gaudemus...   1485

adsumptione sacratissime virginis tuae genetricis BEATE mariae
caelebramus devoti...   2461

quo BEATAE Mariae fructum sedula voce benedictione susciperet...
(benedictionem susceperat)...   3754

Ds qui virginalem aulam BEATAE mariae in quam habitare eligere dignatus
es...   1239

quo BEATAE mariae intemerata virginitas huic mundo edidit salvatorem...
420

et mente sibi et corpore BEATAE Mariae intercessione costodiat.   125,
126

Accipe munera, dne, (dne munera) quae in BEATAE Mariae iterata
solempnitate deferimus...   33

et BEATAE Mariae munita praesidiis...   1418

et BEATAE Mariae patrociniis confidentes...   2925

Ds, qui per BEATAE Mariae sacrae virginis partum...   1150

qui per BEATAE Mariae sacri uteri divinae graciae obumbracionem...   1494

angelico ministerio BEATE mariae semper virgine declarasti...   2380

Concede... ad BEATAE Mariae semper virginis gaudia aeterna pertingere...
472

... BEATE mariae semper virginis intercessione...   79

Intercessio qs dne BEATAE mariae semper virginis munera nostram
commendet...   1947

qui hunc diem per... et partum BEATAE mariae virginis consecrasti...
2405

Deus qui per BEATAE mariae virginis partum genus humanum dignatus est
redimere...   1149

VD. Qui per BEATAE mariae virginis partum ecclesiae...   3989

Ds qui per BEATAE mariae virginis partum sine humana concupiscentia
procreatum...   1150

Ds qui salutis aeternae BEATAE mariae virginitate fecunda (fecundi)...
1214

qui odiae BEATE mariae viscera splendoribus suae virtute (virtutis)
replevit.   170

preclarus BEATE martyre iuliane sexus fregelitate...   3783

praeclarus BEATAE martyris Eufymiae sexus fragilitate praetiosior sanguis
effloruit...   3783

et intercessio BEATAE martyris euphimiae tibi reddat acceptos.   3229

pro meritis BEATAE matris et perpetuae virginis Mariae...   3819, 3820

... Christi filii tui domini dei nostri tam BEATAE passionis...   3567

sed ut BEATAE perciperent (perciperunt) plenitudinem passionis...   4085,
4102

munus oblatum... et effectum BEATAE perennitatis adquirat.   469

resurrectionis BEATAE primitias... in tua secum dextera collocavit.   3953
ut qui BEATAE priscae martyris tuae natalicia colimus...   687
ut venturis ad (a) BEATAE regenerationis lavacrum...   838
et BEATAE requiei te donante coniunctus...   3470
ut eum in aeterna requie suscipiat et BEATAE resurrectione repraesentet.
    201
hac perpetuae BEATE resurrectionis gaudia videre mereamur.   634
et aeum in BEATE resurrectionis representit...   2484
Hostias tibi dne BEATAE sabinae... dicatas meritis benignus adsume...
    1832
Ds, qui per BEATAE sacrae virginis partum...   1150
ad BEATE semper virginis mariae cuius solemnitatem... intercessio nos
    adiobit...   2835
et BEATAE semper virginis Mariae nos gaudia comitentur solemniis...
    3469
et BEATE semperque virginis mariae cuius solemnitatem... intercessio
    veneranda.   151
et decatum tibi sacrificium BEATAE Soteris commendet.   2826
adsit intercessio BEATAE tuae martyrae Agathae.   1617
qui BEATAE virgini ill. concessit et decorem virginitatis...   341
Ds qui... verbum tuum BEATAE virginis alvo coadunare voluisti...   1005
O. s. ds, qui hunc diem... per partum BEATAE virginis Mariae consecrasti
    ...   2404, 2405
ut quibus BEATAE virginis partus extitit salutis exordium...   1602
Ds qui de BEATAE virginis utero verbum tuum... carnem suscipere
    voluisti...   946
Ut ad BEATAE (vite) gaudia festinantes...   920
libro BEATAE vitae mereantur adscribit.   3836
quia BEATAM gloriosamque caecilia dispecto mundi coniugio...   3995
quia BEATAM illam virginem adquisisti fide...   3216
Laetetur ecclesia tua ds BEATI agapiti... confisa suffragiis...   1985
BEATI andreae apostoli dne qs intercessione nos adiuva...   288
ut qui BEATI andreae apostoli festum solemnibus ieiuniis et devotis
    praevenimus ieiuniis...   3705
quod apostolica BEATI andreae apostoli merita...   4123
Protegat nos, dne, saepius BEATI Andreae apostoli repetita solempnitas...
    2923
BEATI andreae apostoli supplicatione qs dne...   256
Respice, qs, dne, munera, quae pro BEATI Andreae apostoli tui
    commemoratione deferimus...   3114
et BEATI Andreae apostoli tui cuius natalicia praevenimus semper guberna
    praesidiis.   3544
BEATI Andreae apostoli tui, dne, qs, intercessione nos adiuva...   288
et BEATI Andreae apostoli tui intercessione...   2945
Protegat nos dne seipus BEATE andreae apostoli tui repetita sollemnitas...
    2933
quo BEATI Andreae apostoli tui venerandus sanguis effusus est...   3782
ut exultationem cordis tui, quam de BEATI Andreae apostoli tui veneratione
    percepit...   3486
Sumpsimus dne divina mysteria BEATI andreae festivitate laetantes...
    3335
qui (quique) hunc diem BEATI andreae martyrio consecrasti...   983
quo apostolica BEATI Andreae merita desideratis praevenimus officiis...
    4123

Sacrificium nostrum tibi, dne, qs, BEATI Andreae precacio sancta
  conciliet...   3160
... De quorum collegio BEATI Andreae sollemnia celebrantes...   3907,
  3908, 4047
quo BEATI Andreae sollemnia recolentes...   3134
ut BEATI Andreae suffragiis cuius natalicia praeimus...   208
quibus BEATI apostoli Andreae caelestem nobis tribuant martyria
  praeventa laetitiam.   1417
BEATI apostoli Andreae, dne, sollemnia recensemus...   257
in honore BEATI apostoli Petri cui haec est basilica sacrata deferimus...
  3423
quem BEATI apostoli Petri eruditionibus institutum...   3806
quo venerandus Andreas germanum se BEATI apostoli Petri tam praedicatione
  ... monstravit...   3595
benedicere vobis dignetur BEATI apostoli sui ill. intercedentibus
  meritis...   1243
ut suffragiis BEATI apostoli Thomae in nobis tua munera tuearis...   700
Da nobis, qs, dne, BEATI apostoli (tui) Thomae solempnitatibus
  gloriari...   609
quo BEATI apostoli tui andreae festa praevenientes...   3990
... BEATI apostoli tui Andreae festivitate laetantes...   3335
... BEATI apostoli tui Andreae intercessionibus sublevari...   611
... BEATI apostoli tui Andreae sacer natalis...   3368
ut BEATI apostoli tui Andreae semper nobis adsint et honoranda sollemnia
  ...   2491
ut BEATI apostoli tui Andreae simul fiat et veneratione iucundus...   3045
BEATI apostoli tui bartholomei cuius solemnia recensimus...   258
... BEATI apostoli tui bartholomei festivitate...   2399
BEATI apostoli tui et evangelistae Iohannis gloriosa (veneranda)
  natalicia celebrantes (recensentes)...   3608, 3609, 3609a
Ds qui per os BEATI apostoli tui et evangelistae iohannis verbi...   1156
BEATI apostoli tui iacobi cuius hodiae festivitate...   259
si BEATI apostoli tui iacobi intercessionibus adiuvemur.   4053
... BEATI apostoli tui iacobi passio BEATI (beata) conciliet...   2206
in huius consummacionis requiem BEATI apostoli tui illius et sanctorum...
  672
... BEATI apostoli tui Iohannis evangelistae festivitate...   2399
VD. BEATI apostoli tui Iohannis evangelistae natalicia venerantes...
  3610
Ds qui per os (hos) BEATI apostoli tui iohannis evangelistae verbi...
  1156
VD. Qui ecclesia tua in BEATI apostoli tui pauli predicatione constantem
  ...   3908a
... BEATI apostoli tui Petri sinis commemoratione foveri...   365
sedem tamen BEATI apostoli tui Petri tanto propensius intueris...   1320
et in excelsa tendamus, quae in BEATI archangeli Michael contemplamur
  affectu.   4027
Da nobis, o. ds, BEATI archangeli Michahelis eotenus honore proficere...
  601
BEATI archangeli Michael (michaelis) interventione (intervencione) suffulti supplices, dne, te praecamur...   260
In honorem BEATI archangeli Michael loca nomini tuo dicata...   1880
quo in honorem BEATI archangeli Michael sacrata...   4170
Per quod pietatis officium in conmemorationem BEATI agustini...   3694
ut misticis aecclesiae tuae (ecclesia tua) BEATI baptistae Iohannis
  exordiis...   665

et BEATI baptistae Iohannis cuius nos tribuis... fac gaudire suffragiis...
   2133
in diebus BEATI baptistae Iohannis inplesti...   2415
... BEATI baptistae Iohannis nataliciis praeparetur...   2732
quam BEATI baptistae Iohannis vox clamantis edocuit.   2326
caelebrantes BEATI bartholomei apostoli tui votiva solemnia...   3337
Intercessio nos qs (dne qs) dne BEATI benedicti abbatis conmendet...
   1945
ut qui BEATI benedicti confessoris tui veneramur festa...   3687
O. ae. ds qui per gloriosa BEATI benedicti exempla humilitatis...   2237
Hostias tibi dne BEATI caesarii... dicatas (dicatis) meritis benignus
   adsume...   1832
sic enim ab exordio sui usque ad finem BEATI certaminis extetit
   gloriosa...   1651
da nobis in BEATI Clementis annua sollemnitate laetari...   2400
BEATI Clementis, dne, natalicio fidelibus tuis munere suffragetur...   261
Ds qui nos annua BEATI clementis martyris tui atque sollemnitate
   laetificas...   1098
VD. Et in hac die quam BEATI clementis passio consecravit...   3690
BEATI Clementis sacerdotis et martyris tui natalicia...   262
Votiva, dne, pro BEATI confessoris tui... Donati commemoratione dona
   percipimus...   4253
VD. Et in hac die quam transitu sacro BEATI confessoris tui ill.
   consecrasti...   3692
... BEATI confessoris tui ill. transitu sacro consecrasti.   3944
VD. BEATI cypriani natalicia recensentes...   3611
VD. BEATI cybriani natalis gloriam recurrentes...   3611
... BEATI cypriani sacerdotis et martyris in tua dne virtute laeticiam...
   3174
... BEATI cypriani sacerdotis et martyris mox praeclara subiungitur.
   3155
Ds qui nos annua BEATI cyriaci... sollemnitate laetificas...   1098
VD. BEATI etaenim martyres tui iohannes et paulus (pauli) quorum festa
   predicamus...   3612
ut qui BEATI eufemie martyris tui solemnia colimus...   2414
Ds qui nos BEATI eusebii confessoris annua solemnitate laetificas...
   1102
ut per BEATI eusebii confessoris intercessionem salutiferam...   3681
BEATI evangelistae iohannis dne praecibus adiuvemur...   263
BEATI evangelistae Iohannis nos, dne, qs, merita prosequantur...   264
BEATI aevangeliste mathaei dne precibus adiubemur...   263
... BEATI fabiani martyris tui atque pontificis intercessio gloriosa nos
   protegat.   1918
Hostias tibi dne BEATI fabiani (martyris tui) dicatas meritis benignus
   adsume...   1832
in diebus BEATI famuli tui Iohannis inplesti...   2415
Hostias tibi dne BEATI felicis confessoris tui dicatas meritis benignus
   adsume...   1832
... BEATI felicis martyris tui atque pontificis intercessio gloriosa nos
   protegat.   1918
et in BEATI fine certaminis das triumphum.   4111
BEATI georgii martyris tui dne suffragiis exoratus...   265
Ds qui nos BEATI georgii martyris tui meritis et intercessione
   laetificas...   1103
BEATI georgii martiris tui qs dne precibus adiubemur...   266

et BEATI gurdiani festivitas gloriosa conmendit.   1648
intervenientibus BEATI gregorii meritis...   2801
Intercessio dne BEATI hermetis martyres tui et tuam...   1944
quo BEATI illius apostoli sollemnia recolentes...   3134
quem natalicia BEATI ill. confessoris martyris antecaedit...   2999
de BEATI ill. confessoris martyris preciosa sollemnia et passione...
    3179
Da qs o. ds, ut BEATI ill. confessoris tui veneranda solemnitas...   604
in honore (honorem) BEATI illius aecclesiae tuae dignatus es pulchritudi-
    nem (pulchritudine) decorare.   2406
in honore BEATI illius fiat domus oracionis...   1260
per merita et intercessione (intercessionem) BEATI ill. martyris tui
    exaudi (dne)...   2269
ut qui BEATI illi martyris tui natalicia colimus...   2770
quam tibi offerimus in honore BEATI ill. martyres tui qs ut eidem...
    1646
VD. Quia dum BEATI ill. merita gloriosa veneramur (veneramus)...   4044
VD. BEATE illius natalicium diem devita veneratione praevenientes
    laudare...   3607
respice super hanc basilicam in honore (honorem) BEATI illius nomine
    (nomini) tuo decatam...   886
BEATI illius qs dne precibus adiuvemur...   266
Magnifica dne BEATI illis solemnia recensemus...   2033
per intercessionem BEATI iohannis apostoli et evangelistae...   2246
... BEATI iohannis apostoli festivitate laetantes...   3335
VD. BEATI Iohannis apostoli gloriam recensentes...   3613
... BEATI iohannis apostoli precatio sancta conciliet...   3160
ut BEATI iohannis apostoli tui intercessio gloriosa nos protegat.   931
... BEATI iohannis apostoli tui intercessio sancta conciliet...   3160
Ds qui nos BEATI iohannis baptistae concedis natalicia perfruit...   1104
Deus qui vos BEATI iohannis baptistae concedit solemnia frequentare...
    1242
Sumat aecclesia tua, ds, BEATI Iohannis baptistae generacionis
    laeticiam...   3324
quam BEATI iohannis baptistae in deserto vox clamantis edocuit.   2326
Benedicat vobis o. ds BEATI iohannis baptistae intercessione...   342
ieiunium, quo BEATI Iohannis baptistae natalicia praevenimus...   3754,
    3755
ut populus tuus... BEATI iohanne baptistae nataliciis praeparetur...
    2732
BEATI Iohannis baptistae nos, (qs) dne, praeclara comitetur oratio...
    267, 268
ut qui BEATI iohannis baptistae sollemnia colimus...   485
qui nos annua BEATI Iohannis baptistae sollemnia frequentare concedes...
    1099, 4238
BEATI iohanni aevangeliste atque apostoli orationibus...   269
ut apostolicis BEATI Iohannis evangelistae inluminata doctrinis...
    1393, 1394
Ds, qui BEATI Iohannis evangelistae praeconiis principii sempiterni
    secreta reserasti...   904
BEATI iohannis evangelistae qs dne supplicatione placatus...   270
Supplicationibus apostolicis BEATI Iohannis evangelistae qs ecclesiae...
    3358
qui etiam in BEATI Iohannis generatione promenda...   2388
diem honorabilem nobis in BEATI Iohannis nativitate fecisti...   1174

et BEATI iohannis praecursoris hortamenta sectando... 2757
VD. BEATI Laurenti annua vota repetentes... 3614
qua BEATI Laurenti hostiam (hostia) tibi placitam casti (et castam) (casto)
  corporis gloriose certamine suscepisti... 3776
ut semper nobis BEATI Laurenti laetificent votiva (divina) martyria
  (misteria)... 2738
ut nostra devocio quae natalicia BEATI Laurenti martyris antecedit...
  2999
Concede nobis, dne, gratiam tuam in BEATI Laurenti martyris celebritate
  multiplicem... 438
VD. Quoniam tanto iucunda sunt, dne, BEATI Laurenti martyris crebrius
  repetita solempnia... 4106
intercedente BEATI laurenti martire et munere... 2082
Supplices te rogamus, ds, ut interventu BEATI Laurenti martyris et tua
  in nobis... 3370
BEATI Laurenti martyris honorabilem (honorabilae) passionem muneribus,
  dne, geminatis exequimur... 271
ut BEATI Laurenti martyris meritis adiubetur cuius passiome laetatur.
  2337
Pro BEATI Laurenti martyris passione veneranda... 2846
... BEATI Laurenti martyris passionem hodierna sollemnitate veneramur...
  4114
... BEATI Laurenti martiris praeciosa passione... 3179
Solempne nobis intercessio BEATI Laurenti martyris, qs, dne, praestet
  auxilium... 3304
ut sicut (sancti) BEATI laurentii martyris tui commemoratione... 637
Intercessio BEATI Laurenti martyris tui, dne, de sua... mereatur
  plenitudinem gaudiorum. 1943
BEATI Laurenti martyris tui, dne, geminata gracia nos refoveat (refove)
  (refovet)... 272
ut praecibus BEATI Laurenti martyris tui eius natalicia...
VD. Et pro honore BEATI Laurenti martyris tui hostias tibi laudis
  offerimus. 3711
... BEATI Laurenti martyris tui praecibus exoratus... 148
ut BEATI Laurenti martyris tui quam praevenimus veneranda solemnitas...
  604
ut triumphum BEATI laurentii martyris tui quem dispectis... fervore
  fidei veneremur. 690
ut mentibus nostris BEATI Laurenti martyris tui tribuas iugiter
  suavitatem... 4195
ut BEATI Laurenti martyris tui veneranda sollemnitas... 604
VD. BEATI Laurentii natalicia repetentes... 3615
Iterata festivitate BEATI Laurenti natalicia veneramur... 1976
BEATI Laurenti nos faciat, dne, passio veneranda (narranda) laetantes...
  273
Sacrificium nostrum tibi dne qs BEATI laurentii praecatio sancta
  conciliet... 3160
et salutaris nobis BEATI Laurenti praecibus... existat. 21
VD. Praevenientes natalem diem BEATI Laurenti qui levita simul... 3848
VD. Venientem natalem BEATI Laurencii qui levita simul... 4220
Magnifica, dne, BEATI Laurenti solemnia recensimus... 2033
et BEATI Laurenti suffragantibus meritis... 36
et BEATI lege conmercii divinis humana mutantur... 4162
ut (te) BEATI leonis confessoris tui adque ponteficis... 814
O. s. ds qui primitias martyrum in BEATI levite stephani sanguine
  dedicasti... 2444

et BEATI Magni festivitas gloriosa commendet.   1648
ut BEATI Magni nos foveant continuata praesidia.   3530
ut BEATI Marcelli confessoris tui adque pontificis praecibus indulgenciam
     consequamur.   814
ut BEATI marcelli martyris tui adque pontificis meritis adiuvemur, cuius
     passione laetamur.   2830
Da, qs, o. ds, ut qui BEATI Marcelli confessoris (martyris) tui adque
     pontificis solemnia colimus...   680
et BEATI marcelli suffragantibus meritis...   36
intercessione BEATI martini confessoris tui atque pontiificis...   2472
ut intercessione BEATI martini confessoris tui contra omnia...   928
intercessione BEATI martini ponteficis atque confessoris tui continua
     fac...   2472
VD. Te in BEATI martini pontificis atque confessoris tui laudibus
     adorare...   4148
BEATI martini pontificis qs dne nobis pia non desit oratio...   274
et BEATI martini pontificis supplicatione custodi...   1453
BEATI martini ponteficis tui qs dne pia nobis non desit oratio...   274
VD. Cuius inspiratione succensi BEATI martyres ad passionis...   3654
VD. Pro cuius nominis confessione BEATI martyres gervasius et protasius
     passi...   3857
BEATI illius martyris dne suffragiis exoratus...   265
de BEATI illius martyris preciosa passione...   3179
quae natalicia BEATI illius martyris vel confessoris...   2999
... BEATI martiris georgii passione odierna solemnitate veneramur...
     3720, 4151
Votivos nos dne qs BEATI martyris illi natalis semper excipiat...   4256
quod BEATI martyris illius anniversarius dies intrat...   2187
et intercessione BEATI martiris Prisci omnium intercedencium vota
     proficias.   2344
sic BEATI martyris sancta substantia non consumitur incendiis...   3615
et BEATI martyris Stephani depraecatione sustentas.   1663
BEATI martyris sui ill. intercessione vos dominus benedicat...   275
Ds qui nos BEATI martyris tui caesarii annua sollemnitate laetificas...
     1105
et intercessio BEATI martyris tui eufemiae tibi reddat acceptos.   3229
ut aulam, que BEATI martyris tui ille meritis aequipetere (aequiperare)
     non possit...   1734
Votivos nos dne qs BEATI martyris tui illius natalis semper excipiat...
     4256
BEATI martyris tui illius nos qs dne patrocinius conlatus non deserat
     (deseras)...   276
BEATI martyris tui ill. nos qs dne precibus adiubemur...   277
et intercessione BEATI martyris tui illius omnium in te credentium vota
     perficias.   2344
quoniam tuis donis atque muneribus BEATI martyris tui ill. passionem...
     veneramur...   3720
BEATI martyris tui illius, qs, dne, intercessione nos protege...   278
pro conmemorationem (commemoratione) BEATI martyris tui illius vel
     passione fecisti...   1203
BEATI martyris tui (Laurenti), dne, qs, intercessione nos protege...   278
sanctorum omnium simul et BEATI martyris tui laurentii mereatur
     consortia...   569, 641
Votiva, dne, pro BEATI martyris tui Laurenti passione dona percipimus...
     4253

VD. Et devotis mentibus natale BEATI martyris tui laurentii praevenire...
    3685
... BEATI marteris tui praeiecti (in) repetita solemnitate...   3748
Votiva dne pro BEATI martyres tui praeiecti passione dona percepimus...
    4254
et festivitate BEATI martyris tui Ruffi suppliciter depraecamur...   3331
BEATI martyris tui sthephani, dne qs pro fidelibus tuis suffragator...
    295
... BEATI martyris tui timothaei precibus adiuvemur.   2235
Da nobis o. ds ut BAEATI mathaei apostoli tui et evangeliste...   604
Supplicationibus apostolicis BEATI mathei dne evangelistae qs ecclesia...
    3358
BEATI mathaei aevangelistae qs dne supplicatione placatus...   270
... BEATI mathaei aevangeliste suffragiis...   208
ut qui BEATI mennae martyris tui natalicia colimus...   2770
BEATI menae martyris tui sollemnia recensemus...   279
... BEATI Michahelis archangeli fac supplicem depraecacionibus sublevari.
    123
... BEATI michahelis archangeli solemnia celebramur...   124
da famulo tuo illi... cum sanctis atque (et) electis (fidelibus) tuis
    BEATI muneris porcionem.   1053
quae maiestati tuae BEATI nicomedis martyris commendet oratio.   3400
ut BEATI nicomedis martyris tui merita praeclara suscipiens...   78
Ds qui nos BEATI nicomedis martyris tui meritis et intercessione
    laetificas...   1103
VD. BEATI nobis enim Clementis hodie praeconia repetenda sunt...   3616
BEATI nos, dne, baptistae Iohannis oracio...   280
BEATI nos, qs, dne, (dne qs) Iuvenalis et confessio semper possit (prosit)
    et meritum.   281
BEATI pancratii martyris tui dne intercessione placatus...   3243
ut qui BEATI pancratii, martyris tui natalicia colimus...   2771
Praedocatores adque doctores gentium BEATI pauli apostoli precibus...
    2644
ut ecclesiam tuam BEATI pauli apostoli tui praedicatione edoctam...   3703
Ds, qui multitudinem gencium (universum mundum) BEATI Pauli apostoli
    (tui) praedicacionis docuisti...   1076
Et quos BEATI pauli sanctissima instruxit praedicatione...   348
Ecclesiae tuae, qs, dne, praeces et hostias BEATI Petri apostoli conmendet
    oracio...   1390
Deus, qui BEATI Petri apostoli dignitatem ubique facis esse gloriosam...
    905
... BEATI Petri apostoli magnificis potestatem.   4037
Hanc igitur : Ut qui BEATI Petri apostoli sedem vicario secutus officio...
    1775
... BEATI Petri et Pauli natalicium nobis lumen effulsit...   1992
tantum BEATI Petri et Pauli, pro quorum sollemnibus offeruntur.   2138
qui fieri meruit BEATI Petri in peregrinatione comes...   4219
BEATI petri principes apostulorum interventionibus (intercessionibus)...
    282
ds qui vos BEATI petri saluberrima confessione... fundavit soliditate...
    348
ut BEATI petri singolarem piscandi artem in divino dogma converteret...
    3823
de quorum consortio sunt BEATI philippus et iacobus...   3905

Adsit nobis, dne, qs, sancta praecatio BEATI pontificis martyris tui...
160
et BEATI praecursoris hortamenta (ortamenta) sectando...   2041, 2757
et BEATI proti et iacynthi qs inploret oratio.   2561
BEATI proti nos dne et iacynthi foveat praetiosa confessio...   283
... BEATI qui lugent, quoniam ipsi consolabuntur...   56
et per gratiam piaetatis tuae aquae fontem BEATI renascimur...   1366
et BEATI Rufi intercessionibus confidentes (confitentes)...   89
quam BEATI rufi possimus (poscimus) interventu nobis et confessione
praestari.   4105
ut BEATI sancti Laurenti (sancto laurentio) suffragiis in nobis tua
munera tuearis...   2722
VD. Tu enim nobis hanc festivitatem BEATI sancti Stefani passione
venerabilem consecrasti...   4185
quam BEATI sancti Tiburti martyris tui sanguis...   4177
Ds qui nos BEATI saturnini martyris tui concedis natalicia perfrui...
1104
VD. Quoniam martyris BEATI sebastiani pro confessione nominis tuis...
sanguis effusus...   4093
ut BEATI silvestri confessoris tui atque pontificis, veneranda
sollemnitas...   604
BEATI Sixti, dne, tui sacerdotis et martyris annua festa recolentes...
284
qua BEATI Systi (Xisti) et caelebritate iubamur et praecibus.   3078
ut intercessione BEATI xysti martyris tui atque pontificis...   928
etiam hunc nobis venerabilem diem BEATI Xysti sacerdotis et martyris tui
sanguine consecrasti...   4089
VD. BEATI Stefani levitae simul et martyris natalicia recolentes...   3617
Ds qui nos BEATI stephani martyris tui atque pontificis annua sollemnitate
laetificas...   1106
quam BEATI Stefani martyris tui commemoratio gloriosa depromit (depremit).
1649
VD. Tu enim nobis hanc festivitatem BEATI Stefani passione sacrasti...
4186
de BEATI tamen sollemnitate Laurenti pecularius prae ceteris Roma
laetatur...   3863
Ds qui nos BEATI theodori... confessione gloriosa circumdas et protegis...
1107
quam BEATI thimotei martyris tui sanguis...   4177
ut suffragiis BEATI thomae apostoli in nobis tua munera tuearis...   700
de quorum collegio BEATI thomae (apostoli tui) solempnia caelebrantes...
3908
VD. Qui dum BEATI tiburtii martyris merita gloriosa veneramur...   3895
BEATI tiburtii nos dne foveant continuata praesidia...   285
Adiuva nos, dne ds noster, BEATI tui illius praecibus exoratus...   148
BEATI urbani martyris tui adque ponteficis dne intercessione placatus...
3243
ut qui BEATI urbani martyris tui atque pontificis sollemnia colimus...
680
ut qui BEATI valentini martyris tui natalicia colimus...   2771
Hostias dne tibi (tibi dne) BEATI vincenti martiris tui dicatas...   1832
... BEATI vincentii martyris tui intercessione liberemur.   132
librum BEATI vitae mereantur adscribe.   3836
VD. BEATI viti martyrio gloriantes...   3618
ut BEATI yppoliti intercessio peccatorum nostrorum obtineat veniam...
3742

ut BEATI yppoliti martyris tui veneranda sollemnitas...   604
... BEATIQUE martyrii coruscare tribuisti...   3951
... Sicut autem BEATIORES illi qui nondum apparentia crediderunt...   3957
... BEATIS apostolis intervenientibus depraecamur.   3349
ut intervenientibus (intercedentibus) BEATIS apostolis quae pro eorum
   (illorum)...   2567
ut intercedentibus BEATIS apostolis quod temporaliter...   3350
in huius consumationis requiem BEATIS apostolis tuis ill. et sanctorum...
   672
ut intercedentibus BEATIS apostolis tuis nobis moficiant...   2566
et BEATIS apostolis tuis petro et paulo...   2030
Ut qui in BEATIS confesoribus illis virtutibus polles...   908
... BEATIS martyribus et confessoris tuis ill. auxiliis adiuvemur...
   2025
BEATIS martyribus supplicantibus, dne...   286
VD. Pugnavit enim in BEATIS martyribus tuis...   3861
Tibi coniuro... per sanctos apostolos et BEATIS martyris christi...   3474
... Agathen quoque BEATISSIMAM virginem victrici patientia coronares...
   3856
qui in honore sancti hac BEATISSIMI ill. oblationem tibi offerit
   (offert)...   1500
... Nam BEATISSIMI Petri mox tradito disciplinis...   4127
una cum BEATISSIMO famulo tuo papa nostro illo.   3464
Oremus et pro BEATISSIMO papa nostro ill. ut deus...   2512
... BEATISSIMO Petro apostolo suffragante...   182
una cum patre nostro BEATISSIMO viro papa nostro illo...   4206
... Quorum BEATISSIMUM Petrum, gratiae tuae electionisque primitias...
   4169
Ds qui BEATISSIMUM praesolem tuum martinum tanta tibi familiaritate
   uncxisti...   906
ut intercedente BEATO andreae apostolo tuo quae pro illius...   2568
ut quod (quam) BEATO apostolo tuo illo et sanctis martiribus (tuis)
   illis famulus tuus (famulus tuus)...   1065
Ds, qui BEATO apostolo tuo Petro conlatis clavibus regni caelestis...
   907
intercedente BEATO agustino confessore tuo adque pontefice...   139
intercedente BEATO benedicto abbate...   2563
intercedente BEATO caesario martyre tuo...   1840, 3001
et intercedente BEATO chrysogono martyre tuo...   2213
et intercedente BEATO clemente martyre tuo.   2119
interveniente BEATO confessore tuo damaso...   2102
interveniente BEATO confessore tuo illo clementer inpende...   2102
intercedente pro nobis BEATO confessore tuo ill. exaudi propitius...
   2316
intercaedente BEATO confessore tuo illo miserationis...   235
intercedente BEATO felice martyre tuo...   3308
intercedente BEATO georgio martyre tuo...   2119, 3377
intercedente BEATO gurdiano martyre tuo...   3001
ut intercedente BEATO hermen (hermete) martyre tuo...   3066
ut intercedente BEATO illo apostolo tuo quae pro illius...   2568
et intercedente BEATI illo confessore martyre tuo cuius solemnia
   praeimus...   1934
ut intercedente BEATO illo confessore tuo quae humiliter...   3067
intercedente BEATO illo, consuetae...   139
intercedente BEATO illo martyre tuo, in tua misericordia respiremus.   610
et intercedente BEATO iohanne baptista...   2119, 3001

intercedente BEATO Iuvenali confessore tuo atque pontifice...   1988
intercedente BEATO laurentio martyre tuo...   1807, 2081, 2082, 3376
intercedente BEATO laurentio salutarem...   2997
intercedente BEATO laurentio salvationis...   3170
qui BEATO laurentio tribuisti, tormentorum suorum incendia superare.   628
et interveniente BEATO marco confessore tuo atque pontifice...   1476
et intercedentibus BEATO marco et marcelliano...   2125
Sed obtenente aput te BEATO martyre tuo ill. cuius hodiae...   1227
et intercedente BEATO martyre tuo illo populum tuum...   1482
intercedente BEATO martire tuo ill. suscipe...   773
et intercedente BEATO martyre tuo Magno...   99
intercidente BEATO martyre tuo Ypolito...   3347
... BEATO matheo apostolo tuo et evangelista interveniente...   2564
et intercedente BEATO nicomede martyre tuo...   2944, 3377
et intercedente BEATO pancratio martyre tuo...   2125
ut intercedente BEATO Paulo apostolo tuo nobis proficiat...   2565
intercedente BEATO petro apostolo tuo caelesti protege...   105
Ds qui BEATO petro apostolo tuo conlatis clavibus...   907
intercedente BEATO petro apostolo tuo propitius exequaris.   1823
intercedente BEATO petro apostolo tuo propitius muniendo...   542
intercedente BEATO petro apostolo tuo (tuae) pietatis...   2746
et intercedente BEATO rufo martyre tuo...   2213
ut intercedente BEATO sancto tuo donato...   2286
et intercedente BEATO saturnino martyre tuo...   2125
intercedente BEATO Sebastiano martire tuo...   2727, 3170
... BEATO Stephano duce adque praevio (duci hac previum) sancto spiritu
    auctore...   1372
et intercedente BEATO stephano martyre tuo atque pontifice...   2125
et intercedente BEATO stephano martyre tuo sempiterna...   247
et intercedente BEATO theodoro martyre tuo...   2686, 3394
et intercedente pro nobis BEATO thomae apostolo tuo...   117
interveniente BEATO tiburtio martyre tuo...   3336
et (ut) intercedente BEATO timotheo martyre tuo...   249, 1295
intercedente BEATO urbano...   2125
et intercedente BEATO valentino martyre tuo...   2213
intercedente BEATO vincentio martyre tuo...   3001
intercedente BEATO vitale martyre tuo...   2764
sed et BEATORUM apostulorum ac martyrum tuorum Petri Pauli...   417, 418
VD. Apud quem cum BEATORUM apostolorum continuata festivitas...   3600,
    3601
Tuere, dne, plebem tuam et BEATORUM apostolorum defende subsidiis...
    3534
BEATORUM apostolorum dne petri et pauli desiderata sollemnia recensentes
    ...   287
BEATORUM apostolorum, dne, qs, intercessione nos adiuva...   288
Munera... BEATORUM apostolorum fiant grata suffragiis...   2132
et BEATORUM apostolorum Iacobi et Philippi gloriosa confessio...   4067
VD. Aput quem cum BEATORUM apostolorum Petri et Pauli continuata
    festivitas...   3599
ut BEATORUM apostolorum Petri et Pauli gloriosa confessio.   4076, 4077
quod pro reverentia BEATORUM apostolorum Petri et Pauli maiestati tuae...
    2228
Deus, qui hunc diem BEATORUM apostolorum Petri et Pauli martyrio (mysterio)
    consecrasti...   1023, 2402, 2403
O. s. ds, qui nos BEATORUM apostolorum Petri et Pauli multiplici facis
    caelebritate gaudire...   2423

quos BEATORUM apostolorum Petri et Pauli munit gloriosa confessio.   67
... BEATORUM apostolorum petri et pauli natalicia gloriosa praehire...
    1082
quae BEATORUM apostolorum Petri et Pauli nataliciis nobis intercessioni-
    bus...   2139
quae pro BEATORUM apostolorum Petri et Pauli nataliciis obtulerunt...
    3441
Oblaciones populi tui, dne, qs, BEATORUM apostolorum petri et pauli passio
    beata conciliet...   2206
ut BEATORUM apostulorum philippi et iacobi gloriosa confessio...   4067
BEATORUM apostolorum phylippi et iacobi honore continuo dne...   293
quique hunc diem BEATORUM apostolorum Philippi et Iacobi martirio
    consacrasti...   982
... BEATORUM apostolorum supplicationibus propitiatus adsume.   2954
pro BEATORUM apostolorum triumphis oblata...   3397
... BEATORUM apostolorum (tuorum) praecibus adiubemur.   2235, 3813
... BEATORUM apostolorum tuorum supplicationibus propitiatus adsume.
    2958
ut BEATORUM confessorum tuorum illorum quorum hodie mereamur tuum
    obtinere auxilium.   3702
Honor martyrum BEATORUM deferre nos tibi munera, dne, fidenter hortatur...
    1794
et martyrum BEATORUM depraecatione sustentas.   1663
indiscreta pietas horum martyrum BEATORUM individuae caritatis...   2740
ut BEATORUM intervencione sanctorum Marci et Marcceliani...   2022
quae (de) BEATORUM Iohannis et Pauli glorificatione procedit...   2998
Ds qui nos annua BEATORUM marcellini et petri martyrum tuorum sollemnitate
    laetificas...   1100
BEATORUM martyrum, dne, Saturnini et Crisanti (mauri dariae) adsit
    oracio...   289, 290
praecipua nos BEATORUM martyrum glorificatione solaris...   4108
Hostias tibi dne BEATORUM martyrum gordiani atque epimachi dicatas meritis
    benignus adsume...   1832
ut qui BEATORUM martyrum gordiani et epimachi sollemnia colimus...   680
de BEATORUM martyrum illor. gloria manifestatione conceptis benignus
    aspira...   2271
BEATORUM martyrum Iohannis et Pauli natalicia veneranda...   262
VD. Qui nos BEATORUM martyrum palmas in diebus...   3966
BEATORUM martyrum pariterque pontificum Corneli et Cypriani nos, dne, qs,
    festa...   291
Benedicat vobis dominus BEATORUM martyrum suorum ill. suffragiis...   338
quae BEATORUM martyrum tuorum Cosme et Damiani meritis inploratur
    (imploretur) (imploramus).   3299
ut BEATORUM martyrorum tuorum illorum et illarum (Merita)...   4015a
... BEATORUM martyrum tuorum illorum hic (hii) semper merita celebrentur.
    471
in honore BEATORUM martirum tuorum illorum vel illarum sanctarum et
    confessorum...   1733
BEATORUM martyrum tuorum Iohannis et Pauli nos, dne, merita prosequantur...
    264
ut BEATORUM martyrum tuorum Nerei et Achillei deprecacionibus...   2974
BEATORUM martyrum tuorum nos, dne, praecibus et intercessione defende...
    292
quam BEATORUM martyrum tuorum sanguis...   4180
per virilem sexum martyrum BEATORUM meritum deceptori reciprocas
    ultionem...   4034

... BEATORUM numero digneris inserere (spirituum).   1742
Apostolicis nos, dne, qs, BEATORUM Petri et Pauli adtolle praesidiis...
   209
... BEATORUM Petri et Pauli desiderata sollemnia recensemus...   211
BEATORUM Petri et Pauli honore continuo plebs tua semper exultet...   293
apostolorum BEATORUM Petri et Pauli natalicia gloriosa...   1082
Largiente te, dne, BEATORUM Petri et Pauli natalicium nobis (lumen)
   effulsit...   1992
Apostolico, dne, qs, BEATORUM Petri et Pauli patrocinio nos tuere...   210
ut festivitatem nobis annuam BEATORUM Petri et Pauli triumphos...   3666
apostolorum, dne, (domino) BEATORUM praecibus foveamur...   2537
VD. Quorum (Quoniam) martyrum BEATORUM pro confessione tui nominis...
   4116
et iniustitias nostras tot oratio BEATORUM pro nobis fusa dissolvat.
   2897
Ds spei luminis sincerum mentium luxque perfecta BEATORUM qui vere es
   lumen...   1251
et ad BEATORUM requiem adque (usque) ad caelestia regna perveniat.   1171,
   2541, 2542
Munera plebis tuae...
... BEATORUM sanctorum illorum fiant grata suffragiis...   2132
et ut nostrae proficiant saluti, adsit intercessio BEATORUM sanctorum
   tuorum.   1617
VD. Quia pectora martyrum BEATORUM sic ignis ille caelestis inflammat...
   4059
et in septenario inter BEATORUM spirituum agmina requiescatis...   2242
et BEATORUM spirituum efficiamini coheredes.   2260
ut famulus tuus ill. BEATORUM tabernaculis constitutus...   4099
Unde quesumus famulus ill. BEATORUM tabernaculis spirituum constitutus...
   3862
quem in BEATORUM triumphis martyrum mirabilia cuncta pronuntiant.   4188
quae cum BEATORUM tuorum cosmae et damiani meritis imploratur.   3299
mariae genetricis dei et domini nostri iesu christi sed et BEATORUM.   420
ut animam famuli tui ill... in praeparatis habitaculis, deduci facias
   BEATORUM.   2747
Ds, qui nos per BEATOS apostolos ad cognicionem tui nominis venire
   tribuisti...   1123
et (sed) per BEATOS apostolos (tuos) continua protectione custodias...
   4138
et per BEATOS apostolos perpetua protectione custodi...   1678
Ds qui nos per BEATIS apostolos symonis et iudae...   1123
Concede, qs, dne, BEATOS apostolos tuos intervenire pro nobis...   459
per BEATOS apostolos tuos nobis prodesse sentiamus auxilio.   3064
... Huic quoque BEATUM apostolum Paulum ad salutem...   4169
ut quae secundum BEATUM apostolum Paulum docentem...   4171
VD. Qui BEATUM augustinum confessorem tuum et scientiae documentis
   replesti...   3878
cum ad BEATUM convivium rogatus ad nuptias...   855
quos ad aeternam vitam et BEATUM gratiae tuae...   1726
Ds qui BEATUM gregorium pontificem sanctorum tuorum meritis quoaequasti
   ...
Ds qui BEATUM hermen... virtute constantiae in passione roborasti...   914
Qui BEATUM helarium ad hoc armasti virtute...   981
quique BEATUM illi paulum ad praedicandum gentibus gloriam tuam sociare...
   970
qui BEATUM ill. sibi adscivit virtute confessionis.   2263

Ds qui BEATUM iohannem baptistam magnum nuntiasti per angelum...   910
O. et m. ds, qui BEATUM iohannem baptistam tua providentia destinasti...
   2279
Ds qui BEATUM iohannem evangelistam preconiis...   911
quo BEATUM iohannem intra viscera materna docuisti.   669
qui BEATUM Iohannem tua providentia destinasti...   2278
Ds qui BEATUM leonem pontificem sanctorum tuorum meritis coequasti...
   909
etiam BEATUM martyrem tuum (suum) magnum facere (faceret) esse victorem...
   3933
Ds qui BEATUM petrum apostolum a vinculis absolutum...   910
Ds, cuius dextera BEATUM Petrum (apostolum) ambulantem in fluctibus ne
   mergeret erexit...   786
ex quibus BEATUM petrum apostolorum principem ob confessionem unigeniti...
   3728
Ex quibus BEATUM petrum confessionis unigeniti fili tui principem...
   4158
die vero sabbati apud BEATUM Petrum cuius nos vigilias... caelebrimus...
   179
Ds qui BEATUM petrum ita reddedisti praeputium...   913
Ex quibus BEATUM petrum ob confessionem unigeniti filii tui...   4158
fac eum praemio BEATUM, quem fecisti pietate devotum (detuum).   1170
... BEATUM quoque apostolum Paulum, dne, simili dignatione glorificas...
   4055
VD. Cuius gratia BEATUM saturninum in sacerdotium elegit...   3643
Ds qui BEATUM sebastianum... virtutem (virtute) constantiae in passione
   roborasti...   914
et BEATUM sthefanum confessionem ita succendisti...   1230
Et BEATUM sthephanum in confessionem ita succendisti fide...   1230
Ds qui BEATUM stephanum protomartyrem coronavit...   915
qui BEATUM vencentium prius armasti pectore...   546
Adiuvet ecclesiam tuam tibi dne supplicando BEATUS andreas apostolus et
   pius interventor...   152
ut sicut ecclesiae tuae BEATUS andreas apostolus extitit (stetit)
   praedicator et rector...   2052
Qs o. ds ut BEATUS andreas apostolus (tuus) pro nobis imploret auxilium...
   2989
ut BEATUS andreas nobis imploret apostolus...   971
BEATUS Andreas pro nobis, dne, qs, imploret apostolus...   294
Protegat nos dne cum tui perceptione sacramenti BEATUS benedictus...
   2921
... BEATUS clemens hodierna nobis exultationis affectum...   4097
... BEATUS confessor tuus ille (agustinus) qs precator accedat.   3577
Ds qui BEATUS confessores tuos ill. et ill. clarificasti haec merita...
   908
... BEATUS damasus pontifex obtineat.   3351
qua BEATUS david rex in psalterio psalmorum filius...   842
ut excellentiam verbi tui, quam BEATUS evangelista Iohannes adseruit...
   2756
Adsit aecclesiae tuae, dne, qs, BEATUS evangelista Iohannes ut cuius
   perpetuus...   159
et sequendum BEATUS evangelista, quod docuit.   2170
Ex quibus BEATUS aevangelista tuus lucas...   4149
praebuit martyr BEATUS exemplum.   3614, 3644
Da, qs, o. ds, ut qui BEATUS Filix donis tuis extitit gloriosus...   681
... BEATUS gervasius et protasius memorabiliter epulantur...   3676

ut BEATUS ille apostolus tuum pro nobis imploret auxilium...   2989
quo BEATUS ille baptista Iohannis exortus est...   3774
... BEATUS ille Clemens hodiernae nobis exultationis affectum... sacravit
   ...   4097
Adsit ecclesiae tuae dne qs BEATUS iohannes cuius perpetuus dictor...
   159
Sacrificium... gratum tibi BEATUS ill. suffragator efficiat (accedat).
   3156
Sit dne BEATUS iohannes evangelista nostrae fragilitatis adiutor...   3295
qua BEATUS Iohannis exhortus est...   3688, 3772
VD. Cuius gratia BEATUS Laurentius dispensator egregius...   3644
... BEATUS Laurencius edaces incendii flammas contemto persequutore
   devicit...   784
qua BEATUS laurentius hostia sancta viva tibi placens oblatus est...
   3689
ut BEATUS leo tibi platito (placita) fulgeat sorte pontificatus...   2750
... Inter quos BEATUS levita Stefanus gloriosus effulsit...   4193
... Ex quibus BEATUS lucas evangelista tuus... et viriliter contra
   vitiorum hostes pugnavit...   3722
ut BEATUS Marcellus tibi placito fulgeat sorte pontificatus...   2750
VD. Cuius munere BEATUS martinus confessor pariter et sacerdos...   3655
... BEATUS martyr georgius diversa supplicia sustinuit...   3858
sic BEATUS martyr non consumitur tormentorum incendiis...   3615
BEATUS martyr Stephanus, dne, qs, pro fidelibus tuis suffragator
   accedat...   295
Sit dne BEATUS matheus evangelista nostrae fragilitatis adiutor...   3295
... BEATUS michahel archangelus, cuius frequantamus sollemnia...   124
VD. Cuius inspiratione BEATUS Paulus apostolus aeclesiae dicens...   3653
VD. Quoniam BEATUS Petrus et Paulus apostoli tui...   4085
... Sic fons ille BEATUS qui dominico latere circumfulxit...   3596
qua BEATUS Xystus pariter sacerdos et martyr...   3773
quae maiestati tuae BEATUS Syxtus sacerdos commendat (commendat) et
   martyr.   3399
ut BEATUS Stefanus levita magnifica (magnificus)...   2751
quo dicata nomini tuo basilica BEATUS Stefanus martyr suo honore
   signavit...   3761
ubi etiam BEATUS summus confessor tuus ille sociatus exultat...   3723

BELLIGER
qui fuit BELLIGER fidelibus in conflictu.   2640
adsis nunc te tuis invocationibus fidelibus BELLIGER in virtute...   3473

BELLIGERO
dum gentes BELLIGERANTES dissipas...   4143

BELLUM
qui per gloriosa BELLA certaminis ad inmortalis triumphus martyres
   extollisti...   2440
BELLA comprimat, famem auferat, pacem tribuat...   169
Ds, qui conteres BELLA et et inpugnatores...   932
dum infidelium gentium tua potentia BELLA prosternis...   4143
arma... quibus fatiant universa BELLA prostrata.   2609
Libera eam a diaebus malis et a cogitatione BELLORUM, et da aeis...   3102
ut remoto terrore BELLORUM et libertas securae religio sit quieta.   1070
ut ab omni nos exuat BELLORUM nequicia (nequicias) (nequitiae)...   3157,
   3158
a BELLORUM nos, qs, turbine fac quietos...   2265

et pax aecclesiarum nullo (nullum, nulla) turbetur tempestate BELLORUM.
  1172
quarum clangore ortatus ad BELLUM tela prosterneret adversantium...   1154

BENE

VD. Cuius nos misericordia praevenit ut BENE agamus...   3659
ut eius qui tibi placuit exemplis ad BENE agendum informemur...   3655
ut pariter BENE et pacifici senescant...   1719
cum et inmeritis BENE facere non omiittis.   2179
tribue, qs, ill. famulo tuo adeptam BENE gerere dignitatem...   2487
ut securus mereatur deinceps inter tuos BENE meritis currere...   850a
quae BENE meritis dona conferrent, qui tuentur etiam peccatores.   4002
ut BENE placitis inherendo...   1377
ut sicut eos... per tuam gratiam BENE placitos fecit aetas exitu...   200
et BENE placitum fieri tribue sacratarum tibi mentium famulatum...   3099
... BENE placitum tibi nostrae mentis offeramus affectum.   3209
pro inmatalibus et BENE quiescentibus animabus sine dubio caelebramus...
  3668
qui dum BENE sit tibi placitus, pro his etiam prosit auditor.   295
... BENE tibi placitam perficias servitutem.   4141
ut hic BENE valeat vivere...   1767
sic per gratiam tuam et BENE velle sumamus...   3797
et BENE vivendi aliis exemplum praebere.   1464
adiungi mereamini in caelesti regione BENE vivendo.   1157
ds martyrum, (virginum) ds omnium BENE viventium...   752, 753
ut et hic valeat BENE vivere...   1749
in quo tibi OPTIME conplacuisse testimonio subsequentis vocis ostenderis
  ...   3945

BENEDICO

BENEDIC clementissime pater et dne hanc (hunc) supplicem populum tuum...
  296, 297
BENEDIC dne creaturam hanc saponis...   298
BENEDIC dne creaturam istam panis...   300
BENEDIC, dne, creaturam istam, ut sit remedium...   301
BENEDIC, dne ds o., locum istum...   302
BENEDIC, dne, dona tua, quae de tua lartitate sumus sumpturi.   303
BENEDIC, dne, et has tuas creaturas fontis mellis et lactis...   304
BENEDIC dne et hos fructus novos uvae...   305
BENEDIC, dne, et hos fruges novos fabae...   306
BENEDIC, dne, familiam tuam in caelestibus...   307
BENEDIC dne hanc aquam benedictionem caelesti...   308
BENEDIC dne hanc crucem tuam per quam aeripuisti mundum...   309
BENEDIC, dne, hanc domum et omnes habitantes in ea...   310
BENEDIC dne hanc familiam tuam adque hos omnes...   311
BENEDIC dne hanc familiam tuam christi sanguinem conparatam.   312
BENEDIC, dne, hanc familiam tuam in caelestibus...   307
BENEDIC dne has aquas (quas) ad husus humani generis... praestetisti...
  313
BENEDIC, dne, hoc famulorum tuorum dormiturio (dormiturium)...   314, 315
... BENEDIC, dne, hoc lumen quod ad te sanctificatum atque benedictum
  est.   1304
BENEDIC dne hos famulos et famulas tuas fructibus bonis...   316
... BENEDIC dne hos famulos tuos cuius capillus incidimus...   2310
BENEDIC, dne, hos fructos novos uvae sive fabae...   317
BENEDIC dne hos populos tuos conspectu tuo.   318

BENEDIC dne hos populos (tuos) respectui tuo...   319
BENEDIC dne hunc famulum tuum cuius nomine initia incidimus capillorum...
  321
BENEDIC, dne, hunc fructum novarum (arborum)...   322
BENEDIC dne hunc principem nostrum ill. quem...   924
BENEDIC dne populum tuum et devotum respicere, pater...   323
BENEDIC dne populum tuum natalis tui misteria gloriantem...   324
Tu lapidis istus divinus cultibus apparatus BENEDIC et sanctifica...   3997
sanctifica adque BENEDIC hanc creaturam saponis...   3332
et BENEDIC hereditatem tuam in pace.   202
BENEDIC huic domui, dne, BENEDIC dominis domus huius...   325
BENEDIC hunc, clementissime, regem illum cum universo populo suo...   395
... BENEDIC hunc famulum tuum, ut qui tibi...   2325
BENEDIC hunc populum tuum o. s. ds qui es...   326
BENEDIC o. ds hanc creaturam salis tua benedictione caelesti...   327
BENEDIC, qs, dne, plebem tuam...   328
BENEDIC qs dne huniversam hanc familiam tuam...   329
BENEDIC qs dne universum populum ad caene tuae convivium evocatum.   330
BENEDIC, qs, omnipotens ds hanc cisternam aquae...   331
et BENEDICANT nomen eius sanctum in saecula saeculorum...   222
et te BENEDICANT omnibus diebus vitae suae.   1719
teque perpetua exultatione BENEDICANT.   1345
BENEDICANTUR nobis (dne) tua dona que de tua largitatem (largitate)...
  332
et omnes laborantes in aeo BENEDICAS, dne, benedictionis tuae habundantia
  ...   2293
preposito, propitius BENEDICAS ; et beate castitatis...   743, 1237
ut famulo tuo ill. in tua misericordia confitentem BENEDICAS, et omnia...
  1512
(quam) sanctificando sanctifices, et benedicendo BENEDICAS (ut) fiatque
  omnibus...   327
petimus, uti accepta habeas et BENEDICAS haec dona...   3464
uti acceptum habeas et BENEDICAS haec super inposita munera...   4181
Te deprecamur, o. ds, ut BENEDICAS hunc fructum novum pomorum...   3459
ita duili ancc semperque (be)NEDICAS, oves...   1366
ut BENEDICAS purifices consecres et consummes...   1283
quia quicquid benedicturi sumus, BENEDICAS, sit ad nostre humilitatis...
  2291
ut quicquid modo visitamus visites, quicquid benedicimus BENEDICAS sitque
  ad nostrae...   2292
propicius propositum BENEDICAS ut beatae castitatis...   743
... Quem tu, dne, sanctificando sanctifices, benedicendo BENEDICAS, ut
  fiat...   1542
et fecunditatem tribuas et filium que donaveris BENEDICAS.   977
et ad concipiendam subolem misericorditer BENEDICAS.   3407
Ille vos BENEDICAT ante nativitatem...   1158
Illi vos BENEDICAT de caelis qui...   3109
Beati martyris sui ill. intercessione vos dominus BENEDICAT et ab omni
  malo...   275
Tua nos dne qs (qs dne) gratia BENEDICAT, et ad vitam perducat aeternam.
  3518
Sicque corda vestra sanctificando BENEDICAT et benedicendo...   1268
Famulos tuos, qs, dne, tua semper gracia BENEDICAT et inculpabiles...
  1610
Fragmenta panis... redemptor humani generis BENEDICAT et multiplicit...
  1637

... BENEDICAT et sanctificet vos dominus ex sion...   319, 320
Omnipotens deus sua vos clementia BENEDICAT et sensum...   2258
ingressus cubiculum regis in ipsius aula BENEDICAT nomen (nomine) gloriae
    tuae semper.   2055
BENEDICAT nos deus omni benedictione caelesti...   350
BENEDICAT nos dominus et custodiat semper.   333
et te BENEDICAT omnibus diebus vitae suae.   1719a
BENEDICAT te deus caeli, adiuvet te...   334
BENEDICAT te deus, sanet te deus (filius)...   335
BENEDICAT tibi dominus custodiensque te...   337
... BENEDICAT tibi dominus et custodiat te.   336
BENEDICAT vobis dominus beatorum martyrum suorum ill. suffragiis...   338
BENEDICAT vobis dominus et custodiat vos.   339
BENEDICAT vobis dominus omnipotens et...   340
BENEDICAT vobis dominus qui beatae virgini...   341
BENEDICAT vobis omnipotens deus beati iohannis baptistae intercessione...
    342
BENEDICAT vobis omnipotens deus cui... placare studetis...   343
BENEDICAT vobis omnipotens ds, cuius unigenitus... caelorum alta
    penetravit...   344
BENEDICAT vobis omnipotens deus, ob cuius...   345
BENEDICAT vobis o. ds qui per unigeniti sui... passionem...   346
BENEDICAT vobis omnipotens deus qui quadragenarium...   347
BENEDICAT vobis o. ds qui vos beati petri...   348
BENEDICAT vobis omnipotens ds, vestramque ad supernam excitet
    intentionem...   349
BENEDICAT vos deus filius a superna sede...   352
BENEDICAT vos deus omni benedictione caelesti (omne caeleste
    benedictione)...   350
BENEDICAT vos deus pater domini nostri iesu christi...   351
BENEDICAT vos deus pater qui in principio...   352
BENEDICAT vos deus qui per unigeniti... passionem vetus pascha in novum
    voluit converti...   353
BENEDICAT vos dominus caelorum rector et conditor...   354
BENEDICAT vos dominus deus noster...   355
BENEDICAT vos dominus et custodiat vos.   356
BENEDICAT vos dominus iesus christus, qui se a vobis voluit benedici...
    357
BENEDICAT vos dominus omnipotens et per...   356
Ds qui prope est invocantibus se in veritate BENEDICAT vos et ipse...
    1185
BENEDICAT vos filius qui a paterna side opro nobis salvandus discendit.
    363
BENEDICAT vos o. ds et ad omnem rectam...   359
BENEDICAT vos o. ds et mentes vestras...   360
BENEDICAT vos omnipotens deus hodierna...   361
BENEDICAT vos omnipotens deus qui vos gratuita miseratione creavit...
    362
BENEDICAT vos pater qui in principio verbum cuncto creavit.   363
BENEDICAT vos spiritus sanctus qui in speciae columbae... in christo
    requiaevit.   363
que nobis additum est christus filius dei BENEDICAT.   2644
que nobis ad remedium prolata christus filius dei BENEDICAT.   282
que nobis adposita sunt omnipotens deus BENEDICAT.   2486
que adpositum nobis est christus dei filius BENEDICAT.   716

quae nobis ad medium sunt prolata, christus dei filius BENEDICAT.   282
que nobis oblatum est unigenitus dei filius BENEDICAT.   269
que nobis est allatum creatur omnium BENEDICAT.   1890
que nobis aditum est redemptor omnium BENEDICAT.   2490
qui (que) (quod) nobis est adpositum (appositum) redemptor omnium
  BENEDICAT.   3186
nomen sanctum tuum instaurata protinus sanitate BENEDICAT.   4237
et prolem in qua nomen tuum BENEDICATUR concedas.   1772
quam hanc creaturam salis BENEDICEMUS ut ubicumque...   2676
barbam BENEDICENDAM dicimus...   898
sanctificando sanctifices, BENEDICENDO benedicas...   327, 1542, 1544
... BENEDICENDO haec creatura (creaturam) salis...   1670
... BENEDICENDO mirabilius fecundasti.   3918
ac BENEDICENDO peccata relaxa...   1845
Sicque corda vestra sanctificando benedicat, et BENEDICENDO sanctificet...
  1268
capite menteque humilis sacerdotale manum BENEDICENDUM sede sederit...
  898
septem panis in diserto in escas populorum BENEDICENS multiplicasti...
  2386
cibum vel potum, te BENEDICENTE, cum gratiarum accione accipiant
  (percipiant)...   2283
praesta ut te iubente adque BENEDICENTE per nostri officium...   1314
usque et ambolabant in medio flamme laudante et BENEDICENTES.   1867
et BENEDICERE a te mereatur et tua semper virtute defende.   660
... BENEDICERE alimentorum panis substantiam adque multiplicare
  digneris...   2386
... Teque ineffabilem atque invisibilem deum laudare BENEDICERE adorare.
  3738
ut habitaculum istum... BENEDICERE atque custodire dignetur...   725
sacrificare, BENEDICERE, consacraraqua digneris et per manus...   3997
sanctificare BENEDICERE consecrareque digneris haec lenteamina...   1318
... BENEDICERE consecrare et sanctificare digneris vasa haec...   1283
laudare et BENEDICERE debemus per christum dominum nostrum.   3805
ita aeam BENEDICERE dignare, hac praesta...   1508
Adesto dne supplicationibus nostris, et hunc famulum tuum BENEDICERE
  dignare cui in tuo...   97
... BENEDICERE dignare hunc famulum tuum...   2342
Has famulas tuas... omni benedictione spiritali BENEDICERE dignare.   1297
... BENEDICERE dignaris famulum tuum hunc nomine illum in officio
  exorcistam...   1338
sicut BENEDICERE dignatus es domum Abraham Isaac et Iacob...   310
introitum vero nostrum BENEDICERE (..) dignatus es sicut benedicere...
  3461
BENEDICERE digneris dne hoc scriptorium famulorum tuorum et omnes
  habitantes in eo...   364
... BENEDICERE digneris famulum tuum huic nomine illum...   1339
ds, BENEDICERE digneris famulum tuum hunc in officium lectoris...   1337
... BENEDICERE digneris famulum tuum hunc nomine ill. in officio
  exorciste...   1338
ds, BENEDICERE digneris famulum tuum hunc quem ad subdiaconatus...   1339
... BENEDICERE digneris famulum tuum nomine illum in officio lectoris...
  1340
ut BENEDICERE digneris hanc creaturam tuam salis...   1370
ut BENEDICERE digneris hoc lardario famulorun tuorum...   2284
... BENEDICERE digneris hunc famulum tuum hostiarium nomine illi...   1341

ita BENEDICERE digneris hunc famolum tuum ill. in officio acoliti... 1364
hanc creaturam (creatura) salis et aqua BENEDICERE digneris ut ubicumque
    ... 1351
ut hunc famulum suum (nomine) illo BENEDICERE dignetur in officium
    exorcistae... 726
ut hunc famulum tuum nomine ille BENEDICERE dignetur quem in officium...
728
VD. Nos te... exultantibus animis laudare, BENEDICERE et praedicare inter
    quas... 3815
VD. Et te in sanctorum tuorum meritis gloriosis conlaudare BENEDICERE et
    praedicare qui eos... 3722
sed in hoc praecipue die laudare BENEDICERE et praedicare quod pascha
    nostrum... 4162
exultantibus animis laudare, BENEDICERE et praedicare. 3815
tuam omnipotentiam laudare BENEDICERE et praedicare. 3820
... Mariae gratiae plene laudare, BENEDICERE et praedicare. 3819, 3820
ut hunc novum fructum (fructum novum) BENEDICERE et sanctificare digneris
    et multiplicare... 1357
et BENEDICERE et sanctificare digneris hanc creaturam vini... 1335
nunc etiam eandem BENEDICERE et sanctificare digneris precamur... 998
ut hanc vestem BENEDICERE et sanctificare digneris quam famula tua...
    1298
et hanc vestem... BENEDICERE et sanctificare digneris. 751
ut in eo semper oblaciones famulorum suorum... BENEDICERE et sanctificare
    dignetur (digneris) et spiritali... 707, 718
ut aea BENEDICERE et sanctificare et bonis omnibus amplificare digneris
    ut et sint... 3461
dignare, dne o., BENEDICERE et sanctificare has ovium mundarum carnis...
    1257
ut hanc creaturam salis... BENEDICERE et sanctificare tua pietate
    digneris ut sit... 1929
ut digneris BENEDICERE lignum crucis tuae... 3120
ligna quoque fructifera laudare hac BENEDICERE non cessant... 2321
VD. Et te beatae caeciliae natalitia praeveniendo laudare, praedicare
    et BENEDICERE quam tanto munere... 3716
Omnipotens dominus... vos dignetur BENEDICERE qui de antiquo... 2264
Omnipotens deus dignetur vobis... BENEDICERE qui per eum... 2246
VD. Et te in omni tempore conlaudare et BENEDICERE quia in te vivimus...
    3719
et laudare, te BENEDICERE, teque glorificare... 4126
... BENEDICERE vobis dignetur beati apostoli sui ill. intercedentibus
    meritis. 1243
ipse vos sua miseratione dignetur BENEDICERE. Amen. 1241
sanctificas, vivificas, BENEDICES, et praestas nobis. 2557
Sanctorum confessorum suorum ill. meritis vos dominus faciat BENEDICI et
    contra adversa... 3232
ut tribuas iugiter nos eorum confessione BENEDICI et patrociniis
    confoveri. 3306
Benedicat vos dominus iesus christus, qui se a vobis voluit BENEDICI, et
    qui hoc... 357
ab eo quem ille a dextris dei vidit stantem mereamini BENEDICI. Amen.
    915
invisibilem deum laudamus, BENEDICIMUS, adoramus. 4175
ut quicquid modo visitamus visites, quicquid BENEDICIMUS benedicas...
    2292
BENEDICIMUS, dne, misericordias tuas... 365

... BENEDICIMUS et sanctificamus ignem hunc ; adiuva nos.   1367
... Unde BENEDICIMUS te dne in oprtibus tuis...   4083
... Unde BENEDICIMUS te, dne, teque debita servitute laudamus.   3902
quam hanc creaturam salis BENEDICIMUS, ubicumque...   2676
bona creas sanctificas vivificas BENEDICIS et praestas nobis.   2557
Ds, qui mundi crescentis exordio multiplicata prole BENEDICIS
   propiciare...   1078
tu has simplices aquas tuo ore BENEDICITO ut praeter...   1045, 1698
Unde BENEDICO te, creatura aquae, per deum vivum...   1045, 3565
... BENEDICO te et per Iesum Christum filium eius unicum...   1045, 3565
BENEDICO te, sicut benedixit deus (dominus) domum habraham...   2180
sint prorsus BENEDICTA adque sanctificata...   2907
et spiritus sancti benedictione sanctificata omnia atque BENEDICTA
   depulsis...   3459
hac si per sanctum coniugium initialis BENEDICTA permanerit...   759
Sanctificit gregem tuum illa BENEDICTA, quae sine simine...   805
ut quaecumquae benedixerint BENEDICTA sint et quaecumque...   512, 513
ut efficiaris aqua sancta, aqua BENEDICTA ut ubicumque...   1532
Quam oblationem... BENEDICTAM ascriptam ratam... facere digneris...   3011
et cum BENEDICTIS ad dexteram (dextera) dei patris venientibus (venientis)
   veniat (inveniat)...   3433
Corona dne plebem fructibus sanctis et operibus BENEDICTIS.   541
Benedic dne hos famulos et famulas tuas fructibus bonis et operibus
   BENEDICTIS.   316
de sancto spiritali BENEDICTO puculo recreata...   2003
benedic, dne, hoc lumen quod ad te sanctificatum atque BENEDICTUM est.
   1304
VD. Per quem sanctum et BENEDICTUM nomen maiestatis tuae...   3841, 3842
chrisma tuum perfectum, (nobis) a te, dne, (dne ad te) BENEDICTUM
   permanens,.. 1404, 1407, 1408
quia quicquid BENEDICTURI sumus, benedicas...   2291
... Qui benedixerit eis, sit BENEDICTUS et qui maledixerit...   820
qui es deus BENEDICTUS et regnas per omnia.   332
sis BENEDICTUS in ordine sacerdotale...   367
quia tu es deus BENEDICTUS qui cum patre et spiritu sancto vivis et
   regnas...   3261
... BENEDICTUS, qui venit in nomine domini...   3258, 3589, 3763
reple nos de tua misericordia, qui es BENEDICTUS.   3265
VD. Quia te BENEDICUNT et laudant omnes sancti tui...   4065
VD. Te etenim laudant et BENEDICUNT omnes sancti tui...   4147
Ds quem omnia opera BENEDICUNT quem caeli...   884
etaerica alta voce laudant et BENEDICUNT, summique...   3736
ut quaecumquae BENEDIXERINT benedicta sint...   512, 513
... Qui BENEDIXERIT (eis) sit benedictus...   820
sicut BENEDIXISTI habraam in (fa)milia...   395
qui BENEDIXISTI orrea ioseph, area gedeonis...   2280
sicut BENEDIXISTI quinque panes in deserto...   300
Et sicut BENEDIXISTI vestes omnium re(li)giosorum...   1508
in filiis prole generosa multiplicantur BENEDIXISTI.   3918
qui BENEDIXIT apostulus post passionem.   1158
item tibi gracias agens BENEDIXIT dedit discipulis suis...   3014
Benedico te, sicut BENEDIXIT deus domum habraham...   2180
Benedico te, sicut BENEDIXIT dominus quinque millia virorum...   2180
et BENEDIXIT eam et dixit : Sanavit dominus aquas istas...   1346
... BENEDIXIT filios tuos in te...   1330
tibi gratias agens BENEDIXIT fregit dedit discipulis suis...   3014

benedictionem aeternam quam BENEDIXIT omnes sanctos patris...   319

            BENEDICTIO
... BENEDICTIO caelestis copiosa discendat...   2386
Super populum tuum, dne, qs, BENEDICTIO copiosa descendat indulgentia
    veniat...   3354
Super has, qs, (dne) hostias, dne, BENEDICTIO cupiosa descendat quae et
    sanctificationem...   3353
ut doni tui fiat nobis et BENEDICTIO copiosa et larga protectio.   3241
Sacramenti tui, dne, qs, sumpta BENEDICCIO corpora nostra mentesquae
    laetificet...   3127
Adsit nobis, dne, (qs) sancti Laurenti martyris in tua glorificatione
    BENEDICTIO cuius nobis est...   162
BENEDICTIO dei patris et filii et spiritus sancti...   18, 349, 915,
    2246, 2252, 2254
Fideles tuos, dne, BENEDICTIO desiderata confirmet...   1623
BENEDICTIO, dne, qs, in tuos fideles cupiosa discendat...   366
Sanctificationum omnium auctor... cuius plena BENEDICTIO est...   3225
haec BENEDICTIO et sanctificatio tua inlesa redat...   849
quur (quo) (non) perpenditur (pependit) quia BENEDICTIO illi in
    maledicto (maledictum) convertitur...   3290
ut discendat super aea gratiae tuae BENEDICTIO larga...   2907
BENEDICTIO patris et fili et spiritus sanctus discendat super te...   367
ac super sanctum coniugium initialis BENEDICTIO permaneret...   758, 759
Sanctificit gregem tuum illa BENEDICTIO, que sine...   945
corona credentium, BENEDICTIO sacerdotum...   395
... Et tua sancta BENEDICTIO sit omni unguenti, gustanti, tangenti...
    1407, 1408
Has famulas tuas... omni BENEDICTIONE spiritali benedicere dignare.   1297
Haec sit BENEDICTIO super hunc locum et super omnes habitantes in aeo.
    302
BENEDICTIO tua dne impleat corda fidelium...   368
BENEDICTIO tua, dne, larga discendat...   367
BENEDICTIO tua, dne, super populum supplicantem copiosa descendat...   370
Proficiat aeis inlapsa BENEDICTIO tua plenius ad salutem...   122
et discendat gloriosa BENEDICTIO tua super nos, ut hic...   4224
et discendat super aeum pia BENEDICTIO tua ut sub umbra...   1500
discendat super habitantes in ea gratiae tuae larga BENEDICTIO ut his
    manufactis...   92
Benedicat et sanctificet vos dominus... BENEDICTIONE aeterna...   320
Ita populus iste pollititatione alitus BENEDICTIONE aeternitatis...   842
et in ovium tibi placitarum BENEDICTIONE aeternum numerentur ad regnum.
    3915
omni BENEDICTIONE caelesti (caeleste) et gratia repleamur...   3375
Benedic o. ds hanc creaturam salis tua BENEDICTIONE caelesti in nomine...
    327
Repleti dne BENEDICTIONE caelesti qs clementiam tuam...   3066, 3067
Repleti, dne, BENEDICTIONE caelesti sanctorum tuorum...   3068
Benedicat vos (nos) deus omni BENEDICTIONE caelesti sanctosque...   350
Repleti BENEDICTIONE caelesti suppliciter imploramus...   3064
Gaudeat, dne, qs, populus tua semper BENEDICTIONE confisus (confessus)...
    1642, 1643
Repleti, dne, munificentia gratiae tuae BENEDICTIONE copiosa...   3072
ut huius creaturae pinguidinem sanctificare tua (tuae) BENEDICTIONE
    digneris...   3945, 3946
et sua vos BENEDICTIONE dignos efficiat.   2249

Deus lumen verum... sua vos dignetur BENEDICTIONE ditare.   853
quam tibi offerimus ob diem, quo eum pontificali BENEDICTIONE ditasti...
  1764
et societas principaliter ordinata es BENEDICTIONE donatur...   1171
ut sancti spiritus perfundantur (perfudatur) BENEDICTIONE et in nostris...
  2649
ut quod actum est nostrae servitutis officio, tua BENEDICTIONE firmetur.
  115
semper in tua (in tua semper) BENEDICTIONE laetemur.   843, 2871
ut dum te deum patrem BENEDICTIONE laudamus...   884
sua vos dignetur BENEDICTIONE locupletare.   1149
eiusdem adventus... et sua BENEDICTIONE locupletet.   2241
et in ovium placitarum BENEDICTIONE numerentur ad vitam.   3916
qui es BENEDICTIONE omnium largitur (et traditor)...   326
Caelestis doni BENEDICTIONE percepta...   388
qs dne plebs tua BENEDICTIONE percipiat...   256
quod de sanctis (sancti) altaris tui BENEDICTIONE percipimus...   3296,
  3301
habitaculum istius officine illa BENEDICTIONE perfunde (perfundas) qua
  per manus...   742
ut hoc tinnibulum caelaesti BENEDICTIONE perfunde ut ante sonitum...
  2378
ut quod nostro ministratur officio, tua BENEDICTIONE potius inpleatur.
  1495, 1506
Caelestis doni BENEDICTIONE praecepta supplices te, dne, depraecamur...
  388
fiat tua BENEDICCIONE praeciosum (atque sanctificatum).   1281, 1282
faciat vos sua BENEDICTIONE repleri...   1002
Tu ergo aeos o. dne iesus christe BENEDICTIONE rore perfunde...   1334
et reples omne animal BENEDICTIONE salvator mundi.   742
Humilitatibus (Humiliata) dne omnium capita dexterae tuae BENEDICTIONE
  sanctifica ac benedicendo...   44, 1845
O. s. ds, altare nomini tuo dicatum caelestis virtutibus BENEDICTIONE
  sanctifica ut omnibus...   2304
et spiritus sancti BENEDICTIONE sanctificata omnia atque benedicta...
  3489
gerolum BENEDICCIONE, sanctificacionis tutamine...   2524
ut aquam putei huius caelesti BENEDICTIONE sanctifices et ad communem...
  717
ut hoc altare... praesenti BENEDICTIONE sanctifices ut in eo semper...
  718
vocis nostrae exorandus officio praesenti BENEDICCIONE sanctificet...
  707
O. ds... sua vos BENEDICTIONE sanctificet. Amen.   2248
et BENEDICTIONE sanctorum et securitatis munere relevati.   3077
Benedicat vos deus omne caeleste BENEDICTIONE sanctos...   350
Sacramentorum (tuorum) BENEDICTIONE satiati quaesumus...   3131, 3132
et tua BENEDICTIONE satiemur.   3047
et pari BENEDICTIONE sicut munera Abel (iusti) sanctifica...   1058
ut tua sancta BENEDICTIONE sit omni unguenti tangenti...   1404, 1408
Refecti, dne ; BENEDICTIONE solemni...   3041
quo beatae Mariae fructum sedula voce BENEDICTIONE susciperet...   3754
corpus et sanguinem filii tui inmaculata BENEDICTIONE transformentur
  (transformit)...   3225
... BENEDICCIONE tua impleas sanctificacione tua sanctifices.   4050

huic orreo famulorum tuorum non desit BENEDICTIONE tuae habundantia.   2280
ut cum tua BENEDICTIONE vel sanctificatione a tuis fidelibus sint
    possessa...   770
tua sint firmati BENEDICTIONE.   2441
exaudi dne ut... caelestem BENEDICTIONEM accipiat...   800
... BENEDICTIONEM aeternam quam benedixit omnes santos patris...   319
Benedic dne hanc aquam BENEDICTIONEM caelesti et adsistat...   308
omnem BENEDICTIONEM caelesti et gratia repleamur.   3375
omnem BENEDICTIONEM caelesti et gratia saturati, repleantur in nobis.
    1257
ita nunc per hanc aquam BENEDICTIONEM confirma.   1366
ut aeternam caelestis lavacri BENEDICTIONEM consecutus...   829
ut per mediatorem nostrum BENEDICTIONEM daret...   2242
da aeis de rore caeli BENEDICTIONEM, de pinguidinem terre...   395
presbyteratus BENEDICTIONEM devinae indulgentiam muneris consequantur...
    3300
BENEDICTIONEM, dne, nobis conferat salutare (salutarem) sacra semper
    oblatio...   371
Da qs dne BENEDICTIONEM et custodiam tuam...   635
ut super servum suum nomine illi... infundat BENEDICCIONEM et graciam
    suam...   2498
... Multiplices super eos BENEDICTIONEM et gratiam tuam...   819, 820
ut hanc creaturam salis BENEDICTIONEM et potentiam... infundas...   849
et BENEDICTIONEM fontemque baptismatis donum vocare dignatus est...
    1411, 2174, 2177
super hos famulos tuos... BENEDICTIONEM gratiae suae clementer effundat...
    2499
ut per nostram BENEDICCIONEM hoc vasculum sanctificetur...   2259
Consecrare... patenam hanc per istam unctionem et nostram BENEDICCIONEM :
    in Christo...   513
te, dne, BENEDICTIONEM largitatem, contemnat presentiam...   2303
qs dne plebs tua BENEDICTIONEM percipiat...   256
quod de sancti altari tui BENEDICTIONEM percipimus, ut nullis...   3301
et ad humanam BENEDICCIONEM plenitudinem divini favoris accommodet.   2504
et tamquam ad BENEDICTIONEM pristinam se excludi decernerent...   3918
... BENEDICTIONEM profluentem a capite in barba unguenti.   1508
et reples omnem animam BENEDICTIONEM, regnas...   742
et super hos famulos tuos BENEDICTIONEM sancti spiritus... effunde...
    1483
Et ita omnem hanc familiam tuam BENEDICTIONEM sanctifica...   3110
caelesti tua BENEDICTIONEM sanctificare digneris...   2321
et spiritus sancti BENEDICTIONEM, sanctificata...   3459
et super hunc famulum tuum BENEDICTIONEM spiritus sancti... effunde...
    1483
da aei dne exorantibus nobis, aeam ex tuam BENEDICTIONEM substantiam...
    3191
da BENEDICTIONEM super dona tua...   1093
... BENEDICTIONEM suppliciter inploratam devota tibi familia consequatur...
    3511
sed etiam quo beatae mariae fructum sedola voce BENEDICTIONEM
    susceperat...   3755
cuius vera consecratio plena BENEDICTIONEM, tu, dne...   3225
BENEDICTIONEM tuam, dne, populo supplicanti benignus adcumula...   372
BENEDICCIONEM tuam, dne, populus fidelis accipiat.   373
effunde super hanc horationis domum BENEDICTIONEM tuam et omnibus...
    1200

Multiplica, dne, BENEDICCIONEM tuam et per spiritum...   2108
Multiplica dne BENEDICTIONEM tuam, et spiritus tui muneris fidem nostram
  corrobora...   2109
et adiciat sanitatem tuam et BENEDICTIONEM tuam hic et in futuro...   2180
Praesta dne tuum salubrem remedium per sanctam BENEDICTIONEM tuam quam
  hanc...   2676
effunde super hanc oraciones domum BENEDICCIONEM tuam ut ab omnibus...
  1200
et BENEDICTIONEM tuarum propitius hubertatem purifica...   519
Consecrentur manus istae per istam unccionem et nostram BENEDICCIONEM ut
  quaecumque...   512
et magnificentur per istam precationem aeternam BENEDICTIONEM, ut
  quecumque...   513
quoniam dominus noster... eum ad suam graciam et BENEDICTIONEM vocare
  dignatus est.   2174, 2175, 2176
Signate illus, accedite ad BENEDICTIONEM.   3573, 3574
et suam in vos infundat BENEDICTIONEM. Amen.   2242
ut, te custodi, servata, hereditate BENEDICTIONES aeternae percipiat.
  4255
Ds qui mundi crescentes exordio multiplicata prole BENEDICTIONES,
  propitiare...   1078
... BENEDICTIONES tuas excipere mereantur...   1353
BENEDICTIONES tuas iugiter adsequatur...   3534
... BENEDICTIONES tuas te largiente percipiant.   286
quanto frequencius martyrum BENEDICTIONIBUS confovemur.   3252
ut omnes ex aeo... percipientes BENEDICTIONIBUS repleantur.   2386
Repleti, dne, caelesti mysterio et BENEDICTIONIBUS suffragantum...   3069
ut confirmati BENEDICTIONIBUS tuis habundent in omni gratiarum actione...
  1345
et BENEDICCIONIBUS tuis decanda praecedis...   1065
ut de custode servata hereditatem BENEDICCIONIS aeternae percipiat.
  4123
hereditatem BENEDICTIONIS aeternae sorte perpetua possederent...   136,
  137, 138
ut nullo erroris incursu gratiam tuae BENEDICTIONIS amittant.   935
Plebs tua, dne, capiat sacrae BENEDICCIONIS augmentum...   2597
Consequatur, dne, qs, tuae BENEDICTIONIS auxilium...   515
et semper hic tue BENEDICTIONIS copia redundante...   742
et suae vobis BENEDICTIONIS dona concedat.   1268, 2243, 2245
et suae in vos BENEDICTIONIS dona infundat.   948
tribuat vobis... et suae BENEDICTIONIS dona percipere.   1242
et suae super vos BENEDICTIONIS dona propitiatus infundat.   2260
suae vos BENEDICTIONIS dono locupletare...   802
et suae BENEDICTIONIS dono locupletet.   2240
et in vos suae BENEDICTIONIS donum infundat.   2261
Adsit, (Adesto) dne, fidelibus tuis sacrae BENEDICTIONIS effectus...   156
virtutem tuae BENEDICTIONIS effunde...   896
perpetuae eis rorem tuae BENEDICTIONIS effunde.   2391
et super hunc famulum tuum spiritum tuae BENEDICTIONIS emitte...   1464
Multiplicet in vobis dominus copiam suae BENEDICTIONIS et confirmet...
  2117
et det vobis gratiam suae BENEDICTIONIS et praemium...   1903
Det vobis dominus munus suae BENEDICTIONIS et repleat...   722
manum tuae BENEDICTIONIS aeum infunde...   3225
Cuius BENEDICTIONIS gratiam, dum mulier...   3918

tu, dne, super hos famulos tuos... manum tuae BENEDICTIONIS his infunde...
3225
et hanc vestem... huberimi BENEDICTIONIS imbre perfunde...   1508
consecrare digneris BENEDICTIONIS in lapidum...   3997
per eandem humilitatem percipere suae BENEDICTIONIS ineffabile donum.
2255
et per manibus nostris opem tuae BENEDICTIONIS infunde qui te angularem...
3997
et elimento... virtutem (virtute) tuae BENEDICTIONIS infunde ut creatura
...   896
et super hanc famulam tuam opem tuae BENEDICTIONIS infunde ut in iugali...
1078
manibus nostris opem tuae BENEDICCIONIS infunde ut per nostram...   2259
mentibus eorum adque corporibus ros tuae BENEDICTIONIS infunde ut sacris
...   1606
perpetuum eis rorem (rore) tuae BENEDICCIONIS infunde.   2390, 2392
Veniat ergo, o. ds, super hunc incensum larga tuae BENEDICTIONIS infusio
et hunc nocturnum...   3588
Veniat, dne, qs, populo tuo supplicanti tuae BENEDICCIONIS infusio quae
diabolicas...   3587
et magnifice BENEDICTIONIS non deesset auxilium.   3865
ut hii totius ecclesiae praece... laeviticae (laevitici) BENEDICTIONIS
ordine (ordinem) clarescant (clariscat).   405
Omnipotens dominus det vobis copiam BENEDICTIONIS qui beatum sibi...
2263
Concedat vobis omnipotens deus munus suae BENEDICTIONIS qui vestrae...
425
Plebs tua, (tuae) dne, qs, BENEDICTIONIS sancte munus accipiat...   2599
et BENEDICTIONIS sancte super eam effunde clementiam...   3178
gerolum BENEDICTIONIS, sanctificationis tutamine...   2524
... BENEDICTIONIS suae gratiam clementer effundat...   2502
ipse super vos BENEDICTIONIS suae gratissimum imbrem infundat...   2254
et BENEDICTIONIS suae vobis tribuat incrementa.   2951
... BENEDICTIONIS suae vos munere fultos...   2256
spiritum tui BENEDICTIONIS super famulum tuum ill. nobis orantibus...
infunde...   2303
suae vobis BENEDICTIONIS tribuat dona gratissima.   2252
benedicas, dne, BENEDICTIONIS tuae habundantia per quod...   2293
huic orreo famulorum tuorum non desit BENEDICTIONIS tuae abundantia.
2280
et confirmari se (confirma iusse) BENEDICTIONIS tuae consecratione
(congregatione) cupientibus (cupienti)...   758
BENEDICTIONIS tuae gratiam quam desiderant consequantur.   312
qui BENEDICTIONIS tuae graciam egris infundendo corporibus...   1356
ut has primiciae creaturae tuae... BENEDICTIONIS tuae ymbre perfundas...
2525
dignare dne ut qui fontem BENEDICTIONIS tuae impleti sumus...   1366
... BENEDICTIONIS tuae in eos (eo) effunde virtutem.   2877
qui venientes parvulus tuus munus BENEDICTIONIS tuae inponis...   396
et BENEDICTIONIS tuae largitate confirma...   1590
et habundantia (abundantiam) BENEDICTIONIS tuae largiter infundat.   2289
... BENEDICTIONIS tuae munere prostratu vultum poscentem.   329
et super hoc altare BENEDICCIONIS tuae munus effunde...   2397
vel a quolibet potatum, divine BENEDICTIONIS tuae opolentiae repleatur...
1335
et gratiam BENEDICTIONIS tui nobis omnibus effunde.   3104

et veniat super eos... spirante (sperata) (sperate) BENEDICTIONIS
    ubertas...   2113, 2114, 2364, 2909
suae nobis conferat praemia BENEDICTONIS. Amen.   1157
et per ieiuniorum observantiam infundat in vobis donum suae BENEDICTIONIS.
    Amen.   18
in his dona tuae perpetuae gratiae BENEDICTIONISQUE conserva.   1012
Inriga dne BENEDICTIONUM caelestium imbrebus praesentem viniam...   1960
et omnium BENEDICTIONUM largus infusor...   751, 1298
et BENEDICTIONUM suarum repleat dono.   2244
qui per nostri oris officium, BENEDICTIONUM tuarum dona desiderant.   1248
... BENEDICTIONUM tuorum dona poscentem.   3102
et BENEDICTIONUM tuarum propitius ubertate purifica...   519

        BENEDICTUS
Intercessio nos qs dne (dne qs) beati BENEDICTI abbatis conmendet...
    1945
ut qui beati BENEDICTI confessoris tui veneramur festa...   3687
... Agustini Gregorii Hieronimi (geronimi) BENEDICTI et omnium sanctorum
    tuorum...   417, 419
per gloriosa beati BENEDICTI exempla humilitatis...   2237
VD. Honorandi patris BENEDICTI gloriosum caelebrantes diem...   3766
ut sancti BENEDICTI patrocinio... placeamus.   3594
Paternis intercessionibus magnifice pastore BENEDICTI qs...   2544
intercedente beato BENEDICTO abbate...   2563
Protegat nos dne cum tui perceptione sacramenti beatus BENEDICTUS abba...
    2921
quam venerabilis pater BENEDICTUS inlesus antecedebat...   2237
sanctus BENEDICTUS qs in salutem nobis pervenire deposcat.   3166

        BENEFACIO
anticipans BENEFACERE cognoscaris indignis.   3274
ad BENEFACIENDA (BENEFACIENDI) remedia providia (providi)...   296, 297

        BENEFICIUM
Dne ds o., qui largitate tua inmensa nobis conferis BENEFICIA a te qs...
    1315
ut eius auxilio (auxilium eius) tua BENEFICIA capiamus...   257, 258, 279
... Per quae providentiae tuae BENEFICIA cognoscentes...   3972, 3973
Sed qui sunt paschalis festivitatis BENEFICIA consecuti...   2298
et tua semper BENEFICIA consequantur.   691, 692
consolationis tuae BENEFICIA consequantur.   1048
et obsequentibus sibi BENEFICIA dignanter inpendat.   4015a
Inter nostrae redemptionis miranda BENEFICIA et sanctorum...   1941
Ad tua, dne, BENEFICIA fiducialiter inpetranda...   56
Quoniam BENEFICIAE gratiae tuae fidelibus vita non tollitur...   3862
nec castigationibus corrigemur, nec BENEFICIAS incitamur.   3795
ut tuo munere talis existat, cui tu perpetua BENEFICIA largiaris.   2595
reddes BENEFICIA (munera) libertatis.   3977
ut (qui) BENEFICIA nobis maiora concedas...   2039
... O sanctae matris aecclesiae pia sempiterna BENEFICIA non vult...
    3596
ut si quis (quisquis) hoc templum BENEFICIA petiturus ingreditur...   1085
ut qui eius BENEFICIA poscimus (possimus) dona tuae gratiae consequamur.
    1103
et ut graciae tuae BENEFICIA pociora percipiat...   123, 124
... BENEFICIA potiora sumamus.   2753
... BENEFICIA praebeas potiora devotis.   3800

VD. Quoniam sicut tua clementia non solum BENEFICIA prestat inmeritis...
   4104
et dignos quibus sua BENEFICIA prestet efficiat.   3525
et cum BENEFICIA praestit inmeritis.   3284
sic ad tua BENEFICIA promerenda maiestatem tuam pro nobis ipsi praeveniant.
   499
ad sanctorum BENEFICIA promenrenda tuae miserationes gratia inspirante
   convertas.   1039
ut et digni sint et tua valeant BENEFICIA promereri (promerere).   3405,
   3505, 3506
Copiosa BENEFICIA, qs, dne, christianus populus adsequatur...   534
ut sentiant BENEFITIAE qui festa colunt confessorum pontificum.   908
et (ut) ad BENEFICIA recolenda quibus (nos) instaurare (instauraret)
   dignatus est...   144, 145
et BENEFICIA referre suffragiis.   451
cum tua nobis que non meremur BENEFICIA retardent.   3802
qui inter innumera BENEFICIA sanctorum tuorum...   2416
et propiciacionis tuae (tui) BENEFICIA semper inveniat.   373
ut sanctae Soteris... martyris BENEFICIA senciamus.   2792
et BENEFICIA tua iugiter mereatur et pacem.   3000
VD. Quia, dum BENEFICIA tua largiris indignis magna pietate nos
   admones...   4045
et BENEFICIA tua non desinas prestare correctis.   2991
ut BENEFICIA tua, quae propriis obsercrationibus obtinere non sufficit...
   3272
... BENEFICIA tui muneris percipere mereamur.   758
et sui BENEFICII intercessione adtollant.   3209
quanto nos memores facit esse BENEFICII tanto nobis...   3591
et ex magnificis BENEFICIIS habunde ditasti a seculo...   3837
ut et temporalibus BENEFICIIS adiovemur...   1643
ut et temporalibus BENEFICIIS adiuvetur et erudiatur aeternis.   1642,
   1643
BENEFICIIS adtolle continuis et mentis et corporis.   3537
temporalibus BENEFICIIS conpetenter instructum...   2454
ne conlatis ingrati BENEFICIIS conferendis provemur indigni...   4132
utque tam inmensis BENEFICIIS devictis hostium...   4143
et temporalibus (praesentibus) sustenta BENEFICIIS et (futuris)
   aeternis.   3094
Averte invidiam tui BENEFICIIS et bonis omnibus inimicam...   1248
perpetuum tribuae gaudere BENEFICIIS et mentis et corporis.   517
VD. Qui aeclesiam tuam et fovere BENEFICIIS et non desinis exercere
   promissis...   3903
ut nativitatis tuae BENEFICIIS et perdida recepit...   1090
Suscipe, qs, dne, munera, quae de tuis offerimus collata BENEFICIIS et
   quod nostrae...   3443
pro concessis BENEFICIIS exhibentes gratias...   2224
ut indulta venia (veniam) peccatorum, de tuis semper BENEFICIIS
   gloriemur.   168
tuis (tui) semper BENEFICIIS glorientur.   1864
adque inriga BENEFICIIS graciae sempiternae (gratia sempiterna).   3471
pro concessis BENEFICIIS gracias referentis.   2224
et tuis semper indulgeat BENEFICIIS gratulari.   1623
et tuis iugiter BENEFICIIS gratulare.   1583
Gaudeat dne qs plebs tua BENEFICIIS impetratis...   1641
Et festivitatem hanc venisse BENEFICIIS inter sentiant...   906

et (ad) suae BENEFICIIS intercessionis (intercessione) adtollant.   3209
perpetuis tribue gaudere BENEFICIIS mentis et corporis.   517
tuis BENEFICIIS miseratus inpende...   805
vel de perceptis BENEFICIIS non in nobis, sed in tuo nomine gloriari.
   3642
et maiestatis suae BENEFICIIS non relinquat.   3811
nullumque momentum est quod a BENEFICIIS pietatis tuae vacuum
   transigamus...   3719
et per eum cibum, qui BENEFICIIS praerogatur alternis...   4060
eorum nos semper et BENEFICIIS praeveniri et oracionibus adiuvari.   1082
ut nos BENEFICIIS quibus non meremur anticipans (anticipiant) benefacere
   cognoscaris indignis.   3274
et BENEFICIIS refferre suffragia (suffragiis).   451
Guberna dne qs plebem tuam, et tuis BENEFICIIS semper adcumula...   1679
quo possint repleri BENEFICIIS sempiternis.   2260
tuis BENEFICIIS temporalibus gubernetur...   3359
et quos BENEFICIIS temporalibus refobis, pasce divinis (perpetuis).   4097
BENEFICIIS tuis, dne, qs, populus fidelis semper exultet...   374
qui BENEFICIIS tuis non perpetuo iudicemur indigni.   2971
... Quoniam BENEFICIO gratiae tuae fidelibus vita non tollitur...   4099
et copiosis BENEFICIORUM tuorum sublevetur auxiliis...   2597
ut tuae piaetatis BENEFICIUM in omnibus convaliscat.   313
cum hoc ipso magnum BENEFICIUM talibus conferatur...   3981

          BENEPLACEO
ut BENEPLACITIS inherendo cuncta quae bona sunt mereatur accipere.   1600
ut ad sacrosancta mysteria... cum BENEPLACITIS mentibus facias
   introire...   3894
ut in BENEPLACITU conspectu (conspectui) tuo tramitem (tramite)
   gradientem (gradientes)...   318, 1332
O. s. ds, dirige actus nostros in BENEPLACITU tuo ut in nomine...   2335
... BENEPLACITUM tibi nostrae mentis offeramus affectum.   3430

          BENIGNE
corporis animaeque salvator, aeternae felicitatis BENIGNE largitur.   1184
Ds, dierum temporumque nostrorum potens et BENIGNE moderator...   808
O. et m. ds, qui BENIGNE semper operaris, ut possimus implere quae
   praecipis...   2281
ut sacrificium de manibus meis placide ac BENIGNE suscipias...   2239
VD. Qui non solum nos sanctorum tuorum confessionibus BENIGNISSIME
   consolaris...   3960
concede BENIGNISSIME consolationis auxilium.   64

          BENIGNITAS
continentiae virtus, BENIGNITAS affectus.   359
pietas hac BENIGNITAS clemente misericordiae tuae...   980
... O infinita BENIGNITAS, cum pro suo nomine...   3851
ut et cautelae nostrae non desit socianda BENIGNITAS et indiscreta...
   3980
... Sit in eis... sapiens BENIGNITAS, gravis lenitas...   758, 759, 760
ut in ea nec sine iustitiae perpetuitate BENIGNITAS nec absque...   3652
... O infinitas BENIGNITAS, o ineffabilis misericordia...   3696
... BENIGNITAS omnipotentis dei graciae suae tribuat largitatem.   2510
laetitia, BENIGNITATE ab homine usque ad pecus praestare dignetur.   167
et (a) peccatorum nostrorum nexibus... tua BENIGNITATE liberemur.   17
sed aeclesiae membrum remissionis tuae BENIGNITATE reputetur.   825
pro laboris suis solita BENIGNITATE responde...   1331

totum ineffabili pietate ac BENIGNITATE sua conpensit.   2583
totum ineffabili pietate ac BENIGNITATE sua deleat et abstergat...   2584
inmensa BENIGNITATE suscipias...   2297
aliud, ne per improvidam BENIGNITATEM capiamus, intendere...   3981
et pietas largitoris, nos tuae BENIGNITATI commendatos efficeret...   3970
et pietas imitatores (largitoris) nos tuae BENIGNITATIS efficeret...
   3969
apere (aperi) fontem BENIGNITATIS tuae et terram...   895, 2448

          BENIGNITER
sacrificium... BENIGNITER digneris (dignare) suscipere...   856, 857

          BENIGNUS
ut BENIGNA consolatione non deseras...   1169
et quam BENIGNA defensione non deseris...   3546
Ds humani generis BENIGNISSIME conditor et misericordissime formator...
   822, 823
adque BENIGNISSIMUS aeius uterum fecundare digneris...   3918
sicut humani generis es conditor, ita BENIGNISSIMUS reformator.   3424
Inquoata ieiunia (nostra) (qs) dne BENIGNO (BENIGNUM) favore (favorem)
   prosequere...   1896, 1897, 1898
et que non sunt gerenda servitio, suo BENIGNO prosequatur auxilio...
   2499
... BENIGNO refove miseratus auxilio.   1419
et pro regenerandis BENIGNOS exoret.   504
a peccatis quoque BENIGNUS absolvas...   2039
animam famuli tui BENIGNUS absolve ut resurrectionis...   1783
et ab alienis pravitatibus BENIGNUS absolve ut tua sancta...   4
conscientiam nostram BENIGNUS absolve.   564
pietati tuae perfice BENIGNUS acceptas.   3416, 3417
qs dne BENIGNUS accipias et tua (tuae) pietate concede(concedas)...   1757
Benedictionem tuam, dne, populo supplicanti BENIGNUS adcumula ut et te
   bona...   372
et episcopi nostri tua gracia BENIGNUS adcomula.   954
ad invocationem nominis tui BENIGNUS adsiste et hunc famulum...   1356
tu eum (aeius) praecibus BENIGNUS adsiste ut in confessione...   2837
quibus propagationem humani generis ordinasti, BENIGNUS adsiste ut quod
   te...   98
munera spiritus sanctus BENIGNUS assumat...   170
Hostias tibi, dne, dicatas meritis BENIGNUS adsume et ad perpetuum...
   1832
Hanc igitur oblacionem... propicius et BENIGNUS adsume et exoratus...
   1713
Hostias qs dne nostrae devotionis BENIGNUS assume et sacrificia...   1816
Hanc igitur oblacionem... BENIGNUS adsume eumque regenerationis...   1742
Munera, quae deferimus, dne, BENIGNUS adsume quia nostris...   2134
et has populi tui oblaciones BENIGNUS adsume (et) ut nullius...   2876
et has oblationes famulorum famularumquae tuarum... BENIGNUS adsume ut
   nullius sit...   2873
et has oblaciones... BENIGNUS adsume ut per intercessione...   2813
et hanc famuli tui ill. oblationem BENIGNUS adsume ut qui auxilium...   93
et has oblaciones famulorum famularumquae BENIGNUS adsume ut quod
   singuli...   2872
oblacionem... placidus ac BENIGNUS adsume ut quod tua...   94
et has oblationes... nomini tuo consecrandas deferimus BENIGNUS assume ut
   sacrificii...   2874

et has oblationes, quas tibi offerimus pro famulo tuo illo, BENIGNUS
  adsume ut viam... 2875
pro anima famuli tui illius placidus ac BENIGNUS adsume.   95
et hanc oblacionem... placitus ac BENIGNUS adsume.   96
et a cunctis eripe BENIGNUS adversis.   1280, 1609
optate misericordiae praesta BENIGNUS affectum.   1641, 2796
et cui tribuis supplicandi BENIGNUS affectum...   2622
tu hanc cupiditatem BENIGNUS aleres...   758
tu cupiditatem in earum corde BENIGNUS aleris...   759
adque ad optatam seriem cum suo coniuge proveas BENIGNUS annorum.   1729
et pro sua quemque necessitate clamantem BENIGNUS aspiciat...   1513
clemens adesto, tu BENIGNUS aspira tu has simplices...   1045, 1698
gloria manifestatione conceptis BENIGNUS aspira ut et corda...   2271
ita et huic famulo tuo illo placare dne et precibus eius BENIGNUS aspira
  ut in confessione...   596
et intercessionibus BENIGNUS adtollis.   3978
et sanctorum patrociniis BENIGNUS adtollis.   3069
praebe supplicantibus pium BENIGNUS auditum.   3219, 3226
et praebeat supplicantibus suum BENIGNUS auditum.   2248
Hos (dne) quos reficis, (dne) sacramentis adtolle BENIGNUS auxiliis et
  tuae redemptionis...   1797
tuis non destituas BENIGNUS auxiliis.   2969
caelesti protege (protegas) BENIGNUS auxilio et assidua...   1051
ut quae nostro sunt gerenda servitio, tuo prosequaris BENIGNUS auxilio et
  quos sacris...   1321
et sperantes in tua misericordia (et in tua misericordia confidentes)
  caelesti protege BENIGNUS auxilio.   105, 3100
praesta continuo (continuum) BENIGNUS auxilium.   3471
sic nobis indulgentiae (tuae) praebe BENIGNUS auxilium.   434
et in tua misericordia confitentes caelesti protege BENIGNUS auxilium.
  3100
ab ea opprobrium sterilitatis BENIGNUS averte.   2381
et cunctas BENIGNUS depelle nequitias.   2816
optatuae (consuetae) misericordiae praesta (tribue) BENIGNUS effectum.
  139, 2796
qs, BENIGNUS efficias, et tua in eis dona prosequaris.   1776
a tibi non placitis prius moribus BENIGNUS emunda...   106
et a cunctis BENIGNUS aeripe adversis.   1280
VD. Qui nos castigando sanas et refovendo BENIGNUS erudis dum mavis...
  3967
sed etiam ipsis adversitatibus saeculi BENIGNUS erudis ut ad caelestia...
  3928
VD. Qui mutabilitatem nostram ad incommutabilia ita iustus et BENIGNUS
  erudis ut nec...   3954
et pariter nobis indulgentiam tribue BENIGNUS et gaudium.   1934
supplicationem nostram exaudi BENIGNUS, et hanc famulam...   757
ut pariter nobis indulgentiam tribuas BENIGNUS et pacem.   1511
Ds, qui bona cuncta et incoas BENIGNUS et perficis...   916
Purifica, dne, qs, mentes nostras BENIGNUS et renova caelestibus
  sacramentis...   2938
cunctam familiam tuam ad aulae huius suffragia concurrentem BENIGNUS
  exaudi eiusdemque...   1733, 1777
supplicacionem nostram BENIGNUS exaudi et hanc famulam...   757
Deprecationem nostram qs dne BENIGNUS exaudi et quibus supplicandi...
  719

Praeces famulae tuae illius, qs, dne, BENIGNUS exaudi ut adsumptam...
    2820
praeces famulae tuae illius pro concedenda prole BENIGNUS exaudi ut
    firmamentum...   990
et praeces nostras BENIGNUS exaudi ut in hac area...   2364
Adesto nobis qs dne, et preces nostras BENIGNUS exaudi ut quod fiducia...
    121
et orationes supplicum occultorum cognitor BENIGNUS exaudi ut te
    largiente...   2834
et pia populi tui vota BENIGNUS exaudi.   2908
sanctorum martyrum festivitatibus BENIGNUS exerces...   3971
VD. Qui ideo nos imaginem tuam BENIGNUS exsistere voluisti...   3937
Tu semper, qs, dne, tuam adtolle BENIGNUS familiam...   3508
tu hanc cupiditatem in aearum cor BENIGNUS haberis...   759
Ds, castorum corporum BENIGNUS habitator...   758, 759
et BENIGNUS humilitatis nostrae vota sanctifica...   2859
respice (propicius) ad romanum (romanorum) (sive Francorum) BENIGNUS
    imperium...   2348, 2447
Perfice, (qs) dne, BENIGNUS in nobis observantiae sanctae subsidium...
    2572
Perfice, dne, qs, BENIGNUS in nobis ut quae sacris...   2574
pius hac BENIGNUS indulge...   852
ut mala que neglegenter admisimus, pius hac BENIGNUS indulgeas...   3821
et opem (tuam) tribue BENIGNUS infirmis...   2606, 3322
Mentibus nostris dne spiritum sanctum BENIGNUS infunde cuius et
    sapientia...   2089
O. s. ds, cordibus nostris BENIGNUS infunde ut a terrenis...   2314
eisque nos similiter diligendi spiritum BENIGNUS infunde ut in tua
    fide...   2759
Cordibus nostris dne BENIGNUS infunde ut peccata...   538
Cordibus nostris, qs, dne, BENIGNUS infunde ut sicut ab escis...   539
Sensibus nostris (qs) dne spiritum tuum sanctum (lumen sanctum tuum)
    BENIGNUS infunde ut tibi semper...   3275, 3276
eisque nos similiter spiritum sanctum diligendi BENIGNUS infunde.   2800
tu gratias praestas BENIGNUS ingratis...   3894
Ds castorum corporum BENIGNUS inhabitator et ta incorruptarum amator
    animarum...   760
Aeclesiae tuae, dne, BENIGNUS inlumina...   1392
Familiam tuam, dne, BENIGNUS inlustra et benedictionis...   1590
Aeclesiam tuam, dne, BENIGNUS inlustra ut apostolicis...   1393, 1394
... BENIGNUS inlustres, pietatis tuae more sanctifices...   848
Ds... auxilium nobis tuae defensionis BENIGNUS impende.   754
perpetuam nobis misericordiam BENIGNUS inpende.   100
et opem miseris BENIGNUS impende.   2836
et tunc eadem magis BENIGNUS inpendis...   3938
suavitatem quam nobis dne petimus BENIGNUS inpercias...   3748
et effectum caelestium mandatorum BENIGNUS inspira.   1179
iam conversationem nostram in caelis esse BENIGNUS instituas...   4027
et mentes vestras ab omni actu (ad boni actus) intelligentiam BENIGNUS
    institutor erudiat...   360
Famulos tuos, qs, dne, BENIGNUS intende et eis dignanter...   1608
Plebis tuae, dne, munera BENIGNUS intende quae maiestati...   2595a
Devotionem populi tui dne qs BENIGNUS intende ut qui per...   1266
gaudium domini sui tribuis BENIGNUS intrare.   3931
et hic omnium dormiencium hostiam, dne, suscipe BENIGNUS oblatam...   2845

Ds, qui solempnitate paschali caelestia mundo remedia BENIGNUS operaris...
1211
temporalia BENIGNUS praeve solacia...   1423
ut qs nostro sunt gerenda servitio, tuo BENIGNUS prosequaris auxilio...
1321
Suscipe... hostiam placationis et laudis BENIGNUS quas tibi offerimus...
3385
ut famolum tuum illo BENIGNUS respicias...   3914
suscipias clemens cum pace BENIGNUS sanctificesque...   3832
tu necessitatibus populi tui BENIGNUS succurre...   2262
praeces nostras placatus et BENIGNUS suscipe...   756
et desiderantibus BENIGNUS tribuas profutura (profuturam).   3801
quanto clementius expectas (spectas) BENIGNUS ut parcas.   4135
in nobis adspira BENIGNUS.   3417
spiritus... nos ab omni facinore delictorum emundet BENIGNUS.   2203

####### BESTIA
... Da, dne, terrorem tuum super BESTIAM quae exterminat (exterminavit)
vineam tuam...   1354, 1355
venena serpentium, vel impetum BESTIARUM incurrant...   4008
Item alio : Ne tradas, dne, BISTIAS animam confitentem tibi.   1271
... Ne tradas BESTIIS animas confitentium tibi...   1886

####### BESTIALIS
... BESTIALI (BESTIALE) saevitia Herodes (herodis) funestus occidit...
3696, 3851

####### BIBO
omnem iocunditatem ut BIBAMUS aurimus...   4184
ut quicumque ex eo ab hinc hauserit BIBERITVE...   717
neque dum dormit, neque dum BIBIT, neque dum manducat...   2552
Per quod de torrente (torrentem) in via BIBIT salvator...   3047
adque ex ea BIBITIS invistigabilibus contagia per habysi magnitudinem...
1365

####### BIVIUM
non adgrediens in BIVIO, non in trivio, non quatrivio...   394

####### BLANDE
ut spiritum et animam famuli tui illius... BLANDE et misericorditer
suscipias...   2215
ut cari nostri illius animam... BLANDE leniterquae suscipias...   1289

####### BLANDIMENTUM
Amove ab aeis pestifera serpentis BLANDIMENTA, et insere...   124
qui aeos demigantes (dimicantes) contra... et propria (proprii) corporis
BLANDIMENTA, inexpugnabile...   3722, 4149
inter saeculi BLANDIMENTA, inter supplicia persequentum...   3993, 3994,
3995
nec saeculi BLANDIMENTIS a sui status rectitudine potuit inmutari...
3683
nec BLANDIMENTIS carnalibus demulceatur...   3942
quae tribus pueris in camino... BLANDIMENTIS mollioribus reservavit...
861
qui nec hereticis BLANDIMENTIS, nec sui status potuit diversitatibus
inmutari...   3684
nulla promissa BLANDIMENTORUM falatium...   3694
nullis inpediantur retinaculis BLANDIMENTORUM.   3721

BLANDIOR

quia et illa, quae tunc carnalibus BLANDIEBANTUR obtutibus...   819, 820
quam qui fallaciter BLANDIUNTUR.   2048

BLANDITIA

deprehendere seculi BLANDICIIS et adbueri...   4176

BLANDUS

VD. Qui foedera nupciarum BLANDO concordiae iugo... nexuisti...   3925,
3926

BONITAS

et BONITAS, et mansuitudo, et lenitas, et plenitudo legis...   302
VD. Cuius BONITAS hominem condidit, iustitia damnavit, misericordia
redemit...   3636
Ds cuius BONITAS ut non habuit principium...   782
ut in mentibus nostris nec sine BONITATE censura.   2717
tu, ds, inoleta (in olim) BONITATE (BONITATEM) clementer deleas, pie
indulgeas...   1289
cuius vos BONITATE creatos esse creditis.   425
nec absque aeterna sit BONITATE iustitia...   3652
et prosperum, misericordiae BONITATE, largire in me...   1296
et tuae nobis pietatis effectus potenti BONITATE largire.   2098
et ut eam perpetua BONITATE non deseras...   85
talis fieri qui a tua non mereamur BONITATE privari.   1213
tu guberna perpetua BONITATE salvandam.   3508
sed fragilitati nostrae invicta BONITATE subvenias.   3750, 4216
sed indulgentiae tuae piae sentiat BONITATEM cumque finito...   3470
quantum aeum ad imaginem tuae similitudinis BONITATEM ineffabilem
condedisti...   3918
concede... patientiam, BONITATEM, mansuetudinem...   307
... Tuam igitur inmensam BONITATEM supplices exposcimus... ut...   3940
qua suscipiam profundam BONITATEM tuam in humilitatem.   575
Toto tibi, dne, corde substrati BONITATEM tuam supplices exoramus...
3482
Ds, qui omne meritum vocatorum donis tuae BONITATIS anticipas...   1141
VD. misericordiae dator et totius BONITATIS auctor qui ieiuniis...   3807
Ds, omnium misericordiarum ac totius BONITATIS auctor qui peccatorum...
873
et te qui fons vitae et origo BONITATIS es semper sitiamus...   3872
VD. Qui es fons vitae, origo luminis, et auctor totius BONITATIS et
maiestatem...   3913
... Quamvis enim a divitiis (ad vitiis) BONITATIS et pietatis Dei
nihil temporis vacet...   56, 59
Ds fons BONITATIS et pietatis origo...   815
... Qui in principio inter cetera BONITATIS et pietatis tuae munera...
3945
secundum divicias BONITATIS in id reparas quod creasti...   825
Ds infinitae misericordiae et BONITATIS inmensae...   843
Ds, cuius BONITATIS nullus est numerus...   783
O. s. ds, fons lucis et origo BONITATIS qui per ipsum...   2342
VD. Qui es... origo perpetuae BONITATIS regum consecrator...   3912
et misericordia BONITATIS tuae ad locum refrigerii et quietis...
transferatur...   2493
inter cetera BONITATIS tuae munera...   3946
... BONITATIS tuae pacientia faciat venia promereri.   792
VD. Et inmensam BONITATIS tuae pietatem humiliter exorare, ut...   3697

BONUM
... Quo sic mutabilia BONA capiamus...   3707
Ds, qui BONA cuncta et incoas benignus et perficis...   916
Ds, a quo BONA cuncta procedunt, largire supplicibus, ut...   730
et BONA cuncta sectando...   2613
ut venienti filio tuo domino nostro BONA eius capere valeamus.   1570
ut nos a malis operibus abstrahas et ad BONA facienda convertas...   4009a
ut ad BONA futura perducas...   3890, 3936, 4009
ut consolatione praesenti ad BONA futura proficiat.   3532
Ds, qui diligentibus te BONA invisibilia praeparasti...   959
si BONA mansura non signius (segnius) sacro ieiunio purgatis sensibus
    (mentibus) appetamus.   4132
quia BONA nobis cuncta pretabis...   2265
providentes BONA non solum coram deo, sed etiam coram hominibus...   3653
ad summa BONA pervenire concede.   3540
... BONA praesentia sumamus et aeterna.   4025
ut BONA pro malis reddere (rependere) tuo incitentur exemplo...   943,
    1344
ut consolationem (consolatione) praesenti (praesentem) ad futura
    BONA proficiat.   3533
ad invisibilia BONA promptius (prumptior) incitetur.   3535
et BONA, quae suis utilitatibus tribui cupiret (cubire) a consorte
    naturae...   3923, 3924
ut BONA, quae te auctore percipit, te protegente serventur.   2372
ad BONA quoque perpetua piae devotionis crescamus accessu.   1210
et instituta BONA recipiant, et restaurata custodiant.   550
VD. Qui non solum malis nostris BONA retribues...   3958
sic transeamus per BONA temporalia, ut non amittamus aeterna.   2915
ut BONA tua capere valeamus.   1571
... Nec BONA tua difficulter inveniant...   704
ut BONA tua et fiducialiter imploremus (impetremus) et sine difficultate
    sumamus.   2659
... BONA tua prestas celebrare laetantes.   2004
et ut BONA tua te largiente percipiant...   3050
... Sint speciosi munere tuo pedes horum... ad evangelizandum BONA tua.
    820
vel permanentis BONI tempus agnoscentes...   3719
ne temporalibus debita BONIS (BONAS) ad praemia sempiterna non tendat
    (contendit) (contendat).   4010
ut a fertilitate terrae aesurientium animas (animae) BONIS affluentibus
    repleas...   2525
et BONIS aptetur aeternis.   3511
in tuis BONIS confirmatus...   3660
qui nos et praesentibus simul BONIS cumulas et futuris.   1824
et praesentibus BONIS gaudeat et futuris.   1984
et illi non pro BONIS mala reddere moliantur.   1016
sanctificare et BONIS omnibus amplificare digneris...   3461
a cunctis adversitatibus liberati, in BONIS omnibus confirmati...   3741
et nullis inplicetur malis, et BONIS omnibus expleatur.   1587
cunctisque in sacerdotibus aelegenda sunt BONIS omnibus exsuperantem.
    3281
 adversitatibus omnibus carentes, BONIS omnibus exuberantes...   337, 4198
quia BONIS omnibus hanc replebis, si tibi placere perfeceris.   240
Averte invidiam tui beneficiis et BONIS omnibus inimicam...   1248
et BONIS omnibus perfruamini...   342

ut aceptis BONIS perseverent inlesi...   2475
sic BONIS praetereuntibus nunc utimur...   3954
quo cercius de futuris BONIS, que in sacramento fidaei, qui in te est...
    3918
ut BONIS quibus per tuam gratiam nunc fovemur...   1436
ut BONIS quibus perpetua gratia nunc fovemur (..) eternis.   1436
Conserva dne familiam tuam BONIS semper operantibus aeruditam...   516
idio BONIS temporalibus consolaris...   3890, 3936, 4009
Ds, qui BONIS tuis infantum (infantio) quoque (tui) nescia sacramenti
    corda praecedes (precedisti)...   918
sic nos BONIS tuis instrui (instruas) sempiternis...   3734, 3822
dilata sanctae (sancta) huius congregationis habitaculum temporalem
    (temporale habitaculum) caelestibus BONIS ut fraternitate (fraternae)...
    1195
... Nostris nos dne qs evacua malis, tuisque reple per omnia BONIS ut
    percepta...   3741
Propicius nos dne qs evacua malis tuisque reple per omnia BONIS.
Mentes vestras ita parsimoniae BONO contra vitia muniat...   2249
ut devotionem famuli tui illi confirmis in BONO, et mittas...
confirmis in BONO, liberis a diabulo...
vestrum suscipiat ieiunium, omneque vos repleat BONO.
nec sensus aenim BONORUM colere fallantur...
largitore omnium BONORUM esse plenissima fide non dubitit.
et presentium BONORUM et aeternorum munerum largituri.
ut a (ad) tua promissa currentes caelestium BONORUM facis (facias)
    (faciat) esse consortes.   1143
Ds, aeternorum BONORUM fidelissimi promissor, certissimi persolutor...
    743
et BONORUM nobis indulta refectio vitam conferat sempiternam.   1132
gratia tua quae BONORUM nostrorum non indiget largiatur.   3553
BONORUM omnium, ds, auctor adque largitor...   376
si BONORUM omnium iugiter serviamus auctori.   612
prosperitatis effectus est BONORUM omnium sequi convenienter auctorem.
    4136
quia perpetua est plena felicitas si BONORUM omnium serviamus auctori.
    1574
felicitas sub BONORUM omnium serviunt auctore.   1582
... In hoc BONORUM pollicitatio futurorum...   4100
et ad BONORUM praemia gratiae tuae largitate perducat.   1591
sed etiam ad experientiam quorundam BONORUM quae in novo... perducas...
    758
Omnium bonorum, ds, BONORUMQUE largitor...   2491
Dne ds, pater gloriae, fons BONORUM qui licet...   1320
ut quorum auctor tu BONORUM, sis ipse perfector.   1362
VD. Qui nos de donis BONORUM temporalium ad perceptionem provehis
    aeternorum...   3968
... BONORUM tuorum semper munere potiantur.   632
Largire nobis, omnipotens ds, ut, a quo omne BONUM est te habentes...
    1996
Hic ipse inter BONUM et malumque discernas...   3828
non dicant malum BONUM nec BONUM malum...   820
que (ut ad) inmutalibis (inmutabile) BONUM per mutabilia dona veniamus...
    3825
et BONUM posse quod volumus.   3797
et ad BONUM praemia gratiae tuae largitate perducat.   1591
Ds qui... vobis contulit et BONUM redemptionis...   1157

... A quo omne BONUM sumimus, omnem iocunditatem haurimus...   3741
a quo omni BONUM ut simus sumimus...   4184
Suscipe, dne, servum tuum in BONUM.   2856

          BONUS vide MELIUS
... Evangelium dicitur proprie BONA adnuntiatio...   203
declinare que mala sunt, vel BONA consequenter operari...   3671
ut et de BONA conversatione sui praesulis semper exultet...   372
Per quem haec omnia, dne, semper BONA creas...   2557
ut et (in) nobis relegionis augmentum (augmento) quae sunt BONA nutrias...
  1259
... Accendit intentionem, qua ad BONA opera peragenda inardescamus...
  3659
et mala cuncta declinet, et omnia quae BONA sunt adpraehendat.   2622
et quae BONA sunt consequenter explere...   3749
et gratiam qua iusta (BONA) sunt inpetrandi.   2725
cuncta quae BONA sunt mereantur (mereatur) (mereamur) accipere.   1377
qui si qua in nobis BONA sunt opera...   1049
Largire nobis, dne, qs, spiritum cogitandi quae BONA sunt promptius...
  1995
quia iusta semper et BONA sunt quae potenter...   4200
quantocumque etiam BONAE conversationis adnisu fieri tribuas sectatorem.
  3670
per BONE conversationis perseverantiam...   1227
infantibus BONAE indolis gratiam...   1493
a quo rationabiles conscientiae BONAEQUE famae...   3879
... Cibus eius est, totius BONAE voluntatis affectus...   3880
internae pacis et BONAE voluntatis vos nectare repleat...   2254
contra omnes insidias inimici ad BONAM Christi miliciam profuturis...
  1706
... BONAM faciat et ad bonorum praemia gratiae tuae largitate perducat.
  1591
ut BONAM rationem dispensationis sibi creditae reddituri (redditurus)...
  1348, 1349, 1350
ipsorum primitus BONAS esse concede (effice) voluntates.   3050
aeuge, aeuge, famola, servae BONE et fidelis...   561
Gregem tuum, (dne) pastor BONE, placatus intende...   1676, 1677, 1678
Dne iesus, pastur BONE, qui animam tuam pro ovibus posuisti...   1333
pastor BONE, qui dormire nescis in vigilia...   44
Dne iesus tu pastur BONE rogamus te...   1344
Respice pastor BONE super hunc gregem...   3110
et mentes vestras ad BONI actus intellegentiam benignus institutur
  erudiat.   360
gratiam tuam per quam BONI esse possimus...   440
quam velut BONI odoris flagrare fecisti.   947
et ut fructum BONI operis consequatur...   1746
testimonium BONI operis aelectum dignissimum sacerdocium...   3281
percipiat indulgentiam, BONI operis instruatur...   515
in omnem doctrinam formam BONI operis ipse prebeat...   3281
et si in illum fractum BONI operis non invenis...   1725
per fructum BONI operis reficiantur in mente.   1266
in aeum virtutem perfectionis BONI operis tribuat in hactu...   2503
patri reconciliatum, BONI pastoris humeris reportatum...   701
ut sine qua nihil BONI possumus...   2685
quid non BONI tu creatur creature tuae fortissimus invocatur ?   219
et superent in BONIS actibus inimicum.   312

et in BONIS actibus tuo nomini sit devota. 1598
et tecum habitare concede in BONIS caelestibus.   2023
Benedic dne hos famulos et famulas tuas fructibus BONIS et operibus...
   316
hoc BONIS moribus exequatur.   969
Tu famulis tuis, qs, dne, BONIS moris placatus institue... 3505
Ds qui BONIS nati salvatoris diem celebrare concedis octavum...   917
ut in nomine dilecti filii tui mereamur BONIS operibus abundare.   2335
in BONIS operibus hac sanctis virtutibus permanere...   4176
et ad te sibi praestitam BONIS operibus conprobare. 2487
in mundi huius cursu in BONIS operibus corrobores... 3893
hoc BONIS operibus exsequatur. 969
... BONIS operibus faciat exornari.   2256
ut auxilium tuum ieiuniis tibi placitis et BONIS operibus impetremus.   45
ut BONIS operibus inherendo... 656
da ut BONIS operibus inniando... 660
ac BONIS operibus iugiter prestet (posset) esse intentos.   3520
adque sensus vestros in BONIS operibus semper aedificet. 356
VD. Tu (Ut) mentes nostras BONIS operibus semper informes...   3701, 4191
Conserva, dne, familiam tuam BONIS semper operibus eruditam...   516
Ds, qui BONIS tuis infantium quoque nescia sacramenti corda praecedis...
   918
Nutri aeos spiritu sancto in operibus et actibus BONIS, ut fructum...
   316
et in omni opere BONO confirmit caritatis exemplum.   3281
ut BONO et prospero sociata consortio legis aeternae (aeterna) iura
   (iussa) custodiat...   2541, 2542
qua in martyre tuo Gurgonio Christi tui BONO iugiter odore poscatur.
   1589
Suscipiat, te largiente, hodiae, dne, hi BONO opere et perseverantiam...
   2303
et ad BONORUM desideriorum vota perveniat...   3660
BONORUM, ds, operum institutor, famulae tuae Illius corda purifica...
   375
Omnium, dne, fons BONORUM iustorumque provictum...   2487
et cum provectu temporis BONORUM mihi potius operum des profectum...
   4172
... BONORUM omnium exuberent incrementis.   2248
ut cum fructu BONORUM operum ad regna caelestia introducat...   3869
Sanctum ac venerabilem retributorem BONORUM operum dominum depraecamur...
   3256
cum palma victoriae et fructu BONORUM operum ei port obitum...   343
et ceterorum BONORUM operum exhibitionem percipere...   346
ita vos eorum mereamini consortium per BONORUM operum exhibitionem.   338
ut nos famulos tuos... et ceteris BONORUM operum exhibitionibus
   eruditos...   3744
ut his observationibus et ceteris BONORUM operum exhibitionibus muniti...
   3939
et dulcibus botrus BONORUM operum exuberantia glorientur. 1155
et per BONORUM operum incrementa, beata adquiratur inmortalitas.   3636
et BONORUM operum incrementis excrevit...   3655
vos exornet BONORUM operum incrementis. 2263
ut cum BONORUM operum lampadibus...   948
sit ... profectus BONORUM operum, redemptio animarum...   3120
non inveniantur fluctu BONORUM operum, te adiudicante, ieiunii.   2298
... BONORUM operum tibi placere valeamus exhibitione. 4163

cum fructu BONORUM operum vos faciat pervenire ad gaudia aeterna patriae.
  2252
manifestati in omni loco dominationis tuae satorem te BONORUM seminum...
  1034
adque omnem (omne) (omni) vos BONORUM spiritalium munerum... locopletit.
  360
Dne ds, BONORUM virtutum datur...   1298
et dites fructu operum BONORUM.   3710
Tu famulis tuis, qs, dne, BONOS mores placatus instituae...   3506
VD. Quia, cum omne opus BONUM a te incoari constet et perfici...   4041
et BONUM conscientiae testimonium praeferentes (proferens) (preferens)...
  136, 137, 138
conple in BONUM desiderium suum...   2269
et omne quod BONUM est prumta voluntate sectemur.   630
dicens : BONUM est sal et apustulus suos ait...   1547
Ds, a quo inspiratur humanis cordibus omne quod BONUM est sicut animae...
  733
Ds a quo speratur humani corporis omne quod BONUM est ut sicut animae...
  736
Ds, a quo speratur humani corporis omne quod BONUM est...   735
Ecce quam BONUM et quam iocundum habitare fratres in hunum.   3612
Suscipe, dne, servum ill. in BONUM habitaculum aeternum...   3433
episcopatum qui desiderat, BONUM opus concupiscit...   4171
ut BONUM rationem dispensationem sibi credita redditurus...   2549
VD. Cui proprium est ac singulare quod BONUS es...   3633, 3634
qui solem tuum orire facis super BONUS et malus...   3637
Ds qui solus es BONUS et sine quo nullus est BONUS...   1213
qui vos ut pastor BONUS fide instruat...   3281
Tu famulis tuis (famulus tuus) qs dne BONUS moris placatus instituae...
  3505, 3506
patrem reconciliatum, BONUS pastoris humeris reportatum...   701
Gregem tuum pastor BONUS placatus intende...   1676
prestis MELIORA correctis.   452
si ad MELIORA iugiter transeuntes paschale mysterium studeamus habere
  perpetuum.   4191
sine dolore parit, et cum gaudio ad MELIORA provehit.   4160
dignos fieri quibus MELIORA tribuantur hortaris.   3883
iustitam tuam... actu MELIORE placeamus...   4205
ut ad MELIOREM vitam sanctorum tuorum exempla nos provocent...   476
... MELIORIBUS ornamentis studio eorum locus iste refulgeat.   1777
presta vitae MELIORIS effectum...   1423
... Quid enim maius vel MELIUS invenire poterit...   3596
amplificatis semper in MELIUS naturae rationabilis (rationalis)
  incrementis...   1348, 1349, 1350
... MELIUSQUE est malis praesentibus castigatos ad divina proficere...
  3812
cui non periunt moriendo corpora nostra sed mutantur in MELIUS te
  supplices...   747
Ds virtutum, cuius est totum quod est OPTIMUM insere...   1259
donum omne perfectum OPTIMUMQUE descendit.   3879

          BOS
... Illic namque agnovit BOS possessorem suum et asinus praesepium domini
  sui...   3648

BOTRUS

et cottidianam fac de BOTRIBUS ubertatem.   2188
et dulcibus BOTRUS bonorum operum exuberantia glorientur.   1155
Non conculcet BOTRUS suos astutia sua...   4233

BRACHIUM

robor in BRACHII fortitudine securitas in prohelium...   3473
antiqua BRACHII operare miracula...   2229
tui eam BRACHII protectione custodi.   925
dignare hanc familiam tuam BRACHII tui deffensionis protegere...   980
ut per virtute BRACHII tui omnibus qui nobis adversantur revictis...
   810a
et protectione (protectionem) fidelium populorum antiqua BRACHI (BRACHII)
   tui operare miracula...   3405
Recedo ergo... a sublingua, a BRACHYUM, a naribus...   2180
... Illius BRACHIUM contremisce, qui divictis gemitibus inferni animas
   ad lucem (perduxit)...   142, 1355
et propter nomen tuum magnum et manu forte et BRACHIUM excelsum...   1249
... Tribue eis BRACHIUM infatigabilem (infatigabile) auxilii tui...   2658
tui eam BRACHIUM protectione custodi.   925
et BRACHIUM sanctum illius opituletur nobis...   218, 319
et BRACHYUM tuae maiestates protegatur.   1961

BREVIS

quod BREVI conpendio poterimus implere...   3937
nec ullum sibi finem in tam (ita) BREVI termino...   2541
Et ideo hanc BREVISSIMAM plenitudinem ita debetis vestris cordibus
   inherere...   1706

BREVITAS

quod tanta BREVITATE concluditur...   1197
tali eloquio talique BREVITATE salutiferam condidit fidem...   1287

BREVITER

Explicantes autem BREVITER, quid sit evangelium...   203

CADENS

nisi granum trittici CADENS in terram mortuus fuerit...   3757

CADO

sic contine ut non CADAM, sic constringe ut numquam demittas...   1296
CECEDI de manu tua vicio meo...   219
ut qui de paradiso non abstinendo CECEDIMUS ad eumdem nunc...   4182
quod alii CAECEDISSE vidiat...   201
ut ad paradisum de quo non abstinendo CECIDIMUS, ieiunando solemnius
   redeamus.   3889
et morum inprobabilium transgressione CAECIDIT humiliatus...   58

CADUCUS

quamvis esset CADUCA posteritas...   2541
tam braevi termino, quamvis essent CADUCA, proponerent (ponerent)...
   2542

CAECILIA

... Agnem (agne) (agnen) CAECILIA Anastasia et cum omnibus sanctis tuis...
   2178
quod nos interveniente sancta tua CAECILIA cuius festivitatem pervenimus
   ...   3432

qua (quia) beata gloriosaque (gloriosamque) CAECILIA dispecto mundi
    coniungio...   3993, 3994, 3995
Sanctae... CAECILIA dne supplicationibus tribus nos fovere...   3187
... Cuius munere beata CAECILIA et in virginitatis proposito...
    roboratur...   3942
... Quod sancta CAECILIA hodierna confessione testificans...   4034
quo sancta CAECILIA in tui nominis confessione martyr effecta est...
    3775
Ds cui beata CAECILIA ita castitatis devotione conplacuit...   768
... Cuius gloriae nobis diem beata CAECILIA martyr inlustrat...   4103
interveniente (intercedente) beata CAECILIA martyrae tua nos propitiatione
    ...   1688
in festivitate sancte martyris CAECILIAE congrua devotione gaudere...
    2385
Sanctae martyrae tuae CAECILIAE, dne, supplicacionibus tribue nos
    fovere...   3187
ut martyre intervencione sanctae CAECILIAE et praesentis...   2022
Sancte CAECILIAE festa recolentes praeces offerimus...   3185
ut sicut de sancte CAECILIAE festivitate gaudemus...   1485
et sanctae CAECILIAE martyrae tuae commemoracione laetificet.   1701
Muneribus nostris dne sanctae CECILIAE martyre tuae festa praecedimus...
    2151
et beatae CAECILIAE martyrae tuae veneranda festivitas augeatur.   556
ut sancte CAECILIAE martyris et annua sollemnitate laetemur...   687
plebem tuam de sancte CAECILIAE martyris glorificatione gratulantem...
    3099
Ds qui nos annua beatae CAECILIAE martyris tuae... sollemnitate
    laetificas...   1097
VD. Et te beatae CAECILIAE natalitia praeveniendo laudare...   3716
VD. Beatae CECILIAE natalicium diem (dne) debita veneratione prevenientes
    laudare...   3605, 3606
ut sacrificia pro sancte CAECILIAE sollemnitate delata...   3010
Sanctae martyrae tuae CAECILIAE supplicationibus tribue nos fovere...
    3187

        CAECITAS
ut (et) ab omni CAECITATE humana (spiritale) oculos (eius) aperiat...
    2503, 2761
et abiecta ignorantiae CAECITATEM (CAECITATE) ad cultum...   1664
... Omnem CAECITATEM cordis ab eis (eo) expelle...   2369, 2467

        CAECO
Paulus CAECATUS est ut videret ; petrus negavit ut crederet.   3823

        CAECUS
qui CECO nato oculos aperuit...   1550
sicut signavit dominus oculus aeorum CAECORUM qui in aevangelium
    leguntur.   2180
omne confusum et CAECUM fantasma...   1536, 1537
et genus humanum quod primae matris uterus profuderat CAECUM incarnationis
    ...   3949
te adiuro qui fecit... CAECUM inluminantem, surdum audientem...   1881
Inlumina CECUM quem tenibre peccatorum caliginis obscuraverunt.   4003
qui super mare ambulavit, qui CAECUS inluminavit...   2552
Inlumina CAECUS qui te per dilectorum caliginis obscuraverunt.   4004

CAELESTIS

Benedicat vos deus omne CAELESTE benedictione...   350
Refice dne cibo potoque CELESTE ds noster...   3040
et da aei requiem et regnum in hyerusalem CAELAESTE, et eum in sinibus...
    3433
omne benedictione CAELESTAE et gratia repleamur.   3375
Accende, dne, aeius mentem et corda ad amoris tui CAELESTAE et gratiam...
    1364
aeique consolationes tuas iugiter per CAELESTE gratiam dignanter operari.
    2591
vestem CAELESTE induae aeam...   3391
ad unae confessione tui nominis CAELESTE munere congregentur.   2436
et (ad) CAELESTE munus diligere quod frequentant.   650
Sit nobis, dne, reparatio mentis et corporis CAELESTE mysterium et
    cuius...   3298
ut CAELESTE misterium quo (quod) diabolus cum sua pompa distruaetur...
    3269
Sit nobis dne reparatio mentes et corporis CAELESTE misterium ut cuius...
    3298
tu veraciter in eis CAELESTE potes adhibere iudicium...   136, 137
et in tua misericordia confidentes CAELESTE protege benignus auxilio
    (auxilium).   3100
et illis praemium CAELESTE quaesivit...   4063
quo minus gybo expleatur CAELESTE quatenus sit semper...   875
Quos munere CAELESTE refices dne devino tuaere presidio...   3029
... Qualiter ad CAELESTE regnum illo interveniente... pervenire
    mereamur.   3655
Ds, qui ad CAELESTE regnum nonnisi renatis ex aqua et spiritu sancto
    (per aquam et spiritum sanctum) pandis introitum...   890, 891
ut ad CAELESTE regnum pervenire possitis securi.   722
terrenum respuit patrem, ut possit invenire CAELESTE retia saeculi...
    3609a
ut transactis terrae fructibus CAELESTE semen oreretur...   4074
ut de CAELESTE semper proteccione gaudeamus.   929
et habitatio aeius in hyerusalem CAELESTE.   2856
terrenum respuit patrem, ut posset invenire CAELESTEM adeptus...   3609
exaudi dne ut... CAELESTEM benedictionem accipiat...   800
et cui donasti CAELESTEM et incontaminatum pus baptismum sacramentum...
    890
et cui donasti CAELESTEM et incontaminatum transitum post baptismi
    sacramentum...   890
Da plebi tuae ad CAELESTEM gloriam et inmortalitatem honorem renati...
    947
ut per haec piae devotionis officia ad CAELESTEM gloriam transeamus.
    3394
eique (tuae) consolationes (tuas) iugiter per CAELESTEM gratiam dignanter
    operari.   2591
vestem CAELESTEM indue eam...   3391
... CAELESTEM meruit dignitatem...   3686
CAELESTEM nobis praebeant haec mysteria, qs, dne, medicinam...   378
... Andreae CAELESTEM nobis tribuant martyria praeventa laetitiam.   1417
fideles tui te CAELESTEM patrem conlaudent adque magnificent...   3879
terrenum respuit patrem ut possit invenire CAELESTEM retia saeculi...
    3610
et inter audientes auditu caelesti CAELESTEM sonum exaudiat.   3391

ut CAELESTEM sponsum accensis lampadibus cum oleo praeparacionis
   (preparationibus) expectet...   759
nosque de terrenis affectibus (effectibus) ad CAELESTEM transferat
   institutum. 1862
ad da ei requiem et regnum id est Hierusalem CAELESTEM ut in sinibus...
   3433
quo beatae Agnes (agnetis) (agnis) CAELESTEM victoriam recensentes...
   1793
secundum magnificam domini nostri Iesu Christi CAELESTEMQUE doctrinam...
   4075
et (de) carnalibus spiritales, de terrenis incipitis esse CAELESTES
   secura...   1706, 1707
Refecti, dne, panae CAELESTI, ad vitam, qs, nutriamur aeternam.   3042
quae in CAELESTI (CAELESTAE) beatitudine fulgere (fulgore) novimus
   sempiterna. 1976
et CAELESTI beatitudine te donante digni efficiantur.   3624
ut hoc tinnibulum CAELAESTI benedictione perfunde...   2378
ut aquam putei huius CAELESTI benedictione sanctifices...   717
et inter audientes auditu CAELESTI caelestem sonum exaudiat.   3391
ut altare hoc sanctis usibus praeparatum CAELESTI dedicacione
   sanctifices...   3844
ut manifestandus mundo deus et CAELESTI denuntiaretur inditio...   3726,
   4157
Refecti (Repleti) cibo (cibum) potuque CAELESTI ds noster, te supplices
   exoramus (depraecamur)...   3040
sanctumque sibi CAELESTI dispensatione percipiat...   1620
Quos CAELESTI, dne, alimento (alimenta) saciasti...   3022, 3023, 3024
Quos CAELESTI, dne, dona (dono) saciasti, praesta, qs, ut...   3025
populum tuum (qs) CAELESTI dono prosequere...   1146, 1212
Benedic dne hanc aquam benedictionem CAELESTI et adsistat...   308
omni benedictione (ommem benedictionem) CAELESTI et gratia repleamur...
   3375
ommem benedictionem CAELESTI et gratia saturati, repleantur in nobis.
   1257
Satiati participatione CAELESTI et gratias tibi...   3264
rore CAELESTI et inundantia pluviarum ad maturitatem perducere dignatus
   es...   306
Repleti alimonia CAELESTI et spiritali poculo recreati...   3063
veste quoque CAELESTI et stola inmortalitatis indui...   1263
... CAELESTI etiam protectione muniamini.   2240
... CAELESTI etiam protectione muniatur. 1597, 2832
proquae transturia claritate CAELESTI facis honore conspiquum...   4127
fac mentes nostras CAELESTI fertilitatem (fertilitate) fecundas. 3576
in CAELESTI gloria apud te pro nobis orare sentiamus.   3318
ut quos CAELESTI gloria sublimasti, tuis adesse concide fidelibus.   2061
et CAELESTI gloriae reformetur. 2837
Aeclesia tua, dne, CAELESTI gratia repleatur et crescat...   1385
cuius providentia... liquentes aquas CAELAESTI igne solidasti...   3191
Benedic o. ds hanc creaturam salis tua benedictione CAELESTI in nomine
   domini...   327
ut quae a te iussa cognovimus implere CAELESTI inspiratione valeamus.
   1084
Ds, qui licet universum genus humanum CAELESTI lege disponas...   1062
qui dum finiuntur in terris, facti sunt CAELESTI luce perpetui. 2145
CAELESTI lumen, qs, dne, semper et ubique nos praeveni...   379

Ds qui vigilantes in laudibus tuis CAELESTI mercede remuneras...   1238
ut eum sacrario tuo sancto strinuum sollicitumque CAELESTI miliciae
   instituas...   1339
efficiatur CAELESTI miseratione purgatum...   841
et respectu CAELESTI misericordiae, protegat vos...   351
ad unam confessionem tui nominis CAELESTI munere congregetur
   (congregentur).   2436, 2437
ut CAELESTI munere ditatus...   1464
CAELESTI munere satiati (saginati) quaesumus, dne ds noster...   380, 381
CAELESTI munere saciati, qs, o. ds, tua nos proteccione custodi...   382
et CAELESTI munus diligere quod frequentant.   650
Repleti, dne, CAELESTI mysterio et benedictionibus suffragantum...   3069
cuius CAELESTI mysterio (et) pascimur et potamur.   586, 590
Quae refecisti, dne, CAELESTI mysterio propriis...   3031, 3032
ut rationabiles voluntates... aut de CAELESTI nullatenus vigore caudentur.
   4200
ut quos uno CAELESTI pane satiasti...   3308
Vota qs dne supplicantis populi CAELESTI pietate prosequere...   4250
adversitatibus propitiatione CAELESTI populus tuus ereptus exultet.   776
tu eius vitam CAELESTI poteris examinare iudicio...   138
tu veraciter in aeum CAELESTI potis adibere iudicium...   136
Familiam tuam qs dne CAELESTI protectione circumda...   1596
quos redemisti CAELESTI protectione pius defende.   2097
... CAELESTI protege benignus auxilio (auxilium).   105, 1051, 3100
Repleti dne benedictione CAELESTI qs clementiam tuam ut intercedente...
   3066, 3067
non diutius esurire permittas, quominus cibo expleatur CAELESTI quatenus
   sit...   875
Quos CAELESTI recreas munerae, perpetuo, dne, comitare praesidio...   3026
ut per haec veneranda misteria pane CAELESTI refeci (reficae) mereamur.
   1387
Quos munere, dne, CAELESTI reficis, divino tuere praesidio...   3030
illi possitis in CAELESTI regione adiungi.   2263
in CAELESTI regione aeternis perfruuntur gaudiis...   3857
adiungi mereamini in CAELESTI regione bene vivendo.   1157
... CAELESTI remedio plenitudinem gloriaetur.   2943
ut quos uno pane CAELAESTI saciasti...   3308
per haec pura libamina CAELESTI sanctificacione salvatus...   3844
Repleti, dne, benedictione CAELESTI sanctorum tuorum...   3068
Benedicat vos deus omni benedictione CAELESTI sanctosque puros...   350
ut anima famuli tui... CAELESTI sede gloriosa semper exultet.   2721
qui dum finitur in terris, factus est CAELESTI sede perpetuus.   2142,
   2143, 2144
Ut CAELESTI septa praesidio...   1163
et inter audientes auditui CAELESTI sonum exaudiat.   3391
et infunde illi rore CAELESTI spiritum sanctitatis tuae...   298
... CAELESTI sponso cum lampadibus inextinguibilibus fiducialiter
   occurrere.   1297
nova CAELESTIQUE substantia mirabiliter restaurata profertur.   3714
qui filium tuum humana necdum voce profitentes CAELESTI sunt pro eius...
   149
Repleti benedictione CAELESTI suppliciter imploramus...   3064
... CAELESTI tua benedictionem sanctificare digneris...   2321
Dirige, dne, qs, aeclesiam tuam dispensatione CAELESTI ut quae ante mundi
   ...   1291
et cunctis hostibus CAELESTI virtute conpressis...   2276

Famulos et famulas tuas, dne, CAELESTI visitatione circumda...   1606
hoc baptisterium CAELESTI visitacione dedicatum (dedicato)...   2345
CAELESTI vite munus accipientes...   383
Omnipotens deus CAELESTI vos protectione circumdet...   2240
ut eadem consequamur conversatione CAELESTI.   2412
et eius dexterae sociati regnum (regno) mereantur possidere CAELESTI.
   667
ut omnem terrena dispiciam, de CAELESTIA abpedam.   3476
doceas nos terraena dispicere et amare CAELESTIA adque omni...   3065
Qs o. ds, ut qui CAELESTIA alimenta percepimus...   3001
ut terrenis affectibus (effectibus) mitigatis facilius CAELESTIA capiamus
   (capimus).   2788, 3028
atque intra regna CAELESTIA claustra...   1728
... Nihil tibi sit commune cum servis dei iam CAELESTIA cogitantibus...
   222
munera terrena gratanter offerimus, ut CAELESTIA consequamur...   172
ut et nos per ipsum his comerciis sacrosanctis ad CAELESTIA consurgamus.
   3153
appetitus ad CAELESTIA contemplanda mysteria...   4039
et ad potiorem triumphum secum ad regna CAELESTIA, cui fuerit (fuerat)
   nuptus, (nupta) perduxit.   3993, 3995
et CAELESTIA desideria perficiat.   160
ut a terrenis cupiditatibus (liberi) in (ad) CAELESTIA desideria
   transeamus.   1413, 2891
premia CAELESTIA desiderit sempiterna.   2303
CAELESTIA dona capientibus, qs, dne...   384
super hos famulos tuos... CAELESTIA dona multiplicet...   2500, 2501
et ad CAELESTIA dona perducat.   3223
O. s. ds, qui sic hominem condedisti, ut... ad CAELESTIA dona provehis
   (proveheres)...   2454
sed ad praesidium sempiternum CAELESTIA dona sumamus.   2963
... CAELESTIA dona sumentes gratias tibi referimus.   3072
sed amare CAELESTIA et inter praetereuntia...   583
praetende famulis tuis illis principibus nostris arma CAELESTIA et pax...
   1172
de aedificacionis tuae incrementa CAELESTIA et quorum hic...   985
et nos... una vobiscum ad regna CAELESTIA faciat (faciet) pervenire.
   1706, 1707
Sumentes dona CAELESTIA gratias tibi referimus...   3327
... CAELESTIA iam revelans...   3774
Laeti, dne, sumpsimus sacramenta CAELESTIA intercedente pro nobis...
   1987
ut cum fructu bonorum operum ad regna CAELESTIA introducat...   3869
... Nox in qua terrenis CAELESTIA iunguntur...   3791
cuncta servare CAELESTIA mandata docuisti...   972
propensius CAELESTIA meditemur.   2314, 2471
... Ita regna CAELESTIA mente iam penetrans...   4193
Ds, qui solempnitate paschali CAELESTIA mundo remedia benignus operaris...
   1211
oculos ad CAELESTIA non levemus...   4215
ut per ea, quae nobis munera dignaris praevere CAELESTIA per haec eadem...
   3075
Quo eorum imitantes exemplo ad CAELESTIA pervenire possitis promissa.
   3232
valeatis... et ad regna CAELESTIA pervenire.   341

qui pro nomine eius confessionem morte suscepta CAELESTIA praemia
    meruerunt...   1286
Libantes, dne, dona CAELESTIA praesidium nobis...   2021
Sumpsimus dne sanctorum tuorum solemnia celebrantes sacramenta CAELESTIA
    praesta qs...   3340
pro terrenis CAELESTIA, pro temporalibus sempiterna.   1008, 3256
ad CAELESTIA promissa te ducente pervenire mereatur.   976
a terrenis tamen ad CAELESTIA provehitur, tuo inenarrabili munere.   3640
ut dona CAELESTIA que debito frequentamus obsequio...   3491
Laeti, dne, sumpsimus sacramenta CAELESTIA quae nobis intercedente...
    1988
ne his retenti CAELESTIA quaeramus...   3938
ad CAELESTIA regna faciat pervenire.   3310
fac nos qs in CAELESTIA regna gaudere.   1115
ut ad CAELESTIA regna perducas.   3928
et ad CAELESTIA regna perducat.   1840
vos ad CAELESTIA regna perducat.   345
sed etiam per haec nos ad CAELESTIA regna perducens.   942
ascensio ad CAELESTIA regna perducit...   3829
ad CAELESTIA regna pergendi ducatum praebuit...   3655
et ad beatorum requiem adque (usque) ad CAELESTIA regna perveniat.   2541
qui in CAELESTIA regna super caetubin sedens universa...   395
ut CAELESTIA regna virgo pariter et martyr intraret.   3716
ut (ad) terrena (terreni) (terrenis) generati ad CAELESTIA renascantur
    (renascamur).   3968, 4204
Sumentes dne CAELESTIA sacramenta quaesumus clementiam tuam...   3325
Sumpsimus, dne, solemnia (solemnitate) (solemnitatem)... CAELESTIA
    sacramenta quorum suffragiis...   3339, 3340
ds, qui CAELESTIA simul et terrena (eterne) conplecteris...   1249
Deus qui in auxilium generis humani CAELESTIA simul et terrena
    dispensas...   1027
qui (providencia tua) CAELESTIA simul et terrena moderaris...   1188, 2379
Ad te ocolus tendant, de te CAELESTIA sumant...   359
... CAELESTIA super aeos velamenta praetende.   44
Sumentes dona CAELESTIA suppliciter deprecamur ut...   3328
Ipse vos ad CAELESTIA suscitet, qui pro vobis inferus penetravit.   335,
    4241
ut haec dona CAELESTIA tranquillis cogitationibus capere valeamus.   2116
praetende famulis tuis principibus nostris arma CAELESTIA ut pax...
    1172
Presta nobis, qs, dne, terrena despicere et amare CAELESTIA ut per haec
    sacra.   2700
da aedificationis tuae incrementa CAELESTIA ut quorum hic...   985
et instituant amare CAELESTIA.   2898
quo terrena mitigantes desideria discamus habere (amare) CAELESTIA.   1781
ut terrena desideria respuentes discamus iniare CAELESTIA.   2538
sacramentis CAELESTIBUS adpraehendant.   2137
qui in CAELESTIBUS aeternis angelorum misteriis...   1372
Dne ds noster, qui nos vegetare dignatus es CAELESTIBUS alimentis...
    1307
ut digni simus CAELESTIBUS alimentis.   1778
mereatur recondi CAELESTIBUS apothycis.   1960
... CAELESTIBUS aquis (aquibus) infunde...   3472
dilata sanctae huius congregationis habitaculum temporalem (temporale
    habitaculum) CAELESTIBUS bonis...   1195

et CAELESTIBUS contulisti propinquare consortiis (consortes).   3438, 3420
ut et mentes nostras CAELESTIBUS corrigas institutis...   2991
Donis CAELESTIBUS cum sanctorum tuorum recordatione satiati gratias
    tibi referimus.   1379
Donis CAELESTIBUS da qs dne libera mente servire...   1380
... CAELESTIBUS desideriis accensi fontem vitae sitiamus.   487, 494
in CAELESTIBUS desideriis transeamus.   2891
et aridam terrae faciem (faciam) fluentis (aquis) CAELESTIBUS dignanter
    infunde.   588
pariterque reddamur et intenti CAELESTIBUS disciplinis et de nostris...
    483
VD. Qui CAELESTIBUS disciplinis ex omni partenos instruens...   3879
CAELESTIBUS, dne, pasti deliciis quaesumus, ut...   385
CAELESTIBUS, dne, qs, praesidiis muniantur...   386
Sacris CAELESTIBUS, dne, vitia nostra purgentur...   3167
omnesque simul CAELESTIBUS donis inriga.   323
doctrinis CAELESTIBUS educatus...   3690
doctrinis CAELESTIBUS erudita...   1171, 2541, 2542
Benedic, dne, familiam tuam in CAELESTIBUS et reple...   307
qui in CAELESTIBUS et terrenis angelorum ministeriis ubique dispositis...
    1372
ut nos et CAELESTIBUS expiare mysteriis...   2043
et donis CAELESTIBUS exuberare concedat.   2244
ipsi quoque mente in CAELESTIBUS habitemus.   489
et CAELESTIBUS inbuant institutis.   3141
et quem mysteriis CAELESTIBUS inbuisti...   87
mentes nostras CAELESTIBUS institue (instrue) disciplinis.   532
mentes quoque virtutibus et CAELESTIBUS institutis exornentur.   4199
et quos inbuisti CAELESTIBUS institutis, salutaribus comitare solaciis.
    2581
Populum tuum, dne, qs, posside CAELESTIBUS institutis ut omnia...   2613
liberi possumus CAELESTIBUS interesse mysteriis.   1063
et CAELESTIBUS munda mysteriis et clementer exaudi.   2150
ut sanctorum tuorum CAELESTIBUS mysteriis celebrata sollemnitas...   3006
et CAELESTIBUS mysteriis efficiat aptiores.   3519
ut CAELESTIBUS mysteriis servientes et fidei integritate...   805
sed inmensa largitate clementiae CAELESTIBUS mysteriis servire
    tribuisti...   863
et CAELESTIBUS nos munda mysteriis (admysteriis) et clementer exaudi.
    2150
sed aptatur CAELESTIBUS ornamentis.   3615
ad aeternam vitam (aeterna vita) sacrificiis CAELESTIBUS pascamur
    (pasceremur).   3622, 3760
nec in terrenis nec a CAELESTIBUS possimus excludi.   810a
(in) sempiternam (illam) vitam ac leticiam in CAELESTIBUS praesta,
    salvator mundi.   404
donis (semper) mereamur CAELESTIBUS propinquare.   678
et ab omni pravitate defensam (defensa) donis CAELESTIBUS prosequatur...
    1591, 1599
contra omnis nequicias inruentes armis CAELESTIBUS protigamur.   3130
Plebs tua, dne, sacramentis purificata CAELESTIBUS quod sumit...   2600
CAELESTIBUS refecti sacramentis et gaudiis...   387
et quos CAELESTIBUS reficis sacramentis...   65
de CAELESTIBUS remedii plenitudine gloriaetur.   2943
et CAELESTIBUS remediis faciat esse consortes.   1700

Sumptis, dne, CAELESTIBUS sacramentis ad redemptionis...   3344
Perceptis, dne, CAELESTIBUS sacramentis gratias agimus...   2562
quo pariter institui pia conversatione et CAELESTIBUS sacramentis sic
  bonis...   3954
et renova CAELESTIBUS sacramentis ut consequenter...   2938
Quos donis CAELESTIBUS, satias, dne, defende praesidiis.   3027
ut quos donis CAELESTIBUS satiasti...   3376
et quem mysteriis CAELESTIBUS satiasti...   87
et CAELESTIBUS semper instituant (instruat) (instruant) alimentis.   2078,
  2148, 2149
... CAELESTIBUS semper muniantur (nutriantur) auxiliis.   1902
et (his) sacramentis CAELESTIBUS servientes ab omni culpa...   2104, 2869,
  3424
Et qui per eius incarnationem terrena CAELESTIBUS sociavit...   2254
quos CAELESTIBUS tribues servire mysteriis.   2821
et tecum habitare concede in bonis CAELESTIBUS.   2023
per haec eadem tribues nos inherere CAELESTIBUS.   3075
et monitis inherere valeamus te largiente CAELESTIBUS.   3679
quam tu, CAELESTIS agriculo, falcis tuae aciae conponis et purgas...
  1155
Dilitias, dne, mirabiles mensae CAELESTIS ambimus...   712
Subiectum tibi populum qs dne propitiatio CAELESTIS amplificet...   3315
conlatis clavibus regni CAELESTIS animas legandi (ligandi)...   907
et ianua regni CAELESTIS aperitur (aperietur).   3269
et via veritatis et vita regni CAELESTIS apparuit.   2200
Sumentes pignus CAELESTIS arcani...   3329
spiritum divinitatis vita (vitae) CAELESTIS asseritur viam (via)
  domini preparare (praeparetur).   3755, 3756
ipseque progenitor, utpote viae CAELESTIS adsertor...   3754
fidelibus regni CAELESTIS atria reserantur...   4162
et exitum doctrinae CAELESTIS auctores...   3678
usque in finem saeculi (nobis) capiat regni CAELESTIS aumentum.   3909,
  4067
... CAELESTIS aule mereantur intrare palacia.   166, 3048
Ds qui... martyribus regiam CAELESTIS aule potenti dextera pandis...
  1227
Praetende, dne, misericordiam tuam famulis... dexteram (dexterae)
  CAELESTIS auxilii ut (et) te toto...   1802, 2802, 2803, 2805, 2806
et (pro) adcaeleratione CAELESTIS auxilii.   1802
quem laudant angeli adque archangeli, vel omnes miliciae CAELESTIS
  cerubin...   4004
benedictio CAELESTIS copiosa discendat...   2386
ut armata virtute CAELESTIS defensionis...   548, 549
et terram aridam aquis fluenti CAELESTIS dignanter infunde.   2448
et CAELESTIS dilegant (diregant) actus...   3082
inter cetera CAELESTIS documenta culturae...   819, 820
CAELESTIS doni benedictione percepta (praecepta)...   388
... CAELESTIS doni capiamus desiderabilius ubertatem...   4060
in novam renatam creaturam progenies CAELESTIS emergat...   1045, 1047
sed CAELESTIS eruditio, sicut per eos ab ipsa veritate suscepta...   4076
Sanctificet nos dne quia pasti sumus (Sanctificati nos dne que participati
  sumus)... mensa CAELESTIS et a cunctis...   3228
in martyrii inclyti finis gloria coronatum habitatio CAELESTIS excepit.
  3806
cumque omni militia CAELESTIS exercitus...   4061

Purificet (Purifica) nos, dne, CAELESTIS exsecutio (exequcio) sacramenti
... 2945, 2946
et pro praemio, quo CAELESTIS exsisteret, consecutus est passionem.   3863
et CAELESTIS gaudii tribuat esse consortes (participes).   1684, 1700
eosque aeternae vitae participes et CAELESTIS gloriae facias esse
consortes.   3945
rursus CAELESTIS gloriae mancipetur.   596
spei rursus aeternae et CAELESTIS gloriae reformetur.   2837
Aecclesia tua, dne, CAELESTIS gratia repleatur et crescat...   1385
calicem suum... CAELESTIS graciae inspiracione sanctificet...   2504
et ut nobis dona CAELESTIS gratiae largiaris...   1989
... CAELESTIS gratiae largitate prosequere...   3535
Famulis tuis dne CAELESTIS gratiae munus inpertire (inperti)...   1602
et (ac) CAELESTIS gratiae praesta medicina (medicinam).   986
quos (quod) lux CAELESTIS gratia (gratiae) reparavit.   2063
ita imaginem CAELESTIS gratiae sanctificatione portemus, Christi domini
nostri.   1148
... De quo perenniter manantia CAELESTIS hauriens fluenta doctrinae...
3608, 3609
ascendendo ad patrem CAELESTIS ianuas reparavit.   4013
et inter pulsantes pulsans portas CAELESTIS Hierusalem (apertas)
reppereat...   3391
VD. Qui in omnis sanctis CAELESTIS Hierusalem fundamenta posuisti...
3943
Huic claves CAELESTIS imperii... contullisti.   3823
et participatio (participatione) CAELESTIS indulta convivii.   2919
VD. Quia pectora martyrum beatorum sic ignis ille CAELESTIS inflammat...
4059
ut (qui) in sola spe gratiae CAELESTIS innititur (innitimini)...   1597,
2240, 2832
et cum propitiatio CAELESTIS inpenditur...   2712
et quos CAELESTIBUS institues sacramentis...   65
quod possint (possent) palacia regni CAELESTIS intrare...   316, 1932
ut aeternam CAELESTIS lavacri benedictionem consecutus...   829
sed tantum etiam CAELESTIS magnificabat gloriae claritudo...   4193
primus CAELESTIS martyrii dedicator.   3761
et CAELESTIS mensae dulcedine vegetati...   3074
ut CAELESTIS mensae participacio... tribuat aecclesiae tuae recensita
laeticia.   3304
CAELESTIS mensae, qs, dne, sacrasancta libacio corda nostra purget semper
...   389
ut qui percepimus CAELESTIS mensae substantiam...   3373
Tribue nobis, dne, CAELESTIS mensae virtute (virtutis) satiatis
(societatem) (sotiaetati)...   3488
regni CAELESTIS mereantur introitum.   937
et CAELESTIS militiae consortes efficiat. Amen.   2254
que in eius ordine dignitate CAELESTIS miliciae meruit principatum.   4128
et eisdem CAELESTIS munificentia tribuatur...   163
Sit nobis, dne, reparacio mentis et corporis CAELESTIS mysterium...   3298
Mentes nostras et corpora possedeant, (possideat) dne, qs, (qs dne) doni
CAELESTIS operatio...   2085
et diabolum CAELESTIS operis inimicum...   3692, 3785
presta, qs, ut ad CAELESTIS operis instituta...   2416
VD. Sollemnitas enim, dne, CAELESTIS pacis ingreditur...   4133
ut cui (sicut illi) dedisti CAELESTIS palmam (palma) triumphi...   3695,
3729, 4163

et vos ad CAELESTIS paradysi hereditatem perducat.   2117
qui nos et CAELESTIS participatione sacramenti... refices...   1673
Mensae CAELESTIS participes effecti imploramus clementiam tuam...   2079
effici mereantur regni CAELESTIS participes.   329
... O noctem in qua... CAELESTIS patriae aditus aperitur...   4160
ad CAELESTIS patriae gaudia migravit aeterna.   3766
et CAELESTIS patriae gaudiis reddatur acceptus.   457
triumphique CAELESTIS perpetua et aeterna sit celebritas...   3601
et (adque) triumphi CAELESTIS perpetuus sit natalis...   3599, 3600
... CAELESTIS pontifex factus in aeternum...   4019
per infusionem gratiae CAELESTIS purificis...   782
et tu, adam CAELESTIS, quadam similitudinem...   950
Quos munere, dne, CAELESTIS reficis...   3030
quam etiam CAELESTIS regenerationis nativitate (nativitatem)...   840,
   1240
ad CAELESTIS regni beatitudinem facias pervenire.   2858
in CAELESTIS regni cubilibus gaudia nostra subiungas...   3626, 3682
et CELESTIS regni faciat esse consortes.   3946
Ds, qui CAELESTIS regni nonnisi renatis pandis introitum...   919
Ds, qui renatis per aquam et spiritu sancto CAELESTIS regni pandis
   introitum...   1194
Ut sicut illi... CAELESTIS regni sunt sortiti hereditatem...   338
et CAELESTIS remedii faciat esse consortes.   1700
(de) CAELESTIS remedii plenitudine gloriemur (glorientur) (glorietur).
   2943, 3277
Sumptum dne CAELESTIS remedii sacramentum...   3351
Sanctificet nos dne qua pasti sumus mense CELESTIS sancta libatio...
   3228
sed CAELESTIS sapienciae erudicio faciat nos eius esse consortes.   1616
quia dum finitur in terris, factus est CAELESTIS sede perpetuus.   2142
ut cum eis CAELESTIS sponsi thalamum valeatis ingredi.   2264
ut dominus CAELESTIS sua misericordia terrenam aelymosinam (terrena
   helimosina) conpenset...   3256
quo CAELESTIS terrenaeque substantiae significatur unitio in Christo...
   304
ad formam CAELESTIS transferamus auctores.   1581
... CAELESTIS unguenti fluore (flore) (florem) sanctifica...   819, 820
sanitatem mentis et corporis sacramenti medicina CAELESTIS ut huius
   operatione...   3484
O. s. ds, altare nomini tuo dicatum CAELESTIS virtutibus benedictione
   sanctifica...   2304
ut per haec CAELESTIS vitae commercia...   2965
CAELESTIS vitae munere vegetati, quaesumus, dne...   390
CAELESTIS vitae munus accipientis quaesumus...   391
... Promptiusque debemus... CAELESTIS vitae novitate gaudere...   4139
... CAELESTIS vitae profectibus innovemur.   1275
et de die in diem ad CAELESTIS vitae transferat actionem.   2194
Sancta tua nos... et (a) CAELESTIS vitae vigore confirment.   3181
et CAELESTIS vobis regni ianuas dignetur aperire.   802
ut qui sunt generatione terreni, fiant regeneratione CAELESTIS.   894,
   2338
et confirmet vos in spe regni CAELESTIS. Amen.   2117
ut humana conditio... nova CAELESTISQUAE substantia mirabiliter
   restaurata profertur...   3814
ut a tua (ad) promissa currentes CAELESTIUM bonorum facis (facias) (faciat)
   esse consortes.   1143

et intellectum rerum CAELESTIUM capiat et profectum.   2979
... CAELESTIUM clastrorum (claustrorum) presolem custodemque fecisti...
    3728, 4158
et sacramentorum CAELESTIUM communione mereatur esse perpetuus.   2297
Virtutum CAELESTIUM ds, de cuius gratiae rore discendit...   4235
Virtutum CAELESTIUM ds, promissionis tuae munus exsequere...   4236
Virtutum CAELESTIUM ds, qui ab humanis corporibus...   4237
Virtutum CAELESTIUM ds qui nos annua...   4238
Virtutum CAELESTIUM ds, qui plura prestas, quam petimus aut meremur...
    4239
Quaesumus, virtutum CAELESTIUM ds, ut dispectis...   3009
Quaesumus, virtutum CAELESTIUM ds ut sacrificia...   3010
affluas indomentorum CAELESTIUM dignitatem donati...   4176
et vota CAELESTIUM dignitatum (dignitatem) ab ipso percipere mereamur.
    2643
atque CAELESTIUM donorum consortium esse perceptorum.   2465
neglecto mandatorum CAELESTIUM et morum...   58
deum CAELESTIUM et terrestrium et infernorum dominum depraecemur...   723
mysteria, quibus in terris positos iam CAELESTIUM facis esse
    consortes...   2559
sed etiam ad CAELESTIUM familiaritatem provehis potestatum...   3960
ad principatum CAELESTIUM gaudiorum pervenire mereatur.   1262
O. s. ds, deduc nos ad societatem CAELESTIUM gaudiorum ut spiritu
    sancto...   2333, 2334
et ambire dona faciant CAELESTIUM gaudiorum.   3010
aeclesiam tuam, CAELESTIUM gratiarum varietate (varietatem) distinctam...
    136, 137, 138
Inriga dne benedictionum CAELESTIUM imbrebus praesentem viniam...   1960
potestatum et omnium virtutum CAELESTIUM, in nomine...   2856
et effectum CAELESTIUM mandatorum benignus inspira.   1179
nunc CAELESTIUM mandatorum laetatur se habere doctorem.   3823
qui nos continuis CAELESTIUM martyrum non deseris sacramentis...   2093
... In hoc praesens CAELESTIUM ministratio gratiarum...   4100
quod te praecelsarum adque CAELESTIUM potestatum te dominum confitentur.
    4167
neclecto mandatorum CAELESTIUM precepto...   59
sume fidem CAELESTIUM praeceptorum...   39
contra inlecebras temporales spes CAELESTIUM (promissio) praemiorum...
    3861
Repleti sumus dne donorum participatione CELESTIUM praesta qs...   3076
quod in terris positus iam CAELESTIUM praestas esse particepes.   2570
et aquarum subsidia plebae (praebe) CAELESTIUM, quibus terrena...   713,
    714, 1285
Ds, cuius misericordiam CAELESTIUM quoque virtutum indigent potestates...
    792
in terris adhuc positus iam CAELESTIUM rerum facis esse consortes...   1117
quos CAELESTIUM rerum facis esse participes.   63
et CAELESTIUM rerum frequentatione proficiat...   1642
ds cui omnis lingua confitetur CAELESTIUM terrestrium et infernorum...
    752
et omne genu flectitur, (hac) CAELESTIUM, terrestrium, et infernorum...
    753
O. s. ds CAELESTIUM terrestriumque moderator...   2309
et CAELESTIUM thaesaurorum dona tua perveniat.   2303
ipse vos CAELESTIUM vestimentorum induat ornamentis. Amen.   349

CAELITUS

infusa mihi CAELITUS sanctitate discernas.   3476
ut succurreris homini, terras CA(E)LITUS visitasti...   955

CAELUM

senciant in ea commanentes rore CAELI habundantiam...   310
et CAELI ac terrae dominum corporaliter natum radio suae lucis ostenderet.
4058
Benedicat te deus CAELI, adiuvet te...   334
qui ex summa CAELI archae (arte) discendens...   222, 223
da aeis de rore CAELI benedictionem...   395
quem tecum et cum spiritu sancto unum deum CAELI caelorum et angelicae...
4176
... CAELI caelorumque virtutes ac beata syrafin sotia exultatione
concaelebrant...   2556, 3589
et porta CAELI desuper aperiretur oraculum...   3292
Ds CAELI, ds terre, ds angelorum, ds archangelorum...   752, 753
Ds cum te ne (Ds qui cuncta non) capiant CAELI, dignatus es...   805,
945
O. s. ds, a cuius facie CAELI distillant...   2299
CAELI dominum clausis (castis) portavit visceribus...   3974, 3989, 4062
quae (quem) natum in terra CAELI dominum magis stupendibus nuntiaret...
3726, 4157
tribuae aeis de rore CAELI et habundantia...   3461
sicut multiplicavit semen aeorum tamquam stillas CAELI, et arenam
(arena)...   319, 320
quos tu dne rore CAELI et inundantia pluviarum et temporum...   305
per rorem CAELI et inundantiam (inundantia) pluviarum et tempora
serena...   317
... Pleni sunt CAELI et terra gloria tua. Osanna in excelsis...   3258,
3589
factorem CAELI et terrae, visibilium omnium et invisibilium...   554
... Credis in deum omnipotentem creatorem CAELI et terrae. R. Credo.
3019
confiteor tibi, dne, pater CAELI et terrae...   1446
Apere dne ianuas CAELI, et veni...   202
quem CAELI glorificant, angelorum multitudo conlaudat...   884
fierit CAELI ianitus...   913
... Merito CAELI locuti sunt, angeli gratulati...   3646, 3648
ut teperire sereno CAELI nobis praestis opportunitatis officium...   3637
tamquam luminaribus CAELI sanctorum tuorum exemplis...   3975
iesum christum omnes CAELI terraque vix capere valuaerint...   2461
Ds CAELI terrae (que) (qui) dominator auxilium nobis tuae defensionis
benignus impende.   754
augeat aeis a rore CAELIS a pinguidine terrae...   167
perveniebat... ubi te CAELIS apertis ipse vidit in gloria.   1230
iam conversationem nostram in CAELIS esse benignus institues...   4027
Pater noster qui in CAELIS est, sanctificetur nomen tuum...   2543
... Qui propter nos homines et propter nostram salutem descendentem da
CAELIS et incarnatum...   554
... Quodcumque ligaverint super terram, sint ligata et in CAELIS et
quodcumque...   820
et ascendentem in CAELIS, et sedentem ad dexteram patris...   554
ut uno peccatore converso maximum gaudium facias in CAELIS habere...   802
Pater noster qui es in CAELIS haec libertatis...   1695
ut quae statuisset in terris, servarentur in CAELIS in cuius...   3728

spiritum sanctum paraclytum de CAELIS in hac pinguidine (in hanc
    pinguidinem)...   1404, 1407
ipse in CAELIS inferat meritorum angelorum illorum.   874
quam videre votis in CAELIS optant.   906
cum pariter et in CAELIS pane satiantur angelorum (angelico)...   3676
aemittere dignare (digneris) angelum tuum (sanctum) de CAELIS, qui
    custodiat...   1493
Illi vos benedicat de CAELIS qui per crucem...   3109
et quodcumquae solverint super terram, sint soluta et in CAELIS quorum
    retenuerint.   820
Pater noster qui es in CAELIS. Sed libera nos a malo.   2543
tu tuam sanctam de CAELIS spiritalem supermitte super famulo tuo illo...
    755
emitte in eos septiformem spiritum tuum sanctum paraclitum de CAELIS
    spiritum...   2445
... Quamvis enim illius... substantiae sit habitatio semper in CAELIS
    tuorum tamen...   4170
illa fide demicet qua CAELIS victur marthyr intravit.   546
Propter nos homines et propter nostra salutem discendit de CAELIS.   555
ut cuius in terram (terris) gloriam praedicamus, praecibus adiuvemur in
    CAELIS.   601
sed coronari depraecabatur in CAELIS.   3776, 3777
Pater noster qui es in CAELIS.   2543
iam tunc corde totus essit in CAELIS.   906
Quod solverent super terram, sit solutum et in CAELIS.   820
cum eodem apud te exultare mereamur in CAELIS.   2355
sic ei serviatis in terris, ut ei coniungi valeatis in CAELIS. Amen.
    2951
hodie in CAELO apostolis adstantibus ascendisti...   890
... Ego sum panis vivus (vivos) qui de CAELO discendi...   1778, 2386
dominus de CAELO discendit confringere terram...   3563
qui de CAELO descendit mundum ab ignorantiae tenebris liberarae...   3829
Ds qui renuntiantibus saeculo (saeculum) mansionem paras in CAELO
    dilata...   1195
Fiat voluntas tua sicut in CAELO et in terra id est...   1846
cui nihil incognita in CAELO et in terra in cuius...   2475
cuius potestas in CAELO et in terra (in mare) plene adsistit...   2481
quae nupta deputata terrenis nubsit in CAELO et mundano...   4103
Respice, qs, de CAELO, et vide, et visita domum istam...   3828
respice de CAELO et vide oculos misericordiae tuae...   325
sed et in CAELO gloriose ascensionis...   3567
ut quod tu vis in CAELO, hoc nos in terra positi inrepraehensibiliter
    faciamus.   1846
ex omni natione quae est sub CAELO in stellarum...   758, 759
signum illud glorificum redemptionis nostrae apparuaerat in CAELO ipse
    de morte...   634
... Proiectus es de CAELO, maledicti satanas, meritis tuis...   3259
Quo eius in CAELO mereamini habere consortium...   275
et de CAELO mittitur, propter dilectionem tui...   3830
eius quoque gaudiis in CAELO perfruamur.   1000
respice de CAELO plebem tuam pro cuius...   996
Respice o. ds de CAELO plebem tuam propitius...   3109
adnectasque tuis laudis iustis CAELOQUE receptis.   3832
Per illo te coniuro, diabuli qui pulmum mensus est in CAELO qui pugno...
    1860

ut quibus tibi ministrantibus in CAELO semper adsistitur... 1068
hoc totum non solum de CAELO substantia deferret et nomine... 4074
... Lacta, mater, cybum nostrum, lacta panem de CAELO venientem... 3648
Respice dne de CAELO, vide et visita viniam (i)stam... 3081, 3082
et CAELO vim faciens... 4193
et nos tecum in CAELO vivere mereamur. 892
filius, te remunerante, percepit a CAELO. 842
pro quibus dignatus es venire ad (de) CELO. 1090, 3109
qui te sedere ad patris dexteram confitentur in CAELO. 1219
et cum illis omnibus regna CAELORUM adeptus... 561
ds, cuius unigenitus hodierna die CAELORUM alta penetravit... 344
atque intrare regna CAELORUM claustra gratias tibi referat... 1728
confessorem tuum CAELORUM clavibus praefecisti... 4169
Ds CAELORUM, ds angelorum, ds archangelorum... 755
unum deum caeli CAELORUM, et angelicae potestatis. 4176
cui virtutes CAELORUM et potestatis et dominaciones subiectae sunt...
    141, 1355
Exultet iam angelica turba CAELORUM, exultent divina mysteria... 1564
qui te de superna (supernis) CAELORUM in inferiora terrae demergi
    precaepit. 744
perpetua CAELORUM luce conspicuum digno fervore fidei veneremur. 690
nova CAELORUM luce mirabili... 456
in regno (regna) CAELORUM necteret et corona. 3595, 3782, 4084
Ds, cuius arbitrio (arbitrium) omnium CAELORUM ordo decurrit... 779
... Adiuro te per regem CAELORUM, per Christum creatorem... 224, 225
Tibi coniuro... per virtutis CAELORUM, per resurrectionis mortuorum...
    3474
qui vos a morte redimit et ad regno CAELORUM perducit. 3568
Ds, cuius filius in alta CAELORUM potenter ascendens... 787
Benedicat vos dominus CAELORUM rector et conditor... 354
... Adeptus in regno CAELORUM sedem apostolici culminis... 3609
... CAELORUM sibi patente secreto... 4185, 4186
alto CAEL(OR)UM tronum sedens... 2475
qui sedis in alto CAELORUM thronum te falanges... 3736
... Da eis, dne, clavis regni CAELORUM utantur... 820
Da aeis, dne, clavi regni CAELORUM, vitam... 820
talium dixisti esse regnum CAELORUM. 396
cum paventibus aelimentis CAELORUMQUE conmotis virtutibus... 634
caeli CAELORUMQUE virtutes ac beata syrafin sotia exultatione
    concaelebrant... 2556, 3589
rumpens legem tartari, ad CAELUS ab inferis ascendisti. 955
hodie in CAELOS apostolis adstantibus ascendisti... 892
aperuisti CAELOS ascendens. 1219
domini a mortuis resurgentis et in CAELOS ascendentis... 3846
ut qui... unigenitum tuum... ad CAELOS ascendisse credimus... 489
quia in CAELOS ascensio mediatoris dei et hominum... 3793
hic ascensio ipsius super CAELOS et confessio in dextera... 1706
Hanc plebem placitus inspice, qui CAELUS fecisti aperire. 1033
sed et in CAELOS gloriosae ascensionis... 3567
et per suam ascensionem ad CAELOS nobis spem ascendendi donavit. 3929
Ut te gubernante ad CAELUS paetri praesentetur inlesi... 1180
VD. Qui ascendit (asecendens) super omnes CAELOS sedensque ad dexteram...
    3876, 3877
ascendit ad CAELUS, sedit ad dexteram dei patris omnipotentis... 551
Ascendit ad CAELOS sedit ad dexteram patris. 555

id est Iesu Christi... qui resurgens a mortuis ascendit in CAELOS.   1953
qui, te vocante, hodiae penitravit CAELOS.   1176
... Sepera te ab hanc plasma, quomodo seperatum est CAELUM a terra lux a
    tenebras...   394
sicut separavit deus pater omnipotens CAELUM (a) terra lucem...   2180
sicut separavit deus CAELUM a terra sic seas...   2552
elevatis oculis in CAELUM ad te deum patrem suum omnipotentem...   3014
qui deiectus in terris, levatur in CAELUM captus oculis...   4055
ascensionis in CAELUM domini nostri iesu Christi...   407
... In illius virtutibus te adiuro qui fecit CAELUM et terram caecum...
    1881
qui fecit CAELUM et terram in sapiencia sua (sapientiam suam)...   319
ds, qui CAELUM et terra, mare et omnia creasti...   1357
qui fecit CAELUM et terram, mare et omnia quae in eis sunt...   1538, 3566
... Vincit te qui firmavit CAELUM et terram, mare et omnia quae in eis
    sunt.   3259
Exorcizo te per deum qui CAELUM fecit qui Adam...   1551
ipsisque cernentibus est elevatus in CAELUM in id proficientibus...   3998
Clauserat aenim suos oculos CAELUM ne in cruce...   3661
Ds, qui ad mutandam aeris qualitatem operis CAELUM nubibus...   895
dominus CAELUM plicavit tamquam librum in manu sua...   3563
Respice ascendens CAELUM propter quos...   1219
et ipsis cernentibus elevatus in CAELUM ut nos divinitatis...   3999
... Utrique igitur germani piscatores, ambo cruce elevantur ad CAELUM ut
    quos in huius...   4084

        CAESARIUS
Ds qui nos beati martyris tui CAESARII annua sollemnitate laetificas...
    1105
Hostias tibi dne beati CAESARII martyris tui dicatas (dicatis) meritis
    benignus adsume...   1832
et intercedente beato CAESARIO martyre tuo ad caelestia...   1840
intercedente beato CAESARIO martyre tuo per haec contra...   1840, 3001

        CALAMITAS
recedat... lesio tonitruorum, CALAMITAS tempestatum...   308
et CALAMITATIBUS constitutis velociter subveni.   2609
et diuturnis CALAMITATIBUS laborantem respirare concede...   2706

        CALAMUS
ut animas... CALAMO doctrinae salutaris abstraheret...   3610

        CALCANEUM
Effuge... de plantis, de CALCANIIS, de articulis...   1888

        CALCITRO
durum tibi est contra stimulum CALCITRARE quia quanto...   1355
durum tibi est contra stimulum CALCITRARE quia quicquid...   1859

        CALCO
et qui eius acceperat potestatem diabolus CALCARETUR morsque...   4096
nunc ab utroque per tuam gratiam CALCARETUR quod sancta...   4034
et qui eius acceperat potestatem diabolus CALCARETUR sed ut hoc...   4110
nisi qui pestifera (destructa) subversa tyranni iura CALCARIT.   4215
Ds qui CALCASTI inferni legibus...   920
sed eadem pravitate CALCATA exoramus, ut...   2729
sexus fragilitate CALCATA pro christi confessione...   3686, 3781
sed eadem pravitate CALCATA quae domui tuae...   2665

sed palam pudore CALCATO de pravis...   3879

CALEO
... Ferriculi CALENTES praeparati sunt...   1529
te flagellis CALENTIBUS castigare, maledicte satanas, meritis tuis...
    1529

CALIGO
qui nos depulsa noctis CALIGINE (CALIGINEM) ad diei huius...   1664
in christo credentes a vitiis saeculi segregatos, et CALIGINE peccatorum
    ...   3791
actos nostros a tenebrarum distingue CALIGINE (CALIGINEM) ut semper...
    953
et quos ab erroris liberasti CALIGINE (CALIGINEM) veritatis...   522
ut cereus iste... ad noctis huius CALIGINEM destruendem indeficiens
    perseveret...   3791
ut noctis aeternae valeant CALIGINEM evadere...   3917
totius orbis se sentiat amisisse CALIGINEM laetetur...   1564
a viciis seculi segregatus et CALIGINEM peccatorum...   4206
VD. Qui inter errorum CALIGINES mundanorum luminaria multiplices...   3951
sicut profanas mundi CALIGINES sancti spiritus luce evacuasti...   1463
VD. Qui nos per mundi CALIGINES tamquam luminaribus caeli...   3975
ut inter huius vitae CALIGINIS non (ne) ignorantia.   2796
Inlumina cecum quem tenibre peccatorum CALIGINIS obscuraverunt.   4003
nec tegat eum chaos et CALIGO tenebrarum...   2215

CALIX
patenam hanc et CALICEM hunc et homnia instrumenta altaris...   1283
accipiens et hunc praeclarum CALICEM in sanctas ac venerabiles manus
    suas...   3014
Dignare, dne, (ds noster) CALICEM istum... ea sanctificacione perfundere
    ...   1281
qua (quam) Melchisedech famuli tui sacratum CALICEM perfudisti...   1281,
    1282
panem sanctum vitae aeternae et CALICEM salutis perpetuae.   3567
... CALICEM suum in ministerio consecratum (consegrandum)...   2504
sumimus conmunionem huius sancti panis et CALICIS unum...   3739, 4181
hic est enim CALIX sanguinis mei novi (et) aeterni testamenti...   3014

CALLIDITAS
cum ille noster inimicus, qui hominem... viperea CALLIDITATE subvertit...
    4079
repulsis hinc fantasmaticis CALIDITATIBUS adque insidiis diabolicis...
    1314
ut si quid aeius viros a CALLIDITATIS cottidianas...   841
cunctaque iacula CALLIDITATIS salubriter trucidantes...   3847

CALLIDUS
et spiritos CALIDI hostes abscedat...   1365
Ut CALLIDI serpentis venena possent aevadere...   2441
Ds qui populum tuum de hostis (hostibus) CALLIDI servitute liberasti...
    1168

CALLIS
Huius tutillam (tutilla) confisi, CALLEAM (CALLEM) adgredimur tenuem
    (tenue)...   3847

CALMUS
ut qui pollutam vestimentorum faciem CALMUS seculi ambitionis...   4176

CALOR
Da huic familiae tuae fidei CALOREM, continentiae rigorem...   980

CALUMNIA
ut nullis CALUMNIIS impiorum, nulla sevitia...   4082

CALUMNIANS
pro CALUMNIANTIBUS supplicemus...   3980

CAMINUS
sicut liberasti tres pueros de CAMINO ignis ardentis...   2023
sicut tres pueros supradictus de CAMINO ignis et susanna...   850
ut sicut tres pueros de CAMINO ignis incendii non solum inlesos...   884
in CAMINO ignis missus, accensa furnace, salvasti...   850
quae tribus pueris in CAMINO sententia blandimentis mollioribus
   reservavit...   861

CAMPUS
Nam ut in illo pleno aridis ossibus CAMPO, ad vocem...   3668
in civitate concordia, in CAMPO custodia...   903
plena CAMPORUM, unda flumina...   2905

CANDELABRUM
velis, columnis, (columnas) CANDILABRA, altare argenteis basibus...   1283
inter vasa aecclaesiae CANDELABRA fidaei praeparasti.   1229
Coniuro te, diabuli super quatuor CANDELABRA sedias...   1860

CANDIDATUS
presentari valeant tibi pio iudicii CANDIDATI.   955
qua sanctus Stefanus primitibus tuae fidei CANDIDATUS ob hoc infidelium...
   3777a
quos resurrectionis noix de fonte partuit CANDIDATUS, ut universalis...
   1059

CANDOR
Resurgat aecclesiae tuae pura simplicitas, et CANDOR innocentiae...   782

CANICIES
... Haec explorata temporum vice, cum CANICIEM pruinosa hiberna
   posuerint...   3791

CANNA
... Ille tibi imperat... qui aqua vinum fecit in CANNA Gallilea qui
   pavit...   1881
qui te in CHANNA Gallileae signo ammirabili sua potencia convertit in
   vinum...   3565

CANO
... Quattuor tubae CANEBUNT a quattuor cardinibus mundi...   3563
hymnum gloriae tuae CANEMUS sine fine dicentes.   4161
... CANENT tibi in aecclesia canticum novum...   308
qs, spiritu sancto prophaetarum hore CANENTE barbam...   898
ibique exultantes cum angaelis, CANENTES cantica nova...   1317
et inter CANENTES canticum novum cantet...   3391
VD. Nos tibi semper et hic ubique laudis CANERE, vota reddere...   3821
ymnum gloriae tuae CANIMUS sine fine dicentes : Sanctus...   4061
veraciter impleverunt quod davidica voce CANITUR ecce quam bonum...   3612
dum scilicet vel aguntur crimina vel CANUNTUR promptiusque...   4139

quod eum oleo laeticiae prae consortibue suis ungendum (unguendum) David
   propheta CAECINISSET.   3945
qui salvatorem mundi et CECINIT adfuturum et adesse monstravit.   3509,
   3510

####### CANTICUM
exorcidiaris, non cantaveris, non tibi CANTICA cantentur...   225
et inter viginti quattuor seniores CANTICA canticorum audiat...   3391
canentes CANTICA nova, sequantur agnum quocumque ierit, prestante.   1317
et inter viginti quattuor seniores cantica CANTICORUM audiat...   3504
et inter canentes CANTICUM novum cantet...   3391
canent tibi in aecclesia CANTICUM novum in aecclesia...   308

####### CANTO
Vide, ut quod ore CANTAS, corde credas...   4230
exorcidiaris, non CANTAVERIS, non tibi cantica cantentur...   225
vultos nostros in oleo exhalirandos esse CANTAVIT et cum mundi...   3945
laudes eius sancta voce CANTEMUS.   4139
exorcidiaris, non cantaveris, non tibi cantica CANTENTUR per tria...   225
et inter canentes canticum novum CANTET, et inter audientes...   3391
in excelsis deo tibi CANTET gloria plebs protecta.   1175

####### CANTUS
ut conversationis ornatum CANTIS venerande aetatis suscedant.   898

####### CAPAX
tanti muneris CAPACES efficiat.   1662
et CAPACES sanctae novitatis efficiat.   3524
et inmortalitatis efficis iustificando CAPACES.   3983
ut eorum per tuam gratiam sint CAPACES.   3623

####### CAPILLUS
et illius erant CAPILLI sicut lana alba...   1860
Recedo ergo a capite, a CAPILLIS, a lingua...   2180
Exite velociter de capite illius et de CAPILLIS aeius...   1888
... Vincit te ille qui scit numerum CAPILLORUM famulorum famularumque
   suarum...   3259
cuius nomine initia incidimus CAPILLORUM tu aei dne...   321
benedic dne hos famulos tuos cuius CAPILLUS incidimus...   2310

####### CAPIO
Ds, qui humanum genus tuorum retibus praeceptorum CAPERE consuisti...
   1022
eiusdem spiritus dono CAPERE mente valeatis.   2246
sic praesentia dona percipiat, ut CAPERE mereatur aeterna.   816
et sine cessatione CAPERE paschalia sacramenta...   643
de inferiori gradu per gratiam tuam (potiora) CAPERE potiora mereantur
   (mereatur).   136, 137, 138
et intellectu CAPERE quod devotione sectatur...   2657
quibus CAPERE valeamus salutaris mysterii (mysteriis) portionem.   1136
ut haec dona caelestia tranquillis cogitationibus CAPERE valeamus.   2116
ut venienti filio tuo domino nostro bona eius CAPERE valeamus.   1570
ut bona tua CAPERE valeamus.   1571
iesum christum omnes caeli terraque vix CAPERE valuaerint...   2461
ut a te mundicia potius CAPERENT quam mundarent...   893
ut intellegentiae sensum de exemplis priorum CAPERET secutura
   posteritas...   819
et praesens CAPIAMUS adiutorium et futurum.   3206

ut quod temporaliter gerimus, (ad vitam) CAPIAMUS aeternum (aeternam).
  3349, 3350
cum subsidiis corporalibus profectum (quoque) CAPIAMUS animarum.   3717,
  3758
ut cum temporalibus incrementis prosperitatis (prosperitati) aeternae
  (aeterna) CAPIAMUS aumentum (augmentis) (augmenta).   181
ut consequenter (et corporum) praesens pariter et futurum CAPIAMUS
  auxilium.   2938
caelestis doni CAPIAMUS desiderabilius ubertatem...   4060
sed propitiationis tuae CAPIAMUS dona subiecti.   2455
ut illius salutis (salutaris) CAPIAMUS effectum cuius per haec...   2664,
  2995
ut cuius celebramus adventum, eius multimodae gratiae CAPIAMUS effectum.
  4007
Qs o. ds, ut illius salutaris CAPIAMUS effectum.   2995
ut et salutaria dona CAPIAMUS et ad tua...   3455
Quod ore sumpsimus, dne, (qs) mente CAPIAMUS et de munere...   3020
et tuae redemptionis effectum et mysteriis CAPIAMUS et moribus.   1797
aliud, ne per inprovidam benignitatem CAPIAMUS, intendere...   3981
simul et continentiam salutarem CAPIAMUS mentis et corporis...   3990
Dicatae tibi, dne, qs, CAPIAMUS oblationis effectum...   1275
Tantis, dne, repleti muneribus, ut salutaria semper dona CAPIAMUS praesta
  qs ut a tua...   3455
ut eius auxilio (auxilium aeius) tua beneficia CAPIAMUS pro quo tibi...
  257, 258
ut oboedienter tua exsequentes praecepta, feliciter CAPIAMUS promissa.
  3807
ut secundo mediatoris adventu manifesto munere CAPIAMUS quod nunc...
  1498, 4173
ut apostolorum praecibus paschalis sacramenti dona CAPIAMUS quorum
  nobis...   809
plene CAPIAMUS securitatis aumentum.   1099, 4238
sic eius munera (munere) CAPIAMUS sempiterna (sempiterni) gaudentes.
  607
... Quo sic mutabilia bona CAPIAMUS ut per haec...   3707
Natalicia sancti Iohannis apostoli, qs, dne, munera CAPIAMUS ut suis...
  2170
ipsius (semper) munere CAPIAMUS, ut tibi (semper) placere possimus.
  3747, 3849
ut terrenis affectibus (effectibus) mitigatis facilius caelestia CAPIAMUS.
  2788, 3028
ut paschalis muniris sacramentum... perpetua dileccione CAPIAMUS.   402
intellegentiae (intelligentia) conpetentis (conpetenter) eruditione
  CAPIAMUS.   1156
ut quae ore contegimus, pura mente CAPIAMUS.   2686, 2797
donec inmortalem satietatem... finita mortalitate CAPIAMUS.   3982
illius dono... et aeterna munera CAPIAMUS.   3962a
ut per eorum intercessionem... pietatis tuae munera CAPIAMUS.   4016
sempiterno munere CAPIAMUS.   1307
dignis sensibus tuo munere CAPIAMUS.   3328, 3330, 3331
quod pia (frequenti) devotione gerimus, certa (aeterna) redemptione
  CAPIAMUS.   543, 3135
ut quod participatione sumpsimus, plena redemptione CAPIAMUS.   2084
per ea (aeam) quae sumpsimus aeterna remedia CAPIAMUS.   254, 3242
ut quae temporali caelebramus accione, perpetua salvacione CAPIAMUS.
  3243

ut huius operatione vegetati tam praes entia quam aeterna subsidia
  CAPIAMUS.   3484
ut quae nunc specie gerimus rerum veritate CAPIAMUS.   2578
Ds cum te ne (Ds qui cuncta non) CAPIANT caeli, dignatus es in templo...
  805
et possibilitatem CAPIANT exsequendi.   3900, 4046
sensu CAPIANT, ore (opere) percipiant.   364
quo et paschalia CAPIANT sacramenta...   3733, 3817
aeternum CAPIANT, te miserante, consortium.   2904
atque ut earum non CAPIANTUR inlecebris...   1624
ut promissionis tuae praemia CAPIANTUR.   4059
ut anima famuli tui illius plenam CAPIAT de huius aecclesiae perfeccione
  (perfectionem) mercedem.   2000
et praesentia pietatis tuae remedia CAPIAT et futura...   1293
et intellectum rerum caelestium CAPIAT et profectum.   2979
spiritalium (spiritali) CAPIAT largitate donorum.   1385
confessio usque in finem saeculi nobis CAPIAT regni caelesti augmentum.
  4067
per eos usque (utique) in finem saeculi CAPIAT regni caelestis aumentum.
  3909
Plebs tua, dne, CAPIAT sacrae benediccionis augmentum...   2597
ut anima famuli tui illius... indulgentiam pariter et requiem CAPIAT
  sempiternam.   2660
ut eius... aeternum CAPIAT te miserante consorcium.   2904
Ut ab eo et praesentis et futurae vitae subsidium CAPIATIS cuius vos...
  425
Quatenus et in praesenti saeculo mortalis vitae solatia CAPIATIS et
  sempiterna...   2240
confessio nec CAPIATUR umquam falsis nec perturbetur adversis...   4076,
  4077
ut ad sancta sanctorum fideliter salubriterque CAPIENDA competenti...
  3731, 4140
ad eorum promissa CAPIENDA tuo munere praeparemur.   233
et ad tuam magnificentiam CAPIENDAM divinis effectibus (affectibus)
  semper instauret.   2945, 2946
quo egregii martyres tui ad CAPIENDAM supernorum beatitudinem
  praemiorum...   3721
VD. Qui ad maiorem triumphum de humani generis hoste CAPIENDUM praeter
  illam...   3873, 3874
evangelicam (aevangelicam) vocem non frustratoria aure CAPIENS beati
  qui...   58, 59
Aeternae pignus (pignus aeternae) vitae CAPIENTES humiliter imploramus...
  164
ita sincera CAPIENTES mente iustificat.   2232
Caelestia dona CAPIENTIBUS, qs, dne...   384
ut sancta quae CAPIMUS non ad iudicium nobis...   584
facilius caelestia CAPIMUS.   3028
quae sunt spiritus dei, stulta mente non CAPIUNT de his sunt...   3879
medicator antitoto, dum quem astra non CAPIUNT, habitasti...   996
aeterni regni inter sanctos et electus CAPIUNT praemiam.   3736
... Moriuntur abiecti, et orbis terrarum CAPIUNT principatum...   3678
diabuli quibus CAPTI tenentur laqueis resepiscant.   992
... CAPTUS oculis corporalibus, lucem vidit aeternam...   4055

        CAPITALIS
... Deinde CAPITALEM sententiam subiit...   4000

CAPTIO
a piscium CAPTIONE cessavit...   3610

CAPTIOSUS
nec CAPTIOSIS adulationibus inplicari...   2048, 2729
nec CAPTIOSIS sed oblationis inplecare...   2729

CAPTIVITAS
cuius vulnere CAPTIVITAS resoluta est.   3661
libertas, per quem fuit exempta CAPTIVITAS.   397
dedisti nobis de CAPTIVITATE victoriam...   1236
... CAPTIVITATEM nostram iesu christi... passione solvisti.   3933
... CAPTIVITATEM nostram resolutam hodiae...   920
... CAPTIVITATEM nostram sua (suam) duxit virtute captivam...   787
nec CAPTIVITATEM, quam extrinsecus summovisti...   3804

CAPTIVUS
... CAPTIVAM se trahi dominicis triumphis obstipuit...   861
ne diutius presumas CAPTIVAM tenere hominem...   1354
captivitatem nostram sua (suam) duxit virtute CAPTIVAM tribue qs...   787
et CAPTIVAS ducunt mulierculas...   3879
a diabuli, quibus CAPTIVI tenentur, laqueis resepiscant.   992
et egyptiorum percussisti primogenita pro CAPTIVIS, et inferum...   397
ne diucius praesumat CAPTIVUM tenere hominem...   1354, 1355
per quam diabolus extetit filio suo vincente CAPTIVUS.   3735, 4142

CAPTOR
... Moriuntur CAPTORES piscium, et efficiuntur hominum piscatores...
   3678

CAPUT
Humilitatibus dne (Humiliata tibi) omnium CAPITA dexterae tuae
   benedictione sanctifica...   44, 1845
Recedo ergo a CAPITE, a capillis...   2180
Exite velociter de CAPITE illius et de capillis aeius...   1888
benedictionem profluentem a CAPITE in barba unguenti.   1508
... CAPITE menteque humilis sacerdotale manum benedicendum sede sederit...
   898
ut (et) (pro) veritatis praeconio CAPITE plaecteretur...   4000
Exin CAPITE plectitur, qui plus erat quam propheta...   4000
et paulus CAPITE plectitur, quia...   3823
exinde CAPITE plectitur.   4000
et hoc secuturus in toto corpore, quod praecessit in CAPITE quoniam et
   ipseum...   1706
et sicut similitudinem corone tuae ornatu gestare facimus in CAPITE, sic
   tua...   2374
gaudens pro eo se CAPITE truncari, a quo non possit abscidi.   3810
victoria sequeretur, (in membris) quae praecessit in CAPITE.   3873, 3874
et hoc securus in toto corpore quod praecessit in CAPITE.   1707
corpore faciendum quod eius praecessit in CAPITE.   1484
ut famulum tuum ill. quam odiae CAPITI coma suam pro divinum (divino)
   amore deposuimus...   2702, 2704
qui ad deponendam comam CAPITIS sui pro (eius) amore (christi) festinat...
   2503
qui ad deponendam comam CAPITIS sui propter amorem christi filii tui
   festinat...   2761
discendat super CAPUT, barbam...   898

... De his sunt enim inflati sensu carnis suae, et non tenentes CAPUT
   de his sunt...   3879
quia gentibus CAPUT fidaei probatur...   3823
manus suas iuxta manum episcopi super CAPUT illius teneant.   2838
... Hoc, dne, copiosae (copiosa) in eorum CAPUT influat...   819, 820
Et qui pro veritate quae deus est CAPUT non est cunctatus amittere...
   1242
quo CAPUT nostrum principiumque (principium) praecessit.   668
petrus premissis vestigiis CAPUT omnium nostrum secutus est christum.
   3823
quia iudei christum qui dominus et CAPUT prophaetarum est admiserunt...
   4000
neque in CAPUT suo iniuriam non facias...   1551
Signo CAPUT tuum, sicut signavit dominus omnipotens infirmus...   2180
ad CAPUT vestrum quod christus est vos faciat pervenire.   1242
Propter quod multum a terris in dextera sua nomen (tua nostrum) subiit
   CAPUT.   3847

        CARCER
illuc luce plebs radiat quale vita fulsit in CARCERE, illa fide...   546
aperiat CARCERES, vincula dissolvat...   2505
sicut liberasti petrum et paulum de CARCERIBUS turmentis.   2023
... CARCHERIS obscuritate detruditur...   4000

        CARCERALIS
Et qui pro legis eius preconio CARCERALIBUS est retrusus in tenebris...
   1242

        CARDO
... Quattuor tubae canebunt a quattuor CARDINIBUS mundi...   3563
... Occurrunt te a quattuor CARDINIBUS mundi.   1852
Hic est quod prioris seculi sanctam geminarum CARDINUM sancti...   3918

        CAREO
et praesentis vitae perturbationibus CAREAMUS et aeterna munera...   3962a
quatenus in his omnium vitiorum sordibus CAREAMUS.   3753
omnium cupiditatum fedoribus CAREANT et suavi...   2369
ut omnes... CAREANT in corde infidelitatis frigore a fervore ignis
   spiritus sancti.   2322
ut ardore CAREAT aeternae ignis adeptura perpetui regni refugium...   2217
omnium cupiditatum faetoribus CAREAT atque (et) ad suavem...   2467
ut ardore CAREAT ignis aeterni.   2216
... CAREAT inmunditia, liberetur a noxia...   896
et quicquid eo tactum vel respersum fuerit, CAREAT omni inmunditia...
   1929
omnium delictorum maculis CAREATIS. Amen.   802
adversitatibus omnibus CARENTES, bonis omnibus exuberantes...   337, 4198
et quia his CARERE non possumus...   564
quo mundi huius tenebras CARERE valeamus...   537
et domus haec CARERET aliquando frigorem (frigore) a vicinitate ignis...
   2322
quae temporali per corpus visionis huius luminis CARUIT visu...   746

        CARISTIA = EUCHARISTIA

        CARITAS
tua CARITAS abundet in nobis, per quam peccata mundantur.   1164
Redundet in aeis CARITAS diffusa per spiritum sanctum...   1327

O aeterna veritas, et vera KARITAS, et cara aeternitas.   3792
VD. Cuius nos fides excitat, spes erigit, CARITAS iungit...   3657
Qui novit te, novit aeternitatem, CARITAS novit te.   3792
VD. In quo ieiunantium fides additur, spes provehitur, CARITAS roboratur
    ...   3786
imitabilis CARITAS, spiritalis prudentia...   1319
adhuc exsuperans CARITAS tua...   3837
Debet hac fidem habere CARITAS vestram...   3021
et animae... de tua semper CARITATE habundancia repleantur.   2371
ut in CARITATE divina firmati...   573
et in CARITATE domini nostri Iesu Christi (iesu christi domini nostri)...
    1538, 1542, 1544
(ferveat)... In CARITATE (ferveant), et nihil extra te diligant
    (diligant)...   758, 759, 760
et inviolabile CARITATE in virum perfectum...   3225
omniumque sanctorum CARITATE (CARITATEM) locupletet.   350
Illius obtentu tribuat vobis dei et proximi CARITATE semper exuberare...
    915
ut in tua (fide) spe et CARITATE sincera...   676, 2759
crescat in visceribus nostris in sancto, in fide, in CARITATE sit nobis...
    2003
Ds qui tuus martyris sic confixisti CARITATE ut pro te aetiam...   1230
ut proterva dispiciens quaecumque matura sunt libera exerceat CARITATE.
    571
regimini ferventes in CARITATE.   879
ut proterva dispiciens et matura quaeque desiderans exerceat libera
    CARITATE.   570
dilegant CARITATEM, absteneant se a cupiditate...   842
piaetatem aeleva, CARITATEM aedifica...   3081, 3082
et perfectam CARITATEM concedat.   169
ut in CARITATEM divina firmati...   573
et in CARITATEM domini nostri ihesu christi...   1543
ut et nos liberam praeveamus omnibus CARITATEM et illi non pro...   1016
concede eius CARITATEM, gaudium, pacem...   307
pacientem, CARITATEM habentem, tenacem...   3281
et in CARITATEM iesu christi fili aeius et spiritus sancti.   1533
Mereantur effici infusio CARITATEM imbrem pacifici...   297
et inviolabilem CARITATEM in virum perfectum...   3225
quiaetem nutriat, CARITATEM muniat...   340, 356
da fidem rectam, CARITATEM perfectam...   1932, 1933
qui propter nimiam CARITATEM tuam, non solum misericors aut pius...   2305
Ds qui tuos martyris si(c) confixisti CARITATEM, ut per te...   1230
et habundare facet semper perfecte gratiae CARITATEM.   351
. exerceat liberam CARITATEM (libera exerceat CARITATEM).   570, 571
et indiscreta non subripiat facilitas CARITATI praecipis...   3980
da cordibus nostris inviolabilem CARITATIS affectum tuae desideria...
    960
da servis tuis hunc (hanc) CARITATIS affectum ut bona...   943, 1344
Da, qs, dne, fidelibus tuis hunc CARITATIS affectum ut sanctorum...   644
Ds, cuius CARITATIS ardore beatus Laurencius edaces incendii flammas...
    784
VD. Pro cuius CARITATIS ardore ista (istae) et omnes sanctae virgines...
    3853, 3854
da nobis fidei (et) spei (et) CARITATIS (CARITATISQUE) aumentum...   1056,
    2327

ut pacis donum proficiat ad fidei et CARITATIS augmentum.   2365
Ds, largitor pacis et amator CARITATIS da servis tuis...   851
Ds misericordiae, ds KARITATIS, ds indulgentiae, indulge...   856
Ds qui CARITATIS dona per gratiam sancti spiritus tuorum cordibus
   fidelium infudisti...   921
praeceptorum suorum doctrinis erudiat, CARITATIS dono repleat...   2249
Tribuat vobis dominus CARITATIS donum indulgentiae...   3485
ut CARITATIS donum quod fecisti a nobis sperare... adpraehendi.   1094
da cordibus nostris inviolabilem CARITATIS effectum...   960
Ds CARITATIS et pacis qui pro salute...   756
et in omni opere bono confirmit CARITATIS exemplum.   3281
Mereantur effici infusio CARITATIS hymbre pacifice...   296
qui dominicae CARITATIS imitator etiam pro persecutoribus supplicavit.
   2443, 2453
Spiritum (in) nobis, dne, tuae CARITATIS infunde...   3308, 3309
lapidantibus veniam fervore CARITATIS inplorans...   4185
Quo ei et pro turturibus castitatis seu CARITATIS munera offerre
   valeatis...   2256
Ds qui supplicum tuorum vota per CARITATIS officia suscipere dignaris...
   1218
et viam vobis pacis et CARITATIS ostendat.   2258
pietas horum martyrum... individuae CARITATIS praebet exemplum (exemplo)
   ...   2740
... Ut tuae CARITATIS spiritu repleti...   3624
da nobis CARITATIS tuae flamma ardere succensi...   956
ut fraternitate teneant (teneantur) conpagine CARITATIS unanimiter
   (uanimes, uni animae)...   1195
mitte super nos spiritum CARITATIS ut in adventu...   1083
... O inestimabilies dilectio CARITATIS, ut servum redimeres filium
   tradidisti...   3791
expectationem spei, dulcidinem CARITATIS, ut talibus...   324
et famulos tuos, quos CARITATIS visitamus officiis...   91
fidei spei et CARITATIS vos munere repleat...   948
sed potius modestos efficiat administratio legitima CARITATIS.   4171
... Quatenus in fundamento spei fidei CARITATISQUE fundatus...   3912
spei fidei CARITATISQUE (et CARITATIS) gemmis ornati...   2245, 3913
da mentibus nostris aeadem fidaei CARITATISQUE virtutem...   2411

          CARMEN
qui per Moysen famulum tuum nos quoque modolatione sacri CARMINIS
   erudisti...   817
ita erudire populos tuos sacri CARMINIS tui decantatione voluisti...   761

          CARNALIS
qui famulis tuis abis refectione CARNALE, cibum vel potum...   2283
et si qua illam ex hac CARNALE conmigratione contraxit maculas...   1289
ut dum CARNALEM caelebrant circumcisionem...   2441
ut qui per CARNALEM originem mortales (mortalis) in hoc saeculo (seculum)
   veneramus (veneramur)...   3836
... CARNALEM se matrem habere virginitatis amore constituit...   861
... Ego pono manum meam CARNALEM tu tuam sanctam...   755
ut a nostris mentibus (et) CARNALES amoveat spiritus sanctus affectus...
   2720
et que terrenae felicitati CARNALES epulis abnegamus...   4140
evasisse se CARNALES glorietur angustias...   4099
ut si quae CARNALES maculae in eis de terrenis contagiis inheserunt...
   129

verba fastidunt, quia animales atque CARNALES quae sunt... 3879
O. et m. ds, qui famulos tuos in hac domo alis refectione CARNALI cibum
    vel potum... 2283
et si quas illa ex hac CARNALI commoratione contraxit maculas... 1289
cuius sumus CARNALI conmercio reparati. 917
ut ad conversacionem CARNALI et ad inmundicia actum terrenorum...
    discernas... 3476
libera nos a terrenis desideriis et (a) cupiditate CARNALI ut nullo...
    1036
qui tantum retia CARNALIA contempserat genitoris... 3609
sic nos ab aepulis (abstinere) CARNALIBUS (abstinere)... 2745
quia et illa, quae tunc CARNALIBUS blandiebantur obtutibus... 819, 820
VD. Qui non tantum nos a CARNALIBUS cibis... praecipis ieiunare... 3964
nec blandimentis CARNALIBUS demulceatur... 3942
... Et quae terrenae fragilitatis (delectatione) CARNALIBUS epulis
    abnegamus... 3731, 3732
adque escis CARNALIBUS expeditis cibus nasceretur mirabiliter animarum...
    4074
nec inlecebris est revocata CARNALIBUS nec sexus... 3994, 3995
et quos ab escis CARNALIBUS praecipis temperare (abstinere)... 2612,
    2895, 2896
VD. Qui das escam omni carni nos quidem non solum CARNALIBUS sed etiam...
    3794, 3889
et de CARNALIBUS spiritales, de terrenis incipitis esse caelestes...
    1706, 1707
ut CARNALIBUS vitiis non teneatur obnoxia... 3303
ut castigatio CARNALIS adsumpta... 649
ut CARNALIS alimoniae refrenatione castigati... 3657
ut (cum) refrenatione CARNALIS alimoniae sancta tibi conversatione
    placeamus. 600
sacrificium tuum mortificacionum (mortificationem) vite CARNALIS
    effectu(m) (affectus)... 3476
exvasisse CARNALIS gloriaetur angustiis... 3862
nec revocata CARNALIS inlecebram... 3993
cum aepularum restrictione CARNALIUM a noxiis... 3154
criminum flammas operumque CARNALIUM incendia superantes... 884
VD. Qui oblatione sui corporis remotis sacrificiorum CARNALIUM
    observationibus... 3986
remotis sacrificiis CARNALIUM victimarum seipsum tibi... 3985
Remotis obumbrationibus CARNALIUM victimarum spiritalem... 3054

       CARNALITER
per legem CARNALITER circumcisus... 2441
predicto in rebus tamen humanis etiam CARNALITER ordinem... 3918

       CARNIFEX
et ad lanianda (lenienda) membra eius Iudeos (iudeus) CARNIFICES
    advocabat... 3867, 3868

       CARO
ut familia tua quae se affligendo CARNE ab alimentis abstinet... 2758
quoniam mortali CARNE circumdati... 3875
... Quando enim animus mortali CARNE circumdatus (circumdat)... 758
Effuge... de corporis, de omni CARNE, de toto sanguine suo... 1888
ut diabolum (diabolus) qui adam in fragili CARNE devicerat... 3930
... Cuius CARNE dum pascimur roboramur, et sanguine dum potamur
    abluimur. 3786

O. ds qui unigenitum suum... in adsumpta CARNE in templo voluit
   praesentari...   2256
ut qui unigenitum tuum in CARNE nostri corporis deum natum esse
   fatentur...   2383
sacratum tibi gregem CARNE procreatum...   3780
unigenitus tuus in nostra CARNE quam adsumpsit pro nobis...   1031
venit in CARNE sicut scriptum est...   204
aut dolores in anima istius, vel CARNE sive ossa derelinquas.   1888
et in CARNE sustinens poenam patibuli...   955
conservata iustitia a deo, CARNE vinceretur adsumpta.   3930
ut qui se adfligendo CARNEM ab alimentis abstenit (abstinent)...   2784
visibilis per CARNEM apparuit in nostra tecumque unus...   3647
Ut qui de adventu redemptoris nostri secundum CARNEM devota mente
   laetamini...   2261
pro qua dignatus hoc tempore CARNEM induere virginalem.   1518
ut qui de adventu unigeniti tui secundum CARNEM laetantur...   2831
ut (nos) (eos) unigeniti tui nova per CARNEM nativitas liberet...   497,
   500
de Maria virgine et spiritu sancto secundum CARNEM natus ostenditur...
   1706
inuiriam non facias... neque inter corio et CARNEM neque in venas...
   1551
ut femineo corpore de virili daris CARNEM principium...   1171
non CARNEM sed spiritum, non temporalia sed aeterna.   311
quod his qui per prophetas loquebatur venit in CARNEM sicut scriptum
   est...   203
pro mundi salutem secundum CARNEM spiritu sancto concipiendo
   (concipiendum)...   2380
O. s. ds qui humano generi... salvatorem nostrum CARNEM sumere...   1019
Ds qui de beatae virginis utero verbum tuum... CARNEM suscipere voluisti
   ...   946
diabulus qui ledit omnem CARNEM.   2180
resurrectionis domini (dei) nostri Iesu Christi secundum CARNEM.   421,
   1922
VD. Qui das escam omni CARNI et nos non solum...   3889
qui das escam omni CARNI, et reples...   742
ac simul alimonia CARNI non desit unde subsistat...   4033
VD. Qui das escam omni CARNI nos quidem non solum carnalibus...   3794
ut castigatio CARNIS adsumpta ad nostrarum vegetatione transeat animarum.
   649
in veritate nostrae CARNES apparuit magis de longinquo...   413
Ds, cuius unigenitus in substantia nostrae CARNIS apparuit praesta qs...
   803
ut quod licentiae CARNIS auferimus...   1839
cuius secundum adsumptionum CARNIS, dormiente in nave...   2262
nullis CARNIS et sanguis inpediretur obstaculis...   4169
in adoptione CARNIS et spiritus eis, que ex eo unguere habent...   1536,
   1537
ut formidinem mortis per infirmitatem CARNIS evincerent...   3727
ut omnem peccatum quod CARNIS fragilitate contrahemur (contraximus)...
   4221
figiat lascivitas CARNIS iniqui.   3048
quibus CARNIS lege sedata purior animus emineret...   4072
quae se CARNIS maceratione (macerationis) castigat.   3084
quam esti pro condicione CARNIS migrasse cognoscimus...   3318

in veritate nostrae CARNIS natus... 413
in veritate CARNIS nostrae visibiliter corporalis apparuit. 414
et in quo electorum animae deposito CARNIS onere plena felicitate
   laetantur... 746
VD. Qui pro amore (humano homo) hominum factus in similitudinem CARNIS
   peccati... 4003, 4004
In quibus gloriamur iustitiae CARNIS per quam nobis... 3847
non adipe CARNIS pollutum, non profana unctione viciatum... 861
Ds universi CARNIS, qui noae et filiis suis... 1257
peccatorum remissio et CARNIS resurrectio perducitur. 1706
... Credis... remissionem peccatorum, CARNIS resurrectionem (resurrectio)
   ... 551, 552, 3019
adiectam CARNIS sarcina, ad aeternam iubeas perducere regnam. 2461
non fragilitate (fragilitatem) CARNIS, sed alacritate mentis ascenditur...
   2266
non ex sanguinibus neque ex voluntate CARNIS, sed de tuo spiritu genitis
   ... 758, 759
... De his sunt enim inflati sensu CARNIS suae, et non tenentes caput...
   3879
ut sicut unigenitus... cum nostrae CARNIS substantia in templo est
   praesentatus... 2356
ut viciis et CARNIS turmenta contempserint... 1198
benedicere et sanctificare has ovium mundarum CARNIS, ut quicumque...
   1257
in CARNIS vero delectamentis ea quae mulceant... 3866
non CARNIS voluntate editi, sed sancti spiritus virtute generati... 1706
ut nec CARO escis victa luxoriae sectet... 357
Ille tibi imperat, non CARO et sanguis nec pompa saeculi... 3006
Imperat tibi verbum CARO factum, (facto) imperat tibi natus ex virgine...
   1354, 1355, 1859
Ds qui pro mundi salute verbum CARO factum es... 1180
quia verbum CARO factum habitavit in nobis... 3677
donec omnis CARO in suam redigatur originem... 3470
crux salvificat, sanguis emaculat, CARO saginat... 3658

        CARUS
O aeterna veritas, et vera karitas, et CARA aeternitas. 3792
ut hoc corpus CARI nostri illius a nobis... in ordine sanctorum suorum
   resuscitet... 702
ut CARI nostri illius animam... blande leniterquae suscipias... 1289
omnipotentis dei misericordiam depraecemur pro spiritu (spiritum) CARI
   nostri illius cuius hodie... 201
deprecemur clemenciam dei patris pro anima CARI nostri illius quem
   dominus de laqueo... 2217
Oremus, fratres karissimi, pro anima (spiritu) CARI nostri illius quem
   dominus de laqueo... 2216, 2521, 2522, 2523
suppliciter deprecamur pro spiritum CARI nostri ill. quem dominus
   suppliciter... 2583
dominum depraecemur pro spiritu CARI nostri illius uti eum dominus...
   723
spiritum eciam famuli tui ille ac CARI nostri in pace sanctorum tuorum
   recipias vinculis... 3507
ut hoc corpus CARI nostri infirmitate sepulto... 701
quam tibi offerimus pro spiritu CARI nostri qs dne... 1725
commemoratione (commemorationem) faciamus (facimus) CARI nostro (nostri)
   illo quem dominus de temptacionibus... 2583, 2584

hac CARIS nostris vinculis corporalibus liberatus... 3035
... CARISSIMAM nobis hodie suae resurrectionis vixillam suscepit... 3596
... Quapropter adstantibus vobis fratres CARISSIMI ad tam miram... 1564
Fili KARISSIMI : audistis symbulum graecae, audi et latinae... 1631
Pio recordationis affectu, fratres KARISSIMI, commemoratione (commemora-
    tionem) faciamus (facimus) cari nostro illo... 2583, 2584
Oremus, dilectissimi fratres KARISSIMI, dominum... 2503
Aperturi vobis, filii KARISSIMI, evangelia, (aevangelica) id est gesta
    divina... 203, 204
Anniversaria, fratres KARISSIMI, ieiunii puritatem... 179
Deum omnipotentem, fratres KARISSIMI in cuius domum... supplices
    deprecaemur. 725
Filii KARISSIMI, ne diucius ergo vos teneamus... 1633
Antiqui memores cyrographi, fratres KARISSIMI, primi hominis... 201
Oremus, fratres KARISSIMI, pro anima (spiritu) cari nostri illius...
    2521, 2522, 2523
Antiqui memores chyrographi, fratres KARISSIMI qui primi hominis... 201
Fili CARISSIMI revertimini locis vestris... 1632
Deum omnipotentem ac misericordem... fratres KARISSIMI, supplices
    deprecamur ut converso... 724
fratres KARISSIMI, supplicis deprecamus ut cum diabulus... 841
Piae recordationis affectum, fratres KARISSIMI, suppliciter deprecamur...
    2583
Oremus, fratres KARISSIMI, ut deus omnipotens... 2524
supra cuius pectus CARUS iohannes accubuit. 1229
VD. Et te suppliciter rogamus pro amantissimus CARUSQUE nostros ill...
    3736

        CASTE
... Illique coniuncta est moriendo, cui se consecraverat CASTE
    vivendo... 3866

        CASTIFICO
tu animam nostram corpusque CASTIFICA... 1184

        CASTIGATE
... Dumque restrictius CASTIGATIUSQUE viventes... 4028

        CASTIGATIO
ut CASTIGATIO carnis (carnalis) (animarum) adsumpta ad nostrarum
    vegetatione transeat animarum. 649
et suscepta sollemniter CASTIGATIO corporalis ad fructum... 646, 3495
... Quoniam non solum prodesse non poteris CASTIGATIO corporalis si
    spiritus... 4072
ut et (et ut) salutaris CASTIGATIO mortalitatis insolentiam mitigaret...
    3969, 3970
ut CASTIGATIO peccatoribus convenienter adhibita fiat correctio
    salutaris. 533
quam devita CASTIGATIONE conpelli... 3919
ieiunium quod nos ad aedificatione animarum (animarum medellam) (et)
    CASTIGATIONE corporum servare docuisti... 4179, 4183
ut nec CASTIGATIONE (CASTIGATIONEM) deficiat,(deficiant) nec prosperita-
    tibus insolescat (insolescant)... 4010
quidquid eidem debetur pro CASTIGATIONE delicti... 705
ut simus et de exiguitatis CASTIGATIONE solliciti... 3652
ut peccata nostra CASTIGATIONE voluntaria cohibentes... 538
ieiunium quod nos ob... et CASTIGATIONEM corporum servare docuisti...
    3740

et quae CASTICACIONIBUS adsiduis postolat, tua consolacione percipiat.
997
nec CASTIGATIONIBUS corrigemur, nec beneficias incitamur.   3795
ut CASTIGATIONIBUS emendata, continuo se sentiat tua medicina salvatum.
3085
occultae proposito CASTIGATIONIS adflicti...   3959
et que CASTICATIONIS assiduis postulat...   997
et CASTIGATIONUM corporum servare docuisti...   4183

####### CASTIGO
paterne piaetate CASTIGA.   2269
Ds, qui diligendo castigas et CASTIGANDO nos refoves...   958
qui nos et CASTIGANDO (CASTIGANDUS) sanas (annas) et ignoscendo
conservas...   2426
VD. Qui nos CASTIGANDO sanas et refovendo benignus erudis...   3967
ut quos ieiunia votiva CASTIGANT ipsa quoque devotio sancta laetificet...
2788
Quos ieiunia votiva CASTIGANT tua, dne, sacramenta purificent...   3028
et quos fecisti iram intellegere CASTIGANTES.   994
gaudeant his CASTIGANTIBUS esse correctos.   1324
Ds qui ob (ad) ammarum (animarum) medillam ieiunii devotione CASTIGARE
corpora praecepisti...   889, 1139, 3984
te flagellis calentibus CASTIGARE, maledicte satanas, meritis tuis...
1529
Ds, qui diligendo CASTIGAS et castigando nos refoves...   958
nunc Arrium iugi lamentacione CASTIGAT digne...   2297
quae se carnis maceratione (macerationis) CASTIGAT.   3084
ut carnalis alimoniae refrenatione CASTIGATI.   3657
praesentibus malis (malis potius praesentibus) (potius) CASTIGATOS ad
divina proficere...   3812, 3972, 3973
ut nos famulos tuos, et ieiunii maceratione CASTIGATOS et ceteris...
3744
et clementer refovas CASTIGATUS ut nos a malis operibus...   4009a
ut dignis flagellationibus CASTIGATUS in tua miseratione respiret.   2533
et clementer refovas CASTIGATUS ut nos a malis...   4009
in conversatione CASTIGET, in virtute multiplicit...   360
iuge lamentatione CASTIGIT, digne...   2297

####### CASTIMONIA
vitam amplificet, CASTIMONIA decoret...   356
ut CASTIMONIAE pacem mentibus nostris atquae corporibus... propiciatus
indulge...   382
vitam amplificit, CASTIMONIAM decoret...   340

####### CASTITAS
in quam et (in qua manet) intacta CASTITAS, podor integer, firma
constantia.   3974, 3989
Sit in vobis CASTITAS studium, modesti amorem...   359
... Ita CASTITATE pariter et largitate praecipuus...   4193
et in agni tui perpetuo comitatu probabilis mansura CASTITATE
permaneat.   759
Tibi coniuro... per CASTITATE virginum...   3474
in doctrinam pervigilantiam, in CASTITATEM continentiam...   2303
et repleti omnibus CASTITATEM donis tuis desiderantes...   307
caritatem aedifica, CASTITATEM munda...   3081, 3082
foetus non quassant, nec filii destruunt CASTITATEM sicut sancta...   3791
fetus non quassat, nec filii distruunt CASTITATEM.   4206

et omnes sanctae virgines a beata Maria exemplum CASTITATIS accipientes...
3853
sponsum sibi, qui perpetuus est, praesumpto praemio CASTITATIS adhibuit...
3775
... Dona eis propositum mentis, ut exhibeant pudicitiam CASTITATIS adiuva
... 1924
Ds, CASTITATIS amator et continenciae conservator... 757
Ds cui beata caecilia ita CASTITATIS devotione conplacuit... 758
qui dispensationis et CASTITATIS aegregiae... nobis exempla veneranda
proposuit... 3617
etiam in fragilem sexum (fragili sexu) victoriam CASTITATIS et martyrii
contullisti... 1043
quae tibi grata extitit (virtutem) (virtute) martirii et merito CASTITATIS
et tuae professione... 1911, 1912
viduarum gubernaculo CASTITATIS exemplum clarus virtute... 4185, 4186
beatus Stefanus... CASTITATIS exemplum fidelis apostolicos... 3761
ut suae CASTITATIS exemplo (exemplum) imitationem (imitatione, immitationum) sancte plebis adquirat (adquirant)... 136, 137, 138
ut adsumptam CASTITATIS graciam te auxiliante custodiat. 2820
beatae CASTITATIS habitum (habitu) quem te spirante (inspirante)
suscipiunt (susceperit)... 743, 1237
ut adiuvemur meritis, cuius CASTITATIS inradiamur exemplis. 1118
ut propositum CASTITATIS, quod te auctore professae sunt... 1709a
Quo ei et pro turturibus CASTITATIS seu caritatis munera offerre
valeatis... 2256
vestem quam famula tua illa pro conservandae CASTITATIS signo se
adoperiendam exposcit... 738
et CASTITATIS spiritum insere in me... 219
sanctitatis et CASTITATIS victoriae et sanctimoniae... 302

        CASTORIUS
claudium, nicostratum, simpronianum, CASTORIUM, atque simplicium
(simplicio)... 2772

        CASTRUM
aeterni regis CASTRA introaeat. 1163
... Parte ore legere flosculos, oneratis victualibus suis, ad CASTRA
remeant... 3791
Sit nobis regendi qualem iosuae in CASTRIS, gedeon supersit in proeliis...
924
Dne ds noster, in cuius spiritalibus CASTRIS militat laudanda
subrietas... 1301

        CASTUS
in perpetuum sibi socians martyr CASTA consortium... 3775
virum... martyrii foedere secum virgo CASTA fecit aeternum. 3994, 4103
... Sit in eis... gravis lenitas, CASTA libertas... 758, 759, 760
multiplicem victoriam virgo CASTA (et) martyr (martyra) explevit. 3993,
3994, 3995
... Fidelis et CASTA nubat in Christo... 1171, 2541, 2542
qua beati Laurenti hostiam tibi placitam et CASTAM (corporis) suscipisti
... 3776, 3777
abstinentia fructuosa et CASTI pectoris opulenta frugalitas... 1301
et CASTIS gaudiis semper exerceant. 1991
ut divina (beata) mysteria CASTIS iucunditatibus celebremus. 3057
... Quae laetatur... quod caeli dominum CASTIS portavit visceribus...
3989

... Apes vero sunt frugalis in sumptibus, in procreatione CASTISSIMAE...
861
et CASTO corporis glorioso certamine suscepisti.   3777
quos et CASTO fetu sancti coniugii mater fecunda progenuit...   4091, 4092
Ds, CASTORUM corporum benignus habitator (inhabitator)...   758, 759, 760
si usque nunc inhonestus, amodo CASTUS.   4228, 4231

           CASUS
ut quos perpetuae mortis eripuisti CASIBUS...   1030
et in hominis CASU dei opus subruisse plaudebat...   4103
ruina peccati, CASUS incomodi...   2905
ut omnem variaetatum seculorum CASUS, tuo semper protegamur auxilio.
1490

           CATECHUMENUS
et clamat diaconus dicens : CATICUMINI procedant.   3278
... CATICUMINI recedant. Omnes cadicuminis exeat foris.   392
et adnuntiat diaconus ita : CATICUMINI recedant.   1907
Caticumini recedant. Omnes CADICUMINIS exeat foris.   392
Oremus et pro CATICUMINIS nostris, ut deus...   2513
auge fidem et intellectum CATICUMINIS nostris ut renati...   2384
inponendi manum (manus) super inerguminum, sive baptizatum sive
CATICUMINUM.   30

           CATENA
non reorum proxima CATENA constringat...   746
ut quos delictorum CATENA constringit...   773, 2288
per clangorem tubarum murus lapidius... CATENE fecisti...   2378
religatus CATENAE, signus poenas suscepturus...   1547
... CATHENARUM conpage dignatus es ad libertatis praemia revocare...   920
Aperire pulsantibus spiriisque peccaminum CATHENIS, relaxa...   3736

           CATERVA
sacerdotum CATERVA pro exercitus tui victoria custodiaque...   4143
infantum innocentum CATERVAS herodis funesti peremit saevitia...   2252

           CATHEDRA
que hodiae materna in CATHEDRA universis subditis sibi abbatissa esse
constituaetur...   1317
... Tribuas eis CATHEDRAM episcopalem (pontificalem) ad regendam
aeclesiam...   818, 819, 820

           CATHOLICUS
et quia in hac luce (in) fide mansit CATHOLICA ei (et) in futura...   2886
per corum doctrinam fides CHATOLICA et relegio christiana subsistit...
3281
constanter (instanter) in sanctae trinitatis fide (confessione) CATHOLICA
perseverant (perseveranti)...   1249, 1718, 1720
inprimis quae tibi offerimus pro aecclesia tua sancta CATHOLICA quam
pacificare...   3464
et CATHOLICA semper exultet aecclaesia.   991
semper fide CHATOLICAE documenta sectentur.   2378
aecclaesiae tuae CATHOLICAE dona largire.   1327
inimicorum sanctae CATHOLICAE et apostolicae eclesie dexterae...   2250
adque contre inimicos sanctae CATHOLICAE et apostolicae aeclesiae
triumphum...   2506
CATHOLICE fidei anchora teneantur...   1961

ut gratiam se CATHOLICAE fidei percipisse pietatis tuae defensione
    cognoscant. 1192
Rectissimum CATHOLICE fidaei tramite teneant...   329
Tantum habeat fervorem CATHOLICAE fidaei ut sancti...   955
CATHOLICAE fidei vos documentis enutriat...   2258
et omnis aecclaesiae CATHOLICAE gradum...   2856
praefatum symbulum fidei CATHOLICAE in praesente cognovistis...   1706
constanter in sanctae trinitatis fidei CATHOLICAE perseverent.   1249
et inimicos CATHOLICAE professionis expugna.   1463
sed membrorum aeclesiae CATHOLICAE remissiones tua clemencia reformetur...
    1007
et non qui vobis misterium fidei CATHOLICAE una tradidimus vobiscum...
    226, 3310
et ad sanctam matrem aeclesiam CATHOLICAM atque apostolicam revocare
    dignetur.   2516
et ad ecclesiam tuam CATHOLICAM eos perducere...   1313
... In unam sanctam CATHOLICAM et apostolicam ecclesiam...   554, 555
et ad aecclesiam tuam CATHOLICAM perducere...   1312
Credis (et) in spiritum sanctum, sanctam eclesiam, CATHOLICAM
    remissionem...   552, 553
et ad sanctam aecclesiam CATHOLICAM revocare...   3192
sanctam aecclaesiam CHATOLICAM, sanctorum communionem...   551
ideo cum ad veram matrem aeclesiam CATHOLICAM tui muneris...   2297
... Et omnibus orthodoxis atque CATHOLICI fide (catholicae et apostolicae
    fidei) cultoribus...   3464
Pro animabus... et hic omnium CATHOLICORUM dormientium...   2845
(et) omnium fidelium CATHOLICORUM orthodoxorum.   1743, 1751, 2806, 2874,
    3008, 3247, 3385

          CATULUS
... Iuda filius meus CATULUS leonis, de germine mihi ascendisti...   2059
recubans dormivit ut leo et sicut CATULUS leonis, quis excitavit eum ?
    2059

          CAULAE
... Qui humeris tuis ovem perditam reduxisti ad CAULAS...   2837

          CAUSA
ut quibus erat una CAUSA certaminis, una retributio esset et praemii.
    3595, 4084
cummunis aeorum debet esse sententia, corum CAUSA cummunis existat.   3021
qui temetipsum nostri CAUSA dedisti, pro praetio...   1334
origo avaritiae, CAUSA discordiae, excitator dolorum...   744
Absit a vobis invidia diaboli, CAUSA dispendii...   2905
ut continua nostrae reparationis operatio perpetua (perpetuam) nobis
    fiat (fatiat) CAUSA laeticiae.   467
quia semper (misericordia) tibi est CAUSA miserendi exaudi...   783
Domine ds noster, cuius est prima CAUSA miserendi qua nomen...   1299
Quoniam sicut fonte vitae praeterire CAUSA moriendi est...   4040
et CAUSA nostrae redemptionis exhorta est.   1561
ut correptio (dne) (tua non) sit neglegentibus maior CAUSA poenarum...
    2357, 2534
sed potius exsequentibus conpetenter fiat CAUSA remunerationis aeternae.
    4166
ut hoc idem nobis semper et sacramenti (indulgentiae) CAUSA sit et
    salutis.   388, 3199

ne forte sine ac ordines ratione vel CAUSA stuporem vobis in mentibus
  relinquamus...   203
... Quia sicut totius adversitatis est CAUSA tuis non oboedire praeceptis
  ...   4136
cum CAUSAM interpellatus iudecaveris quam non ignorat.   3828
et cui CAUSAM tanti gaudii praestetisti...   3435
Fac nos, qs, dne, salutis nostrae CAUSAS et devotis...   1578
et tu CAUSAS humanae salutis et gloriae, quibus tibi gratae sunt,
  condedisti.   35
dissensionum CAUSAS placatus depelle nostrum...   1231
... Variis etenim sollemnitatum CAUSIS salutarium nobis operum...   3719

          CAUSOR
de secretorum (discritorum) tuorum dispensatione CAUSAMUR ac (hac) tunc...
  4022

          CAUTE
eadem (te) gubernante quae recta sunt CAUTIUS exequamur.   2667

          CAUTELA
ut et CAUTELAE nostrae non desit socianda benignitas...   3980

          CAUTIO
et veteris piaculi CAUTIONEM pio cruore detersit (debitum)...   3791

          CAVEO
sed ut sollicite dolos CAVEAMUS alienos...   3981
et vexare molientium CAVEAMUS incursus.   4223
Ds qui in membris aecclesiae geminatum lumen co CAVEANTUR tenibrae...
  1033
ut tamen et fragilitatis humanae semper CAVENDA mutatio...   3639
ut quicquid humana fragilitas CAVERE et vitare non praevalet...   1789
... Tales CAVERE nos iubes per apostolum tuum docens...   3879
Da illis devoto corde te colere, se CAVERE, te semper dilegere...   1180
diabolicas CAVERE vigilanter insidias...   4176

          CEDO
... CEDE, CEDE non mihi sed mysteriis Christi...   142, 1355
ut seviciae persecutores non CEDERET conscientia puerilis...   3618
summae divinitati CEDERET vocata gentilitas...   3613
nec sibi quisquam aut non CESSUM indicet fuisse delictum...   3981
... Nam cum filius tuus... mundum diceret universum in suum nomen esse
  CESSURUM...   3957

          CELEBER
ut CAELEBREM nobis tuae propitiationis abundantiam... largiaris.   2430
Vide dne infirmitates nostras et CAELEBRI nobis pietate succurre.   4229

          CELEBRATIO
quia trina CELEBRATIO beatae conpetit mysterium (misterio) trinitatis.
  1986
quia quotiens huius hostiae CAELEBRATIO commemoratur...   447
salutem semper operetur divinae (divini) CAELEBRATIO sacramenti...   4053
VD. Et tuam cum CELEBRATIONE ieiunii pietatem devotis mentibus obsecrare
  ...   3743

          CELEBRITAS
aeterna CELEBRITAS et (atque) triumphi caelestis perpetuus sit natalis...
  3599, 3600
triumphique caelestis perpetua et aeterna sit CELEBRITAS nobis...   3601

Sacrificium tibi, dne, laudes offerimus pro sancti CAELEBRITATE Clementis
... 3162
da populis tuis in hac CAELEBRITATE consortium... 2405
et in quorum sunt CELEBRITATE devoti... 1861
ut sanctorum tuorum CELEBRITATE ferventes... 644
VD. In hac CELEBRITATE gaudentes qua sancti spiritus dervore... 3783
O. s. ds, qui nos... Petri et Pauli multiplici facis CAELEBRITATE gaudire
da qs ut eorum... 2423
et aecclesiam tuam... continua fac CELEBRITATE gaudere omniumque in te...
2472
da nobis, qs, in eorum CELEBRITATE gaudere qui filio tuo domino... 1061
qui nos eorum multiplici facis CELEBRITATE gaudere quorum nostrae
fragilitati... 2425
Observationis annuae CELEBRITATE gratulantes... 2218
qua beati Systi et CAELEBRITATE iubamur et praecibus. 3078
da populis tuis in hanc CELEBRITATE iustitiae... 2404
et tuorum refices CELEBRITATE iustorum. 1673
Observationis huius annua CAELEBRITATE laetantes... 2219
et aecclesiam tuam continua fac CAELEBRITATE laetare... 2344
et de sacrae festivitatis CELEBRITATE laetetur. 372
da populis tuis in hac CAELEBRITATE laeticiam... 2405
placabilis praetiosi CELEBRITATE martyrii... 1618
gratiam tuam in beati Laurenti martyris CELEBRITATE multiplicem... 438
ut in huius CELEBRITATE mysterii perpetua devotione vivamus. 3882
Propitiationem tuam, dne, qs, sentiamus de CELEBRITATE praesenti... 2887
et pro nostrae servitutis obsequiis, et pro CELEBRITATE sanctorum caelestia dona... 3072
Laetetur semper aeclesia tua, dne, tuorum CELEBRITATE sanctorum et
misericordiae... 1985a
Laetamur, dne, tuorum CELEBRITATE sanctorum praesta qs... 1983
adsidua nos sanctorum CELEBRITATE solaris... 2394
merita sub una tribuisti (tribues) CELEBRITATE venerari... 2430
da populis tuis in hac CAELEBRITATEM laeticiae... 2405
O. et m. ds, qui nos ad CELEBRITATEM venire huius diei contulisti...
2285
quae in sanctorum tuorum CELEBRITATIBUS et frequentamus et sumimus. 3080
Erudiamur, dne, qs, his CELEBRITATIBUS et iuvemur... 1417
Sumpsimus, dne, CELEBRITATIS annuae votiva (votivae) sacramenta
(sacramentum)... 3333
Et sacramentis tuis, dne, et gaudiis optatae CELEBRITATIS expleti...
1441
ut quibus annua CAELAEBRITATES huius vota multiplicas... 3825
Ds, qui per huius CAELEBRITATIS mysterium aeternitatis tuae lumen...
1151

            CELEBRO
triumpho nos sancti Laurenti, quam hodie CELEBRAMUS, accendis.   4108
ut quae temporali CAELEBRAMUS accione, (actionem) perpetua salvacione
capiamus.   3243
ut qui unigeniti tui CELEBRAMUS adventum continuum... 4014
ut cuius CELEBRAMUS adventum, eius multimodae gratiae capiamus effectum.
4007
VD. Quia hodie sancti spiritus CAELEBRAMUS adventum qui principiis...
4049
ut quae sedulo CELEBRAMUS affectu... 2093

ut... adpraehendamus rebus effectum, quod actionibus CELEBRAMUS affectu.
   3169
templi huius cuius anniversarium dedicationis diem CELEBRAMUS ambitum
   continemur...   193
cuius hodie natalem divinae (genuinem) CAELEBRAMUS consecracione
   (consecrationem) mysterii (misteriae).   1202
et sanctorum tuorum quorum festa sollemniter CAELEBRAMUS continuis...
   1462
adsumptione... tuae genetricis beate mariae CAELEBRAMUS devoti.   2461
eorum, qs, depraecatio, quorum sollemnia CELEBRAMUS, efficiat.   2126
et da ut cuius hodiae festa CAELEBRAMUS, aeius meritis...   1203
ut cuius sollemnia CAELEBRAMUS, eius orationibus adiuvemur.   2973
VD. CELEBRAMUS enim tuorum natalicia praetiosa iustorum...   3619
martyrum Cyrini Naboris et Nazari solemnia CAELEBRAMUS et eorum
   patrocinia...   3271
ut sanctae Soteris, cuius humanitatis CAELEBRAMUS exordia...   2792
quibus ipsius venerabilis sacramenti (venturum) CAELEBRAMUS exordium.
   1576
beati Marcelli... cuius venerandam (veneranda) CAELEBRAMUS festivitatem...
   814
quam tibi offerit ob diem natalis sui CAELEBRAMUS genuini...   1719
et quorum CELEBRAMUS gloriosa certamina...   1302
virgo maria cuius adsumptionis diem CAELEBRAMUS gloriosa effulsit...
   3725
anima famuli tui illius, cuius anjiversarium depositionis diem
   CELEBRAMUS his purgata...   2660
ut quod professione CAELEBRAMUS imitemur affectu.   2435
quibus et sanctorum martyrum CELEBRAMUS in honorem nominis tui passionem
   ...   2207
cuius diem ill. depositionis CAELEBRAMUS, in sinibus...   2312
ut anima (animae) famuli tui illius, cuius diem illum CELEBRAMUS
   indulgentiam...   3840
ut pro honorem nominis tui quorum CELEBRAMUS insignia...   2769
per aeorum quorum festa CAELEBRAMUS intercessionem...   4016
ut qui sanctae dei genetricis requiem CAELEBRAMUS intercessionis eius...
   430
et quorum CELEBRAMUS meritum, experiamur (expiemur) auxilium.   2062
quorum diem conmemorationis CAELEBRAMUS, mortis...   3915, 3916
cuius annua vota CELEBRAMUS nec capiatur...   4077
ut quod pro illorum gloria CELEBRAMUS, nobis prosit ad veniam.   1390
ut cuius depositione annuo CAELEBRAMUS obsequia (obsequio)...   3194
confessorum tuorum illorum quorum hodie festa CELEBRAMUS obtentu...   3695
ut quorum nunc regenerationis sacrae diem CAELEBRAMUS octavum...   1192
quem maiestati tuae annua solempnitate CAELEBRAMUS officiis longiva...
   3592
ut quod praesentibus CELEBRAMUS officiis perpetuae salvationis...   2683
ut quae subditis CELEBRAMUS officiis plenis affectibus...   2231
ut quae fragili CAELEBRAMUS officio per beatos...   3064
ut quae sollemni CAELEBRAMUS officio purificatae mentis...   2713
ut quod devitae servitutis CELEBRAMUS officio salvationis...   3170
quorum solemnia CAELEBRAMUS, oracionibus adiuvemur.   2973, 2976
martyre tuo ill. cuius hodiae passionis festa CAELEBRAMUS, per bone...
   1227
ut quorum ad honorem nominis tui merita CELEBRAMUS pia quoque...   3672
per eorum intercessionem quorum festa CELEBRAMUS pietatis tuae...   4016

pro inmortalibus et bene quiescentibus animabus sine dubio CAELEBRAMUS,
    pro his...   3668
et quas in honorem nominis tui devota mente pro eis CELEBRAMUS proficere
    ...   1801
pro anima famuli tui illius, cuius deposicionis diem illum CAELEBRAMUS
    qs dne ut placatus...   1741, 1745
quia eius natalicia CAELEBRAMUS qui novit etiam pro persecutoribus
    exorare.   617
episcopalis officii suscepta principia CELEBRAMUS quibus et aeclesiae...
    4028
Tot sensibus hodiernum, dne, sacrificium CELEBRAMUS quo nobis...   3481
cuius deposicionis diem septimum vel trigesimum CELEBRAMUS quod (quo)
    deposito corpore...   1721
Sacrificium, dne, CELEBRAMUS, quod ita nobis debet esse perpetuum...
    3150
cuius natalem ad nominis tui gloriam CELEBRAMUS tot donis...   4098
ut quorum CELEBRAMUS triumphos, possimus retinere constantiam.   1487
cuius diem conmemorationis CAELEBRAMUS, ut ante tronum...   1684
sanctas vigilias christiana piaetate CAELEBRAMUS ut per hanc institutionem
    ...   180
ut sanctorum (martyrum) tuorum, quorum CELEBRAMUS victorias...   498
ut haec sancta mysteria, quae CELEBRAMUS votis, experiamur auxiliis.
    3070
ut nostri redemptoris exordia purificatis mentibus CAELEBRAMUS.   558
convenientius eorum natalicia CELEBRAMUS.   4069
cuius etiam diem quo felix eius est inchoata nativitas CELEBRAMUS.   153
ad caelestia regna praesenti sacrificio CELEBRAMUS.   3815
... Eius, qs, semper interventione (intercessione) nos refove, cuius
    sollemnia CELEBRAMUS.   3260
quorum innocentiam hodie sollempniter CAELEBRAMUS.   1957
Annua nobis est, dilectissimi, ieiuniorum CELEBRANDA festivitas...   182
Ds qui ad CAELEBRANDA miracula maiestatis...   890
... Faciatque idoneos et ad CELEBRANDA natalis sui festa...   3698
ut sicut sanctorum tuorum natalicia CELEBRANDA non deserunt...   2672
sic nos instituis ad CELEBRANDA paschalia festa...   4024
ut ad CAELEBRANDA praesentia festa idonei inveniamur...   4070
Familia tua, (Familiam tuam) ds, et ad CAELEBRANDA principia redemptionis
    desideranter occurrat...   1586
Sacrificia nos, dne, CAELEBRANDA purificent...   3141
... Christus tradidit discipulis suis corporis et sanguinis (sanguis) sui
    mysteria CAELEBRANDA qs dne placatus...   1712, 1736, 1771
et ad eadem CELEBRANDA solemniter praeparemur.   4123
ut quod mea CELEBRANDA voce depromitur, tua sanctificacione firmetur.
    863
Et qui ad eius CELEBRANDAM festivitatem hodierna die... devotis mentibus
    convenistis...   1149
Ds qui nos ad CAELEBRANDAM festivitatem utriusque testamenti paginis
    instruis...   1092
et ad aeadem CAELEBRANDAM humiliter praeparemus.   4123
ut ad eius CELEBRANDAM passionem purificatis mentibus accedamus.   3658
Et qui ad CELEBRANDAM redemptoris nostri caenam... convenistis...   353
et ad eandem CAELEBRANDAM solempniter praeparemus.   4123
ad CELEBRANDAM unigeniti filii tui domini nostri passionem facias esse
    devotos.   3659
qui praeparamur ad CAELEBRANDAM unigeniti filii tui passionem.   3730

da nobis eorum gloriam sempiternam et perficiendo (proficiendo)
  caelebrare et CAELEBRANDO perficere (proficere). 1123
ut quae visibilibus mysteriis CELEBRANDO suscipimus... 2697
ut ad CAELEBRANDUM dignae paschale mysterium... 3813
Ds qui CELEBRANDUM nobis paschale sacramentum... 1081
ad CELEBRANDUM paschale mysterium inveniamur idonei. 3657
Ds, qui nos (nobis) ad CAELEBRANDUM paschale sacramentum... 1081, 1092
Sacrificium tibi, dne, CELEBRANDUM placatus intende... 3161
tanto devotius ad eius digne CELEBRANDUM proficiamus paschae mysterium.
  3798
et sacrificium CELEBRANDUM, subditorum (tibi) corpora, mentesque
  sanctificet. 1690
ut quod mea CELEBRANDUM voce depromitur... 863
quam tibi offeret ob diem natalis suis CAELEBRANS genuinum... 1719a
ut dum carnalem CAELEBRANT circumcisionem... 2441
et quod votis CELEBRANT, conpraehendant effectu. 2671
et quas in honore nominis tui devota mente CAELEBRANT proficere... 1801
gregem tuum tua resurrectione CAELEBRANTEM, perennibus... 1044
et tua mysteria (tuam misteriam) CAELEBRANTES ab omnibus (nos) defende
  periculis. 3450
... CAELEBRANTES apostolorum Petri et Pauli votiva solemnia... 3337
et diem sacratissimum CELEBRANTES ascensionis... 407
... CAELEBRANTES beati bartholomei apostoli tui votiva solemnia... 3337
sanctorum tuorum sollemnia CELEBRANTES caelestia sacramenta... 3340
VD. Honorandi patris benedicti gloriosum CAELEBRANTES diem... 3766
... Huius igitur triumphi diem hodierna devotione CELEBRANTES hostias tibi
  dne laudis offerimus. 4169
... Et idcirco horum sollemnia CELEBRANTES hostias tibi laudis offerimus.
  3812
Communicantes, et diem sacratissimum CAELEBRANTES in quo incontaminata...
  408
Obsequias autem raecte CAELEBRANTES, menbris... 2216
CAELEBRANTES que pro martyrum tuorum illor beata passione peraegimus...
  393
VD. Praetiosam mortem sancti Laurenti... exultantibus animis CELEBRANTES
  quam te vincente... 3850
VD. Sancti Clementis martyris tui natalicia CELEBRANTES qui cognationem...
  4127
Beati... Iohannis gloriosa natalicia CELEBRANTES qui domini nostri...
  3608
de quorum collegio beati Andreae solemnia CELEBRANTES qui mox... 3907
illius nativitatem (nativitate) honore debito CELEBRANTES qui salvatorem
  mundi... 3509
et diem sacratissimum Pentecosten CELEBRANTES quo apostoli... 416
Communicantes et noctem (diem) sacratissimam CAELEBRANTES quo beatae
  mariae... 420
Communicantes, et diem sacratissimum CELEBRANTES quo dominus noster...
  409, 410, 411
et diem Pentecosten sacratissimum (sacratissimum pentecosten) CELEBRANTES
  quo spiritus sanctus... 406, 415
diem sacratissimum CAELEBRANTES, quo traditus est dominus noster Iesus
  Christus. 412
Communicantes, et diem sacratissimum CAELEBRANTES quo unigenitus tuus...
  413, 414
ut sanctorum tuorum natalicia CELEBRANTES quorum praedicamus... 608

et noctem sacratissimam CAELEBRANTES resurrectionis domini... secundum
   carnem.   421, 1922
Sumpsimus dne sanctorum tuorum solemnia CELEBRANTES sacramenta caelestia
   ...   3340
VD. CELEBRANTES sanctorum natalicia patronorum...   3620, 3621
da aeclesiam tuam dignae talium CELEBRANTES sollemnia...   1133
Sancti Iohannis (eusebii) natalicia CAELEBRANTES supplices te dne...
   3199
VD. Cuius hodie octavas nati (nativitate) CELEBRANTES tua, dne, mirabilia
   veneramur quia qui peperit...   3648, 3649
VD. Cuius hodie circumcisionis diem et nativitatis octavum CELEBRANTES
   tua dne mirabilia veneramur.   3646
... De quorum collegio beati Andreae (thomae apostoli tui) sollemnia
   CELEBRANTES tua dne praeconia...   3908, 3909, 4047
quibus sanctorum tuorum natalicia CELEBRANTES tuam gloriam...   622
et aeius digna sollemnia CAELEBRANTES, tuo nomini...   277
huic plebi salutifera paschae solemnia CAELEBRANTI omne...   431
et tua sancta CELEBRANTIBUS auge devotionis effectum...   66
ut eorum nobis fiant depraecatione salutaria, quorum CELEBRANTUR affectu.
   3341
munera, quibus mysteria CAELEBRANTUR nostrae libertatis et vitae.   1650
quotiens in ecclesia tua horum dierum festa CELEBRANTUR, quos insignes...
   4201
VD. Tuae etenim, dne, victoruae CELEBRANTUR tuorum predicatur...   4193
conpetentibus gaudiis diem nos CELEBRARE concedas...   3368
Ds qui bonis (nobis) nati salvatoris diem CELEBRARE concedis octavum...
   917
et quae temporaliter CELEBRARE desiderant, sine fine percipiant.   1997
da nobis eorum gloriam sempiternam et perficiendo (proficiendo) CAELEBRARE
   et caelebrando perficere (proficere).   1123
tribuat vobis et eadem devotis mentibus CELEBRARE et suae benedictionis...
   1242
et quorum nos tribues sollemnia CELEBRARE fac gaudere...   4249
Ds qui nos fecisti hodierna die paschalia festa CAELEBRARE fac nos qs...
   1115
letabunda solemnia CELEBRARE fecisti...   1130
festa semper optanda fecisti CELEBRARE gaudentes...   3977
ut quos digna mente non possumus CELEBRARE humilibus...   579, 580
bona tua prestas CELEBRARE laetantes.   2004
ecclesiae tuae tribuisti CELEBRARE mirabile mysterium...   3989
digne sancti gregorii pontificis tui CAELEBRARE misteria...   463
Da nobis qs dne digne CAELEBRARE mysterium quo in nostri...   615
VD. Instituente predicante famulo tuo moysi nos haec ieiunia CELEBRARE,
   nam...   3789
ut eorum sollemnia digne CELEBRARE possimus.   872
ita nos facias dignis laudibus et officiis CELEBRARE praesentemque...
   3663
da nobis diem natalis eius honore praecipuo CELEBRARE quia non diffidimus
   ...   2443, 2453
et tantos dignae studeris CELEBRARE rectores...   4002
et eorum, quorum tribuisti sollemnia CELEBRARE securos fac...   210
et mirabilium tuorum inenarrabilia praeconia devotae mentis veneratione
   CELEBRARE teque ineffabilem...   3738
Ds, qui nos exultantibus animis pascha tuum CAELEBRARE tribuisti...   1114
tribuis gloriosas indesinenter CELEBRARE victorias...   3978

VD. Et in omni loco hac tempore omnipotentiae tuae gloriam CELEBRARE.
    3694
quorum iussisti festa sacratissima CAELEBRARE.   166
presta, ut quorum CELEBRAT conventum...   973
et quas in honore sanctorum tuorum devota mente CAELEBRAT proficere...
    1810
... Presta, qs, ut nos etiam (etiam nos) suppliciter CELEBRATA purificet.
    2038
ut sanctorum tuorum (caelestibus) mysteriis CELEBRATA sollemnitas
    indulgentiam...   3006
Prosit nobis, dne, sancti Tiburti (laurentii) CAELEBRATA solemnitas
    quanto fragiliores...   2902
quae pro eorum (illorum) CELEBRATA sunt gloria, (gloriam) nobis proficiant
    (proficiat) ad medellam.   2567
paschalis festi gaudia CELEBRATIS ad ea festa...   361
Quatenus praesentis quadragesimae diebus devotissime CELEBRATIS ad
    paschalia...   2249
cuius hodie natalitia CELEBRATIS concedat que...   342
ad huius sponsi thalamum cuius resurrectionem CELEBRATIS cum prudentibus
    ...   948
CELEBRATIS, dne, quae pro apostolorum tuorum beata passione peregimus...
    393
cuius depositionis diem CELEBRATIS illi positis...   2263
Obsequiis autem rite CELEBRATIS membris...   2217
quorum festivitatis diem CELEBRATIS ovantes.   3232
cuius devotis mentibus in terra CELEBRATIS triumphum.   275
quia quociens huius hostiae commemoracio CAELEBRATUM...   447
VD. Quoniam quidquid christianae professionis devotione CELEBRATUR de hac
    sumit...   4100
VD. Hodie quippe, dne, et tuo munere CELEBRATUR magnifica mater et
    martyr...   3764
quia quotiens (huius) hostiae (tibi placatae) commemoratio CELEBRATUR
    opus nostrae...   447, 597
tibi dies sacrata CELEBRATUR quam beatorum (qua sancti, beati)...   4177,
    4178, 4180
et ecclesia tua in templo cuius anniversarius dedicationis dies CELEBRATUR
    tibi collecta...   976
et hostrae redemptionis mysterium CELEBRATUR unde poscimus...   3669
cari nostri illius, cuius hodie depositio CELEBRATUR ut eum in aeterna...
    201
... Ibi quaedam enim ibi mors et quaedam resurrectio CELEBRATUR vetus
    homo...   1706
Quedam aenim ibi mors et quedam resurrectio CELEBRATUR.   1707
Concede nobis, dne, qs, ut CELEBRATURI sancta mysteria...   435
ut CELEBRATURI sanctorum non solum...   435
cuius diem septimum vel trigesimum sive deposicione CELEBRAVIMUS in
    sinibus...   2312
quae pro apostolorum tuorum beata CELEBRAVIMUS passione...   2558
... CELEBRAVIT Abraham, Melchisedec sacerdos exhibuit...   4194
ut magnae festivitatis ventura sollemnia prospero CAELEBREMUS effectu...
    483
ut quod professione CAELEBREMUS, emitemur effectu.   2435
Semper dne sanctorum martyrum... solemnia CELEBREMUS et eorum patrocinia
    iugiter...   3271

ut et securis (devotis) eadem mentibus CELEBREMUS et eorum patrocinia
  promerente...   1099, 4238
quibus ipsius venerabilis sacramentum venturum CAELEBREMUS exordium.
  1576
et quietis CELEBREMUS mentibus et devotis.   4137
ut martyrum tuorum iugiter CELEBREMUS meritum...   2728
ita dignis CELEBREMUS officiis.   1095
ut eadem sic temporaliter CELEBREMUS, ut nobis experiamur aeterna.   793
sanctas vigilias christiana pietate CAELEBRIMUS ut per hanc...   179
hanc eadem festivitatem solita (sollicita) devocione CAELEBREMUS.   2187
ut eandem (aeadem) sacris mysteriis expiati dignius (dignis) CAELEBREMUS.
  1645
ut quod mysteriis agimus, piis effectibus CELEBREMUS.   38
ut divina (beata) mysteria castis iucunditatibus CELEBREMUS.   3057
ut nostri redemptoris exordia purificatis mentibus CELEBREMUS.   558
ut haec sacrificia subriis mentibus CAELEBREMUS.   2645
ut puris sensibus et mentibus tua mysteria CELEBREMUS.   2485
ita nos potius... convenientius aeorum natalitia CAELEBREMUS.   4070
hoc sollemne ieiunium... devoto servitio CELEBREMUS.   112
sanctorum (beatorum) martyrum tuorum illorum hic (hii) semper merita
  CELEBRENTUR.   471
ut (et) tibi paenitentiam excopias (excubias) CAELEBRET ut correctis
  (et correctibus)...   429, 1308
ut quod magno dei munere geritur, magnis ecclesiae gaudiis CELEBRETUR
  quoniam...   3714
ut hoc loco tota graciae tuae potencia CAELEBRETUR subplices tibi...
  3836
conferri sibi ad te sempiterna gaudia CAELEBRETUR.   429
ut correctis actibus suis conferre tibi ad te sempiterni gaudia
  CAELEBRETUR.   1308
magnis aeclesiae gaudiis CELEBRETUR.   3814

        CELER
et cui donasti CELEREM et incontaminatum transitum post babptismi
  sacramentum...   890
ut CELEREM nobis tuae propitiationis abundantiam...   2430
quidquid iusto expetierunt desiderio, CAELERI consequantur effectu
  (effectum).   844
et omnes iniquitates eius CAELERI indulgentia deleantur.   2812
tua (tuae) CELERI largitate percipiat.   158
CAELERI nobis (qs dne) pietate succurre...   377, 4229
et CELERI nos propitiatione laetifica.   1454
0. et m. ds, qui peccatorum indulgenciam ad (in) confessione CAELERI
  posuisti...   2288
et continuis tribulationibus laborantem CAELERI propitiatione laetifica.
  2096
sed laborantibus CELERI succure placatus auxilio.   2171

        CELERITER
clementiam tuam CAELERITER exoret (exoretur)...   2837
ut CAELERETER nobis tuae propiciationis habundanciam... largiaris.   2430
et auxilium nobis de sancto CELERIUS fac adesse.   2890
intervenientibus sanctis tuis CAELERIUS in tua misericordia respiremus.
  610

        CELLARIA
ut repleat (repleas) aeorum CELLARIA cum fortitudine frumenti et vini...
  1357

CELLULA
... Aedificant CELLULAS caereo liquore fundatus (fundatas)...   861, 862
... Ibique aliae inaestimabili arte, CELLULAS tenaci glutino instruunt...
  3791

CELO
et deficiant te ante conspecto dei ubi tu potes CAELARE diabule...   2552
quemadmodum se CELARE posse confidunt...   3653
ubi inimicus CELATUS fuerit, statim areptus effugiat...   1346

CELSITUDO
quia nemo potest summi virique regis CELSITUDINE delectari...   4215
usque ad contemplandam speciem tuae CELSITUDINIS perducamur.   1004
Ds, CELSITUDO humilium et fortitudo rectorum...   761
adque in ea (eo) perveniat humilitas gregis quo praecessit CELSITUDO
  pastoris.   2333, 2334

CENA
et cras nos ad sacratissimae CAENAE convivium introducas.   3950
ut cras venerabilis CAENAE dapibus sacies...   3950
quam tibi offerunt ob die ieiunii CAENAE dominicae...   1712
ut (Nam) et in CENAE mysticae sacrosancto convivio...   3571, 3608, 3609
Benedic qs dne universum populum ad CAENE tuae convivium evocatum.   330
Et qui ad celebrandam redemptoris nostri CAENAM devota mente convenistis
  ...   353

CENO
... Semile modo posteaquam CAENATUM est accipiens et hunc praeclarum
  calicem...   3014
... CAENAUVIT igitur hodie proditor mortem suam...   3867, 3868

CENOSUS
ut detrahentis vomitum acorum CENOSA contagia...   2027

CENSEO
ut animae famulorum famularumquae tuarum... in tuorum CENSEANTUR sorte
  iustorum (iustorum sorte).   2046
in tuorum numero redemptorum sorte perpetua CENSEANTUR (CENSANTUR).   1743
quid de meritu CENSEATIS, deo teste, consolemus.   3021
ut anima famuli... in sanctorum CENSEATUR sorte pastorum.   2047
da cunctis, qui christiana professione CENSENTUR et illa respuere...
  978, 979
qui et vinearum apud te nomine CENSENTUR et segitum...   1034
ut eum in numero tibi placencium CENSIRE facias sacerdotem.   1759
Et in numerum tibi placentium CENSERI facias sacerdotum.   1711
da nobis, qs, in eius portione CENSERI in quo totius...   2407
quia nihil in vera relegione manere CENSITUR (CENSETUR) quod eorum
  (eius)...   3899, 3908a
quidquid (quod) sedis illa CENSUERIT quam tenere...   4021, 4077
ideoque hac nos teneri lege merito CENSUISTI ut te sub quo...   3641

CENSURA
Prodest quidem, dne, continuata CENSURA peccantibus...   2852
nobis ad perpetuam vitam CENSURA (profutura) quae sumpsimus.   1555
et cum necessaria studeamus amare CENSURA totumque...   3796
ut gravitate (gravitatem) actuum et CENSURA videndi (vivendi) probent
  (probit) se esse seniores (seniore)...   3225
ut in mentibus nostris nec sine bonitate CENSURA.   2717
Sit magni consilii, industriae, CENSURAE, efficatiae disciplinae.   2303

... CENSURAMQUE morum exemplo (exemple) suae conversationis insinuent
(insinuet)...   1348, 1349, 1350, 2549

        CENTESIMUS
... Quatenus CENTESIMI fructus dono virginitatis decorari...   760
Et qui illis voluit CENTESIMI fructus donum decore virginitatis...
conferre...   2264
et sibi ergo CENTISSIMI muneris opulentiae...   1508
... CENTISSIMO cum fructus laetus introeat portas paradisi...   561
multiplicati fenore, cum CENTISIMO fructu...   2303
et sicut fidelibus tuis tricesimum atque sexagesimum vel CENTESIMUM
fructum donare...   2110

        CENTUM
ut eas sociare digneris inter illa CENTUM quadraginta quattuor milia
infantum...   3465

        CENTUPLUS
... CENTUPLI muneris praemia repensasti...   4127

        CENTURIO
et sicut visitasti dne tobiam et sarram socrum petri puerumque
CENTURIONIS...   2277

        CENUBIALITER
ut quod nobis donabit CENUBIALITER profitetur.   4176

        CENULENTUS
animam quam de huius mundi voragine CAENULENTA ducis ad patriam...   3470

        CERA
confregit terra, montes ardebunt, sicut CAERA exiat amare...   2552
montes sicut CERA liquescunt...   2299
sed CERA oleo atque papiro constrictum in tui nominis honore succensum...
861
sed CERE oleo adque papire constrictum...   862
... Aliae liquantia nella stipant, aliae vertunt flores in CERAM aliae
ore...   3791
... Alitur liquentibus CERIS quas in substantiam praetiosae huius
lampadis...   3791

        CEREBRUM
Exite... de CERIBRO trisido, de vertice, de fronte...   1888

        CEREMONIA
... In hoc CERIMONIARUM veterum plenitudo est...   4100

        CEREUS
... CAEREI huius laudem implere percipiat (perficiat).   1564
sacrificium vespertinum, quod tibi in hac CEREI oblatione sollemni...
3791
... Aedificant cellulas CAEREO liquore fundatus (fundatas)...   861
de donis tuis CAEREUM tuae suppliciter offerimus maiestati...   861
ut CEREUS iste... ad noctis huius caliginem destruendam indeficiens
perseveret...   3791

        CERNO
et puro CERNAMUS intuiti et digno percipiamus effectu.   379
VD. Quia, cum totus mundus experiatur et CERNAT...   4042
CERNE placato vultu confrequentantem hodiae populum...   910
... CERNENS et regens cuncta...   2475

... CERNENSQUE promissa conpleri, merito secutura non dubitet...   3957
et ipsis CERNENTIBUS elevatus in caelum...   3999
ipsisque CERNENTIBUS est elevatus in caelum...   3998
ut interius exteriusque CERNENTIBUS et exemplum...   3865
... Illius itaque optamus te opitulante CERNERE faciem sine confusione...
   3870
ut eam persequentium CERNERE non possit intuitus...   4193
ne sacrilegium CERNERE videretur.   3661
ut ex ipso devotionis genere nos CERNEREMUS...   3970
a dextris virtutis inmensae filium hominis CERNERET (CERNERET hominis)
   constitutum...   4185
cuius meritum CERNERET toto orbe venerandum regnare post mortem...   4055
quam effusione cruoris almi ARNIMUS (CERNIMUS) adquisitam.   1960
ordinem tui dispositionis cotidiae CERNIMUS adimplere.   3918
quem te vincente diaboli CERNIMUS esse victricem.   3850
sempiterno CERNIS intuitu...   1210
quos CERNIS sub pondere nimium laborare.   2609
non solum fide CERNITUR, sed etiam visibiliter adprobatur.   3951
cum CERNITUR ubique conspicuum.   4115
... Nihil ergo iubat eos, qui dedecora sua notasque non CERNUNT...   3653

       CERNUUS
VD. Et maiestatem tuam CERNUA devotione exorare...   3699
et CERNUIS vocibus invocatis...   802

       CERTAMEN
Quo sicut illa sexu fragili virile nisa est CERTAMEN adire...   341
et post CERTAMEN de hostibus triumphare...   341
VD. Qui sanctorum martyrum tuorum (pia) CERTAMINA ad copiosam perducis
   victoriam...   4016
et praeter duriora CERTAMINA fragiles quosque...   3896
VD. Gloriosi (confessoris martyris) Laurenti martyris pia CERTAMINA
   praecurrendo...   3759
sensusque nostros ad inpugnationum CERTAMINA superanda confortes...   1049
quanto magis duriora CERTAMINA sustenentes...   3897
et quorum celebramus gloriosa CERTAMINA tribue subsequi...   1302
VD. Et gloriosi illius martyris pia CERTAMINA venerando praevenire...
   3759
ne peririt victus, victor in CERTAMINE, adsis...   3473
nomdum consummato CERTAMINE palam solus aspiceret...   4185, 4186
animam... episcopi quam de saeculo educens laborioso CERTAMINE sanctorum
   tuorum...   594
casti (casto) corporis (corpore) glorioso CERTAMINE suscepisti...   3776
qui praestetisti in CERTAMINE victoriam sancto ill. tuo martyre.   1227
honorasti fide, glorificasti CERTAMINI.   3216
qui per gloriosa bella CERTAMINIS ad inmortalis triumphus martyres
   extollisti...   2440
... Quae dum duplicem vult sumere palmam in sacri CERTAMINIS agone...
   3866
qui et illis pro CERTAMINIS constantiam beatitudinem tribuisti
   semputerna...   3724
et in beati fine CERTAMINIS das triumphum.   4111
ut de tanti agone CERTAMINIS discat populus christianus...   438
sic enim ab exordio sui usque ad finem beati CERTAMINIS extetit
   gloriosa...   1651
ut (Et) quibus erat una causa CERTAMINIS, una retributio esset et
   praemii.   3595, 4084

CERTATIM

ut pro immaculato domino famuli peccatores CERTATIM morerentur, effecit.
3757

CERTE

... O CERTE neccesarium adae peccatum nostrum, quod christi morte deletum
est... 3791
... CERTE quod, qui iniustus malusque non disseris... 4022
Ds, aeternorum bonorum fidelissime promissor CERTISSIME persolutor...
743
... Ut tanto se CERTIUS ad eum confidant esse venturos... 4012
quo CERCIUS de futuris bonis, que in sacramento fidaei, que in te est...
3918
ut et CERTIUS fierent quod credidissent... 3998

CERTO

adiuva contra vitia CERTANTES... 1924
O. s. ds, fortitudo CERTANCIUM et martirum palma... 2344
... Unde sicut illi ieiunando orandoque CERTARUNT (CERTAVERUNT) ut hac
possent... 4069
ad illam vos CERTENT patriam introducere... 348
Quo eorum qui modo renati sunt innocentiam imitari CERTETIS... 948

CERTUS

... Haec namque gloriae pontificalis erit vera festivitas, haec CERTA
laetitia... 4172
quod pia (frequenti) devotione gerimus, CERTA redemptione capiamus. 543,
3135
Sit nobis, dne, sacramenti tui CERTA salvacio... 3299
ut resurrectionis diem spe CERTAE gratulationis expectet. 1783
ad distinccionem (distinctione) horarum CERTARUM ad invocandum nomen
domini. 728, 729
tanto nobis CERTI propensius iugiter adfuturam (adfutura)... 3732, 4140
... CERTI, quod qui iniustos malosque non deseris... 4022
... CERTI sumus inpetrare nos posse quae poscimus. 4041
et aput nos CERTIORA essent experimenta rerum quam enigmata figurarum...
819, 820
ut (de) sempiternis efficias CERCIORES, quo te et in... 3890, 3936, 4009
ita de tua sumus miseracione (miserationis) CERTISSIMI et ob hoc... 2297
Ds, aeternorum bonorum fidelissimi promissor, CERTISSIMI persolutor...
743
... CERTUM est, et tanto nos a tua participatione discedere... 3885
... CERTUM est illius magis esse praecipua... 2307
... CERTUS te universis aeclesis collaturum... 1320

CERVIX

Exite... de dorso, de CERVICE, de spinata et de medulla aeius. 1888
persecutoris gladium intrepida CERVICE suscepit... 3810
... Dignare exaudire eum, qui tibi CERVICES suas humiliat... 1359
(quorum) flectunt (flectuntur) membra CIRVICUM. 296, 297

CERVUS

qui sicut CERVUS aquarum (tuarum) expectat (expetit) fontem... 2464

CESSATIO

et correptio ab iniquitate et CESSATIO fiat a verbere. 1140
et sine CESSATIONE capere paschalia sacramenta... 643
Supplicandi tibi, qs, dne, da nobis sine CESSATIONE constantiam... 3355

gratiarumque tibi actiones... sine CESSATIONE debeamus...   3903
VD. Quoniam maiestatem tuam praecare sine CESSATIONE debemus...   3697
saltim sine CESSATIONE depromere...   4104
et tibi sine CESSATIONE devotam perpetua redemptione confirma.   2183
qui gloriam tuam concinunt sine CESSATIONE dicentes...   3612
ut maiestatem tuam sine CESSATIONE laudemus...   2911
pietatis tuae remedia sine CESSATIONE percipiat.   1999
quanto nobis eius sine CESSACIONE praedicanda sunt merita.   4106
VD. Quia te sine CESSATIONE praedicantibus...   4066
ut festa martyrum tuorum... sine CESSATIONE venerantes...   3560, 3563

####### CESSO
VD. A tua enim numquam est laude CESSANDUM...   3591
quem laudant angeli et non CESSANT clamare dicentes : sanctus.   4003
ligna quoque fructifera laudare hac benedicere non CESSANT qui in
    figuram...   2321
ut recipisse nos venia peccatorum CESSANTE iam correpcione laetemur.   895
ut noxia perturbatione CESSANTE liberum tibi semper...   2590
veteri (vetere) terrenaquae lege CESSANTE nova...   3714, 3814
per auxilium misericordiae tuae sentiamus CESSANTE.   2934
ut CESSANTIBUS significationum figuris...   2415
indulgentia tribuatur ab iniquitatibus CESSANTIBUS.   4205
a noxiis quoque viciis CESSARE concede.   2612, 2895, 2896
tua nobis parcendo clemencia CESSARE iubeas vastitatem (vastitate).   1009
VD. Quis enim aut possit aut audeat a tua laude CESSARE perpendens...
    4081
et iube terrores inundantium CESSARE pluviarum flagellumquae huius...
    1324
te miserante, agnuscimus CESSARE.   2532
et te indignante talia flagella producere et te miserante CESSARE.   619
VD. Qui ecclesiae tuae filios sicut non CESSAS erudire...   3900
VD. Quia (Qui) aeclesiae tuae filios sicut erudire non CESSAS ita non
    desines...   4046
a piscium captione CESSAVIT...   3610
ne gaudia quaerere superna CESSEMUS sed quidquid...   3845
ut a (et ad) tua numquam laude CESSEMUS.   2712, 3445
... CESSENT pestilenciae tuae, CESSENT et fantasiae tuae...   394
... CESSENT conpaginaciones tuae, CESSENT machinae tuae...   394
CESSENT nequiciae tuae, CESSENT fallaciae tuae...   394

####### CETERI
... Qui in principio inter CETERA bonitatis (et pietatis) tuae munera...
    3945, 3946
inter CETERA (CETERAE) caelestis documenta culturae...   819, 820
Ds qui inter CETERA potentiae tuae miracula...   1042, 1043
sit in aeo... mansuitudo et CETERA quecumque sunt sancta...   298
Dominus... inter CETERA salutaria praecepta...   1373
Dilectissimi fratres, inter CETERA virtutum solemnia...   1286
ut sicut ei cum ramis palmarum CETERARUMQUE frondium, praesentari
    studuistis...   343
O. ds ieiunii CETERARUMQUE virtutum dedicator atque amator...   2248
sapientiae CETERARUMQUE virtutum ornamentis facias decorari...   3912
Ds qui inter CETERAS potentiae tuae miracula...   1042
et adversariorum CAETERAS te protegente fecit...   3473
inter CETERAS virtutes, quae filiis tuis... indidisti...   758, 759
inter CAETHERAS visibilis creaturas...   2321

Et qui loco CETERI praesidemus...   4171
per ipsum CETERIS ad regnum tuum pateret introitus...   4169
oleo unccionis et CETERIS aliis in figura nostri...   1283
omne tantu mirabilibus praestantiorem CAETERIS animantibus...   3918
ut nos famulos tuos... et CETERIS bonorum operum exhibitionibus eruditos
    ...   3744
ut his observationibus et CETERIS bonorum operum exhibitionibus muniti...
    3939
... CETERIS eius nuntiis eminentior appareret.   4095
qui sororem moysen mariam pereuntem CAETERIS mulieribus...   1317
ipsi prae CETERIS ostenderet praedicandum.   3610
et ideo nativitatem filii tui merito prae CETERIS passionis suae festivi-
    tate subsequitur.   3617
de beati tamen sollemnitate Laurenti pecularius prae CETERIS Roma
    laetatur...   3863
clarior CETERIS sideribus stella perduceret...   4058
... Et qui loco CETERIS praesidemus, cunctis rationabili subdamur
    affectu...   4171
Apis CETERIS quae subiecta sunt homini, animantibus antecellit...   3791
atque (in) hanc eandem laudes tibi cum CETERIS reddituram (redditura)...
    1289
Cui ad vite substantiam et CETERIS statuisti temporum vices...   3592
qui sacerdotibus tuis pre CETERIS tanta gratiam contullisti...   2291
et quanto eminentiora sunt CETERIS tanto magis...   1557
inter CAETERIS virtutis, qua filius tuus...   759
vasa haec cum hoc altare lentiaminibus CETERISQUE vasis...   1283
... Imperat tibi apostolorum fides, sancti Petri et Pauli et (vel)
    CETERORUM (CETIRORUM) apostolorum...   1354, 1355, 1437
et CETERORUM bonorum operum exhibitionem...   347
ut sancte conpunctionis ardoris ab omnium CAETHERORUM propositum
    segregasti...   3476

        CETUS
sicut liberadti ionam de ventre COETI.   2023

        CHANA
in CHANA gallileae ex aqua vinum fecisti...   1335
qui in CHANA gallileae initiorum tuorum osrenso virtutis tuae misterium...
    893
qua in CHANA galileae lympha est in vinum conversa.   853
qui te in CHANAAN galileae, signo ammirabili sua potentia convertit in
    vinum...   1045
sicut signavit dominus omnipotens infirmus in CHANA gallileae signo oculus
    tuus...   2180
qui in CHANA gallileae te designavit dominum virtutis et gloriae...   855

        CHAOS
nec tegat eum CHAOS et caligo tenebrarum...   2215

        CHARISMA
quia tua CARISMATA fideliter amplectuntur.   1180
sanctique spiritus infunde CARISMATA.   1845
Quo de... spiritalium CHARISMATUM frugibus ei grates persolventes...
    1241
omnium CHARISMATUM spiritalia dona sumpserunt.   416
... tot CHARISMATUM splendoribus consecrari...   4095

CHERUBIN

cum vasa, (arca) oraculo, (oracula) CHERUBIN, alosis, velis, columnis...
   1283
et inter CHERUBIN et syraphin claritatem dei inveniat...   3391
in nomine CAERUBYN et syraphyn, in nomine...   2856
quem CERUBIN et seraphin indefessis (indefensis) vocibus laudant.   141,
   1354, 1355
exorcizo te... per CYRUBIN et syrafin per sancto...   1950
archangelorum, thronique sedum CHERUBIN et syraphyn potestatum...   3736
contradico tibi... per marcum et mattheum, per CIRUBIN et sirafin quia
   ipse...   507
CAERUBYN quoque et syraphyn incessabile predicatione conlaudant...   4176
... CERUBIN quoque et syraphyn incaessabile voce proclamant dicentes...
   4004
qui in caelestia regna super CAERUBIN sedens universa...   395

CHORUS

inter aequorias undas cum thymphanis et CHORIS, laetam...   1317
gracias tibi referat CHORIS sanctarum virginum sociata.   1728
ita cum illic tua miseratio societ angelicis CHORIS.   1584
deducatur cum triumpho CHORO coniuncta angelico...   3392
ut praecidencium CHORO iungatur (iungantur) occurrat nec excludatur cum
   stultis...   759
cuius assumptionis diem quo exaltata est super CHOROS angelorum ad
   caelestia...   3815
ut ei inter CHOROS angelorum post obitum mereamini adscisci.   285
Et supra CHORUS virginum paradisi sedibus collocasti...   2461
quae duodecim solidata lapidibus apostolorum CHORUS aeclesiae tuae...
   3943

CHRISANTUS

Beatorum martyrum, dne, Saturnini et CRISANTI adsit oracio...   289
Beatorum martyrum dne saturnini et CRISANTI mauri, dariae adsit oratio...
   290
Beatorum martyrum dne saturnini et CRISANTI nobis adsit oratio...   290
per intercessionem (sanctorum) martyrum tuorum Saturnini et CRISANTI quae
   corporaliter...   2167
quae nataliciis sanctorum... Saturnini et CRISANTI solempnitatibus
   immolatur.   2607

CHRISMA

et olivae CHRISMA (CRISME) mundo liberationis gloriam reversuram...   3955
a cuius sancto nomine CHRISMA nomen accepit...   3945
ut sit his qui renati fuerint ex aqua et spiritu sancto CHRISMA salutis
   eosque aeternae...   3945
ipse te linit CHRISMA (CHRISMATE) salutis in Christo Iesu...   870
ipse te linet (liniet) CHRISMA salutis, in vitam aeternam.   870
... CHRISMA tuum perfectum, a te, dne, B(dne ad te) benedictum...   1404,
   1407, 1408
Unguantur manus iste de oleo sanctificato et CRISMATE sanctificationis...
   3568
Ut cum presens vasculum... sacro CRISMATE tangitur...   2378
quarum fructus sacro CHRISMATI deserviret...   3945
ut spiritalis lavacri baptismum renovandis creaturam CHRISMATIS...   3627

CHRISOGONUS

... Cybriani Laurenti CRISOGONI Iohannis et Pauli...   417, 418 et intercedente beato CHRYSOGONO martyre tuo...   2213

       CHRISTIANUS
ut superatis pacis inimicis secura tibi serviat CHRISTIANA libertas.
  3405
quibus te laetari relegio CHRISTIANA non ambigit.   861
sanctas vigilias CHRISTIANA pietate caelebrimus (caelebramus)...   179,
  180
ut CHRISTIANA plebs quae talibus (tali) gubernatur auctoribus (auctori)...
  2318, 2319
da cunctis qui CHRISTIANA professione censentur (recensentur)...   978,
  979
quae in his locis CHRISTIANA promisit mente perficias.   1746
per corum doctrinam fides chatolica et relegio CHRISTIANA subsistit...
  3281
ut tuo munere dirigantur et Romana securitas et devotio CHRISTIANA.   2186
quem tibi vera supplicatio fidei CHRISTIANAE commendat...   2181
ut illuc semper tendat CHRISTIANAE devotionis affectus...   3498
... CHRISTIANAE devotionis sequatur (sequeretur) universitas.   3947, 2413
dum fidelissime CHRISTIANE fidaei francorum gentem protegis...   4143
ad nova tendere CHRISTIANE legis exordia...   1953
et quibus fidei CHRISTIANAE meritum contulisti...   1818
ut illuc tendat CHRISTIANAE nostrae fevotionis affectus...   3498
Exultet, dne, CHRISTIANAE plebis humilitas...   1563
et famulos tuos, quos fidei CHRISTIANE primitiis inbuisti...   1502
VD. Quoniam quidquid CHRISTIANAE professionis devotione celebretur...
  4100
praesidia militiae CHRISTIANAE sanctis incoare ieiuniis...   439
veraciter adque fideliter eos proposito CHRISTIANAE sinceritatis ambires
  ...   4002
CHRISTIANAM, qs, dne, respice plebem...   398
Ds regnorum omnium et CHRISTIANI maximae protector imperii...   1246
et propter nomen tuum CHRISTIANI nominis defende rectores...   2867
O. ds CHRISTIANI nominis inimicos, virtute qs tuae conprime maiestatis...
  2257
et liberata plebs ab aegyptia servitute CHRISTIANI populi sacramenta
  praeferret (praeferrent)...   1178
et nec sub praetextu nominis CHRISTIANI veritatis praesidio nudet.   329
Da, qs, dne, populis CHRISTIANIS et quos providentur agnuscere.   650
Oremus et pro CHRISTIANISSIMO imperatore (CHRISTIANISSIS imperatoribus)
  vel rege nostro Illo...   2514
Oremus dilectissimi nobis et pro CHRISTIANISSIMO rege francorum...   2506
propitius CHRISTIANORUM adesto semper principibus...   1250
ut cum clangorebus illius audiaerint filii CHRISTIANORUM crescat...   308
qui est arma CHRISTIANORUM et triumphum domini ihesu...   1888
... CHRISTIANORUM fines ab omni hoste faciat esse securos.   938
secura tibi serviat CHRISTIANORUM libertas.   3405
propitiare CHRISTIANORUM rebus et regibus...   1188
et CHRISTIANORUM regnum tibi subditum protege principatum...   799
Exsultet, dne, populus CHRISTIANUS de magnorum...   1557
ut de tanti agone certaminis discat populus CHRISTIANUS et firma...   438
invitetur ad fidem populus CHRISTIANUS hostile...   2262
ut sicut populus CHRISTIANUS martyrum tuorum temporali sollemnitate
  congaudet...   2671
Copiosa beneficia, qs, dne, CHRISTIANUS populus adsequatur...   534

Referat, dne, populus CHRISTIANUS quos pia... sancte gratulationis
    effectus...   3045

            CHRISTUS
Tu ergo aeos o. dne iesus CHRISTE benedictione rore perfunde...   1334
Omnipotens dominator CHRISTE, cuius secundum adsumptionum carnis...   2262
CHRISTE, deus oriens ex alto...   395
CHRISTE ds salvatur innocentia, humilitatis adsumptur...   396
CHRISTE dne qui huius noctes tempore triumphantes...   397
per quem una cum patre sanctoque spiritu facta sunt universa, CHRISTE Iesu
    benedicere...   1283
Omnipotens sempiterne ds CHRISTE iesu qui venientes ad te...   2310
Via sanctorum omnium ihesus CHRISTE qui ad te venientibus...   4227
... CHRISTE, qui das escam omni carni...   742
Dne ihesus CHRISTE qui dum hora sexta... crucis ascendisti lignum...
    1328
Dne omnipotens CHRISTE, qui ex quinque panibus...   1335
Dne ihesus CHRISTE qui hora nona... latronem infra aimina paradisi
    transire fecisti...   1329
Dne ihesus CHRISTE qui introitum portarum hyaerusalem salvans sanctificati
    ...   1330
augmentum amoris aeterne te qs sanctae salvator CHRISTE qui regnas...
    3017
Dne iesu CHRISTE qui servientibus tibi, munificus retributor...   1331
dne CHRISTE salvator et mediator (noster) omnipotens...   4217
Dne iesus CHRISTE tribuae familiam tuam in fide credulitatem...   1332
mediatoris dei et hominum hominis iesu CHRISTI a nostra non est...   3793
qui domini Iesu CHRISTI arcanae nativitatis mysterio gerimus...   2731
secundum magnificam domini nostri Iesu CHRISTI caelestemque doctrinam...
    4075
pretiosam mortem... pro CHRISTI confessione suscipiens...   3696, 3781
ne diabolica sectando vestigia a CHRISTI consortio recedamus...   4215
qui sumimus communionem huius sancti panis et calicis, unum CHRISTI corpus
    efficimur...   3739
et unum CHRISTI corpus sancti spiritus infusione perficitur...   3739
Expelleris in nomine ihesu CHRISTI crucifixi qui resurrexit.   1888
in figura agni domini nostri iesu CHRISTI cuius sanguine...   1257
ut nativitatem domini nostri ihesu CHRISTI cuius solemnia veneramur...
    606
in nomine domini nostri Iesu CHRISTI cum covivis...   867
Corpus domini nostri iesu CHRISTI custodiat te in vitam aeternam. Amen.
    544
in nomine Iesu CHRISTI dei salvatoris nostri...   1313
et fugiat (fugetur) ab aeo (omnis) inmundus spiritus per virtute
    (virtutem) domini nostri iesu CHRISTI detur...   3230
quo exemplo iesu CHRISTI domini nostri coeperunt esse de resurrectione
    securi...   3668
Iesu CHRISTI domini nostri corpore saginati...   1851
et Iesu CHRISTI domini nostri cuius muneris ... manifesta dona
    conpraehendere valeamus...   3818
... Quae utique adnunciatio est Iesu CHRISTI domini nostri discendit...
    203
et pascimur et potamur, Iesu CHRISTI domini nostri filii tui.   586
quae ad gloriam pertinent CHRISTI domini nostri hoc quoque...   1286
per unigeniti sui iesu CHRISTI domini nostri passionem...   346

ut obtineamus vocem fili tui ihesu CHRISTI domini nostri per orationem...
    3282
id est Iesu CHRISTI domini nostri qui resurgens a mortuis ascendit in
    caelos. 1953
et in caritate Iesu CHRISTI domini nostri qui venturus es...   1538
quam natalitiis agenda divinis Iesu CHRISTI domini nostri.   2615
designatur humanitas iesu CHRISTI domini nostri.   615
et divini cultus nobis est indita plenitudo Iesu CHRISTI domini nostri.
    2199
et resurrectionis eius consortia mereamur, CHRISTI domini nostri.   1019
ita imaginem caelestis gratiae sanctificatione portemus (iesu) CHRISTI
    domini nostri. 1148
ut CHRISTI ecclesiae sacramentum praesignares in foedere nuptiarum...
    1171
ut et filii dei et fratres CHRISTI esse possitis...   1695
familia tua, quae filii tui domini nostri Iesu CHRISTI est nativitate
    salvata... 2707
Coniuro te et obtestor te per nomen domini nostri ihesu CHRISTI et
    imperium... 1888
in nomine domini nostri ihesu CHRISTI et in nomine nazareni...   1540
et in caritate (caritatem) domini nostri Iesu CHRISTI et in virtute
    spiritus sancti...   1542, 1543, 1544
in nomine domini nostri iesu CHRISTI et in virtute sancti spiritus...
    327
Benedicat vos deus pater domini nostri iesu CHRISTI et respectu...   351
passione domini Iesu CHRISTI et sancti spiritus inluminatione reserasti...
    3625
quod in nomine tuo et in fili tui dei hac domini ihesu CHRISTI et spiritum
    sancti... 1367
dei hac domini nostri iesu CHRISTI, et spiritus sancti benedictionem...
    3459
per invocationem nominis domini nostri Iesu CHRISTI et spiritus sancti
    qui venturus... 1539
... Hic enim CHRISTI evangelium loquuturus (loquitur) sic coepit de
    Zacharia et Elisabeth... 2031
... Sic dispensatione diversa unam CHRISTI familiam congregantes...   3666a
qui ad deponandam comam capitis sui pro amore CHRISTI festinat ut domut...
    2503
... Liber generationis Iesu CHRISTI filii David, filii Abraham...   1633
Exorcizo te creatura aqua in nomine domini iesu CHRISTI filii dei et
    sancti spiritus... 1530
et in nomine iesu CHRISTI fili dei vivi qui pro te passus est...   2856
Exorcizo te, creaturae saponis, in nomine ihesu CHRISTI fili dei vivi
    regis et iudicis... 1548
et in nomine nazareni ihesu CHRISTI fili dei vivi unigeniti...   1540
et in nomine iesu CHRISTI filii eius domini nostri...   1534
et in caritatem iesu CHRISTI fili aeius et spiritus sancti. Exorcizo te...
    1533
et in nomine Iesu CHRISTI filii eius et spiritus sancti omnis virtus...
    1531, 1532
et in nomine Iesu CHRISTI filii eius et spiritus sancti ut in hanc...
    1536, 1537
in nomine dei patris omnipotentis et Iesu CHRISTI filii eius qui venturus
    es... 1545
invocationem (nominis dei) et ihesu CHRISTI fili sui...   1540

qui pro confessione Iesu CHRISTI filii tui diversa supplicia...   3720,
    4114, 4151
da, qs, nobis Iesu CHRISTI filii tui divinitatis esse consortes...   1032
... CHRISTI filii tui domini dei nostri tam beatae passionis...   3567
... Qui pro confessione iesu CHRISTI filii tui domini nostri... diversa
    supplicia sustinuit.   3720
captivitatem nostram iesu CHRISTI fili tui domini nostri passione
    solvisti.   3933
pervigiles atque sollicitos adventum expectare CHRISTI filii tui domini
    nostri ut dum venerit...   1575
qui ad deponendam comam capiti sui propter amorem CHRISTI filii tui
    festinat da spiritum sanctum...   2761
ut qui... CHRISTI filii tui incarnationem cognovimus...   1661
in domini nostri Iesu CHRISTI filii tui nativitate...   2407
ante conspectum venientis CHRISTI filii tui velut clara lumina fulgeamus.
    178
... Qui domini nostri Iesu CHRISTI filii tui vocatione suscepta...   3608,
    3609a, 3610
da honorem ihesu CHRISTI filio aeius et spiritu sancto recede...   1411
hoc ministerium corporis filii sui domini nostri Iesu CHRISTI gerolum...
    2524
ut qui de nativitate domini nostri ihesu CHRISTI gloriantur...   1997
... Cede, cede non mihi sed mysteriis CHRISTI illius enim...   142, 1355
imperat tibi dominus, imperat tibi maiestas CHRISTI imperat tibi deus...
    1355, 1437
et mensuram (mensura) aetatis plenitudinis CHRISTI in die iustitiae...
    3225
Corpus domini nostri iesu CHRISTI in vitam aeternam.   545
Signum CHRISTI in vitam aeternam. Respondet : Amen.   3291
aeiusdem quoaeterni tibi sapientiae tuae dei et domini nostri iesu CHRISTI
    innoxia morte...   2321
ut in resurrectione (resurrectionem) domini nostri iesu CHRISTI inveniamur
    (inveniamus).   577
ds pater domini nostri iesu CHRISTI invoco sanctum nomen tuum...   744
qui dispecto diabulo confugiunt sub titulo CHRISTI iube...   2658
contra omnes insidias inimici ad bonam CHRISTI miliciam profuturis...
    1706
... O certe necessarium adae peccatum nostrum, quod CHRISTI morte
    deletum est...   3791
in nomine domini nostri Iesu CHRISTI Nazareni filii dei vivi...   1539,
    1541
qui mundo nobilis, amore CHRISTI nobilior...   4097
ut qui nativitatem domini nostri Iesu CHRISTI nos frequentare gaudemus...
    613
et corporis CHRISTI novum sepulcrum spiritus sancti gracia perficiatur.
    2259
adventum fili tui domini nostri ihesu CHRISTI omnia tuis...   899
Concede credentibus, m. ds, salvum nobis de CHRISTI passione remedium...
    426
Imperio dei, ministerio CHRISTI, pater o...   1860
ad conficiendum in ea corpus domini nostri Iesu CHRISTI pacientes
    crucem...   511
Tibi coniuro... per sanctos apostolos et beatis martyris CHRISTI per
    gloriam...   3474
in nomine domini nostri Iesu CHRISTI per quem haec omnia...   306, 1407,
    1408

in resurrectione domini nostri iesu CHRISTI percipiamus...   2696
Quia nostrorum omnium mors cruce CHRISTI peremta est...   4162
quia vicit te CHRISTI potentia, quem tu vincere non potis...   2180
unigeniti tui domini nostri iesu CHRISTI praetioso sanguine...   1232
et ad intellegendum CHRISTI proficiamus arcanum...   455
VD. Fulget enim vox illa piissima domini Iesu CHRISTI qua mundo...   3757
germanum se... petri tam praedicatione CHRISTI quam conversatione
   monstravit...   4084
Dne ds omnipotens, pater domini nostri Iesu CHRISTI qui dignatus es
   famulus...   1312, 1313
Dne iesu CHRISTI qui discipulis tuis tuum spiritum tribuisti...   1327
testes CHRISTI, qui eius nondum fuerant agnitores...   3851
per virtutem et signum sancti crucis redemptoris nostri ihesu CHRISTI
   qui est arma...   1888
pater domini nostri Iesu CHRISTI qui illum refugam...   1354, 1355
Ds o., pater domini nostri Iesu CHRISTI, qui regenerasti...   867, 869
Ds o., pater domini nostri Iesu CHRISTI, qui te regeneravit...   870
in nomine domini nostri Iesu CHRISTI qui venturus est iudicare...   1370,
   1530, 1542, 1547, 2174, 2176, 2177
per virtutem et nomen domini nostri Iesu CHRISTI qui venturus est
   iudicare...   725, 1547
salvatorem domini iesu CHRISTI, qui vos a morte...   3568
per sanguinem unigeniti tui domini nostri ihesu CHRISTI redemisti...
   3837
... Quia nostrorum omnium mors cruce CHRISTI redempta est...   4162
Sacrosancti corporis et sanguinis domini nostri Iesu CHRISTI refectione
   vegetati...   3172
... Et david dicit (dixit) de persona CHRISTI : Renovabitur sicut
   aquilae iuventus tua...   1953, 1954
Omnipotens sempiterne ds, pater domini nostri Iesu CHRISTI respicere
   dignare...   2369
(O. s.) ds, qui ad aeternam vitam in CHRISTI resurrectione (resurrectionem) (nos) reparas...   2376
et super te CHRISTI sanctificatio floreat.   874
Benedic dne hanc familiam tuam CHRISTI sanguinem conparatam.   312
regnum... a deo nobis promissum, CHRISTI sanguinem (sanguine) et passionem
   quaesitum.   863, 865
resurrectionis domini (dei) nostri Iesu CHRISTI secundum carnem.   421,
   1922
... In exteris regionibus humiles CHRISTI secutus est gloriam...   3616
... Mariae genetricis dei et domini nostri Iesu CHRISTI sed et beatorum...
   417, 418, 420
in domini ihesu CHRISTI servitio in perpetuum derelinque.   1888
et in nomine domini nostri iesu CHRISTI signo crucis signetur...   1312
Corpus domini nostri Iesu CHRISTI sit tibi in vita aeterna.   545
ut nativitatis domini nostri Iesu CHRISTI sollemnia... sic nova sint
   nobis...   595, 629
O. et m. ds, pater domini nostri Iesu CHRISTI, te supplices depraecamur...
   2275
Exsisterent CHRISTI testes qui eius nondum fuerant agnitores.   3851
ubicumque audiaeritis inimici exorcissimo isto domini nostri ihesu CHRISTI
   tremiscas...   1551
abscede, in nomine domini nostri iesu CHRISTI tu ergo...   744
et in sancti spiritus inmiscere virtutem per potenciam CHRISTI tui
   (cooperante potentia) a cuius sancto...   3945

O. s. ds, qui CHRISTI tui beata passione nos reparas...   3882

qua in martyre tuo Gurgonio CHRISTI tui bono iugiter odore poscatur.
  1589

Ds, qui peccati veteris hereditaria morte... CHRISTI tui domini nostri
  passione solvisti...   1148

... Iohannis oracio et intellegere CHRISTI tui mysterium postulet et
  mereri.   280

Ds, qui humanum genus... CHRISTI tui nativitate salvare dignaris...   1021

qui discipulorum CHRISTI tui per sanctum spiritum corda succendit.   3140

... Andreas germanum se... Petri tam praedicatione CHRISTI tui quam
  confessione monstravit...   3595

ut ante tronum gloria CHRISTI tui segregatus cum dextris...   1684

corporis et sanguinis domini nostri Iesu CHRISTI unigeniti filii tui...
  2376

et reserva quem triumphis conparis (conparare) CHRISTI ut sanus tibi...
  3463

lapidantibus veniam CHRISTI verus sectator inplorans...   4186

quod accipit signaculum crucis CHRISTI.   1931

dilectissimi filii tui domini dei nostri Iesu CHRISTI.   3011

ascensionis in caelum domini nostri Iesu CHRISTI.   407

que utique adnuntiatio est domini nostri iesu CHRISTI.   204

in nomine domini nostri Iesu CHRISTI.   305, 317, 327, 1404, 3011

corpus et sanguinem filii tui domini nostri Iesu CHRISTI.   1318

lignum crucis simul quo nostra secum CHRISTO adfixit delicta...   3847

hanc renatis in CHRISTO concede custodiam...   935

que offertur a plurimus et unum CHRISTO corpus...   4181

in CHRISTO credentes a vitiis saeculi segregatos, et caligine peccatorum
  ...   3791

sicut sancti omnes mereamini fideli munus infantiae a CHRISTO domino
  nostro percipere.   1953

parare plebem perfectam iesu CHRISTO domino nostro.   2732

ut perfectam plebem CHRISTO domino praepararet...   2278, 2279

Tibi subnexis precibus CHRISTO domino supplicamus...   3479

Auxiliante domino deo et salvatore nostro Iesu CHRISTO elegimus...   237

ut ad exoranda ac praecipienda dei misericordia perfecti in CHRISTO
  esse possitis...   3310

sacramentum hoc magnum est, ego autem dico in CHRISTO et in aeclesia...
  4100

... Secura et constanti fide credite ressurrectione, quae facta est in
  CHRISTO etiam in nobis...   1706

et da honorem (honore) Iesu CHRISTO filio eius et spiritui sancto...
  1411, 2174, 2175, 2176, 2177

ut veniente domino nostro iesu CHRISTO filio tuo digni inveniamur...
  2643

in CHRISTO filio tuo domino nostro venienti in operibus iustis aptos
  occurrere...   667

in CHRISTO firmi (firmus, firmis) et stabiles (stabilis) perseverent
  (perseveret)...   136, 137, 138

O. s. ds, qui gloriam tuam (in) omnibus in CHRISTO gentibus revelasti...
  2395

ac reviviscat per hominem novum, creatum in CHRISTO Iesu cum quo vives...
  2818

in CHRISTO iesu domino nostro in vitam aeternam.   870

ut invenires eos in CHRISTO Iesu domino nostro, qs, dne, placatus
  accipias...   1773

fidele munus infantiae a CHRISTO iesu domino nostro percipere.   1954
in CHRISTO Iesu Domino nostro, qui vivit et regnat.   513
remissionem omnium peccatorum digni inveniantur in CHRISTO Iesu Domino
   nostro.   2513
significatur unitio in CHRISTO Iesu domino nostro.   304
... Fidelis et casta nubat in CHRISTO emitatrixque...   1171, 2541, 2542
... Da locum CHRISTO, in quo nihil invenisti de operibus tuis...   574,
   1355
Quo exemplo magorum mystica domino iesu CHRISTO munera offerentes...   853
sed laetis CHRISTO palmibus vivida prole turguiscant...   1155
... Praesentem vitam CHRISTO postposuit...   3616
Magnificasti, dne, sanctos tuos suscepta passione pro CHRISTO presta qs...
   2038
reus filio eius Iesu CHRISTO quem temptare ausus es...   574, 1355
... Adiuvante domino nostro iesu CHRISTO qui cum eo vivit et regnat...
   727, 729
Auxiliante domino nostro iesu CHRISTO, qui cum eo...   2498
auxiliante (praestante) (domino nostro Iesu) CHRISTO, qui cum patre et
   spiritu sancto...   179, 180, 702, 2522
ipsis et omnibus (dne) (hic) in CHRISTO quiescentibus locum refrigerii...
   789, 1958, 2074, 2075
et omnium fidelium... in hac basilica in CHRISTO quiescencium et qui in
   circuitu...   1743
animae (famulorum famularumque tuarum) omnium in CHRISTO quiesciencium
   lucis aeternae...   1952
et animabus famulorum famularumquae tuarum omnium in CHRISTO quiescencium
   offerimus...   2136
et da omnibus fidelibus in CHRISTO quorum corpora hic requiescunt...   811
quantum debeant de confirmata in CHRISTO renascentium glorificatione
   gaudere.   2332
ut in CHRISTO renatis et aeternam (aeterna) tribuatur hereditas et vera
   libertas.   878
Ds, qui omnes in CHRISTO renatos genus regnum (regium) et sacerdotale
   fecisti...   1142
viri condicione nunc in CHRISTO reparante victoriam...   4125
et vitae nobis in CHRISTO reparatur integritas.   4078
qui in speciae columbae in iordanis fluvium in CHRISTO requiaevit.   363
et mentibus clementer humanis nascente CHRISTO summae veritatis lumen
   infunde (ostende).   3107
et CHRISTO tuo coniungas in gaudio sempiterno.   4184
ut omnem palmitis fructum in eodem CHRISTO tuo qui vera vitis... efferentem elementer excolens...   2442
praestante aeodem domino nostro iesu CHRISTO unigeniti tui...   4176
qui introeunt explorare aeclesiae libertatem quam habet in CHRISTO ut
   eam secum...   3879
quoniam conplacuit CHRISTO, ut in hominem (homine) habitaret.   142,
   1354, 1355
... Durum tibi est CHRISTO velle resistere...   1355, 1859
etiam lux ipsa visa est mori cum CHRISTO.   3661
qui in similitudine columbae in flumine iordanis requiaevit in CHRISTO.
   352
et qui CHRISTUM aquam (aqua) baptizaverat ab ipso in spiritu baptizatus...
   4000
... Adiuro te per regem caelorum, per CHRISTUM creatorem...   224, 225
dominum deum nostrum iesum CHRISTUM cuius intercessione...   3586

per eundem dominum nostrum Iesum CHRISTUM, cum quo vivis...   869
et unicum filium eius iesum CHRISTUM deum et dominum nostrum...   2519
tu per Iesum CHRISTUM dominum adoptionis tuae filiis contulisti...   4096
VD. Quoniam tu nobis non solum per Iesum CHRISTUM dominum contulisti...
   4110
Singoli accipiunt CHRISTUM dominum et in singolis...   3739, 4181
et iesum CHRISTUM dominum nostrum cuius muneris pignus accepimus...   3818
honorem tibi gratiasque referrere per CHRISTUM dominum nostrum cuius
   virtus magna...   3828
per inmaculatum Iesum CHRISTUM dominum nostrum cum quo vivis...   3465
convertantur ad deum verum et unicum filium eius Iesum CHRISTUM dominum
   nostrum cum quo vivit...   2518
non solum per CHRISTUM dominum nostrum diabolicam destrueres tyrannidem...
   4034
VD. Sanctae pater, o. ds, per CHRISTUM dominum nostrum et laudare...
   4126
gratias agere, dne, sancte pater, o. aeternae ds, per CHRISTUM dominum
   nostrum per quem maiestatem...   3589
conlaudare et praedicare, per CHRISTUM dominum nostrum qui inferorum...
   4160
VD. Per mediatorem dei et hominum iesum CHRISTUM dominum nostrum qui
   mediante...   3829
per eundem Iesum CHRISTUM dominum nostrum, qui venturus est in spiritu
   sancto...   1536
per CHRISTUM dominum nostrum, qui venturus est iudicare vivos et
   mortuos.   1931
et iesum CHRISTUM dominum nostrum ut cuius muneris pignus accepimus...
   3818
ut et ipsi cognuscant CHRISTUM dominum nostrum.   2520
qui per filium suum reconciliavit amicus Iesum CHRISTUM dominum nostrum.
   1996
laetatur quod redemptorem mundi edidit iesum CHRISTUM dominum nostrum.
   3989
huic mundo lumen aeternum effudit iesum CHRISTUM dominum nostrum.   3725
perveniamus ad victum sine fine mansurum iesum CHRISTUM dominum nostrum.
   4060
imitendo (mittendo) nobis ihesum CHRISTUM dominum nostrum.   4129, 4131
gaudebatque suum paritura parentem, iesum CHRISTUM dominum nostrum.   4032
et iam ad inferus preciosa mortem praecederit iesum CHRISTUM dominum
   nostrum.   4000
pia munera praelocuntur Iesum CHRISTUM dominum nostrum.   3497
solumque sine peccati contagio sacerdotem iesum CHRISTUM dominum nostrum.
   3898
virginitas huic mundo edidit salvatorem, Iesum CHRISTUM dominum nostrum.
   408, 420
largitor admitte : per CHRISTUM dominum nostrum.   2178
ut in omnibus protectionis tuae muniamur auxilio : per CHRISTUM dominum
   nostrum.   417, 418
laudare et benedicere debemus per CHRISTUM dominum nostrum.   3805
ut indulgeas deprecamur per CHRISTUM dominum nostrum.   1958, 2074
adoretur essentia per christum dominum nostrum.   2710
et in electorum tuorum iubeas grege numerari : per CHRISTUM dominum nostrum.
   1769
et gratia repleamur : per CHRISTUM dominum nostrum.   3375
quod vivemus per christum dominum nostrum.   2002

etiam ad inferos preciosa morte precederet CHRISTUM dominum nostrum.
  4000
prius quam CHRISTUM dominum videre mereretur... 2576
... Et in unum dominum Iesum CHRISTUM filium dei unigenitum... 554, 555
hic CHRISTUM filium dei vivi pronuntiavit divinitus inspiratus... 3666a
Et in iesum CHRISTUM filium eius dominum nostrum natum et passum. R.
  Credo. 3019
da honorem ihesum CHRISTUM filio aeius et spiritui sancto... 2174
cole deum patrem omnipotentem et Iesum CHRISTUM filium eius qui vivit...
  39
in Iesum CHRISTUM filium eius unicum dominum nostrum natum et passum...
  551, 552, 553
... Benedico te et per Iesum CHRISTUM filium eius unicum dominum nostrum
  qui te in chana... 1045, 3565
... Adiuro te per Iesum CHRISTUM filium eius unicum dominum nostrum ut
  efficiaris... 1535
per iesum CHRISTUM filium tuum de maria virgine natum... 1297
ut venientem dominum nostrum Iesum CHRISTUM filium tuum digni inveniamur
  ... 2643
qua per Iesum CHRISTUM filium tuum dominum nostrum genus electum... 3651
sapientiamque tuam Iesum CHRISTUM filium tuum dominum nostrum sempiterna
  providentia (sempiternam providentiam)... 136, 137, 138
sic per Iesum CHRISTUM filium tuum dominum nostrum sui tribuisti victores
  esse victorem... 3788
per Iesum CHRISTUM filium tuum dominum nostrum supplices rogamus... 3464
per Iesum CHRISTUM filium tuum dominum nostrum ut huius creaturae...
  3945
mittendo nobis iesum CHRISTUM filium tuum dominum nostrum. 4131
qui per iesum CHRISTUM filium tuum hanc creaturam (creatura) salis et
  aqua... 1351, 1352
qui per iesum CHRISTUM filium tuum in hunc mundum lumen claritatis
  misisti... 1364
Per ipsum dominum nostrum iesum CHRISTUM filium tuum in secula... 850
qui per iesum CHRISTUM filium tuum... lumen verum mundum inluminasti.
  2342
per sanctum... dominum nostrum ihesum CHRISTUM filium tuum quem laudant...
  4003, 4004
qui mittere nobis dignatus es ihesum CHRISTUM filium tuum qui nobis dedit
  ... 1670
per dominum nostrum Iesum CHRISTUM filium tuum qui tecum vivit et regnat
  ... 848, 3588
per dominum nostrum Iesum CHRISTUM filium tuum qui venturus est... 720,
  896, 1045
non tantum per dominum nostrum Iesum CHRISTUM filium tuum sed etiam per
  sanctos... 4203
et per iesum CHRISTUM filium tuum unicum dominum nostrum te obsecramus...
  3918
semper CHRISTUM abent in corda nascentem. 324
ut et ipsi cognoscant CHRISTUM Iesum dominum nostrum. Oremus. 2520
... CHRISTUM in cubiles requirentes... 3653
qui per unigenitum tuum dominum Iesum CHRISTUM ita regenerationis...
  2297
qui per hunigenitum filium tuum dominum nostrum iesum CHRISTUM mundum
  salvasti... 850

... O noctem quae videre meruit, et vinci diabolum et resurgere CHRISTUM
o noctem in qua... 4160

O. s. ds qui unigenitum filium dominum nostrum iesum CHRISTUM omnes
caeli... 2461

Oremus... dominum nostrum iesum CHRISTUM pro hunc famolum suum ill... (hoc
famulo suo)... 2505

quia iudei CHRISTUM qui dominus et caput prophaetarum est admiserunt...
4000

per quooperatorem dominum nostrum ihesum CHRISTUM qui tecum... 2907

per dominum nostrum Iesum CHRISTUM, qui venturus est in spiritu sancto...
3270

per dominum nostrum Iesum CHRISTUM, qui venturus est iudicare... 222,
838, 1240, 1363, 1371, 1531, 1532, 1537, 3955

Per eundem dominum nostrum ihesum CHRISTUM qui venturus. 1537

ita ad confitendum te deum vivum et dominum nostrum Iesum CHRISTUM
secreta tui... 4169

credere in filium tuum dominum Iesum CHRISTUM sed etiam pro eo... 4113

et inter apostolos CHRISTUM sequi studeat (custodiat)... 3391

et reconciliatur tibi per CHRISTUM serenum vultu respicias... 3920

... Per eundem dominum nostrum Iesum CHRISTUM te adiuro... 1529

filiumque unigenitum dominum nostrum iesum CHRISTUM toto cordis ac mentis
... 3791

per deum sanctum et per dominum nostrum Iesum CHRISTUM ut efficiaris
aqua... 1532

qui crediderunt in verbum liberatorem dominum nostrum Iesum CHRISTUM ut
expurgati... 2275

Ds qui per tuum angelum nuntiasti CHRISTUM venturum in seculo... 1158

petrus... caput omnium nostrum secutus est CHRISTUM. 3823

qui salvatorem mundi et caecinit adfuturum et adesse monstravit, Iesum
CHRISTUM. 3510

sibi faciat acceptam dominum nostrum iesum CHRISTUM. 3569

... Qua lingua confiteantur (confitentur) dominum nostrum Iesum CHRISTUM ?
1631, 1788, 2952

quem praemisisti filio tuo parare plebem perfectam, Iesum CHRISTUM. 2732

... Haec nox est, in qua... CHRISTUS ab inferis victor ascendit... 3791

... O beata nox quae sola meruit scire tempus et horam in qua CHRISTUS ab
inferis resurrexit... 3791

quia istos sibi deus dominus noster Iesus CHRISTUS ad suam sanctam gratiam
... 1411, 2174, 2177

quam dominus noster Iesus CHRISTUS ad te veniens dereliquid... 2438

quia ipse confundit CHRISTUS adversarius nonaginta novem generationis.
507

exoramus, pro quibus apud te supplicator est CHRISTUS coniuctiones...
1353

post resurrectionem dominus noster Iesus CHRISTUS cum discipulis corporaliter habitavit... 3673, 3753

Dum aenim occiditur CHRISTUS cuncta renata sunt... 3661

que adpositum nobis est CHRISTUS dei filius benedicat. 716

quae nobis ad medium sunt prolata, CHRISTUS dei filius benedicat. 282

sed imperat tibi agnus inmaculatus CHRISTUS deus dei filius... 2180

quando dominus noster Iesus CHRISTUS discendit cum multitudinem
angelorum ?... 3563

ut deus et dominus ihesus CHRISTUS dit illi ea sapere... 2506

ut sicut passione sua CHRISTUS dominus noster diversa utrisque intulit
suspendia meritorum... 731

... CHRISTUS dominus noster, hanc orationem nos docuit, ut ita oremus...
   1373
cum filius tuus iesus CHRISTUS dominus noster lavari... exegisset...
   3945, 3946
ut filius tuus iesus CHRISTUS dominus noster qui se usque in finem suis
   promisit fidelibus adfuturum...   3811
absolvat, Iesus CHRISTUS dominus noster, qui tecum vivit et regnat.   1183
ihesus CHRISTUS dominus noster tecum damnare (faciat) in sempiternum...
   2180
hoc ille ut possimus nobis conferre dignetur Iesus CHRISTUS dominus
   noster.   1789
ipsa sui manifestacione veritas eloquatur, Iesus CHRISTUS dominus noster.
   2415
hodierna traditione monstravit ihesus CHRISTUS dominus noster.   1956
ad nos venit ex tempore natus, ihesus CHRISTUS dominus noster.   3647
et solus sine peccati macula pontifex iesus CHRISTUS dominus noster.
   3893
et suam nobis gloriam (gratiam) repromisit iesus CHRISTUS dominus noster.
   3799
et vitam resurgendo restituit, Iesus CHRISTUS dominus noster.   4162
ipse sit misericors et susceptor, Iesus CHRISTUS dominus noster.   1830
etiam matri virgine fructu (matris virginis fructus) salutaris intervenit
   CHRISTUS dominus noster.   4120, 4122
ad dona pervenire mereamini quae idem iesus CHRISTUS dominus repromisit.
   2246
... CHRISTUS enim panis est noster qui dixit : Ego sum panis...   1778
quas distribuit humanis infirmitatibus CHRISTUS erige famulum tuum...
   1931
ad veram lucem, que CHRISTUS es, nos fatias (faciat) pervenire.   2479
ut agnita veritatis tuae luce, quae CHRISTUS est, a suis tenebris
   eruantur.   2389
Praeco quidem (quippe) veritatis que CHRISTUS est herodem...   4000
pro quibus CHRISTUS est mortuus...   3879
ad veram lucem quae CHRISTUS est nos fatias pervenire.   2479
ad caput vestrum quod CHRISTUS est vos faciat pervenire.   1242
magnus dominus noster ihesus CHRISTUS, et magna virtus aeius...   1330
quoniam dominus noster Iesus CHRISTUS eum ad suam graciam... vocare
   dignatus est.   2175
que nobis additum est CHRISTUS filius dei benedicat.   2644
qui nobis ad remedium prolata CHRISTUS filius dei benedicat.   282
adiuvet te CHRISTUS filius dei corpore tuo...   334
... Patitur itaque dominus noster Iesus CHRISTUS filius tuus cum hoste
   novissimo...   3867, 3868
quo Iesus CHRISTUS filius tuus dominus noster divini consummato...   3692,
   3785
ut iesus CHRISTUS filius tuus dominus noster sua nos gratia protegat et
   conservet.   3747, 3849
pro quibus CHRISTUS filius tuus per suum cruorem nobis instituit paschale
   mysterium.   3053
fieri dignatus est particeps iesus CHRISTUS filius tuus qui tecum vivit
   et regnat.   1010
qui nostrae humanitatis fieri dignatus est particeps, CHRISTUS filius
   tuus.   1010
sed verus agnus (et) aeternus pontifex hodie natus CHRISTUS implevit.
   4194

ut unus CHRISTUS in dei adque hominis veritate...   2710
quae nobis ipse salutis nostrae auctor CHRISTUS instituit.   3645
Dominus et salvator noster Iesus CHRISTUS inter cetera salutaria...   1373
cum pascha nostrum immolatus est CHRISTUS ipse enim verus est...   4159,
   4161
cum filius tuus, dominus noster Iesus CHRISTUS lavare a iohanne...   3945
quem dominus noster iesus CHRISTUS misit in terram (terra)...   1855
... Nam cum filius tuus dominus noster Iesus CHRISTUS mundum...   3957
imperat tibi iesus CHRISTUS nazarenus...   1354
pro qua dominus noster iesus CHRISTUS, non dubitavit manibus tradi
   nocentium...   3101
sicut exemplo mirabili CHRISTUS ore paterno (pateterno) processit...
   861, 862
praedicare, quod pascha nostrum immolatus est CHRISTUS per quem in
   aeternam...   4162
Pro qua dominus iesus CHRISTUS percussus est lancea...   4233
quo dominus noster iesus CHRISTUS pro nobis est traditus...   409
Dominus iesus CHRISTUS qui ora diaei tercia ad crucem... ductus es...
   1374
Dominus iesus CHRISTUS qui sacratissimo advento suo subvenire dignatus
   est mundo...   1375, 2296
Benedicat vos dominus iesus CHRISTUS, qui se a vobis voluit benedici...
   357
ut filius tuus (dominus noster) Iesus CHRISTUS, qui se usque in finem...
   3811
quo traditus est pro nobis dominus noster iesus CHRISTUS, sed...   412
ut CHRISTUS texisset in paupere...   4148
... CHRISTUS tradidit discipulis suis corporis et sanguinis (sanguis)
   sui mysteria caelebranda...   1712, 1736, 1771
Separa te, inimici, et dominus iesus CHRISTUS veniat super nos...   2552
quam quod in finem saeculorum pascha nostrum immolatus est CHRISTUS.
   2408
qui tibi exconmunicavit dominus iesus CHRISTUS.   507
que per filium tuum reconciliavit inimicus iesus CHRISTUS.   1955
diem sacratissimum caelebrantes, quo traditus est dominus noster Iesus
   CHRISTUS.   412

        CHYROGRAPHUS
cuius praeconia ac meritis nostra deleantur CYROGRAPHA peccatorum...
   3469
Antiqui memores CHYROGRAPHI, fratres karissimi...   201
Dele, qs, dne, conscriptum peccati lege CYROGRAFUM...   711

        CIBARIUS
in praesepio positum velut piorum CYBARIA iumentorum...   3648
conservis CIVARIA ministrantes tempore conpetenti dominico repperiamur
   adventu...   3796

        CIBO
Esurientem CIBA, sytientem puta...   323

        CIBUS
quem nec sacrati CIBI collatio ab scelere revocaret...   3868
ut dum a CIBIS corporalibus se abstinent...   2714
ut sicut ab inlicitis CIBIS ita vos etiam abstinere concedat.   1241
nisi conpetentibus sustentata CIBIS membra non serviont...   4033
ut non solum corpus ad CIBIS sed a delictis omnibus liberares.   3787

ut non solum a CIBIS, sed a peccatis omnibus abstinentes...   3740, 4179,
   4183
VD. Qui non tantum nos a carnalibus CIBIS sed ab ipsius... praecipis
   ieiunare...   3964
ut qui terrenis abstinent CIBIS, spiritalibus pascantur alimoniis.   3110
quo minus GYBO (CIBO) expleatur caeleste...   875
et nos a CIBU ieiunantes a peccatis absolvas.   3941
ut saginatum CYBO maior poena constringeret...   3867, 3868
Refecti (Repleti, Refice) (dne) CIBO (CIBUM) potuque caelesti... ds
   noster, te supplices exoramus...   3040
sed solido CIBO refecta, proficiat in preceptis.   355
ut expulsis azymis vetustatis illius agni CIBO satiemur et poculo...
   3799
Repleti CIBO spiritali (spiritalis) alimoniae supplices te depraecamur...
   3065
et quos spiritali CIVO vivificare dignatus es...   2926
... Adhuc CYBUM eius Iudas in ore ferebat...   3867
in praesepi ecclesiae CIBUM fecit esse fidelium animalium...   349
... Postea enim esuriit non tam CIBUM hominum quam salutem...   3880
ut dent illis CIBUM in tempore necessario...   820
... Hic spiritalem CYBUM intellegere debemus...   1778
ut saginatum CIBUM maior poene constringerit...   3868
... Lacta, mater, CYBUM nostrum, lacta panem de caelo venientem...   3648
ut (et) per aeum CIBUM qui beneficiis praerogatur (prorogatur) alternis...
   4060
qui nos docuit operari non CIBUM qui terrenis dapibus apparatur...   3880
... CIBUM vel potum, te benedicente, cum gratiarum accione accipiant
   (percipiant)...   2283
... CIBUS eius est, totius bonae voluntatis affectus...   3880
CYBUS aenim aeius est redemptio populorum...   3880
salutaris CYBUS et sacer potus instituat (instituit)...   1284
in ieiunio CIBUS, in infirmitate (sis) medicina...   758, 759, 760
... CIBUS namque eius est redemptio populorum...   3880
adque escis carnalibus expeditis CIBUS nasceretur mirabiliter animarum...
   4074
Sit nobis, dne, qs, (qs dne) CIBUS sacer potusque salutaris...   3297

         CICATRIX
ut nulla in eum ultra CICATRICUM signa remaneant.   724

         CINGO
murus lapidius quibus adversantium CINGIBATUR exercitus...   2378

         CINGULUM
Idio CINGOLIS solemnis constrictione sua ingenius...   4176

         CINIS
ut... mortalis mortalem, cinis CINEREM, tibi.domino deo nostro audeat
   commendare...   3470
ut... mortalis mortalem, CINIS cinerem, tibi domino deo nostro audeat
   commendare...   3470

         CIRCA
dignare CIRCA aeos divino inpertire presidii...   122
tunc CIRCA eos verum probantes affectum...   4025
... De his sunt reprobi CIRCA fidem...   3879
succidente sequente illa feria CIRCA oram diei sexta convenire dignimini
   ...   3269

ut et creationis tuae CIRCA mortalitatem nostram testificentur auxilium...
   2230
Cognoscimus, dne, tuae CIRCA nos clementiae largitatem...   403
multiplicatis (multiplicasti) CIRCA nos miserationibus tuis...   1663
Adesto nobis m. ds et tua CIRCA nos propitiatus dona custodi.   117
VD. Cuius ineffabilis gratiae CIRCA nos singulare mysterium est...   3651
... O mira CIRCA nos tuae pietatis dignatio...   3791
et expectantes horam, qua possit CIRCA vos dei gratia baptismum operari.
   1632

        CIRCUITUS
et qui in CIRCUITU huius ecclesiae tuae requiescunt...   1743
et qui in hoc loco venerabile requiescunt, et in CIRCUITU huius aecclesiae.
   1751
et mitte custodem angelum in CIRCUITU supplicantum...   325

        CIRCULUS
in praesentis viae et vitae CIRCULO...   3590

        CIRCUMADSTO
Memento, dne, famulorum famularumquae tuarum et omnium CIRCUMADSTANTIUM...
   2068, 2069

        CIRCUMCIDO
ita huic populo spiritaliter dignetur CIRCUMCIDERE corda.   2441
per legem carnaliter CIRCUMCISUS, ita huic...   2441

        CIRCUMCISIO
... CIRCUMCISIO scilicet et praeputium...   3648, 3649
spiritali CIRCUMCISIONE mentes vestras ab omnibus vitiorum incentivis
   expurget...   2242
O. ds cuius unigenitus... corporalem suscepit CIRCUMCISIONEM spiritali...
   2242
ut dum carnalem caelebrant CIRCUMCISIONEM, tua sint firmati...   2441
VD. Cuius hodie CIRCUMCISIONIS diem et nativitatis octavum celebrantes...
   3646

        CIRCUMDO
Famulos et famulas tuas, dne, caelesti visitatione CIRCUMDA mentibus
   eorum...   1606
mentes eorum fidei lurica CIRCUMDA ut felici muro...   2658
et muro custodiae tuae hoc sanctum ovile CIRCUMDA ut omne adversitate...
   3409
et muro custodiae tuae hanc domum (hac domus) CIRCUMDA ut omni...   3427
Familiam tuam qs dne caelesti protectione CIRCUMDA ut te parcente...
   1596
ut quorum CIRCUMDAMUR suffragio, foveamur auxiliis.   2935
VD. CIRCUMDANTES altaria tua, dne, virtutum...   3622, 3760
Ds, qui nos et... et confessorum (confessione) gloria CIRCUMDAS et
   protegis...   1107, 1113
Ds qui nos... processi et martiniani confessionibus gloriosis CIRCUMDAS
   et protegis...   1135
quos innumerabilium martyrum pia confessione CIRCUMDAS.   2687
Quando aenim animus mortale carne CIRCUMDAT, lege nature...   759
quoniam mortali carne CIRCUMDATI ita cotidianis...   3875
... Quando enim animus mortali carne CIRCUMDATUS legem naturae...   758,
   759

Familiam tuam, (qs) dne, dextera tua perpetuo CIRCUMDET auxilio et ab
    omni...   1591, 1599
Omnipotens deus dexterae suae perpetuo vos CIRCUMDET auxilio et
    benedictionum...   2244
et confessione fidei et agone martyrii mentes vestras CIRCUMDET et in
    praesenti...   915
Omnipotens deus caelesti vos protectione CIRCUMDET et suae benedictionis
    ...   2240
continentia lumbos praetiosa oris zona CIRCUNDET.   1163

          CIRCUMFLUO
... Sic fons ille beatus qui dominico latere CIRCUMFLUXIT...   3596

          CIRCUMSPICIO
... CIRCUMSPECTA moderatione vivamus...   191
Familiam tuam, dne, propitiata maiestate CIRCUMSPICE...   1593

          CIRCUMSTO
protege plebem CIRCUMSTANTEM quam agnus...   1059
Annuae propitius CIRCUMSTANTI familiae ut...   908
Concede propitius CIRCUMSTANTI plebi ut...   971
Infunde CIRCUMSTANTIBUS credulitatis spiritum...   546
Tu sis CIRCUMSTANTIUM sine intermissione deffensio...   920

          CIRCUMTEGO
Tua sacramenta, nos, ds, (qs) CIRCUMTEGANT et reforment...   3528
et interiora horum (interiorum ora) repleat et exteriora CIRCUMTEGAT
    abundet...   819, 820
Ut galea salutis fidae CIRCUMTEGAT, clipeus...   1163
Per diem vos salutaris domini vos CIRCUMTEGAT, per noctem...   2905
Quos tuos effices, dne, tua pietate CIRCUMTEGE et fragilibus...   3034
et toto tibi corde subiectum prosequere, sustenta, CIRCUMTEGE ut quae
    te...   1587

          CIRCUMVOLO
et hostes anticus ad reformidinis (atrae formidinis) horore CIRCUMVOLAT,
    et sensum...   763, 764
non insidiando CIRCUMVOLET, non latendo subripiat...   1045, 1047

          CISTERNA
Benedic qs o. ds hanc CISTERNAM aquae...   331

          CITO
ut hii qui in tua pietate confidunt, ab omni CICIUS adversitatebus
    (adversitate) liberentur (Liberemur).   1526
et de tua CITIUS consolatione gaudere.   941
ut CITIUS hinc exorcizatus abscedas.   225
et quaesita CITIUS invenire.   625
et tibi placitam postolare et CICIUS valeant postolata percipere.   2321
quam vitam praesentem CITO amittere per tormenta...   3866

          CIVIS
et quos vult mittat CIVES in regno.   913
supernis CIVIBUS mereamur coniungi.   3741
cuius nascendo CIVIS, sacer minister, et dicatum nomini tuo munus est
    proprium...   3863
et consilium CIVIUM hac consistentium credimus aelegendum virum...   3281
et supernorum CIVIUM consortes efficiat.   18
et aeternorum CIVIUM consortio adscisci mereantur.   4198
et tecum aeternorum CIVIUM consortio potiri mereantur.   337

et ad supernorum CIVIUM societatem perducat... 3752
... Et per inmanitatem tormentorum pervenit ad societatem CIVIUM
   supernorum. 3689

          CIVITAS
quantis nostra CIVITAS laboratura esset incommodis... 4002
Sit ergo in hoste victoria, in CIVITATE concordia... 903
quae (qui) gratiae tuae effluentis (affluentis, affluente) impetum
   (impetu) laetificas CIVITATEM tuam... 1045, 1046, 1047
quomodo percussisti duas CIVITATES Sodomam et Gomorram... 755
fac nos atria supernae CIVITATIS et te inspirante semper ambire... 2266
et summam recipit CIVITATIS propriae dignitatem... 3616
sed etiam in ipsis visceribus CIVITATIS sancti iohannis... 3865
et plenum de illis corpus hierusalem matris spiritalis, gaudeat CIVITATIS.
   541

          CLADES
et a mundanis CLADIBUS dignanter eripiat. 3704, 4208

          CLAMO
et pro sua quemque necessitate CLAMANTEM benignus aspiciat... 1513
populum tuum ieiunii ad te devotione CLAMANTEM propitiatus exaudi...
   1086
Ne despicias o. ds populum tuum in afflictione CLAMANTEM sed propter
   gloriam... 2172
CLAMANTES ad te ds dignanter exaudi... 399
Exaudi nos, dne, CLAMANTES ad te et quos. 1486
Vox CLAMANTES aecclesiae ad aures dne qs tuae maiestatis ascendat...
   4257
conderigas (ut erigas) miseros ad te de luto fecis CLAMANTES, et de...
   4217
Ad te nos, dne, CLAMANTES exaudi et... 55
ut ad te toto corde CLAMANTES intercedente... tuae pietatis indulgentiam
   consequamur. 2746
in tribulatione (tribulationem) CLAMANTES respiremus auditi. 1938
Ne despicias, dne, qs, in adflictione CLAMANTES sed laborantibus... 2171
Ne dispicias o. ds populum tuum in afflictione CLAMANTES sed propter
   gloriam... 2172
Vox CLAMANTIS aeclesiae ad aures, qs, dne, (dne qs) tuae pietatis ascendat
   ... 4257
quam beati baptistae Iohannis (iohannis baptistae in deserto) (vox)
   CLAMANTIS edocuit. 2326
incipit dicens : Vox CLAMANTIS in deserto... 2059
Suscipe dne preces nostras et CLAMANTIUM ad te pia corda propitius
   intende. 3408
et CLAMANTIUM ad te pia vota propitius intuere. 3449
CLAMANTIUM ad te qs dne preces dignanter exaudi... 400
perveniant ad te praeces de quacumque tribulatione CLAMANTIUM ut omnes
   sibi... 2354
quem laudant angeli et non cessant CLAMARE dicentes : sanctus. 4003
... Cum enim idem CLAMAT apostolus... 3653
humiliatus atque prostratus prophetica ad deum voce CLAMAT dicens... 58
consonatus laudibus CLAMATE et dicite : Dignum est. 3281
ex quacumque tribulatione ad te CLAMAVERINT... 1048

          CLAMOR
... CLAMOREMQUE matutinum pius scrutator intellege... 236

CLAMIS
quando pars CLAMIDIS sic extetit gloriosa.   4148

CLANGO
quae dum laevitae tempore sacrificii CLANGERENT...   1154

CLANGOR
quarum CLANGORE ortatus ad bellum tela prosterneret adversancium...   1154
O. s. ds qui ante archam federis per CLANGOREM tubarum...   2378
ut cum CLANGOREBUS illius audiaerint filii christianorum...   308

CLARESCO
ut hii totius ecclesiae praece... laeviticae benedictionis ordine
   CLARESCANT et spiritali...   405
hoc in horum (aeorum) moribus actibusque CLARISCAT conple in... (dne).
   819, 820
laevitici benedictionis ordinem CLARISCAT, et spiritalem...   405
Ds, qui hanc sacratissimam noctem veri luminis fecisti inlustratione
   CLARISCERE da qs...   1000
fidelium facis devotione CLARISCERE, praesta...   4015a
et proprio CLARUIT gloriosus officio...   3685, 3848, 4220

CLARIFICO
miserator inlustra, propicius (propitio) splendore CLARIFICA cunctam
   familiam...   1777
... Laetifica, dne, animam servi tui ille, CLARIFICA, dne, famulum tuum...
   3389
miserator inlustra, proprio splendore CLARIFICA omnemque hominem...   1249
et occultis (occulta) cordis nostri remedio tuae CLARIFICA pietatis...
   2063, 2283
et CLARIFICARE nos luce (lucem) virtutum.   3465, 3467
Ds qui beatus confessores tuos ill. et ill. CLARIFICASTI haec merita...
   908
qui stilla in die CLARIFICATUS es rex salutis.   1175
ut spiritum adveniens maiestatem nobis filii tui manifestando CLARIFICET.
   2795

CLARITAS
detur (deturque) omnibus in aeo commorantibus sanitas, CLARITAS, helaritas
   ...   3230
Ad hoc aenim omnis CLARITAS migravit in noctem...   3661
Ds... splendor siderum, CLARITAS noctium...   852
VD. Qui est dies aeternus, lux indeficiens, CLARITAS sempiterna...   3917
ds, per quem ineffabili potentia omnia CLARITAS sumpsit exordium...   861
... Tanta gloria, tanta CLARITATE adiurasse te, maledicti satanas...
   225
proquae transituria CLARITATE caelesti facis honore conspiquum...   4127
et mentis sint CLARITATE conspicui...   1347
... Qua maiestatis aeternae CLARITATE deprompta...   3613
apostolicae collegio dignitatis et martyrii est CLARITATE germanus...
   3782
qui filio tuo tecum aeterna CLARITATE regnante...   4129
et inter cherubin et syraphin CLARITATEM dei inveniat...   3391
et inter angelos et archangelos CLARITATEM dei pervideat (providiat)...
   3391
refrigerii sedem, quietis beatitudinem, luminis CLARITATEM et qui
   peccatorum...   2306

refrigerii sedem, quietis beatitudinem, luminis CLARITATEM largiaris.
   840
ut quod sanctis martyribus in persecutione contulisti CLARITATEM nobis
   fiat...   2222
quod sanctis tuis in passione contulit CLARITATEM nobis tribuat...   2221
ut praedicationis apostolicae CLARITATEM nulla iuris...   4190
ut ad perpetuam CLARITATEM per eius incrimenta perveniat.   1151, 1175
Praebe, dne, exercitui tuo aeonti in tenebris CLARITATEM, proficiendi...
   2640
ad tam miram sancti huius luminis CLARITATEM una mecum...   1564
et subditis tibi populis per luminis tui appare CLARITATEM.   2341
refrigerii sedem, quietem (quiaetis) beatitudinem, luminis CLARITATEM.
   811
et aeternae beatitudinis percipiat CLARITATEM.   1396
aeternae lucis possit perstringere CLARITATEM.   3964
ut ad accendendum CLARITATES aecclesiae tuae...   1364
et perveniamus ad patriam CLARITATIS aeterne.   537
Ds aeternae CLARITATIS et perpetuae lucis inventur...   741
qui ad te venientibus CLARITATIS gaudia contullisti...   4227
nova mentis nostrae oculis, lux tuae CLARITATIS infulsit...   4061
Mentes nostras qs dne lumine tuae CLARITATIS inlustra...   2086
qui per iesum... in hunc mundum lumen CLARITATIS misisti...   1364
qui nubis ignisque CLARITATIS tuae columnae non deserat.   2640
... Sic percuciatur in virtute CLARITATIS tuae quomodo percussisti...
   755
et inluminemur ignis CLARITATIS tuae sicut igne...   1304
ut CLARITATIS tuae super nos splendor effulgeat...   2752
tuae (tui) CLARITATIS vultus inlustret...   1734
ad patrem aeterni luminis transeant in regnum hereditarii CLARITATIS.
   1248

         CLARITUDO
sed tantum etiam caelestis magnificabat gloriae CLARITUDO...   4193

         CLARUS
in tuo conspectu semper CLARA consistat, que fideliter ministravit.   477
et CLARA est prius confessio quam loquella...   3851, 3696
ante conspectum venientis Christi filii tui velut CLARA lumina fulgeamus.
   178
quae CLARA nobis omnia et intellectu (intellectum) manifestavit et visu
   (visum)...   4056
toto orbe CLARA sit gloria...   3863
sola pietas tuae semper CLARA sit gratia.   1066
victoriae suae CLARA vexilla suscepit...   4160
Licet enim illi passione sint CLARI...   3959
... CLARIOR ceteris sideribus stella perduceret...   4058
... CLARIORQUE victoria est...   4103
ut te votis exspectent, se CLARIS actibus orent.   359
et omnis pompa CLARISSIMA, quicquid in rota...   742
adtamen necessaria humanae miseriae tuae CLARISSIMAE conspitiunt oculi...
   742
... CLARISSIMAM nobis hodiae suae resurrectionis vexilla suscepit...
   3596
et dicat : Gladius domini et CLARISSIMI francorum regis ill...   4143
aeternitatis praemium, lumen CLARISSIMUM sempiternum.   354
moribus CLARUM, relegionum probo...   3281
ille intellegendae CLARUS adsertor...   3666a

ut qui in conspecto tui CLARUS est gemina (gemma) sacerdotis et martyrum
    ...   3611
ut qui in conspectu tuo CLARUS exstitit dignitate sacerdotii et palma
    martyrii...   3611
... CLARUS virtute signorum...   4185, 4186

      CLAUDIUS
martyres CLAUDIUM, nicostratum, simpronianum, castorium, atque simplicium
    ...   2772

      CLAUDO
ut a mala cogitacione pectus nostrum mistica clave CLAUDAMUS...   1373
... CLAUDATUR ergo clave fidei pectus nostrum contra insidias adversarii
    ...   1373
(pulsandi) pulsanti reconciliacionis ianuam CLAUDERE cui ad revertendum...
    2297
qui aperit quod nemo CLAUDIT, et CLAUDIT quod nemo aperit...   1881
CLAUSERAT aenim suos oculus caelum ne in cruce...   3661
et salutem quam per Adam in paradiso ligni CLAUSERAT temerata praesumptio
    ...   1265, 3364
Deus cuius unigenitus... discipulis suis ianuis CLAUSIS dignatus est
    apparere...   802
ac labiis CLAUSIS incorrupta mente deo loquamur...   1373
et (quod) caeli dominum CLAUSIS portavit visceribus...   3974, 4062
... Et CLAUSO ostio deum adorare debere...   1373
intra in cubiculum tuum et CLAUSO ostio ora patrem tuum...   1373
quem adhuc utero CLAUSUS agnovit...   3774
Stetit sub incerte lumine dies dies CLAUSUS etiam lux...   3661
Qui CLAUSUS in utero reddedit obsequium dominum...   910
et adhuc CLAUSUS utero (ad) adventum salutis humanae prophetica
    exultatione...   3688, 3772

      CLAUDUS
surdi audiant, CLAUDI ambulent...   1852
qui CLAUDO medella fuit pro dirigendis vestigiis.   913

      CLAUSTRUM
... Hic namque (Qui) inferorum CLAUSTRA disrumpens...   3596
atque intrare (intra) regna caelorum (caelestia) CLAUSTRA gratias tibi
    referat...   1728
et inferum aperuisti CLAUSTRA pro mortuis...   397
ut segregata ab infernalibus CLAUSTRIS, sanctorum mereatur adunari
    consortiis.   1013
caelestium CLAUSTRORUM presolem custodemque fecisti...   3728, 4158

      CLAVIS
ut a mala cogitacione pectus nostrum mistica CLAVE claudamus...   1373
... Claudatur ergo CLAVE fidei pectus nostrum contra insidias adversarii
    ...   1373
Petro in CLAVE, paulo in dogmate...   1033
petrus accepit in CLAVE, paulus est...   924
Quatenus petrus CLAVE, paulus sermone, utrique intercessione...   348
Huic CLAVES caelestis imperii... contullisti...   3823
confessorem tuum caelorum CLAVIBUS praefecisti...   4169
redditurus deo racionem pro his rebus, quaeque istis CLAVIBUS recluduntur.
    3288
Ds, qui (beato) apostolo (tuo) Petro conlatis CLAVIBUS regni caelestis...
    907

... Da eis, dne, CLAVIS regni caelorum...   820

    CLEMENS
beatus ille CLEMENS hodiernae (hodierna) nobis exultationis affectum...
    sacravit...   4097
et intercedente beato CLEMENTE martyre tuo...   2119
da nobis in beati CLEMENTIS annua sollemnitate laetari...   2409
Beati CLEMENTIS, dne, natalicio fidelibus tuis munere suffragetur...
    260, 261
VD. Beati nobis enim CLEMENTIS hodie praeconia repetenda sunt...   3616
sancti CLEMENTIS hodie sacerdotis et martyris tui festivitate gaudentes...
    3806
Ds qui nos annua beati CLEMENTIS martyris tui atque pontificis sollemnita-
    te laetificas...   1098
VD. Sancti CLEMENTIS martyris tui natalicia celebrantes...   4127
VD. Et in hac die quam beati CLEMENTIS passio consecravit...   3690
Intercessio sancti CLEMENTIS sacerdotis et martyris misericordiae tuae,
    dne, munera nostra conciliet...   1948
VD. Veneranda CLEMENTIS sacerdotis et martyris solemnia recurrentes...
    4219
(Natalem) Beati CLEMENTIS sacerdotis et martyris tui natalicia veneranda
    ...   262
Sacrificium tibi, dne, laudes offerimus pro sancti caelebritate CLEMENTIS
    ut propiciationem...   3162
... Lini Cleti CLEMENTIS Xysti Corneli...   417, 418

    CLEMENS
Haec nobis praecepta servantibus tu, ds omnipotens, CLEMENS adesto tu
    benignus aspira...   1045, 1698
relaxa nobis qui CLEMENS adit misereris...   3736
suscipias CLEMENS cum pace benignus...   3832
Adesto familiae tuae, qs, CLEMENS et misericors ds...   114
... CLIMENS et propicius preces nostrae humilitatis exaudi et praesta...
    866, 1342
Ergo suscipe CLEMENS ieiunantium preces...   1412
munificus retributor et CLEMENS largitor existis...   1331
CLEMENS, omnipotens et misericors ds...   401
Ds misericors, ds CLEMENS, qui indulgentiam tuam nullum temporum lege
    concludis...   858
Ds misericors, ds CLEMENS, qui multitudinem...   858
Ds misericors, ds CLEMENS, qui secundum multitunem miserationum tuarum...
    859
ut et CLEMENS tuus sapientem clementiam sequi...   3204
pietas hac benignitas CLEMENTE misericordiae tuae...   980
Qs, o. ds, aeclesiae tuae tempora CLEMENTI gubernatione dispensa...   2979
et aeclesiam tuam... CLEMENTI (CLEMENTE) gubernatione (gubernationem)
    moderare...   1489
... CLEMENTI nullatenus (CLEMENTER ullatenus) gubernatione destituas.
    4022
potenter tamen nobis CLEMENTI providentia contulisti...   3865
... Quod cum unigenito filio tuo CLEMENTI respectu semper digneris
    invisere...   3706
ut tua tranquillitatem CLEMENTEI tua sint semper virtute victores.   1190
pius ac propicius (propitiatus) (cuius) CLEMENTI vultu suscipias...
    1718, 1720
diesque meos CLEMENTISSIMA gubernatione disponas.   1754

et ad priora promissa mysteria CLEMENTISSIMA gubernatione perducis.   3894
tu, CLEMENTISSIME dne, dona locopletans...   2907
Idio te, CLEMENTISSIME, indigne servoli iure legationis...   3501
Benedic CLEMENTISSIME pater et dne, hanc (hunc) supplicem populum tuum...
   296, 297
Suscipe CLEMENTISSIME pater hostias (hostiam) placationis et laudis...
   3385, 3386, 3387
Da qs CLEMENTISSIME pater in quo vivimus, movemur et sumus...   634
Tuam, CLEMENTISSIME pater, omnipotentiam tuam suppliciter depraecamur...
   3531
Te igitur, CLEMENTISSIME pater, per Iesum Christum...   3464
Tibi igitur CLEMENTISSIME pater precis supplicis fundimus...   3837,
   3915, 3916
et tu CLEMENTISSIME pater recraeasti per baptismum...   3837
ita aeam benedicere dignare, hac praesta, CLEMENTISSIME pater ut
   supradictae...   1508
Tu, CLIMENTISSIME pater, vota perficias...   1975
... CLEMENTISSIME per aeorum suffragium digneris indulgere.   3379
Praesta, CLEMENTISSIME, que poscimus...   4004
Benedic hunc, CLEMENTISSIME, regem illum cum universo populo suo...   395
sacris mysteriis institutum (institutam) CLEMENTISSIMUS dedica miserator
   inlustra...   1249, 1733, 1777
opem tuam piaetate querentis CLEMENTISSIMUS exaudire...   3918

             CLEMENTER
... CLEMENTER a tua pietate exaudire mereatur (mereamur).   383, 391
... CLEMENTER abstergas ab his aquis pollutionem originem.   893
Huius sacrificii potencia, dne ; qs, et vetustatem nostram CLEMENTER
   abstergat...   1843
... CLEMENTER abundare et conservare facias...   987
nisi tu hanc flammam CLEMENTER accenderes...   758
nisi tu per liberum arbitrium hunc amorem virginitatis CLEMENTER accenderis...   759
O. ds ieiuniorum vestrorum victimas CLEMENTER accipiat...   2249
ac spiritus tui potencia in hereditarium populum CLEMENTER adnumera...
   3055, 3056
ieiunantium vota CLEMENTER adsume...   1301
qui huius fidei tribuis CLEMENTER ardorem...   4109
sanctos tuos et iugiter orare pro nobis, et semper CLEMENTER audiri.
   3496
atque ab eo flagella (flagelle) tuae iracundiae CLEMENTER averte.   2614
ut quicquid ab aeo postulaveritis CLEMENTER concedat.   356
ut quod tua piaetas largienter aeis tribuat, CLEMENTER conservit.   2290
tu, ds, inoleta bonitate (in olim bonitatem) CLEMENTER deleas, pie
   indulgeas...   1289
super hos famulos tuos... benedictionem gratiae suae (benedictionis
   suae gratiam) CLEMENTER effundat...   2499, 2502
et ab omnibus peccatis CLEMENTER emunda...   3536
adque a malis omnibus CLEMENTER ereptos...   3540
sed tuae subdamur CLEMENTER et incessabiliter voluntati.   4211
Praeces nostras qs dne CLEMENTER exaudi atque apeccatorum...   2823
praeces nostras CLEMENTER exaudi et annos famuli...   2476
Praeces nostras qs dne CLEMENTER exaudi et contra cuncta...   2824
Praeces nostras, qs, dne, CLEMENTER exaudi et hos electos...   2825
supplicationes populi tui CLEMENTER exaudi et pacem tuam...   2379

supplicationes nostras CLEMENTER exaudi et romanorum (christianorum)
regnum...   797, 798, 799
Praeces populi tui qs dne CLEMENTER exaudi ut beati marcelli...   2830
Dne ds, praeces nostras CLEMENTER exaudi ut quae nostro sunt...   1321
et me qui etiam misericordiam tuam primus indigeo, CLEMENTER exaudi ut
quem non electio...   101
Praeces populi tui, qs, dne, CLEMENTER exaudi ut qui de adventu...   2831
Praeces populi tui qs dne CLEMENTER exaudi ut qui in sola spe...   2832
Praeces populi tui, qs, ds, (dne ; dne qs ; qs o.; qs o. ds) CLEMENTER
exaudi ut qui iuste pro peccatis...   2828, 2829
supplicationes (supplicationibus) populi tui CLEMENTER exaudi ut quos
(quis) iustitia...   1245
et caelestibus nos munda mysteriis (admisteriis) et CLEMENTER exaudi.
2150
et misericordiam tuam humiliter inplorantes CLEMENTER exaudi.   2917
ut preces nostras CLEMENTER exaudiat...   2499
afferentem CLEMENTER excolens...   2442
medicinalis operatio et (a) nostris perversitatibus CLEMENTER expediat...
3514, 3516
qui (que) (et) corda nostra CLEMENTER expurget et ab omnibus...   161
ut spiritus sanctus corda nostra CLEMENTER expurget et sui luminis...
3839
ut quibus indigere nos perspicis, CLEMENTER facias habundare.   589
et mentibus CLEMENTER humanis nascente Christo summae veritatis lumen
infunde (ostende).   3107
cunctisque meis criminibus et peccatis CLEMENTER ignoscas.   2239
libenter exaudias, et satisfactionibus CLEMENTER ignoscas.   3828
Ds qui iuste irasceris et CLEMENTER ignoscis afflicti...   1050
Iuste aenim correges et CLEMENTER ignoscis in utrumque (in utroque)...
3884, 4009
Ds, qui offensionebus servorum tuorum et iuste irasceris et CLEMENTER
ignoscis praesta...   1140
Ds, qui nos unigeniti tui CLEMENTER incarnatione redimisti...   1136
ut quicquid conversatione contraxerunt humana, et CLEMENTER indulgeas...
3366
et CLEMENTER indulgens, ut servilis metus in effectum transeat filiorum.
3919
et miserationis tuae largitatem CLEMENTER infundas.   3920
Domum tuam qs dne CLEMENTER ingredere...   1378
ut eius meritis hanc aecclesiam deputatam CLEMENTER inlustres...   2482
Misericordiam tuam dne nobis qs... CLEMENTER inpende...   2102
opem tuam nostris temporibus CLEMENTER impende.   3147
cum gratiam tuam CLEMENTER inpendis...   3834
tu CLEMENTER in nobis aeorum munus operaris (opereris, operare).   3671,
3749
et quod aecclesiae tuae usque in finem saeculi promisisti, CLEMENTER
operare.   1520
et quod ecclesiae tuae promisisti usque in finem saeculi CLEMENTER
operare.   1520
quae et sanctificationem nobis CLEMENTER operetur...   3353
Ineffabilem misericordiam tuam, dne, nobis CLEMENTER ostende...   1916
qua mundo subveniens CLEMENTER praedixit...   3757
qui necessitatem humane (humani) generis CLEMENTER providens (praevidens)
...   2284
et CLEMENTER refovas (refovis, refoves) castigatus...   4009

severitate quoque iudicii tui ab aeum CLEMENTER suspendas...　3920
et per augmenta corporea profectum CLEMENTER tribuas animarum...　3825
quod nequiter admisi, CLEMENTISSIME digneris absolvere.　3381
quanto CLEMENTIUS expectas (spectas) benignus ut parcas.　4135

　　　　CLEMENTIA
Omnipotens deus sua vos CLEMENTIA benedicat...　2258
tua nobis parcendo CLEMENCIA cessare iubeas vastitatem (vastitate).　1009
ut qui a tua CLEMENTIA confovemur...　2324
... O magna CLEMENTIA deitatis quae virum non cognovit (novit) et mater
　(matrem) est...　3974, 4062
profusae CLEMENTIA, ds, trinitas indivisa.　1514
... Quoniam et tua CLEMENTIA ea lege nostros resolvit errores...　3981
ad placatione tui nominis copiosa nobis fac provenire CLEMENTIA et ad
　gaudium...　3428
quia nullis egebimus adiumentis, si tuae providentiae CLEMENTIA guberne-
　mur.　3521
et in tua misericordia confidentem CLEMENTIA largiore comitare...　3359
Ipsiusque opitulante CLEMENTIA mundemini a sordibus peccatorum.　353
Et dum infirmitatem nostram tua CLEMENTIA non ignorat...　1518
VD. Quoniam sicut tua CLEMENTIA non solum beneficia prestat inmeritis...
　4104
sed inmensa CLEMENTIA purifices, erudias, consoleris...　3699
et de tua CLEMENTIA quod ei prosit indesinenter obteneat.　432
sed membrorum aeclesiae catholicae remissiones tua CLEMENCIA reformetur...
　1007
ut quae sua conditione atteritur tua CLEMENTIA reparetur.　2100
et tua CLEMENTIA tribuas impetrare quod poscimus.　3697
nisi quod ideo tua nos CLEMENTIA usquequaque non deserit...　3652
Prosit, qs, dne, animae famuli tui illi... misericordiae tuae inplorata
　CLEMENCIA ut eius in quo...　2904
vel tuae maiestatis invicta CLEMENTIA.　3826
sed inmensa largitate CLEMENTIAE (tuae) caelestibus mysteriis servire
　tribuisti...　863
Exaudi preces supplicum ad dona tuae CLEMENTIAE fideliter occurentum.
　1162
Cognoscimus, dne, tuae circa nos CLEMENTIAE largitatem...　403
memento subcumbere tuae CLEMENTIAE lecit indigni lamentabili preconiam...
　3473
ad gratiarum tuae CLEMENTIAE redeat actione.　3058
peticionis nostrae ascendant ad aures CLEMENTIAE tuae discendat...　1975
Vespertina oratio ascendat ad aures CLEMENTIAE tuae dne sanctae...　4224
inmensa (inmensae) CLEMENTIAE tuae dona cognoscimus...　3851
VD. Et in pretiosis mortibus parvulorum... inmensa CLEMENTIAE tuae dona
　praedicare...　3696
tamen CLEMENTIAE tuae dona, (dono) spe futurae inmortalitatis aeregimur...
　3915, 3916, 4099
tamen CLEMENTIAE tuae donum...　3862
peticionis aeius ascendant ad (..) (aures) CLEMENTIAE tuae, et discendat
　...　1500
nec sit ab hoc famulo tuo CLEMENTIAE tuae longinqua miseratio...　108
et non sit a nobis CLEMENTIAE tuae longinqua miserecordia...　68
sed secundum habundantia CLEMENTIAE tuae maxima nos...　2305
pro habundantiae CLEMENTIAE tuae pium te sentiat...　2029
et voces nostras CLEMENTIAE tuae propitiationis anticipet.　2814

quas pro famula tua illa CLEMENTIAE tuae supplici mente deferimus...
3407
deprecemur CLEMENTIAM dei patris pro anima (spiritu) cari nostri illius...
2216, 2217
Supplices tuam, dne, CLEMENTIAM depraecamur...   3378
tuam CLEMENTIAM depraecantes...   2225
VD. Tuamque immensam CLEMENTIAM devotis mentibus... implorare...   4198
et dirige eum secundum tuam CLEMENTIAM in viam salutis aeternae...   2358
... Tuam ergo CLEMENTIAM indefessis vocibus obsecramus, ut...   3659
... Unde tuam CLEMENTIAM petimus, ut...   3655
Depraecamur dne CLEMENTIAM pietatis tuae...   717
da famulis tui pro quibus tuam deprecamur CLEMENTIAM salutem mentis et
corporis...   921
ut cuius iram expavimus, CLEMENCIAM senciamus.   1144
misericordia tua praeveniente CLEMENCIAM senciamus.   55
ut et Clemens tuus sapientem CLEMENTIAM sequi...   3204
ac praeclarae maiestatis tuae CLEMENTIAM supplex exposco...   744
VD. Et tuam inmensam CLEMENTIAM supplici voto deposcere...   3744
Praecor, dne, CLEMENTIAM tuae maiestatis ac nominis...   2837
... CLEMENTIAM tuam caeleriter exoret...   2837
... CLEMENTIAM tuam caeleriter exoretur...   596
VD. Et CLEMENTIAM tuam cum omni supplicatione precari, ut...   3679
Magna est dne apud CLEMENTIAM tuam dei genetricis oratio...   2032
... CLEMENTIAM tuam depraecamur, omnipotens ds...   3306
Mensae caelestis participes effecti imploramus CLEMENTIAM tuam dne ds
noster...   2079
... CLEMENCIAM tuam, dne, humile pracce (humilem praecem) deposcimus...
4225
CLEMENTIAM tuam, dne, suppliciter exoramus...   402
Inmensam CLEMENTIAM tuam o. aeterne ds humiliter imploramus...   1929
Precamur ergo inmensam CLEMENTIAM tuam pro anima famuli tui ill...   2103
VD. CLEMENTIAM tuam profusis praecibus inplorantes...   3623
VD. Et CLEMENTIAM tuam pronis mentibus implorare, ut...   3681
VD. CLEMENTIAM tuam pronis mentibus obsecrantes, ut...   3624
Magnificamus, dne, CLEMENTIAM tuam, qui et veniam...   2034
et CLEMENTIAM tuam semper exorent...   2071
... CLEMENTIAM tuam suppliciter deprecamur ut famulo tuo...   3662
... CLEMENCIAM tuam suppliciter exoramus ut haec indumenta...   743, 1237
O. s. ds, CLEMENTIAM tuam suppliciter exoramus ut qui mala nostra...
2311
Magnificantes, dne, CLEMENTIAM tuam, supplices exoramus ut qui nos...
2036
VD. CLEMENTIAM tuam suppliciter exorantes...   3625
VD. (Et) Nos CLEMENTIAM tuam suppliciter exorare...   3811
VD. CLEMENTIAM tuam suppliciter obsecrantes...   3626
VD. (Et) CLEMENTIAM tuam suppliciter obsecrare...   3627, 3682
VD. CLEMENTIAM tuam toto corde poscentes...   3628
VD. Nos praecare (predicare) CLEMENTIAM tuam, ut ad caelebrandum...   3813
quaesumus ergo CLEMENTIAM tuam ut des nobis...   3692
... Quaesumus CLEMENTIAM tuam, ut eorum...   3341
O. s. ds, petimus divinam CLEMENCIAM tuam ut faciem...   2371
Inploramus, dne, CLEMENTIAM tuam, ut haec divina...   1863
Repleti dne benedictione caelesti qs CLEMENTIAM tuam ut intercedente...
3066, 3067
Qs o. ds CLEMENTIAM tuam ut inundantiam coherceas imbrium...   2978
hoc oro pariterque deprecor CLEMENTIAM tuam ut me sacrificium...   3476

pro quo petimus divinam CLEMENCIAM tuam ut mortis... 1721
quaesumus CLEMENTIAM tuam, ut per ea quae sumpsimus... 254
quaesumus inmensam CLEMENTIAM tuam, ut quicquid modo... 2292
quaesumus, dne, CLEMENTIAM tuam, ut quod frequenti... 3135
petimus inmensam CLEMENCIAM tuam ut quod in eius... 2456
quesumus hergo inmensam CLEMENTIAM tuam, ut quod modo... 2291
quaesumus CLEMENTIAM tuam, ut quod prestas... 2433
Sumentes dne caelestia sacramenta quaesumus CLEMENTIAM tuam ut quod
    temporaliter... 3325
supplices quaesumus ineffabilem CLEMENCIAM tuam ut quos per lignum...
    769
... Quaesumus CLEMENTIAM tuam, ut salutaria... 3553
quaesumus CLEMENTIAM tuam, ut sicut... 2410
... Praecamur ergo CLEMENTIAM tuam, ut ubi nulla... 3284
quatenus inpetrare CLEMENTIAM tuam valeamus supplicis... 3501
... Imploramus itaque tuam inmensam CLEMENTIAM ut ut contempnentes...
    3872
et quam praecamur (super nos) effunde CLEMENTIAM ut de merore... 1147,
    2287
poscentes tuam CLEMENTIAM ut eius mentem... 2342
obsecrantes maiestatis tuae CLEMENTIAM ut et viventibus... 3334
... Unde tuam imploramus CLEMENTIAM, ut his observationibus... 3939
et benedictionis sancte super eam effunde CLEMENTIAM ut inter... 3178
VD. Et tuam iugiter exorare CLEMENTIAM, ut mentes nostras... 3745
... Tuam poscentes CLEMENTIAM, ut omne peccatum... 4221
Sumentes dne perpetuae sacramenta salutis, tuam deprecamur CLEMENTIAM ut
    per ea... 3326
et quam optamus super nos effunde CLEMENTIAM ut sacro... 3987
... Unde poscimus tuam inmensam CLEMENTIAM, ut ut sicut in eo... 3669
... Cuius ineffabilem CLEMENTIAM votis omnibus exoramus, ut... 3912
VD. Et tuam CLEMENTIAM votis supplicibus implorare... 3742

        CLERUS
congregatam CLERI ac populi multitudinem... iubeas conservare... 4198
testimonium presbiterorum tocius CLAERI, et consilium... 3281
CLERUM ac populum quem sua voluit opitulatione tua sanctione congregari...
    337
ut nos famulos tuos omnem CLERUM et devotissimum populum... 3791
ut habeat CLERUS vigilantiam, cingulare reverentiam... 740

        CLETUS
... Taddei Lini CLETI Clementis Xysti... 417, 418

        CLIBANUS
et sit illi, dne, hanc aquam asparsionis velut CLYBANUS ardens ignis
    inextinguibilis... 1346
diem qui venturus est velut CLIBANUS ardens in quo tibi... 2174, 2175,
    2176, 2177

        CLIPEUS
ita omnem hanc aecclesiam tuam tuae devinitatis CLIPEO protege. 1518
in prosperis patientia, in (pro)tectione CLIPEUM sempiternum. 842
... CLIPEUS fidaei peccatorum archana conservet... 1163

        COADUNO
Ds qui... verbum tuum beatae virginis alvo COADUNARE voluisti... 1005

COAEQUO
... Et cuius meritis nequaquam possumus COEQUARI...   3687
Ds qui beatum gregorium pontificem sanctorum tuorum meritis QUOAEQUASTI...
909
quarum humanae peritiae ars magistra non QUOEQUAT...   861

COAETANEUS
nostri salvatoris infantia COETANEIS testificationibus exsisteret
gloriosa.   3603

COAETERNUS
quibus maiestatis tuae potentiam et COAETERNI tibi filii revelaris arcanum
...   4055
aeiusdem QUOAETERNI tibi sapientiae tuae dei et domini nostri...   2321
O. s. ds qui COAETERNUM tibi filium hodiae... concipiendo (concipiendum)
...   2380
sed tibi et unigenito tuo consubstantialis et COAETERNUS diversitate...
3751
in quo unigenitus tuus in tua tecum gloria QUOAETERNUS in veritate...
413, 414

COAPOSTOLUS
et QUOAPOSTOLUM eius Paulum tercio (tertium) naufragantem de profundo
pelagi liberavit...   785, 786

COAPTATIO
Ds, qui ex omni COAPTACIONE sanctorum aeternum tibi condis habitaculum...
985

COAPTO
et anima mea sequatur te ut ingrediaris et COABTIS tibi...   3792

COEPTO
qui exemplo iesu christi... COEPERUNT esse de resurrectione seculi...
3668
quorum meritis semper COEPISSE in tribulacione agnoscit (cognoscit)
auxilium.   25
... Hic enim Christi evangelium loquuturus sic COEPIT de Zacharia et
Elisabeth...   2031
O. s. ds, per quem COEPIT esse quod non erat et factum est visibile quod
latebat...   2370
... Sic enim COEPIT : Liber generationis Iesu Christi...   1633
ut cuncta nostra operatio... et per te CEPTA finiatur.   41
Donit actiam veriliter CEPTI operis consomatione perficere...   4176

COERCEO
ut COERCEAMUS in suis pravitatibus obstinatos.   670
ut corporeac iocunditatis inmoderatas COHERCEAMUS inlecebras...   4039
Qs o. ds clementiam tuam ut inundantiam COHERCEAS imbrium...   2978
ut nec fragilitatem destituas et COHERCEAS insolentes...   3954
et imperium habeat spirituum inmundorum COHERCENDO et probabilis...   1338
ut COHERCENDO in aeternum perire non sinas...   3884, 4009
et imperium habeat spiritum inmundorum COHERCENDUM, et probabilis...
1338
dum peccandi COHERCET affectum...   3656
ut corporea ioconditatis inmoderatas COHERCIAMUS inlecebras...   4039

COETUS
sanctorum tuorum COETIBUS adgregare praecipias.   1289

omnium sanctorum COETIBUS adgregatus...   3470
et in futuro sanctorum COETIBUS adscisci valeatis.   802
et sanctorum COETIBUS connumerari.   3917
ut eam sanctorum tuorum COETIBUS consociare digneris.   2880
ut animam famuli... sanctorum tuorum COETUI tribuas esse consortem.   594

COGITATIO
Libera aeam a diaebus malis et a COGITATIONE bellorum...   3102
Exite... de pectore, de COGITATIONE, de labiis...   1888
... Renova in eum... quod ipsa denique (deiniquae) COGITACIONE diabolica
   fraude viciatum est (violatum est)...   858
ut aeum COGITATIONE mens videat, lingua voce proferat...   354
ut a mala COGITACIONE pectus nostrum mistica clave claudamus...   1373
dignae quae tua sunt et COGITATIONE valeamus et facere.   2685
Te qs dne custodi COGITATIONES nostras, motus, sermones, operum...   3468
vias diregat, COGITATIONES (COGITATIONIS) sanctas instruat.   218, 319
ut haec dona caelestia tranquillis COGITATIONIBUS capere valeamus.   2116
si spiritus noster nefandis COGITATIONIBUSY inplicetur...   4072
et a pravis COGITACIONIBUS mundemur in corde (mente).   926, 2727, 2764
Ut sic quicquid dicto, facto, COGITATIONIBUS peccaverent...   980
sanctas in aeis insere COGITATIONIS, ut vigilantes...   567
ad repellendas tenebras COGITACIONUM iniquarum.   3561

COGITO
Largire nobis, dne, qs, (semper) spiritum COGITANDI quae bona sunt...
   1993, 1994, 1995
... Nihil tibi sit commune cum servis tuis iam caelestia COGITANTIBUS...
   222
donec se suo laqueo perderet qui se magistri sanguine COGITARET o
   dominum...   3867
... Qui merito laqueo suo periturus erat, quia de magistri sanguine
   COGITARAT.   3868
aut COGITEMUS aut agamus tu nobis semper et intellegendi que recta sunt...
   4212
ut COGITEMUS te inspirante quae recta sunt et te gubernante eadem
   faciamus.   730

COGNATIO
qui COGNATIONEM reliquit et patriam...   4127

COGNITIO
haec COGNITIO relegionis, haec initio sanctitatis...   1508
quod tui dederis COGNITIONE pollere...   4090
quia per servum suum gregorium ad COGNICIONE tui nominis venit...   3918
... Et ut ad eius COGNITIONEM possimus accedere...   3978
Ds, qui nos per beatos apostolos (symonis et iudae) ad COGNICIONEM tui
   nominis venire tribuisti...   1123
ut per quos initium divinae (divini) COGNITIONIS accepit...   3909

COGNITOR
et orationes supplicum occultorum COGNITOR benignus exaudi...   2834
... Tu COGNITOR peccatorum, (pectorum, secretorum) tu scrutator es
   animorum (animarum, cordium).   137

COGNOSCO
quorum tibi fides COGNITA est et nota devotio...   2068, 2069
Sed hic potius et nostras COGNUSCAMUS offensas...   3802
sic in spiritu sancto tocius COGNOSCAMUS substanciam trinitatis.   450
ut et ipsi COGNOSCANT Christum Iesum dominun nostrum. Oremus.   2520

ut recte facienda (faciendi voluntatem) COGNOSCANT et possibilitatem...
4046
qua et recte poscenda COGNOSCANT et postulata percipiant.   163
ut et te tota mente COGNOSCANT et quae tibi sunt...   632
et mortalium corda COGNOSCANT et te indignante...   619
ut incunctanter pia corda COGNOSCANT quantum debeant...   2332
subrii simplices et quieti gratis sibi datam gratiam fuisse COGNOSCANT
sobrii...   1195
ut gratiam se catholicae fidei percipisse pietatis tuae defensione
COGNOSCANT.   1192
anticipans benefacere COGNOSCARIS indignis.   3274
ut et te (per adventum unigeniti tui) tota mente COGNOSCAT, et quae
tibi sunt...   633, 657
ecclesia tua magna iam (ex) parte COGNOSCAT impletum.   2363
Te COGNUSCAT, se corrigat...   920
ut inter reliquas feminas tua COGNUSCATUR dicata.   1298
ut in COGNOSCENDA unigeniti tui gloria...   4169
quam famula tua illa pro indictio COGNUSCENDI rei induaere vult...
1298
adcte COGNOSCENDUM deum verum et vivum...   1719a
... Per quae providentiae tuae beneficia COGNOSCENTES apostolicis...
3972, 3973
da plebi tuae redemptoris sui plenum COGNUSCERE fulgorem...   1151, 1175
... Sed o felix, si tuos praesules, Romana, COGNOSCERES et tantos...
4002
prestare COGNOSCERIS devotionis aumentum.   3935
ex fructibus eorum COGNOSCETIS eos...   3879
ac tunc potius recte sentire COCNOSCIMUR cum non nostra...   4022
ut qui ex iniquitate nostra reos nos esse COGNOSCIMUS beati vincentii...
132
COGNOSCIMUS, dne, tuae circa nos clementiae largitatem...   403
VD. COGNUSCIMUS aenim dne quanta aput te sit praeclara vita sanctorum...
3629
VD. COGNOSCIMUS enim, dne, tuae pietatis effectus...   3630
VD. COGNOSCIMUS etenim, dne, sanctorum nos martyrum depraecatione
muniri...   3631
inmensa (inmensae) clementiae tuae dona COGNOSCIMUS fulget namque...
3851
quam esti pro condicione carnis migrasse COGNOSCIMUS in caelesti gloria...
3318
ut dum visibiliter deum COGNOSCIMUS per hunc invisibilium...   4061
pariterque COGNOSCIMUS praesidiis erudiri...   3812
quam pro peccatis nostris super nos COGNUSCIMUS prevalere...   2532
pietatis quod tua erga nos dona COGNOSCIMUS quamvis enim...   3640
... In quibus omnibus evidenter deum hominemque COGNOSCIMUS qui
suscipiendo...   3677
hac tunc potius recte sentire COGNUSCIMUS, quod non nostra...   4022
ut qui offensa nostra per flagella COGNOSCIMUS tuae consolationis...
2779
VD. Quia tuae virtutis esse COGNOSCIMUS ut sancti tui...   4075
ut sicut tuam COGNOSCIMUS veritatem...   1124, 1125
inmensa clementiae tuae dona COGNUSCIMUS.   3851
in quibus mirabilis tuae maiestatis effectus et patrocinia nobis provisa
COGNOSCIMUS.   4130
qui in tuorum vere fidelium sint parte COGNOSCIS adque ideo...   4189

quorum numerum et nomina tu solus dominus COGNUSCIS dexterae...   2806
quorum numerum et nomina tu solus dominus COGNUSCIS et quorum nomina...
   1751
et ne me infirmum contempnendum putes, dum me peccatorem nimis esse
   COGNOSCIS imperat tibi...   1355
numerum et nomina tu solus dominus COGNUSCIS ut sacrificium...   3385
dum me peccatorem nimes esse COGNUSCIS.   1354
quorum (se) meritis (se) (semper) percipisse (cepisse) de tribulatione
   COGNOSCIT auxilium.   24, 25
sicut veteres sancti quod credidere faciendum COGNOSCIT inpleri...   4042
Scrutinii diem... inminere COGNUSCITE...   3269
et soli deo pateat, cuius templum esse COGNOSCITUR ut cum habitat...
   1373
ut cuius lucis mysterium in terra COGNOVIMUS eius quoque...   1000
ut cuius mysterium in terra COGNOVIMUS, eius redempcionis praemia
   consequamur.   1119
ut qui pondus tuae animadversationis (a nostre adversionis) COGNOVIMUS
   etiam pietatis...   940
apostolorum... quorum magisterium COGNOVIMUS exequendum.   2537
quem ad salutem populi nobis COGNOVIMUS fuisse concessum.   924
ut quae a te iussa (iussi) COGNOVIMUS implere caelesti inspiratione
   valeamus.   1084, 1089
ut sicut haec apostolorum tuorum praedicatione COGNOVIMUS ita eorum...
   1191
ut qui... christi filii tui incarnationem COGNOVIMUS per passionem...
   1661
ut qui gloriosos martyres fortes in sua confessione COGNOVIMUS pios
   apud te...   2772
ut quae (qui) te auctore (auctore) facienda COGNOVIMUS, te operante
   impleamus.   2572
concede propitius ut qui iam te ex fide COGNOVIMUS usque ad
   contemplandam...   1004
ut sicut tuam COGNOVIMUS veritatem, sic eam dignis moribus adsequamur.
   1124
quibus eam plenius te largiente COGNOVIMUS.   2373
quam etiam lectione praesenti et vos plenius COGNOVISTIS audiat nunc...
   1373
praefatum symbulum fidei catholicae in praesente COGNOVISTIS nunc euntes
   ...   1706
per quem suae regeneracionis COGNOVIT auctorem.   3324
... 0 magna clementia deitatis quae virum non COGNOVIT et mater est...
   3989, 4062
eum pro se apud te intercessorem, quem habere COGNOVIT magistrum atque
   doctorem.   3703
qui adventum redemptoris mundi necdum natus COGNOVIT matris...   342
Nostra in hoc se matrem domini fuisse COGNOVIT quia plus gaudio...   3974

        COGO
ut nos ad tuae reverentiae cultum et terrore (terrorem) COGAS et amore
   perducas.   3737, 3961, 4174

        COHERES
beatorumque spirituum COHEREDES effici mereantur.   3913
et beatorum spirituum efficiamini COHEREDES. Amen.   2260
et sue COHEREDIBUS redemptoris iam nunc supernae pignos (pignus) hereditatis inpendis...   4011

COHIBEO
ut peccata nostra castigatione voluntaria COHIBENTES temporaliter.   538

COHORS
supernarum virtutum COHORTES indesinenti iubilo...   4184

COINQUINO
qui virginis promanserunt et se cum mulieribus non COINQUINAVERUNT...
3465

COLLABOR
Dne ds virtutum, qui, CONLAPSA reparas et reparata conservas...   1326

COLLATIO
quem nec sacrati cibi COLLATIO ab scelere revocaret...   3868

COLLATOR
tu vitae praesentis sustentator et rector, tu CONLATOR aeternae.   3504
Ds, CONLATOR sacrarum magnifice dignitatum...   762

COLLAUDO
cohortes indesinenti iubilo CONLAUDANT (ita) dicentes.   4184
Caerubyn quoque et syraphyn incessabile predicatione CONLAUDANT, et
dicent...   4176
atque te, dne, CONLAUDANTE, audire mereatur...   561
VD. Et te in sanctorum tuorum meritis gloriosis CONLAUDARE benedicere
et praedicare...   3722
VD. Et te in omni tempore CONLAUDARE et benedicere...   3719
sed in hac potissimum nocte gloriosius CONLAUDARE et praedicare...   4160
VD. (Et) Te auctorem et sanctificatorem ieiunii CONLAUDARE per quod nos...
3715, 4145
VD. Et in die festivitatis hodiernae... tuam magnificentiam CONLAUDARE
qui vocem...   3688
et te semper praeconiorum munere CONLAUDARE.   1251
angelorum multitudo CONLAUDAT quaesumus te...   884
... Ideoque dominum CONLAUDEMUS, qui est mirabilis in sanctis suis...
2187
tuis donis exultent, te semper et ubique CONLAUDENT ut redempta...   2937
fideles tui te caelestem patrem CONLAUDENT adque magnificent...   3879

COLLEGA
ut speculator idoneus inter suos COLLOGIIS semper efficiat.   2303

COLLEGIUM
... De quorum COLLEGIO beati Andreae (thomae, apostoli tui) sollemnia
celebrantes...   3907, 3908, 4047
apostolicae COLLEGIO dignitatis et martyrii est claritate germanus...
3782
... De quorum COLLEGIO sunt martyres tui abdon et sennes...   3727
electorum tuorum adscici mereamur COLLEGIO.   3987

COLLEVO
Prostratum COLLEVA, dispersum congrega...   323

COLLIGO (COLLIGARE)
contrita CONLIGA, conforta invaledum valedum que custodi.   1333
quo totum inter se saeculum CONLIGARENT humani generis...   2541, 2542
operum suorum semina secum COLLIGAT peritura.   782
disrumpe omnes laqueos satanae quibus fuerat CONLIGATUS aperi ei...   2467
disrumpe omnes laqueos satanae quibus fuerant CONLIGATI aperi eis...   2369

COLLIGO (COLLIGERE)

ut ita in praesenti COLLECTA multitudine, cunctorum in commune salutem
    disponat...   2393
et aecclesia tua in templum (templo)... tibi COLLECTA te timeat...   976
aliae ore natos fingunt, aliae COLLECTIS foliis nectar includunt...
    3791
VD. Qui nos ideo COLLECTIS terrae fructibus...   3969, 3970
erraticum COLLEGE ad te, et vincola mea tuae piaetatis adstringe.   1296
... Illuc te COLLIGE, damnate.   224
... Illuc te COLLIGE in profundum maris, in gregem porcorum...   224
VD. Cuius nos humanitas COLLIGIT, humilitas erigit...   3658
Illa feria veniendo COLLEGITE vos ad ecclesiam illam vel illam.   1635

        COLLOCO

quoniam illa feria illo loco reliquiae sunt sancti illius martyris
    CONLOCANDAE qs ut...   1286
inter sanctos et electos suos eum in parte dextera COLLOCANDUM resuscitari
    faciat...   2522
quae in manu tua continenciae suae propositum (prepositum) CONLOCANS
    tibi devocionem...   759
quae in manu tua continentiae suae propositum COLLOCANTES ei devotionem...
    758
et spem suam in tua misericordia CONLOCANTES tuere propitius...   111
O. s. ds, CONLOCARE dignare corpus et anima et spiritu (animam et
    spiritum) famuli tui illius...   2312
ut in sinibus (patriarcharum nostrorum)... COLLOCARE digneris et habeat...
    2523, 3433
uti eum dominus in requiem COLLOCARE dignetur et in parte...   723
ut eum domini pietas inter sanctos et electos suos... COLLOCARE dignetur
    et partem...   2521
ut eum pietas domini in sinu abrahae et isaac et iacob COLLOCARE dignetur
    ut cum dies...   2522
et in sinibus Abrahae (et) Isaac et Iacob COLLOCARE dignetur.   2483, 2484
et COLLOCARE inter agmina sanctorum tuorum digneris...   1263
Et supra chorus virginum paradisi sedibus COLLOCASTI, aeiusdem...   2461
et apostolicae principem dignitatis et magistrum gentium COLLOCASTI.
    4035
magistrum et doctorem gentium vocandarum mutato nomine CONLOCASTI.   3908a
ut fidelium votis eorum praeclaris reliquiis CONLOCATIS integritas...
    1286
in secreta beatitudine COLLOCATUM...   4055
in sinu abrahae patriarchae COLLOCATUS...   2215
resurrectionis beatae primitias... in tua secum dextera COLLOCAVIT.   3953
in gloriae tuae dextera (dexteram) COLLOCAVIT.   410
sed angelus tuus inter sanctos et aelectus tuos CONLOCIT...   756
tua CONLOCETUR in dextera cuius est aelectione vocata in gloria.   3216

        COLLUCTATIO
in conversationem gratiam, in QUOLUCTATIONEM victoriam...   318

        COLLUM
ut soli tibi subdat propria COLLA...   529
Exite... de vertice, (de) COLLO, de genuculis...   1888

        COLO
te COLAT, se muneat, te dilegat, se praeparet.   920

... COLE deum (deo) patrem omnipotentem et Iesum Christum...   39
VD. Qui in omnium sanctorum tuorum perfectione (profectione) es laude
  COLENDUS...   3944
cuius triumphum in diae quo sanguine suo signavit COLENTES in tua...
  3933
Ds qui nos concedis sanctorum martyrum tuorum... natalicia COLERE da
  nobis...   1108
fideliter COLERE, desiderabi(li)ter exepectare.   3485
nec sensus aenim bonorum COLERE fallantur...   3674
Da illis devoto corde te COLERE, se cavere...   1180
O. s. ds, qui timore sentiris, dilectione COLERIS, confessione placaris...
  2457
ut qui beati (sanctorum)... natalicia COLIMUS a cunctis malis... liberemur.
  2771
ut qui festa dei genetricis COLIMUS a malis inminentibus...   2079
ut qui sollemnitatem dono spiritus sancti (donorum sancti spiritus)
  COLIMUS caelestibus...   494
quorum festa solemniter COLIMUS continuis...   1462
ut cuius natalicia COLIMUS, de eiusdem etiam protectione gaudeamus.   1106
ut per haec paschalia festa quae COLIMUS devoti semper...   2768
ut qui beati (beatorum)... solemnia COLIMUS eius (eorum) apud te
  intercessionibus adiuvemur.   485, 680
ut qui eius... natalicia (solemnia) COLIMUS eius apud te patrocinia
  senciamus.   679, 1076, 2414
ut qui sanctorum tuorum tiburtii, valeriani, et maximi sollemnia COLIMUS
  eorum etiam...   2783
ut qui resurrectionis dominicae sollemnia COLIMUS ereptionis...   2782
ut qui beatae priscae martyris tuae natalicia COLIMUS et annua...   687
quod fide COLIMUS et spe desideramus...   402
ut cuius natalicia COLIMUS etiam actiones imitemur.   1105
ut festa paschalia quae venerando COLIMUS, etiam vivendo teneamus.   480
ut qui paschalis festivitatis sollemnia COLIMUS in tua semper...   490,
  3708
qui resurrectionis dominicae sollemnia COLIMUS innovatione...   493
ut qui beati mennae martyris tui natalicia COLIMUS intercessione eius...
  2770
ut qui eius hodiae conversionem COLIMUS, per eius ad te exempla...   1235
ut cuius natalicia COLIMUS, per eius apud (ad) te exempla gradiamur.
  1042, 1102
ut qui resurrectionis sollempnia COLIMUS per innovatione (innovationem,
  invocationem).   1159
tribue permanentem peracte quam COLIMUS solemnitatis affectum...   877
Da nobis qs dne imitari quod COLIMUS ut discamus...   617
ut cuius natalicia COLIMUS, virtutem quoque passionis imitemur.   1098
qui resurrectionis dominicae solemnia COLEMUS.   1159
ut cuius solemnia COLITIS patrocinia sentiatis.   342
nomen maiestatis tuae ubique veneratur adoratur praedicatur et COLITUR qui
  est origo...   3841
et ipsius, cui sacerdotale ministerium deputatum est, natalis COLITUR
  sacramenti...   4028
qui sentiant benefitiae qui festa COLUNT confessorum pontificum.   908

          COLOR
... Quos unigeniti tui sanguis in paelio confusionis roseo COLORE
  perfudit...   3727

COLUMBA
in similitudinem futuri (divini) muneris COLUMBA demonstrans per olivae
    ramum...   3945, 3946
qui in similitudine COLUMBAE in flumine iordanis requiaevit in christo.
    352
qui in speciae COLUMBAE in iordanis fluvium in christo requiaevit.   363
et (ut) spiritu sancto in COLUMBAE similitudine (similitudinem) de super
    misso unigenitum tuum...   3945, 3946
nemus ore COLUMBAE testatum (gestatum) Noe oculis ostendisti...   3955
qui super unigenitum suum spiritum sanctum demonstrari voluit per
    COLUMBAM...   853
et pro pullis COLUMBARUM spiritus sancti donis exuberetis.   2256
manere vis simplices similitudine COLUMBARUM.   3981

COLUMNA
sicut inluminavit super moysen et filius israel, in COLUMNA nubis et
    ignis.   3485
... Sed iam COLUMNAE huius praeconia novimus...   3791
... Haec igitur nox est, quae peccatorum tenebras COLUMNAE inluminatione
    purgavit.   3791
qui nubis ignisque claritatis tuae COLUMNAE non deserat.   2640
alosis, velis, COLUMNIS, candilabra, altare, argenteis basibus...   1283
fabricavit sibi sapientia domum septem COLUMNIS instructam...   3780

COMA
qui ad deponendam COMAM capitis sui pro (eius) amore (christi) festinat
    ...   2503
qui ad deponendam COMAM capiti sui propter amorem christi filii tui
    festinat...   2761
quam (cuius) odiae (hodie) capiti (capitis) COMA (COMAM) pro divinum
    (divino) amore deposuimus...   2703, 2704

COMEDO
qui agno... in vigilia paschae COMEDERE precepisti...   1257

COMES
viam dux eis (eius) et COMIS (COMES) esse dignare (digneris)...   844
... Qui abrahae isaac et iacob... custos dux et COMES esse voluisti...
    3590
qui fieri meruit beati Petri in peregrinatione COMES in confessione...
    4219
et COMIS nobis dignetur esse spiritus sanctus.   1360
praebeatque ante fatiem vestram divini pacis angelus COMIS.   2905
qui Adae COMITEM manibus tuis (tuis manibus) addedisti...   2541, 2542
fecit COMITEM passionis.   4034
... Ac providentia, (providentiae) dne, apostolis filii tui doctores
    fidei COMITES addedisti...   1348, 1349, 1350

COMITATUS
boni pastoris humeris reportatum in COMITATU aeterni regis...   701
et in agni tui perpetuo (perpetua) COMITATU probabilis mansura castitate
    permaneat.   759
ut praesenti famulo tuo a nobis egrediente angelicum tribuas COMITATU ut
    eius...   897
inmaculati occuramus illi in eius sanctorum COMITATU.   1562
Sit nobis COMITATUS iocundus...   1360

COMITOR
quae licet infirmo COMITAMUR officio.   1186
et iter famuli tui illius propitius COMITARE atque misericordiam...   1457
et subsequente COMITARE digneris...   2875
Qs. o. ds, instituta providentiae tuae pio favore COMITARE et quos
   legitima...   2982
Quos caelesti recreas munerae, perpetuo, dne, COMITARE praesidio...   3026
et quos inbuisti caelestibus institutis, salutaribus COMITARE solaciis.
   2581
Sanctorum tuorum nos, dne, continua sollemnitate COMITARE ut qui nostris
   ...   3250
et in tua misericordia confidentem clementia largiore COMITARE ut quia
   sine te...   3359
Quaesumus o. ds instituta providentiae tuae pio amore COMITARE ut quos
   legitima...   2982
perpetua salutatione COMITARE.   2926
qui et sanctorum nos adsidua festivitate COMITARIS et divino munere...
   2562
qui nos et salutari munere COMITARIS et sanctorum...   3069
... COMITATI quoque sanctorum muniti...   4008
unigeniti tui divina vestigia COMITATUS relictis retibus...   3907
et beatae semper virginis Mariae nos gaudia COMITENTUR solemniis...   3469
ita iugiter suffragia (suffragiis) COMITENTUR.   2672
et illum beata retribucio COMITETUR et nobis graciae tuae dona conciliet.
   3203
Sanctae nos martyris Eufimiae praecatio tibi dne, grata COMITETUR et tuam
   nobis...   3188
Beati Iohannis baptistae, nos, (qs) dne, praeclara COMITETUR oratio...
   267, 268

        COMMACULO
nulla iuris inferni subdola doctrina COMMACULET...   4190

        COMMANEO
protege familiam tuam in hac tabernacolum COMMANENTES ; custodi...   567
senciant in ea COMMANENTES rore caeli habundantiam...   310

        COMMEMORATIO
quia quotiens hostiae tibi placatae COMMEMORATIO celebratur...   597
quia quociens (quoties) huius hostiae COMMEMORACIO caelebratum (celebratur)
   ...   447
quam (quae, qui) beati Stefani martyris tui COMMEMORATIO gloriosa
   depromit (depremit).   1649
quam tibi pro COMMEMORACIONE animarum in pace dormiencium...   1757
pro COMMEMORATIONE beati martyris tui illius vel passione fecisti...
   1203
quae et pro sanctorum tuorum COMMEMORATIONE deferimus et pro nostris...
   3113
Munera tibi, dne, pro sanctae Felicitatis gloriosa COMMEMORACIONE
   deferimus quae nobis huius...   2141
quia (qualiter) tunc eadem in sanctorum tuorum digna COMMEMORATIONE
   deferimus si et actus...   3294
Hostias tibi, dne, pro martyrum (sanctorum) tuorum COMMEMORATIONE deferimus supplicantes (simpliciter, suppliciter)...   1829
Respice, qs, dne, munera, quae pro beati Andreae... COMMEMORATIONE
   deferimus suppliciter exorantes...   3114

quas in sanctorum tuorum (sancti confessoris et episcopi tui Donati ;
    sancti confessoris tui ill.) COMMEMORATIONE deferimus ut qui nostrae...
    81
munera, quae in sanctorum tuorum (philippi et iacobi ; sancto lauremtio ;
    sancti Tiburti) COMMEMORATIONE deferimus ut quorum honore...   3087
beati Laurenti... pro cuius COMMEMORATIONE defertur, existat.   21
oblatio, quae cum pro sanctorum tuorum COMMEMORATIONE defertur indulgen-
    tiam...   3356
quam tibi offerimus pro COMMEMORATIONE depositionis animae famuli et
    sacerdotis tui illi episcopi...   1747
Votiva, dne, pro beati... Donati COMMEMORATIONE dona percipimus...   4253
munera pro sanctorum tuorum COMMEMORATIONE exultanter oblata...   3442
Pio recordationis affectu... COMMEMORATIONE faciamus cari nostro illo...
    2583
Suscipe... pio CONMEMORATIONE famuli tui ill. hostiam placationis...
    3387
beati apostoli tui Petri sinis COMMEMORATIONE foveri...   365
ut quorum (cuius) COMMEMORATIONE gaudemus, praesidio muniamur.   2429,
    2431
sancti gregorii pomteficis tui COMMEMORATIONE gaudere...   4064
Exultet, qs, dne, populus tuus in sancti tui COMMEMORACIONE hermis
    (hermete)...   1564
Exultit qs dne populus tuus in sancti tui CONMEMORATIONE hiaeronimi...
    1566
qui discipulis in sui COMMEMORATIONE hoc fieri... monstravit.   1956
Haec hostia, dne, qs, solempniter immolanda pro tuorum COMMEMORACIONE
    iustorum...   1693
ut sicut nos iugiter sanctorum tuorum COMMEMORATIONE laetificas...   2045
et sanctae caeciliae martyrae tuae COMMEMORACIONE laetificet...   1701
da cordibus nostris dignam pro aeorum CONMEMORATIONE laetitiam...   2440
Da nobis, o. ds, in sanctorum tuorum te semper COMMEMORATIONE laudare...
    602
Exultet populus tuus, dne, qs, in sancti COMMEMORATIONE Laurenti...   1564
quod in sancte martyris tuae COMMEMORATIONE offerimus...   3428
ut in quorum (cuius) haec COMMEMORATIONE percepimus (percipimus)...   3040
ad perseverantiam pietatis beata COMMEMORATIONE perducas...   3971
aeclesiam tuam sanctorum (martyrum) COMMEMORATIONE proficere...   4026
pro sancte Felicitatis martyris tuae (pro sanctarum tuam felicitatis
    perpetuae) COMMEMORATIONE proposita...   1935
Pro sanctorum... munera tibi dne COMMEMORATIONE quae debemus exsolvimus...
    2851
VD. Qui nos sanctorum tuorum et COMMEMORATIONE refoves et oratione
    defendes.   3980
Hostias tibi, dne, pro COMMEMORACIONE sancti Felicis (tui confessoris)
    offerimus...   1827, 1828
in (venerabilium) (tuorum) COMMEMORATIONE sanctorum da qs ut quod illis...
    3163
qui semper es mirabilis in tuorum COMMEMORATIONE sanctorum et magnae
    fidei...   3721
quae in tuorum COMMEMORATIONE sanctorum frequentamus actu...   2960
Laudis tuae dne hostias immolamus in tuorum COMMEMORATIONE sanctorum qui-
    bus nos et...   2005
ut sicut tuorum COMMEMORATIONE sanctorum temporali gratulamur officio...
    637
qua in martyrum COMMEMORATIONE sanctorum tua mirabilia veneratur...   1563

sacramenti tui perceptio salutaris pro tuorum COMMEMORATIONE sanctorum
   ut nos et a vitiis...   2903
Suscipe dne munera pro tuorum COMMEMORATIONE sanctorum ut quod illos...
   3398
cum in omnium iustorum tibi COMMEMORATIONE sint placita...   3235
quam in sancti Silvestri... COMMEMORATIONE suppliciter immolamus...   1739
ut (sicut) (sancti) beati laurentii martyris tui COMMEMORATIONE temporali
   ...   637
Exultet qs dne populus tuus in sancti tui COMMEMORATIONE vitalis...   1566
omnium videlicet fidelium catholicorum orthodoxorum quorum COMMEMORATIONEM
   agimus et quorum corpora...   3247
animabus famulorum famularumque tuarum quorum COMMEMORATIONEM agimus
   remissionem...   2949
quorum COMMEMORATIONEM agimus vel quorum elemosinas misericordiam tuam
   ubique praetende...   3247
omnium fidelium... que tibi placuerunt, quorum COMMEMORATIONEM agimus
   vel quorum nomina...   3008
famulis et famolabus tuis quorum CUMMEMORATIONEM agimus vel quorum
   nomina...   2806
Per quod pietatis officium in CONMEMORATIONEM beati agustini...   3694
pro CONMEMORATIONEM beati martyris tui illius vel passione fecisti...
   1203
Pio recordationis affectu... COMMEMORATIONEM facimus cari nostri illius...
   2584
qui discipolis suis in sui COMMEMORATIONEM hoc fieri...   1956
ut quae in tui COMMEMORATIONEM nos facere praecepisti...   3338
per cuius CONMEMORATIONEM remedium postulat...   3662
Tu aenim semper es in tuorum mirabilis COMMEMORATIONEM sanctorum...   4152
Exultit qs dne populus tuus in sancti tui CONMEMORATIONEM vitalis...
   1566
cui in depositionem suam officium CONMEMORATIONIS agimus...   2495
cuius (quorum) diem CONMEMORATIONIS caelebramus...   1684, 3915, 3916
ut qui COMMEMORATIONIS eius festa percolimus...   909
cuius in deposicione sua officium COMMEMORACIONIS inpendimus...   128
ut CONMEMORATIONUM marthyrum et confessorum tuorum illorum...   857

        COMMEMORO
cuius anniversarium deposicionis diem COMMEMORAMUS refrigerii sedem...
   840
cuius septimum obitus sui diem COMMEMORAMUS sanctorum atque electorum...
   2975
sed cordis nostri secreta illi soli patere COMMEMORAT...   1236
quia quotiens huius hostiae caelebratio COMMEMORATUR...   447

        COMMENDATIO
sanctorum tuorum COMMENDATIO reddat acceptas.   1478

        COMMENDO
Accipe et COMMENDA, (memoriae) et habeto (habitum) potestatem inponendi
   manum...   30
cum pro martyrum sollemnitate martarum, per quos tibi COMMENDAMUR,
   offertur.   3864
Tibi dne COMMENDAMUS animam famuli tui illius, ut defunctus seculo tibi
   vivat...   3475
COMMENDAMUS tibi, dne, animam fratri nostri illius...   404
... COMMENDANS tibi deo iter suum...   1714
et COMMENDANTIBUS sanctis tuis...   593

et pietati tuae (nos) COMMENDARE non desinat (dissinat). 1636
cinis cinerem, tibi domino deo nostro audeat COMMENDARE sed quia terra...
  3470
quae maiestati tuae beatus Syxtus sacerdos COMMENDAT et martyr. 3399
Intercessio... fabiani munera nostra COMMENDAT nosque eius... 1927
quem tibi vera supplicatio fidei christianae COMMENDAT sed gratia tua...
  2181
et pontificalem (pontificalis) gloriam (gloria) non iam nobis (nos) honor
  (honorem) COMMENDAT vestium... 819, 820
et sanctorum (tuorum) festivitas gloriosa COMMENDAT. 1648
si qui regat subditus CONMENDATUS ; et cum illis... 561
et piaetas largitoris nos tuae benignitatis efficeret CONMENDATUS
  (benegnitati COMMENDATOS efficeret) sicque nobis... 3970
eorum et (eius aput te) intercessionibus COMMENDEMUR (et meritis). 3187,
  3194, 3234
sanctorum martyrum praesidia deputata COMMENDENT et ut tibi grata...
  2201
et maiestati tuae perpetua placatione COMMENDENT. 3254
aeius intercessionibus COMMENDENTUR et meritis. 3187
familiae tuae o. ds COMMENDENTUR oblatio cuius vitalibus... 2544
eis supplicacio COMMENDET aecclesiae. 2306
quae maiestati tuae beatus xistus sacerdos COMMENDET et martyr. 3399
confessio et munera nostra COMMENDET et tuam nobis... 3244
Intercessio, qs, dne, munera nostra COMMENDET nosque (in) eius... 1947
Ipsa maiestati tuae, dne, fidelis populus CONMENDIT oblatio... 1955
Aeclesiae tuae, qs, dne, praeces et hostias (beati petri apostoli)
  (apostolica) COMMENDET oratio ut quod pro illorum... 1390
et eorum COMMENDET oratio veneranda (adque laetificet). 291
et confessio veneranda et beata COMMENDET oratio. 1799
et quae pro illorum sollemnitate deferimus, eorum COMMENDET oratio. 155
quae maiestati tuae beati nicomedis martyris COMMENDET oratio. 3400
aeclesiae tuae principum COMMENDET oratio. 2955
... Corneli et Cypriani natalicia nos tibi, dne, qs, COMMENDET oratio.
  3171
sancti Laurenti nos martyris tui COMMENDET oratio. 3580
Intercessio nos qs dne beati benedicti abbatis CONMENDET ut quod nostris
  meritis... 1945
te praedicet, se CONMENDET, te colat... 920
COMMENDET vos eorum intercessio gloriosa... 338
et beati (Magni) (gurdiani) festivitas gloriosa COMMENDET. 1648
et dicatum tibi sacreficium beate sotheris martyri CONMENDIT. 2826
humilitas oblata (obtata) COMMENDET. 2420
et decatum tibi sacrificium beatae Soteris COMMENDET. 2826
et pietate tua (piaetatem tuam ; piaetatis tuae) nos pia supplicacione
  COMMENDET. 2750
et ut sanctorum praecibus COMMENDETUR indulge. 2889
qs aeclesiae tuae (aecclesia tua) (dne) COMMENDETUR oblatio... 3358

        COMMERCIUM
ut per haec caelestis vitae COMMERCIA declinantes laqueos... 2965
ut redemptionis nostrae sacrosancta COMMERCIA et vitae nobis... 1473
per haec sacrosancta COMMERCIA in illius (illa) inveniamur forma... 1652
ut per haec sacrosancta COMMERCIA (mysteria) in totius ecclesiae... 1484
... O noctis istius mystica et veneranda CONMERCIA o sanctae matris...
  3596
Exercemus, dne, gloriosa CONMERCIA offerimus quae dedisti... 1527

Ds, qui nos (per) huius sacrificii veneranda COMMERCIA unius summae...
    1124, 1125
Praeveniant (praebeant) nobis, dne, qs, apostoli tui desiderata CONMERCIA
    ut quorum perpetua (perpetuum)...   2810
et per haec sancta COMMERTIA vincula peccatorum nostrum absolve.   1806
ut et nos per ipsum his COMERCIIS sacrosanctis ad caelestia consurgamus.
    3153
cuius sumus carnali CONMERCIO reparati.   917
quibus nostre (nostri) mortalitatem (mortalitati, mortalitate) procurratur
    inmortale COMMERCIUM ac temporali...   3767, 4088
VD. Quoniam magnificum nostrae COMMERCIUM reparationis effulsit...   4093
ita tui sanguis defende COMMERCIUM.   1334
sanguinis tui deffende CONMERCIUM.   1333

COMMIGRATIO
et si qua illam ex hac carnale CONMIGRATIONE contraxit maculas...   1289

COMMINATIO
in materia (materiam) transeat laudis COMMINATIO potestatis.   1252, 2368

COMMITTO
et peccatum quod mundus COMMISERAT relaxavit...   3867, 3868
ab omnibus quae (per) humanitatae CONMISERUNT exute...   2046
Sed peccatum matres antique quod inlicita vetustate usurpatione CONMISIT
    ...   4182
cum baptismatis aquis omnium criminum COMMISSA delentibus...   3945
... Qui per tuam gratiam COMMISSAE sibi dispensationis exsecutor egregius
    ,,,   3863
aut familiam dissimulare COMMISSAM aut nitamur...   3796
praetende... vel super cunctam congregationem illi COMMISSAM spiritum
    gratiae salutaris...   2392
plebemque COMMISSAM te in omnibus protegente gubernare concede.   1089
... Da mihi famulo tuo sufficientiam COMMISSI moderaminis...   1358
non patiaris exules fieri renascente CONMISSO.   1073
ut quid in eo diabuli fraude COMMISSUM est...   1007
illuc grex sibi CONMISSUS introducatur qui per veniam...   913
et ut futuris non CONMITAMUS in hominibus...   857
Hac providentiam, domini, apostolis fili tui doctoris fidaei CONMITTAS
    addedisti...   2549
non lite CONMITTAS in famulo isto neque per stientiae...   2552
futura mala non senciat neque iam ulterius lugenda COMMITTAT demitte ei...
    850a
ignusce (ei) facinora et ne lugendam (lugenda) COMMITTAT, paterne...
    2269
ut eidem apostolicarum COMMITERETUR praerogatio sancta mensarum...   4193
aut ira CONMITTIT, aut stimulat haebriaetas...   782

COMMODUS
VD. Qui properantes iacob sub felicitates QUOMODA itinera direxisti...
    4008
ut fructum terrenorum COMMODIS sufficienter adiuti...   3362

COMMONEO
... Denique COMMONEMUR anni docente successu...   4060
qui tantis sanctorum tuorum meritis COMMONEMUR.   3369
... Ei ideo COMMONEMUS dileccionem vestram...   1286
Anniversaria... noc COMMONET illius mensis instaurata devocio...   179
ut aeclesia tua hoc exemplo COMMONITA nec pati pro te metuant...   376

COMMOROR

ne ulterius in aeo loco habeat potestatem COMMORANDI.   1351, 1352
quam in hoc saeculo COMMORANTEM sacris muneribus decorasti...   2721
detur omnibus in aeo COMMORANTIBUS sanitas, claritas, helaritas...   3230

COMMORATIO

et si quas illa ex hac carnali COMMORATIONE contraxit maculas...   1289

COMMOVEO

VD. Cuius passione cuncta CONMOTA sunt...   3661
cum paventibus aelimentis caelorumque CONMOTIS virtutibus...   634

COMMUNICATIO

in materiam transeat laudis COMMUNICATIO potestatis.   1252, 2368
Haec COMMUNICATIO, qs, ds, expurgit nos a crimine...   1684

COMMUNICO

... Non CUMMUNICABIS in escam, non in putum...   394
nec tacentem nec in publicum nec in privatum non COMMUNICABIS non facies
   ...   394
ut inter eius membra numeremur, cuius corpori COMMUNICAMUS et sangui
   (sanguinem).   2996
COMMUNICANTES, et diem Pentecosten sacratissimum (sacratissimum pentecosten) celebrantes...   406, 415, 416
COMMUNICANTES, et diem sacratissimum caelebrantes...   407, 408, 409,
   411, 412, 413, 414, 420, 421
COMMUNICANTES et memoriam venerantis inprimis gloriosae semper virginis
   Mariae...   417, 418
COMMUNICANTES, et noctem sacratissimam caelebrantes...   420, 421
ut quorum nos tribuis COMMUNICARE memoriis...   3004

COMMUNIO

Haec nos COMMUNIO (dne) purget a crimine...   1700
et altaribus sacris recepta veritatis tuae et CONMUNIO reddatur.   1007
Tui nobis, dne, COMMUNIO sacramenti et purificationem conferat...   3550
Sacramentorum (tuorum) dne COMMUNIO sumta nos salvet...   3133
et sacramentorum caelestium COMMUNIONE mereatur esse perpetuus.   2297
ut (ad) altaribus sacris recepta veritatis tuae COMMUNIONE (COMMUNIONEM)
   reddatur.   1007
qui nos corporis et sanguinis dilectissimi... COMMUNIONE vegetasti...
   1668
sumimus CONMUNIONEM huius sancti panis et calicis...   3739, 4181
sanctorum COMMUNIONEM, remissionem peccatorum...   551
... Verumtamen memor sit COMMUNIONIS suae.   237

COMMUNIO

Sanctorum martyrum nos, dne, Gerbasi et Protasi confessio beata COMMUNIAT
   ...   3237
et tuae deffensionis decernas ala protegis, munere COMMUNERI.   1233

COMMUNIS

... Nihil tibi sit COMMUNE cum servis dei iam calestia cogitantibus...
   222
nichil CONMUNE habeat cum sinistris.   1684
de tuae CONMUNE magnificentiae largitate deferimus...   3388
ut ita in praesenti collecta multitudine, cunctorum in COMMUNE salutem
   disponat...   2393
et omnibus in CONMUNE sua urrit.   59
quod et singulis prodest et omnibus in COMMUNE succurrit.   58

COMMUNE votum communis oratio prosequatur...   405
et ad COMMUNEM vitam concedas salubrem...   717
quatenus dum per alterutrum pietatem se repperiunt COMMUNES in singulis...
  3923
sicut liberasti henoch et haeliam de CONMUNI morte mundi.   2023
... CUMMUNIS aeorum debet esse sententia...   3021
cummunis aeorum debet esse sententia, corum causa CUMMUNIS existat.   3021
quatenus dum per alterutrum piaetate se reppereunt CUMMUNIS, in singulis
  ... 3924
Commune votum COMMUNIS oratio prosequatur...   405
Sit nobis, fratres, COMMUNIS oratio ut.   3300
ita (et) per misericordiam tuam COMMUNIS sit cultus iste credentium.
  2798

      COMMUTATIO
et nullam (nulla) unquam ad te es COMMUTACIONE diversus...   3633

      COMMUTO
si pietate intendas solita poteris me COMMUTARE in melius.   219
Nam quod apostulum aeius paulum mentem cum nomine COMMUTAVIT...   3823
nec tristitia eos secunda CONMUTENT.   854

      COMPAGES
cathenarum CONPAGE dignatus es ad libertatis praemia revocare...   920
quidquid excellit partium in eadem CONPAGE magnarum...   3632
per legem totius mirabilem (mirabilem totius) ; (mirabile) CONPAGIS
  unitam...   136, 137, 138

      COMPAGINATIO
cessent CONPACINATIONES tuae, cessent machinae tae...   394

      COMPAGINO
membra ad iuncturas corporum, ac liniamenta nervorum CONPAGINATA sunt ;
  sic credimus...   3668

      COMPAGO
ut fraternitate teneant (fraternae teneantur) CONPAGINE caritatis...
  1195
ipsaque sit sacri corporis ubique vera CONPAGO quae et dispensante devota
  ... 4021
sed ut potius tui corporis ubique devota CONPAGO te dispensante suscipiat
  ... 4077

      COMPAR
affectu (effectu) CONPARI, mente (COMPARIMENTO) consimili, sanctitate
  mutua copulentur. 1078
et reserva quem triumphis CONPARIS Christi...   3354

      COMPARO
et reserva quem triumphis CONPARARE christi...   3463
Benedic dne hanc familiam tuam christi sanguinem CONPARATAM.   312
et ideo Lucas vitulo CONPARATUR...   2031

      COMPEDIO
Solve CONPETITUM (CONPEDITUS) quem vincola peccatorum constringunt...
  4003

      COMPELLO
et ad te nostras etiam rebelles CONPELLE propitius voluntates.   2208
quam devita castigatione CONPELLI...   3919

COMPENDIUM
salubrique CONPENDIO, et hi, qui ab illorum tramite deviassent...   3947
quod brevi CONPENDIO poterimus implere...   3937

COMPENSATIO
et largitatis hodiernae (hodierna) CONPENSACIO istius (isti) perpetua
    conferatur...   1008
desideratae (desiderante, desiderate) paenitentiae CONPENSATIONE percipiat.
    1440, 3267, 3268

COMPENSO
sanctorum tuorum intercessio CONPENSET et meritum.   86
ut dominus caelestis sua misericordia terrenam aelymosinam (terrena
    helimosina) CONPENSET (et) spiritales...   3256
totum ineffabili pietate ac benignitate sua CONPENSIT.   2583

COMPES
expediti CONPEDIBUS, hoc fronte nostra ferimus signum.   3847

COMPESCO
Vicia cordis humanae haec, dne, qs, medicina CONPESCAT, qui mortalitatis
    ...   4242

COMPETENS
quam COMPETENS actio dignitatis...   4171
et ideo licet in singulis... CONPETENS debeamus officium...   4188
ut in eorum traditione sollemniter honoranda CONPEDENS deferamus
    obsequium.   806
ut abstinentiae nostrae restaurationis exordiis CONPETENTEM dignis
    praecurramus officiis.   671
ut per observantiam CONPETENTEM domino et praesentibus periculis exui
    mereamur...   182
Concede, qs, o. ds, fragilitati nostrae sufficientiam CONPETENTEM ut
    sui (suae)...   474
nec transvaricabis nec impedis COMPETENTEM vitam, vitam aeternam...   1529
conservis civaria ministrantes tempore CONPETENTI dominico repperiamur
    adventu...   3796
... CONPETENTI ieiunio valeamus aptari...   3731, 3732, 4140
ut CONPETENTIBUS adiuti subsidiis te largiente possimus esse concordes.
    1231
ut eandem studiis CONPETENTIBUS exsequamur.   440
... CONPETENTIBUS gaudiis diem nos celebrare concedas...   3368
sed etiam sacro misterio (ministerio) CONPETENTIBUS servitiis exequentibus
    (exsequentes)...   3931
nisi CONPETENTIBUS sustentata cibis membra non serviont...   4033
intellegentiae (intelligentia) CONPETENTIS eruditione capiamus.   1156
et per observantiae (observantiam) CONPETENTIS obsequium...   1448, 4101

COMPETENTER
ut necessariis, quibus indiget humana condicio, CONPETENTER aduiti...
    706
Ds, qui singulis quibusque CONPETENTER aptanda temporibus...   1210
VD. Quia CONPETENTER atque salubriter religiosa sunt nobis instituta
    ieiunia...   4039
intellegentia CONPETENTER eruditione capeamus.   1156
Miseracio tua, famulos tuos, qs, et praeveniat CONPETENTER et devota...
    2091
quia non possumus CONPETENTER explere...   4104

sed potius exsequentibus CONPETENTER fiat causa remunerationis aeternae.
4166
et dignae semper tractare mysteria et CONPETENTER honorare primordia.
666
temporalibus beneficiis CONPETENTER instructum...   2454

COMPETO
Ds cui (cuius) soli CONPETIT medicinam (medicina) prestare post mortem...
775
quia trina celebratio beatae CONPETIT mysterium trinitatis.   1986

COMPLACEO
et pia tibi devotione CONPLACEANT et tua semper...   691, 692
et ut in veritate tibi CONPLACEANT perpetuum...   2390, 2392
et ut CONPLACEANT tibi, ds, in veritate tua...   2390, 2391
et virtutibus universis, quibus tibi servire oportit, instructi
CONPLACEANT.   1372
ut tibi servitus nostra CONPLACEAT et misericordiae...   779
Sanctis intervenientibus, (Sanctum sebastianum intervenientem ; sancto
sebastiano interveniente) dne, tibi servitus nostra CONPLACEAT et
obsequia...   3231
et ut tibi servitus nostra CONPLACEAT, tua in nobis dona conserva.   779
et eorum tibi praecibus adiutus CONPLACEAT.   1563
aeiusdemque conditorem omnia desideria cordis CONPLACITA tibi annus...
1733
eiusdem conditorum omnia desideria cordis CONPLACITA tibi pius adimple...
1777
in quo tibi optime CONPLACUISSE testimonio (testimonium)...   3945, 3946
unigenitum tuum in quo tibi optime CONPLACUISSET...   3945, 3946
quoniam CONPLACUIT Christo, ut in hominem (homine) habitaret.   142,
1354, 1355
qui eas tibi digne CONPLACUIT offerendas.   1813
Ds cui beata caecilia ita castitatis devotione CONPLACUIT ut...   758

COMPLACO
eius intercessionibus CONPLACATUS a te de instantibus periculis eruamur.
3357

COMPLECTOR
... COMPLECTERE hunc populum in aecclesiae sinu...   996, 3109
ds, qui caelestia simul (et terrena) (eterne) CONPLECTERIS servans...
1249
et quorum hic reliquias pio more (amore) CONPLECTEMUR (COMPLECTIMUR).
985

COMPLEO
... CONPLE in bonum desiderium suum...   2269
... CONPLE (dne) in sacerdotibus tuis mysterii (ministerii) (tui) summam
...   819, 820
minesterium tue virtutis CONPLEANTUR effectu.   2302
et vitia nostra purgentur et (intercedentibus sanctis tuis) iusta
desideria COMPLEANTUR.   2554, 3382
et agenda dicat, et dicta opere COMPLEAT et in utroque...   1337
ut tibi servitus nostra CONPLEAT, et misericordiae...   779
et virtutibus universis, quibus tibi servire oportit, instructus CONPLEAT.
1372
evangelico ubique CONPLEATUR effectu...   1472
tuae virtutis CONPLEATUR effectus.   2302

ut in omni natione, quod verbi tui promissum est evangelio, CONPLEATUR
et plenitudo...   1470
ut quod tua dispositione expeditur, tua gratia CONPLEATUR.   94
etiam in nobis omnibus est CONPLENDA (COMPLENDAM)...   1706
ad COMPLENDUM indefessam tribuas efficaciam...   3807
... Quibus praeceptis duobus totam legem sine difficultate CONPLENTES bona
praesentia...   4025
Debitum humani corporis sepeliendi officium fidelium more CONPLENTES deum
cui omnia...   701
... Cernensque promissa CONPLERI, merito secutura non dubitet...   3957
dum manifestissimae conprobantur quae fuerant praedicta CONPLERI
rationabiliter...   4100
CONPLETE orationem vestram in unum...   2496, 2629, 3573, 3574
... Iam CONPLETI sunt sex millia annorum in co oportit...   1852
ita tamen nostrum non habet, qui dum piaetate CONPLETUS, aelegis...   782
ut quod ille iugi ieiuniorum COMPLEVIT continuatione...   3940
... Qui quod verbis edocuit, operum exhibitione COMPLEVIT et documento...
3655
ut quod ille (iugi) ieiuniorum continuatione (continuationem) CONPLEVIT
nos quoque...   1116
doctrinam quam ille et verbo docuit et opere COMPLEVIT quatenus nos...
3692

        COMPLEX
quem tuae vis CONPLICEM fieri veritatis.   3323

        COMPONO
sed mores nostros aea moderatione CONPONAS, ut tam...   3833, 4209
Actus vestros corrigat, vitam emendet, mores COMPONAT...   2117
Mores nostros, dne, qs, tua pietate CONPONE...   2106a
quam tu, caelestis agricula, falcis tuae aciae CONPONIS et purgas...
1155
menbris in feretro CONPOSITIS, tumulo...   2216
tumulo ex umore CONPOSITO, post israhaeliticis...   2216
tumulo ex more CONPOSITO post israelis exitu...   2217
et quod arte vel metallo officii CONPOSITUM est, altaribus...   1281

        COMPOS
et COMPOS reddatur iustorum votorum...   3590

        COMPREHENDO
ut quod frequentamus actu, CONPRAEHENDAMUS effectum (effectu).   2539
et quod votis celebrant, CONPRAEHENDANT effectu.   2671
et futura gaudia CONPRAEHENDANT.   1658
ut apostolicae... natalis insignia... pia cordis intellegentia
CONPRAEHENDANT.   3345
et sempiterna gaudia CONPREHENDAT.   2619
et tuam veraciter gratiam CONPREHENDAT.   2616
... Quibus CONPRAEHENDENDIS adque servandis nemo non idoneus, nemo non
aptus...   1706, 1707
mente devota CONPREHENDERE possitis.   346
ut cuius muneris pignus accepimus, manifesta dona CONPREHENDERE valeamus
et quae nobis...   3818, 3843
ut cum omnibus sanctis CONPREHENDERE valeamus que sit latitudo...   3847
et sempiterna gaudia CONPREHENDERE valeatis.   2240
cuius origo nescitur nec finis CONPREHENDI potest...   1359

quando ab hominis (hominibus) nativitate (nativitatis) initium
  CONPRAEHENDIT.   1633, 1634

COMPRESBYTER
Fratres nostri et CUMPRESBITERI, conversatio ill. quantum mihi nos sed
  videor...   3021

COMPRIMO
et omnium gencium feritate CONPRAESSA.   932
et cunctis hostibus caelesti virtute CONPRESSIS aumentum nobis...   2276
ut hostibus nostris tua virtute CONPRESSIS secura tibi...   2229
ut gentes... dexterae tuae potentia (potentiae tuae dextera) CONPRIMANTUR.
  2348, 2447
Bella COMPRIMAT, famen auferat, pacem tribuat...   169
nullo CONPRAEMATUR adversitatis angore...   897
CONPRIME, dne, qs, ds, iniqua loquentium...   423
CONPRIMAE, dne, qs, noxios semper incursos...   424
et propter gloriam nominis tui barbarum gentium CONPRAEME feritatem...
  2359
O. ds, romani (christiani) nominis inimicos virtute, qs, tuae CONPRIME
  maiestatis...   2257

COMPROBO
et indeficientem gratiam CONPROBAMUS...   3642
dum manifestissimae CONPROBANTUR quae fuerant praedicta conpleri...   4100
et ad te sibi praestitam bonis operibus CONPROBARE.   2487
hoc illud esse manifestissime CONPROBARIS...   3945
hoc illud esse manifestissime CUMPROBAVERIS...   3946
quod ministerio (misterio) gessit, testimonio CONPROBAVIT...   2409

COMPUNCTIO
largior corde CONPUNCTIO et indulgentia concedatur admiserunt...   2321
et salubri CONPUNCTIONE devotus...   2853
Det vobis animarum CONPUNCTIONEM, inmaculatam fidem...   351
Mentem familiae tuae... et munere CONPUNCTIONIS aperi...   2081
et munere et CONPUNCTIONIS aperiat largitatem piaetatis exaudi.   2082
ut sancte CONPUNCTIONIS ardoris ab omnium caetherorum propositum
  segregasti...   3476
adque rubiginem scelerum moliviciorum igne CONPUNCTIONIS tui amore mundemur incursu.   3469

COMPUNGO
ut tua inspiratione CONPUNCTI noxias delectationes vitare praevaleant...
  1624, 1625
Sensos vestros diregat, corda CONPUNGIT, im prosperis...   351

COMPUTO
ut CONPUTARETUR obpressa...   4071

CONCEDO
ut huic fonti virtutem spiritus tui indesinenter praesedere CONCEDAS
  cooperante...   3836
ut beneficia nobis maiora CONCEDAS et tuis nos facias...   2039
ut et (et ut) petentibus desiderata CONCEDAS fac tibi eos (fac aeos que
  tibi)...   2540
CONCAEDAS idemque servo tuo illo, intercedente...   3662
CONCEDASQUE idem servo tuo illo., per cuius conmemorationem...   3662
te suppliciter deprecor ut CONCEDAS mihi veniam delectorum meorum...
  1264

tu tamen inmensa pietate CONCEDAS ne scelera...   3860
sic eo suffragante nobis emundationem ac veniam CONCEDAS peccati...   3695
... CONCEDAS placatus et pacem...   1422
sed ut miseris uberiora dona CONCEDAS qui dignae...   3958
sed potius amare CONCEDAS qui veraciter arguunt...   2048
competentibus gaudiis diem nos celebrare CONCEDAS quo maiestatis tuae...
   3368
ut mentibus nostris tua inspiratione CONCEDAS quo redemptor...   4173
et ad communem vitam CONCEDAS salubrem...   717
ut misericordiam tuam iugiter nobis CONCEDAS sufficienter mensium copias
   ...   1369
... Et praeterita peccata nostra dissimulas, ut nobis sacerdotii dignitatem CONCEDAS tuum est enim...   3898
et miseracionis tuae largitate CONCEDAS ut ab omnibus quae...   1758
et tua piaetate CONCEDAS ut consecuti...   1751
qs, dne, placatus accipias, eique propiciatus CONCEDAS ut cui donasti...
   1731
et misericordiam tuam mihi CONCEDAS, ut cum de corpore...   756
benignus accipias, et tua piaetate CONCEDAS, ut et nobis proficiat...
   1757
et miserationis tuae largitate CONCEDAS, ut fiat...   1749, 1767
et omnium sanctorum tuorum, quorum meritis praecibusque CONCEDAS ut in
   omnibus...   417, 418
placatus accipias, et tua piaetate CONCEDAS, ut mortalitatis...   1760,
   1762
qs, dne, placatus accipias et tua pietate CONCEDAS ut per multa...   1736
et miserationum tuarum largitate CONCEDAS ut quicquid terrena...   1738
et ineffabili pietate CONCEDAS, ut quod exequi...   1741, 1745
qs, dne, placatus accipias et tua pietate CONCEDAS ut quoscumque...   1744
ut qui beneficia nobis maiora CONCEDAS, ut tuis nos...   2039
ut (et) praeteritorum (nobis) CONCEDAS veniam delictorum...   3598, 4165
et peccatorum nobis CONCEDAS veniam et nos...   3709
et prolem in qua nomen tuum benedicatur CONCEDAS.   1772
tibi etiam placitis moribus diganter deservire CONCEDAS.   3377
et misericordiae tuae in nobis dona CONCEDAS.   779
et indulgentiam nobis tribuas et salutaria dona CONCEDAS.   2887
... Et sic in rebus transitoriis foveas, ut perpetuis inherere CONCEDAS.
   3718
ut miserationis tuae largitate CONCEDAS.   1758
perenni gaudio et sanctorum consortio perfrui CONCEDAS.   701
et in novitate vitae perseverare CONCEDAS.   3739
desiderata confirmes, postolata CONCEDAS.   866
et indulgentiam nobis tribuas et postolata CONCEDAS.   1616, 2864
ut hic fontem virtutem spiritus tui indesinenter presidere CONCEDAS.   3836
ut noxia cuncta submoveas et omnia nobis profutura CONCEDAS.   795
et ad salutem nostram provenire CONCEDAS.   1825
... CONCEDASQUE nobis ut venerando passionis eius triumphum...   3748
... CONCEDASQUE ut quorum corpora abstinentiae observatione macerantur...
   4199
... CONCEDASQUE ut sicut te solum credimus auctorem, et veneramur salvatorem...   3681
que ereat in visceribus nostris et vita CONCEDAT aeterna.   1342
CONCEDAT propitius ut sicut post resurrectionem suam...   344
pacem CONCEDAT, salutem conferat...   340, 356
... CONCEDAT ut per fidem qua eum resurrexisse creditis...   802
CONCEDAT vobis omnipotens deus munus suae benedictionis...   425

... CONCEDAT vobis per eandem humilitatem percipere suae benedictionis...
   donum.   2255
Et CONCEDAT vobis suae piaetatis auxilium...   354
... CONCEDAT vobis ut fidem veram quam lingua vestra fatetur...   2252
CONCEDAT vobis ut quod ille spiritus sancti munere afflatus...   2246
ita vos etiam a vitiis omnibus abstinere CONCEDAT.   1241
et praemia aeterna CONCEDAT.   2760
et perfectam caritatem CONCEDAT.   169
ut quicquid ab aeo postulaveritis clementer CONCEDAT.   356
et suae vobis benedictionis dona CONCEDAT.   1268, 2243, 2245
et donis caelestibus exuberare CONCEDAT.   2244
et (hac) lumen aeternitatis (ei aeternae) gratiae CONCEDAT.   2503, 2761
ipse ad agnuscendum se, delicta ignuscendo CONCEDAT.   855
ut vos in omnibus sibi placere CONCEDAT. Amen.   2249
pariterque corporibus vestris et mentibus semper profutura CONCEDAT.
   1513
... CONCEDATQUE ut cuius solemnia colitis, patrocinia sentiatis.   342
... CONCEDATQUE vobis ita transigere praesentis vitae dispensationem...
   347
CONCEDATQUE vobis, ut cum omnibus sanctis...   346
... CONCEDATQUE vobis ut expurgato veteris nova in vobis perseveret
   consparsio.   353
CONCEDATQUE vobis ut qui in sola spe gratiae caelestis innitimini...
   2240
CONCEDATQUE vobis, ut sicut ei cum ramis palmarum... praesentari
   studuistis...   343
largior corde conpunctio et indulgentia CONCEDATUR admiserunt...   2321
hic per tuam nobis gratiam CONCEDATUR ut et te nostrum...   3937
CONCEDE agenti normam, loquendi fiduciam...   740
... CONCEDE benignissime consolationis auxilium...   64
CONCEDE concordiam quam inspirantem patriarchis...   924
CONCEDE credentibus, misericors ds, salvum nobis de Christi passione
   remedium...   426
et in hac manentibus domus (domum) praesentiae tuae CONCEDE custodiam
   ut familiae...   2353
hanc renatis in Christo CONCEDE custodiam ut nullo erroris...   935
et diuturnis calamitatibus laborantem respirare CONCEDE da veniam...
   2706
Redemptor (Redemptio) animarum, ds, aeternitatem CONCIDE defunctis...
   3038
CONCEDE, dne, electis nostris, ut sanctis edocti mysteriis...   427
CONCEDE, dne, populo tuo veniam peccatorum...   428
... CONCEDE ei pudicitiae fructum...   529
... CONCEDE eius (eis) caritatem, gaudium, pacem...   307
... CONCEDE ergo, dne, hoc, ut (et) tibi paenitentiam (paenitentiae)
   excopias (excubias) caelebret...   429, 1308
Famulis tuis, qs, dne, sperata CONCEDE et ab omnibus...   1603
fragilitati nostrae adiumenta CONCEDE et effectum...   1179
et CONCEDE, et famuli tui ill. cuius hodiae natalem genuinem celebramus
   consecrationem.   1202
... CONCEDE famulis tuis ut resurrectionis gratiam consequamur.   1181
... CONCEDE famulis tuis, ut sacramentum tuum vivendo teneant...   974
ut quos caelesti gloria sublimasti, tuis adesse CONCIDE fidelibus.   2061
talesque nos CONCEDE fieri tuae graciae largitate...   2659
... CONCIDE filio nostro famulo tuo illo...   1008

CONCEDE huic plebi misericors omnem suum velle... 950
CONCEDE hunc familiae pro se hunc intercessorem... 981
et tecum habitare CONCEDE in bonis caelestibus. 2023
tu aei aetatis et fidaei aucmento CONCEDE induc aeum, dne... 2325
tua nos praecepta CONCEDE iugiter operari. 3570
tibi semper placitam fieri praecibus CONCEDE iustorum. 2929
perpetuum fructum CONCEDE laeticiae. 3435
CONCEDE menbra sacrosanctae aecclesiae sine devulsione aliqua... 2298
... CONCEDE mihi indigno famulo tuo sacris convenienter servire myteriis
    ... 1060
et CONCEDE misericordiam tuam cum sanctorum tuorum patrociniis supplican-
    ti... 76
CONCEDE m. ds fragilitati nostrae praesidium... 430
CONCEDE misericors ds huic plebi... 431
CONCEDE, misericors ds, ut devotus tibi populus... 432
CONCEDE, misericors ds, ut quod paschalibus exequimur institutis... 433
CONCEDE, misericors ds, ut sicut nos tribuis solemne tibi deferre
    ieiunium... 434
CONCEDE nobis, dne, (ds noster) ut celebraturi sanctorum (sancta)... 435
CONCEDE nobis, dne ds noster, ut et tota mente veneremur... 436
CONCEDE nobis dne ds (noster) (qs) ut haec hostia salutaris... 437
CONCEDE nobis, dne, gratiam tuam in beati Laurenti martyris celebritate
    multiplicem... 438
CONCEDE nobis, dne, praesidia militiae christianae... 439
CONCEDE nobis, dne, qs, gratiam tuam... 440
CONCEDE nobis, dne, qs, ut haec hostia salutaris... 441
CONCEDE nobis, dne, qs, (ut) sacramenta quae sumpsimus... 442, 443
CONCEDE nobis, dne, qs, ut sancta tua tibi placito corde sumamus... 444
CONCEDE nobis, dne, (qs) veniam delictorum... 445, 446
... CONCEDE nobis et nostrae voluntatis pravitatem frangere... 1025
CONCEDE nobis haec, qs, dne, frequentare mysteria... 447
CONCEDE nobis, misericors ds, et dignae tuis servire altaribus... 448
CONCEDE nobis, m. ds, et (ut) studia perversa deponere... 449
CONCEDE nobis, misericors ds, ut sicut (in) nomine patris et filii...
    450
CONCEDE nobis, omnipotens ds, sanctae martyris Eufimiae et exultare
    meritis... 451
CONCEDE nobis, omnipotens ds, ut ab inprobis voluntatibus recedentes...
    452
CONCEDE nobis, o. ds, ut dispectis falsitatibus iniquarum... 453
CONCEDE nobis, omnipotens ds, ut his muneribus... et te placemus
    exhibitis. 454
CONCEDE nobis, omnipotens ds, ut per annua quadragesimalis exercitia...
    455
CONCEDE nobis omnipotens ds, ut salutare... 456
... CONCEDE nobis piae paetitionis affectum... 731
... CONCEDE nobis propitius et mente et corpore semper tibi esse devotos.
    889
... CONCEDE nobis propitius ut et... 1019
CONCEDE nobis qs o. ds ad beatae mariae... 472
... CONCEDE nobis tuae pietatis auxilium... 892
... CONCEDE nobis tuae propitiacionis effectum... 731
... CONCEDE nos et mente et corpore tibi semper (semper tibi) esse
    devotus. 889
... CONCIDE nos opere mentis et corporis semper tibi esse devotos. 2418

CONCEDE o. ds his salutaribus sacrificiis placatus...   457
CONCEDE, omnipotens ds, ut et gaudiorum plenitudinem consequamur...   458
CONCEDE, o. ds, ut paschalis perfectio...   484
et postulata CONCEDE omnipotens praestante.   852
... CONCEDE pastur obtime, gregem tuum...   1044
nobis quoque eo suffragante emundationem ac veniam CONCEDE peccati...
    3729, 4163
nostris, qs, veniam CONCEDE peccatis...   872
Animabus, qs, dne, famulorum... misericordiam CONCEDE perpetuam ut eis
    proficiat...   176
fidelibus tuis laetitiam CONCAEDE perpetuam ut quos perpetuae...   1030
Salva nos o. ds, et lucem nobis CONCEDE perpetuam.   3177
His (dne) sacrificiis (dne) (qs) CONCEDE placatus...   1779
CONCEDE plebi tuae aeius salvari presidio...   803
... CONCEDE plebi tuae petitionis effectum (affectum)...   902
et misericordiam tuam CONCEDE poscenti...   1588
et sanctorum Marci et Marcelliani tibi praecibus esse grata CONCIDE pro
    quorum...   3403
CONCEDE propitius circumstanti plebi ut...   971
et dignum tibi nos exhibere ministerium CONCEDE propitius et dignos per...
    1062
et salutiferos ymbres humano generi CONCIDE propicius quatenus fecundita-
    tis...   2320
Populi tui, ds, defensor et rector, CONCEDE propitius ut a delictis...
    2604
et CONCEDE propitius, ut a praesentibus periculis liberemur...   3401
... CONCEDE propitius, ut adiuvemur meritis...   1118
... CONCEDE propicius, ut amborum meritis aeternam trinitatis graciam
    consequamur.   786
... CONCEDE propitius ut contra adversa omnia... muniamur.   927
... CONCEDE propitius ut cuius natalicia colimus...   1042, 1098, 1102,
    1105, 1106
... CONCEDE propicius, ut de caeleste semper proteccione gaudeamus.   929
... CONCEDE propitius ut ea quae devote agimus...   1126
Dne ds noster, qs, CONCEDE propitius, ut aeclesia tua iugiter et religione
    crescat...   1305
... CONCEDE propitius, ut eiusdem dei genetrix...   2417
... CONCEDE propitius, ut et pacientiae eius habere documentum...   1019
... CONCIDE propicius, ut ex tua visitacione consolemur.   1187
... CONCEDE propitius, ut famula tua illa de percipienda sobole...   901
... CONCEDE propicius, ut famula tua in earum faeminarum...   1145
... CONCEDE propitius ut famulus tuus ill. quem populo tuo voluisti
    preferrri...   1207
et CONCEDE propitius, ut fidei ipsius sitis baptismatis...   2464
... CONCEDE propitius ut intercessione beati xysti...   928
aeclesiae tuae CONCEDE propitius ut mortiferis...   2336
... CONCEDE propitius ut nos famulos tuos...   1226
... CONCEDE propicius, ut omnes qui martyrii eius merita veneramur...
    784, 1077
... CONCEDE propitius ut per obsequium mandatorum tuorum...   963
... CONCIDE propicius, ut per temporalia festa quae agimus...   1129
... CONCEDE propitius, ut pie devotionis effectus...   2422
... CONCEDE propitius ut qui ad adorandam vivificam crucem adveniunt...
    1232
... CONCEDE propitius ut qui beatae agne... sollemnia colimus...   2414

... CONCEDE propitius, ut qui commemorationis eius festa percolimus...
909
... CONCEDE propitius ut qui eius beneficia poscimus...   1103
... CONCEDE propitius ut qui iam te ex fide cognovimus...   1004
... CONCEDE propitius ut qui peccatorum nostrorum pondere praemimur...
900
... CONCEDE propitius ut quibus tibi ministrantibus in caelo semper
adsistitur...   1068
et CONCEDE propicius, ut quidquid hic...   3447
... CONCEDE propitius ut quorum gaudemus meritis...   1101
... CONCEDE propitius ut quos aqua baptismatis abluis...   975
... CONCEDE propicius, ut sicut illa in iudaico populo praecursorem
domine...   794
CONCEDE, qs, dne, (beatos) apostolos tuos (apostolis tuis) intervenire
pro nobis...   459
CONCEDE, qs, dne ds noster, ut per tua semper sacramenta vivamus...   461
CONCEDE, qs, dne ds noster, ut qui ad destructionem diaboli...   462
CONCEDE qs dne fidelibus tuis digne... caelebrare misteria...   463
CONCEDE, qs, dne, morum nos correctione relevari...   464
CONCEDE, qs dne, plebem tuam innocentum...   465
CONCEDE qs dne populo tuo (populum tuum) veniam peccatorum...   466
CONCEDE, qs, dne, semper nos (per) haec mysteria paschalia gratulari...
467
CONCEDE, qs, dne, ut ad praeces tuas corda nostra flectamus...   468
CONCEDE qs dne ut oculis tuae maiestatis...   469
CONCEDE, qs, dne, ut percepti novi sacramenti mysterium et corpore
sentiamus et mente.   470
CONCEDE, qs, dne, ut sicut famulus tuus ille oblatis optavit muneribus...
471
CONCEDE qs o. ds ad eorum (nos) gaudia aeterna pertingere...   472
CONCEDE qs omnipotens ds, ad beatae Mariae...   472
CONCEDE qs o. ds et famulum tuum ill. vel illam...   473
CONCEDE, qs, (omnipotens ds) (dne) fragilitati nostre sufficientiam
conpetentem...   474
CONCEDE, qs, o. ds, hanc graciam plebi tuae...   475
CONCEDE qs o. ds sanctae martyrae...   451
CONCEDE qs omnipotens ds ut ad meliorem vitam...   476
CONCEDE, qs, o. ds, ut anima famuli tui illi... semper clara consistat...
477
CONCEDE, qs, omnipotens ds, ut ecclesia tua...   478
CONCEDE, qs, o. ds, ut famulum tuum ill...   479
CONCEDE qs o. ds ut festa paschalia quae venerando colimus...   480
CONCEDE qs o. ds, ut huius sacrificii...   481
CONCEDE qs o. ds, ut intercessio nos sanctae dei genetricis mariae...
letificet...   482
CONCEDE qs o. ds ut magnae festivitatis ventura sollemnia...   483
CONCEDE, qs, omnipotens ds, ut paschalis percepcio (perfeccio) sacramenti
...   484
CONCEDE qs o. ds, ut qui beati iohannis...   485
CONCEDE qs o. ds ut qui ex merito nostrae actionis affligimur...   486
CONCEDE qs o. ds ut qui festa paschalia agimus...   487
CONCEDE qs o. ds, ut qui festa paschalia venerando...   488
CONCEDE qs o. ds, ut qui hodierna die unigenitum tuum...   489
CONCEDE qs o. ds ut qui paschalis festivitatis sollemnia colimus...   490
CONCEDE qs o. ds ut qui peccatorum nostrorum pondere praemimur...   491

CONCEDE qs o. ds, ut qui resurrectionis dominicae sollemnia colimus...
493
CONCEDE qs o. ds, ut qui sollemnitatem dono spiritus sancti colimus...
494
CONCEDE, qs, o. ds, ut qui (quia) sub peccati iugo ex debito depraemimur
... 495
CONCEDE qs omnipotens ds ut quos sub peccati iugo vetusta...   497
CONCEDE, qs, omnipotens ds, ut sanctorum (martyrum) tuorum... participemur
et praemiis.   498
CONCEDE, qs, omnipotens ds, ut sicut apostolorum tuorum...   499
CONCEDE, qs, omnipotens ds, ut unigeniti tui nova per carnem nativitas
liberet...   500
CONCEDE qs omnipotens ds ut veterem cum suis rationibus...   501
CONCEDE, qs, omnipotens ds, ut viam tuam devota mente currentes...   502
... CONCEDE qs ut a cunctis adversitatibus liberatus...   2309
... CONCEDE qs ut corda nostra ita pietatis tuae valeant exercere
mandata...   3984
... CONCEDE, qs, ut hodierna gloria passionis.   1992
... CONCEDE, qs, ut nos famulos tuos non exurat flamma viciorum.   1226
... CONCEDE, qs, ut qui nos inpetere moliuntur...   1236
... CONCEDE, qs, ut quod ille iugi ieiuniorum continuatione conplevit...
1116
... CONCEDE, qs, ut quod te iubente desiderat, te largiente percipiat.
3380
... CONCEDE, qs, ut quorum nunc regenerationis sacrae diem caelebramus
octavum...   1192
... CONCEDE, qs, ut tuo potius munere tuis aptemur remediis.   1208
... Et ut ipse tibi hostia et sacrificium esse merear miseratus CONCEDE
quo per ministerii...   1220
sequentis ordinis viros esse CONCEDE, quod dignitatis aelegeris.   2549
... CONCEDE remediis gaudere perpetuis.   1310
et festivitatem martyrum tuorum... debita tibi persolvi praecibus
CONCEDE sanctorum.   2928
Proficere tuorum (valere) praecibus CONCEDE sanctorum.   2190, 3342
subsidium nobis tuorum CONCEDE sanctorum.   1466
eiusque planctum in gaudium tua miseracione CONCEDE scinde delictorum...
2055
... CONCEDE solem iusticiae permanere in cordibus nostris...   3561
Tanto nos, dne, qs, promptiore servitio (haec) (huius sacrificia)
praecurrere CONCEDE sollemnia...   3456
sanctorum tuorum (nobis) CONCEDE suffragiis...   192, 3068
et tranquillitatem pacis praesentibus CONCEDE temporibus ut in laudibus.
765
et pacem tuam nostris CONCEDE temporibus.   781, 2379
tu aei den profectum ettatis sensum sapientiae CONCEDE ut ad tui nominis
...   321
exaudi nos propitius et CONCEDE ut amborum...   785
... CONCEDE, ut corda nostra ita pietates tuae valeant exercere mandata...
1139
et tua nobis inspiratione CONCEDE ut et delictis...   401
et CONCEDE, ut et mortuis prosit ad veniam...   1763
et tua pietate CONCEDE, ut et nobis proficiat...   1757
exaudi nos propicius, et CONCEDE, ut famuli...   1202
... CONCEDE, ut intercessionis eius auxilio...   907
et exoratus nostra obsecratione CONCEDE ut maiestatis tuae...   1713

et CONCEDE, ut medellam tuam non solum in corpore sed etiam in anima
   sentiat. 1015, 1020
et tua pietate CONCEDE, ut mortalitatis noxibus... 1762
et tua dignatione CONCEDE, ut mortis vinculis... 1756
et CONCEDE ut mortuis prosit ad veniam... 1649
nobis pia miseracione CONCEDE ut obtineamus... 3282
... CONCEDE ut omnes qui ad apostolorum tuorum sollemnia convenerunt...
   970
et CONCEDE, ut per haec veneranda misteria pane caelesti refeci mereamur.
   1387
... CONCEDE ut pudiciciae fructum, ut antiquarum non meminiat volumptatum
   ... 529
ab omni culpa liberos esse CONCAEDE, ut purificante... 2869
propitiusque CONCEDE, ut quae nobis poscimus... 2026
et famulum tuum ill. ab omni culpa liberum esse CONCEDE, ut qui. 2943
et famulum tuum ill. ab omni culpa liberum esse CONCEDE ut quia
   conscientiae... 2943
et famulos tuos ill. ab omni culpa liberos esse CONCEDE, ut quos
   conscientia... 2943
fidelibus tuis perpetuam laetitiam CONCEDE ut quos perpetuae... 1030
... CONCIDE, ut semper in mentibus nostris tuae appareta stella
   iustitiae... 2462
... CONCIDE, ut vitalis ligni praecio aeternae vitae suffragia consequamus
   (consequamur). 1035
ipsorum primitus bonas esse CONCEDE (effice) voluntates. 3050
a noxiis quoque viciis cessare CONCEDE. 2612, 2895, 2896
et misericordiae tuae in nobis dona CONCEDE. 779
et continentiae salutaris propicius nobis dona CONCEDE. 1497
et tuae pietatis in nobis propitius dona CONCEDE. 118
et salutaris tui dona CONCEDE. 2527
ab omni culpa (peccato) liberos esse CONCEDE. 1885, 2104, 3424
Haec munera... salutaria nobis esse CONCEDE. 1697
et eorum tibi placita meritis propitius esse CONCEDE. 3441
et praesentis vota ieiunii placita tibi devocione exhibere CONCEDE. 104
tuis adesse fidelibus CONCEDE. 2061
plebemque commissam te in omnibus protegente gubernare CONCEDE. 1089
pro quorum deferuntur honore CONCEDE. 1936
et ut tibi nostra sint grata servitia, gratiae tuae largitate CONCEDE.
   1630
interius adsequi gratiae tuae lucem (luce) CONCEDE. 1416
aeisque planctum in gaudium tuae miseratione CONCEDE. 2055
ad (nostre) (te dne) salutis auxilium pervenire CONCEDE. 36
ad summa bona pervenire CONCEDE. 3540
et potius postulata CONCEDE. 1605
ad nostrae salutis auxilium provenire CONCEDE. 36
dignus (dignum) fieri sempiterna redempcione CONCEDE. 3026
et continuis tribulationibus laborantem pro pitius respirare CONCEDE.
   2095
et remedia sempiterna CONCEDE. 270, 3238
Redemptor noster aspice ds, et tibi nos iugiter servire CONCEDE. 3039
et lucis (ei) laeticiaeque in regione (regionem) sanctorum tuorum
   societate CONCIDE. 791
et saluti credentium perpetua sanctificatione sumenda CONCAEDE. 3088
et pro CONCEDENDIS suppliciter depraecantes (depraecamus). 2224
VD. Qui ex invisibili potentia omnia invisibiliter mirabiliter CONCEDENS,
   omne... 3918

tua miseratione CONCEDENS ut sicut nobis...   216
Spiritum sapientiae et intelligentiae, discriptionisque eis CONCEDERE
    digneris.   3531
et amissa purgare, et ea quae sunt agenda CONCEDERE emitte...   138
aeiusdem gratiam participationes nobis poscentibus iubeas CONCEDERE.
    3479
ut dum postulata CONCEDES, confidentius facias speranda deposci...   3903
qui nos annua beati Iohannis baptistae sollemnia frequentare CONCEDES
    praesta qs ut...   4238
et qui deviis etiam desiderata CONCEDES prestis meliora...   452
et quod nostrae devotioni CONCEDIS effici temporalis...   3443
tu ea quae retro sunt oblivisci CONCEDIS et ad priora...   3894
sacerdotii dignitatem CONCEDIS indignis...   3893
Ds qui nos beati (iohannis baptistae) (saturnini) CONCEDIS natalicia
    perfrui...   1104
Ds qui bonis (nobis) nati salvatoris diem celebrare CONCEDIS octavum...
    917
O. s. ds, qui in terrena substantia constitutos divina tractare CONCEDIS
    presta deprecantibus...   2412
Ds qui nos annua beati iohannis baptistae sollemnia frequentare CONCEDIS
    presta qs ut et devotis...   1099
sed ut miseris uberiora dona CONCEDIS qui dignae...   3958
Ds qui nos CONCEDIS sanctorum martyrum tuorum... natalicia colere...
    1108
Ds, qui nobis... Petri et Pauli natalicia gloriosa praeire CONCEDIS
    tribue qs eorum...   1082
quos in honore tuo perseverari CONCEDIS.   602
et fiducialius sperare CONCEDES.   2573
Deus qui vos beati iohannis baptistae CONCEDIT solemnia frequentare...
    1242
ut pax tua pietate CONCESSA christianorum...   938
ut nos... quiete temporum CONCESSA in his paschalibus gaudiis conservare
    digneris.   3791
ut ad aeius nativitatem pacem (pace) CONCESSA liberioribus...   2380
Ut per CONCESSA miserationis indulgentiam...   3082
ut pax a tua pietate CONCESSA romanos fines...   936
et sacris sollemnitatibus famuletur CONCESSA securitas (tranquillitas).
    4192
sed CONCESSA sibi delictorum omnium venia...   746
ut CONCESSA venia (veniam) plenae indulgenciae...   2581, 2583, 2584
ut CONCESSA venia quam precamur...   2863
et locum penitenciae hac flumina lacrimarum CONCESSA veniam...   856
ad veritatem tuam CONCESSAE nobis divinitus viae tramite dirigamur.   2965
quos talibus auxiliis CONCESSERIS adiuvari.   285
quibus CONCESSERIS religionis aumentum.   85
quia refovere curabis, quos in honore tuo perseverare CONCESSERIS.   602
et pro CONCESSIS beneficiis exhibentes gracias (gratias referentes)...
    2224
ut famulo tuo ill. cui CONCESSISTI regendi populi curam...   3913
qui beatae virgini ill. CONCESSIT et decorem virginitatis...   341
illum gignere meruit, qui cuncta nasci suo nutu CONCESSIT quae mirabatur
    ...   4032
eam formam eis (aeis formam) orationis CONCESSIT quam etiam lectione...
    1373
sed fidelibus suis etiam haec dona CONCESSIT ut eius fierent...   3963

Et qui eis CONCESSIT ut unicum filium eius... non loquendo sed moriendo
   confiterentur...   2252
que cuncta suo nasci nuto CONCESSIT.   3635
et in resurrectione unigeniti sui spem vobis resurgendi CONCESSIT. Amen.
   362
... Divino ei iure CONCESSO, ut quae statuisset in terris, servaretur in
   caelis...   3728
VD. Cuius providentia donisque CONCESSUM est...   3666a
quem ad salutem populi nobis cognovimus fuisse CONCESSUM.   924

          CONCELEBRO
beata syrafin sotia exultatione CONCAELEBRANT cum quibus et nostras...
   2556, 3589
et festivitatem dudum muneris immolati annua festivitate CONCELEBRANT
   quo pro eius...   4124
et quas in honorem sanctorum tuorum devota CONCELEBRAT proficere...   1811
et secura CONCELEBRET, et tota semper mente sectetur.   3486

          CONCEPTIO
mox puelle credentis in hutero fidelis verbi mansit aspirata CONCEPTIO...
   et illa...   3635

          CONCEPTUS
in eius CONCEPTU non solum sterilitatem amisit, fecunditatem adquisivit...
   3755

          CONCILIO
et gaudia superna CONCILIAS...   2149
et indulgentiae tuae nobis dona CONCILIENT et de adversis...   3139
... Fac, qs, ut et indulgentiam tuam nobis CONCILIENT et favorem.   42
et tuorum vota fidelium munera suppliciter oblata CONCILIENT quod
   etiamsi...   214
et tuae nobis misericordiae dona CONCILIENT.   1696
et gaudia sempiterna CONCILIENT.   1473
Oblationes populi tui... passio beata CONCILIET et quae nostris...   2206
Sacrificium nostrum tibi dne qs... precacio sancta (intercessio beata)
   CONCILIET ut cuius honore...   3160
Intercessio sancti Clementis... (nicomedis) misericordiae tuae, dne,
   munera nostra CONCILIET ut quod merita...   1948, 1949
oratio, quae et munera nostra CONCILIET et tuam nobis...   274, 3249
et (sanctorum) tibi vota CONCILIET famulorum.   1618
ut fides eorum haec dona tibi CONCILIET humilitas oblata...   2420
CONCILIET nobis misericordiam tuam, dne, munus oblatum...   503
Sancti ill. martyris tui dne nos oratio sancta CONCILIET que sacris...
   3197
beati apostoli tui iacobi passio beati CONCILIET ut que nostris...   2206
Maiestati tuae nos, dne, martyrum supplicatio beata CONCILIET ut qui
   incessabiliter...   2057
et misericordiae tuae intercessio beata CONCILIET.   3202
tanto nobis tua magis dona CONCILIET.   3591
et tuae nobis misericordiae dona CONCILIET.   1692, 1798
et nobis graciae tuae dona CONCILIET.   3203

          CONCILIUM
ut palam CONCILIA vinceret Iudaeorum...   4193

          CONCINO
voce CONCINAT, corde teneat, et vota requirat.   431
corde teneat, voce CONCINAT, et voto requirat.   950

angelicae potestates ymnum gloriae tuae CONCINNENT.   3876
... Vox haec populi tui fideliter CONCINENTES.   4050
summique trinitate CONCINNUNT alleluia...   3736
... Sed et supernae virtutes atque angelicae CONCINUNT potestates...
4149
ymnum gloriae tuae CONCINNUNT sine fine dicentes.   3876
qui gloriam tuam CONCINNUNT sine fine dicentes.   3612, 4039

          CONCIO
extra mundum mox CONCITUS et constrictus petas.   1888

          CONCIPIO
hodie unigenitum tuum virgo sacra CONCAEPIT et caeli...   4062
... Quae et unigenitum tuum sancti spiritus obumbratione CONCEPIT et
virginitatis...   3725
miratur quod virgo CONCAEPIT laetatur...   4062
Laetatur quod virgo CONCEPIT quod caeli...   3974, 3989
virgo maria spiritus sancti cooperatione CONCEPIT ut quod angelica...
3870
... Sicut sancta CONCEPIT virgo maria, virgo peperit, et virgo
permansit.   3791
ut sanctificatione CONCEPTA ab immaculato divini fontis utero...   1045,
1047
ur desideria de tua inspiratione CONCEPTA nulla possint temptacionum
mutari.   960
fidem... de sancti Laurenti martyris festivitate CONCEPTAM...   232
sed ore legentes CONCEPTI faetus reddunt examina...   861
dc beatorum martyrum illor. gloria manifestatione CONCEPTIS benignus
aspira...   2271
Unde iam vobis CONCEPTIS prignans (prignas) gloriatur (gloriaetur)
ecclesia...   1953
ut spiritus tui fervore CONCEPTO et in fide...   846
... CONCEPTOS per fidem denuo felicius peperit martyres ad coronam.   4091
ut qui CONCEPTUM de virgine deum verum et hominem confitemur...   1887
et CONCEPTUM Rebeccae donare dignatus es...   990
qui te (et) genetricis sterelitatem CONCEPTUS abstersit (abstulit)...
3772
dominum nostrum, qui CONCEPTUS est de spiritu sancto...   551
... Quae mirabatur et corporis integritatem, et CONCEPTUS fecunditatem...
4032
mater beata CONCEPTUS fide dinuo felicius peperit martyres.   4092
ab angelo nuntiatus, a virgine CONCEPTUS in fine...   3871
ut (iam tunc) (ut) virtutem sanctificationis aquarum natura CONCIPERET
deus qui...   1045, 1047
et ut sacrae purificationis effectum (affectus) aquarum natura CONCEPERET
(CONCIPERET) sanctificandis...   3688, 3772
et (ad) CONCIPIENDAM subolem misericorditer benedicas.   3297, 3407
pro mundi salutem secundum carnem spiritu sancto CONCIPIENDO.   2380
secundum carnem spiritu sancto CONCIPIENDUM.   2380
ablata spe CONCIPIENTE in senectute...   3918
qui filium mariae fide CONCIPIENTE praedixit.   805, 945
... Quos exemplo dominicae matris sine corruptione sancta mater ecclesia
CONCIPIT.   4160
fidem, quam credentes iustificandi estis, toto corde CONCIPITE.   1287

          CONCITO
perenni gaudio et sanctorum consorcio perfrui CONCITATUS.

CONCLAMO
sed etiam tuis laudibus CONCLAMANTES liberasti...   884

CONCLUDO
neque ab hisdem in hergastulo CONCLUDATUR atrio...   3392
non potentibus subiaceret, sed eos potius salubri rete CONCLUDERET...
   4055
qui multitudinem indulgentiarum tuarum nulla temporum lege CONCLUDERIS,
   sed pulsantis...   858
qui omnem creaturam intrinsecus ambiendo CONCLUDIS sanctifica...   3332
qui indulgentiam tuam nullam temporum lege CONCLUDIS sed pulsantis...
   858
quod tanta brevitate CONCLUDITUR.   1197
Ds, cuius regnum nulla saecula praevenerunt nulla CONCLAUDUNT.   798

CONCORDIA
in civitate CONCORDIA, in campo custodia...   903
quia per haec turbatur tranquilla CONCORDIA iniustititiam...   3934
ut quicumque ex aeo sapone lotus fuaerit, sit in aeo sanitas et CONCORDIA
   mansuitudo...   298
VD. Qui foedera (foedere) nupciarum blando CONCORDIAE iugo... nexuisti...
   3925, 3926
fugat odia, CONCORDIAM parat, et curvat imperia...   3791
Concede CONCORDIAM quam inspirantem patriarchis...   924
Ds, qui prudentem sinceramque CONCORDIAM tuorum cordibus inesse voluisti
   ...   1189
da servis tuis veram cum tua voluntate CONCORDIAM ut ab omnibus...   851

CONCORDO
... CONCORDET illorum vita cum nomine...   1195
et pura sibi voluntate CONCORDET.   972

CONCORS
VD. Qui fidelis tuos mutua facis lege CONCORDIS, pacem tuam...   3924
adque hos omnes CONCORDES, quietus, patificus...   311
VD. Qui fideles tuos mutua faciens lege CONCORDES veram pacem...   3923
te largiente possimus esse CONCORDES.   1231
una (in tua) facias pietate CONCORDES.   3308
et in tua nobis (nos) efficiamus (efficiamur) praece (pace) CONCORDES.
   1161

CONCRESCO
hoc in aeorum corda CONCRISCAT que (quod) tibi (in) divino iuditio placeat
   ...   296, 297
qui cor credum (= CONCRETUM) peccatis originalibus mundum adventum sui
   nitore purificavit...   841
seraque in (supprema) parentum aetate CONCRETUS et editus...   3754

CONCULCO
qui CONCULCAT leonem et draconem...   141
ut respici ad populum suum CONCULCATUM et edolente...   3035
qui CONCULCAVIT leonem et draconem...   1354, 1355
Non CUNCULCET botrus tuos astutia sua...   4233

CONCUPISCENTIA
initium peccati CONCUPISCENTIA ministrarat...   3996
sine humana CONCUPISCENTIA procreatum (per creatum)...   1150
Incede cor meum dne CONCUPISCENTIAE meae flamma...   1895

CONCUPISCO

et caelestis praemii gloriam CONCUPISCANT.   376
... CONCUPISCERENT sacramentum, (sacramento, sacramenta) nec imitarentur
   quod nuptiis agitur...   758, 759
episcopatum qui desiderat, bonum opus CONCUPISCIT.   4171
... Nec escarum saecularium epulas CONCUPIVIT...   3880

CONCURRO

CONCURRAT, dne, qs, populus tuus et toto...   504
cunctam familiam tuam ad aulae huius suffragia CONCURRENTEM benignus
   exaudi...   1733, 1777
Fac, qs, dne, famulos tuos (famulus tuus) toto semper ad te corde
   (corda) CONCURRERE tibi subdita...   1583
Gratanter (dne) ad munera dicanda CONCURRIMUS quae nomini tuo...   1655
Exultantes, dne, cum muneribus ad altaria veneranda CONCURRIMUS quia et
   omnium...   1561
Ad offerenda munera, dne, laeti CONCURRIMUS supplices implorantes...   51
ut ab hoc famulo dei illo qui ad aecclesiae praesepia CONCURRIT cum
   exercito...   142
ut ab hunc famulum (hoc famulo) dei, qui ad aecclaesiae presepia
   CONCURRIT, cum metu...   1354, 1355
quibus et aeclesiae totius observantiae devota CONCURRIT et ipsius...
   4028
ut quia ad te placandum necessitate CONCURRIT maiestati tuae...   647

CONCUTIO

CONCUCIAT corda aeorum flagor ille tonitrui...   166
ut eius auxilio protectus nulla mali CONCUCIATUR formidine...   897
ut nullis (nulli) nos permittas perturbationibus CONCUTI quos in
   apostolicae...   2767
Ds qui credentes in te populus nullis sinis CONCUTI terroribus...   938

CONDEMNATIO

ut tanti mysterii munus indultum non CONDEMNATIO sed sit medicina
   sumentibus.   663
ut sicut in CONDEMPNATIONE filii tui salus omnium perfidorum...   2798
ut tanti misterii munus indultum, non CONDEMPNATIONUM, sed sit medicina...
   663

CONDEMNO

Et ne me infirmissimum CONDEMNANDUM putes...   1437
et pro sceleratis indebite CONDEMNARI...   3950
Ds, qui iustitiam diligis et iniusta CONDEMNAS da nobis qs...   1054
non eos ad interitum CONDEMNAS, sed ut corrigantur miseratus exspectas.
   3952
munus, quod sicut duplici sumentes corde CONDEMNAT...   2232
Sit, sit ab omne victus deo, CONDEMPNATUS, (et) reus...   1547
ne pro nostra nos iniquitate CONDEMPNES.   3750, 4216

CONDIGNUS

quos dignitatis tuae similitudinis CONDIGNUS facere dignatur...   3792

CONDERIGO = ERIGO

... CONDERIGAS miseros ad te de luto fecis clamantes...   4217

CONDIO

ut hii hanc humanis usibus admixta CONDERIT...   3191
... Et sicut nihil in vera religione manere dinoscitur quod non eius
   CONDIERIT disciplina...   3703

CONDITIO
ut necessariis, quibus indiget humana CONDICIO, conpetenter adiuti...
706
cum humana CONDICIO de ipsius humanae condicionis confecta medicatione
sanatur... 4093
VD. Qui, ut ad id quod facta est, repararetur humana CONDICIO in uno...
4033
ut sine quibus (non alitur) (habetur) humana CONDICIO nostris facias...
1057
quamvis (aenim) (mortis) humani generis (humano generi) inlata CONDITIO
pectora nostra (humana) (mentesque) conteistet... 3862, 3915, 3916,
4099
O. et m. ds, in cuius omnis humana CONDICIO potestate consistit... 2272
qui primi hominis peccato et corruptioni addicta est humana CONDICIO sub
cuius lege... 201
quibus terrena CONDICIO vegitata subsistat (appetamus). 713, 714
... Quoniam (quo) humana CONDITIO vetere terrenaque lege cessante...
3714, 3814
(ut quae) (atque) sua CONDITIONE atteritur tua clementia reparetur. 2100
quam etsi pro CONDICIONE carnis migrasse cognoscimus... 3318
ut quae sui CONDICIONE defecit, tua vegetatione reparetur. 2101
et quae in sua est CONDICIONE fragilior... 3788
etiam in fragili perfecisti CONDICIONE martyrium... 376
si etiam terrena CONDICIONE mitigata, mens ab iniquitatibus non quiescit
... 4072
ut quod exequi praeventus CONDICIONE mortali ministerio linguae non
potuit... 1741, 1745
et obstrictos adhuc CONDICIONE mortalium... 758, 759
viri CONDICIONE nunc in Christo reparante victoriam... 4125
quae a CONDITIONE sui tuis subiecta servitiis probabilis extitit... 3809
cum sublimis illa substantia... feminea CONDICIONE superatur... 4103
Sumptis sacreficii dne perpetua nos tui CONDITIONEM relinquat... 3343
per femineam CONDICIONEM retorques iure vindictam... 4034
quibus terrena CONDICTIONEM vegitate subsistat. 1285
Peccata nostra dne qs memor humanae CONDITIONIS absolve... 2548, 2549
cum humana condicio de ipsius humanae CONDICIONIS confecta medicatione
sanatur... 4093
quod et nos a vitiis nostrae CONDICIONIS emundet... 3161
contra nostrae CONDICIONIS errorem (errore) et contra diabolicas armemur
insidias. 2168
... Et quantum de humanae CONDICIONIS excessibus formidamus... 3670
priusquam vitam humanae CONDICIONIS auriret... 3774
et in exilio damnatae CONDICIONIS humanae a mortali fragilitate... 4079
Ds, qui creationem CONDICIONIS humanae diabolicis non es passus perire
nequitiis... 933
ut inter CONDICIONIS humanae et diabolicae fraudis incursus... 3178
Da nobis, omnipotens ds, remedia CONDICIONIS humanae et sencero... 603
Ds, qui restaurationem CONDICIONIS humanae mirabilius operaris... 1196
ut dignitas CONDICIONIS humanae per inmoderantiam sauciata (satiata,
satiaetas)... 2754
et renovationem (renovatione) CONDICTIONIS humane quam misterio continit
... 1284
ut status CONDICTIONIS humane qui per felicitatis... venit ad tristitiam
... 3767, 4088
ut CONDICIONIS humanae respiciens facultatem... 3623

Exultatione nostrae CONDICIONIS humanae substantiae respice... 1556
Memento, dne, qs, CONDICIONIS humanae ut sancti... 2071
qui fragilitatem CONDITIONIS nostrae infusa virtutis tuae dignatione
   confirmas... 1361
Da, nostrae (nobis) summe CONDITIONIS reparator, ut semper... 630

       CONDITOR
summe rerum omnium CONDITOR, hac patriae... 3466
Ds, mundi CONDITOR, auctor luminis, siderum fabricator... 861
Ds totius CONDITOR creaturae famulos tuos... 1255
O. s. ds, tocius CONDITOR creaturae praeces nostras... 2476
Ds, qui universorum creator et CONDITOR es... 1234
Ds CONDITOR et defensor generis humani... 764
Benedicat vos dominus caelorum rector et CONDITOR, et det vobis... 354
Ds humani generis benignissime CONDITOR et misericordissime formator
   (reformator)... 822, 823
Fidelium, ds, (animarum) (omnium) CONDITOR et redemptor... 1628, 1629
Ds humani generis CONDITOR et redemptor deus qui facturam... 824, 825
Omnipotens sempiterne ds, animarum CONDITOR et redemptor qui propter...
   2305
Ds inenarrabiles auctor mundi, CONDITUR generis humani gubernatur... 842
VD. Sanctificator et CONDITOR generis humani qui filio tuo... 4129
sicut humani generis es CONDITOR, ita benignissimus reformator. 3991
tu es sanctae omnium CONDITUR luminum... 1304
Ds, CONDITOR mundi, sub cuius arbitrio omnium saeculorum ordo decurrit...
   765
Pater, mundi CONDITOR, nascentium genitor... 2541, 2542
ds, instaurator et CONDITOR omnium haelimentorum... 1351, 1352
Ds CONDITUR pacis et fons luminis exaudi... 766
Ds universorum creator et CONDITOR, qui cum sis... 1234
Omnipotens rerum CONDITUR, qui dignatus es... 2298
Ds rerum omnium rector et CONDITUR, qui omnia... 1248
Ds, qui (in) humani generis ita es CONDITOR, ut sis eciam reformator...
   1017
Ds patrum nostrorum, ds universae CONDITOR veritatis... 875
Terrore omnium CONDITOREM deum in cuius manu regum corda consistunt...
   3473
aeiusdemque CONDITOREM omnia desideria cordis conplacita tibi... 1733
conditi laudare non sufficiunt CONDITOREM. 4143
atque famulis tuis (famulus tuus) CONDITORIBUS mercedem... inpendas.
   1744
ita ad aures vestri CONDITORIS ascendat... 18
qui, etsi inlustrentur visionem CONDITORIS, conditi... 4143
eiusdem CONDITORUM omnia desideria cordis conplacita tibi pius adimple...
   1777

       CONDO
cui facile est ex nihilo totum CONDERE quod nec humanus... 770
Ds qui de terra virgine adam pridem CONDERAE voluisti... 950
ut qui (quid) haec in honorem tui nominis CONDIDERUNT protectorem...
   885, 1201
maxima quaeque sacramenta in aquarum substancia (substantiam) CONDEDISTI
   adesto invocationibus... 896
quantum aeum ad imaginem tuae similitudinis bonitatem ineffabilem
   CONDEDISTI, cui etiam... 3918

in eam indulgentiam hominum, ut etiam illum ab impietatibus redemeris,
   CONDEDISTI da servis tuis...   943
Ds, qui (in) humanae substantiae dignitate (dignitatem) mirabiliter
   CONDEDISTI et mirabilius...   1010, 1011, 1032
in prophetis praeparasti, in apostolis CONDIDISTI ex quibus beatum...
   3728
(..) substantia dignitatem et mirabiliter CONDEDISTI qui...   1011
mirabilius operaris, quam substantiam CONDEDISTI tribue qs...   1196
creaturis, quas ad fragilitatis nostrae praesidium (subsidium) CONDEDISTI
   tuo quoque...   1306
ideo inseparabilem mulieris adiutorium CONDIDISTI ut femineo...   1171
furma lapidiae metallum ad obsequium tui sacrificii CONDEDISTI ut legis...
   871
O. s. ds qui sic hominem CONDEDISTI ut meliorem...   2454
O. s. ds, qui sic hominem CONDEDISTI, ut temporalibus caelestia dona
   provehis...   2454
tu causas humanae salutis et gloriae, quibus tibi gratae sunt, CONDEDISTI.
   35
tali eloquio talique brevitate salutiferam CONDIDIT fidem...   1287
VD. Cuius bonitas hominem CONDIDIT, iustitia damnavit, misericordia
   redemit...   3636
Ds qui de vivis et electis lapidibus aeternum maiestati tuae CONDIS
   habitaculum auxiliare...   951
Ds, qui ex omni coaptacione sanctorum (aeternum) tibi CONDIS habitaculum
   de aedificatione...   985
ut natura humana ad similitudinem tui CONDITA dissimilis...   4032
... Hic natura ad imaginem tuam CONDITA et ad honorem sui reformata...
   720, 1045
Ds qui hominem ad imaginem tuam CONDITAM in id reparas...   1007
has aquas ex nihilo CONDITAS in huius materia furma visibilis prebuisti...
   1365
... CONDITI laudare non sufficiunt conditorem.   4143
cuius et sapientia CONDITI sumus et providentia gubernamur.   2089
VD. Cuius est operis quod CONDITI sumus, muneris quod vivimus...   3640
VD. Ut, qui te auctore sumus CONDITI, te reparante salvemur...   4211
ut in homine CONDITO ubi requiesceris tibi domicilium consecraris.   1162
Ds, qui ad imaginem tuam CONDITOS ideo das temporalia, ut largiaris
   aeterna...   894
et per apostolum inquid : Cor vestrum sale sit CONDITUM ideoque...   1545,
   1547
Ds, qui hominem ad imaginem tuam CONDITUM in id reparas quod creasti...
   1007
ut qui te factore (est) CONDITUS te est reparatus...   103, 370
ut aeorum sermo in timore tuo ignitus (adque) (et) sale CONDITUS,
   utilitatem (utilitate)...   2282

CONDONO
et peccatis nostris veniam CONDONARET.   3785
et post flagella veniam propitiatus CONDONAS...   3952
ut piis sectando quae tua sunt universa nobis salutaris CONDONENTUR.
   1112
opus perficias, vota CONDONIS.   3662
ei in futura vita eius (aei) retribucio CONDONETUR.   2886

CONFERO
validumque CONFER, piaetatem aeleva...   3082

temporalem (praesentis) (et praesentem) nobis misericordiam CONFERANT et
   aeternam.   2022
simulque nobis temporalem (temporale) remedium CONFERANT et aeternum.
   3528
et praesentis vitae nobis remedia CONFERANT et futurae.   3212
et devotionis gratiam nobis CONFERANT et salutem.   3371
ut (et) indulgentiam nobis pariter CONFERANT et salutem.   1829
... Presta, qs, ut nobis et veniam CONFERANT et salutem.   2227
ut interius nobis exteriusque CONFERANT haec mysteria sanitatem...   2961
et vitae (vita) nobis CONFERANT praesentis auxilium...   1473
et nobis CONFERANT tuae propitiationis auxilium.   2819
ut opem nobis et praesentis vitae CONFERAS et futurae.   949
huic loco sancti spiritus novitatem (et ecclesiam) aecclesiae CONFERAS
   veritatem.   886
et vobis suae misericordiae CONFERAT donum.   169
et praesentis nobis vitae subsidia CONFERAT et aeternae vitae...   2789
et praesentis (praesentem) nobis misericordiam CONFERAT et aeternam.
   2022
et praesentis nobis vitae remedia CONFERAT et praemia aeterna concedat.
   2760
Tui nobis, dne, communio sacramenti et purificationem (purificatione)
   CONFERAT et tribuat unitatem.   3550
perpetuaque vite CONFERAT gaudium angelorum.   3485
tua CONFERAT largitas invicta donorum.   102
perpetuae nobis redemptionis CONFERAT medicinam.   2733
CONFERAT nobis, dne, sancti Iohannis utrumque (utroque) solemnitas, ut...
   505
Sancti Felicis, dne, confessio recensita CONFERAT nobis pie devocionis
   augmentum...   3195
suae vobis CONFERAT praemia benedictionis.   1157
et vitae nobis CONFERAT praesentis auxilium...   1473
salutem CONFERAT, quiaetem nutriat...   340, 356
His nobis, dne, misteriis CONFERAT, quo terrena...   1781
sic nobis haec terrena substantia CONFERAT quod divinum est.   2130
ut his sacris altaribus vitales escas perpetua vita CONFERAT renatorum.
   3596
Benedictionem, dne, nobis CONFERAT salutare (salutarem) sacra semper
   oblatio...   371
et temporales nobis tranquillitatem tribuat et vitam CONFERAT sempiternam.
   2762
ut eorum nobis indulta refectio vitam CONFERAT sempiternam.   1132
quod ad honorem tuae maiestatis offerimus, perpetuam nobis CONFERAT vitam.
   28
His nobis, dne, misteriis CONFERATUR quo terrena...   1781
ut tua nobis misericordia CONFERATUR, quod nostrorum non habet fiducia
   meritorum.   4239
et largitatis hodiernae (hodierna) conpensacio istius (isti) perpetua
   CONFERATUR recipiatque...   1008
cum hoc ipso magnum beneficium talibus CONFERATUR ut mali esse...   3981
ut et collata nobis remedia tuearis, et CONFERENDA perficias.   2153
et ad remissionem peccatorum mortalibus CONFERENDAM huic iure...   3774
sed ad maiorem gloriam CONFERENDAM mutuas mortes...   3901
ut ad tuam misericordiam CONFERENDAM perpetuam diganter eius vota
   perficias.   2844
ne conlatis ingrati beneficiis CONFERENDIS provemur indigni...   4132

Dne ds o., qui largitate tua inmensa nobis CONFERIS beneficia...   1315
nobis indignis sacerdotalem CONFERIS dignitatem...   3894
offerimus pro eo quod (in) ipso (ipsum) potestatem imperii CONFERRE
   dignatus es...   1713
hoc ille ut possimus nobis (possumus propitius nobis) CONFERRE dignetur
   Iesus Christus dominus noster.   1789
quanta toto tibi corde suiectis CONFERRE possis, ostendis...   3883
et praesentis, qs, vitae pariter et aeternae tribue (tribuas) CONFERRE
   praesidium.   4251
qui suscipiendo quod nostrum est, dignatus est nobis CONFERRE quod suum
   est.   3677
et praesentis qs vitae pariter et aeternae tribue CONFERRE subsidium.
   4251
ut correctis actibus suis CONFERRE tibi ad te sempiterni gaudia
   caelebretur.   1308
Et qui illis voluit centesimi fructus donum... et agone martyrii
   CONFERRE vos dignetur...   2264
quae bene meritis dona CONFERRENT, qui tuentur etiam peccatores.   4002
ut ei CONFERRES et virginitatis coronam, et martyrii palmam...   3716
quae bene meritis dona CONFERRET, qui tuentur...   4002
VD. Tua nobis enim munera CONFERRI posse confidimus abundantiam devotionis
   et pacis...   3038
... CONFERRI sibi ad te (ante, a te) sempiterna gaudia caelebretur
   (gratuletur).   429
per cuius gratiam vobis CONFERTUR, ut filii dei sitis...   1706
Suscipe, qs, dne, munera, quae de tuis offerimus COLLATA beneficiis...
   3443
sed ut munera CONLATA custodiant...   286
ut in eis et CONLATA custodias...   1735
nec tantis mysteriis COLLATA dona sentimus...   401
longius aenim a te iam CONLATA fidei negatione...   2297
et depraecatio COLLATA iustorum.   2919
in sanctis nobis COLLATA martyribus salutaris tui subsidia praedicantes.
   1808
VD. Quia vicissitudo nobis est hodie COLLATA mirabilis...   4079
ut quae CONLATA nobis honorabiliter recensimus, devotis mentibus
   adsequamur.   147
ut et COLLATA nobis remedia tuearis, et conferenda perficias.   2153
Sanctorum tuorum nos, dne, patrocinia CONLATA non deserant...   3253
et COLATA non perdant et ad aeterna dona perveniant.   3446
viventibus quae divinitus (sunt) aeclesiae (sunt) COLLATA permaneant.
   3846
et pro temporali nobis CONLATA praesidia (praesidio) ad vitam converte
   propitiatus aeternam.   3388
et CONLATA praesidia non ad cumulum reis damnationis eveniant...   3803
Prosint nobis, dne, qs, tuorum suffragia COLLATA sanctorum...   2901
ut propitiationis tuae nobis COLLATA securitas non nos efficiat
   neglegentes...   2966
ut reparationis nostrae COLLATA subsidia... sectemur.   824
et pro temporale nobis CONLATA subsidio...   3388
quae initiis humanae sunt CONLATA substantiae...   4090
ne ad dissimulationem tui cultus prospera nobis COLLATA succedant...
   2983
longius enim a te tam CONLATAE fidei negacione... disceditur...   2297
Accipe, qs, dne, hostias tua nobis dignatione COLLATAS...   35
et non quid mereamur, sed CONLATI gratiam tui muneris intuere...   2072

Ds, qui (beato) apostolo (tuo) Petro CONLATIS clavibus regni caelestis...
 907
... CONLATIS in me per gratiam tuam propitiare muneribus... 808
ne CONLATIS ingrati beneficiis conferendis provemur indigni... 4132
CONLATIS quoque in me per gratiam tuam propitiare muneribus... 1165
quia nihil sublimius COLLATUM aeclesiae tuae probamus exordiis... 3762
certus te universis aeclesis COLLATURUM... 1320
Beati martyris tui illius nos qs dne patrocinius (patrociniis) CONLATUS
 non deserat (deseras)... 276
quia cum haec dona CONTULERIS, cuncta nobis utilia non negabis. 464
quibus in te credendi CONTULERIS firmitatem. 230
quibus integre (integram) CONTULERIS firmitatem. 230
et familiae tuae corda, cui perfectam baptismi graciam CONTULISTI ad
 promerendam... 1501
ut quod sanctis martyribus in persecutione CONTULISTI claritatem... 2222
etiam in sexu fragili victoriam (victoria) martyrii (martirae) CONTULISTI
 concede propitius ut cuius... 1042
gregorii (leoni) aeternae beatitudinis praemia CONTULISTI concede
 propitius ut qui... 900
et salutis remedii (remedium) vitae aeternae (aeternae vitae) munera
 CONTULISTI conserva famulo tuo... 1015, 1020
... copiosum munus gratiae (tuae) CONTULISTI da famulis tuis... 1204
in reconciliationis humanae foedere CONTULISTI da mentibus nostris...
 2435
etiam in fragilem sexum (fragili sexu) victoriam castitatis et martyrii
 CONTULLISTI da qs ut beata... 1043
quorum nostrae fragilitati patrocinia CONTULISTI da qs ut illorum...
 2425
Ds, qui legandi solvendiquae lecenciam tuis apostolis CONTULISTI da qs ut
 per ipsos... 1063
et quibus fidei christianae meritum CONTULISTI, donis (dones) et praemium.
 1818
ut quibus fidei gratiam CONTULISTI, et coronam largiaris aeternam. 133
peccatoribus pie semper ieiunantibus CONTULISTI et praesta ut non solum...
 3740
qui dignae pro nobis possint intercedere, CONTULISTI et quod nostra...
 3958
O. s. ds, qui CONTULISTI fidelibus tuis remedia vitae post mortem...
 2382
sed ut etiam subiectis sibi ministris aeclesiae proficeret CONTULISTI
 gloriosum... 4015
O. et m. ds qui... adminicula temporalia CONTULISTI humiliter imploramus
 ... 2284
dum quod uni populo... dexterae tuae potencia CONTULISTI id in salute...
 777
quod eis divino (divine) munere CONTULISTI, in eis propitius tua dona
 custodi. 1748
qui populo tuo ex aegypto educto donis mirificis CONTULLISTI inmerito...
 2290
quae pro reparationis nostrae munimine CONTULISTI intercedente beata
 semper... 2970
ut quod inmerito CONTULISTI intercedente beato petro apostolo tuo propitius exequaris. 1823
uti gratiae tuae munus quod nobis inmeritis CONTULISTI intercedente beato
 petro... 542

qui ad te venientibus claritatis gaudia CONTULLISTI introitum...   4227
diversa donorum tuorum solatia, et munerum salutarium gaudia CONTULISTI
   mittendo nobis...   4131
ut sicut per haec beata mysteria illis gloriam CONTULISTI nobis
   indulgentiam...   1935
qui illis ad hanc gloriam veniendi copiosum munus gratiae CONTULISTI
   nostris qs veniam...   872
quos eidem CONTULISTI (praefecisti) operis tui vicarios esse pastores.
   1677
Ds qui paschalia (paschale, paschalem) nobis remedia (remedio) CONTULISTI
   populum tuum caelesti...   1146
Ds qui sollemnitate paschali mundo remedia CONTULISTI populum tuum qs...
   1212
quos operis tui vicarios eidem CONTULISTI praeesse pastores.   4138, 4146
et humanis usibus da tua largitate perennis usibus CONTULLISTI praesta
   qs ut praesentia...   770
O. et m. ds, qui nos ad celebritatem venire huius diei CONTULISTI praesta
   qs ut tui...   2285
eorum nobis qui tibi placuerunt praesidia CONTULISTI praesta ut eorum...
   1120
et caelestibus CONTULISTI propinquare consortiis (consortes).   3420
ut quod inmeritis CONTULISTI propitius exequaris.   2849
famulorum tuorum, quibus summum sacerdotium CONTULISTI qs benignus
   efficias...   1776
ob diem, (in) quo eum (in) laevitarum sacrarii ministeriis CONTULISTI qs
   dne placatus accipias...   1731
VD. Magna et hoc munerae salubritas mentis hac corporis CONTULLISTI qui
   ieiunium nobis...   3794
... Magnam in hoc munere salubritatem mentis et corporis CONTULISTI quia
   ieiunium...   3889
corporibus salubritatem et sanitatem mentibus CONTULISTI quod si illa
   humani...   4182
quibus pro meritis suis beatitudinis praemia CONTULISTI quoniam semper...
   3723
non solum tui unigeniti passionem sempiterna providentia CONTULISTI sed
   ad maiorem...   3901
ut sicut illis eminentem gloriam CONTULISTI sic ad consequendas...   2410
... CONTULISTI subsidia copiosa iustorum...   3859
qui tuis fidelibus CONTULISTI, ut ille quo...   2459
per Iesum Christum dominum CONTULISTI ut ille tristis aculeus evidentis...
   4110
adoptionis tuae filiis CONTULISTI ut ille tristis aculeus saevientis...
   4096
in utroque (huteroque) sexu fidelium cunctis aetetibus CONTULISTI ut inter
   felicium...   3856
quas peccatoribus pie semper ieiunantibus CONTULISTI ut non solum a cibis
   ...   4179, 4183
potenter tamen nobis clementi providentia CONTULISTI ut non solum
   passionibus...   3865
qui sacerdotibus tuis pre ceteris tanta gratiam CONTULLISTI, ut quicquid
   ...   2291
qui dignae pro nobis possint intercaedere CONTULLISTI ut quod...   3958
quibus et in confessione virtutem et in passione gloriam CONTULISTI.
   4065
pro quibus inpetrandis tanta nobis patrocinia CONTULISTI.   1560

sed ut etiam subiectis sibi ministris aeclesiae proficerent CONTULISTI.
4015
quia et illis gloriam sempiternam et opem nobis ineffabile providencia
CONTULISTI.   2040
illi advocandus testes divinae legis scientiae CONTULLISTI.   3823
tolerentiam tribuis et in passione victoriam CONTULISTI.   4107
et in confessione virtutem et in passione victoriam CONTULISTI.   4068,
4147
ut hoc sacrificium singulare, quod sanctis tuis in passione CONTULIT
claritatem...   2221
in usus et necessaria corporum famulorum tuorum CONTULIT clementer
abundare...   987
Deus qui... vobis CONTULIT et bonum redemptionis...   1157
et auxilium CONTULIT et profectum.   2226
sed integrum sit ei atque perpetuum et quod gratia tua CONTULIT et quod...
822, 823
et salutem nobis CONTULIT et triumphum.   2406, 2726
et quod (quos) illis CONTULIT excelenciam sempiternam (excellentia
sempiterna)...   3233
da qs ut quod illis (illius) CONTULIT gloriam (gloria) nobis proficiat
(prosit) ad salutem.   3163
eius passio CONTULIT hodiernum in tua virtute conventum (laetitiam)...
216
ut dona quae suis participibus CONTULIT, largiat et nobis.   787
ut qui illis victoriae coronam CONTULIT nobis eorum meritis...   2187
ut qui (piae) (hic) tua misericordia piae CONTULLIT nostro merito...
2284
quia plus gaudio CONTULLIT quam podoris.   3974
et quae nobis feliciter (fideliter) speranda paschale CONTULIT sacramentum
(sacramento)...   3818, 3843
sed martiribus suis CONTULIT, ut.   3956
ac resurrectione sua aeternam nobis CONTULIT vitam.   3932
et resurrectione sua aeternam nobis vitam CONTULIT.   3891

CONFESSIO

Sanctorum martyrum nos, dne, Gerbasi et Protasi CONFESSIO beata communiat
...   3237
contra profanitatem mundi tuae fidei gloriosa CONFESSIO contra inrationabilem...   3861
ut beatorum apostolorum Petri et Pauli gloriosa CONFESSIO cuius annua...
4077
quorum veneranda CONFESSIO et mirabilia tuae virtutis explevit...   4063
Sanctorum tuorum, dne, Nerei et Achillei tibi grata CONFESSIO et munera
nostra...   3244
Beati proti nos dne et iacynthi foveat praetiosa CONFESSIO et pia iugiter
...   283
quam nobis... Eufymiae veneranda CONFESSIO fecit insignem.   3765
et CONFESSIO in dextera paterne maiestatis agnoscitur...   1706
ut reatus nostri CONFESSIO, indulgentiam valeat percipere delictorum.
984, 2387
... CONFESSIO itaque fidem (fidei) quam suscipistis hoc incoatur exordio.
1287, 1288
ut beatorum apostolorum Petri et Pauli gloriosa CONFESSIO nec capiatur...
4076
VD. Haec tibi nostra CONFESSIO, pater gloriae, semper accepta sit...
3762

nunc CONFESSIO puellaris virum praecedens ducit ad praemium. 4079
et clara est prius CONFESSIO quam loquella... 3696, 3851
Sancti Felicis, dne, CONFESSIO recensita conferat nobis pie devocionis augmentum... 3195
Beati nos, qs, dne, (dne qs) Iuvenalis et CONFESSIO semper prosit et meritum. 281
sed beata CONFESSIO sublimavit. 3654
et beatorum apostolorum Iacobi et Philippi gloriosa CONFESSIO usque in finem... 4067
et CONFESSIO veneranda et beata commendet oratio. 1799
... Percipiantque dignitatem adoptionis, quos exornat CONFESSIO veritatis. 3634
quos beatorum apostolorum Petri et Pauli munit gloriosa CONFESSIO. 67
cuius nobis est (hodie) facta suffragium in tua virtute (virtutem) CONFESSIO. 162
Quique dignatus est diversitatem linguarum in unius fidei CONFESSIONE adunare... 1002
VD. Pro cuius nominis CONFESSIONE beati martyres gervasius et protasius passi... 3857
VD. Pro cuius nominis veneranda CONFESSIONE beatus martyr georgius... 3858
ut tribuas iugiter nos eorum CONFESSIONE benedici... 3306
qui peccatorum indulgentiam ad (in) CONFESSIONE caeleri posuisti... 2288
quos innumerabilium martyrum pia CONFESSIONE circumdas. 2687
ut qui gloriosos martyres fortes in sua CONFESSIONE cognovimus... 2772
et in una trinitatis CONFESSIONE consistant. 329
ut eius fierent aut passione aut CONFESSIONE consorte. 3963
parique (pari) nominis tui CONFESSIONE coronasti. 4196, 4197
ut qui de hac vita in tui nominis CONFESSIONE decessit... 2317
que nobis huius solemnitatis affectum et CONFESSIONE dedicavit et sanguine. 2141
ita in hac publica CONFESSIONE delicta sanentur... 724
hymnum gloriae tuae proclamamus humile CONFESSIONE dicentis... 3792
depraecamur supplice CONFESSIONE dicentes : Sanctus... 2556, 3589
... Per ipsum te, dne, supplices depraecamur, supplici CONFESSIONE dicentes. 3867
ut qui de hac vita in tui nominis CONFESSIONE discessit... 2317
in CONFESSIONE discipulus, in honore successor... 4219
nihil (habeat) in dilectione terrenum, nihil (habeat) in CONFESSIONE diversum. 82, 2688
instanter in sanctae trinitatis CONFESSIONE (et) fide catholica persevrent. 1718
et CONFESSIONE fidei et agone martyrii mentes vestras circumdet... 915
... Cuius munere beata caecilia et... in CONFESSIONE fidei roboratur... 3942
... In tantum filii tui CONFESSIONE flammatus... 4193
ut in CONFESSIONE flevili permanens clementiam tuam... 2837
ut in CONFESSIONE flevili permanenti et petitione perpetua... 596
in sancti Laurenti martyris tui hodierna festivitate CONFESSIONE gaudentes ... 2226
Ds qui nos beati theodori... CONFESSIONE gloriosa circumdas et protegis... 1107
In CONFESSIONE hodie eius faciem prevenire... 3647
(pro cuius) (propicius) honoranda CONFESSIONE hostiam (hostias) tibi laudis offerimus. 703, 2722

qui pro CONFESSIONE Iesu Christi filii tui diversa supplicia...   3720,
  4114, 4151
ds qui vos beati petri saluberrima CONFESSIONE in ecclesiastica fundavit
  soliditate.   348
quo te et in prosperis et in adversis pia semper CONFESSIONE laudemus.
  3890, 3936, 4009
VD. Te in sanctorum tuorum CONFESSIONE laudantes...   4153
quo maiestatis tuae CONFESSIONE magnifica beati apostoli Andreae sacer
  natalis inluxit...   3368
sic utroque CONFESSIONE magnifica per tuam gratiam triumphatur...   4103
quo sancta Caecilia in tui nominis CONFESSIONE martyr effecta est...   3775
ut misericordiam sempiternam... nos saltim sincera CONFESSIONE mereamur.
  2450
... Andreas germanum se... Petri tam praedicatione Christi tui quam
  CONFESSIONE monstravit...   3595
pro nomine (nominis) eius CONFESSIONE morte suscepta...   1286
Intercessio beati Laurenti martyris tui, dne, de sua nobis CONFESSIONE
  nascentium...   1943
sanguinem... quem pro CONFESSIONE nominis tui infidelibus praebuere
  fundendum...   3965
pro CONFESSIONE nominis tui venerabilis...   4094
ut qui diversitatem gentium unius sacrae fidei CONFESSIONE paraclyti
  spiritus congregare...   4198
credentium CONFESSIONE perciperet humana substantia...   4096, 4110
quia in tuae (tui) deitatis CONFESSIONE permansit.   3856
Ds, qui fidelium praecibus flecteris et humilium CONFESSIONE placaris
  conversis...   994
O. s. ds, qui timore sentiris, dilectione coleris, CONFESSIONE placaris
  misericordiam...   2457
qui publicani precibus (vel) (et) CONFESSIONE placatus es...   596, 2837
tota cordis CONFESSIONE poscentem (poscentes) depraecatus exaudi...   858,
  859
quos et nominis tui CONFESSIONE praeclaros...   4069, 4070
quas sancti illius (hermetis) martyris CONFESSIONE praesenti confidimus
  (credimus) adiuvandas.   4087
quam beati rufi possimus (poscimus) interventu nobis et CONFESSIONE
  praestari.   4105
VD. Cuius hodie faciem in CONFESSIONE praevenimus...   3647
cuius CONFESSIONE sacerdotum integritas intima dolens fundit mentem
  lamenta.   3501
... CONFESSIONE sacratae tibi plebis instituos...   2388
VD. Qui glorificaris in tuorum CONFESSIONE sanctorum et non solum...
  3931
VD. Te in tuorum glorificantes CONFESSIONE sanctorum qui mirabili...
  4155
et linguarum diversitatem in unius fidei CONFESSIONE sociaret...   4009
nominis tui facis CONFESSIONE superari.   4083
pretiosam mortem... pro Christi CONFESSIONE suscipiens...   3686, 3781
... Quod sancta Caecilia hodierna CONFESSIONE testificans...   4034
et noster in tua sit CONFESSIONE thesaurus.   2462
Ds, qui diversitatem omnium gentium in CONFESSIONE tui nominis effecisti
  ...   965
ut et CONFESSIONE tui nominis et (ut) baptismate (baptismatis) renovati...
  3414, 3415, 3437
qui in CONFESSIONE tui nominis perseverans meruit honorari.   3195
et congruis subsidiis in CONFESSIONE tui nominis perseveret.   3083

Ds, qui diversitatem omnium gentium in CONFESSIONE tui nominis unum (esse
   fecisti) effecisti...   965
pro CONFESSIONE tui nominis venerabilis sanguis effusus...   4116
quo pro eius CONFESSIONE vel nomine, qui eam sanguine suo redemit inpenso
   ...   4124
ut in CONFESSIONE verae sempiternique deitatis...   3887
quibus et in CONFESSIONE virtutem et in passione victoriam (gloriam)
   contulisti.   4068
quae nobis huius solempnitatis effectu (effectum) et CONFESSIONEM dedicavit et sanguinem (sanguine).   2141
ut quorum doctrinis ad CONFESSIONEM deitatis unius institutus est mundus
   ...   2330, 2331
instanter in sanctae trinitatis CONFESSIONEM fide catholica...   1718
et beatum sthefanum CONFESSIONEM ita succendisti...   1230
cuius honorando CONFESSIONEM laudis tui (tibi) hostias immolamus.   700
cuiusque CONFESSIONEM libenter ammittens...   1371
qui pro nomine eius CONFESSIONEM morte suscepta caelestia praemia
   meruerunt...   1286
ut ad CONFESSIONEM nominis tui nullis properare terreamur adversis...
   232
... Hodie acceptes CONFESSIONEM nostrorum peccaminum...   3950
qui fontem baptismi CONFESSIONEM peccata extinguit...   1366
qui poplicani praeces vel CONFESSIONEM placatus es.   2837
remissionem sibi omnium peccatorum tota cordis CONFESSIONEM poscentem.
   858
ut quorum (cuius) veneramur CONFESSIONEM, presidia sentiamus.   3512
Da mihi dne peccatori CONFESSIONEM que tibi sit placita...   575
cui fidem CONFESSIONEMQUE ignis passionis ingestus non abstulit...   3615
cui fidem CONFESSIONEMQUE non abstullit ignis ingestus...   3615
... CONFESSIONEM sacratae tibi plebis institues...   2388
VD. Et CONFESSIONEM sancti felicis memorabiliter (memorabilem) non tacere
   ...   3683, 3684
dignis adque sapienter ad CONFESSIONEM tuae laudis accedere...   638
Ds qui diversitatem (omnium) gentium in CONFESSIONEM (CONFESSIONE) tui
   nominis adunasti...   964, 965
ad unam (unae) CONFESSIONEM tui nominis caelesti munere congregetur
   (congregentur).   2436, 2437
ut aecclesia tua... stabili fide in CONFESSIONEM tui nominis perseveret.
   2395
qui ut humanum genus ad CONFESSIONEM tui nominis provocaris...   376
quibus in CONFESSIONEM tui nominis venerabilis eius sanguis effusus est...
   4178
Ex quibus beatum petrum ob CONFESSIONEM unigeniti filii tui apostolorum...
   4158
beatum petrum apostolorum principem ob CONFESSIONEM unigeniti filii tui
   per os...   3728
respice propitius in hanc humilitatis nostrae CONFESSIONEM ut qui
   inclinamur...   873
in CONFESSIONEM vaerae sempiterneque deitatis...   3887
quibus et in CONFESSIONEM virtutum et in passione gloriam contulisti.
   4065
nec inferni portas apostolicae CONFESSIONI praevalituras esse promisisti
   ...   1029
apostolicae CONFESSIONI superna dignatione largiaris...   4021
apostolicae CONFESSIONI superna dispensatione largiris...   4020

VD. Qui non solum nos sanctorum tuorum CONFESSIONIBUS benignissime
consolaris...   3960
qui sanctorum martyrum CONFESSIONIBUS aeclesiae...   2451
Ds qui nos... processi et martiniani CONFESSIONIBUS gloriosis circumdas...
1135
VD. Teque in sanctorum tuorum CONFESSIONIBUS laudare...   4168
qui CONFESSIONIS ac (hac) patientiae (pacientia) nobis exempla veneranda
proposuit...   3617
nec tamen erat poena patientis sed pie CONFESSIONIS accensus...   3777
proficiamus piae CONFESSIONIS exemplis.   2452
et salutiferae CONFESSIONIS exemplum...   3971
et exemplo piae CONFESSIONIS exerceas...   4026
atque huius CONFESSIONIS fructum et hic et in futuro saeculo percipere
mereatur.   3460
nec tamen erat poena patientis, sed piae (sepiae) CONFESSIONIS incensum
(incessus)...   3776, 3777
nos tamen beatae CONFESSIONIS initia recolentes...   3599
Ds, qui sanctis tuis dedisti piae CONFESSIONIS inter tormenta virtutem...
1205
et exemplum piae CONFESSIONIS occureret...   3865
quos in apostolicae CONFESSIONIS petra solidasti.   2767
ut CONFESSIONIS sacrae lapis vivus exsisteret...   3777a
et rursus CONFESSIONIS sacrosancte (sacrosanctis) visceribus martyr
beata...   4091
Ds, a quo... et CONFESSIONIS suae latro praemium sumpsit...   731
apostolicae CONFESSIONIS superna dispensatione largiris...   4020
Ex quibus beatum petrum CONFESSIONIS unigeniti fili tui principem...
4158
ut omni tempore praesidio huius CONFESSIONIS utamini...   1706
qui beatum ill. sibi adscivit virtute CONFESSIONIS. Amen.   2263

        CONFESSOR
et usque ad sanguinem nominis tuis CONFESSOR eximius...   3614, 3644
Sit ipse CONFESSOR huius populi assiduus custus...   1176
CD. Cuius munere beatus martinus CONFESSOR pariter et sacerdos...   3655
beatus CONFESSOR tuus (agustinus atque pontifex) ille qs precator accedat.
3577
ubi etiam beatus summus CONFESSOR tuus ille sociatus exultat...   3723
et intercedente beati illo CONFESSORE martyre tuo cuius solemnia praeimus
...   1934
ut intercedente beato illo CONFESSORE tua quae humiliter...   3067
intercedente beato agustino CONFESSORE tuo adque pontefice consuetae...
139
et interveniente beato marco CONFESSORE tuo atque pontifice supplicationes
...   1476
deprecante sancto marco CONFESSORE tuo adque pontefice tibi reddat accepta
...   369
intercedente beato Iuvenali CONFESSORE tuo atque pontifice uberius...
1988
interveniente beato CONFESSORE tuo damaso...   2102
et interveniente pro nobis sancto ill. CONFESSORE tuo, his sacramentis...
2869
interveniente beato CONFESSORE tuo illo clementer inpende...   2102
intercedente pro nobis beato CONFESSORE tuo ill., exaudi...   2316
intercaedente beato CONFESSORE tuo illo miserationis...   235
intercedente sancto illo CONFESSORE tuo remissionem...   3662

... CONFESSOREM tuum caelorum clavibus praefecisti...   4169
VD. Qui beatum augustinum CONFESSOREM tuum et scientiae documentis
  replesti...   3878
sancti martyres et CONFESSORES ill. et ill. pervenerunt ad aeternam
  gloriam.   4004
... Isti sunt enim CONFESSORES illius nominis...   3978
VD. Qui dum CONFESSORES tuos etiam nunc tanta festivitate glorificas...
  3896
Ds qui beatus CONFESSORES tuos ill. et ill. clarificasti haec merita...
  908
VD. Qui dum CONFESSORES tuos tanta pietate glorificas...   3897
urgeant te martyres, urgeant te CONFESSORES.   2180
Erige vota populi, qui pretullisti gloriose merita CONFESSORI.   1176
VD. Cuius aeclesia sic veris CONFESSORIBUS falsisque permixta nunc
  agitur...   3639
Ut qui in beatis CONFESSORIBUS illis virtutibus polles...   908
beatis martyribus et CONFESSORI(BU)S tuis ill. auxiliis adiuvemur...
  2025
Oremus et pro omnibus... lectoribus, hostiariis, CONFESSORIBUS, virgenibus
  ...   2517
Ds qui nos beati eusebii CONFESSORIS annua solemnitate laetificas...
  1102
quae natalicia beati illius martyris vel CONFESSORIS antecedit...   2999
intercessione beati martini CONFESSORIS atque pontificis continua...
  2472
ut te beati leonis CONFESSORIS adque ponteficis cuius venerandam...   814
in sancti CONFESSORIS adque ponteficis leonis solemnitatis...   1469
in sancti martini CONFESSORIS adque pontificis magnalia...   2794
in sancti Silvestri CONFESSORIS et episcopi tui commemoratione...   1739
in sancti CONFESSORIS et episcopi tui Donati commemoracione...   81
sancti CONFESSORIS et episcoli tui Donati cuius festa...   1256
sancti CONFESSORIS et episcopi tui Donati quem ad laudem...   2737
ut merita tibi placita sancti CONFESSORIS et spiritui tui iuvenalis...
  197
excommunico te diabuli per CONFESSORIS et tronis et dominationis...   1551
ut per beati eusebii CONFESSORIS intercessionem salutiferam...   3681
quem natalicia beati ill. CONFESSORIS martyris antecaedit...   2999
VD. Gloriosi illi CONFESSORIS martyris pia certamina praecurrendo...
  3759
de beati ill. CONFESSORIS martyris preciosa sollemnia et passione...
  3179
Hostias tibi, dne, pro commemoracione sancti Felicis tui CONFESSORIS
  offerimus...   1827
VD. Gloriosi illius martyris CONFESSORIS pia certamina praecurrendo...
  3759
Ds qui nos beati eusebii CONFESSORIS tui annua sollemnitate laetificas...
  1102
ut beati Marcelli (leonis) CONFESSORIS tui adque pontefecis cuius
  venerandam...   814
in sancti CONFESSORIS tui adque pontificis Marcelli solempnitate...   1469
Sancti Marcelli (leonis) CONFESSORIS tui adque pontificis, qs, dne, annua
  aolemnitas...   3203
beati agustini CONFESSORIS tui adque ponteficis sacrificium tibi...   3694
beati Marcelli CONFESSORIS tui adque pontificis solemnia...   680
ut beati silvestri CONFESSORIS tui atque pontificis, veneranda sollemnitas
  ...   604

Sancti CONFESSORIS tui augustini nobis dne pia... 3249
intercessione beati martini ponteficis atque CONFESSORIS tui continua
    fac... 2472
ut intercessione beati martini CONFESSORIS tui contra omnia... 928
quibus sancti CONFESSORIS tui damasi deposicione (depositionem) recolimus
    ... 622
beati felicis CONFESSORIS tui dicatas meritis... 1832
pro beati CONFESSORIS tui et episcopi Donati commemoratione... 4253
ut merita tibi placita sancti CONFESSORIS tui et episcopi iuvenalis...
    197
quas in sancti CONFESSORIS tui ill. conmemoratione deferimus... 81
VD. Et in hac die quam transitu sacro beati CONFESSORIS tui ill. conse-
    crasti... 3692
Sancti CONFESSORIS tui ill. nos qs dne tuaere praesidiis... 3193
beati CONFESSORIS tui ill. transitu sacro consecrasti. 3944
Sancti dne CONFESSORIS tui ill. tribuae nos supplicationibus foveri...
    3194
VD. Te in beati martini pontificis atque CONFESSORIS tui laudibus
    adorare... 4148
ut qui beati benedicti CONFESSORIS tui veneramur festa... 3687
Da qs o. ds, ut beati ill. CONFESSORIS tui veneranda solemnitas... 604
Ds qui es... congregatio plebis, sanctificatio CONFESSORIS. 981
ds martyrum, ds CONFESSORUM, ds virginum... 755
in nomine CONFESSORUM et episcuporum... 2856
ut per intercessione vel merita CONFESSORUM et martyrum tuorum ill. et
    ill. 3379
intercessio nos... martyrum et CONFESSORUM et omnium electorum letificet
    et omnium electorum... 482
Ds, qui nos et... et CONFESSORUM gloria circumdas et protegis... 1113
ut haec nos dona tua martyrum et CONFESSORUM illor. deprecatione
    sanctificent... 381
... Imperat tibi martyrum sanguis, imperat tibi indulgencia CONFESSORUM
    imperat tibi... 1354, 1355, 1437
VD. Te in CONFESSORUM meritis gloriosis adorare... 4149
Tibi coniuro... per gloria CONFESSORUM, per castitate virginum... 3474
ut sentiant benefitiae qui festa colunt CONFESSORUM pontificum. 908
quos CONFESSORUM praesidiis muneraris. 908
in honore beatorum martirum tuorum illorum vel illarum sanctarum et
    CONFESSORUM sacris mysteriis... 1733
Sanctorum CONFESSORUM suorum ill. meritis vos dominus faciat benedici...
    3232
VD. Qui non solum martyrum, sed etiam CONFESSORUM tuorum es virtute
    mirabilis... 3959
quos insignes CONFESSORUM tuorum et martyrum palmae... 4201
Ds qui sacra martyrum et CONFESSORUM tuorum illorum et illorum pectora...
    1198
ut conmemorationum marthyrum et CONFESSORUM tuorum illorum humiliter...
    857
ut beatorum CONFESSORUM tuorum illorum (quorum hodie) mereamur tuum
    obtinere auxilium. 3702

        CONFICIO
cum human condicio de ipsius humanae condicionis CONFECTA medicatione
    sanatur... 4093
materque pariter sterelis aevoque CONFECTA non solum... 3754
... Cuiusque genetrix senio CONFECTA, sterelitate multata... 3755

ad CONFICIENDUM in ea corpus domini nostri Iesu Christi... 511
et ad suggerendum vinum et aqua, ad CONFICIENDUM sanguinis tui...   1364
mirisque modis CONFICITUR de perdictione salvatio... 3767, 4088

        CONFIDENTER
ut dum postulata concedes, CONFIDENTIUS facias speranda deposci...   3903

        CONFIDO
ut eorum semper et patrociniis CONFIDAMUS et fidem... 621
quia nulla nobis praevalebit hostilitas, si in te, dne, veraciter
   CONFIDAMUS.   689
ut tanto secretius (se certius) ad eam CONFIDANT esse venturos (venturis)
   ... 4011
propensius tamen CONFIDEMUS ad futuram... 4053
ut qui in adflictionem nostram de tua piaetate CONFIDEMUS contra adversa
   ... 2774
prumpcius quae ventura sunt praestanda CONFIDEMUS nec est nobis...   4122
sacramenta caelestia, quae nobis... uberius CONFIDEMUS profutura.   1863
cui ad revertendum cordis oculus te CONFIDEMUS revellasse.   2297
qui tunc nos salvare posse CONFIDEMUS si aeorum praecibus...   459
et a necessitatibus liberari CONFIDEMUS.   1459
quanto sanctis haec... nos percepisse CONFIDEMUS.   3266
Tua, dne, protectione CONFIDENS benedictionem...   3511
ut maiestatis tuae protectione CONFIDENS et evo augeatur et regno.   1713
ut te ductore CONFIDENS, et mala cuncta declinet...   2622
concede ut maiestatis tuae protectione CONFIDENS, et tuo augeatur...
   1713
ut famulum tuum illum de tua misericordia CONFIDENTEM caelesti protegas...
   1051
et in tua misericordia CONFIDENTEM clementia largiore comitare...   3359
Defende, dne, plebem tuam in sola tuae misericordiae venia CONFIDENTEM et
   intervenientibus...   705
et apostolotum patrocinio CONFIDENTEM perpetua defensione conserva.   2930
pro eo quod me nulla prorsus iustitia CONFIDENTEM sed ineffabilis...
   1754
et sanctorum tuorum depraecationibus CONFIDENTEM tribue consequi...   328
et beatae Mariae patrociniis CONFIDENTES a cunctis hostibus...   2925
et in tua misericordia CONFIDENTES ab omni nos adversitate custodi.   130
et in tua misericordia CONFIDENTES caeleste protege benignus auxilio.
   3100
Da nobis, dne, qs, ut in tua gratia veraciter CONFIDENTES et quae te digna
   ... 591
ut in tua dextera CONFIDENTES fiant cunctis hostibus fortiores.   2468
et (apostolicis) (beati rufi) intercessionibus CONFIDENTES nec minis
   (moenis)...   89
cum in tua misericordia CONFIDENTES nulla adversa percellant...   3790
cum non nostra, sed tua providentia CONFIDENTES pietatem...   4022
tantum de sanctorum suffragiis CONFIDENTES praesta qs...   2227
Beatae agathe martyris tuae dne praecibus CONFIDENTES qs clementiam tuam
   ... 254
VD. De tua gratia CONFIDENTES qs (dne) declinare que mala sunt...   3671
(Sanctorum) (sanctae soteris) praecibus, dne, CONFIDENTES quaesumus dne
   ut per ea...   3242
et iugiter protegat in tua misericordia CONFIDENTES ut necessariis...
   706
sanctorum martyrum interventionibus CONFIDENTES ut quod nos...   2229

et qui nos CONFIDENTES virtute moliuntur adfligere...   2651
(t)antum de sanctorum suffragiis CONFIDENTES.   2227
et in tua misericordia CONFIDENTI opem tuae propitiationis inpende.   72
et facinora sua CONFIDENTI veniam...   2837
nec humanis opibus, sed tua virtute CONFIDERE et indeficientem...   3642
Da nobis, dne, qs, in te tota mente CONFIDERE quoniam sicut...   585
VD. Tua nobis enim munera conferri posse CONFIDIMUS abundantiam devotionis
    et pacis...   4192
si quae manifestata non sunt, CONFIDIMUS adfutura.   3957
VD. Quoniam supplicationibus nostris misericordiam tuam CONFIDIMUS
    adfuturam...   4105
quas sancti illius martyris confessione praesenti CONFIDIMUS adiuvandas.
    4086, 4087
Ds, qui conspicis, quia in tua pietate CONFIDIMUS concede propitius ut de
    caeleste...   929
Ds qui conspicis quia ex nulla nostra actione CONFIDIMUS concede propitius
    ut contra...   927
ut qui in afflictione nostra de tua pietate CONFIDIMUS contra adversa
    omnia...   2774
in totius aeclesiae CONFIDIMUS corpore faciendum...   1484
ut qui in tua protectione CONFIDIMUS cuncta nobis...   2775
quibus nos et praesentibus exui malis CONFIDIMUS et futuris.   2005, 2006
salvatorem consedere tecum in tua maiestate CONFIDIMUS ita usque ad...
    109
prumcius que ventura sunt, speranda CONFIDIMUS nec est nobis...   4120
quia interventionibus tibi placentium CONFIDIMUS nobis ad perpetuam...
    1555
hinc fragilitatem nostram CONFIDIMUS non relinqui...   1940
ut qui in defensione tua CONFIDIMUS, nullius hostilitatis arma timeamus.
    749
cuius nos CONFIDIMUS patrocinio liberari.   34
qui talium praesidiis CONFIDIMUS patronorum.   3542
nobis intercessionibus CONFIDIMUS profutura.   2139
propensius tamen nobis CONFIDIMUS profuturam...   4053
quae virtute perficit in infirmitate CONFIDIMUS, propensius...   3670
et nos expiari, et tua nos CONFIDIMUS remedia promereri.   3146
cui ad revertendum cordis oculos te CONFIDIMUS revellasse...   2297
(ita enim) (quia tunc) nos salvari posse CONFIDIMUS si eorum precibus...
    459, 989
ut qui infirmitatis nostrae conscii de tua virtute CONFIDIMUS sub tua
    semper...   683
multo magis... grata tuis aspectibus esse CONFIDIMUS.   3235
quorum digna pro nobis interventione CONFIDIMUS.   605
et inter isa quae transeunt, et eorum quae mansura CONFIDIMUS.   2021
et in eis te praedicare mirabilem CONFIDIT ad suae pertinere salutis
    aumenta.   2212
ut quae te gubernatore CONFIDIT et nullis inplicetur...   1587
ut quia tua gubernatione CONFIDIT, nullis adversitatibus opprimatur.   76
nullis adversitatibus opprimatur, qui de tua protectione CONFIDIT.   3111
Ds unitas, ds trinitas, in cuius magna CONFIDO valde misericordia.   3792
ut hii qui in tua pietate CONFIDUNT, ab omni cicius adversitatebus
    (adversitate) liberentur.   1526
ut gentes quae in sua feritate CONFIDUNT dexterae tuae...   2447
ut gentes quae in sua feritate CONFIDUNT potentiae tuae...   2348
quemadmodum se celare posse CONFIDUNT qui, sicut scriptum est...   3653
qui in tua protectione CONFIDUNT ut te solo...   386

qui in tua miseratione CONFIDUNT.   1615
ut opem tuae gratiae consequantur, qui in tua pietate CONFIDUNT.   244
ut adventus tui consolationibus subleventur qui in tua pietate CONFIDUNT.
  1614
ut nullis periculis adfligantur, qui te protectore CONFIDUNT.   73
Laetetur aeclesia tua, ds, martyrum tuorum Petri et Marcellini CONFISA
  suffragiis adque eorum...   1985
ut aecclesia tua et martyrum tuorum Abdo et Senis CONFISA suffragiis
  devota...   2723
et in tua pietate CONFISAM interius exteriusque purifica...   2927
Huius tutillam (tutilla) CONFISI, calleam (callem) adgredimur tenuem...
  3847
tantum beati Petri et Pauli... intercessione CONFISI.   2138
Gaudeat, dne, qs, populus tua semper benedictione CONFISUS et caelestium
  ...   1642
quae de tua pietate CONFISUS, frequentare praesumo indignus.   1837
Gaudeat dne qs populus tuus tua semper benedictione CONFISUS ut et
  temporalibus...   1643

           CONFIGO
Ds qui tuos martyris si(c) CONFIXISTI caritatem (caritate)...   1230

           CONFIRMATIO
in protectione animae, in CONFIRMATIONE salutis...   1545

           CONFIRMATOR
gubernatur imperii, CONFIRMATOR regni...   842

           CONFIRMO
CONFIRMA, dne, qs, tuorum corda filiorum...   506
et CONFIRMA iusse benedictionis tuae congregatione cupienti...   759
et spiritu principale CONFIRMA me...   58
In mentibus nostris dne vere fidei sacramenta CONFIRMA ut qui conceptum...
  1887
et benedictionis tuae largitate CONFIRMA ut te in omnibus...   1590
et mortalitatis conscientia trepidos pietatis eruditione CONFIRMA ut te
  omnia...   1343
ita nunc per hanc aquam benedictionem CONFIRMA.   1366
invalidum robora invaledum CONFIRMA.   3081
Adque aeam armis spiritalibus integra munitione CONFIRMA.   1163
et tibi sine cessatione devotam perpetua redemptione CONFIRMA.   2183
et gratiam miserationis tuae virtute CONFIRMA.   1364
instruens vivendi exemplo, CONFIRMANS patiendo...   3643
nupcias eorum sicut primi (plurimis) hominis CONFIRMARE dignare...   1353
et CONFIRMARI se benedictionis tuae consecratione cupientibus (cupienti)
  ...   758, 759
qui virtute sancti spiritus tui inbecillarum mentium rudimenta CONFIRMAS
  te oramus...   838, 1240
qui fragilitatem conditionis nostrae infusa virtutis tuae dignatione
  CONFIRMAS ut salutaribus...   1361
quantum debeant de CONFIRMATA in Christo renascentium glorificatione
  gaudere.   2332
ut cum (aeum) CONFIRMATA pacis foedera...   1716
ut CONFIRMATI benedictionibus tuis habundent in omni gratiarum actione...
  1345
a cunctis adversitatibus liberati, in bonis omnibus CONFIRMATI supernis...
  3741

beatum petrum... per os eiusdem verbi tui CONFIRMATUM in fundamento...
 3728
et inmutatum nomine CONFIRMATUM in fundamentum domus tuae... 4158
gratiae curationum virtutem CONFIRMATUR. 1338
in tuis bonis CONFIRMATUS et ad bonorum... 3660
graciae curacionum virtute CONFIRMATUS. 1338
et quod praedicavit ore, CONFIRMAVIT exemplo. 2409
potentia ad perseverandum CONFIRMAVIT ut per sacerdotalem... 3643
fortitudinem in se ostendant et exemplo probent, admonitionem CONFIRMENT
 ut purum... 3225
et maiestati tuae perpetua placatione CONFIRMENT. 3254
et sempiterna protectione CONFIRMENT. 247
Sancta tua nos... et (a) caelestis vitae vigore CONFIRMENT. 3181
dona ut CONFIRMES aeidem facti... 1148
tu viscera regas, tu corda CONFIRMES in anima... 764
desiderata CONFIRMES, postolata concedas. 866
virtute (virtutem) CONFIRMES (CONFIRMIS) potestate (potestatem) tuearis...
 1356
et tua pietate CONFIRMES quod es operatus in nobis... 1754
et in perseverantiae soliditate CONFIRMES sicque me... 3893
ut eum ministerio divino CONFIRMES ut obediens... 1339
in sacramentum perfectae salutis vitaeque CONFIRMES ut sanctificatione...
 3627
ut CONFIRMET illud et corroboret amodo et usque in sempiternum... 3677
opera CONFIRMET, praeterita indulgeat... 218
Fideles tuos, dne, benedictio desiderata CONFIRMET quae eos et... 1623
et CONFIRMET vos in spe regni caelestis. Amen. 2117
ut hic sacramentorum virtus omnium fidelium corda CONFIRMET. 2339
et lux tuae lucis corda... sancti spiritus inlustratione CONFIRMET. 2752
et in tuae veritatis luce CONFIRMET. 3133
et a reatibus nostris expediat et perpetua salvatione CONFIRMET. 2169
ea ex praecepto (percepto) munere quod postolat CONFIRMETUR. 990
ut devotionem famuli tui illi CONFIRMIS in bono et mittas ei... 2155
custodias a malo, CONFIRMIS in bono liberis a diabulo... 4184
ut ministerio divino CONFIRMIS, ut oboediens... 1339
et in omni opere bono CONFIRMIT caritatis exemplum. 3281
opera CONFIRMIT, preterita indulgeat... 319

CONFITEOR

Ds, cuius... praeconium Innocentes martyris non loquendo, sed moriendo
 CONFESSI sunt omnia in nobis... 788
Ds cuius... preconia innocentum martyrum non loquendus moriendo CONFESSI
 sunt... 788
in uno semper domino gloriosi quem pariter CONFESSI sunt promanentes...
 3612
succurre lapsis, miserere CONFESSIS. 2288
et accepta potestate CONFESSUS in seculo... 913
tua semper benedictione CONFESSUS ut et temporalibus... 1643
... Qua lingua CONFITEANTUR dominum nostrum Iesum Christum ? Respondet :
 Graecae... 2952
Et aego CONFITEBOR tibi in ecclæsia magna... 3792
ipso (ipsum) quem CONFITEMINI protegenti... 1706, 1707
aequalem (tibi) cum sancto spiritu CONFITEMUR dum trino (et in trino)...
 3638
ut qui conceptum de virgine deum verum et hominem CONFITEMUR per eius
 salutifere... 1887

et in divinitatis gloriam (gloria) deum et hominem CONFITEMUR qui mortem
   ...   4162
quia in victoriis eorum tua mirabilia CONFITEMUR sancti clementis...
   3806
et in divinitatis gloria deum et hominem CONFITEMUR.   4162
et quotiens illorum festa recolimus, te mirabilem CONFITEMUR.   4051
hic princeps fidei CONFITENDAE...   3666a
tibi CONFITENDO laudis hostias immolare...   3695
pro qua sancti tui inter supplicia dimicando CONFITENDO sempiternam
   gloriam sunt adepti.   2893
ut qui te contemnendo culpa incurrimus, CONFITENDO veniam consequamur.
   2251
ut ad CONFITENDUM nomen tuum libera mente curramus.   4232
ita ad CONFITENDUM te deum vivum et dominum nostrum Iesum Christum...
   4169
te CONFITENTE gratias agere...   4163
ut famulo tuo ill. in tua misericordia CONFITENTEM benedicas...   1512
De multitudine misericordiae tuae, dne, populum tibi protege CONFITENTEM
   et corporaliter...   696
... CONFITENTEM latronem infra aimina paradisi trandire fecisti...   1329
et in sanctorum (et apostolorum) tuorum patrocinio CONFITENTEM perpetua
   defensione guberna.   2930, 2931
et in tua misericordia CONFITENTES caelesti protege benignus auxilium.
   3100
Ds, qui ad vitam ducis et CONFITENTES in te paterna protectione custodis
   ...   897
et beati rufi intercessionibus CONFITENTES nec minis...   89
te supplicis CONFITENTES peccata nostra depraecamur...   1329
dum tinguiret Iohannes on paenitentia CONFITENTES peccata sua...   2818
(Sanctorum tuorum, dne) (Sanctae sotheris) praecibus CONFITENTES qs
   (dne) ut per ea...   3189, 3242
qui CONFITENTI adaeras ne facerent plage preputium...   546
et in praesenti festivitate sancti martyris tui illius te CONFITENTI
   gratias agere...   3729
et medellam CONFITENTI, salutem paenitenti... indulgeas...   1368
O. s. ds, CONFITENTI tibi huic famulo tuo pro tua pietate peccata relaxa
   ...   2313
... Tu parce CONFITENTI ut imminentibus paene sentenciae...   822
tu parce CONFITENTI, ut sic in hac mortalitate peccata sua te adiuvante
   defleat...   823
ut huic famulo tuo peccata et facinora sua CONFITENTI veniam dare...
   2837
et da veniam CONFITENTIBUS parce supplicibus ut qui nostris...   243
O. ds propitiare dne CONFITENTIBUS parce supplicibus ut quid enim...
   2253
Propitiare dne, in te CONFITENDIBUS populis...   2861
quod non nostra, sed providentia CONFITENTIS pietatem...   4022
Sanctorum praecibus CONFITENTIS qs dne ut per ea...   3242
Ds, CONFITENTIUM te portio defunctorum...   767
Ds, qui CONFITENTIUM tibi corda purificas...   922
Exaudi (qs) dne (supplicum) preces (nostras) et (tibi) CONFITENTIUM (tibi)
   parce peccatis...   1455, 1465, 1511
... Ne tradas bestiis animas CONFITENTIUM tibi.   1886
remuneratio gentium, recuperatio CONFITENTIUM.   1509

(Item) ... Qua lingua CONFITENTUR dominum nostrum Iesum Christum ?...
1631, 1788
in veritate nostri corporis natum de matre virgine CONFITENTUR et a
praesentibus...   655
qui te sedere ad patris dexteram CONFITENTUR in caelo.   1219
et aecclesiae tuae misericordiam tuam quam CONFITENTUR ostende...   3633
quod te praecelsarum adque caelestium potestatum te dominum CONFITENTUR.
4167
ut dum me famolum tuum... graviter deliquissi CONFITEOR manum...   3381
iesus dixit : CONFITEOR tivi, dne, pater caeli et terrae...   1446
... CONFITEOR unum baptisma in remissionem (remissione) peccatorum...
554, 555
et convenienter intellegere valeamus et veraciter CONFITERE.   2756
ut unicum filium eius... non loquendo sed moriendo CONFITERENTUR.   2252
qui maternis visceribus ante dominum meruit CONFITERI quam nasci.   910
ds cui (cuius) omnis (omnem) lingua CONFITETUR caelestium terrestrium et
infernorum...   752
ds cui omnis lingua CONFITETUR, et omne genuflectetur...   753
Per ipsum cui CONFITETUR omnes anime ut miseriaris...   3792
et aecclesiae tuae misericordiam tuam quam CONFITETUR ostende...   3633
respice, qs, ad hunc famulum tuum, qui se tibi peccasse graviter
CONFITETUR tuum est...   1308

   CONFLICTUS
in CONFLICTU adsis regibus nostris proeliantibus...   3466
qui fuit belliger fidelibus in CONFLICTU.   2640

   CONFLUO
ob odierna diae solemnitate devotissime CONFLUENTI.   124

   CONFORMIS
dona, ut CONFORMES eidem facti...   1148
simul est facta CONFORMES et sempiternitati (sempiternitatis) aeius et
gloriae.   3686

   CONFORTO
contrita conliga, CONFORTA invaledum valedumque custodi.   1333
lauda hyerusalem dominum, quia CONFORTAVIT serras portarum tuarum...
1330
sensusque nostros ad inpugnationum certamina superanda CONFORTES ut dum...
1049
... CONFORTETUR in domino per ncam populus aevocatus...   2262

   CONFOVEO
per noctem amica quies ipsa gratia relatura CONFOVEAT, deducat...   2905
Intercessio nos, qs, dne, sanctae Felicitatis martyrae tuae votiva
CONFOVEAT ut eius sacrata...   1946
ut qui a tua clementia CONFOVEMUR crescamus...   2324
quanto frequencius martyrum benedictionibus CONFOVEMUR.   3252
et paradysi amoenitate CONFOVERI iubeas.   1263
nos eorum confessione benedici et patrociniis CONFOVERI.   3306

   CONFREQUENTO
Cerne placato vultu CONFREQUETANTEM hodiae populum...   910

   CONFRINGO
... CONFREGIT terra, montes ardebunt, sicut caera exiat amare...   2552
O. s. ds, hostilia, qs, arma CONFRINGE...   2346
dominus de caelo discendit CONFRINGERE terram...   3563

dum superborum archum conteris armaque CONFRINGES, dum gentes... 4143

CONFUGIO

ut tandem aliquando CONFUGEREMUS ad lamenta et penitentiae remedium... 3837

Populum tuum, qs, o. ds, ab ira tua ad te CONFUGIENTEM (CONFUGENTEM) paterna (paternam)... 2617

Inveniat apud te, dne, locum veniae quicumque satisfaciens CONFUGIERINT, et conscio... 3828

qui dispecto diabulo CONFUGIUNT sub titulo Christi... 2658

CONFUNDO

vel ignorantiae CONFUNDANTUR erroribus... 2493

O. s. ds, qui infirma mundi eligis ut fortia quaeque CONFUNDAS concede propitius... 2414

O. s. ds, qui elegis infirma mundi, ut fortia quaeque CONFUNDAS da nobis ... 2385

ne iam ullis primae nativitatis vel ignoranciae CONFUNDATUR erroribus... 2493

et fuge, et devulgaviste et vos adversarius CONFUNDERE. 507

suae potestates imperium sors erepta CONFUNDERET, et mors... 397

et mors expoliata CONFUNDERET. 397

quia ipse CONFUNDIT christus adversarius nonaginta novem generationis. 507

... CONFUNDO te demonae per deum verum... 507

CONFUNDO te diabulae per deum vivum... 507

... CONFUNDO te, inimici, per deum patrem omnipotentem... 507

omne (omnem) CONFUSUM et caecum fantasma... 1536, 1537

ab huius famuli tui vexatione inimicus CONFUSUS abscedat... 2299

omnis spiritus inmundus ab eo loco CONFUSUS et increpatus effugiat... 1351, 1352

CONFUSIO

... Et in eo maior eo CONFUSIO crescat... 3854

... CONFUSIO malignitatis hac fraudis diabolicae temptationis infuderit... 3191

... Illius itaque optamus te opitulante cernere faciem sine CONFUSIONE cuius incarnatione... 3870

Inimicus tuus CONFUSIONEM inducat... 874

nec CONFUSIONEM praetenderet unionis... 3613

... Quos unigeniti tui sanguis in praelio CONFUSIONIS roseo colore perfudit... 3727

CONFUTO

et eos qui nos muliuntur insimulare CONFUTA. 423

et hereticorum CONFUTATA versutia... 3613

CONGAUDEO

tanto magis de eorum culmine inferiora CONGAUDEANT. 1557

ut quorum honore CONGAUDENT, de eorum sancta conversatione laetentur... 639

Ds cuius spiritu creatura omnis adulta CONGAUDET exaudi preces... 800

ut sicut populus christianus martyrum tuorum temporali sollemnitate CONGAUDET ita perfruatur... 2671

VD. CONGAUDET namque totum corpus aeclesiae... 3632

Ds, cuius providentiam cretura omnes crementes adulta CONGAUDET propitius super... 796

CONGLORIFICO

qui cum patre et filio simul adoratum (adunatum) et CONGLORIFICATUM qui
  locutus...   554, 555

CONGREGATIO

Ds qui es... indultur sacerdotii, CONGREGATIO plebis...   981
et confirma iusse benedictionis tuae CONGREGATIONE cupienti...   759
in CONGREGATIONE iustorum aeternae beatitudinis iubeas esse consortem
  (consortes). 2748
praetende... vel super cunctam CONGREGATIONEM illi commissam spiritum
  gratiae salutaris... 2392
et CONGREGATIONIS adulte propicius dona conservat...   2499
dilata sanctae (sancta) huius CONGREGATIONIS habitaculum temporalem
  (temporale habitaculum) caelestibus bonis...   1195

CONGREGO

dispersum CONGREGA, adunatumque conserva.   323
ut qui (in) nativitate dei genetricis et virginis CONGREGAMUR...   3357
... Sic dispensatione diversa unam Christi familiam CONGREGANTES...
  3666a
ut qui diversitatem gentium... paraclyti spiritus dona voluisti
  CONGREGARE. 4198
quam ex gentibus CONGREGARI linguarum variaetate signasti.   1173
Clerum ac populum quem sua voluit opitulatione tua sanctione CONGREGARI
  sua dispensatione... 337
ut sancto spiritu CONGREGATA hostili...   664
et CONGREGATA restaures, et restaurata conserves.   62
... CONGREGATAM cleri ac populi multitudinem... iubeas conservare...
  4198
Exultemus, qs, dne ds noster, omnis recti corde in unitate fidei
  CONGREGATI.   1562
Ds qui CONGREGATIS in nomine tuo famulis medium te dixisti adsistere...
  924
Ut te protegente exultet ecclesia (exultent aecclesiae) de CONGREGATO
  populo...   805
ad unam confessionem (ad unae confessione) tui nominis caelesti munere
  CONGREGETUR (CONGREGENTUR).   2436, 2437

CONCRESSUS

tam ille pastur suspendio, quam iste doctur per gaudium in CONGRESSU.
  1033

CONGRUENTER

et pro salvandis CONGRUENTER exhibere perficias (proficiant).   3052, 3053
da mihi famulo tuo... exhibere CONGRUENTER officium...   1320
da nobis exercere ieiunia CONGRUENTER quibus nostrae...   821
sic tendere CONGRUENTER, ut ad eam pervenire possimus.   1569
et deus homo nasci dignatus CONGRUENTIUS non deberet nisi virgine matre
  generari.   3779

CONGRUO

et mysteriis eorum mente pariter CONGRUAMUS et corpore.   196
Dne ds, qui fragilitati nostrae quae CONGRUANT et praevides solus et
  providis...   1323a
ut dicato muneri CONGRUENTEM nostrae devotionis offeramus affectum
  (offerimus effectum).   2662

ut sicut eam ad aetatem nuptiis CONGRUENTEM pervenire tribuisti...   1729
pluviam nobis tribue CONGRUENTEM ut praesentibus...   832
nos, (dne), mysterio CONGRUENTES hoc sacro munus efficiat...   3305

CONGRUUS

da nobis in festivitate sancte martyris Caeciliae (iulianae) CONGRUA
   devotione gaudere...   2385
et fidem CONGRUA devotione sectemur.   609, 621
ut ieiuniorum veneranda solempnia et CONGRUA pietate suscipiant...   2653,
   2715
et fragilitati nostrae CONGRUA praeparasti subsidia...   4155
per ordinem CONGRUA ratione dispositum...   1348, 1349, 1350
ut et miserationibus tuis CONGRUA respondeamus obsequia...   623
et ut his CONGRUAE famulemur, eorum praesta potenter effectu.   3541
hac moribus quibus professionis (meae) CONGRUAM instituas...   3476, 3476a
et CONGRUAM tibi semper (exhibeat) servitutem...   373
et reparationis nostrae ventura sollemnia CONGRUIS honoribus praecedamus.
   3452
ut CONGRUIS subsidiis in confessione tui nominis perseveret.   3083
et de CONGRUO sacramenti pascalis obsequio (obsequium).   2663

CONIUGALIS

ut in CONIUNGALAE consortio, effectu conparamento...   1078
ds qui tam excellenti mysterio CONIUGALEM copulam consecrasti...   1171
... Memineritque se, dne, non tantum ad licentiam CONIUGALEM delegatam...
   2541
memineretquae, dne, non tantum ad licenciam (licentium) CONIUGALEM sed
   ad observanciam...   2542
... CONIUGALIS tori iussa consortia... humani generis foedera nexuerunt...
   2541, 2542

CONIUGIUM

quos (et casto) fetu sancti CONIUGII mater fecunda progenuit...   4091,
   4092
Suscipe, dne, qs, pro sacra lege CONIUGII munus oblatum...   3429
Ds, qui famulum tuum Isaac pro sterilitate CONIUGII sui te depraecante
   exaudire...   990
qua beata gloriosaque (quia beatam gloriosamque) Caecilia despecto mundi
   CONIUNGIO ad consortia superna...   3993, 3994, 3995
et mundano dicata CONIUNGIO divinum est sortita consortium...   4103
eum (quem fuerat susceptura CONIUGIO) fecit comitem...   4034
ut sanctitatem (sanctitate) patrum etiam in ipso CONIUGIO imitentur...
   1353
ut que CONIUGIO preparabatur humano...   3605, 3606, 3607
ac super (hac si per) sanctum CONIUGIUM initialis benedictio (benedicta)
   permaneret...   758, 759

CONIUNCTIO

... CONIUCTIONES famulorum tuorum fovere digneris...   1353
quam tibi offeret ob diem trecesimum CONIUNCTIONES suae vel annualem...
   1719

CONIUNGO

deducatur cum triumpho choro CONIUNCTA angelico...   3392
... Illique CONIUNCTA est moriendo, cui se consecraverat caste vivendo...
   3866
fidei sotiati (sotietate) CONIUNCTI, passionis aequalitate consimiles...
   3612

universitatis creatori gloriosa passione CONIUNCTI sunt.   2187
sicut CONIUNCTUM est hoc mel et lac...   304
universitatis (universitas) creatori gloriosa passione CONIUNCTUS est.
  2187
et beatae requiei te donante CONIUNCTUS et si quae illi...   3470
et christo tuo CONIUNGAS in gaudio sempiterno.   4184
... CONIUNGE ergo famulos tuos, dne spiritui sancto...   304
laudisque tuas dne fidenter intendas CONIUNGERE vocibus angelorum...
  4039
corporibus verbi tui veritatis filii... ineffabile mysterium CONIUNGERE
  voluisti...   2456
qui providentia (providentiam) tua, dne, CONIUNGI meruerunt.   1353
sic ei serviatis in terris, ut ei CONIUNGI valeatis in caelis.   2951
supernis civibus mereamur CONIUNGI.   3741
famulos tuos quos sanctae dilectionis nobis familiaritate CONIUNCXISTI...
  3624

        CONIURO
Per illo te CONIURO, diabuli qui pulmum mensus est in caelo...   1860
Tibi CONIURO per quattuor aevangelia...   3474
Per deum tibi CONIURO qui natus est de maria virgine...   2552
Per deum tibi CONIURO qui sedit ad dexteram dei...   2552
quia per deum te CONIURO qui septem tronus sedit quia de supore.   1860
CONIURO te diabuli super quatuor candelabra sedias...   1860
CONIURO te et obtestor te per nomen domini nostri ihesu christi...   1888
... CONIURO te non meam infirmitatem sed virtute spiritus sancti...   142
CONIURO tc per angelos, excommunico te per archangelos...   1950
CONIURO te per angelum micahael...   507
exorcizo te per prophetas, CONIURO te per martires...   1950
Exorcizo te, CONIURO tibi quicumque inimico habet in se.   1860

        CONIUX
adque ad optatam seriem cum suo CONIUGE proveas benignus annorum.   1729
Ds qui famulum tuum isahac pro sterelitate CONIUGE suae et deprecante
  exaudire...   990
eum quem CONIUGEM fuerat habitura...   4034
ut CONIUGEM suum valerianum adfinemque suum tibortium tibi fecerit
  consecrare...   758

        CONNECTO
et quos legitima societate CONNECTES, longeva pace custodi (custodias).
  2982
et solium regni firma stabilitate CONECTI.   842
quia sicut superioribus ima CONEXA sunt...   3632
aeclesiam tuam... suorumque CONEXAM (CONEXA) discretione (destinctione,
  districtionem) membrorum...   136, 137
cum eis mutua dilectione CONNEXUS...   3912

        CONNIVENTIA
ut hunc famulum tuum, quem CONIBENTIA et aelectio famularum tuarum...
  561

        CONNUBIUM
Suscipe qs dne pro sacra CONUBII lege munus oblatum...   3429
ne de fide tamen CONUBII promissa discederet...   4034
ut adoptionem filiorum sanctorum CONUBIORUM faecunditas pudica servaretur
  ...   3926

ut multiplicandis adobcionum filli sanctorum CONUBIORUM fecunditas pudica
  serviret...   3925
animae quae in viri (viris) ac mulieris copula (copulas) fastidirent
  (studirent) CONUBIUM concupiscerent...   758, 759

        CONOR
sepe subvertere conati sunt et CONANTUR.   3879
sepe subvertere CONATI sunt et conantur...   3879

        CONQUEROR
... De quibus ita nos miseranda temeritate CONQUAERIMUR...   3652

        CONQUIESCO
non solum ubi venerabiles eius reliquiae CONQUIESCUNT...   4037

        CONSANGUINITAS
quem prius ad tuam imaginem de limi CONSANGUINITATE formasti.   2298

        CONSCENDO
ad regnum CONSCENDERE mereantur...   297, 3556
quo redemptor noster CONSCENDIT adtolli...   1498, 4173

        CONSCIENTIA
ut in nostra CONSTIENTIA fiducia non habentes...   918
malum omnem evacuam a CONSCIENTIA mea...   1296
ut demittas quae CONSCIENTIA metuit...   2375
et quod nostra CONSCIENTIA non habebat...   3958
et quod nostra CONSCIENCIA non meretur...   3200, 3201
et quod nostra CONSCIENTIA non praesumit...   3200
... Precamur itaque ut tibi CONSCIENTIA nostra famuletur...   3741
tibi CONSCIENTIA nostra in quantum a te corregitur famuletur...   4184
et quod CONSCIENTIA nostra non supplet...   86
ut qui inclinamur CONSCIENTIA nostra, tua semper misericordia eregamur.
  873
et nihil de sua CONSCIENTIA praesumentibus ineffabilem (ineffabile)
  miseratione succurre...   102, 110
ut seviciae persecutores non cederet CONSCIENTIA puaerilis...   3618
ut quos CONSTIENTIA reatu constringuntur...   2943
territi de CONSCIENTIA, sed fidi de tua misericordia...   3662
et mortalitatis CONSCIENTIA trepidos pietatis eruditione confirma...
  1343
a quo rationabiles CONSCIENTIAE bonaeque famae...   3879
ut qui a reatu CONSCIENTIAE constringitur...   2943
integritatem CONSCIENTIAE diligere semper et famae.   1577
... CONSCIENTIAE famaeque nostrae profutura sectemur.   3009
ut (qui) (ut et in) nostrae CONSCIENTIAE fiduciam non habemus...   292,
  918
quem reatus propriae CONSCIENTIAE gravat.   1567
ut dum reatum CONSCIENTIAE meae recognusco...   4003
ut ubi nulla CONSCIENTIAE meae te digna sunt merita...   1066
patrisfamiliae thaesaurus absconditus CONSTIENTIAE mentis...   3089
fiduciam CONSCIENTIAE non habemus...   2668
ut quae CONSCIENTIAE nostrae praepediuntur (prepedimus, praepedimur,
  prepediunt) obstaculis...   2151, 2152
ad depraecandum te CONSCIENTIAE nostrae prespicis non suffire facultatem
  ...   893
ut dum reatum CONSCIENTIAE nostrae recognuscimus...   4004
si per contientiam salutarem CONSCIENTIAE nostrae tribuli spinaeque
  deficiant...   3827

ut qui inclinamur CONSTIENTIAE nostra tua semper... 873
Ds sub cuius oculis omne contrepitat et omnes CONSCIENTIAE pavescunt...
  1247
Det vobis... inmaculatam fidem, CONSTIENTIAE puritatem. 351
ut quia CONSCIENTIAE reatu constringitur, caelestis remedii plenitudine
  glorietur. 2943
ut quos CONSCIENTIAE reatus accusat... 792, 1060, 1455, 1465, 3657
et non plus ei noceat CONSCIENTIAE reatus ad paenam... 2313
fidei calorem, CONTIENTIAE rigorem... 980
ut ad CONSCIENCIAE suae fructum non gravare, studeant miseros sed iuvare.
  1228
et bonum CONSCIENTIAE testimonium praeferentes (praeferentis) (proferens)
  ... 136, 137, 138
ut CONSCIENTIAE vestrae deum sapiant... 1185
et si CONSCIENCIAM discutis dne nimo est qui non reus sit ante te. 3282
ita nunc excusabilem CONSCIENTIAM non relinquit... 4115
... CONSCIENTIAM nostram benignus absolve. 564
teriti de CONSCIENTIAM, sed fidem de tua misericordia... 3662
et accusantes suas (se) CONSCIENTIAS ab omni vinculo iniquitatis absolvis
  ... 922, 923
CONSCIENCIAS nostras, qs, (dne) (o, ds, cotidie) visitando purifica...
  509
... CONSCIENTIAS nostras sancti spiritus salutaris adventus emundet
  (emundet adventus). 1815
Haec hostia... CONSCIENCIAS nostras semper et mundet (aemendet) et
  protegat. 1693

        CONSCINDO
... Nam qui nititur ad altiora CONSCINDERE quid agit... 3290

        CONSCIUS
mens sibi CONSCIA traditoris ferre non potuit... 3867, 3868
ut qui infirmitatis nostrae CONSCII de tua virtute confidimus... 683
et CONSCIO dolore victus... 3828
qui vestrae est CONSCIUS infirmitatis. 425

        CONSCRIBO
(Dele, qs) (Depelle) dne, CONSCRIPTUM peccati lege cyrografum... 711

        CONSECRATIO
Sanctificationum omnium auctor, cuius vera CONSECRATIO (cuius) plena...
  3225
Hanc igitur oblacionem, quam tibi offerimus in huius CONSECRACIONE
  (CONSECRATIONEM) baptisterii... 1744
et confirmari se benedictionis tuae CONSECRATIONE cupientibus (cupienti)
  ... 758, 759
longiva efficias CONSECRATIONE firmare. 3592
cuius hodie natalem divinae caelebramus CONSECRACIONE mysterii... 1202
quae tibi ob CONSECRACIONE sui corporis offeret... 2135
ad CONSECRACIONEM huius aeclesiae vel altaris proficiat. 549
cuius hodiae natalem genuinem celebramus CONSECRATIONEM misteriae...
  1202
quia cum geminatura sacrae legis non virtus inditae CONSECRATIONIS
  excluditur... 2297
eique donum CONSECRATIONIS indulgeat... 2502
et CONSECRATIONIS indultae (adulte) propitius dona conservet. 2499
Ds qui nobis per singulos annos huius sancti templi tui CONSECRATIONIS
  reparas diem... 1085

CONSECRATOR

regum CONSECRATOR, honorum omnium adtributor...   3912

CONSECRO

CONSECRA, qs, dne, quae de terrenis fructibus nomini tuo dicanda mandasti
    ...   510
Ds o., in cuius honore altare sub invocatione tui nominis CONSECRAMUS cli-
    mens et...   866
CONSECRAMUS et sanctificamus hanc patenam...   511
famulum tuum quem in accholyti officium CONSECRAMUS poscentes...   2342
oblaciones, quas pro peccatis nostris nomini tuo CONSECRANDAS deferemus
    benignus assume...   2813, 2874
quas tibi in honore sancti martyris tui illius nomini tuo CONSECRANDAS
    deferimus et pro requie...   3439
et quos tuae pietatis aspectibus offerimus CONSECRANDOS...   1483
calicem suum in ministerio CONSEGRANDUM caelestis...   2504
et quem tua piaetas aspectibus offerimus CONSECRANDUM, perpetuam...   1483
ut hoc altare sacrificiis spiritalibus CONSECRANDUM vocis...   707
detulit famulatum perfecti baptismatis mysterium CONSECRANTI.   3774
quo sit aelectio tua sibi CONSECRARE dignata est...   3823
... CONSECRARE digneris benedictionis in lapidum...   3997
CONSECRARE et sanctificare digneris, dne, patenam hanc...   513
benedicere CONSECRARE et sanctificare digneris vasa haec...   1283
ob diem, quo me sacris altaribus sacerdote CONSECRARE iussisti...   4050
ut coniugem suum valerianum adfinemque susum tibortium tibi fecerit
    CONSECRARE nam et angelo...   758
promissio muneris se domini desiderat CONSECRARE, plena fide...   674
et populo veniente ad credulitatem per servos suos CONSECRARE praecepit...
    1542
maiestatis tuae praesenciam (praesencia) CONSECRARE ut (qui) ubique...
    2343
sacrificare, benedicere, CONSAECRAREQUAE digneris et per manibus...   3997
sanctificare benedicere CONSECRAREQUE digneris haec lenteamina...   1318
tot charismatum splendoribus CONSECRARI decebat...   4095
et populo venienti ad credulitatem per servos suos CONSECRARI praecepit...
    1544
ut in homine condito ubi requiesceris tibi domicilium CONSECRARIS.   1162
et qui hunc diem in laevitae tui Laurenti (laurentio) martyrio CONSECRASTI
    concide propitius...   864, 1077
VD. Tu enim nobis hanc festivitatem... Stefani passione venerabilem
    CONSECRASTI cui tantum...   4185
Ds qui (quique, quibus) hunc (hodiernam) diem beatorum (beati)... martyrio
    CONSECRASTI da aeclesiae tuae...   982, 983, 1006, 1023, 2402, 2403
O. s. ds, qui hunc diem... (per) partum beatae virginis Mariae (mariae
    virginis) CONSECRASTI da populis tuis...   2404, 2405
qui beatos apostolos nominis tui gloriam (gloria) CONSECRASTI, exaudi...
    2365
qui hanc sollemnitatem electionis gentium primitiis CONSECRASTI imple
    mundum...   2341
ita regenerationis humanae CONSECRASTI mysterium...   2297
qui locum istum sanctorum tuorum martyrum sanguine CONSECRASTI praesta
    omnipotens...   4227
per gratiam qui tibi CONSECRASTI primitias martyrum...   465
VD. Et in hac die quem transitu sacro beati confessoris tui ill.
    CONSECRASTI quaesumus ergo...   3692

Ds qui ecclesiam tuam apostoli tui petri fide et nomine CONSECRASTI quique beatum... 970

ds qui tam excellenti mysterio coniugalem copulam CONSECRASTI ut christi ... 1171

beati confessoris tui ill. transitu sacro CONSECRASTI. 3944

etiam hunc nobis venerabilem diem beati Xysti... sanguine CONSECRASTI. 4089

VD. Et diem beatae agnetis martyrio CONSECRATAM sollemniter recensere... 3686

calicem suum in ministerio CONSACRATUM caelestis... 2504

VD. Recensentis (Recensemus) aenim diem beate agnetis martyrio CONSECRATUM quae terrenae... 3686

agnus occiditur, eiusque sanguis postibus CONSECRATUR... 3791

ut cereus iste in honorem nominis tui CONSECRATUS ad noctis... 3791

Ds o. in cuius honore hoc altare sub invocatione tui nominis CONSECRATUS clemens... 866

... Illique coniuncta est moriendo, cui se CONSECRAVERAT caste vivendo... 3866

qui quadragenarium numerum in... necnon et redemptoris nostri ieiunio CONSECRAVIT concedatque... 347

VD. Et in hac die quam beati clementis passio CONSECRAVIT et nobis... 3690

CONSECRENTUR manus istae per istam unccionem et nostram benediccionem... 512

CONSECRENTUR manus isti, qs, dne, et... 513

ut in eo sic temporales hostiae CONSECRENTUR ut perpetuae... 2397

ut benedicas purifices CONSECRES et consummes... 1283

tua CONSECRET largitas invicta donorum. 110

      CONSEDEO
et inter martires (coronatos) CONSEDEAT et inter patriarchas... 3391

erige nos ad CONSEDENTEM in dextera tua (dexteram tuam) nostrae salutis auctorem... 887

Et qui eum CONSEDERE patri in sua maiestate creditis vobiscum manere... 345

ut sicut humani generis salvatorem CONSEDERE tecum... 109

      CONSEMPITERNITAS
nec CONSEMPITERNITATIS minueret veritatem. 3613

      CONSENSIO
diabolus merito pravae CONSENSIONIS elisit... 4103

      CONSENSUS
nec alienis inpietatibus praevere CONSENSUM sed mores... 3833, 4209

adaerit per spiritum sanctum CONSENSUS unus omnium animarum. 3021

      CONSEQUENTER
ut propicius largiaris CONSEQUENTER auxilium. 3664, 4214

ut CONSEQUENTER et corporum praesens pariter et futurum capiamus auxilium. 2938

... CONSEQUENTER et universos homines... diligamus... 4025

et quae bona sunt CONSEQUENTER explere... 3749

et CONSEQUENTER obteneat, et observationis... 1671

declinare que mala sunt, vel bona CONSEQUENTER operari... 3671

ut CONSEQUENTER praesens pariter et futurum capiamus auxilium. 2938

CONSEQUOR

Ut CONSECUTA sanctis praemia orum et multorum probitate consecuti...   359
CONSECUTI gratiam (gratia) muneris sacri...   514
maiestate tuae pura mente deserviant CONSECUTI graciam spiritus sancti...
   2275
Sed qui sunt paschalis festivitatis beneficia CONSECUTI, non inveniantur
   ...   2298
Inmortalitatis alimonia (alimoniam) CONSECUTI qs dne ut.   1858, 1930
Ut consecuta sanctis praemia orum et multorum probitate CONSECUTI,
   referamus...   359
ut omnes gentes Israhelis privilegium meritum fidei CONSECUTI spiritus
   tui...   1178
qui in hac luce positi tuum CONSECUTI sunt sacramentum.   1952
ut CONSECUTI tui gratiam dignitatem...   1751
ut quod divino munere CONSECUTUS est, divinis effectibus exsequatur.
   1750, 1770
et pro praemio, quo caelestis exsisteret, CONSECUTUS est passionem.   3863
ut aeternam caelestis lavacri benedictionem CONSECUTUS promissa tui...
   829
dum ad te postolata fuerint CONSECUTUS sitque aedificantibus...   1734
ut eadem CONSEQUAMUR conversatione caelesti.   2412
munera terrena gratanter offerimus, ut caelestia CONSEQUAMUR damus
   temporalia...   172
invisibili (invisibilibus) CONSEQUAMUR effectu.   2697, 2702
Sacris, dne, mysteriis expiati, et veniam CONSEQUAMUR et gratiam.   3168
Concede, o. ds, ut et gaudiorum plenitudinem CONSEQUAMUR et maiestati...
   458
per quem CONSEQUAMUR et veniam.   883
Ut tuam dne misericordiam CONSEQUAMUR, fac nos tibi toto corde esse
   devotos.   3583
et maiorem devote tibi humilitatis gratiam CONSEQUAMUR quatenus in illo...
   634
O. s. ds, propensius his diebus tuam misericordiam CONSEQUAMUR quibus
   eam...   2373
ut quod passionis mysterio gerimus, piis affectibus (effectibus)
   CONSEQUAMUR.   3444
ut quod fideliter petimus, efficaciter CONSEQUAMUR.   1244, 2873, 2876
et praesentis vitae subsidia et futurae etiam CONSEQUAMUR.   2815
ut quod temporaliter gerimus, aeternis gaudiis CONSEQUAMUR.   3325, 3339,
   3340
ut qui eius beneficia poscimus (possimus) dona (dono) tuae gratiae
   CONSEQUAMUR.   1103
etiam piaetatis gratiam CONSEQUAMUR.   940
ut resurrectionis gratiam CONSEQUAMUR.   1181
ut amborum meritis aeternam trinitatis graciam (gloriam) CONSEQUAMUR.
   785, 786
tuae pietatis indulgentiam CONSEQUAMUR.   2746
beati Marcelli... praecibus indulgenciam CONSEQUAMUR.   814
misericordiae tuae indulgentiam CONSEQUAMUR.   2776
... purificate mentes (mentis) intellegentiam (intelligentia) CONSEQUAMUR.
   2713, 2731
ut salutis aeternae remedia... te largiante CONSEQUAMUR.   3548
suffragancium meritis CONSEQUAMUR.   75
de memore gaudia tuae misericordiae CONSEQUAMUR.   1147
inmortalitatis tuae munere CONSEQUAMUR.   3044

conversatione tibi placita CONSEQUAMUR.　2809
aeterne beatitudinis premia CONSEQUAMUR.　2549
ut cuius mysterium in terra cognovimus, eius redempcionis praemia
　CONSEQUAMUR.　1119
aeternae vitae praemia CONSEQUAMUR.　1022
quae corporaliter agimus spiritaliter CONSEQUAMUR.　2167
ut vitalis ligni praecio aeternae vitae suffragia CONSEQUAMUS (CONSEQUAMUR)
　1035
ita eorum suffragiis CONSEQUAMUR.　1191
promissiones tuas quae omni (omne, omnem) desiderio (desiderium) superant
　CONSEQUAMUR.　959
ut qui te contemnendo culpa incurrimus, confitendo veniam CONSEQUAMUR.
　2251
ut illis reverentiam deferentes nobis veniam CONSEQUAMUR.　49
piaetatis tuae veniam CONSEQUAMUR.　1049
et in futuro... vitam et regnum CONSEQUANTUR aeternum.　202
quidquid iusto expetierunt desiderio, caeleri CONSEQUANTUR effectu
　(effectum).　844
ut opem tuae gratiae CONSEQUANTUR, qui in tua pietate confidunt.　244
presbyteratus benedictionem devinae indulgentiam muneris CONSEQUANTUR ut
　sancti spiritus...　3300
Ut aeius intercessione plebis haec CONSEQUANTUR veniam...　1176
sempiternam (sempiterna) beatitudinem CONSEQUANTUR.　3414, 3437
et tua semper beneficia CONSEQUANTUR.　691, 692
consolationis tuae beneficia CONSEQUANTUR.　1048
Benedictionis tuae gratiam quam desiderant CONSEQUANTUR.　312
perfccti (perfectae) purgationis indulgentiam CONSEQUANTUR.　1045, 1046,
　1047
perpetua muneris tui largitate CONSEQUANTUR.　1483
et quam subiectis cordibus expedunt, (expediunt, expetunt) largiter
　CONSEQUANTUR.　366
suffragantium meritis CONSEQUANTUR.　75
ut animae famulorum famularumque tuarum... perpetuam (tuam) misericordiam
　CONSEQUANTUR.　1821, 1822
indulgenciam omnium delictorum tuo munere CONSEQUANTUR.　2345
et fructum de profectu omnium CONSEQUANTUR.　820
sanctorum tuorum praecibus CONSEQUANTUR.　568
aeternae beatitudinis premia CONSEQUANTUR.　1349
et ea semper quae sunt eis salubria CONSEQUANTUR.　1607
ut indulgenciam quam semper optaverunt piis supplicacionibus CONSEQUANTUR.
　1629, 2806, 3008
tecumque inmortalitatis vitam et regnum CONSEQUATUR aeternum.　3462
ut cuius per te sumpsit inicium, per te CONSEQUATUR augmentum.　2115
nec difficulter (deficultas) quod (quid) pie quod iuste postulat
　CONSEQUATUR cui sanctorum...　2611, 3360
O. s. ds, fons omnium virtute CONSEQUATUR cum et plenitudo...　2343
CONSEQUATUR, dne, qs, tuae benedictionis auxilium...　515
ut devotio paenitentiae... perpetuae salutis CONSEQUATUR effectum.　177
et quam precatur humiliter, indulgentiam CONSEQUATUR et pacem...　2569
optatae quietis CONSEQUATUR gaudia repromissa.　746
ut veniens hic populus tuus suae CONSEQUATUR oraciones effectum...　1734
et ut fructum boni operis CONSEQUATUR quae in his locis...　1746
benedictionem suppliciter inploratam devota tibi familia CONSEQUATUR ut
　tuo secura...　3511
Aeorum intercessione haec plebs CONSEQUATUR veniam...　908
quod pie credit (reddedit, crededit) tua gratia CONSEQUATUR.　1452

ut obediens (facto) adque dicto parens tua gracia (gratiam) CONSEQUATUR.
  1339
ut quam semper optavit indulgentiam CONSEQUATUR.   1628
suffragantium meritis CONSEQUATUR.   75
non indignationem tuam, sed iugiter misericordiam CONSEQUATUR.   2613
ut anima famuli tui illius... perpetuam misericordiam CONSEQUATUR.   1822
indulgenciam omnium delictorum tui muneris CONSEQUATUR.   2345
sanctorum martyrum patrocinio CONSEQUATUR.   1595
animarum quoque suarum salute perpetua (salutem perpetuam) CONSEQUATUR.
  3844
aeternae beatitudinis praemia CONSEQUATUR.   1348
distinata (predestinata) sanctis praemia CONSEQUATUR.   2498, 2511
indulgentiam nobis hisdem suffragantibus CONSEQUATUR.   3356
quibus (et) ad aeterna gaudia CONSEQUENDA et spes...   2817, 3939
sic ad CONSEQUENDAS misericordias tuas.   2410
ut ecclesiae tuae... admissorum veniam CONSEQUENDO reddatur innoxius
  (innoxius veniam CONSEQUENDO).   2716
ad perfectum remedium CONSEQUENDUM.   2268
... CONSEQUENS enim fuit, ut transactis terrae fructibus caeleste semen
  oreretur...   4074
et peccatorum veniam CONSEQUENTIS a noxios (noxiis) liberemur incursibus.
  2690
ut vivificationis tuae gratiam CONSEQUENTIS in eius munere semper (in
  tuo semper munere) gloriemur.   2695
et CONSEQUENTES sufficientiam temporalem...   111
et nomini tuo perfice veratiter CONSEQUENTES.   3105
et tua semper beneficia CONSEQUENTUR.   692
aeternam CONSEQUI gratiam spiritali generatione desiderat...   829
ut omnium delictorum nostrorum remissionem CONSEQUI mereamur qs dne...
  1723
ut quicquid sperantes a te poscimus te donante CONSEQUI mereamur.   2807
pietatis tuae gratiam (gratia) CONSEQUI mereamur.   3003
et de merore gaudium tuae misericordiae CONSEQUI mereamur.   1147
non iudicium sed misericordiam (misericordia) CONSEQUI mereamur.   1510
aeius redemptionis premia CONSEQUI mereamur.   1119
ut quod in eius veneracione deposcimus, te propiciante CONSEQUI mereamur.
  2456
et quae digne postulant CONSEQUI mereantur.   2803
aeternam premiam CONSEQUI mereantur.   876
ut et perfectam libertatem CONSEQUI mereatur et ad vitam...   1212
ut (remissionem) omnium peccatorum suorum (veniam) CONSEQUI mereatur qs
  dne...   1749, 1767
ut CONSEQUI mereatur remissionem omnium peccatorum...   1732
promissionum tuarum aeterna praemia CONSEQUI mereatur.   875
ut omnium delectorum suorum veniam CONSEQUI mereatur.   3386
... CONSEQUI non posse, quae poscimus...   4144
tribue CONSEQUI, quod sperare donasti.   328
nos docuisti nostrorum CONSEQUI remedia peccatorum...   3939
servitutem, per quam suam CONSEQUI valeatis propitiationem.   2244
orent (horrent) mortalia, dum inmortalia CONSECUNTUR.   3862, 4099

            CONSERO
in aeius porcionem CONSERI in quo totius salutis humane summa consistit.
  2407

CONSERVATOR
Creator et CONSERVATOR humani generis... 549
Ds... et piorum gratissimus CONSERVATOR imperiorum... 748
Ds, castitatis amator et continenciae CONSERVATOR supplicacionem... 757

CONSERVO
CONSERVA, dne, familiam tuam bonis semper operibus eruditam... 516
CONSERVA, dne, populum tuum et quem sanctorum... 518
CONSERVA, dne, qs, (qs dne) familiam tuam, et benedictionem... 519
CONSERVA dne qs populum tuum et... 520
CONSERVA dne qs tuorum corda fidelium, et... 521
Familiam tuam, dne, pervigili protectione CONSERVA et perpetuis... 1592
... CONSERVA famulo tuo tuarum dona virtutum... 1015, 1020
... CONSERVA in nobis operam (opera) misericordiae tuae... 3882
CONSERVA in nobis, qs, dne, misericordiam tuam... 522
... CONSERVA, in nova (novam) familiae tuae progeniem adoptionis spiritum ... 999
... CONSERVA in novam familiae tuae progeniem sanctificationis. 801, 2398
Ds... CONSERVA in populis tuis quod es dignatus opperare... 834
CONSERVA niture neveos quos resurrectionis nox de fonte partuit candidatus... 1059
CONSERVA nobis dne misericordiam tuam... 522
perpetua defensione CONSERVA percipiant qs... 74
a terrenis CONSERVA periculis. 65
CONSERVA populum tuum, ds, et tui nomine (tuo nomini) fac devotum... 523
CONSERVA, qs, dne, filiorum tuorum tibi subditam servitutem... 524
CONSERVA qs dne populum tuum, et ab omnibus... 525
CONSERVA qs dne populum tuum et quem salutaribus... 517
et tua pietate CONSERVA quod es operatus in nobis... 1765
et electos a te nobis antestites tua pietate CONSERVA ut christiana... 2318, 2319
tuaque protectione CONSERVA, ut possit... 1512
et famulos tuos assidua proteccione CONSERVA ut qui tibi... 90
et ab omnibus nos perturbationibus saeculi huius tua defensione CONSERVA ut qui unigeniti... 4014
libens protege, dignanter exaudi, aeterna (aeterne) defensione CONSERVA ut semper felices... 1249
dignanter exaudi et aeterna eos proteccione CONSERVA ut semper in tua religione... 1720
dispersum congrega, adunatumque CONSERVA. 323
in his dona tuae perpetuae gratiae benedictionisque CONSERVA. 1012
et apostolorum patrocinio confidentem perpetua defensione CONSERVA. 2930
et ab omnibus nos perturbationibus seculi huius tuae (tua) deffensione CONSERVA. 4190
tua in me misericorditer dona CONSERVA. 780
et ut tibi servitus nostra conplaceat, tua in nobis dona CONSERVA. 779
et pacis a tuae habundantiae tempora nostra praetende et CONSERVA. 1165
sapientia inlumina, miseratione CONSERVA. 3082
in his dona tua perpetua gratiae protectione CONSERVA. 2400
vestem quam famula tua illa pro CONSERVANDAE castitatis signo se adoperiendam exposcit... 751
protegente hac CONSERVANTE maiestatem tuam, (maiestate tua) o. ds. 3230
Famulum tuum... respicere et CONSERVARE dignare... 1611
ut nos... in his paschalibus gaudiis CONSERVARE digneris. 3791

ipse te adiuvare et CONSERVARE dignetur.   334
clementer abundare et CONSERVARE facias...   987
corpore tuo in servitio suo custodire et CONSERVARE fatiat.   334
cleri ac populi multitudinem una cum praelato principe iubeas CONSERVARE
   idque in hoc...   4198
Famulum tuum, dne... respicere et CONSERVARE, ut, tui...   1611
Dne ds virtutum, qui, conlapsa reparas et reparata CONSERVAS auge populos
   ...   1326
Deus, qui nos sanctorum martyrum munitione CONSERVAS da aeclesiam...
   1133
Ds qui nos regendo CONSERVAS parcendo iustificas...   1128
qui nos et castigando (castigandus) sanas (annas) et ignoscendo CONSERVAS
   presta supplicibus...   2426
qui nos et percutiendo sanas et ignoscendo CONSERVAS praetende...   1247
et congregationis adulte propicius dona CONSERVAT, ut preces...   2499
... CONSERVATA iustitia a deo, carne vinceretur adsumpta.   3930
que per contemptibilem lignum iustum gubernans, CONSERVAVIT sine
   querilla.   3666
CONSERVENT nos qs dne munera tua, et aeternam (nobis tribuant vitam)
   (vitam tribuant nobis deprecantibus).   526, 527
CONSERVENT te prophete et apostoli...   2180
... CONSERVIS civaria ministrantes tempore conpetenti dominico repperiamur
   adventu...   3796
ut famulum tuum... et assidua protectione CONSERVES ut tibi iugiter...
   1051
et creata (grata, congregata) restaures, et restaurata CONSERVES.   62
clipeus fidaei peccatorum archana CONSERVET, continentia...   1163
ut donet ei spiritum sanctum qui habitum religionis in eo perpetuum
   CONSERVET et a mundi...   2503
ut Iesus Christus... sua nos gratia protegat et CONSERVET et quia sine...
   3747, 3849
adque CONSERVIT in vobis gratiam que (quam) profodit...   218, 319
CONSERVIT nos qs dne munera tua...   528
et gentem populumque tuum in aeternum CONSERVET.   874
ut quod tua piaetas largienter aeis tribuat, clementer CONSERVIT.   2290
et consecrationes adulte propitius dona CONSERVET.   2499
et benedictionis indultae propitius dona CONSERVET.   2499
tuo auxilio CONSERVETUR ut sexagesimum...   757

            CONSERVUS
ut in adventu (adventum) fratrum CONSERVORUMQUAE nostrum...   1083

            CONSIDERATIO
fac eorum et CONSIDERATIONE devotum et defensione securum.   1415

            CONSIDERO
cordis nostri infirma CONSIDERA, et tuae nos gratia pietatis inlustra.
   934

            CONSIGNO
et CONSIGNA eos signo crucis in vitam propitiatus aeternam.   2445
et iube eum CONSIGNARI signum crucis in vitam aeternam...   869

            CONSILIARIUS
et vocabitur admirabilis, CONSILIARIUS, deus fortis...   3677

            CONSILIUM
O. s. ds (Ds) a quo (sola) sancta desideria (et) recta (sunt) CONSILIA
   et iusta sunt opera...   734, 2300

ut nec humanis incertus CONSILII derelinquas...   3834
spiritum (spiritus) CONSILII et fortitudinis, spiritum (spiritus)...   867,
    869, 1313, 1339, 2445, 3078, 3192
spiritus CONSILII et virtutis...   1312
Sit magni CONSILII, industriae, censurae, efficatiae disciplinae.   2303
ut austis de tuo fonte CONSILIIS et tibi placeant...   830
ut tuis CONSILIIS inspirati tua opitulatione muniti...   835
Ds, cuius oculto CONSILIO ideo Helisabeth sterelis uterus extitit
    (uterum extetit)...   794
VD. Qui sempiterno CONSILIO non desinis (non des in his) regere, quod
    cresati...   4022
Ds, qui profundo CONSILIO prospiciendo mortalibus sancta instituisti
    ieiunia...   1184
et CONSILIUM civium hac consistentium credimus aelegendum virum...   3281
... Teneant firmam spem, CONSILIUM rectum, doctrinam sanctam...   165
... Tu in merore solacium, tu in ambiguitate CONSILIUM tu in iniuria
    defensio...   758, 759, 760
agnoscimus ad magnum pietatis tuae pertinuisse CONSILIUM ut sanctus tuus
    ...   4098

        CONSIMILIS
nec CUMSIMILES aegyptiorum perire demittas...   2065
passionis aequalitate CONSIMILES, in uno semper domino gloriosi...   3612
affectu conpari, mente (effectu conparamento) CONSIMILI, sanctitate mutua
    copulentur.   1078
Ut cuius palmitibus est effecta CONSIMILIS, mereatur...   1960

        CONSISTO
et presente tempore CONSISTANT securi...   3102
et in una trinitatis confessione CONSISTANT.   329
in tuo conspectu semper clara CONSISTAT, quo fideliter ministravit.   477
et sub tua semper protectione CONSISTAT, ut quando...   3914
et sub tua semper protectione CONSISTAT.   2884
et Romani nominis securitas reparata CONSISTAT.   245
adque eorum praecibus gloriosis et devota permaneat (maneat) et secura
    CONSISTAT.   1985
et eorum praecibus gloriosis secura CONSISTAT.   2723
et sub tua protectione semper CONSISTAT.   2884
ut (et) in tua veritate CONSISTENS nulla recipiat consortia perfidorum.
    3904, 4202
ad custodiendus omnes in hac habitatione CONSISTENTIBUS.   1717
et consilium civium hac CONSISTENTIUM credimus aelegendum virum...   3281
Ds qui aecclesiam tuam in apostolicis tribuisti (tribuit) CONSISTERE
    fundamentis benedicere.   1243, 971
VD. Qui aeclesiam tuam in apostolicis tribuisti (tribuis) CONSISTERE
    fundamentis de quorum.   3339, 3908, 3909, 4047
ut quia sine te non potest omnino CONSISTERE tuis beneficiis...   3359
et quia sine te non potest (potens) salva CONSISTERE tuo semper...   1395
ut in aeclesiasticae gubernationis tranuillitate CONSISTERET.   3610
O. et m. ds, in cuius (omnis) humana condicio potestate CONSISTIT animam
    famuli...   2272
quae in maiestatis tuae CONSISTIT conspectu...   4128
VD. Ut quia in manu tua dies nostri vitaque CONSISTIT sicut honorem...
    4213
ut sicut in eo solo CONSISTIT totius nostrae salvationis summa...   3669
in quo totius salutis humanae summa CONSISTIT.   2407

Terrore omnium conditorem deum in cuius manu regum corda CONSISTUNT, cuius
   potentiam...   3473
O. s. ds, in cuius arbitrio regnorum omnium iura CONSISTUNT protege...
   2347

            CONSOCIO
ut eam sanctorum tuorum coetibus CONSOCIARE digneris.   2880
... Paulum ad salutem gentium non inpari vocatione CONSOCIAS...   4169

            CONSOLATIO
O. s. ds, maestorum CONSOLATIO, laborantium fortitudo...   2354
indulgentia veniat, CONSOLATIO tribuatur...   3354
tu in merore CONSOLATIO, tu in ambiguitate consilium...   759
ut transeuntium rerum necessaria CONSOLATIONE foveant...   1293
ut temporali CONSOLATIONE fultus semper exerceat...   2894
et de tua citius CONSOLATIONE gaudere.   941
et de eius CONSOLATIONE gaudere.   1001
et de eius CONSOLATIONE in perpetuum gaudeamus.   3839
ut et tranquillitatis optatae CONSOLATIONE laetemur...   2426
ut qui reatum nostrae infirmitatis agnoscimus tua CONSOLATIONE liberemur.
   2977
ut benigna CONSOLATIONE non deseras da qs...   1169
et temporali (temporalem) CONSOLATIONE non deseras, quam vis ad aeterna
   contendere.   84, 1420
de CONSOLATIONE nostra in tuo amore crescamus.   4248
et quae casticacionibus (casticationis) adsiduis postolat, tua CONSOLACIO-
   NE percipiat.   997
ut CONSOLATIONE praesenti ad bona futura proficiat.   3532, 3533
tuae gratiae CONSOLATIONE respiremus.   486
temporalium necessitatum CONSOLATIONE respiret...   515
qui temporali CONSOLATIONE significas...   1820
tua CONSOLATIONE subsistat...   15
Da CONSOLATIONEM inter praesuras seculi...   1173
ut CONSOLATIONEM praesenti (praesentem) ad futura bona proficiat...
   3532, 3533
... CONSOLATIONEM praesentis vitae percipiant et futurae.   1659
eorum piis adiuta praesidiis et CONSOLATIONEM referat et salutem.   2847
Hostias... quae temporalem CONSOLATIONEM significent...   1820
Da... CONSOLACIONEM vitae gubernacionemque (gubernationeque) perpetuam...
   572
et CONSOLATIONEM vitae praesentis accipiant...   1658
eique (tuas) CONSOLATIONES (tuas) iugiter per caelestem (caeleste) gratiam
   dignanter operari.   2591
meritoque transeuntium rerum potius CONSOLATIONIBUS adiuvemur...   4132
terrenis eatenus CONSOLATIONIBUS gratulemur...   3845
et mortalis vitae CONSOLATIONIBUS gubernati...   1424
... CONSOLATIONIBUS presentis vite praebeant et future.   1660
ut oportunis CONSOLATIONIBUS subleventur qui in tua miseratione...   1615
ut adventus tui CONSOLATIONIBUS subleventur qui in tua pietate confidunt.
   1614
Repleantur CONSOLATIONIBUS tuis, dne, qs, tuorum corda fidelium...   3061,
   3062
Laetifica nos, dne, qs, CONSOLATIONIBUS tuis et ut nobis...   1989
et perpetuis CONSOLATIONIBUS tuorum reple corda fidelium...   691, 692
Presta, populo tuo, (dne, qs,) (o. ds) CONSOLATIONIS auxilium...   2706
concede benignissime CONSOLATIONIS auxilium.   64

Et qui vobis tribuit supplicandi affectum, tribuat CONSOLATIONIS auxilium.
    425
transeat ad CONSOLATIONIS effectum.   705
ut tuae CONSOLATIONIS gratiam invenire mereamur.   1215
tuae CONSOLATIONIS gratiam sentiamus.   2779
ut et tranquillitatis (tranquillitatibus) huius optate CONSOLACIONIS
    laetemur...   2426
et indulgentiam (nobis) tuae CONSOLATIONIS obteneat.   22
Omnipotens (ds) pater misericordiarum et ds CONSOLATIONIS qui per
    unigenitum...   2297
ut adventus tui CONSOLATIONIS sublevetur...   1614
... CONSOLATIONIS tuae beneficia consequantur.   1048
sed insuper etiam CONSOLATIONIS tuae dona prestas inmeritis...   3919

          CONSOLATOR
Ds, (qui) humilium CONSOLATOR et fidelium fortitudo...   826
qui nobis hodiae aequalem tibi ipse CONSOLATOREM spiritum misisti.   1173

          CONSOLIDO
et mentes vestras in suae vobis pacis tranquillitate CONSOLIDET. Amen.
    2245

          CONSOLO
... Beati qui lugent, quoniam ipsi CONSOLABUNTUR...   58
ut quorum sollemnitatibus CONSOLAMUR, orationibus adiuvemur.   2105
sicut CONSOLARE dignatus es Sarapthenam viduam per Heliam prophetam...
    529
CONSOLARE, dne, hanc famulam tuam viduitatis languoribus (laboribus)
    constrictam...   529
et sic praesentibus CONSOLARE subsidiis...   516
dolentes patarna piaetate iube CONSOLARE.   323
ut temporalibus quoque CONSOLARI digneris...   3734
quod Rachel plorans filios suos noluerit CONSOLARI, quia non sunt...
    3603
Sanctorum tuorum, qs, dne, quorum nos adsiduis festitatibus CONSOLARIS
    defende...   3255
VD. Qui nos assiduis martyrum passionibus CONSOLARIS et eorum...   3965
sanctorum tuorum nos sollemnitatibus praecipuae CONSOLARIS praesta qs ut
    ad...   2416
O. s. ds, qui nos et sustentationibus annuis et sollemnitatibus CONSOLARIS
    praesta qs ut quod...   2427
Ds, humilium visitator, qui nos fraterna dignatione CONSOLARIS praetende
    ...   827
VD. Qui non solum nos sanctorum tuorum confessionibus benignissime
    CONSOLARIS sed etiam ad...   3960
VD. Qui fragilitatem nostram non solum misericorditer donis temporalibus
    CONSOLARIS ut nos ad...   3928
idio bonis temporalibus CONSOLARIS, ut (de) sempiternis...   3890, 3936,
    4009
nobis licet inprobis CONSOLATUR.   3948
habundantia remediorum faciat COMSOLATUS.   1245
de habundantia piaetatis tuae CONSOLEMUR et si ad plenum...   2273
... Sicque praesentibus subsidiis CONSOLEMUR quatenus ad aeterna...   3744
tuae pietatis in omnibus protectione CONSOLEMUR.   2781
concide propicius, ut ex tua visitacione CONSOLEMUR.   1187
pietatis tuae visitacionis (visitatione) CONSOLEMUR.   2829
quid de meritu censeatis, deo teste, CONSOLEMUS.   3021

ut non sub imagine CONSOLENDI percellamus adflictus...   3674
eadem miseris CONSOLENDO non subtrahas...   1009
et multiplici nos suffragio CONSOLENTUR.   1638
Ds qui populis tuis indulgendo CONSOLERIS, et amore dominaris...   1165
sed inmensa clementia purifices, erudias, CONSOLERIS qui cum sine te...
    3699
sic nos bonis tuis instrui sempiternis ; ut temporalibus CONSOLERIS sic
    praesentibus...   3822
ut de aelectionem aeorum... CONSOLETUR et populus...   3021
Tua nos, dne, dona reficiant et tua gratia CONSOLETUR.   3515
et multiplici nos suffragio CONSOLETUR.   1638

        CONSOMMATIO = CONSUMMATIO

        CONSONO
una fide eademque die diversis licet temporibus CONSONANTE...   4196
... CONSONATUS laudibus clamate et dicite : Dignum est.   3281

        CONSORS
et bona, quae suis utilitatibus tribui (tribuae) cupiret (cubire) a
    CONSORTE naturae...   3923, 3924
ut eius fierent aut passione aut confessione CONSORTE.   3963
et quam donis tui facis esse CONSORTEM a malis omnibus...   2590
in congregatione iustorum aeternae beatitudinis iubeas esse CONSORTEM.
    2748
et sanctorum tuorum iubeas esse CONSORTEM.   1899
ut animam famuli... sanctorum tuorum coetui tribuas esse CONSORTEM.   594
et aeternae felicitatis tribuat esse CONSORTEM. Amen.   337
iubeas hereditati (hereditatis) tuae esse CONSORTEM.   215
eo largiente CONSORTES efficiamini aeternae hereditatis.   1157
regno perpetuae libertatis CONSORTES efficias.   3065
et supernorum civium CONSORTES efficiat.   18
et caelestis militiae CONSORTES efficiat. Amen.   2254
ut quos tanti mysterii tribues esse CONSORTES, eosdem dignos efficias.
    3316
Nascendi legem CONSORTES, fidei sotietate (sotietate) coniuncti...   3612
universos homines, sicut nosmet ipsos tamquam CONSORTES nostri generis
    diligamus...   4025
da, (nobis) qs, nobis (Iesu Christi filii tui) (eius) divinitatis esse
    CONSORTES qui humanitatis...   1011, 1032
ut eius efficiamur in divina CONSORTES qui nostrae humanitatis...   1010
in terris (adhuc) positos iam caelestium (rerum) facis esse CONSORTES tu
    (qs) inter ista...   1117, 2559
sed caelestis sapienciae erudicio faciat nos eius esse CONSORTES.   1616
eosque aeternae vitae participes et caelestis gloriae facias esse
    CONSORTES.   3945
ita (nos et) divinae naturae (eius) facias esse CONSORTES.   2044, 3374
et celestis regni faciat esse CONSORTES.   3946
et caelestibus (caelestis) remediis faciat esse CONSORTES.   1700
ut a (ad) tua promissa currentes caelestium bonorum facis (faciat) esse
    CONSORTES.   1143
in congregatione iustorum aeterne beatitudinis iubeas esse CONSORTES.
    2748
et sanctorum iubeas esse CONSORTES.   1901
... Ut quorum sumus martyria venerantes, beatitudinis mereamur esse
    CONSORTES.   3602
et caelestis gaudii tribuat esse CONSORTES.   1700

quos tantis mysteriis tribues esse CONSORTES.   560
perpetuis tribuas gaudire CONSORTES.   2036
et caelestibus contulisti propinquare CONSORTES.   3438
quod eum oleo (oleum) laeticiae prae CONSORTIBUS suis ungendum David
  propheta caecinisset.   3945, 3946

          CONSORTIUM
et beati martyris tui laurentii mereatur CONSORTIA cuius nunc est...
  569, 641
Ipsius resurrectionis percipiamus CONSORTIA cuius patienciae...   2255
... Qui gloriosi apostoli tui Petri pariter sorte nascendi, CONSORTIA
  fidei...   3782
et resurrectionis eius CONSORTIA mereamur, Christi domini nostri.   1019
ut et patientiae ipsius habere documenta et resurrectionis CONSORTIA
  mereatur.   1019
intra quorum nos CONSORTIA non stimamur meritis sed veniam...   2178
ut antistitum decum priorum qui tibi placuerunt mereamur CONSORTIA
  optinere.   956
in tua veritate consistens nulla recipiat CONSORTIA perfidorum.   2383,
  3904, 4202
coniugalis thori iussa CONSORCIA quo totum...   2541, 2542
qua beata gloriosaque Caecilia... ad CONSORTIA superna contendens...
  3993, 3994, 3995
sed ad redemptoris nostri CONSORTIA tranferamur.   1021
huius CONSORTIIS sacramenti, ut ad conscienciae fructum non gravare...
  1228
et sempiternis valeat CONSORTIIS sotiata laetari.   256
sanctorum mereatur adunari CONSORTIIS.   1013
perpetuis tribuas gaudere CONSORTIIS.   2036
et animam famuli tui illius episcopi (sacerdotis) sanctorum tuorum iunge
  CONSORTIIS.   278
et caelestibus contulisti propinquare CONSORTIIS.   3420
et aeternorum civium CONSORTIO adscisci mereantur.   4198
ut in iugali (coniungale) CONSORTIO affectu (effectu) conpari
  (conparamento)...   1078
ut omnis haec plebs... huius vocabuli CONSORTIO digna esse mereatur...
  976
hisdem proficiamus et fideli (fidei) CONSORTIO, et digno servitio.   2286
aeterni regis est sociata CONSORTIO et pretiosam mortem...   3686
ut bono et prospero sociata CONSORTIO legis aeternae iura (aeterna iussa)
  custodiat...   2541, 2542
sic CONSORTIO maritali tuo munere copulatam...   1729
Intra quorum nos CONSORTIO non aestimator meritis...   1951a, 2178
perenni gaudio et sanctorum CONSORTIO perfrui concedas (concitatus).   701
et tecum aeternorum civium CONSORTIO potiri mereantur.   337
eorum sacerdotum CONSORTIO qui tibi placuerunt aduner...   3898
ne diabolica sectando vestigia a Christi CONSORTIO recedamus...   4215
sed nos quoque mirando CONSORTIO reddit acceptos.   4093
(premium) in CONSORTIO sanctorum tuorum piissimae largitori percipiat.
  3531
sed apostolorum derelicto (relicto) CONSORTIO sanguinis praecium a Iudeis
  accepit...   3867
ut aeam sanctorum tuorum CONSORTIO (sociare) digneris.   2879, 2880
de quorum CONSORTIO sunt beati philippus et iacobus...   3905
Respice propitius super hanc famulam tuam quae maritali iungenda est
  CONSORTIO tua se expetit...   1171

ut eorum quoque (et) perpetuo adgregetur CONSORCIO.   1040
et animas famulorum... electorum tuorum iungere digneris CONSORTIO.   3247
... CONSORTIUM adipiscar tibi placentium sacerdotum...   1567
Quo eius in caelo mereamini habere CONSORTIUM cuius devotis...   275
atque caelestium donorum CONSORTIUM esse perceptorum.   2465
sanctorum atque electorum largire CONSORCIUM et rore...   2975
quibus per unigeniti tui CONSORTIUM filius adopcionis esse tribuisti...
   4011, 4012
et mundano dicata coniungio divinum est sortita CONSORTIUM ipsumque
   temporalem...   4103
... Intra quorum nos CONSORTIUM non aestimator meriti...   2178
ita vos eorum mereamini CONSORTIUM per bonorum operum exhibitionem.   338
ut ad divinitatis CONSORTIUM perveniret.   3604
Inveniant, qs, dne, animae lucis aeternae CONSORCIUM qui in hac luce...
   1952
in perpetuum sibi socians martyr casta CONSORTIUM secum duceret...   3775
divinae humanaeque naturae CONSORTIUM sponsi filios...   3996
et electorum tuorum virginum CONSORTIUM, te donante mereatur uniri.   760
da populis tuis in hac caelebritate CONSORTIUM ut qui tua gratia...
   2405
ut ad eorum qui tibi placuerunt sacerdotum, CONSORTIUM valeam pervenire...
   3893
et peccatorum remissionem et sanctorum mereamur adipisci CONSORTIUM.
   3748
indulgentiae fructum, et vite aeternae CONSORTIUM.   3485
et ad redemptionis aeternae pertingat te docere (docente, ducente)
   CONSORTIUM.   241, 242
ut eius... aeternum capiat (capiant) te miserante CONSORCIUM.   2904
dignis conversationibus ad eius mereamur pertinere CONSORTIUM.   613
et de tua misericordia nobis impetret beatitudinis suae CONSORTIUM.   3723
in mysterii salutaris faciat transire CONSORTIUM.   3552

          CONSPARSIO = CONSPERSIO

          CONSPECTUS
ut sit in tuis CONSPECTIBUS gloriosa.   1932, 1933
Sacrificia dne tuis oblata CONSPECTIBUS ignis ille divinus adsumat...
   3140
sicut sanctus michahel archangelus in CONSPECTU adsistit...   1088
Ds aeternae, ante cuius CONSPECTU adsistunt angeli fulgendi...   742
quae, ut tuo sint digna CONSPECTU beatorum apostolorum...   2235
in cuius CONSPECTU contremiscunt tartara...   2475
Ds, ante cuius CONSPECTU defertur omnem quod genitur...   745
et deficiant te ante CONSPECTO dei ubi tu potes caelare...   2552
in sublime altare tuum in CONSPECTU divine maiestatis tuae...   3375
In tuo CONSPECTU, dne, qs, talia nostra (sint) munera efficiantur...
   1865, 1892, 1893
praetiosa (est) in CONSPECTU domini mors sanctorum eius...   1886, 3678
quorum in CONSPECTU eius est mors pretiosa.   338
ut in CONSPECTU generis humani...   3951
quae in maiestatis tuae consistit CONSPECTU illa tamen...   4128
sub CONSPECTU ingemiscentis (ingemescens) aeclesiae... protestatur et
   dicit...   58, 59
ut sicut in tuo CONSPECTU mors est praetiosa sanctorum...   2699
quaesita sub CONSPECTU nostro manibus diripiantur alienis...   3598
et in cuius CONSPECTU nullus est hominum absquae sorde et poena peccati...
   792

quas in CONSPECTO piaetatis tuae effundere praesumimus... 1512
per haec sancta misteria in tuo CONSPECTU semper clara consistat...   477
etsi humano generi corpore CONSPECTU subtrahitur... 4167
ut in CONSPECTU suo fideliter serviens... 2498, 2511
sanctos(que) puros efficiat in CONSPECTU suo superhabundent... 350
Oblatio tibi, dne, nostra defertur, quae ut tuo sit digna CONSPECTU te qs
   largiente... 2196
quia et in CONSPECTU tuae maiestatis permanet mors tuorum praeciosa
   iustorum... 3759
ut qui in CONSPECTO tui clarus est gemina (gemma) sacerdotis et martyrum
   ... 3611
ut ad te elevatio manuum nostrarum sit in CONSPECTU tuo acceptabile...
   1666
Ut cum ante tremendi diem iudicii in CONSPECTU tuo adstiterint... 1319
ut qui in CONSPECTU tuo clarus exstitit dignitate sacerdotii et palma
   martyrii... 3611
fac aeos ante CONSPECTO tuo cum iustitia vivere... 318
sicut incensum in CONSPECTO tuo cum hodore suavitatis ascendat. 1709
ut offensae nostrae per eos qui in CONSPECTU tuo digni sunt relaxentur.
   1273
Accepta sit in CONSPECTU tuo, dne, nostra devotio... 19
Accepta tibi sit in CONSPECTU tuo, dne, nostrae devocionis oblacio... 26
In CONSPECTU tuo dne qs talia nostra sint munera que et... 1865
populos tuos CONSPECTU tuo et supplici oratione curvantes... 318
quoddam retinere pignus in terris adstantium in CONSPECTU tuo iugiter
   ministrorum. 4170
ut sicut in CONSPECTU tuo mors est praetiosa sanctorum... 2699
ut in beneplacitu CONSPECTU tuo tramitem gradientem... 318
quae, ut tuo sint digna CONSPECTUI beatorum apostolorum... 2235
Fiant, dne, tuo (tua) grata CONSPECTUI munera supplicantis aeclesiae...
   1617
Suscipe dne praeces et munera quae ut tuo sint digna CONSPECTUI sanctorum
   tuorum... 3406
Et in beneplatito CONSPECTUI tuo tramite gradientes... 1332
Ds aeterne ante cuius CONSPECTUM adsistunt angeli... 742
servans misericordiam tuam populo tuo ambulanti ante CONSPECTUM gloriae
   tuae... 1249
quas pro famulo tuo ill. ante CONSPECTUM maiestatis tuae humiliter
   fundimus... 2305
quas ante CONSPECTUM magestatis tuae pro animam famuli tui ill... 2273
sub CONSPECTUM nostris manibus deripiantur aliaenis... 3598
Fac aeos ante CONSPECTUM tuum cum iustitia vivere... 1333
nec ante CONSPECTUM tuum veniant parentum delicta... 1371
ante CONSPECTUM venientis Christi filii tui velut clara lumina fulgeamus.
   178

         CONSPERSIO
nova in vobis perseveret CONSPARSIO. Amen. 353

         CONSPICIO
excelsa mente CONSPICERET et evangelica voce proferret... 3608, 3609,
   3613
ut eius sacrata natalicia et... et CONSPICIAMUS aeterna. 1946
nondum terrena CONSPICIENS caelestia... 3774
Ds qui nos CONSPICIS ex nostra infirmitate deficere... 1109
Ds qui CONSPICIS familiam tuam omni humana virtute destitui... 925

Ds qui nos CONSPICIS in tot perturbationibus non posse (possit) subsistere ... 1110
Ds qui nostra CONSPICIS nos semper infirmitate destitui... 1137
Ds qui CONSPICIS omni nos virtute destitui... 926
Ds qui CONSPICIS quia ex nostra pravitate affligimur... 1187
Ds qui CONSPICIS quia ex nulla nostra actione confidimus... 927
Ds qui CONSPICIS quia ex nulla nostra virtute subsistimus... 928
Ds, qui CONSPICIS, quia in tua pietate confidimus... 929
Ds qui CONSPICIS quia nos undique mala nostra perturbant (contristant, conturbant)... 931
Ds, qui nos (nostra) CONSPICIS semper infirmitatem (infirmitate) distitui ... 1137
ut mentes nostras quas CONSPICIS terrenis affectibus praegravari... 3745
adtamen necessaria humanae miseriae tuae clarissimae CONSPITIUNT oculi... 742
VD. Quia per ea quae CONSPICIUNTUR instruimur... 4060

CONSPICUUS
et mentis sint claritate CONSPICUI. 1347
et mentis luceant puritate CONSPICUI. 805
et mentis sint puritate CONSPICUI. 52
et fidei veritatem fundati et mentes sint spiritale CONSPICUI. 53
perpetua caelorum luce CONSPICUUM digno fervore fidei veneremur. 690
qui hominem paradisi felicitate CONSPIQUUM et totius mortis ignarum... 4079
proquae transturia claritate caelesti facis honore CONSPIQUUM postremo... 4127
cum cernitur ubique CONSPICUUM. 4115
pio labore CONSPICUUS et inter (in) parentum... 4097
successionis dignitate CONSPICUUS et martyr insignis... 3690
discipulis suis visu CONSPICUUS tantoque palpabilis... 3998

CONSPIRO
CONSPIRANTES, dne, contra tuae plenitudinis firmamentum... 530

CONSTANS
... Abundet in eis... auctoritas (acto) modesta, pudor CONSTANS innocentiae (innocentia) puritas (et salutaris). 136, 137, 138
VD. Qui aecclesiam tuam in apostolicam (beati apostoli tui pauli) predicationem (predicatione) CONSTANTEM nulla... 3899, 3908a
et qui fecisti fidem inter adversa CONSTANTEM reddes... 3977
... Secura et CONSTANTI fide credite resurrectione (resurrectionem)... 1706, 1707
verbi tui potentia Iudaicam destruens CONSTANTI voce perfidiam... 4186

CONSTANTER
... Qui igne accensus tui amoris CONSTANTER ignem sustinuit passionis... 3689
... CONSTANTER in sanctae trinitatis fide catholica perseverant (fidei catholicae perseverent). 1249

CONSTANTIA
... Habundet in his CONSTANCIA fidei puritas dilectionis... 819, 820
in quam et intacta castitas, podor integer, firma CONSTANTIA nostra in hoc... 3974
ut qui inclinamur CONSTANTIA nostra semper... 873
... CONSTANTIA pura, fide plena, spiritu sancto pleni persolvant. 3225

... In qua manet intacta castitas, pudor integer, firma CONSTANTIA quae
  laetatur...   3989
Ds qui beatum sebastianum... virtutem (virtute) CONSTANTIAE in passione
  roborasti...   914
qui praedicationis mirabilisque CONSTANTIAE qui confessionis... nobis
  exempla veneranda proposuit...   3617
qui et illis pro certaminis CONSTANTIAM beatitudinem tribuisti sempiternam
  ...   3724
ut ad CONSTANTIAM fidei et ad perseverantiam pietatis...   3971
VD. Quoniam a te CONSTANTIAM fides, a te virtutem sumit infirmitas...
  4083
in adversis CONSTANTIAM, in tribulationibus tollerantiam...   2303
iustitiam, CONSTANTIAM misericordiam... in se ostendent et exemplo probent
  ...   3225
ut beatee Agnes... etiam fidei CONSTANCIAM subsequamur.   2655, 2718
Da famulis (et famulabus) tuis, qs, dne, in tua fide et sinceritate
  CONSTANCIAM ut in caritate...   500, 573
auge nobis fidei pietatisque CONSTANTIAM ut magis...   2388
Supplicandi tibi, qs, dne, da nobis sine cessatione CONSTANTIAM ut quos
  non deseris...   3355
largire fidelibus populis... CONSTANTIAM veritatis...   1205
nobis praeveant inter adversa CONSTANTIAM.   3396
ut quorum celebramus triumphos, possumus retinere CONSTANTIAM.   1487

CONSTITUO

quia super pauca fuisti fidelis, supra multa te CONSTITUAM, intra...   561
ut animae famulorum famularumquae tuarum in pacis ac lucis regione
  CONSTITUAS et sanctorum...   1899, 1901
inter fideles tuos habere CONSTITUAS portionem.   1762
et in tuorum sede laetantium CONSTITUAS redemptorem (redemptorum).   3366
... Sint fideles servi prudentes, quos CONSTITUAS tu, dne, super
  familiam tuam...   820
in aeterne salvationis parte CONSTITUAS.   3840
et in perpetua (perpetuum, perpetuam) gratiarum CONSTITUAT actione
  (actionem).   3431, 3432
nos in tua (tuae) proteccionis securitate (securitatis) CONSTITUAT.
  3157, 3158
et in tuorum tibi corda fidelium perpetuam CONSTITUE mansionem...   1378
in electorum (tuorum) numero CONSTITUE sacerdotum (sacerdotem).   1747,
  2070
et anima famuli tui illi... in beatitudinis sempiternae lucis (luce)
  CONSTITUAE.   148
trinis gradibus ministrorum nomini tuo militare CONSTITUENS electis ab
  initio...   136, 137, 138
pariter nobis in eorum contemplatione CONSTITUENS et salutiferae...   3971
et in ipsis aeclesiae tuae fundamenta CONSTITUENS quorum beatissimum...
  4169
ut eorum praecibus gubernetur, quibus nititur (te) CONSTITUENTE (te)
  principibus.   459, 1594
sicut te voluit super populum suum CONSTITUERE regem...   337
ob diem, in quo me dignatus es ministerio sacro CONSTITUERE sacerdotem
  obsecro dne...   1777
per infusione (infusionem) huius unguenti (ungenti) CONSTITUERIT sacerdotem accessit...   3945, 3946
quos nobis huius muneris et doctores CONSTITUES et patronos.   3426
... Romanae urbis... tenere CONSTITUES principatum...   4127

universis subditis sibi abbatissa esse CONSTITUAETUR, ut ita... 1317
tuo quoque nomini munera iussisti dicanda (dedicanda, dicandam) CONSTITUI
   tribue qs... 1306
trinis gradibus ministrorum nomini tuo militare CONSTITUIS, electis...
   136
tuo quoque nomini munera iussisti dicanda CONSTITUIS tribue qs ut...
   1306
ut quem non electio meriti sed dono gratiae tuae CONSTITUISTI operis
   huius ministrum... 101
per eos quos nobis CONSTITUISTI praesules incessabiliter largiaris.   1595
et ipsis (ipsos, in quibus) aecclesiae tuae fundamenta CONSTITUISTI
   (CONSTITUIS) quam in patriarchis... 3728, 4158
carnalem se matrem habere virginitatis amore CONSTITUIT.   861
ut inter saeculi turbines (turbidinis) CONSTITUTA et praesenti...   1396
Ds, qui sacra legis omnia CONSTITUTA in tua et proximi dilectione
   posuisti... 1197
a creatura olei ad utilitatem hominum CONSTITUTA ut fiat haec unctio...
   1536
VD. Quia tuae rationis imaginem mundanis regionibus CONSTITUTAM.   4074
quia nullius animae (nullus anime) in hoc corpore CONSTITUTI difficilis
   apud te aut tarda curatio est... 858
ut et inter quaslibet angustias CONSTITUTI non desidamus...   2712
quos tuae providentiae CONSTITUTIS apostolica praesidia non reliqnuunt.
   2985
da nobis sub patronis talibus CONSTITUTIS et perpetua...   2394
quia sub tuo munimine CONSTITUTIS nulla diaboli...   446
sed etiam intrinsecus fratribus CONSTITUTIS pro quibus...   3879
et calamitatibus CONSTITUTIS velociter subveni.   2609
O. s. ds, qui in terrena substantia CONSTITUTOS divina tractare concedis
   ... 2412
donet cunctis intra eum habitu CONSTITUTOS divinarum beatitudine
   largitatem... 1493
Da qs o. ds, intra sanctae ecclesiae uterum CONSTITUTOS eo nos spiritu...
   669
et inter praetereuntia CONSTITUTOS iam nunc...   583
Ds qui nos in tantis periculis CONSTITUTOS pro humana...   1122
Custodi nos, dne, in tuo servicio CONSTITUTOS ut quibus...   565
VD. Qui secundum promissionis tuae ineffabile (inviolabile) CONSTITUTUM
   apostolicae... 4020, 4021
Et ne in morte CONSTITUTUM genus humanum perderes.   2298
a dextris virtutis inmensae filium cerneret hominis CONSTITUTUM praemiun-
   que... 4186
a dextris virtutis inmensae filium hominis cerneret CONSTITUTUM regnumque
   ... 3953
et quem in corpore CONSTITUTUM sedis apostolicae gubernacula (gubernaculo)
   tenere (praeesse) voluisti... 1747, 2070
Donet cunctis intra aeius habitu CONSTITUTUS donorum...   1493
ut populus tuus sub tantis patrociniis CONSTITUTUS et a suis offensionibus
   ... 1471
ut famulus tuus ill. beatorum tabernaculis CONSTITUTUS evasisse...   4099
Unde quesumus famulus ill. beatorum tabernaculis spirituum CONSTITUTUS,
   exvasisse... 3862
ut adhuc CONSTITUTUS in terris... 4193
et eum in cruce dominus CONSTITUTUS vicarium sui... 3610

CONSTITUTIO

ut cuius CONSTITUTIONE sunt principes, eius (tuo) semper munere sint
potentes. 1246
quos ante CONSTITUTIONEM mundi in aeternam tibi gloriam praeparasti...
3727
ut secundum CONSTITUCIONIS tuae sacramentum... 3627

CONSTO

et aeternam unitatem in supraemo meatu sine fine CONSTARE credimus. 1283
tribuisti totius religionis initium perfectionemque CONSTARE da nobis qs
... 2407
ut quia sine te non potest solida CONSTARE devotio... 3639
apostolicis facis CONSTARE doctrinis... 3909
VD. Qui humanum genus iusta sinceraque decernens societate CONSTARE et
ideo cuncta... 3934
et in trinitate quadriformis evangelii CONSTARE mysterium... 3943
quanto in his CONSTARE principium nostrae redemptionis ostendis. 3456
ut quia sine his non potest CONSTARE quibus refovetur alterutrum... 4033
Ds, qui de his terrae fructibus tua sacramenta CONSTARE voluisti... 949
in tuo corpore iugiter solidata CO(N)STARE. 2298
sed hoc CONSTAT esse deterius... 4072
quem CONSTAT esse verum summumque pontificem solumque sine peccati contagio sacerdotem... 3898
... Ut in universitate nationum CONSTET esse perfectum... 3634
VD. Quia, cum omne opus bonum a te incoari CONSTET et perfici... 4041

CONSTRICTIO

Idio cingolis solemnis CONSTRICTIONE sua ingenius... 4176

CONSTRINGO

Consolare, dne, hanc famulam tuam viduitatis languoribus (laboribus)
CONSTRICTAM sicut. 529
sed cera oleo atque papiro (papire) CONSTRICTUM in tui nominis honore
succensum... 861, 862
Aevola procede CONSTRICTUS per potentiam sanctae trinitatis... 1888
extra mundum mox concitus et CONSTRICTUS petas. 1888
non reorum proxima catena CONSTRINGAT. 746
sed freno discipline tuae CONSTRINGE me... 1296
sic continue ut non cadam, sic CONSTRINGE ut numquam demittas... 1296
diviso subito rubro mari grassotoque liquore CONSTRINGENS... 880
ut saginatum cybo (cibum) maior poena (poene) CONSTRINGERET quem nec...
3867, 3868
VD. Magnum etaenim, dne, reatu CONSTRINGIMUR, si ad sincirem... 3795
ut quos delictorum catene (catena) CONSTRINGIT magnitudo (miseratio) tuae
pietatis absolvat. 773, 2288
ut qui (quia) (qui a reatu consceintiae) conscientiae reatum CONSTRINGITUR,
de caelestibus (caelestis)... 2943
Solve conpetitum quem vincola peccatorum CONSTRINGUNT praesta... 4003
Solve conpeditus quem vincola peccatorum CONSTRINGUNT. 4004
ut quos constientia reatu CONSTRINGUNTUR, de caelestis... 2943

CONSTRUCTIO

aeclesiae tuae spiritali CONSTRUCTIONE declarat... 3943

CONSTRUO

Navem aeorum salutis CONSTRUAE, ut cor aeorum... 1961

CONSUBSTANTIALIS
natum non factum, CONSUBSTANTIALEM patris, per quem omnia facta sunt...
    554
sed tibi et unigenito tuo CONSUBSTANTIALIS et coaeternus...   3751

        CONSUESCO
et fidelibus postulatis CONSUETA pietate succurre.   1301
... CONSUETAE misericordiae tribue benignus effectum (effectus).   139
et sicut fidelibus tuis tricesimum atque sexagesimum vel centesimum
    fructum donare CONSUISTI ita et famulo...   2110
Ds, qui humanum genus tuorum retibus praeceptorum capere CONSUISTI respice
    propitius...   1022

        CONSUETUDO
vim CONSUETUDINIS et stimulos aetatis evinceret...   758, 759

        CONSULO
et in utroque sanctae ecclesiae CONSULAT.   1337
qui fragilitati nostrae CONSULENS adsidua...   2394
qui etiam necessariis humane fragilitatis tua pietate CONSULERE non
    desinis...   742
Ds qui populis tuis indulgentiam CONSULIS et amore dominaris...   1166
dolore aearum piae CONSOLIS, aeas multiplicibus...   3918

        CONSULTE
Ds qui universa... prudentissimae disponis, CONSULTISSIMAE moderaris.
    1233

        CONSUMMATIO
et adsumpsisti CONSUMATIONE felice...   989
in hactu prosperitatem, in CONSUMATIONE iustitiam...   355
Docit aetiam veriliter cepti operis CONSOMATIONE perficere...   4176
ita usque ad CONSUMMATIONEM saeculi manere nobiscum...   109
Ds, qui nec aeclesiae tuae usque ad CONSUMMATIONEM te saeculi defuturum...
    1029
in huius CONSUMMACIONIS requiem beati apostoli tui illius (apostolis tuis
    illius)...   672

        CONSUMMO
CONSUMMA inperfecta mea, spes misericordiae tuae.   3792
VD. Qui sacramentum paschale CONSUMMANS.   4011, 4012
et ipse insinuas et insinuata CONSUMMAS qs ut et cor nostrum...   1049
VD. Qui sacramentum paschale CONSUMMAS quibus...   4011
quo beatae aeufemiae... passionem CONSUMMATA recolimus venerando...
    3781a
Transacto diei et CONSUMMATE noctis arbiter ds...   3483
nondum CONSUMMATO certamine palam solus aspiceret...   4185, 4186
divini (divino) CONSUMMATO fine mysterii...   3692, 3785
Da... inquoati operis CONSUMMATUM effectum...   640
quem dispectis ignibus CONSUMMAVIT in terris...   690
cum praemio sanctae virginitatis CONSUMMAVIT palmam martyrii...   3781
ita unguantur et CONSUMMENTUR, in nomine...   3568
benedices purifices consecres et CONSUMMES, quibus inter...   1283

        CONSUMO
sic beati martyris sancta substantia non CONSUMITUR incendiis...   3615
sic beatus martyr non CONSUMITUR tormentorum incendiis...   3615

CONSURGO

ut et nos per ipsum his comerciis sacrosanctis ad caelestia CONSURGAMUS.
3153
Et cui CONSURREXISTIS in baptismate credendo...   1157

CONTACTUS

... Uni toro iuncta CONTACTOS (vitae) incitos (inlicitos) fugiat...
1171, 2541, 2542

CONTAGIO

et ab omnium peccatorum nos CONTAGIONE purifices...   3172
Ne ulla umquam peccatorum CONTAGIONE sordiscant...   854

CONTAGIUM

Da, qs, dne, populo tuo diabolica vitare CONTAGIA et te solum...   652,
653
Nulla veterni criminis aestifera paciaris inflammari CONTAGIA, que
merueris...   2298
ut detrahentis vomitum aeorum cenosa CONTAGIA, nostram...   2027
invisitgabilibus CONTAGIA per habysi magnitudinem largitatis tuae...
1365
Nihil in postmodo noceat preterite culpa CONTAGII, nihil...   782
ut si que (in aeum) (ei) maculae de terrenis CONTAGIIS adheserunt...
3410
ab universorum crimenum CONTAGIIS emundati...   3836
quibus nos et a terrenis CONTAGIIS expiari...   3420, 3438
et a terrenis effice CONTAGIIS expiatos...   2821
vetustatis antique CONTAGIIS exuamur.   1150
ut anima famuli tui illius terrenis exuta CONTAGIIS in tuae redemptionis
...   775
ut si quae carnales maculae in eis de terrenis CONTAGIIS inheserunt...
129
ab huniversorum criminum CONTAGIIS inmundati...   3836
Quo a cunctis peccatorum CONTAGIIS liberati...   2241
atque CONTAGIIS mortalitatis exutam in aeternae salvacionis partem
restituas.   3840
et ab omnibus CONTAGIIS pravitatis emunda...   2937, 2941
nos ab omnibus aemundes CONTAGIIS vetustatis.   3739, 4181
spreto antiquo hoste, spretisque CONTAGIIS vitiorum...   853
expurgato veteris fermenti CONTAGIO nova in vobis...   353
ab omni, qs, eum CONTAGIO perversitatis emunda...   3582
quem constat esse... solumque sine peccati CONTAGIO sacerdotem iesum
christum...   3898

CONTAMINO

et protegas aeos, ne ab impiis CONTAMINENTUR et miserator...   3035

CONTEGO

ut quae gustu corporeo dulci veneratione CONTEGIMUS dulciora mentibus...
3073
ut quae ore CONTEGIMUS, pura mente capiamus.   2686

CONTEMNO

te, dne, benedictionem largitatem CONTEMNAT presentiam...   2303
ne CONTEMPNAT sperantes in te...   1354, 1355
ut qui te CONTEMNENDO culpa incurrimus, confitendo veniam consequamur.
2251
Et ni (ne) me infirmissimum CONTEMPNENDUM potis (putes)...   1354

... Societatis humanae vota CONTEMPNENS...   3686
ut CONTEMPNENTES tenebrosam profunditatem vitiorum...   3872
... Quae dum humanis devota nuptiis, talamos temporales CONTEMNERET...
   3775
qui te, cum discipulis (discipulos eius) CONTEMPNERIS, elisum et
   prostratum exire iussit ab homine...   1355, 1859
quoniam non hominem CONTEMPNIS, sed illum, qui dominator vivorum et
   mortuorum est...   1355, 1859
qui tantum retia carnalia CONTEMPSERAT genitoris...   3609
ut viciis et carnis turmenta CONTEMPSERINT...   1198
praesentis saeculo voluptates ac delicias CONTEMPSERUNT...   3854
ut non desiderare que ipse CONTEMPSIT, nec timere que pertullit.   4176
hac non hisdem potius perniciosa dissimulatione CONTEMPTIS...   3652

            CONTEMPLATIO
tuaque donetur nobis diluculo CONTEMPLATIO...   236
pariter nobis in eorum CONTEMPLATIONE constituens...   3971
cui devotum pectore decrevit ad alta CONTEMPLATIONE suspendere.   4126

            CONTEMPLOR
et in excelsa tendamus, quae in beati archangeli Michael CONTEMPLAMUR
   affectu.   4027
appetitus ad caelestia CONTEMPLANDA mysteria...   4039
usque ad CONTEMPLANDAM speciem tuae celsitudinis perducamur.   1004
qua te CONTEMPLEMUR mente serena.   971

            CONTEMPTIBILIS
que per CONTEMPTIBILEM lignum iustum gubernans...   3666

            CONTEMPTOR
beatus Laurencius edaces incendii flammas CONTEMTORE persequutore
   devicit...   784

            CONTEMPTUS
ut sacrificia... desideriorum (desiderium) nos temporalium (temporale,
   temporalem) doceant habere CONTEMPTUM et ambire dona...   3010
VD. Pro cuius nomine poenarum mortisque CONTEMPTUM in utroque sexu...
   3856
humilitatem cordis et CONTEMPTUM mundi significantia...   743, 1237
... CONTEMPTUM persecutore devicit...   784

            CONTENDO
quia, ut se velare CONTENDANT, volumina divina percurrunt...   3653
ne temporalibus dedita bonis ad praemia sempiterna CONTENDAT ea dispensatione...   4010
et fiducialius ad aeterna CONTENDAT.   1293
in qua te semper timeat, tibique iugiter placere CONTENDAT.   772
qua beata gloriosaque Caecilia... ad consortia superne CONTENDENS nec
   aetate...   3993, 3994, 3995
et temporali consolatione non deseras, quam (que) vis ad aeterna
   CONTENDERE.   1420
dedita bonas ad premia sempiterna CONTENDIT aea dispensatione...   4010

            CONTENTIO
ut etsi CONTENTIONIS e(s)t, sexagissimum fructus donum...   1508

            CONTERO
ut qui nos inpetere moliuntur, potentiae tuae dextera CONTERANTUR.   1236
CONTERE, qs, dne, hostes populi tui...   531
ad CONTERENDAS potestates adversariorum insidias...   3158

et nefas adversariorum per auxilium sanctae (sancti) crucis digneris
   CONTERERE.   114
et seva furentis inimici potentia (potenter) arma CONTERERES.   4168
ut illum rugientem leonem CONTERERET.   1354, 1355
Ds, qui CONTERES bella et...   932
qui peccancium non vis animas perire sed culpas CONTERI...   1363
dum superborum archum CONTERIS armaque confringes...   4143
ut illum rugientem leonem CONTERIT velociter adtende...   1354
... CONTRITA conliga, conforta invaledum valedumque custodi.   1333
gentium infidelium barbararum debellatione CONTRITA te, summe...   3466
tibique sacrificium CONTRITI cordis offerre...   1220
ut CONTRITI ei cordis, et humiliati sacrificio placeatis.   18
VD. (Et) Tibi vovere CONTRITI sacrificium cordis...   3741, 4184
Ds, qui non dispicis corde CONTRITOS et adflictos miseriis...   1086
fragilem solida, CONTRITUM releva...   3081, 3082

          CONTINENTIA
in utraque parte persecurata CONT(IN)ENTIA ditetur.   1508
... CONTINENTIA fieret origo virtutum.   3996
... CONTINENTIA lumbus praetiosa oris zona circumdet.   1163
absque CONTINENTIA non viget mentis imperium...   4033
... CONTINENTIA precepta custodiant...   1195
concede... spem, fidem, CONTINENTIA (CONTINENTIAM) ut repleti...   307
Ds, castitatis amator et CONTINENCIAE conservator...   757
... CONTINENTIAE muniamur auxiliis.   439
et CONTINENTIAE nobis tribuat facultatem prumptiores.   3151
ad obscurandam perfectae CONTINENTIAE palmam...   758, 759
unanimes CONTINENTIAE praecepta custodiant...   1195
et CONTINENTIAE promptioris nobis tribuat facultatem.   3151, 3152
ut tibi et mentes nostras reddat acceptas et CONTINENTIAE prumptiores.
   3151
et quae pro timore tuo CONTINENCIAE pudiciciam vovit...   757
et CONTINENTIAE salutaris propicius nobis dona concede.   1497
quae in manu tua CONTINENTIAE suae propositum (prepositum) collocantes
   (collocans)...   758
unanimiter CONTINENTIAE tuae praecepta custodiant...   1195
innocentes vite sinceritas, CONTINENTIAE virtus...   359
ut sexagesimum fructum CONTINENCIAE vitam aeternam te largiente percipiat.
   757
ut sexuagesimum fructum CONTINENTIAM et vitam aeternam...   757
atque pro timore tuo CONTINENTIAM fiduciam vovit...   757
in castitatem CONTINENTIAM, in luxuriam abstinentiam...   2303
ut contra spiritales nequitias pugnare CONTINENTIAM muniamur auxiliis.
   439
qui per CONTINENTIAM salutare corporibus mederis et mentibus...   2439
simul et CONTINENTIAM salutarem capiamus mentis et corporis...   3990
si per CONTINENTIAM salutarem conscientiae nostrae tribuli spinaeque
   deficiant...   3827
O. s. ds, qui per CONTINENTIAM salutare (salutarem) (et) corporibus
   mederis et mentibus...   2439
ut CONTINENTIAM valeamus exercere perfectam.   4072

          CONTINEO
illa nos itaque CONTINE pietate, qua prestare solis indignis.   1959
CONTINE quam meremur iram...   1147, 2177
sic taceam nec turpiscam, sic CONTINE ut non cadam...   1296
VD. Qui cum ubique sit totus et universa tua maiestate CONTENEAS...   3886

exponamus vobis, quam rationem et quam figuram unusquisque in se CONTENEAT
    ...   1633
quasi tenera firmitate nascentia in se plenissima (plenissime) CONTENEBAT.
    2031
ut quicumque intra templi huius... ambitu (ambitum) CONTINEMUR, plena
    tibi...   186, 193
Perficiant in nobis, dne, qs, tua sacramenta quod CONTINENT...   2578
labentia prohibentia, CONTINENTES aeterna...   2293
infra alvum virginis mariae CONTINERE voluisti.   2461
qui pascale sacramentum quinquaginta dierum voluisti mysterio CONTINERI
    praesta ut...   2436
et in unoquoque evangeliorum trinitatis plenitudinem CONTINERI simulque...
    3943
Ds qui invisibiliter omnia CONTINES et tamen...   1048
Ds, qui sub tuae maiestatis arbitrio omnium regnorum CONTINES potestatem
    ...   1216
ut renovationem (renovatione) condicionis humanae... quae (quam) mysterio
    CONTINET in nostris...   1284
quicquid in rota CONTENIT mundi...   742
et in huius muneris mysterio CONTINETUR hoc in ipsis...   4100
VD. Sub cuius potestatis arbitrio omnium regnorum CONTINETUR potestas...
    4134

          CONTINGO
non profana unctione viciatum, non sacrilego igne CONTACTUM...   861
debitae venerationis CONTINGAMUS affectu (effectu).   3626, 3682
ut quos honore prosequimur, CONTINGAMUS et mente.   258
Familiam tuam, ds, suavitas illa CONTINGAT et vegitet...   1589
Virtute sancti spiritus, dne, munera nostra CONTINGE...   3073
per haec CONTINGERE ad gaudia aeterna mereamur.   488
participatione perpetua CONTINGERE mereantur.   2657
nec porcorum grege (gregem) praesumebas CONTINGERE recide ergo...   1355,
    1859
nec porcorum gregem presumebas CONTINGERE.   1354
et quae gustu corporeo dulci veneratione CONTINGIMUS dulciora...   3060,
    3073
ut quae ore CONTINGIMUS, pura mente capiamus.   2686, 2797
quod (in) imaginem (imagine) CONTINGIMUS sacramenti manifesta perceptione
    sumamus.   164
Ds, qui nos sacramenti tui participatione CONTINGIS...   1131
Adesto, dne, populis tuis, qui sacra donaria (mysteria) CONTIGERUNT.   73

          CONTINUATIO
ut quod ille (iugi) ieiuniorum CONTINUATIONE (CONTINUATIONEM) conplevit...
    1116, 3940
pervenire mereamur ad aeternorum gaudiorum CONTINUATIONEM.   3708

          CONTINUO
et peccantes non semper CONTINUO iudicas...   3987
ut castigationibus emendata, CONTINUO se sentiat tua medicina salvatum.
    3085
a quo se noverat CONTINUO traditurum (esse tradendum)...   3867, 3868

          CONTINUO, CONTINUARE
Prodest quidem, dne, CONTINUATA censura peccantibus...   2852
Sit plebi tuae, dne, CONTINUATA defensio divini participatio sacramenti...
    3303

VD. Aput quem cum beatorum apostolorum (Petri et Pauli) CONTINUATA
    festivitas... 3599, 3600, 3601
ut paschalis percepcio sacramenti CONTINUATA in nostris mentibus (moribus)
    perseveret. 484
et ab omni mortalitatis incorsu CONTINUATA miseratione nos protegas...
    3598
Ecclesiam tuam, dne, miseracio CONTINUATA mundet et muniat... 1395
sic pro nobis eorum depraecatio CONTINUATA non desit. 4155
sollemnia... sic nova sint nobis, et CONTINUATA permaneant. 595, 629
beati Magni (tiburtii) nos foveant CONTINUATA praesidia. 285, 3530
da nobis patrocinia tuorum CONTINUATA sanctorum... 1136
intercessio pro his non desit martyrum CONTINUATA sanctorum. 45
quia multo amplius CONTINUATA subsidia devotis mentibus ministrabis.
    3802
indulgentia lapsis CONTINUATA subveniat. 2706
indulgentia tua laboranti CONTINUATA succurrat. 3178
et CONTINUATE devotionis sumat augmentum. 1528
VD. Tuaque opera CONTINUATIS laudibus praedicare... 4200
VD. Qui CONTINUATIS quadraginta diebus et noctibus hoc ieiunium non
    esuriens dedicavit... 3880

          CONTINUUS
et apostolorum natalicia nos tuorum CONTINUA devotione venerari... 2709
et aecclesiam tuam CONTINUA fac caelebritate laetare (gaudere)... 2344,
    2472
ut in eorum prosperitate CONTINUA gaudeamus. 91
ut paschalis perceptio sacramenti, CONTINUA in nostris mentibus
    perseveret. 484
ad ea festa quae non sunt annua sed CONTINUA ipso opitulante... veniatis.
    361
sed perenni timore CONTINUA lamentacione redevivus... 2297
et ab omni mortalitatis incursu CONTINUA nos miseratione protegas...
    4165
ut CONTINUA nostrae reparationis operatio perpetua nobis fiat causa
    laeticiae. 467
ut paschalis perfeccio sacramenti mentibus nostris CONTINUA perseverent.
    484
Familiam tuam qs dne CONTINUA pietate custodi... 1597, 1598
et quamvis incessabiliter delinquentibus CONTINUA poena debeatur...
    2531, 2532
et (sed) per beatos apostolos CONTINUA protectione custodias... 4138,
    4146
... CONTINUA protectione tuearis. 975
ut qui tibi iugiter famulantur, CONTINUA remuneracione ditentum (ditentur).
    90
et CONTINUA securitate muniri... 2394
Sanctorum tuorum nos, dne, CONTINUA sollemnitate comitare... 3250
... Da CONTINUAE (CONTINUA) prosperitatis aumenta... 2678
famulo tuo illo CONTINUAE tranquillitatis largire subsidium... 2366
tribuae ei CONTINUAM (CONTINUA) sanitatem ad agnocendam unitatis tuae
    veritatem. 2446
qui nos CONTINUIS caelestium martyrum non deseris sacramentis... 2093
beneficiis adtolle CONTINUIS et mentis et corporis. 3537
... CONTINUIS etiam praecibus foveamur. 2769
et sanctorum tuorum... CONTINUIS foveamur auxiliis. 1462
... CONTINUIS iustorum praecibus expiemur. 2057

et a tribulatione respirans CONTINUIS protegatur auxiliis...   1984
et CONTINUIS tribulationibus laborantem caeleri propitiatione laetifica.
  2096
et CONTINUIS tribulationibus laborantem propitius respirare concede.
  2095
et CONTINUES tuere praesidiis.   9
praesta CONTINUO (CONTINUUM) benignus auxilium.   3471
Beatorum apostolorum phylippi et iacobi honore CONTINUO dne.   293
Beatorum Petri et Pauli honore CONTINUO plebs tua semper exultet.   293
et tuae protectionis (propiciationis) CONTINUO praestit auxilio (auxilium).
  3122
... CONTINUUM eius sentiamus auxilium.   4014
O. s. ds, qui CONTINUUM etiam post futuram (fusam) ad te praecem gemitum
  Annae...   2381
ita nobis CONTINUUM prestet auxilium.   2698
et tuae propitiationis (protectionis) CONTINUUM praestet auxilium.   3122
a quo se noverat CONTINUUM traditurum...   3868
et tuitionem mentis et corporis eidem... presta CONTINUUM.   221

          CONTRA
Sis aei CONTRA acus inimicorum lurica...   842
ut CONTRA adversa omnia doctoris gentium protectione muniamur.   927
et CONTRA adversa omnia eorum intercessione muniri.   3232
... CONTRA adversa omnia tua semper protectione muniamur.   2774
et CONTRA adversa tuaeantur incursus.   3513
qui eos dimicantes CONTRA antiqui serpentis machinamenta...   3722
ut CONTRA conditionis errore et CONTRA diabolicas armemur insidias.   2168
et CONTRA cuncta nobis adversantia...   2824
et CONTRA diabolicas armemur insidias.   2168
et CONTRA diabolicas tueantur semper incursus.   3522
Sit nobis in protectione corporis nostri CONTRA expugnatione diaboli.
  2003
Sit aput te exoratus, qui CONTRA hereticus pro te extetit tunc adsertur.
  981
... Si quis autem habet aliquid CONTRA hos viros...   237
et CONTRA hostem ipsum fiduciam fortitudinis...   634
... CONTRA inlecebras temporales spes caelestium (promissio) praemiorum...
  3861
adque CONTRA inimicos sanctae catholicae et apostolicae aeclesiae...
  2506
... CONTRA inrationabilem saevitiam persequentum...   3861
... Claudatur ergo clave fidei pectus nostrum CONTRA insidias adversarii
  ...   1373
... Iniquitates meas ego agnosco et delictum meum CONTRA me est semper...
  58
sit CONTRA mundi pericula firmamentum.   1790, 2361
... Da fiduciam servis tuis CONTRA nequissimum draconem fortiter stare...
  1354, 1355
ut CONTRA nostrae condicionis errorem et CONTRA diabolicas (diabolicis)
  armemur insidias.   2168
da nobis qs CONTRA oblectamenta peccati mentis ratione persistere...
  1067
ut CONTRA omnes fremitus impiorum mentis puritate vincamus...   2651
... CONTRA omnes insidias inimici ad bonam Christi miliciam profuturis...
  1706
... CONTRA omnis nequicias inruentes armis caelestibus protigamur.   3130

adque CONTRA proterviam inimicorum sanctae... eclesie...   2250
per haec CONTRA omnia adversa muniamur.   3001
atque pontificis CONTRA omnia adversa muniamur.   928
haec CONTRA omnia tela inimici robusta defensio...   1508
... CONTRA profanitatem mundi tuae fidei gloriosa confessio...   3861
sit... perfectio hac tutilla CONTRA seva iacula inimicorum.   3120
ut ei etiam CONTRA spem sobolis nasceretur...   977
ut CONTRA spiritales nequitias pugnatori (pugnare)...   439
durum tibi est CONTRA stimulum calcitrare...   1355, 1859
nosque CONTRA superbos spiritos humilitate tribuas rationabilem custodire
    ...   3834
Conspirantes, dne, CONTRA tuae plenitudinis firmamentum...   530
qui aeos demigantes CONTRA vetusti serpentis vitia...   4149
ut hoc salutari ministerio CONTRA visibiles et invisibiles hostes reddatur
    invictus...   1686
... CONTRA vitae praesentis adfectum venturae salutis aeternitas...   3861
adiuva CONTRA vitia certantes...   1924
Mentes vestras ita parsimoniae bono CONTRA vitia muniat...   2249
... Ex quibus beatus lucas... et viriliter CONTRA vitiorum hostes
    pugnavit...   3722
ut quidquid iniuste vel nequiter... CONTRA voluntate tuae admisimus...
    3379
quod humana substantia CONTRA voluntatem sui creatoris agendo...   3956

       CONTRADICO
novi testamenti inter CONTRADICENTES promptus adsertor...   3761
Propterea interdico te et CONTRADICO tibi, diabuli...   2552
... CONTRADICO tibi per angelum gabrihel...   507
... CONTRADICO tibi per prophaetas et martyris...   1551

       CONTRAHO
morsque poenaliter CONTRACTA peccato...   4096
ut omnem (omne) peccatum quod carnis fragilitate CONTRAHEMUR.   4221
et domo forisque spurcitiam CONTRAHENTES...   3879
peccatorum sordes, quas corporis fragilitate (fragelitatis) CONTRAIMUS...
    179
et quod mortalitatis CONTRAHIT fragilitate purifica...   15
contra voluntatem sui creatoris agendo CONTRAXERAT et praefixa...   3956
ut (sed) unde mortem peccatum (peccatum mortem) CONTRAXERAT, inde...
    3635, 4032
ut quicquid conversatione CONTRAXERUNT humana...   3366
peccata que latentibus viciis CONTRAXI...   856
et peccata que labentibus viciis nostris CONTRAXIMUS et egimus...   857
ut omne peccatum quod carnis fragilitate CONTRAXIMUS ipso summo...   4221
Et si qua dne odiae peccata CONTRAXIMUS sive ignoranter...   852
et a peccatorum nostrorum nexibus quae pro nostra fragilitate CONTRAXIMUS
    tua benignitate...   17
et si quid de regione mortali tibi contrarium CONTRAXIT fallente diabulo
    ...   747
ut quidquid terrena conversatione CONTRAXIT his sacrificiis emundetur...
    1738
quae post sacri lavacri unda CONTRAXIT ita in hac...   724
et si quas illa ex hac carnali commoratione (conmigratione) CONTRAXIT
    maculas...   1289
et quicquid vitiorum fallente diabolo CONTRAXIT tu pius...   770

CONTRARIUS

ut si qua sunt adversa, si qua CONTRARIA in hac domo (domum) famuli tui
    illius...   1496
vel his CONTRARIA perspexeris operari...   3902
Eripe nos, dne, qs, ab his quae divinae sunt CONTRARIA voluntati...   1414
... Expelle itaque ab eo cuncta CONTRARIAE valitidinis tela...   1931
nihil hic loci habeat CONTRARIAE virtutis ammixtio...   1045, 1047
ita ut in eo ultra locum non habiat CONTRARII virtutes edmixtio !   3566
inimici sunt, qui tua voluntati nituntur esse CONTRARII...   3808
et nos ea CONTRARIO per iustitiae meritum merebamur supplicium...   3837
et si quid de regione mortali tibi CONTRARIUM contraxit fallente diabulo
    ...   747

CONTREMISCO

... CONTREMISCE et effuge invocato nomen (nomine) domini illius...   141,
    1355
... Illius brachium CONTREMISCE, qui... animas ad lucem produxit...   142,
    1355
et metuens creatorem CONTREMISCIT, qui protingit...   3637
in cuius conspectu CONTREMISCUNT tartara...   2475

CONTRISTO

Ds qui conspicis quia nos undique mala nostra CONTRISTANT...   930
Indignos, (nos) qs, dne, famulos tuos quia acciones proprie culpa
    CONTRISTAT unigeniti...   1910
inlata conditio pectora nostra (humana mentesque) CONTRISTET tamen...
    3915, 3916, 3862, 4099

CONTRITIO

per quem nos CONTRICTIONE cordis afflictus intuere serenus.   3789

CONTUMAX

meritis non efficiamur nostram duriciam CONTUMACIS...   3802
Ds protectur depraessorum et ultor CONTOMACIUM...   880
et virtute dextere tuae prosterne hostium CONTUMACIUM.   2610
adque uno eodemque modo CONTUMAX tuus et vindictam sensit et gratiam...
    4055

CONTUMELIA

... Longe aliud quippe est CONTUMELIAM praeterire...   3981
hostes nostros etiam in tuam pateris CONTUMELIAM prosilire...   3948
sed quod in se permanenti (permanentem) fecerint CONTUMELIAM veracia...
    2297

CONTURBO

Ds qui conspicis quia nos undique mala nostra CONTURBANT...   931
cum aborta tempestas maria CONTURBASSET...   2262
et sensum mentis humanae... terrore CONTURBAT, et metu trepidi timoris
    exagitat...   764
nec moenis adversancium, nec ullo CONTURBEMUR incursu.   89

CONVALESCO

et ad implenda (adimplenda) quae viderint CONVALESCANT (viderit
    CONVALESCAT).   4250
ordo aecclesiam et credentium fides in dei timore melius CONVALISCAT.
    3281
ut tuae piaetatis beneficium in omnibus CONVALISCAT.   313

CONVENIENTER
VD. Qui singulis quibusque temporibus CONVENIENTER adhibenda dispensas...
4028
ut castigatio peccatoribus CONVENIENTER adhibita fiat correctio salutaris.
533
ut exterius parsimonia CONVENIENTER adhibita.   4072
in uno eodemque homine suum cuique CONVENIENTER adtribuis...   4033
cum et singulis quibusque temporibus CONVENIENTER aptanda dispensas...
1029
Fac nos, qs, dne, hiis muneribus offerendis CONVENIENTER aptare quibus
ipsius...   1576
Da, qs, dne, fidelibus tuis ieiuniis paschalibus CONVENIENTER aptari ut
suscepta...   646
et his mysteriis CONVENIENTER aptari.   3489
ut sacris sollemnitatibus CONVENIENTER aptati...   1606
Oblati sacrificii, dne, qs, prestet, effectus, ut eidem CONVENIENTER
aptemur.   2192
et ieiuniis pascalibus (ieiunium mensis septimi) CONVENIENTER aptentur.
3495
prosperitatis effectus est bonorum omnium sequi CONVENIENTER auctorem.
4136
... Quibus evangelica sententia CONVENIENTER exclamat...   3879
quod rationabiliter et CONVENIENTER exposcit.   1399
et manifestis CONVENIENTER expurget.   1691
praesta qs ut et CONVENIENTER haec agere...   2233
ut et maiestatem tuam CONVENIENTER hoc munere veneremur...   750
ct CONVENIENTER intellegere valeamus et veraciter confitere (profiteri).
2756
ut ieiuniis et orationibus CONVENIENTER intenti...   2684
indubitanter est gratiae, quidquid CONVENIENTER operamur.   3665
... CONVENIENTERQUE pro labacri ministerio, quod gerebat...   3774
et aecclesiasticis CONVENIENTER servire ministeriis...   1089
concede mihi indigno famulo tuo sacris CONVENIENTER servire mysteriis...
1060
... CONVENIENTIUS eorum natalicia celebramus (caelebremus).   4069, 4070

CONVENIO
quicumque ad sonitum aeius CONVENERINT ab omnibus...   2378
Hic si quando populus tuus tristis mestusque CONVENERENT, adquiesce...
3828
quod eius non CONVENERIT disciplinis...   3908a
quo aeorum non CONVENERIT doctrinis.   3906
ut omnes qui ad apostolorum tuorum sollemnia CONVENERUNT...   970
ad martyrum festa multitudo CONVENIAT...   4189
et quia infidelium turba in isto loco CONVENIEBAT adversa...   1260
Et populorum stio turba CUMVENIENS, dum peticionis...   782
tamen utrumque CONVENIENS editur sacramentum...   3779
ut populus tuus in hac aecclesiae domum (tuae domui) (sanctam) CONVENIENS
per haec pura...   3844
et aecclesiasticis CONVENIENTEM servire ministeriis...   1089
sicut omnes habitantes vel CONVENIENTES in aea...   2322
... Quarta igitur et sexta feria, solliciti CONVENIENTES occursu...   179,
180
et manifestis CONVENIENTIS expurgit.   1691
circa oram diei sexta CONVENIRE dignimini ut caeleste...   3269

quos tuis perspexeris CONVENIRE mandatis.   106
Et qui ad celebrandam redemptoris nostri caenam devota mente CONVENISTIS
   aeternarum...   353
Et qui ad eius celebrandam festivitatem... devotis mentibus CONVENISTIS
   spiritalium...   1149
ita nos CONVENIT laudes tuas...   4104
sicut nos CONVENIT praecavere ne veraciter inpetamur...   3922
ut omnes qui huc depraecaturi CONVENIUNT ex quacumque...   1048
ut faciant quae non CONVENIUNT, iam de poena divini venire iudicii...
   3653
quae animae nostrae CONVENIUNT rationabilia exequamur.   453
quae domui tuae CONVENIUNT, rationabiliter exsequamur.   2665

           CONVENTUS
solitis eandem CONVENTIBUS exsequamur...   182
ut famulus tuus ill. haec in praesenti CONVENTU et in huius saeculi
   cursu... peragat...   1069
... Idque in hoc CONVENTU te opitulante deliberent...   4198
ut sanctorum tuorum veneranda sollemnia securo possint frequentare
   CONVENTU.   2804
presta, ut quorum celebrat CONVENTUM experiatur...   973
Ecclesiae tuae, qs, o. ds, placatus intende CONVENTUM et misericordia...
   1391
eius passio contulit hodiernum in tua virtute CONVENTUM (laetitiam)
   ita suffragetur...   216
aecclaesia CONVENTUM munus servet angelica...   2262

           CONVERSATIO
... CONVERSATIO ill. quantum mihi nos sed videor...   3021
presentis vite nos CONVERSATIO sanctificent...   3436
meditatus sine fortitudine, CONVERSATIO sine fastidio...   2640
et CONVERSACIO tibi placeat et secura deserviat.   1418
ut eadem consequamur CONVERSATIONE caelesti.   2412
in temperatione (temptatione) adiubet, in CONVERSATIONE castiget...   360
ut quicquid CONVERSATIONE contraxerunt humana...   3366
ut quiquid terrena CONVERSATIONE contraxit his sacrificiis emundetur...
   1738
et pia CONVERSATIONE depromere...   2329
Tota ab odia diabolica CONVERSATIONE dispitiat...   2303
quo pariter instituti pia CONVERSATIONE et caelestibus sacramentis...
   3954
ut quae (quod) prava sunt respuens sancta CONVERSATIONE firmetur...   631,
   2606
ut quorum honore congaudent, de eorum sancta CONVERSATIONE laetentur...
   639
germanum se... petri tam praedicatione christi quam CONVERSATIONE
   monstravit...   4084
ut a terrenae vetustatis CONVERSATIONE mundati...   1275
et praeveniat conpetenter et devota CONVERSATIONE perducat.   2091
in sancta CONVERSATIONE permaneant...   111
quo fide pergit CONVERSATIONE perveniat.   2766
ut (cum) refrenatione carnalis alimoniae sancta tibi CONVERSATIONE
   placeamus.   600
et spiritali CONVERSATIONE praefulgentes gratia sanctificationis eluceant.
   405
et religiosa CONVERSATIONE proficiens...   1984

ut sui reparationis affectum (effectum) et pia CONVERSATIONE recenseat...
474
mysteria... praesentis vitae nos CONVERSACIONE sanctificent...   3436
et affectus eius digna CONVERSATIONE sectemur.   455
ut et de bona CONVERSATIONE sui praesulis semper exultet...   372
ut te instruente dispositus et CONVERSATIONE tibi placeat et quae votis...
374
et CONVERSATIONE tibi placeat et secura deserviat.   1418, 3559
... CONVERSATIONE tibi placita consequamur.   2809
quem liberasti de errore gentilium et CONVERSATIONE turpissima...   1359
illius CONVERSATIONE vivamus...   501
tua nobis sola gratia praestabit, ut salubri CONVERSATIONE vivamus.   3699
ut in sancta CONVERSATIONE viventes nullis adfligantur (efficiantur,
afficiantur) adversis.   2024
ut pura CONVERSATIONE viventibus quae divinitus aeclesiae sint collata
(sunt aecclesiae conlata permaneant).   3846
ut ad CONVERSATIONEM carnali et ad inmundicia actum terrenorum...
discernas...   3476
in pacem (pace) laetitiam, in CONVERSATIONEM gratiam...   318
et animis vestris veram CONVERSATIONEM mutatis ad deum...   1287
iam CONVERSATIONEM nostram in caelis esse benignus institues...   4027
et spiritalem CONVERSATIONEM prefulgens...   405
qui de hactu et CONVERSATIONEM presenti, quod nonnumquam ignoratur...
3021
... CONVERSATIONEM tibi placita consequamur.   2809
ut ab omnibus quae terrenam CONVERSACIONEM traxerunt, his sacrificiis
emundentur.   1758
et animis vestris veram CONVERSATIONEM utatis ad deum...   1288
dignis CONVERSATIONIBUS ad eius mereamur pertinere (pertingere)
consortium.   613
ut locum habeant in CONVERSATIONIBUS sanctorum.   1961
de pravis CONVERSATIONIBUS suis etiam gloriantur...   3879
quantocumque etiem bonae CONVERSATIONIS adnisu fieri tribuas sectatorem...
3670
qui inter mundanae CONVERSATIONIS adversa...   4108
senibus sanctam seriae CONVERSATIONIS aetatem...   1493
Sacrae nobis qs dne (ieiunia) (mensae libatio) et piae CONVERSATIONIS
augmentum...   3122, 3123
da nobis recte CONVERSATIONIS effectum per quem consequamur...   883
et toto tibi corde subiectae presta CONVERSATIONIS effectum quia bonis...
240
et ut (ut et) CONVERSATIONIS aeius expereamur insignia.   2921
ut et CONVERSATIONIS aeius insignia praedicando...   3174
tuis fidelibus ministremus recte CONVERSATIONIS exemplum...   627
et exemplo pie CONVERSATIONIS exerceas...   4026, 4064
sacri nominis veritatem sancte CONVERSATIONIS in nobis monstret effectus
...   4171
censuramque morum (murum) exemplo (exemple) suae CONVERSATIONIS insinuent
(insinuet)...   1350
ut CONVERSATIONIS ornatum cantis venerande aetatis suscedant.   898
et si qua per fragilitatem mundanae CONVERSATIONIS peccata ammisit...
3475
Mercimonia divina CONVERSATIONIS peragant...   1961
per bone CONVERSATIONIS perseverantiam...   1227
ut quod ex his pro nostrae CONVERSATIONIS qualitate subtrahitur...   2427
etiam piae CONVERSATIONIS sequamur exemplo.   1097, 1134

CONVERSIO
et nullius sit desperanda CONVERSIO. 3639
ut qui eius hodiae CONVERSIONEM colimus, per eius ad te exempla... 1235
quem liberasti de herrore gentilium et CONVERSIONEM turpissimam. 1359

CONVERTO
que nobis, agno vincente, CONVERSA est in salute. 903
qua in chana galileae lympha est in vinum CONVERSA. Amen. 853
per tuam (tua) CONVERSI gratiam diabuli quibus capti tenentur laqueis
   resepiscant. 992
... CONVERSIS a te propiciare supplicibus... 994
... CONVERSIS, redemptis ad vitam. 903
ut CONVERSO ad viam rectam famulo suo illo... 724
ut uno peccatore CONVERSO maximum gaudium facias in caelis habere... 802
a te CONVERSO ordine sumere vita principium. 950
qui CONVERSUM peccatorem non longa temporum (tempora) (spatia) differendum
   ... 858
Ds qui nos a seculo vanitatem CONVERSUS, ad supernae... 1091
universus mundus in teneberis CONVERSUS est... 1328
sed ut ab his iniquitatibus expediti ad modesta sese sanaque CONVERTANT...
   3980
et relictis idolis suis CONVERTANTUR ad deum verum... 2518, 2519
Ds, qui delinquentes perire non pateris, donec CONVERTANTUR et vivant
   debitam... 952
Deum... qui non vult mortem peccatorum sed ut CONVERTANTUR et vivant
   fratres carissimi... 724
sed ut ad te CONVERTANTUR et vivant hortaris... 3892
ut nos a malis operibus abstrahas et ad bona facienda CONVERTAS quia non
   vis... 4009a
ad sanctorum beneficia promerenda tuae miserationes gratia (gratiam)
   inspirante CONVERTAS. 1039
CONVERTAT (dominus) vultum suum ad vos (te) et dit (donet) vobis pacem.
   333
Gressus vestros ab errore CONVERTAT et viam vobis... 2258
CONVERTE ad te querendum corda fidelium... 1175
Quod perit, require ; quod erat CONVERTE, contrita... 1333
Plebi tuae, qs, dne, ad te semper corda (semper corda) CONVERTE et quam
   tantis... 2594
et ad tuam nos propitius CONVERTE iusticiam. 3502
flagellumque huius elementi ad effectum tui CONVERTE mysterii... 1324
helementia defectum tui CONVERTE mysterii... 1324
CONVERTE nos, ds salutaris noster, et ut nobis... 532
CONVERTE nos, dne, tuae propitiationis auxilio... 533
et pro temporali nobis conlata praesidia ad vitam CONVERTE propitiatus
   aeternam. 3388
Cor populi tui, qs, dne, CONVERTE propicius ut ab his muneribus... 535
populum tuum, qs, ad te CONVERTE propicius ut dum tibi... 1087
populum tuum, qs, CONVERTE propicius ut qui te per... 1039
Ad te corda nostra, pater aeternae, CONVERTE quia nullis... 54
omnium nostrorum ad te corda CONVERTE ut a terrenis... 2891
Omnium nostrum, dne, qs, adcte corda CONVERTE ut ab his... 2488
mentes nostras, qs, ad opera tibi placitura CONVERTE ut correptio... 2357
O. s. ds, tota nos ad te mente CONVERTE ut qui talia... 2474
Plebis tuae, ds, ad te corda CONVERTE ut tuo munere... 2595
omnium nostrum ad te corda CONVERTE. 2881
populum tuum... ad te CONVERTERE propitius... 1088

potius ad indulgentiam CONVERTERE supplicibus.   2173
ut beati petri singolarem piscandi artem in divino dogma CON(V)ERTERET...
   3823
qui per unigeniti... passionem vetus pascha in novum voluit CONVERTI
   concedatque...   353
et ut possimus ad tua praecepta CONVERTI copiosa...   1209
(Da) qs, dne, (dne qs) populum tuum (ad te) toto corde CONVERTI (CONVERTE)
   quia quos...   658
gemitum Annae, dum ean fecundaris, in gaudium CONVERTISTI...   2381
qui te in Channa Gallileae signo ammirabili sua potencia CONVERTIT in
   vinum...   1045, 3565
Qui CONVERTIT solidam petram in stagnum aque...   2378
et sol in sanguinem CONVERTITUR dominus caelum...   3563
sed quia terra suscipit terram, et pulvis CONVERTITUR in pulverem...
   3470
... Quur non perpenditur, qui benedictio illi in maledicto CONVERTITUR
   qualiter ad...   3290
Quo perpenditur (Cur non pependit) quia benedictio illi in maledicto
   (maledictum) CONVERTITUR qui (quia) ad hoc...   3290

          CONVIVA
et sustinet in mensam crudelem CONVIVAM donec se suo...   3867
et sustinet (in mensam) (pius) crudelem CONVIVIAM qui merito...   3868

          CONVIVIUM
et participatio caelestis indulta CONVIVII et depraecatio...   2919
cum hoste novissimo participare CONVIVIO a quo se noverat...   3868
qui tuae mensae participes a diabolico (diabolica) iubes abstinere
   CONVIVIO da qs plebi tuae...   2458
digni inveniamur aeternae vitae CONVIVIO et vota...   2643
ut et in cenae mysticae sacrosancto CONVIVIO in ipsius...   3610
... Nam et in caenae mysticae sacrosancto CONVIVIO super ipsum...   3608,
   3609
cum hoste novissimo participare CONVIVIUM a quo se noverat...   3867, 3868
Benedic qs dne universum populum ad caene tuae CONVIVIUM evocatum.   330
et cras nos ad sacratissimae caenae CONVIVIUM introducas.   3950
cum ad beatum CONVIVIUM rogatus ad nuptias...   855

          CONVEXUM
arduam montium, CONVEXA valcum...   2905

          COOPERATIO
virgo maria spiritus sancti COOPERATIONE concepit...   3870

          COOPERATOR
... Sit probus (providus) COOPERATOR ordinis nostri...   1348, 2549
sanctificata per QUOOPERATOREM dominum nostrum ihesum christum...   2907
... Sint probi (providi) COOPERATORES ordinis nostri...   1350

          COOPEROR
COOPERANTE omnes quia haec fluenta discenderent...   3836
... COOPERANTE potentia christi tui...   3945

          COPHINUS
unde exsuperaverunt duodecem COPHANI fragmtorum...   1881

          COPIA
sine terrore COPIA praeliandi voluntas...   2640
invisibilium etiam mereantur COPIA praemiorum.   3055, 3056
et semper hic tue benedictionis COPIA redundante...   742

omnipotentiae tuae COPIA suppleatur.   2427
ut hereditas... tua pascatur COPIA, tua custodiatur gratia...   326
per crepidinem festularum aquarum COPIAE mariare iussisti...   1314
Omnipotens dominus det vobis COPIAM benedictionis...   2263
VD. Qui in alimento (alimentum) corporis humani frugum COPIAM producere
    iussisti...   3941
Multiplicet in vobis dominus COPIAM suae benedictionis...   2117
ut misericordiam tuam iugiter nobis concedas sufficienter mensium COPIAS,
    et fructum...   1369
... Hinc est, quod restringendo COPIAS et mediocria non negando...   3827
mentes vestras... virtutum COPIIS faciat coruscare.   948

COPIOSE

... Hoc, dne, COPIOSAE in eorum caput influat...   819, 820
ut quod in membris suis COPIOSAE temporum praerogatione veneratur...
    1385
ut pro nobis tibi supplicans, COPIOSIUS audiatur.   3295
te largiente COPIOSIUS augeantur.   2372
ut gratiam tuam, quam sumit indebita, CUPIOSIUS devota percipiat.   3546
... CUPIOSIUS foveas maiestatem tuam iugiter exorantes.   3355
quibus ieiunando COPIOSIUS saginamur.   712
... COPIOSIUS tamen eius munere gratulamur...   3864

COPIOSUS

COPIOSA beneficia, qs, dne, christianus populus adsequatur...   534
Benedictio, dne, qs, in tuos fideles CUPIOSA discendat et quam subiectis
    ...   366
benedictio caelestis COPIOSA discendat et sicut...   2386
Super populum tuum, qs, dne, benedictio COPIOSA descendat indulgentia...
    3354
Super has, qs, (dne) hostias, (dne) benedictio CUPIOSA descendat quae et
    ...   3353
Benedictio tua, dne, super populum supplicantem COPIOSA descendat ut qui
    te...   370
ut doni tui fiat nobis et benedictio COPIOSA et larga protectio.   3241
Repleti, dne, munificentia gratiae tuae benedictione COPIOSA et pro
    nostrae...   3072
Hoc, dne, COPIOSA in aeorum capud influad...   820
contulisti subsidia COPIOSA iustorum ita nobis...   3859
quam ad salvandum vel patrocinia COPIOSA iustorum vel tuae maiestatis...
    3826
quam satisfactio pro nobis COPIOSA iustorum.   3860
ad placationem tui nominis COPIOSA nobis fac provenire clementia...   3428
indulgentia semper COPIOSA perveniat (perveniant, praeveniat).   918
sed ad salvandum nos tua potius misericordia COPIOSA praevincat.   3112
... COPIOSA propitiatione nos praeveni.   1209
gratia tua CUPIOSA resplendeat...   3284, 2103
ut quod in membris suis COPIOSA temporum prorogatione veneratur...   1385
et praesidia corporis COPIOSA tribue supplicanti.   1626
ut sanctorum martyrum tuorum COPIOSA victoria...   2698
per christum dominum nostrum, cuius virtus magna, piaetas COPIOSA.   3828
et COPIOSAE protectionis auxilium...   3971
VD. Qui sanctorum martyrum tuorum (pia) cartamina ad COPIOSAM perducis
    victoriam...   4016
et CUPIOSIOR per gratiam adsumptio renascentum...   58, 59
... COPIOSIORA nobis fidei proponuntur exempla...   4153

et COPIOSIS beneficiorum tuorum sublevetur auxiliis...   2597
Ds qui... abdon et sennen... COPIOSUM munus gratiae contulisti da famulis
    ...   1204
qui illis ad hanc gloriam veniendi COPIOSUM munus gratiae contulisti
    nostris qs...   872

COPULA

animae, quae in viri ac mulieris COPULA fastidirent conubium...   758, 759
ds qui tam excellenti mysterio coniugalem COPULAM consecrasti...   1171
quas in viris hac muliaeris COPULAS studirent...   759

COPULO

ut Valerianum, cui fuerat matrimonii iure COPULANDA...   3775
ut eam propitius cum viro suo COPULARE digneris...   1737
sic (eam) consortio maritali tuo munere COPULATAM...   1729
affectu conpari, mente (effectu conparamento) consimili, sanctitate mutua
    COPULENTUR.   1078

COR

tu hanc cupiditatem in aearum COR benignus haberis...   759
qui COR credum peccatis originalibus mundum adventum sui nitore purifica-
    vit...   841
et habundantiam misericordiae suae CORrum conroborit...   340
et COR eius ab iniquitate custodi...   2706
a mundi impedimento vel saeculari desiderio COR eius defendat...   2761,
    2503
et splendore gratiae (gloriae) tuae COR eius semper accende...   1856,
    1927
it COR aeorum fidei salutaris augmentum impleatur.   1961
et splendorem gratiae COR aeorum semper accende.   1175
et incrassatum diabulo COR induratum...   850
Incede COR meum dne concupiscientiae tuae flamma...   1895
da familiae tuae spiritum rectum et habere COR mundum...   2420
ut et COR nostrum ad expurgandas (expugnandas) delates passionis...   1049
in (hunc) affectum E(affectu) dirige COR plebis (plebs) et praesulis...
    808, 1165
COR populi tui, qs, dne, converte propicius...   535
ut efficiatur in eis COR porum ad omnem gratiam spiritalem sanctificatum
    ...   1536
O. ds in cuius manu COR regis geritur...   2250
... COR suum luctu, (luctum) corpus adflixit ieiuniis...   58
Ds sub cuius oculis omne contrepitat (COR trepidat) et omnes conscientiae
    pavescunt...   1254
et per habundantiam misericordiae suae COR vestrum conroboret.   356
COR vestrum sale (salis) sit conditum (conditum sit)...   1545, 1547
Accende, dne, aeius mentem et CORDA ad amoris tui caeleste...   1364
recta CORDA advocet...   351
et mortalium CORDA cognoscant et te indignante...   619
ut incunctanter pia CORDA cognoscant quantum debeant...   2332
Sensos vestros diregat, CORDA conpungit...   351
hoc in aeorum CORDA concriscat que (quod) tibi in divino iuditio placeat
    ...   296
Fac, qs, dne, famulus tuus toto semper ad te CORDA concurrere...   1583
tu viscera regas, tu CORDA confirmes...   764
ut hic sacramentorum virtus omnium fidelium CORDA confirmet.   2339
Terrore omnium conditorem deum in cuius manu regum CORDA consistunt...
    3473

Plebi (Plebis) tuae, qs, dne, ad te (semper) CORDA converte et quam
    tantis...   2594
omnium nostrorum ad te CORDA converte ut a terrenis...   2891
Omnium nostrum, dne, qs, ad te CORDA converte ut ab his quibus...   2488
Plebis tuae, ds, ad te CORDA converte ut tuo munere...   2595
omnium nostrum ad te CORDA converte.   2881
erige ad te tuorum CORDA credencium ut omnis generacio...   1160
Inlumina dne qs (qs dne) in te CORDA credentium ut tuo semper...   1926
et familiae tuae CORDA cui perfectam ad promerendam beatitudinem aptis
    aeternam.   1501
nunc quoque per credentium CORDA defunde.   1199
qui et populi tui dona sanctificet et sumentium CORDA diganter emundet.
    721
Exercitatio veneranda, dne, ieiunia (ieiunii) salutaris pupuli tui CORDA
    disponat (dispone)...   1528
Concuciat CORDA aeorum flagor ille tonitrui...   166
et gratia piaetatis tuae sensibus et CORDA aeorum largiter infundere
    digneris...   3736
et lux tuae lucis CORDA eorum qui per gratiam... sancti spiritus inlustra-
    tione confirmet...   2752
per dulces sermones suos seducentes CORDA fallacia...   3653
dirige ad te tuorum CORDA famulorum...   847
Sanctificata hoc ieiunium tuorum CORDA fidelium, ds miserator, inlustra...
    3219
Conserva dne qs tuorum CORDA fidelium, et gratiae...   521
Rege, dne, qs, tuorum CORDA fidelium et ut bona...   3050
tuorum CORDA fidelium miserator inlustra...   3226
Repleantur consolationibus tuis, dne, qs, tuorum CORDA fidelium pariterque
    ...   3061, 3062
Ds, qui tuorum CORDA fidelium per aelymosinam dixisti posse mundare...
    1228
et in tuorum tibi CORDA fidelium perpetuam constitue mansionem...   1378
VD. Qui spiritus sancti infusione replevit CORDA fidelium qui sua
    ammirabili...   4029
Ds qui... CORDA fidelium sancti spiritus inlustratione docuisti...   1001
Benedictio tua dne impleat CORDA fidelium talisque...   368
Purifica qs dne tuorum CORDA fidelium ut a terrena...   2942
Sumtis, dne, remediis sempiternis tuorum mundentur CORDA fidelium ut
    apostolice...   3345
et perpetuis consolationibus tuorum reple CORDA fidelium ut interius...
    691
Converte ad te querendum CORDA fidelium ut iuncta...   1175
et a pravitatibus mundi tuorum discerne CORDA fidelium ut qui dominum...
    1488
Auxilium tuum, dne, nomini tuo subdita poscunt CORDA fidelium ut quia sine
    te...   248
Excita, dne, tuorum CORDA fidelium ut sacris...   1525
et perpetuis consolationibus tuorum reple CORDA fidelium ut tua
    protectione...   692
diversitate tamen operis replet tuorum CORDA fidelium.   3751
Sanctificata ieiunio tuorum CORDA filiorum, ds habitator inlustra...
    3219
Confirma, dne, qs, tuorum CORDA filiorum et gratiae tuae...   506
crea in nobis fidelium CORDA filiorum ut ad promissam...   882

Sursum CORDA. habemus ad dominum.   1978, 2556, 3119, 3384, 3791
qui relegiosa CORDA hac devotio tibi optat servire.   3736
quibus CORDA languentium salubriter curaremtur...   1184
ut et CORDA mandatis tuis dedita...   734
Cuius sanguinem (sanguine) (omnium) fidelium CORDA mundantur...   4221
ut divinis instauret nostra CORDA mysteriis...   1701
semper christum abent in CORDA nascentem.   324
Ds, qui in sanctis habitas et pia CORDA non deseris...   1036, 1037
Excita, dne, (qs), CORDA nostra ad praeparandas unigeniti tui vias...
    1514, 1522
qui et CORDA nostra clementer expurget et ab omnibus...   161
ut spiritus sanctus CORDA nostra clementer expurget et sui luminis...
    3839
CORDA nostra, dne, gratiae tuae virtute corrobora...   536
Dirigat CORDA nostra, dne, qs, tuae miserationes operatio...   1290
Concede, qs, dne, ut ad praeces tuas CORDA nostra flectamus...   468
ut CORDA nostra ita pietates tuae valeant exercere mandata...   1139, 3984
per praecursorem gaudii CORDA nostra laetifica.   930
ut (et) CORDA nostra mandatis tuis dedita...   734, 2300
Sancti spiritus, dne, CORDA nostra mundit infusio...   3211
ut et CORDA nostra passione sanctorum martyrum igniantur...   2271
Ad te CORDA nostra, pater aeternae, converte...   54
Caelestis mensae, qs, dne, sacrasancta libacio CORDA nostra purget semper
    et pascat.   389
donis gratiae tuae CORDA nostra purifica...   1153
Sacrificia, dne, tibi... immolanda, qs, CORDA nostra purificent...   3139
quae et CORDA nostra purificet...   1618
CORDA nostra, qs, dne, venturae festivitatis splendor inlustret...   537
et CORDA nostra sancti spiritus inlustratione emunda.   2122
Erige qs dne ad te CORDA nostra ut a terrenis...   1413
Rege dne CORDA plebis tuae per arma iustitiae...   3048
Ds, qui bonis tuis infantum (infantio) quoque (tui) nescia sacramenti
    CORDA praecedes (precedisti)...   918
et inclinantium tibi sua CORDA propitiatus intende ut quos divinarum...
    2094
Suscipe dne preces nostras et clamantium ad te pia CORDA propitius
    intende.   3408
et subditorum tibi fidelium CORDA purifica ut bene...   1377
Bonorum, ds, operum institutor, famulae tuae Illius CORDA purifica ut
    nihil...   375
et per sacrificia gloriosa subditorum tibi CORDA purifica.   1816
Ds, qui confitentium tibi CORDA purificas...   922
et sacrificia gloriosa subditorum tibi CORDA purificent.   1816
et ad hoc percipiendum nostra CORDA purificet.   2106
errancium CORDA resipiscant...   2434, 2449
et CORDA sacris dicata mysteriis pervigili tuere pietate (pietate tuere
    pervigili)...   4240
Plebis tuae qs dne ad te CORDA semper converte...   2594
dirige ad te tuorum CORDA servorum ut de infidelitatis...   810
dirige ad te tuorum CORDA servorum ut spiritus...   846
et mentes credentium praeparentur et non credentium CORDA subdantur.
    2679
ut evangelicae veritati revellantium CORDA subdantur.   4236
qui discipulorum christi tui per sanctum spiritum (spiritum sanctum)
    CORDA succendit.   3140

Ds, in cuius manu (humana) CORDA sunt regum (regnum)...   830
et notantia CORDA tu dirigas.   1826
ibi nostra fixa sint CORDA ubi vera sunt gaudia.   993
CORDA vestra efficiat sacris intenta doctrinis...   2260
et inradiet CORDA vestra luce virtutum...   2254
Dirigat CORDA vestra per tempora...   1158
et sui luminis infusione CORDA vestra perlustret.   1002
Sicque CORDA vestra sanctificando benedicat...   1268
inlumina CORDA vestra, ut tuis valeamus implere praeceptis.   1138
ita huic populo spiritaliter dignetur circumcidere CORDA.   2441
ut et potantium mundent corpora, CORDAQUE sanctificent.   1365
tu cupiditatem in earum CORDE benignus aleris...   759
ut ad te toto CORDE clamantes... tuae pietatis indulgentiam consequamur...
    2746
fidem, quam credentes iustificandi estis, toto CORDE concipite...   1287
Fac, qs, dne, famulos tuos toto semper ad te CORDE concurrere...   1583
munus, quod sicut duplici sumentes CORDE condemnat...   2129
largior CORDE conpunctio et indulgentia concedatur admiserunt...   2321
Ds, qui non dispicis CORDE contritos et adflictos miseriis...   1086
(Da, qs, dne) populum tuum (dne qs, qs dne) (ad te) toto CORDE converti...
    658
Vide, quod ore cantas, CORDE credas...   4230
et quod CORDE credis, operibus probes.   4230
Quique unigeniti filii eius passionem puro CORDE creditis...   343
viam mandatorum (tuorum) dilatato CORDE curramur.   1206
post salutaria tua toto CORDE curramus.   3027
et a mundi inpedimento vel seculare desiderio aeius CORDE custodiat...
    2503
Totoque CORDE de prostrati supplicis exoramus...   3598
et toto tibi CORDE deserviat (deserviant)...   2884
sine reprehensione tibi mundo CORDE deserviens ad pravium...   2303
ut plebs tua toto tibi CORDE deserviens et beneficia...   3000
ut universa familia tua et toto tibi sit CORDE devota...   972
Ut tuam dne misericordiam consequamur, fac nos (tibi) toto (tibi) CORDE
    esse devotos.   3583
aeos mundo CORDE et corpore sanctificatus...   3110
ut ex toto CORDE et ex tota mente tibi deserviat...   3914
et dicite a me quia mitis sum et humiles CORDE, et invenietis...   1446
sed omnes habitantes interius voce, CORDE et opere decantent...   1330
et sincero nos CORDE fac eorum nataliciis interesse.   37
et maiestati tuae sincero CORDE famulari.   2247
Tibi possit hic servulus tuus CORDE firma...   763
hic servus tuus CORDE firmato et mente sincera...   764
Nos aenim adoramus supplici CORDE, genu...   4217
Exultemus, qs, dne ds noster, omnis recti CORDE in unitate fidei
    congregati...   1562
careant in CORDE infidelitatis frigore a fervore ignis spiritus sancti.
    2322
tuis toto CORDE inhaereat mandatis...   3768
famulum tuum ill. iuvenili aetate CORDE laetantem...   800
parturi in CORDE meo inenarrabilis gemitis...   575
ut te toto CORDE perquirant et quae dignae postolant adsequantur (consequi
    mereantur).   2802, 2803, 2805
ut te toto CORDE perquirant.   1802
Prostrato CORDE poscentes ut quamvis tanta...   3860

VD. Clementiam tuam toto CORDE poscentes ut qui nos... 3628
... Quo ita supplicanti et misericordiam dei adflicto CORDE poscenti...
58, 59
quae inter nostras palmas habentur, CORDE praecamur... 1283
ut omnis a nostro discedat CORDE profanitas... 4139
et toto tibi CORDE prosterni. 651
et toto tibi CORDE prostratam ab hostium tuere formidine (formidinem)...
704
... Totoque CORDE prostrati supplices exoramus... 3598
VD. Te toto CORDE prostrati suppliciter exorantes, ut... 4165
ut corpore et CORDE protectus... 220, 1453
Ds, qui habitaculum tuum in CORDE pudico fundasti... 997
Fac nos, (dne, qs,) (qs dne ds noster) mala nostra toto CORDE respuere...
1570
Perceptis, dne, sacramentis subdito CORDE rogamus et petimus... 2565,
2566, 2567
et quae tibi sunt placita toto CORDE sectantes... 632
VD. Supplicantes, ut tibi nos placatus devoto facias CORDE sectari...
4136
et te solum domine (dominum) puro CORDE sectare. 652
et quae tibi sunt placita toto CORDE sectetur. 633, 657
et maiestati tuae (maiestatem tuam) sencero CORDE servire. 2340
toto nos tribue tibi CORDE servire. 3108
et tibi toto CORDE simus subiecti... 3831
si agamus CORDE sincero... 3888
et toto tibi CORDE subiectae presta conversationis effectum... 240
et toto tibi CORDE subiectam praesidiis invicte pietatis attolle. 3093
ut sancto ieiunio et tibi toto CORDE subiecti et in tua... 1161
Presta, dne, qs, ut toto tibi CORDE subiecti tumentium... 2675
quanta toto tibi CORDE subiectis conferre possis, ostendis... 3883
et toto tibi CORDE subiectis praesidiis... 3093
Gratias tibi referat, dne, CORDE subiecto tua semper aecclesia... 1671
si tibi (nos) facias toto CORDE subiectos... 3624, 3664, 4214
Audi, dne, populum tuum toto tibi CORDE subiectum et tuitionem... 221
et toto tibi CORDE subiectum prosequere... sustenta, circumtege... 1587
et toto tibi CORDE subiectus obtineat... 504
Toto tibi, dne, CORDE substrati bonitatem tuam supplices exoramus...
3482
ut sancta tua tibi placito CORDE sumamus... 444
Accipe signum crucis tam in fronte quem in CORDE sume... 39
Da illis devoto CORDE te colere, se cavere... 1180
voce concinat, CORDE teneat, et vota requirat. 431
Te oculis intendat, CORDE teneat voce... 950
iam tunc CORDE totus essit in caelis. 906
qui tibi voluerint servire puris mentibus mundoque CORDE ut eas... 3465
diem gloriosae passionis eorum subdito CORDE veneramur. 3972
ut te principaliter toto CORDE venerantes... 4025
sic tua virtute et hereditatem subsequi mereatur in CORDE. 2374
et a (ad) pravis cogitacionibus mundemur in CORDE. 2727
ad paschalia festa purificatis CORDIBUS accedere valeatis. 2249
quae prumptis CORDIBUS ambientes oblatis muneribus et suscipimus et
praeimus. 2033
Ds, qui iustitiam tuam elegis (legis) in CORDIBUS credentium digito tuo
scribis... 1055, 1056
et in nostris CORDIBUS aeam dilectionem validam infundant... 2649

ut deus omnipotens auferat iniquitatem a CORDIBUS eorum et relictis...
     2518
et insere semper CORDIBUS aeorum praecepti tui salubria mandata.   124
ut deus et dominus (dominus et deus) noster auferat velamen de CORDIBUS
     eorum ut et ipsi...   2520
VD. (Nos) (Et) sursum CORDIBUS erectis divinum adorare mysterium...
     3714, 3814
ita inluminasti CORDIBUS et sensibus nostris...   1304
et quam (quem) subiectis CORDIBUS expedunt, (expediunt) largiter
     consequantur.   366
ut testimonia legis tuae piis CORDIBUS exquirentes...   1258
ut qui in artificum CORDIBUS fabricandis vasibus sublimis artifex
     extetisti...   770
tu in eorum tibi CORDIBUS facias mansionem.   1492
ut CORDIBUS famulorum tuorum ob gratiam salutationis locum hunc... semper
     adesse digneris...   2282
Ds qui caritatis dona per gratiam sancti spiritus tuorum CORDIBUS
     fidelium infudisti...   921
de CORDIBUS filiorum promissionis emissa...   3762
qui in sanctorum tuorum CORDIBUS flammam tuae dilectionis accendis...
     2411
Ds, qui prudentem sinceramque concordiam tuorum CORDIBUS inesse voluisti
     ...   1189
Et ideo hanc brevissimam plenitudinem ita debetis vestris CORDIBUS
     inherere...   1706
nunc euntes ea vestris CORDIBUS innovate...   3310
concede solem iusticiae permanere in CORDIBUS nostris ad repellenadas...
     3561
tenebras de CORDIBUS nostris auferre digneris...   1238
O. s. ds, CORDIBUS nostris benignus infunde...   2314
da CORDIBUS nostris dignam pro aeorum conmemoratione laetitiam...   2440
CORDIBUS nostris dne benignus infunde...   538
da CORDIBUS nostris et dignam tibi orationem persolvere...   1251
da CORDIBUS nostris et diganter tibi orationem persolvere...   1251
Emitte, qs, dne, lucem tuam in CORDIBUS nostris et mandatorum...   1405
Veritas tua, qs, dne, luceat in CORDIBUS nostris et omnis...   4222
da CORDIBUS nostris illam tuorum (tuarum) rectitudinem semitarum...   2326
da CORDIBUS nostris inviolabilem caritatis effectum (affectum)...   960
ut cum habitat in CORDIBUS nostris, ipse sit advocatus in praecibus
     nostris...   1373
... CORDIBUS nostris miseratus infunde...   1299
ut expulsis de CORDIBUS nostris peccatorum tenebras (tenebris)...   2479
CORDIBUS nostris, qs, dne, benignus infunde...   539
ut unigenitus tuus semper maneat in CORDIBUS nostris qui nasci...   3698
et illud lumen splendidum infundae CORDIBUS nostris quod (quem) trium
     magorum...   828
et in CORDIBUS nostris sacrae fidei semper exerceat firmitatem.   2545
infunde CORDIBUS nostris tui amoris affectum...   959
Emitte qs dne lucem tuam in CORDIBUS nostris ut mandatorum...   1406
... Ut parando in CORDIBUS nostris viam domino...   3869
auge in CORDIBUS nostris virtutem fidei quam (quem) dedisti...   1223
Ds, a quo inspiratur humanis CORDIBUS omne quod bonum est...   733
virtutis eius effectus in nostris CORDIBUS operare...   1131
ut salutare tuum... nostris semper innovandis CORDIBUS oriatur.   456
inmaculatis CORDIBUS teneatur.   2077
tu in aeorum CORDIBUS tibi facias mansionem.   1492

... Omnem caecitatem CORDIS ab eis (eo) expelle...   2369, 2467
toto CORDIS ac mentis affectu ut (et) vocis misterio personare...   3791,
   4206
Erectis sensibus et oculis (oculos) CORDIS ad sublimia elevantes...   1410
sed paginis vestri CORDIS ascribite...   1287
per quem nos contrictione CORDIS afflictus intuere serenus.   3789
glorifices populi in hoc temporem noctis initum CORDIS augmentum...   3017
duritiam nostri CORDIS averte...   401
tota CORDIS confessione poscentem (poscentes) depraecatus exaudi...   858,
   859
eiusdem conditorum (aeiusdemque conditorem) omnia desideria CORDIS conplacita tibi pius adimple...   1777
ut cum adventum unigeniti tui quem summo CORDIS desiderio sustenimus...
   2815
Tibi ergo, dne, supplices praeces, tibi fletum CORDIS effundimus
   (effundimur)...   822
stulticia (stultitiam) nostri CORDIS emunda...   2370
ut haec indumenta humilitatem CORDIS et contemptu (contemptum) mundi
   significancia...   743, 1237
ut contriti ei CORDIS, et humiliati sacrificio placeatis.   18
et vicia nostri CORDIS expurgent.   378
Vicia CORDIS humani (humanae) haec, dne, qs, medicina conpescat...   4242
ut fiat illis inluminatio mentis et reparatio CORDIS in perpetuum.   122
Sacramenti tui dne divina libatio poenetrabilia nostri CORDIS infundat...
   3126, 3127
suavitatem verbi tui in penetralibus nostri CORDIS infunde...   1307
paginis vestri CORDIS inscribite.   1288
ut apostolice... natalis insignia... pia CORDIS intellegentia conpraehendant.   3335
... CORDIS nostri infirma considera, et tuae nos gratia pietatis inlustra.
   934
et occultis (occulta) CORDIS nostri remedio tuae clarifica pietatis...
   2063
sed CORDIS nostri secreta illi soli patere commemorat...   1373
et CORDIS nostri tenebras lumine tuae visitacionis inlustra.   4246
cui ad revertendum CORDIS oculos te confidimus revellasse...   2297
tibique sacrificium contriti CORDIS offerre...   1220
et quodammodo CORDIBUS sauciati...   1289
ut inluminati CORDIS stientia mereamur promissionis tuae luce gaudere.
   1316
ut exultationem CORDIS sui, quam de beati Andreae... veneratione percepit
   ...   3486
quatenus reseratis oculis (oculus) CORDIS sui te unum deum...   3460
VD. (Et) Tibi vovere contriti sacrificium CORDIS tibi laetare (libare)...
   4184
Purificet omnipotens deus vestrorum CORDIUM archana...   2951
ut populo ad aeternitatem vocato una sit fides CORDIUM et pietas actionum.
   1142
qui es doctor CORDIUM (omnium) (humanorum) et magister angelorum...   2282
tu cognitor secretorum, tu scrutator es CORDIUM tu eius vitam...   138

       CORAM
providentes bona non solum CORAM deo, sed etiam CORAM hominibus...   3653
et dilectum meum CORA(M) me est semper.   59
placare semper valeant CORAM oculis tuis...   4227

ut dum me famolum tuum CORAM omnipotenciae maiestatis tuae... deliquissi
    ... 3381
sed CORAM sanctis altaribus tuis capite menteque...   898
... CORAM suo rege gratificet in gaudio genetali...   57, 2217
ut possimus placere CORAM te dne et perfecere in volumptate tua...   3468

        CORIUM
iniuriam non facias... neque in CORIO, neque inter corio et carnem...
    1551

        CORNELIUS
... Clementis Xysti CORNELI Cybriani Laurenti...   417, 418
sanctorum martyrum CORNELI et Cypriani natalicia nos tibi, dne, qs,
    commendet oratio.   3171
Beatorum... CORNELI et Cypriani nos, dne, qs, festa tueantur...   291
quae maiestati tuae pro... CORNELI et Cypriani sollemnitatibus sunt
    dicata...   2595a
VD. Tuamque in... CORNELII simul et cypriani festivitate praedicare
    virtutem...   4197
VD. Tuamque in... CORNELIO simul etiam Cypriano praedicare virtutem...
    4196

        CORNU
piaetatis tuae vocationem ad CORNU apostolice apicis sublimasti...   166
et inclinato (inclinata) super hos famulos tuos CORNU gratiae sacerdotalis
    (salutaris)...   2877
erigens nobis CORNUM salutis in domo David pueri tui...   3763
quia duo CORNUA duo testamenta...   2031

        CORONA
et dominus dominatium, CORONA credentium...   395
in regna (regno) caelorum necteret et CORONA et quibus erat...   3595
mentes vestras circumdet et in praesenti saeculo CORONA iustitiae...   915
Fraterna nos, dne, martyrum tuorum CORONA laetificet...   1638
ut gloriosior fiaeret CORONA martyrii.   3618
inpleret CORONA martyrii.   3777a
et inputatur CORONA martyrii.   3696, 3851
et incrementum gregis adque salubritas gaudium est et CORONA pastorum.
    4172
recurrens una dies in aeternum et una CORONA sociavit.   3666a
te disisti adsistere, CORONA valente...   924
in regno caelorum necteret et CORONA.   3782
et sicut similitudinem CORONE tuae ornatu festare facimus in capite...
    2374
fideli servitio pervenerunt ad palmam CORONE.   908
et victuriae summa (sumant) CORONAM ad te pervenientes.   1924
ut qui illis victoriae CORONAM contulit...   2187
ut ei conferres et virginitatis CORONAM, et martyrii palmam...   3716
et in futuro perducat vos ad CORONAM gloriae. Amen.   915
et si quis sanctis tuis aeorum (et sicut sanctos tuos) fides recta
    pervenit ad CORONAM, ita aeum...   3710, 3920
ut quibus fidei gratiam contulisti, et CORONAM largiaris (largiaris)
    aeternam.   133
ut gloriosior fiaeret CORONAM martyrii.   3618
et aeadem vincens (ea devincens) CORONAM perpetuaetatis promeruit.   3720,
    3858, 4151
et sic CORONAM pudiciciae (pudicitiam) meruit ut regium thalamum...   3605
cum centisimo fructu, CORONAMQUE iustitiam...   2303

ut Valerianum... secum duceret ad CORONAM.   3775
qui iustus efficeris ad CORONAM.   879
conceptos per fidem denuo felicius peperit martyres ad CORONAM.   4091
quod huic profitiat misericorditer ad CORONAM.   1514
pro temporalibus gestis aeternam provehis ad CORONAM.   4127
percipere mereamini inmarcescibilem gloriae CORONAM. Amen.   347
quam nomine praeferebat meritis praeriperet iam CORONAM.   4193
et ornamenta percipiat (percipiant) CORONARUM.   297, 3556
migantium odoriferas florum CORONAS palmanque martyrii perciperunt...
   758
... In cuius regni gloria cum CORONIS virginitatis et palmis florentibus
   ... fulgebunt.   3853

        CORONATI
ut cum temporalibus incrementis prosperitati aeternae (aeterna) CORONATO-
   RUM capiamus augmentis.   181
Hostias tibi, dne, pro martyrum tuorum CORONATORUM commemoracione
   deferimus...   1829
Sanctorum tuorum CORONATORUM, qs, dne, semper nos letificent festa
   (festa laetificent)...   3254
VD. Celebrantes sanctorum natalitia CORONATORUM quia dum...   3620
et inter martires CORONATOS consedeat...   3391

        CORONO
CORONA dne plebem tuam fructibus sanctis et operibus benedictis.   541
... CORONA aeum in miseratione (misericordia) et misericordiae...   2269
... Ut ad te CORONANDUS perveniret, qui persecutorum minas intrepidus
   superasset...   3643
cum electis resurgat in parte dexterae CORONANDUS.   3470
sed CORONARE deprecabatur in caelis.   3777
ut nihil in ea quod punire, (ponere) sed quod CORONARE possis invenias.
   375
... Agathen quoque beatissimam virginem victrici patientia CORONARES quae
   nec minis...   3856
urbis istius ambitum CORONARES sed etiam in ipsis...   3865
sed CORONARI depraecabatur in caelis.   3776
sanctum Xystum... hodierna die felici martyrio CORONASTI pro quibus...
   4017
pari(que) nominis tui confessione CORONASTI.   4196
... Maerebat ergo, quod de eius subule non venirent, qui tanto sunt munere
   CORONATI de liae...   3603
regis turbati, parvoli gloriosa passione CORONATI lacta mater...   3646,
   3648
sunt pro eius nativitate gratia CORONATI.   149
in martyrii inclyti finis gloria CORONATUM habitatio caelestis excepit.
   3806
quibus orbis huius praecipue CORONATUS est ambitus...   4089
Ds qui beatum stephanum protomartyrem CORONAVIT...   915
quia non vis invenire quod damnes sed esse potius quod CORONES.   4009a

        CORPORALIS
ut cum ab CORPORALE mens quoque nostra si inlecitus...   4140
et ut nobis ieiunium CORPORALE proficiat...   532
Ds, qui pro nostrorum fructibus animorum prodire facis sufficientiam
   CORPORALEM ne exterioribus...   1182
non haec ad exuberantiam CORPORALEM percipisse...   3969
et ut nobis ieiunium CORPORALEM proficiat...   532

non haec ad exuberantiam CORPORALEM sed ad fragilitatis sustentationem
  nos percipisse...   3970
non solum observantiam (abstinentiam) CORPORALEM, sed quod est potius
  habeamus mentium puritatem.   435
O. ds cuius unigenitus... CORPORALEM suscepit circumcisionem...   2242
... Nam si ideo delicias CORPORALES abnuimus...   3964
Ubi pallae CORPORALES lavatae fuerint...   4228
in alio vase debent lavari, in alio CORPORALES pallae.   4228
VD. Qui CORPORALI ieiunio vitia comprimis...   3881
ut cum abstinentia CORPORALI mens quoque nostra sensus declinet inlicitos
  ...   3731, 3732
Adesto qs o. ds ad (et) ieiunio CORPORALI mentem nostram...   134
ut dum a cibis CORPORALIBUS abstinent...   2714
et CORPORALIBUS incrementis manifesta designatur humanitas.   615
spiritum eciam famuli tui... vinculis CORPORALIBUS liberatum (liberatus)
  ...   3035, 3507
captus oculis CORPORALIBUS, lucem vidit aeternam...   4055
ut apostolice Petri et Pauli natalis insignia quae CORPORALIBUS officiis
  exequentur...   3345
cum subsidiis CORPORALIBUS profectum (quoque) capiamus animarum.   3717,
  3758
ut quod ecclesiae tuae CORPORALIBUS proficit spatiis, spiritalibus
  amplificetur augmentis.   951
ut dum a cibis CORPORALIBUS se abstinent, a vitiis mente ieiunent.   2714
ut sicut ab escis CORPORALIBUS temperamus (temperamur)...   539
et CORPORALIBUS tueantur auxiliis (auxilium).   2165, 3124, 3125
ut qui nos a CORPORALIBUS tueris adversis...
et suscepta sollemniter castigatio CORPORALIS (cunctis) ad fructum...
  646, 3495
magis de longinquo venientibus visibilis et CORPORALIS apparuit.   413
in veritate carnis nostrae visibiliter CORPORALIS apparuit.   414
et praesentiae CORPORALIS misterii (mysteriis) non deserat quos redemit...
  3811
Ubi CORPURALIS palle lavate fuaerint...   4231
in alio vase debent lavi, in alio CORPORALIS pallae.   4231
... Quoniam non solum prodesse non poteris castigatio CORPORALIS si
  spiritus...   4072

           CORPORALITER
quae CORPORALITER agimus spiritaliter consequamur.   2167
ut observantiam quam CORPORALITER exercimus (exhibemus)...   1897
et CORPORALITER gubernata percurrat...   143
et CORPORALITER gubernatum pie mentis affectum (affectum)...   696
post resurrectionem dominus... cum discipulis CORPORALITER habitavit...
  3673, 3753
et caeli et terrae dominum CORPORALITER natum radio suae lucis ostenderet.
  4058
quem CORPORALITER sumpsimus, spiritaliter sentiamus.   514
VD. Qui famulos tuos ideo CORPORALITER verberas, ut mente proficiant...
  3921

           CORPOREUS
ut omne necessitate CORPOREA infirmitatis exclusa...   1361
ut CORPOREA ioconditatis inmoderatas coherciamus inlecebras...   4039
et per augmenta CORPOREA profectum clementer tribuas animarum...   3825
ut non solum unigeniti tui nativitate CORPOREA (sed etiam) salvaretur...
  1167

ut CORPOREAE iocunditatis inmoderatas coherceamus inlecebras...   4039
subsidiis pasce CORPOREIS et spiritalibus...   2924
ut et CORPOREIS non destituamur alimentis...   1177
ut, quam CORPOREIS non vis delectationibus inpediri...   2592
(et) (ut) quae gustu CORPOREO dulci veneratione contingimus...   3060,
   3073
atque animae CORPOREO ergastulo liberati (liberatae)...   3862

         CORPUS
ut quorum CORPORA abstinentiae observatione macerantur...   4199
ut et potantium mundent CORPORA, cordaque sanctificent.   1365
Mentes nostras et CORPORA, dne, qs, operatio tuae virtutis infundat...
   2084
ita CORPORA eorum animasque custodias...   1192
mentes nostras et CORPORA et spiritali sanctificatione fecundet...   1991
et da omnibus (fidelibus) quorum CORPORA hic quiescunt refrigerii sedem
   (sedis).   811
et inter suscipientes CORPORA in die resurrectionis corpus suscipiat...
   3433
et quorum CORPORA in hoc monasterio requiescunt...   3247
subditorum tibi CORPORA, mentesque sanctificet.   1690
ut salutatibus remediis pietatis tuae CORPORA nostra et membra vegitentur
   ...   1361
... CORPORA nostra fraudis suae patiatur inludi...   980
Sacramenti tui, dne, qs, sumpta benediccio CORPORA nostra mentesquae
   laetificet...   3127
cui non periunt moriendo CORPORA nostra sed mutantur in melius...   747,
   770
ut quorum hic CORPORA pio amore amplectimur...   2440
Mentes nostras et CORPORA possedeant, (possideat) dne, qs, doni
   caelestis operatio...   2085
ieiunii devotione castigare CORPORA praecepisti...   889, 1139, 3984
et dona omnibus quorum hic CORPORA requiescunt refrigerii sedem...   2306
Nam ut dapibus poculis CORPORA saginantur.   3794
et tunc apparebunt CORPORA sanctorum...   3563
... Nam ut dapibus et poculis CORPORA, sic ieiuniis et virtutibus animae
   saginantur...   3889
pariterque mentes nostras et CORPORA spiritali sanctificatione fecundet...
   1991
et inter suscipientes CORPORA sua in diae resurrectionis...   3433
et sacreficium caelebrandum subditorum CORPORA tibi mentesque sanctificet.
   1690
animas vestras CORPORAQUE purificet a dilecto.   1375
adque animas vestras CORPORAQUE sanctificet et sacris...   355
animas vestras CORPORAQUE sanctificet.   2296
quod deposito CORPORE animam tibi creatori reddidit quam dedisti...   1721
et quos aut sexus in CORPORE aut aetas discernit in tempore...   1045,
   1047
et mente sibi et CORPORE beatae Mariae intercessione costodiat.   125, 126
et mente sibi et CORPORE beatae mariae patrociniis custodiat.   79
etsi humano generi CORPORE conspectu subtrahitur...   4167
quia nullius (nullus) animae in hoc CORPORE constituti difficilis apud te
   aut tarda curatio est...   858
et quem in CORPORE constitutum sedis apostolicae gubernacula (gubernaculo)
   tenere (praeesse) voluisti...   2070
ut femineo CORPORE de virili daris carnem principium...   1171

ut CORPORE eius in sanguine quo a peccatis redempti sumus...   3622, 3760
et a cunctis (ab omnibus) aversitatibus muniamur in CORPORE et a pravis...
   926, 2727, 2764
plena tibi adque perfecta CORPORE et anime devotione placeamus...   186
et sincerum CORPORE et anima et spiritu... derelinque.   1888
ut CORPORE et corde protectus (protecti)...   220, 1453
ut CORPORE et mente protectus quod pie credit tua gratia consequatur.
   1452
ut CORPORE et mente renovati...   801, 999, 2398
ut CORPORE et mente vegetati tuis semper inhereamus officiis.   2910
cui admirandam gratiam in tenero adhuc CORPORE et necdum virili...   3618
... CORPORE et sanguine tuo nos refecisti...   259
ut te largiante regatur in CORPORE et te servante...   2980
ut mente et CORPORE expediti...   2295
in totius aeclesiae confidimus CORPORE faciendum...   1484
ut divinis (divini) rebus et CORPORE famulemur et mente.   2933, 2934
qua beati Laurenti hostiam... CORPORE glorioso certamine suscipisti...
   3776
ut aetiam cum adhuc CORPORE habitaret in terris...   906
nec discurrere, nec latere, nec servire in CORPORE istius...   1888
et sicut ab alimentis in CORPORE, ita a viciis ieiunemus in mente.   1896
in tuo CORPORE iugiter solidata costare.   2298
animam famuli tui illius quam vera dum in CORPORE maneret tenuit fides...
   1013
ut cum de CORPORE me exire iusseris...   756
ut CORPORE mente vegetati tuis semper inhereamus officiis.   2074
Quo CORPORE mundati ac mente...   2244
illam nobis lucem in animam et CORPORE nos semper tribuae...   1328
Fideles tuos, dne, qs, CORPORE pariter et mente purifica...   1624, 1625
et nos CORPORE pariter et mente purificet (purificant).   2701
ut mente et CORPORE pariter expediti...   2295
ut qui per abstinentiam (abstinentia) macerantur in CORPORE per fructum...
   1266
scrutatori pectorum (scrutare peccatorum) non CORPORE placitura sed mente
   ...   759
qui crucis mortificationem... in suo CORPORE pro tui nominis honore
   portavit.   1951
ut ubicumque intercesserit, ad animo (anima) et CORPORE proficiat
   sanitatem.   2676
te miserante fragile in CORPORE quamdiu subsistere...   2475
et hoc secuturus (securus) in toto CORPORE, quod praecessit in capite...
   1706, 1707
Iesu christi domini nostri CORPORE saginati...   1851
quae CORPORE salvatus ac mente...   373
frugis credentium mentis et CORPORE salvit protectio sempiterna.   2262
aeos mundo corde et CORPORE sanctificatus...   3110
ut medellam tuam non solum in CORPORE sed etiam in anima (animo) sentiat.
   1015, 1020
et mente et CORPORE semper tibi esse devotos.   889
ut percepti novi sacramenti mysterium et CORPORE sentiamus et mente.   470
et mente sibi et CORPORE te protegente custodiant.   127
et CORPORE tibi placeamus et mente.   2730
concede vos et mente et CORPORE tibi semper esse devotus.   889
et CORPORE tibi simus (sumus) et mente devoti.   1300
sit nominis tui signo famulus tuus et animo tutus et CORPORE tu pectoris
   ...   764

... CORPORE tuo in servitio suo custodire et conservare fatiat.   334
per fragilitatem animae et CORPORE vel negligentiis nostris...   3379
dignare perpetuam praeclaro in CORPORE vitam...   3770
et mysteriis eorum mente pariter congruamus et CORPORE.   196
sed in nomine tui signo famulus tuus, et animo totus et CORPORE.   763
O. ae. ds, qui humano CORPORI ad te ipso animam inspirare dignatus es...
   2236
et protegant te ab omnibus languoribus qui CORPORI adversantur.   2180
ut inter eius membra numeremur, cuius CORPORI communicamus et sangui
   (sanguinem).   2996
ut vitiis pariter adque CORPORIBUS abstinentiae frena inponatis.   357
quia strictis (quis restrictis) CORPORIBUS animae saginantur...   3740,
   4179, 4183
Sed tu, ds o., propicius adesto, ut CORPORIBUS daemoniis obsessus...
   3270
qui benedictionis tuae graciam egris infundendo CORPORIBUS facturam tuam
   ...   1356
ut castimoniae pacem mentibus nostris atquae CORPORIBUS intercedente
   propiciatus indulge...   382
O. s. ds, qui per continentiam salutare (salutarem) et CORPORIBUS
   (nostris) mederis et mentibus...   2439
ut quid (quod) CORPORIBUS nostris necessarium fuit, mentibus non sit
   honerosum.   3262
medicina sacramenti et CORPORIBUS nostris prosit et mentibus.   3041
ut eorum et CORPORIBUS nostris subsidium non desit et mentibus.   1018
ad abiciendos daemones de CORPORIBUS obsessis cum omni nequicia eorum
   multiformem.   726, 727
qui ab humanis (inhumanis) CORPORIBUS omnem languorem et omnem
   infirmitatem... depellis...   4237
medicina sacramenti et CORPORIBUS prosit et mentibus.   3041
Sit nobis, qs, dne, medicina mentes et CORPORIBUS quod de sanctis...
   3301
mentibus eorum adque CORPORIBUS ros tuae benedictionis infunde...   1606
Magna (magnam) aenim in hoc munere CORPORIBUS salubritatem... contullisti
   ...   4182
ut praeter naturalem emundationem, quam lavandis possunt adhiberi
   CORPORIBUS sint eciam...   1045, 1046, 1698
O. s. ds, qui terrenis CORPORIBUS verbi tui mysterium coniungere voluisti
   ...   2456
pariterque CORPORIBUS vestris et mentibus semper profutura concedat.
   1513
animis CORPORIBUSQUE curandis...   112
... Sed servando CORPORIS ac mentis integritatem...   3942
sit omni unguenti tangenti tutamentum mentis et CORPORIS ad evacuandos...
   1404
ieiunii puritatem, qua et CORPORIS adquiritur (adquiretur) et animae
   (anima) sanctitas...   179
et CORPORIS affectionem (adflictione) corrobora.   3317
dispensatis mentis et CORPORIS alimentis...   3982
... Et tua sancta benedictio sit... tutamentum CORPORIS animae et spiritus
   ...   1407
... CORPORIS animaeque salvator, aeternae felicitatis benigne largitur.
   1184
qui aeos demigantes contra... et propria (proprii) CORPORIS blandimenta...
   3722, 4149

Sit nobis, dne, reparatio mentis et CORPORIS caeleste (caelestis)
    mysterium...   3298
et CORPORIS Christi novum sepulcrum spiritus sancti gracia perficiatur.
    2259
VD. Magna (magnam) (et) hoc munerae salubritas (salubritatem) mentis (et)
    CORPORIS contullisti...   3794, 3889
et praesidia CORPORIS copiosa tribue supplicanti.   1626
... Da salutem mentis et CORPORIS da continuae...   2678
Effuge... de nervis, de CORPORIS, de omni carne...   1888
ut qui unigenitum tuum in carne nostri CORPORIS deum natum esse fatentur
    ...   2383
Da qs dne sanitate populo tuo mentis et CORPORIS devitare...   660
qui haec exhoramenta naribus CORPORIS discernunt...   2293
in unitatem (unitate) CORPORIS aecclesiae (tuae) membrum (membrorum)
    (tuae) perfecta remissione restitue (redemptionis adnecte)...   858, 859
et tuitionem mentis et CORPORIS eisdem rogantibus...   221
integritas sancti CORPORIS esse credatur...   1286
plena tibi atque perfecta CORPORIS et animae devotione placeamus...   193
qui aeum post mortificationem CORPORIS et crucis stigmata preferentem...
    4149
et sis omnibus te sumentibus sanitas animae et CORPORIS et effugiat...
    1546
ut salvationem mentis et CORPORIS et incessabiliter expetet...   3303
a malis omnibus CORPORIS et mentis emunda...   2590
universa peccata pariter adque pericula CORPORIS et mentis evadere...
    2687
Da salutem, dne, (qs) populo tuo mentis et CORPORIS et perpetuis...   691,
    692
simul et continentiam salutarem capiamus mentis et CORPORIS et profutura
    ...   3990
ut sit omnibus sumentibus salus mentis et CORPORIS et quicquid...   1929
Sumpsimus dne CORPORIS et sanguinis devotionis remedia...   3334
qui nos CORPORIS et sanguinis dilectissimi filii tui... communione
    vegetasti...   1668
Sacrosancti CORPORIS et sanguinis domini nostri I. C. refectione vegetati
    ...   3172
et suavitatem CORPORIS et sanguinis domini nostri iesu christi unegeniti
    nostris infunde pectoribus.   2376
tradidit discipulis suis CORPORIS et sanguinis mysteria caelebranda...
    1771
Sacri CORPORIS et sanguinis praetiosi renobati libamine...   3135
ut sicut nos (filii tui) CORPORIS et sanguinis sacrosancti pascis alimento
    ...   2044, 3374
... Christus tradidit discipulis suis CORPORIS et sanguinis sui mysteria
    caelebranda...   1712, 1736
Protege, dne, famulos tuos subsidiis pacis et CORPORIS et spiritalibus...
    2924
quam de viride ligno producere dignatus es ad refectionem mentis et
    CORPORIS et tua sancta...   1407
hoc in totius CORPORIS extrema descendat...   819, 820
hoc ministerium CORPORIS filii sui domini nostri Iesu Christi...   2524
peccatorum sordes, quas CORPORIS fragilitate (fragelitatis) contraimus...
    179, 180
casti (casto) CORPORIS glorioso certamine suscepisti...   3776, 3777
VD. Qui in alimento (alimentum) CORPORIS humani frugum copiam producere
    iussisti...   3941

quem post lavacrum fontis ad purgandum CORPORIS humanum praesse iussisti.
3332
et de CORPORIS integritate et de fidei puritate... 3866
... Quae mirabatur et CORPORIS integritatem, et conceptus fecunditatem...
4032
ut lavacrum sancti CORPORIS, ipsas aquas dilueris... 855
et famulum tuum ex adversam valetudinem (adversa valetudine) CORPORIS
laborante (laborantem) placidus respice... 986
Respice dne famulum tuum illum in infirmitate sui CORPORIS laborantem...
3085
vincolis CORPORIS libem penalem... 3507
in veritate nostri CORPORIS natum de matre virgine confitentur... 655
ut animam (spiritui) fratri nostri illius CORPORIS nexibus absolutam
(absolutum)... 1234
Sit nobis in protectionem CORPORIS nostri contra expugnatione diaboli.
2003
ut nullis inlecebris CORPORIS, nulla promissa... 3694
quae tibi ob consecracione sui (qui tibi obsecrationis suae) CORPORIS
offeret... 2135
Ds, a quo speratur humani CORPORIS omne quod bonum est... 735, 736
et salutem nobis mentis et CORPORIS operare placatus. 3440
... Cum sit minima CORPORIS parvitate, ingentes animos angusto versat in
pectore... 3791
nec eos ullis mentis et CORPORIS patiaris subiacere periculis... 67
ne aeclesia tua aliqua sui CORPORIS porcione vastetur... 822, 823
ut omnes gustantes (gustantesque) ex eo accipiant tam CORPORIS quam animae
sanitatem. 300
Sit nobis (qs) dne medicina mentis et CORPORIS quod de sancti... 3296,
3301
Quid erit pro oblatione integri CORPORIS recepturus... 4148
Qui oblatione sui CORPORIS remotis sacrificiis carnalium victimarum
(sacrificiorum carnalium observationibus)... 3985, 3986
Tribuat nobis, dne, qs, sanitatem mentis et CORPORIS sacramenti tui
medicina caelestis... 3484
CORPORIS sacri et praetiosi sanguinis repleti libamine... 542, 543
dum ad tactum sacri CORPORIS sanctificasti per lavacrum... 893
ut quicumque ex ea susceperit, CORPORIS sanitatem et animae tutelam
percipiat. 301
accipiat CORPORIS sanitatem et animae tutillam. 301
quia tunc veram (vera) nobis tribuis (et) mentis et CORPORIS sanitatem.
3363
concide nos opere mentis et CORPORIS semper tibi esse devotos. 2418
Debitum humani CORPORIS sepeliendi officium fidelium more conplentes...
701, 702
Ds qui famulantibus tibi mentis et CORPORIS subsidia misericorditer
largiris... 987
Absque lesionem anime et CORPORIS sui, exias omnino... 1888
... Te in sanctitate CORPORIS, te in animi sui (animae suae) puritate
glorificent... 758, 759
ut cuncta pericula mentis et CORPORIS te pro pellente declinans... 15
per quam sanctus martyr ill. omnia CORPORIS tormenta devicit. 2649
integritatem CORPORIS, tutillam salutis... 2654
sed ut potius tui CORPORIS ubique devota conpago te dispensante suscipiat
... 4077
ipsaque sit sacri CORPORIS ubique vera conpago... 4021

ad evacuandos... omnem egritudinem (mentis et) CORPORIS unde uncxisti.
  1404, 1407
quem a tui CORPORIS unitate nulla temptatio separavit.   1828
Da qs dne populo tuo salutem mentis et CORPORIS ut bonis operibus...   656
da nobis salutem mentis et CORPORIS ut ea quae...   1122
Sentiamus, dne, qs, tui perceptione (perceptionem) sacramenti subsidium
  mentis et CORPORIS ut in utroque...   3277
Pacem nobis tribue, dne, mentis et CORPORIS ut nostrae fragilitati...
  2528
Pacem nobis tribuae, dne, qs, mentis et CORPORIS ut per ieiunium...   2529
tribuas per unctionem istius creaturae purgationem mentis et CORPORIS ut
  si quae illis...   838, 1240
da famulis tuis pro quibus tuam deprecamur clementiam salutem mentis et
  CORPORIS ut te tota...   921
quam de viridi ligno producere dignatus es ad refectionem CORPORIS ut
  tua sancta...   1404
Et qui ab eorum pectoribus adtactu sui CORPORIS vulnus amputavit
  dubietatis...   802
perpetuis (perpetuum) tribue gaudere beneficiis mentis et CORPORIS.   517
beneficiis adtolle continuis et mentis et CORPORIS.   3537
si pacem dederis et mentis et CORPORIS.   2265
liberemur ab hostibus mentis et CORPORIS.   2684
salutem nobis tribue mentis et CORPORIS.   2911
pristinum sanitatis (pristina sanitate) animae CORPORISQUE recepta...
  2277
et illo regi ad obtinendam animae CORPORISQUE salutem...   2123
dispersa ossa, menbra ad iuncturas CORPORUM, ac liniamenta...   3668
salubritatem CORPORUM, animarumque salutem.   354
qui egritudinis et animorum (animarum) depellis et CORPORUM auxilii tui...
  2377
Ds, castorum CORPORUM benignus habitator (inhabitator)...   758
Ds qui es custur animarum et CORPORUM, dignare...   980
ut quae hic pietas tua in usus et necessaria CORPORUM famulorum tuorum
  contulit...   987
vos possitis et vestrorum CORPORUM inlecebras... superare.   341
ut consequenter et CORPORUM praesens pariter et futurum capiamus auxilium.
  2938
... Et per afflictionem CORPORUM, proveniat nobis robur animarum.   3745
Ds vite dator et humanorum CORPORUM reparator...   1263
ieiunium quod nos ad aedificationem (animarum et castigationem) (animarum
  medellam castigatione) CORPORUM servare docuisti...   3740, 4179, 4183
Sanctorum percipientibus, dne, qs, salus et mentium praestetur et CORPORUM
  ut doni tui...   3241
averte iocundas et noxias CORPORUM voluntatis.   1248
et mentium salutem mereantur et CORPORUM.   2927
ut pie devotionis effectus substantiam nobis et mentium prestet et CORPO-
  RUM.   2422
ut hoc CORPUS a nobis in infirmitate... in virtute et ordine sanctorum
  resuscitet...   701
O. s. ds, qui humanum CORPORE a te ipso animam inspirare dignatus es...
  2401
ut officium suum redivivum CORPUS accipiat.   3668
ut non solum CORPUS ad (a) cibis sed a delictis omnibus liberares.   3787
O. s. ds, qui humanum CORPUS ad teipsum animum sperare dignatus es...
  2236
cor suum luctu, (luctum) CORPUS adflixit ieiuniis...   58

... CORPUS altius aescis, anima ieiuniis saginatur...   4033
O. s. ds, conlocare dignare CORPUS, animam et spiritum famuli tui illius
    ...   2312
sed eum qui CORPUS animanque mittere poterat in gehennam...   3654
ut hoc CORPUS cari nostri illius... in ordine sanctorum suorum resuscitet
    ...   702
ut hoc CORPUS cari nostri infirmitate sepulto...   701
CORPUS domini nostri iesu christi custodiat te in vitae aeternam. Amen.
    544
CORPUS domini nostri iesu christi in vitam aeternam.   545
ad conficiendum in ea CORPUS domini nostri Iesu Christi pacientes...   511
CORPUS domini nostri Iesu Christi sit tibi in vita aeterna.   545
VD. Congaudet namque totum CORPUS aeclesiae de sublimium...   3632
O. s. ds, cuius spiritu (spiritum) totum CORPUS ecclesiae sanctificatur et
    regitur...   801, 2323
... Cuius CORPUS, ecclesiam tuam caelestium gratiarum varietate distincta
    (distinctam)...   136, 137
qui sumimus communionem... unum christi CORPUS efficimur...   3739
unum in christo CORPUS efficimur.   4181
O. s. ds, conlocare dignare CORPUS et anima et spiritu famuli tui illius
    ...   2312
ad tegendum involvendumque CORPUS et sanguinem filii tui domini nostri...
    1318
... CORPUS et sanguinem filii tui inmaculata benedictione transformentur
    (transformit)...   3225
sacrosanctum filii tui CORPUS et sanguinem sumpseremus...   3375
ut nobis CORPUS et sanguis fiat dilectissimi filii tui domini dei nostri
    ...   3011
unigeniti CORPUS et sanguis fiat remedium sempiternum.   2120
ut (tui) (et) nobis unigeniti CORPUS et sanguis fiat.   2119
per ipsos (ipsius) unigeniti tui sanctum (sacrum) CORPUS exornans
    (exornas) et in ipsis...   4169
O. s. ds, qui sanctorum virtute multiplici aeclesiae tuae sacrum CORPUS
    exornans primitias...   2453
qui sanctorum virtute multiplici aeclesiae tuae sacrum CORPUS exornas
    da eum...   1381
martyrum confessionibus aeclesiae tuae sacrum CORPUS exornas da nobis qs
    ...   2451
et plenum de illis CORPUS hierusalem matris spiritalis...   541
... Sit tibi terror CORPUS hominis...   142, 1355
hoc est enim CORPUS meum...   3014
et fecunditatem suorum viscerum CORPUS mirabatur intactum.   3635
non timentes qui CORPUS occiderent...   3654
et ad CORPUS quandoquae reversuram...   1289
que offertur a plurimis et unum christo (christi) CORPUS sancti spiritus
    ...   3739, 4181
et inter suscipientes corpora in die resurrectionis CORPUS (suum)
    suscipiat...   3433
CORPUS tuum custodiat, sensum tuum dirigat...   335
anima famuli tui illius quae temporali per CORPUS visionis huius luminis
    caruit visu...   746
tu animam nostram CORPUSQUE castifica...   1184
ut fidei ipsius sitis baptismatis mysterio animam CORPUSQUE sanctificet.
    2464

CORPUSCULUM

cuius CORPUSCULUM hodie sepulturae (sepultura) traditur...   2521, 2522,
2523

CORRECTIO

nec haec tua CORECTIO, dne, sit neclegentibus maior causa penarum...
2534
ut castigatio peccatoribus convenienter adhibita fiat CORRECTIO salutaris.
533
et de inimicis suis CORRECTIONE magis cupiant quam ultione gaudere.   1344
Concede, qs, dne, morum nos CORRECTIONE relevari...   464
vel illis CORRECTIONEM suppliciter exorando subvenire possimus...   3922
tu tamen iudicium ad CORRECTIONEM temperas...   4009
transeat ad CORRECTIONIS auxilium.   2531, 2532
et ad CORRECTIONIS effectum donum tuae pacis utamur.   2426
ad remedia CORRECTIONIS utamur.   1247

CORREPTIO

et CORREPTIO ab iniquitate et cessatio fiat a verbere.   1140
nec haec tua CORREPTIO, dne, sit negligentibus maior causa poenarum...
2534
ut CORREPTIO tua non sit neglegentibus maior causa poenarum...   2357
ut recipisse nos venia peccatorum cessante iam CORREPCIONE laetemur.   895
et qui non operando iustitiam CORREPTIONEM meremur afflicti...   1938
tu tamen iudicium ad CORREPTIONEM temperas...   3884
ut quod ad perpetuum meremur exitium, transeat ad CORREPTIONIS auxilium.
2531

CORRIGO

tu dispone CORRECTAM, tu propitius tuere subectam...   3508
sed per tuam gratiam possimus emendare CORRECTI.   2852
ut CORRECTIS actibus suis conferre tibi (sibi) ad te sempiterni (sempiterna) gaudia caelebretur (gratuletur).   429, 1308
prestis meliora CORRECTIS.   452
cum peccatoribus ista prestentur, quanta possis ministrare CORRECTIS.
3948
sed fiat eruditio paterna CORRECTIS.   2357
et beneficia tua non desinas prestare CORRECTIS.   2991
... Dum magis vis salvos esse CORRECTOS quam perire deiectos.   3967
gaudeant his castigantibus esse CORRECTOS.   1324
foveas tua miseracione CORRECTOS.   250
protege tua miseratione CORRECTOS.   2184
et qui non derelinquis devium assume CORRECTUM...   823
et divinam laceramus aequitatem quam nostra dilecta CORREGIMUS...   4135
et divinam laceramus aequitatem quam nostra delicta CORRIGAMUS, dum reus
...   4135
sic nostram veniam promereri, ut nostram CORRIGAMUS (nostros CORRIGAMUR)
excessos...   670
non eos ad interitum condemnas, sed ut CORRIGANTUR miseratus exspectas.
3952
ut et mentes nostras caelestibus CORRIGAS institutis...   2991
Te cognuscat, se CORRIGAT, te praedicet...   920
Actus vestros CORRIGAT, vitam emendet, mores componat...   2117
nec castigationibus CORRIGEMUR, nec beneficias incitamur.   3795
et parcendo spacium tribuis CORREGENDI qui ideo...   3884, 4009
spiritum nobis tribue CORRIGENDI.   2530
Obteniat aput te pro CORRIGENDIS delictis...   913

et parcendo spacium tribuis CORRIGENDO.   3884
Deus, qui populum tuum sic CORRIGIS delinquentem...   1169
Iuste aenim CORREGES et clementer ignoscis.   3884, 4009
tibi conscientia nostra in quantum a te CORREGITUR famuletur...   4184

CORRIPIO
ut eorum tenuitate CORREPTI proficiamus aeternis.   3827
sed fiat eruditio paterna CORREPTIS.   2534
dum mavis (magis suis) salvos esse CORREPTOS quam perire neglectos
   (nelictus).   3967
foveas tua miseratione CORREPTUS.   250
CORRIPE in misericordiam ne disseras, nec in ira corripias.   219
famulosque tuos cum dilectione CORRIPERE et cum necessaria...   3796
ut pariter CORRIPERE praecipias inquietos...   3981
Corripe in misericordiam, ne disseras, nec in ira CORRIPIAS.   219
sed quos iure CORRIPIS a veritate digressos...   2184
Ds, qui fidelis tuus ad hoc CORRIPIS ut aemendes...   991

CORROBORATIO
securitatem spei, CONRUBORATIONE fidaei...   2654

CORROBORO
CONROBORA gregem tuum, torres fortitudinis...   546
et gratiae tuae virtute CORROBORA ut et in tua...   506, 521, 536
et per spiritum (spiritus) tui muneris fidem nostram CONROBORA ut qui
   in haec...   2108, 2109
et corporis affectionem (adflictione) CORROBORA.   3317
in mundi huius cursu in bonis operibus CORROBORES...   3893
et confirmet illud et CORROBORET amodo et usque in sempiternum...   3677
et habundantiam misericordiae suae corrum CONROBORIT, mentem...   340
et per habundantiam misericordiae suae cor vestrum CONROBORET.   356

CORRUMPO
non latendo subripiat, non inficiendo CORRUMPAT...   1045, 1047
non illic resedeat spiritus pestilens, non aura CORRUMPENS abscidant...
   896
non alicui materie qui CORRUMPI potest, sed paginis vestri cordis
   ascribite...   1287
nulla possit (possent) diaboli falsitate CORRUMPI.   2383
redintegra in eo... quicquid diabulo scindente CORRUPTUM est...   58
renova in eo... quicquid terrena fragilitate CORRUPTUM est vel quicquid...
   859
et qui non dereliuquis devium, adcume CORRUPTUM moveat...   822
insectationibus maculatum in nobis CORRUPTUMQUE perficerit...   841

CORRUO
et pro delictorum facinus CURRUI in ruinam.   4003
et per delictorum facinus CORRUIMUS in ruinam...   4004

CORRUPTIBILIS
Qui non mali aego CORRUPTIBILIS creatura...   219

CORRUPTIO
... Quos exemplo dominicae matris sine CORRUPTIONE sancta mater ecclesia
   concipit...   4160
qui primi hominis peccato et CORRUPTIONI addicta est humana condicio...
   201
... CORRUPTIONIS (CORRUPTIONE) primae nativitatis absorpta...   3627

CORUSCO
quo in nostri salvatoris infantia miraculis CORUSCANTIBUS declaratur...
   615
Et qui illum fecit CORUSCARE miraculis...   2263
Ds, cuius antiqua miracula (etiam nostris saeculis) (in praesenti quoque
   saeculo) CURRUSCARE sentimus...   777, 778
beatique martyri CORUSCARE tribuisti...   3951
mentes vestras... virtutum copiis faciat CORUSCARE. Amen.   948
fecisti paetri lacrimas, pauli litteras CORUSCARE.   1033
et variis virtutum donis exuberavit, et miraculis CORUSCAVIT...   3655

CORVUS
Exi ab eo, quomodo exivit CORVUS de arca Noe...   1529

COSMAS
Magnificet te, dne, sanctorum COSME et Damiani beata solempnitas...   2040
... Iohannis et Pauli COSME et Damiani Dionysii...   417
et pauli, COSME et damiani, et omnium sanctorum...   418
... COSME et damiani, helarii, marthini...   419
quae beatorum martyrum tuorum COSME et Damiani meritis inploratur
   (imploretur).   3299
ut qui sanctorum tuorum COSMAE et damiani natalicia colimus...   2771

COTIDIANUS
et COTTIDIANAM fac de botribus ubertatem.   2188
ut si quid aeius viros a calliditatis COTTIDIANAS insectationibus...   841
... Non facies COTIDIANAS, non tercianas, non quartanas...   394
COTIDIANIS, dne, qs, munera sacramenti perpetuae nobis tribue salutis
   augmentum.   547
ita COTIDIANIS peccatorum remissionibus indigemus...   3875
Panem nostro QUOTTIDIANO da nobis odie...   2543
Panem nostrum COTIDIANUM da nobis hodie...   1778
... Quem COTIDIANUM dicimus, quod ita nos semper inmunitatem petere
   debemus peccati...   1778
quos COTIDIANUM tibi sacrificium praecipis exhibere.   636

COTIDIE
ordinem tui dispositionis COTIDIAE cernimus adimplere.   3918
quae dum COTIDIAE toto resplendeant...   3619
Consciencias nostras, qs, o. ds, COTIDIE visitando purifica...   509

CRAS
et CRAS nos ad sacratissimae caenae convivium introducas.   3950
ut CRAS se vestris mentibus vobiscum perpetim habitaturus infundat...
   345
et CRAS tribuas spiritalium incrementa donorum...   3950
ut CRAS venerabilis caenae dapibus sacies...   3950

CREATIO
Ds, qui CREATIONEM condicionis humanae diabolicis non es passus perire
   nequitiis...   933
ut quia post CREATIONEM primi hominis...   3996
cum super aquas in mundi CREATIONIS exordio (exordium) fereretur...   2350
ut et CREATIONIS tuae circa mortalitatem nostram testificentur auxilium...
   2230

CREATOR
vetex CREATOR adversis et prosperis sublevetur...   4006

sed salus omnium, propter quod homo factus est, (es) CREATUR astrorum.
  996, 3109
quid non boni tu CREATUR creature tuae fortissimus invocatur ?   219
quia pro impiis servis sanguinem suum CREATOR effundens...   3757
et cuius CREATOR es operis, esto dispositor.   3429
Ds, (qui) universorum CREATOR et conditor es...   1234
CREATOR et conservator humani generis...   549
O. s. ds. cunctorum (C)REATOR et genitor...   2325
Ds mundi CREATOR et rector, ad humilitatis...   863
Omnipotens sempiterne ds mundi CREATOR et rector qui beatus...   2365
Ds, (qui) mundi CREATOR et rector (es et) qui hunc diem...   864, 1077
Respice nos, rerum omnium ds CREATOR et rector ut et tuae...   3108
O. s. ds, CREATOR humanae reformatorqui naturae...   2315
Suppliciter ds pater o. qui es CREATOR noster ut omnium rerum deprecamur
  ...   3379
Suscipe, CREATOR omnipotens ds, que ieiunantes...   3388
que nobis est allatum CREATUR omnium benedicat.   1890
Sanctae dne CREATOR omnium creaturarum...   3191
ds pater omnipotens qui es CREATOR omnium rerum...   3381
CREATOR populi tui, ds, adque reparator...   550
Miserere nobis dne miserere nobis, quia tu es aeternus CREATUR, quos
  fecisti...   2097
... Credis in deum omnipotentem CREATOREM caeli et terrae. R. Credo.
  3019
et metuens CREATOREM contremiscit...   3637
VD. Glorificantes et de praeteritis CREATOREM et de venturis...   3758
VD. Et te CREATOREM omnium de praeteritis fructibus glorificare...   3717
... Adiuro te per regem caelorum, per Christum CREATOREM per iesum...
  224, 225
per deum vivum, per deum sanctum, per deum totius dulcidinis CREATOREM
  qui te in principio...   1535
universitatis CREATORI gloriosa passione coniuncti sunt (coniunctus est)
  ...   2187
quod deposito corpore animam tibi CREATORI reddidit quam dedisti...   1721
contra voluntatem sui CREATORIS agendo contraxerat...   3956
dum pro testimonio CREATORIS sponte susciperent (suscipiunt)...   3956

              CREATURA
Exorcizo te, CREATURA aquae, in nomine dei patris omnipotentis...   1531,
  1532, 1534
Exorcizo te CREATURA aqua (CREATURAE aquae) in nomine domini iesu christi
  ...   1530
... Unde exorcizo te, CREATURA aquae, per deum verum...   1532
Unde benedico te, CREATURA aquae, per deum vivum per deum qui te...   1045,
  3565
Exorcizo te, CREATURA aquae, per deum vivum per deum sanctum per deum
  totius...   1535
eradicare et effugare ab hac CREATURA aquae unde exorcizo te...   1532
eradicare et effugare ab hac CREATURA aquae ut fiat fons...   1530, 1531,
  1533
Ds, cui cuncta oboediunt CREATURA et omnia in verbo...   769
ut ubicumque in hac CREATURA fusum fuaerit...   1335
eradicare et effugare et discide a CREATURA huius olei ad utilitatem...
  1536
eradicare, effugire (effugare) et discedere a CREATURA huius olei...
  1537

tu, dne, aemitte spiritum tuum sanctum super hanc CREATURA illam, ut
   armata...   548
... Sit haec sancta et innocens CREATURA libera ab omni inpugnatoris
   incursu...   1045, 1047
cuius providentia in hoc quoque CREATURA liquentes... caelaesti igne
   solidasti...   3191
ut CREATURA (mysteriis tuis) (mysterii tui tibi) serviens ad abieciendos
   daemones...   896
Exorcizo te, CREATURA olei, in nomine dei patris...   1536
Exorcizo te, CREATURA olei, per deum omnipotentem...   1538
omnes fantasma satanae : eradicare et effugare ab hac CREATURA olei ut
   fiat omnibus...   1538
Ds, cuius providentiam CREATURA omnes crementes adulta congaudet...   796
Ds cuius spiritu CREATURA omnis adulta congaudet...   800
VD. Cuius CREATURA omnium ingemiscit...   3637
Ds cuius providentia CREATURA omnium nomen crimentis adulta gaudit...
   796
O. s. ds. totius conditor CREATURA, preces...   2476
cum angelica CREATURA quae a conditione honoratur...   3809
Qui non mali aego corruptibilis CREATURA quid non boni...   219
ut hanc CRAEATURA salis et aqua benedicere digneris...   1352
Exorcizo te, CREATURA salis et aqua, (aquae) in nomine domini nostri...
   1539, 1540, 1541
Exorcizo te, CREATURA salis, in nomine dei patris omnipotentis...   1542,
   1544
Exorcizo te, CREATURA salis, in nomine patris...   1545
ut haec CREATURA salis in nomene trinitatis efficiatur salutare
   sacramentum...   1542
Exorcizo te, CREATURA salis, per deum vivum et verum...   1546, 1547
benedicendo haec CREATURA salis quam tu.   1670
qui per iesum... hanc CREATURA spiritum creantem iussisti...   1352
nulla poterit CREATURA subsistere...   1391
Unde exorcizo te, CREATURE aquae, per deum...   1531
Tu igitur qui es CREATURE auctor, humani defensor est(o)...   3592
Ds cui cuncta oboediunt CRAEATURAE et omnia...   769
Ds totius conditor CREATURAE famulos tuos...   1255
huius CREATURAE novitate suscepta (suscepti)...   1150
ut huius CREATURAE pinguidinem sanctificare tua benedictione digneris...
   3945
O. s. ds, tocius conditor CREATURAE preces...   2476
tribuas per unctionem istius CREATURAE purgationem mentis et corporis...
   838, 1240
per deum totius dulcidinis CREATURAE, qui te...   1535
Exorcizo te, CREATURAE saponis, in nomine ihesu christi...   1548
O. s, ds, aput quem, cum totius rationabilis pia merita CREATURAE semper
   accepta sint...   2307
... CREATURAE tuae etiam praeconia extolluntur...   861
quid non boni tu creatur CREATURE tuae fortissimus invocatur ?   219
Ds qui CREATURAE tuae misereri potius eligis quam irasci...   934
has primicias CREATURAE tuae, quas sacris...   2525
in omnibus CREATURE tuae terminis...   3841, 3842
Praesta, dne, per hanc CREATURAM asparsionis sanitatem mentis...   2654
ut spiritalis lavacri baptismum renovandis CREATURAM chrismatis...   3627
ut omnem transgrediens CREATURAM excelsa mente...   3608, 3609, 3613
Benedic dne CREATURAM hanc saponis...   298
qui omnem CREATURAM intrinsecus ambiendo concludis...   3332

Benedic dne CREATURAM istam panis...   300
Benedic, dne, CREATURAM istam, ut sit remedium...   301
VD. Qui rationabilem CREATURAM ne temporalibus... ea dispensatione
   dignaris erudire...   4010
O. s. ds, qui unigenito tuo novam CREATURAM nos tibi esse fecisti...
   2460
in novam renatam CREATURAM progenies caelestis emergat...   1047
quam hanc CREATURAM salis benedicemus...   2676
ut hanc CREATURAM salis benedictionem et potentiam... infundas...   849
hanc CREATURAM salis et aqua benedicere digneris...   1351
ut hanc CREATURAM salis et aquae dignanter accipias...   848
ut hanc CREATURAM salis quam in usum... benedicere et sanctificare tua
   pietate digneris...   1929
benedicendo haec CREATURAM salis quam tu spiritum...   1670
ut hanc CREATURAM salis sanctificando sanctifices, benedicendo benedicas
   ...   1544
Benedic o. ds hanc CREATURAM salis tua benedictione caelesti...   327
et in novam CREATURAM sancti spiritus procreandi...   1287
sanctifica adque benedic hanc CREATURAM saponis...   3332
ut si quis haccipere (acceperit) ex hac CREATURAM tuam accipiat...   1670
... Suscipe, dne, CREATURAM tuam non ex diis alienis creatam...   3389
ut benedicere digneris hanc CREATURAM tuam salis...   1370
VD. Qui sic rationabilem non deseris CREATURAM ut et quibus...   4025
et benedicare et sanctificare digneris hanc CREATURAM vini...   1335
sacramenti (tui) veneranda perceptio in novam transferat CREATURAM.   7
Sanctae dne creator omnium CREATURARUM...   3191
Ds, qui cum omnes CREATURAS diligens feceris...   943
inter caetheras visibilis CREATURAS ligna quoque...   2321
Benedic, dne, et has tuas CREATURAS fontis mellis et lactis...   304
qui inter CREATURIS furma lapidiae metallum... condedisti...   871
Dne ds noster, qui in his potius CREATURIS, quas ad fragilitatis nostrae
   ...   1306

CREBER
... Nobis haec quoque unianimiter et CREBRAE petentibus ipse praestabis,
   o. ds.   1720
ut CREBRIOR honor (inpensus) sacratissimae passioni (repensus)...   3599,
   3600
... CREBRIORA nobis ministrantur auxilia...   4153

CREBRE
et in suis CREBRIUS honorare principiis.   2709
VD. Quoniam tanto iucunda sunt, dne, beati Laurenti... CREBRIUS repetita
   solempnia...   4106

CREDO
ut hic fideliter CREDANT, et in futuro...   202
Ut te iugiter CRAEDANT, prumpti adhonorant...   326
ut in lege tua die ac nocte, o., meditantes quod elegerent et CREDANT quod
   crediderint...   3225
Dicit aei presbyter : Adnuntia fidem ipsorum qualiter CREDANT.   1788
Vide, quod ore cantas, corde CREDAS...   4230
meditans quod legeris CREDAT, quod credederit...   3225
integritas sancti corporis esse CREDATUR...   1286
et quorum praedicatione haec CREDENDA suscepimus...   3813
quibus in te CREDENDI contuleris firmitatem.   230
Et cui consurrexistis in baptismate CREDENDO...   1157

et CREDENDUM nobis iugiter postulet... 2170
ut quod CREDENDUM vobis est semperque providendum (profitendum)... 1287,
1288
in christo CREDENTES a vitiis saeculi segregatos, et caligine peccatorum
... 3791
et discipulis suis iussit, ut CREDENTES baptizarentur in te dicens...
1045, 3565
Ds, qui CREDENTES in te fonte baptismatis innovasti... 935
Ds, qui CREDENTES in te populis (populos) nullis sinis nocere (concuti)
terroribus... 936, 938
Ds qui CREDENTES in te populos gratiae tuae largitate multiplicas... 937
fidem qua CREDENTES iustificandi estis... 1288
ut omnes isti in te CREDENTES obteneant veniam pro delictis... 4227
omnibus in te CRAEDENTIBUS dira serpentes venena extinguae... 769
traditur cunctis CREDENTIBUS disciplina... 3835
et CREDENTIBUS in te perpetuum perfici vixillum. 309
populis trinitatis in hunitate CREDENTIBUS, manu per... 397
Concede CREDENTIBUS, m. ds, salvum nobis de Christi passione remedium...
426
et vitae ianuas CREDENTIBUS patefecit. 4038
mox puelle CREDENTIS in hutero fidelis verbi mansit aspirata conceptio...
3635
Ds, qui CREDENTIS in te populis nullis in his nocere terroribus... 938
corona CREDENTIUM, benedictio sacerdotum... 395
etiam (in eum) (in eumdem filium tuum) CREDENTIUM confessione perciperet
humana substantia... 4096, 4110
nunc quoque per CREDENTIUM corda defunde. 1199
et mentes credentium praeparentur et non CREDENTIUM corda subdantur.
2679
Ds, qui iustitiam tuam elegis (tuae legis) in cordibus CREDENTIUM digito
tuo elegis... 1055, 1056
Ds, vita CREDENCIUM et origo (origum) virtutum... 1260
ut efficiaris sal exorcizatum in salutem CREDENTIUM et sis omnibus...
1546
Omnipotens sempiternae ds, salus aeternae CREDENTIUM exaudi nos... 2470
... Pro qua magistra omnium CREDENTIUM fide... 4169
ordo aecclesiam et CREDENTIUM fides in dei timore melius convaliscat.
3281
frugis CREDENTIUM mentis et corpore salvit protectio sempiterna. 2262
sentiatque CREDENTIUM multitudo... 3703
ut evangelii tui praeconia linguis omnibus CREDENTIUM ora loquerentur...
3762
et saluti CREDENTIUM perpetua sanctificatione sumenda concaede. 3088
et mentes CREDENTIUM praeparentur et non credentium corda subdantur.
2679
quo spiritus sanctus apostolis (apostolos) plebemque CREDENCIUM praesenciae suae maiestatis implevit. 406
pax rogantium, vita CREDENTIUM, resurrectio mortuorum... 829
erige ad te tuorum corda CREDENCIUM ut omnis generacio... 1160
Inlumina dne qs (qs dne) in te corda CREDENTIUM ut tuo semper... 1926
omnium (omniumque) in te CREDENTIUM vota perficias. 2344, 2472
ita (et) per misericordiam tuam communis sit cultus iste CREDENTIUM.
2798
et orta est vita CREDENTIUM. 3771
non solum CREDERE in filium tuum... 2450, 4112, 4113, 4218
virginea CREDERET puritas, ineffabilis perficeret deitas... 3870

Paulus caecatus est ut videret ; petrus negavit ut CREDERET.   3823
sicut veteres sancti quod CREDIDERE faciendum cognoscit inpleri...   4042
quod CREDIDERINT doceant, quod docuerint imitentur...   3225
... Quodquot CREDIDERUNT in eum, dedit eis potestatem filios dei fieri.
   1695
et libera eos qui CREDIDERUNT in verbum liberatorem...   2275
... Sicut autem beatiores illi qui nondum apparentia CREDIDERUNT.   3957
ut eis proficiat in aeternum, quod in te speraverunt et CREDIDERUNT.   176
ut et certius fierent quod CREDIDISSENT, et plenius...   3998
ut eius, in quo speravit et CREDIDIT, aeternum capiat te miserante
   consorcium.   2904
quod pia (piae) CREDEDIT appetat...   1453
da aeclesiae tuae, qs, amare quod CREDIDIT, et praedicare quod docuit.
   2399
patrem et filium et spiritum sanctum tamen non negavit sed CREDIDIT et
   zelum dei...   3389
quique angelo promitente non CREDEDIT obmutuit...   3755
quod pie CREDEDIT, tua gratia consequatur.   1452
quas sancti hermetis... confessione praesenti CREDIMUS adiuvandas.   4086
apud beatum Petrum, cuius nos intercessionibus CREDEMUS adiuvandos.   179
ut sicut te solum CREDIMUS auctorem, et veneramur salvatorem...   3681
sic CREDIMUS, dne, in resurrectione futurum...   3668
ut qui vere eam genetricem dei CREDIMUS eius apud te...   946
et consilium civium hac consistentium CREDIMUS aelegendum virum...   3281
rationabiliter CREDIMUS et prudenter, quae promittuntur esse ventura.
   4100
ut huius participatione mysterii, quae speranda CREDIMUS, expectata
   sumamus.   1939
ut qui fecisti nos morte filii tui sperare quod CREDIMUS fac nos...   881
... Quod enim de tua gloria revelante te CREDIMUS hoc de filio tuo...
   3887
ut paradisum de quo non abstenendo CREDIMUS ieiunando...   3794
ut qui... unigenitum tuum... ad caelos ascendisse CREDIMUS ipsi quoque...
   489
dum (et in) trino vocabulo unicam CREDIMUS maiestatem.   3638
... Quoniam CREDIMUS nos per eorum intercessionem qui tibi placuere...
   3895
pro nostra intelligentia CREDIMUS offerendos...   1321
per nostram intelligentiam CREDIMUS offerendum...   2499
Cuius ligni misteriis salvare CREDIMUS omnes...   3847
que tanto nos huberius CREDIMUS profutura quanto sanctis...   3266
quia per eos nobis CREDIMUS profutura.   1794
et aeternam unitatem in supraemo meatu sine fine constare CREDIMUS.   1283
... CREDIS et in spiritum sanctum sanctam aeclesiam (catholicam)...   551,
   552, 553, 3019
... CREDIS in deum omnipotentem creatorem caeli et terrae. R. Credo.
   3019
CREDIS in deum patrem omnipotentem ? Respondet : Credo...   551
... CREDIS (et) in Iesum Christum filium eius unicum...   551, 552
et quod corde CREDIS, operibus probes.   4230
quod pie CREDIT appetat...   220
quique angelo promittente dum non CREDIT ommutuit...   3754
ut corpore et mente protectus quod pie CREDIT tua gratia consequatur.
   1452
ut bonam (bonum) rationem dispensationis (dispensationem) sibi CREDITAE
   reddituri...   1348, 1349, 1350, 2549

... Secura et constanti fide CREDITE resurrectione...   1706, 1707
Et qui eum cum thoma deum et dominum CREDITIS et cernuis...   802
cuius unigeniti adventum et praeteritum CREDITIS et futurum exspectatis...
2241
Quique unigeniti filii eius passionem puro corde CREDITIS mente devota...
343
ut per fidem qua eum resurrexisse CREDITIS omnium delictorum...   802
Et qui eum consedere patri in sua maiestate CREDITIS vobiscum manere...
344
cuius vos bonitate creatos esse CREDITIS. Amen.   425
per cuius temporalem mortem aeternam vos evadare CREDITIS. Amen.   2255
quem resurrexisse a mortuis veraciter CREDITIS. Amen.   362
ante fiaeri CREDITUR, quesumus hergo...   2291
Credis in deum patrem omnipotentem ? Respondet : CREDO credis...   551
CREDO in unum deum patrem omnipotentem...   554
carnis resurrectionem, vitam aeternam ? CREDO.   551
... Credis et in Iesum Christum... natum et passum ? Respondet : CREDO...
551, 3019
... Credis... carnis resurrectionem ? Respondet : CREDO...   551, 3019
... Credis in deum omnipotentem creatorem caeli et terrae. R. CREDO.
3019
propter hoc ex signo CREDUNT homines animas salvare...   3666
ut te iugiter CREDUNT, prumpti adorent honorificent...   326
... Iterum dicit praesbiter : Adnuntia fidem ipsorum qualiter CREDUNT.
2952

          CREDULITAS
adque ideo sicut primis fidelibus extitit in sui CREDULITATE praetiosum...
4115
tribue (aeis) (familiam tuam) in fide CREDULITATEM, in labore virtutem...
318, 1332
et populo veniente (populum venientem) ad CREDULITATEM per servos suos
consecrare praecepit...   1542, 1543, 1544
Infunde circumstantibus CREDULITATIS spiritum...   546
ut christiana plebs... sub tantos pontifices (tanto pontifice)
CREDULITATIS suae meritis augeatur.   2318, 2319

          CREDULUS
aeumque CREDULA persuasione deceptum...   4129

          CREMENTUM
per humanorum foves CREMENTA provectuum...   3982

          CREMENTUM
Ds, cuius providentiam (providentia) cretura o omnes (omnium nomen)
CREMENTES adulta congaudet (gaudit)...   796

          CREO
... CREA in nobis fidelium corda filiorum...   882
et ad CREANDOS novos populos... spiritum adoptionis emitte...   2302
quoniam et te CREANTE procedunt...   35
qui per iesum... hanc creatura spiritum CREANTEM iussisti...   1352
ds qui hominem ad imaginem tuam CREARE dignatus es...   2215
quod eam scilicet CREARIS ex nihilo...   4090
per quem haec omnia, dne, semper bona CREAS. Et cetera.   1407, 2557
... Qui me non existentem CREASTI, creatum fidei firmitate ditasti...
3893

Dne ds o., sicut ab inicio hominibus vitalia et necessaria CREASTI et
  quemadmodum... 1318
Per quem nos ad imaginem et similitudinem tuam CREASTI ex nihilo...   3837
Ds qui mirabiliter CREASTI hominem et mirabilius redemisti... 1067
VD. Qui sempiterno consilio (non desinis) (non des in his) regere, quod
  CREASTI nosque... 4022
Ds, qui hominem ad imaginem tuam conditum (conditam) in id reparas quod
  CREASTI respice propitius... et... 1007
secundum divicias bonitatis in id reparas quod CREASTI respice propitius
  ... ut... 825
qualem hominem CREASTI sine crimine per naturam. 1059
ds, qui caelum et terra, mare et omnia CREASTI, te supplicis...   1357
VD. Qui CREASTI tui beata passione nos reparas... 3882
et animam refove quam CREASTI ut castigationibus...   3085
cuius nos sapientia CREAT, pietas recreat, et providentia gubernat...
  3751
VD. Cuius et potentia sunt CREATA et providentia reguntur universa...
  3641
et CREATA restaures, et restaurata conserves.   62
VD. Cuius providentia cuncta, que per verbum tuum CREATA sunt, gubernatur.
  3666
... Suscipe, dne, creaturam tuam non ex diis alienis CREATAM...   3389
cuius sapientiae CREATI sumus et providentia gubernamur.   3275, 3276
cuius vos bonitate CREATOS esse creditis.   425
hominem ad imaginem et similitudinem tuam CREATUM a ruina...   1355
... Qui me non existentem creasti, CREATUM fidei firmitate ditasti...
  3893
ac reviviscat per hominem novum, CREATUM in Christo Iesu...   2818
quem ad imaginem tuam CREATUS es.   2103
qui secundum te CREATUS est accipiat... 1359
... Et hominem quem unigenitum CREAVERAS, per filium tuum deum et
  hominem recreares... 3930
qui in ea CREAVERAT fidei donum... 3872
in nomine dei patris omnipotentis qui te CREAVIT, et in nomine...   2856
deus qui vos gratuita miseratione CREAVIT et in resurrectione...   362
et quod CREAVIT verbi tui divina generatio... 1196
Benedicat vos deus pater qui in principio verbi cuncta CREAVIT.   352
Benedicat vos pater qui in principio verbum cuncto CREAVIT.   363

      CREPIDO
per CREPIDINEM festularum aquarum copiae mariare iussisti...   1314

      CRESCO
ad bona quoque perpetua piae devotionis CRESCAMUS accessu.   1210
... CRESCAMUS etiam religionis aumentum.   2324
de consolatione nostra in tuo amore CRESCAMUS.   4248
Aeclesia tua, dne, caelesti gratia repleatur et CRESCAT adque ab
  omnibus... 1385
CRESCAT, dne, semper in nobis, sanctae (sancta) iocunditatis affectus
  (effectus)... 556
ut aeclesia tua iugiter et religionis CRESCAT et pace.   1305
... CRESCAT in aeis devotio fidei... 1154
... CRESCAT in aeis devotionis augmentum...   308
Ut, te tribuente, populo CRESCAT in numero...   981
recreata CRESCAT in visceribus nostris in sancto, in fide, in caritate.
  2003

ut per hanc ieiuniorum observationem CRESCAT nostrae devotionis affectus
    ...   3679
tuam frequentationem (ut cum frequentatione) mysterii CRESCAT nostrae
    salutis affectus (effectus).   3348
... Et in eo maior eo confusio CRESCAT quod de eo...   3854
ut per dignum pontificis institutum CRESCAT tuorum devotio sancta
    fidelium.   2111
fructibus nostrae devocionis CRESCAT.   3233
ut salvatoris... nativitas mentibus eorum et reveletur semper et CRESCAT.
    1856
nativitas mentibus nostris reveletur semper et CRESCAT.   2791
quid agit, nisi ut CRESCENDO discrescat...   3290
ut in omni patientiam et longanimitatem CRESCENTES, a te vocati...   1248
Ds qui mundi CRESCENTES exordio multiplicata prole benedictiones...   1078
cuius ex ossibus ossa CRESCENTIA parem formam admirabili diversitate
    signarent...   2541, 2542
et CRESCENTIBUS stibendiis meritorum...   297, 3556
Ds, qui mundi CRESCENTIS exordio multiplicata prole benedicis...   1078
in aumentum templi tui CRESCERE dilatarique largiris...   136, 137, 138
et devocionis cunctorum CRESCERE filiorum.   1014
aeclesiam tuam inter adversa CRESCERE tribuisti...   4071, 4073
... Augemur regenerandis, CRESCIMUS reversis...   58
nostrae fidei CRESCIT augmentum.   3620
quibus nobis et praesidium CRESCIT et gaudium.   1977
nostrae CRESCIT fragilitatis auxilium.   3621
quia (quicquid) (quanto) tardius exis, (tanto tibi) se suppliicium tuum
    CRESCIT quoniam non...   1355, 1859
officia levitarum sacramentis mysticis instituta CREVERUNT.   1348, 1349,
    1350

                CRIMEN
et susanna de falso CRIMEN liberasti...   738
... Et cum mundi CRIMINA diluvio quondam expiarentur effuso (effusio)...
    3945, 3946
... Demitte ei, dne, omnia CRIMINA et in semitas...   850a
ds, qui nocentis mundi CRIMINA per aquas abluens...   1045, 1047
dum scilicet vel aguntur CRIMINA vel canuntur...   4139
Ut, aeo intercedente, purgetur haec plebs a CRIMINE, cuius auctorem...
    910
quae eum semper et purget a CRIMINE et ab hoste defendat...   157
Huius nos dne perceptio sacramenti mundet a CRIMINE et ad caelestia...
    1840
Haec nos communio (dne) purget a CRIMINE et caelestibus (caelestis)...
    1700
Haec communicatio, qs, ds, expurgit nos a CRIMINE, et caelestis...   1684
Haec nos communio dne purget a CRIMINE et intercedente...   1700
Haec oblatio ds mundet nos a CRIMINE et renovet...   1702
ita sit CRIMINE inmunis...   397
et Susanna de falso CRIMINE liberasti...   738, 739, 850
qualem hominem creasti sine CRIMINE per naturam.   1059
cunctisque meis CRIMINIBUS et peccatis clementer ignoscas...   2239
Nulla veterni CRIMINIS aestifera paciaris inflammari contagia...   2298
omnium CRIMINUM abolicione (abolitionum) purgentur...   1744
cum baptismatis aquis omnium CRIMINUM commissa delentibus...   3945
ab universorum CRIMENUM contagiis emundati (inmundati)...   3836

et praeteritorum CRIMINUM culpas venia (veniam) remissionis evacuas...
859
... Tuum est ablutionem CRIMINUM dare... 1308
et praeteritorum CRIMINUM debita relaxare digneris... 2837
Ds indultorum CRIMINUM, deum sordium mundatorum... 841
... CRIMINUM flammas operumque carnalium incendia superantes... 884
ut qui a multitudine purgati sunt CRIMINUM invisibilium... 3055
sed exutus omnium CRIMINUM labe... 2215
et ab omnibus paenitus noxiis praeteritorum CRIMINUM liberati... 222
... Inde est quod supplex tuus, postea quam varias formas CRIMINUM
neclecto... 58
et forsita nobis gravitate CRIMINUM non meretur gloria... 2481
aquas quas... ad abluendum omnium peccatorum CRIMINUM praestetisti...
313
et praeteritorum CRIMINUM relaxare digneris. 2837
sitis de nostrorum CRIMINUM remessione sulliciti. 3454

          CRINIGER
adque ut samuhel CRINIGERUM agnum mactantem in holocaustum... 2262

          CRINITUS
heliae in herimo, samuel meruit CRINITUS in templo. 842, 924

          CRUCIATUS
et si quae illi sunt dne dignae CRUCIATIBUS culpae... 3470
ut liberare eam ab inferorum CRUCIATIBUS et collocare... digneris...
1263
ab omni CRUCIATU inferorum redde extorrem... 1013
... Neque terreno liberari (liberato) CRUCIATU (CRUCIATUM) martyr optabat
(obtavit)... 3776, 3777

          CRUCIFIGO
reus filio eius Iesu Christo quem... CRUCEFIGERE praesumsisti... 574,
1354, 1355
qui pro nobis (vobis) dignatus est CRUCEFIGI. 335, 4241
per quem nobis crucefixus est mundus, et nos CRUCEFIGIMUR mundo. 3847
... Et (Ut) cuius praecepro terrena in semetipso CRUCIFIXERAT desideria...
3907, 4084
Expelleris in nomine ihesu christi CRUCIFIXI qui resurrexit. 1888
... Hic eiusdem CRUCIFIXO et sepultura ac die tertia resurrectio
praedicatur... 1706
... CRUCIFIXUM etiam pro nobis sub Pontio Pilato... 554
... Illum metue qui... in homine CRUCIFIXUS, deinde triumphator... 744
per quam nobis CRUCEFIXUS est mundus et nos crucefigimur mundo. 3847
CRUCIFIXUS etiam pro nobis sub pontio pilato passus... 555
passus sub pontio pilato, CRUCIFIXUS, mortuus et sepultus... 551

          CRUCIO
et CRUCIATI spiritalis observantiae disciplinis... 3959

          CRUDELIS
et sustinet (pius) (in mensam) CRUDELEM convivam (conviviam)... 3867,
3868
subiectos ignes et CRUDELI ingenio persequentum mutata tormenta... 4114

          CRUDELITAS
per spetiem piaetatis haec exercendo CRUDILITAS, nec doleamus... 3674

CRUENTUS

et CRUENTEM manibus panem de manu salvatoris exiturus accepit... 3868
et CRUENTIS manibus panem de manu salvatoris exiturus accepit... 3867,
3868

CRUOR

nec inrationabilium CRUOR effunditur animantum... 2160
et veteris piaculi cautionem pio CRUORE debitum... 3791
ut quos per lignum sanctae crucis filii tui pio CRUORE es dignatus
redemere... 769
sed proprios (proprio) CRUORE perfusis... 3696, 3851
ut plaga egypti ad domum illam non tangeret quam CRUORE sacrificiis
egelaret... 1059
pro quibus Christus... per suum CRUOREM nobis instituit paschale mysterium.
3053
qui pro salute humana in patibulum effudit sanguinem in CRUOREM. 1158
qui tibi platita fecisti innocentiam per CRUOREM. 465
quam effusione CRUORIS almi arnimus adquisitam. 1960
obsequium proprii CRUORIS exhibuit. 4124

CRUS

Effuge... de subfraginibus vel suribus, de CRURIBUS, que quatuor taloni-
bus... 1888
... Dispersaeque per agros libratis paululum pennis CRURIBUS suspensis
insidunt... 3791

CRUX

ad quam illi alter CRUCE alter gladio hodierna die pervenere. 348
ne in CRUCE aspiceret salvatorem. 3661
... Ut id quod libera praedicaverat voce, nec pendens taceret in CRUCE
auctoremque... 4084
... Quia nostrorum omnium mors CRUCE Christi redempta est (perempta est)
... 4162
et eum in CRUCE dominus constitutus... 3610
... Utrique igitur germani piscatores, ambo CRUCE elevantur ad caelum...
4084
dominus in CRUCE iam positus... 3608, 3609
CRUCE pascantur, lignum sanentur. 541
et in CRUCE passionis suae triumphum sanguine et aqua... 1364
et de principali CRUCE prodisse gloriosarum segitem passionum... 3757
... Illius enim te suburguet potestas, qui te adfigens CRUCE suae
subiugavit... 142, 1355
per passionem eius et CRUCEM ad resurrectionis gloriam perducamur. 1661
ut qui (ad) adorandam vivificam CRUCEM adveniunt... 1232
qui per CRUCEM et sanguinem passionis suae vos venire... 3109
abnegansque semetipsum CRUCEM peregrinationis adsumpsit... 4127
qui ora diaei tertia ad CRUCEM poenam per mundi salutem ductus es...
1374
ut post eius CRUCEM primus susciperet passionem... 4193
... Iesu Christi pacientes (facientes) CRUCEM pro salute nostra omnium...
511
salvatorem nostrum (et) carnem sumere et CRUCEM subire fecisti... 1019
Benedic dne hanc CRUCEM tuam, per quam aeripuisti mundum... 309
Quatenus vosmetipsos abnegando CRUCEMQUE gestando... 346
Ds, qui nos... exaltacione (exultatione) sanctae CRUCIS annua solemnitate
laetificas... 1119
pro redemptionem mundi CRUCIS ascendisti lignum... 1328

quod accipit signaculum CRUCIS christi.   1931
et nefas adversariorum per auxilium sanctae (sancti) CRUCIS digneris
   conterere...   114
et da locum spiritui sancto per hoc signum CRUCIS domini nostri.   744
et hos electos tuos CRUCIS dominicae... virtute custodi...   2825
sed etiam (et) CRUCIS eius patibulum (patibulo) salvaretur...   1167
quae signo CRUCIS erecta mortem subegit...   2726
per quem CRUCIS est sanctificatus vexillum...   1851
et per vixillum sanctae CRUCIS filii tui ad conterendas...   3158
quos per lignum sanctae CRUCIS filii tui arma iustitiae... triumphare
   iussisti.   3063
ut quos per lignum sanctae CRUCIS filii tui pio cruore es dignatus
   redemere...   769
... Per hoc signum sanctae CRUCIS, frontibus eorum quem nos damus...
   1411
... Imperat tibi sacramentum CRUCIS, imperat tibi mysteriorum virtus...
   1355, 1437
et iube eum consignari signum CRUCIS in vitam aeternam...   869
et consigna eos signo CRUCIS in vitam propitiatus aeternam.   2445
Ds, qui in praeclara salutifere CRUCIS invencione passionis tuae
   miracula suscitasti...   1035
per CRUCIS lignum ad paradisi gaudia redeamus.   3992
quae sit eiusdem CRUCIS longitudo latitudo sublimitas et profundum...
   346
et antique arboris amarissimum gustum CRUCIS medicamine indulcavit...
   3992
qui CRUCIS mortificationem iugiter in suo corpore... portavit.   1951
VD. Qui per passionem CRUCIS mundum redemit...   3992
quam se in altare CRUCIS nobis redemendis obtullit inmolandum...   3292
qui hora nona in CRUCIS patibulo confitentem... latronem infra aimina
   paradisi transire fecisti...   1329
eius exemplo ipse CRUCIS patibulo figeretur...   3907
per unigeniti sui... passionem et CRUCIS patibulum genus...   346
Ds qui beate CRUCIS patibulum quod prius...   903
Ds qui pro nobis filium tuum CRUCIS patibulum subire voluisti...   1181
qui pro salute generis humani CRUCIS patibulum sustullisti...   756
Tibi coniuro... per similia CRUCIS, per virtutis caelorum...   3474
cuius signum CRUCIS permanet hic et in aeterna secula seculorum.   1548
per hoc signum sanctae CRUCIS, quem nos damus...   3270
per virtutem et signum sancti CRUCIS redemptoris nostri...   1888
facientes imaginem sanctae CRUCIS salvatorem...   3568
et in nomine domini nostri iesu christi signo CRUCIS signetur...   1312
per idem lignum CRUCIS simul quo nostra secum (christo) adfixit delicta...
   3847
et CRUCIS stigmata preferentem remunerasti...   4149
qui te adfygens CRUCIS suae subiugavit.   1354
et CRUCIS subire tormentum.   3101
Accipe signum CRUCIS tam in fronte quam in corde...   39
ut digneris benedicere lignum CRUCIS tuae...   3120
et fugiant ante sanctae CRUCIS vixillum.   1154
et gloriosum semper baiulet quod accipit signaculum CRUCIS.   1931
Sit aei CRUX fidei fundamentum...   903
poena redimit, CRUX salvificat, sanguis emaculat...   3658

          CUBICULUM
illius thalamo, illius CUBICULO (se devovit) (sed de vobis)...   758, 759

... CUBICULUM quod nominat, non occultam domum ostendit...   1373
ingressus CUBICULUM regis in ipsius aula benedicat nomen gloriae tuae
   semper.   2055
... Tu autem cum orabis, intra in CUBICULUM tuum...   1373

          CUBILE
... Christum in CUBILES requirentes...   3653
ut cum exultantibus sanctis tuis in caelestis regni CUBILIBUS gaudia
   nostra subiungas...   3626, 3682
Exsurgentes de CUBILIBUS nostris auxilium gratiae tuae... inploramus...
   1558

          CUBO
et bona, que suis utilitatibus tribuae CUBIRE a consorte nature...   3924

          CULMEN
in apostolicae dignitatis CULMEN ascitum...   4169
Apostolicae reverenciae CULMEN offerimus sacris mysteriis inbuendum...
   208
inveterata renovari et ad CULMEN subacta reduci...   4042
tanto magis de eorum CULMINE inferiora congaudeant.   1557
... Adeptus in regno caelorum sedem apostolici CULMINIS...   3609

          CULPA
ut qui (ex) nostra CULPA adfligimur.   2987, 2988
Nihil in postmodo noceat preterite CULPA contagii...   782
Indignos, (nos) qs, dne, famulos tuos quia (quos) acciones proprie
   CULPA contristat...   1910
ut sicut nemo nostrum liber a CULPA est...   1254
et quem fecisti non timere de CULPA, fac gaudere de gracia.   1141
sectando iusticiam CULPA ieiunet (ieiunent).   2758, 2784
ut qui te contemnendo CULPA incurrimus, confitendo veniam consequamur.
   2251
ab omni CULPA liberos esse concede.   2104, 2869, 2943, 4324
Ds qui CULPA offenderis poenitentia placaris...   939
... O felix CULPA, quae talem ac tantum meruit habere redemptorem...
   3791
non aei reputetur ad CULPA, sed menbrum...   1007
quos accionis propriae CULPE contristat...   1910
et humanae fragilitatis praeteritae CULPAE laquaeos...   426
qui CULPE suae reatu tristi torquebatur in poena.   2298
et si quae illi sunt dne dignae cruciatibus CULPAE tu eas...   3470
Ds qui CULPAM offenderis, penitentiam placaris...   939
ut CULPAM que precesserat, futuris temporibus exibiaretur per munera...
   3997
nihil reputetur ad CULPAM sed aecclesiae...   825
non ei reputetur ad CULPAM sed membrorum...   1007
... Inopia quippe CULPARUM prestat redundantiam prosperorum...   3827
et si qua sunt CULPARUM suarum omnium vulnera...   724
et a CULPARUM subreptione nos expiet...   462
et cunctarum nobis indulgentiam propitius (propitius indulgentiam) largire
   CULPARUM.   3217
et CULPAS abluisti per lamenta.   913
qui peccancium non vis animas perire sed CULPAS conteri...   1363
O. et m. ds, qui peccantium non vis animas (animas non vis) perire sed
   CULPAS contine...   1147, 2287
Ds qui CULPAS delinquentium districte feriendo percutis...   940
Abluae CULPAS aeius obtentu baptistae tuae...   3048

VD. Qui peccantium non vis animas perire sed CULPAS et peccantes...   3987
fugat scelera, CULPAS lavat, et reddit innocentiam lapsis...   3791
Ds qui CULPAS nostras piis verberibus percutis...   941
nihil repotetur ad CULPAS, sed aecclesiae...   825
sic dissimulare CULPAS ut sub specie...   3981
et praeteritorum criminum CULPAS venia (veniam) remissionis evacuas...
   859
a temporalibus CULPIS dignanter absolve.   398, 3117
et ab omnibus eos CULPIS excusa.   1603
qualiter nos CULPIS omnibus emundatos, inveniat secundus eius adventus.
   3700

CULPABILIS
si quis CULPABILIS, et incrassante diabulo, cor induratum...   850
Si quis CULPABILIS, pro aliquo malificio...   850

CULTOR
et electorum palmitum esse CULTORE...   1034
... CULTUREM de habitu quoque indumenti sacerdotalis instituens...   820
et aelectorum palmitum esse CULTOREM tribue...   1034
O. s. ds, qui per unicum filium tuum aecclesiae tuae demonstrasti te esse
   CULTOREM ut omnem...   2442
quia sic erimus praeclari muneris prumpta sinceritate CULTORES.   3701,
   4191
nostrum te deesse tuis CULTORIBUS promisisti.   879
... Et omnibus orthodoxis atque catholici fide (apostolicae fidaei)
   CULTORIBUS.   3464
Suscipite, venerabiles martyres, etsi indigni CULTORIS officium...   3454

CULTURA
et libera eos ab idolorum CULTURA...   2419
inter cetera (ceterae) caelestis documenta CULTURAE de habitu...   819,
   820

CULTUS
Tu lapidis istus divinis CULTIBUS apparatus benedic...   3997
sollemnia, quae CULTU tibi debito praevenimus prospero suscipiamus effectu.
   194
cum haec in tui nominis CULTU transferimus promptiorem.   3938
ut mysterii salutaris et intellectu proficiamus et CULTU.   3490
quos tuo CULTUI prestiteris esse subiectos.   54
et ideo licet in singulis, quae ad CULTUM divinitatis aspiciunt...   4188
ut nos ad tuae reverentiae CULTUM et terrore cogas et amore perducas.
   3737, 3961
si ad sincirem tui nominis CULTUM nec castigationibus...   3795
ad CULTUM nominis tui atque scientiam revocasti...   1664
magis nos ad CULTUM nominis tui pio largiens munere provocari...   3919
sed potius ad CULTUM nominis tui reddat acceptos.   2966
VD. Qui per CULTUM nominis tui venerationemque... nobis remedia mirabiliter operaris...   3990
ut cuius exsequimur CULTUM, sentiamus effectum.   3043
Annuae festivitatis CULTUM, supplicis te, dne, deprecamur...   186
cum haec in tui nominis CULTUM transferimus promptiorem.   3938
Ds, qui omnium rerum... natura per ipsos modos (muros) aeris ad CULTUM
   tuae (tui) maiestatis institues...   1144
plenam divini CULTUS gratiam largiaris...   3825
ita et per misericordiam tuam communis sit CULTUS iste credentium.   2798

et divini CULTUS nobis est indita plenitudo...   2199, 2200
plena divini CULTUS per infusionem sancti spiritus gratiam largiaris...
  3825
ne ad dissimulationem tui CULTUS prospera nobis collata succedant...
  2983

        CUMULO
Pro martyrum nataliciis, dne, tua muneribus COMULAMUS altaria...   2848
Tua, dne, muneribus altaria COMULAMUS illius nativitatem...   3509, 3510
dignis necesse est laudibus CUMULARI...   861
qui nos et praesentibus simul bonis CUMULAS et futuris.   1824
ut tuae pacis (pacis tuae) abundantia tempora nostra CUMULENTUR.   954,
  2860
et presta propitius, ne dissimulatio CUMULET ultionem...   952

        CUMULUS
et conlata praesidia, non ad CUMULUM reis damnationis eveniant...   3803

        CUNCTOR, CUNCTORIS
dum ad te vitae CUNCTORE toto vigore animae festinarent...   1198

        CUNCTOR, CUNCTARI
VD. Pro cuius amore gloriosi martyres... martyrium non sunt CUNCTATI
  subire...   3852
Et qui pro veritate quae deus est caput non est CUNCTATUS amittere...
  1242

        CUNCTUS
qui CUNCTA adversa ab eo repellat...   2289, 2294
uterque sexus... in CUNCTA aetate hac pro securitates accipiant.   397
ut noxia CUNCTA amoveas...   795
VD. Cuius passione CUNCTA conmota sunt...   3661
... Expelle itaque ab eo CUNCTA contrariae valitidinis tela...   1931
Benedicat vos deus pater qui in principio verbi CUNCTA creavit.   352
cernens et regens CUNCTA, cui nihil...   2475
ut te ductore confidens, et mala CUNCTA declinet...   2622
quae et errores nostros semper amoveat, noxia CUNCTA depellat.   2986
et noxia semper a nobis CUNCTA depellat.   3343
ut fugata ab aea CUNCTA diabolica macinatione...   331
qui per CUNCTA deffusus es, maiestatem...   849, 2289
Ds, qui absque ulla temporis mutabilitate CUNCTA disponis et ad meliorand-
  dam...   886
et CUNCTA disponis per verbum virtutem (virtutum)...   137
tolle nocencia CUNCTA, doce praestancia vite...   1895
CUNCTA, dne, qs, his muneribus a nobis semper diabolica figmenta seclude
  ...   558
Ds, qui bona CUNCTA et incoas benignus et perficis...   916
O. s. ds cui CUNCTA famulantur aelimenta...   2316
Ds qui de potestate virtutis tuae de nihilo CUNCTA fecisti...   1171
et esse tibi possibilia CUNCTA fidentes...   468
per quem CUNCTA firmantur...   1348, 1349, 1350
ipse nobis munera CONCTA largiris...   942
ut sicut per CUNCTA mundi spatia martyrum tuorum facis victorias propagari
  ...   688
illum gignere meruit, qui CUNCTA nasci suo nutu concessit...   4032
et contra CUNCTA nobis adversantia dexteram...   2824
... CUNCTA nobis adversantia te adiuvante vincamus (superemus, superemur).
  2775

quia cum haec dona contuleris, CUNCTA nobis utilia non negabis.   464
et salutaria CUNCTA non desint.   2106a
ut CUNCTA nostra operatio et a (ad) te semper incipiat...   41
et illis aeclesia CUNCTA numeretur...   4021
Ds, cui CUNCTA (CUNCTAE) oboediunt creatura (creaturae)...   769
ut te, sub quo sunt omnia, non timentes CUNCTA paveamus...   3641
et ad salutaria CUNCTA perducat.   2553
ut CUNCTA pericula mentis et corporis te propellente declinans...   15
quia tunc illi prospera CUNCTA prestabis cum tuis...   3478
quia bona nobis CUNCTA prestabis si pacem...   2265
quia tunc nobis prospera CUNCTA praeveniant...   1573
Ds, a quo bona CUNCTA procedunt, largire supplibus, ut...   730
Ds, qui diligentibus te facias (facis) CUNCTA prodesse...   960
quem in beatorum triumphis martyrum mirabilia CUNCTA pronuntiant.   4188
cum de nullis extantibus CUNCTA protulisses...   4129
quia tunc nobis prospera CUNCTA proveniunt, (provenient) si te totius
   vitae sequamur auctorem. 1568
... CUNCTA quae bona sunt mereantur (mereatur, mereamur) accipere.   1377,
   1600
VD. Cuius providentia CUNCTA, que per verbum tuum creata sunt, gubernatur.
   3666
facturus CUNCTA quae petimus.   3463
et ideo CUNCTA refuntanda docuisti quae praepediunt aequitati...   3934
Dum aenim occiditur christus, CUNCTA renata sunt...   3661
et ab aecclesiae tuae (aecclesia tua) CUNCTA repelle nequitia.   213
quidquid illi prestiteris, quam CUNCTA respiciunt.   1320
ut quisquis hoc templum beneficia petiturus ingreditur, CUNCTA se
   impetrasse laetetur.   1085
et bona CUNCTA sectando...   2613
... CUNCTA servare caelestia mandata docuisti...   972
ut ab omnibus noxiis expedita CUNCTA sibi pro futura (perfutura) percipiat.
   1942
... CUNCTA eis salubria, CUNCTA sint prospera...   844
ut noxia CUNCTA submoveas et omnia nobis profutura concedas.   795
tanto diebus nostris prospera CUNCTA succedant.   616
sic noxia CUNCTA succumbent, si nosmet ipsos ante vincamus.   3888
que CUNCTA suo nasci nuto concessit.   3635
sed etiam mortua omnia CUNCTA vivunt...   770
... CUNCTAQUE familiam tuam pius adimple...   1733
... CUNCTAQUE iacula calliditatis salubriter trucidantes...   3847
Da, qs, o. ds, CUNCTAE familiae tuae hanc voluntatem...   667
Hanc igitur oblationem servitutis nostrae sed et CUNCTAE familiae tuae qs
   dne ut...   1769
Hanc igitur oblationem servitutis nostrae, sed et CUNCTAE familiae tuae
   quam tibi offerimus...   1770, 1771, 1772, 1773, 1774
Hanc igitur oblationem, dne, CUNCTAE familiae tuae quam tibi offerunt...
   1712
Ds qui CUNCTE non capiant caeli...   945
praetende... vel super CUNCTAM congregationem illi commissam spiritum
   gratiae salutaris...   2392
... CUNCTAM familiam tuam ad aulae huius suffragia concurrentem benignus
   exaudi...   1777
et ab ecclesia tua CUNCTAM repelle nequitiam.   213
Ds auctor omnium iustorum honorum, dator CUNCTARUM dignitatum...   748

et CUNCTARUM nobis indulgentiam propitius (propitius indulgentiam) largire
   culparum.   3217
O. s. ds, origo CUNCTARUM perfectioque virtutum...   2367
castigacio corporalis ad fructum CUNCTARUM transeant animarum.   3495
et CUNCTAS benignus depelle nequitias.   2816
CUNCTAS dne semper a nobis iniquitates repelle...   559
ut ita a monastica nurma tuaeatur CUNCTAS famulas tuas...   1317
flamma que CUNCTAS vaepraes peccatorum exurat...   1895
quae videntes CUNCTI vere fideles tui te caelestem patrem...   3879
adque a CUNCTIS abluesordibus...   330
si CUNCTIS abominationibus abdicatis...   4139
adque in CUNCTIS accionibus nostris et aspirando nos praeveni et adiuando
   costodi.   135
castigatio corporalis CUNCTIS ad fructum proficiat animarum.   646
Defendatque vos a CUNCTIS adversis apostolicis praesidiis...   1243
a CUNCTIS adversitatibus liberati in bonis omnibus confirmati...   3741
concede qs ut a CUNCTIS adversitatibus liberatus et aeclesiasticae...
   2309
... Quatenus a CUNCTIS adversitatibus liberatus in tuis bonis...   3660
et a CUNCTIS adversitatibus liberemur in corpore...   2764
per adventum filii tui a CUNCTIS adversitatibus liberemur.   2785
et a CUNCTIS aversitatibus muniamur in corpore...   2727
ut a CUNCTIS adversitatibus te protegente sit libera...   1598
a CUNCTIS adversitatibus tua miseratione defensus...   3590
quatenus a CUNCTIS adversitatibus tuam opitulationem defensus...   1458
in utroque (huteroque) sexu fidelium CUNCTIS aetatibus contulisti...
   3856
quod CUNCTIS animantibus summae rationis participatione praetuleris...
   4090
et a CUNCTIS benignus aeripe adversis.   1280
traditur CUNCTIS credentibus disciplina...   3835
Effuge... de venis, de ossibus CUNCTIS, de nervis...   1888
et a CUNCTIS defendat inimicis (inimicus).   2193
et a CUNCTIS defende pericolis.   3543
ut a CUNCTIS, dne, liberemur offensis.   3236
et abstinendo CUNCTIS efficiamur hostibus fortiores.   626, 662
et a CUNCTIS efficiant viciis absolutos (absolutis).   2834, 2944
ut mereatur per hoc sacrificium a CUNCTIS emundare sordibus delictorum...
   3920
et a CUNCTIS eripe benignus adversis.   1280, 1609
et a CUNCTIS erroribus expiatos...   3228
ut et nostris reatibus absoluti CUNCTIS etiam periculis (exuamur).
   294, 971, 2989
(A) CUNCTIS aeum adversitatibus paterna piaetate custodi...   2616
a CUNCTIS eum emundes sordibus delictorum...   3710
Ds patur gloriae sit adiutur tuus, in CUNCTIS exaudiat...   874
et salutarem (salutare) tuum CUNCTIS gentibus declarasti...   3816, 4058
... Qui principiis (pincipio) nascentis aecclesiae CUNCTIS gentibus
   inbuendis...   4007, 4049
aeternitatis tuae lumen CUNCTIS gentibus suscitasti...   1151
et CUNCTIS hostibus caelesti virtute conpressis...
et in tua dextera confidentes fiant CUNCTIS hostibus fortiores.   2468
a CUNCTIS hostibus redde securos.   2924, 2925
A CUNCTIS iniquitatibus nostris exue (munda) nos dne.   3029
cumque finito mundi termino supernum CUNCTIS inluxerit regnum...   3470

donet CUNCTIS intra eum (aeius) habitu constitutos divinarum beatitudine
    largitatem...   1493
eumque a CUNCTIS malis eripias...   3660
a CUNCTIS malis inminentibus eius (eorum) intercessione (intercessionibus)
    liberemur.   2771
a CUNCTIS malis imminentibus, per haec paschalia festa liberemur.   491
Averte, dne, qs, a fidilibus tuis CUNCTIS miseratus errores...   250
ut CUNCTIS mundum purget erroribus...   2505
et sanctis eius intercessionibus CUNCTIS nobis proficiant ad salutem.
    2813, 3421
a CUNCTIS nos defende periculis.   2209, 2213
Ut CUNCTIS nos, dne, foveas adiumentis...   3575
CUNCTIS nos, (qs) dne, reatibus et periculis propitiatus absolve...   560
et a CUNCTIS nos protegere digneris adversis.   2124
Quo a CUNCTIS peccatorum contagiis liberati...   2241
ut a CUNCTIS perturbationibus liberati tranquilla tibi servitute famule-
    mur.   1481
... CUNCTIS petentibus aures tuae pietatis accomoda.   2994
Da auxiliatricem CUNCTIS populis...   397
a CUNCTIS praesentis et futurae vitae adversitatibus vos reddat indemnes.
    2261
... CUNCTIS proficiat ad salutem.   1058, 1646, 2764
... Quatenus purificati ieiuniis, CUNCTIS purgati a vitiis...   3870
da CUNCTIS, qui christiana professione censentur (recensetur)...   978,
    979
... Et qui loco ceteris praesidemus, CUNCTIS rationabili subdamur affectu
    ...   4171
ut a CUNCTIS reatibus absolutis (absoluti) sine fine laetentur.   789
a CUNCTIS reatibus emundari mereamur...   3730
... CUNCTIS reddantur eius muneribus aptiores.   618
VD. Maiestatem tuam CUNCTIS sensibus depraecari...   3796
in CUNCTIS tamen te sine dubio praedicamus...   4188
castigatio corporalis ad fructum CUNCTIS transeat animarum.   3495
principiis CUNCTIS vetustatis squaloribus emundetur...   720, 1045
quod CUNCTIS viventibus praeparare dignatus es ad medillam.   1763
et liberet ab adversitatibus CUNCTIS. Amen.   338
... CUNCTISQUE donis gratiae redundantes...   762
... CUNCTISQUE in sacerdotibus aelegenda sunt bonis omnibus exsuperantem.
    3281
... CUNCTISQUE meis criminibus et peccatis clementer ignoscas...   2239
Benedicat vos pater qui in principio verbum CUNCTO creavit.   363
et devocionis CUNCTORUM crescere filiorum.   1014
ut ita in praesenti collecta multitudine, CUNCTORUM in commune salutem
    disponat...   2393
CUNCTORUM instituae ds, qui pro moysen...   561
propitiare omnium gemituum et CUNCTORUM medere vulneribus...
quo CUNCTORUM nobis peccatorum proveniat indulgentia...   4163
reconciliatus est mundus peccatorum remissione CUNCTORUM nos quoque...
    4133
... Hoc praedixerunt CUNCTORUM praeconia profetarum...   4100
O. s. ds, CUNCTORUM reator et genitor...   2325
famulo tuo CUNCTORUM remissionem tribue peccatorum...   1628
animarum famulorum famularumquae tuarum remissionem CUNCTORUM tribue
    peccatorum...   1629, 2806, 2949, 3008
Da, qs, dne, rex aeternae CUNCTORUM, ut...   659

cuius sit obumbratio salus omnium patrocinium beatitudo CUNCTORUM.   325
et a periculorum (periculum) munias incursione CUNCTORUM.   3172
fieret semet ipsam (semetipsa) diligens (esset) mens una CUNCTORUM.
    3923, 3924
ut et CUNCTOS hostes expugnare possimus...   246
... CUNCTOS martyres tuos fac orare pro nobis...   893
Averte dne qs a fidelibus tuis CUNCTOS miseratus errores...   250
Averte, dne, qs, a fidelibus tuis CUNCTUS miseratus errores...   250
quem praefecisti inter CUNCTUS sobolis mundialis.   3048

CUPIDITAS
libera nos a terrenis desideriis et (a) CUPIDITATE carnali...   1036
dilegant caritatem, absteneant se a CUPIDITATE, loquantur...   842
ut a terrenis (ad terrena) CUPIDITATE mundati...   2832, 2942
tu hanc CUPIDITATEM benignus aleres...   758
tu (hanc) CUPIDITATEM in earum corde (cor) benignus aleris (haberis)...
    759
a terrenis mundentur CUPIDITATIBUS et caelesti...   3624
Sed inlecebris pravisque CUPIDITATIBUS expulsis...   854
ut a terrenis CUPIDITATIBUS in caelestia desideria transeamus.   1413
ut a terrenis CUPIDITATIBUS liberi...   2782
qui foedis CUPIDITATIBUS obviarit...   3888
mysteria, quae nos a CUPIDITATIBUS terrenis expediant...   2898
adque omni nexu mortifere CUPIDITATIS exutos...   3065
et relinquentes noxiarum hydriam CUPIDITATUM et te qui fons...   3872
omnium CUPIDITATUM fedoribus (foetoribus) careant...   2369, 2467

CUPIO
ut per te etiam mori CUPERENT, et beatum...   1230
ut nulli noxia CUPIAMUS inferre...   4223
ut ea semper CUPIANT quae tibi placita...   1607
et de inimicis suis correctione magis CUPIANT quam ultione gaudere.   1344
ut te donante tibi placita CUPIAT, et tota virtute perficiat.   2358
et confirmari (confirma) se benediccionis tuae consecracione (congrega-
    tione) CUPIENTI...   759
et confirmari se benedictionis tuae consecratione CUPIENTIBUS...   758
ut sub speciae gratiae nocere CUPIENTIUM declinemus... malitiam...   3981
si eis quae nos habere CUPIMUS expetamus.   3980
ut pro te aetiam mori CUPIRENT ne perirent.   1230
et bona, quae suis utilitatibus tribui CUPIRET a consorte naturae...
    3923
qui in sanctorum CUPIS sorte numerari.   4189
... Non vult habere quod perimat, sed CUPIT invenire quod redimat...
    3596

CUR
CUR non pependit quia benedictio illi in maledictum convertitur...   3290
... CUR suscitavit furor male desiderii...   3389

CURA
cuius pervigili CURA, et instante sollicitudine...   3281
ut sit ei fidelissima (fidelis) CURA in diebus ac noctibus...   728, 729
Ut pastorum CURA moniti...   879
ut nec pastori oboedientia gregis, nec grex desit CURA pastoris.   808
nec grege desit umquam CURA pastoris.   1165
Et ita pastorum CURA profitiat in ovile...   924

si per rationabilem regulam praesidendi populus tuus et numero CURA
  regentium...   4172
statim prodeundi ad laborem CURA succedit...   3791
et ducis CURAM agat et reducis.   2905
ut viduarum CURAM misericors et pudicus expleret...   4193
VD. Qui CURAM nostri ea ratione moderaris...   3888
ut famulo tuo ill. cui concessisti regendi populi CURAM tribuas...   3913
cuique viae cursum CURAMQUE solicitudinemque dignatus es gerere...   4008
Innumeras medillae tuae CURAS depraecamur...   1931
atque ornatus CURIS modulis spiritali devocione resonet aeclesiae.   1340

        CURATIO
quia nullius animae in hoc corpore constituti difficilis apud te aut
  tarda CURATIO est...   858
ut purgetur et CURATIO vetustatis...   58
necessaria (necessari) CURATIONE tractamus...   4101
graciae CURACIONUM virtute confirmatus (virtutem confirmatur).   1338

        CURO
quia refovere CURABIS, quos in honore tuo perseverare concesseris.   602
et qui hoc quadraginario curricolu, cuius hodie CURAMUS exordio...   357
animis corporibusque CURANDIS salubriter institutum est...   112
hoc CURANTES pariter hac precantes...   3476a
et vulnera nostra... munus tuae salubritatis CURARE digneris.   3821
quae (qui) mortalitatis nostrae venit CURARE languores.   4242
quibus corda languentium salubriter CURARENTUR...   1184
cuius dolore plaga nostra CURATA est...   3661
ut et securitatem tribuat recte CURATA religio...   4192
paralyticos CURATE, mortuos suscitate...   1852
claudi ambulent, et omnem multitudinem CURATE quod gratis...   1852
... CURATUS mortalitate mortalitas...   4093
Presta, dne, qs, ut mentium reprobarum non CUREMUS obloquia (obloquium)...
  2665, 2729
Sanctificationibus tuis o. ds, et vitia nostra CURENTUR...   3224
egretudines (aegritudinis) CURES, praeces audias (exaudias)...   866
quicquid in nostra mente viciosum est, ipsius medicationis dono CURETUR.
  442
quicquid in nostra mente vulneratum est, ipsius miseracionis dono CURETUR.
  443
ipsius doni medicatione CURETUR.   444

        CURRICULUM
ut per multa CURRICULA annorum laetus.   1715, 1719a, 2466
ut per multa CURRICULA annorum salvi...   1712
quatenus fidei eius augmentum multisquae annorum CURRICULIS...   1202
et qui hoc quadraginario CURRICOLU cuius hodiae... suo dedicavit ieiunio
  ...   357
et peracto praesentis vitae CURRICULO vos ad caelestia...   345

        CURRO
ad passionis gloriam CUCURRERUNT...   3654
Per cuius quoque umbram mors aspera (aspera mors) populis lignum deducta
  CUCURRIT...   3847
viam mandatorum dilatato corde CURRAMUR.   1206
viam mandatorum tuorum dilatato corde CURRAMUS.   1206
post salutaris tua toto corde CURRAMUS.   3027
ut ad confitendum nomen tuum libera mente CURRAMUS.   4232

ad viam salutis aeternae secura mente CURRAMUS.   559
ut (ad) (ut et) promissiones tuas sine offensione CURRAMUS.   2270
ut ad promissiones tuas te inspirante CURRANT, te gubernante perveniant.
  3034
Quatenus sic per viam salutis devota mente CURRATIS...   722
ut veluciter CURRENS interius sermo tuus...   1330
ut a (ad) tua promissa CURRENTES caelestium bonorum facis (facias, faciat)
  esse consortes.   1143
ad verae divinitatis salutaria mandata CURRENTES laudes eius...   4139
quae et vos ad baptismi fidem CURRENTES perducat...   1706
Concede, qs, o. ds, ut viam tuam devota mente CURRENTES subripientium...
  502
qui nos de virtute in virtute devita veneratione CURRENTES tuorum facis...
  2105
et a vitiis omnibus expeditos in sancta faciat devotione CURRENTES.   2158
ut securus mereatur deinceps inter tuos bene meritis CURRERE...   850a
et vos qui ad fidem CURRETIS ad lavacrum aquae regenerationis perducat...
  3310

          CURSUS
ut quos in huius vitae CURSU gratia tua tot vinculis pietatis obstrinxerat
  ...   3782, 4084
in mundi huius CURSU in bonis operibus corrobores...   3893
et quos praesenti CURSU multiplicas...   1279
ut tranquillo CURSU portum perpetuae securitatis inveniat.   1489
quos anni CURSU remeante...   2492
ut famulus tuus ill... et in huius saeculi CURSU te adiuvante peragat...
  1069
portu semper abtabile CURSUQUE lucifero tenearis.   1224
ut in hac navi famulos tuos... portu semper optabili, CURSUQUE tranquillo
  tuearis.   1225
Ds, qui saeculorum omnium CURSUM ac momenta temporum regis...   1202
cuique viae CURSUM curamque solicitudinemque dignatus es gerere...   4008
Ds qui nos CURSUM diei laetis mentibus transire iussisti...   1111
da servituti nostrae prosperum CURSUM et ut tibi...   860
qui nos... per huius diei CURSUM in hac ora vespertina pervenire tribuisti
  ...   1666
et quibus CURSUM tribuis largiorem...   3471
CURSUM vite suae impleant sine ullis maculis delictorum...   312
ut et mundi CURSUS pacifico nobis (eis) tuo ordine dirigatur...   581,
  3913

          CURVO
respectui tuo supplici oratione CURVANTE, benedicat...   319
populos tuos conspectu tuo et supplici oratione CURVANTES, fac aeos...
  318
Benedic dne hos populus respectui tuo se supplici oratione CURVANTES.
  320
fugat odia, concordiam parat, et CURVAT imperia...   3791

          CUSTODIA
et piaetatis tua CUSTODIA impendas...   3914
in campo CUSTODIA, in domo fultura.   903
per moysen famulum tuum de CUSTODIA mandatorum tuorum in deserto monuisti
  ...   739
ad aeterna beatitudinis redeamus ascessum per tuorum CUSTODIA mandatorum.
  188

sub tuae nominis CUSTODIA mereamur vivere semper.   567
Famulas tuas dne tuae CUSTODIA muniat pietatis...   1601
cingulare reverentiam, plebs devota CUSTODIA, paupere aelimenta...   740
ut iugi super eam angelicae protectionis CUSTODIA perseveret.   1493
Ut, te propitiante, sit ipse plebi CUSTODIA, qui dedit...   1173
et a CUSTODIA romani nominis dexteram tuae protectionis ostende...   2862
sacerdotum caterva pro exercitus tui victoria CUSTODIAQUE, pro unius...
    4143
sed ad observantiam dei sanctorum pignorum CUSTODIAE delegatam...   2541
et muro CUSTODIAE tuae hanc domum circumda...   3427
et muro CUSTODIAE tuae hoc sanctum ovile circumda...   3409
et ad CUSTODIAM illius perpetuo perseveret...   325
presentium ordinem in tua voluntate disponens, futuris CUSTODIAM imponens
    ...   3898
ut magnitudinis gloriae rudimenta servantes per CUSTODIAM mandatorum
    tuorum...   2825
per tuorum CUSTODIAM mandatorum.   188
et ad CUSTODIAM Romani nominis dexteram tuae protectionis extende...
    2861
Da qs dne benedictionem et CUSTODIAM tuam in hunc tabernacolum famuli tui
    illi...   635
et in hanc manentibus domum praesentiae tuae concede CUSTODIAM, ut
    famulae...   2353
hanc renatis in Christo concede CUSTODIAM ut nullo erroris...   935
et in hac manentibus domus praesentiae tuae concede CUSTODIAM ut familiae
    ...   2353
suffragio tui mereantur adipisci CUSTODIAM.   4008
et de futuris iugiter habeamus CUSTODIAM.   1374
et eis dignanter pietatis tuae inpende CUSTODIAM.   1608

               CUSTODIO
... CUSTODI ab inlusionibus fantasmaticae (fantasmaticis) satanae...
    314, 315
Te qs dne CUSTODI cogitationis nostras, motus, sermones, operum...   3468
CUSTODI, dne, populum tuum...   562
CUSTODI, dne, qs, aecclesiam tuam propitiacione perpetua...   563
... CUSTODI aeos a sagitta volante per diem...   567
tua nos protectione CUSTODI et castimoniae...   382
Supplicem tibi populum, dne, tua munitione CUSTODI nec difficulter...
    3360
CUSTODI nos, dne, in tuo servicio constitutos...   565
CUSTODI nos dne qs ne in vitiis proruamus...   564
CUSTODI nos, o. ds, ut tua dextera gubernante...   566
... CUSTODI opera tuae misericordiae (misericordiae tuae)...   2376, 2395,
    2460
virtute CUSTODI, potestate tuearis...   2466
(A) cunctis aeum adversitatibus paterna piaetate CUSTODI, pro quo in...
    2616
Perpetua, qs, dne, pace CUSTODI, quos in te sperare donasti.   2579
et per beatos apostolos perpetua protectione CUSTODI quos totius...   1678
ut, te CUSTODI, servata, hereditate benedictiones aeternae percipiat.
    4255
Ut te CUSTODI sic oves gubernentur et ag(ni)...   1044
Familiam tuam qs dne continua pietate CUSTODI ut a cunctis...   1598
gratiae tuae dona CUSTODI ut bona...   2372

Caelesti munere saciati qs, o. ds, tua nos proteccione CUSTODI ut
    castimoniae...   382
et beati martini pontificis supplicatione CUSTODI ut corpore...   1453
interius exteriusque CUSTODI ut et ab omnibus...   926
et per apostolos tuos pervigili protectione CUSTODI ut hisdem rectoribus
    ...   1677
Famulum tuum qs dne tua semper protectione CUSTODI ut libera...   1612
virtutem (virtute) CUSTODI ut magnitudinis gloriae rudimenta servantes...
    2825
et devoto tibi pectore famulantes perpetua defensione CUSTODI ut nullis...
    1477
et devota tibi peccatore famulantis perpetuae deffensionis CUSTODI ; ut
    nullus...   1477
Familiam tuam qs dne continua pietate CUSTODI ut qui in sola...   1597
Solita qs dne quos salvasti piaetate CUSTODI ut qui tua passione...   3307
et populum tuum pervigili protectione CUSTODI ut qui unigenitum...   2383
et cor eius ab iniquitate CUSTODI ut quia humana...   2706
Sollicita, qs, dne, quos lavasti pietate CUSTODI ut quia tua...   3307
Plebem tuam, qs, dne, perpetua pietate CUSTODI ut secura...   2593
et aspirando praeveni et adiuvando COSTODI.   135
ut omnes in hoc fonte regenerandos universali adopcione (adoptionem)
    CUSTODI.   2859
absolutos ab omni nos adversitate CUSTODI.   2823
et in tua misericordia confidentes ab omni nos adversitate CUSTODI.   130
ab omni nos, qs, adversitate CUSTODI.   3022, 3023
Adesto nobis m. ds et tua circa nos propitiatus dona CUSTODI.   117
et propitius in eodem tua dona CUSTODI.   3402, 3425
quod eis divino munere contulisti, in eis propitius tua dona CUSTODI.
    1748
et ab omni semper iniquitate CUSTODI.   3517
sanctorum tuorum (sancti tui) nos (hermis) intercessione CUSTODI.   2131,
    2822
et tua nos ubique miseratione CUSTODI.   715
et quos legitima societate connectes, longeva pace CUSTODI.   2982
tui eam brachii (brachium) protectione CUSTODI.   925
et nos a totius adversitatis incursu perpeti protectione CUSTODI.   1029
et tuis servitiis inherentes pervigili protectione CUSTODI.   183
contrita conliga, conforta invaledum valedumque CUSTODI.   1333
adventus (filii) tui nos visitacione COSTODI.   1137
Tua, dne, sperantibus in te, que sumpsimus sacramenta CUSTODIANT, et
    contra adversa...   3513
Tua nos, dne, sacramenta CUSTODIANT et contra diabolicos...   3522
ut purum adque inmaculatum ministerii tui donum CUSTODIANT et per
    obsequium...   3225
ut beatae castitatis habitum, quem te spirante suscipiunt, te protegente
    CUSTODIANT et quas vestibus...   743
sed ut munera conlata CUSTODIANT pie iusteque...   286
unanimiter continentiae (continentia) (tuae) praecepta CUSTODIANT sobrii
    ...   1195
CUSTODIANT te angeli et archangeli ut liberent te...   2180
loquantur iustitiam et CUSTODIANT veritatem.   842
ut virginitatis sancte propositum... te gubernante CUSTODIANT.   3096
ut virginitatis sanctae propositum... te protegente inlaesum CUSTODIANT.
    1601
ut propositum castitatis... te protectore CUSTODIANT.   1709a
et mente sibi et corpore te protegente CUSTODIANT.   127

ut remedia... quae te miserante percipiunt, te protegente CUSTODIANT.
  4240
et instituta bona recipiant, et restaurata CUSTODIANT.   550
tuaearis in seculo, CUSTODIAS a malo...   4184
tuaque in eo (aeum) munera ipse CUSTODIAS donisque ei annorum spacia...
  1730
angelo tuo visitante (aeas) CUSTODIAS et ab huius...   1924
ut opera manuum tuarum in me ipso CUSTODIAS et idoneum...   1724
Tu peccatoris (pectoris) huius interna CUSTODIAS ; tu viscera...   763,
  764
et tua dona in nobis CUSTODIAS ut eius suffragiis...   4213
ita corpora eorum animasque CUSTODIAS ut gratiam...   1192
per beatos apostolos (tuos) continua protectione CUSTODIAS ut hisdem
  rectoribus...   4138, 4146
ut in eis et conlata CUSTODIAS ut promissae...   1735
et propitius in eo tua dona CUSTODIAS ut quod divino...   1770
praesta qs ab omni adversitate CUSTODIAS.   3024
hoc praesta quod semper ipsa CUSTODIAS.   219
uti gratiae tuae munus... propitius muniendo CUSTODIAS.   542
ac vigilantia (vigilanti, pietatis) studium (studio) qs (quae sunt)
  nutrita CUSTODIAS.   1259
ut quos legitima societate conectis, longeva pace CUSTODIAS.   2982
perpetua protectione CUSTODIAS.   3376
et aeum sine macula in sempiternum CUSTODIAS.   2703, 2704
da spiritum sanctum qui habitum religionis in eum perpetuum CUSTODIAT
  a mundi...   2761
salvos et incolumes (salvum atque incolumem) CUSTODIAT ecclesiae suae
  sanctae...   2512, 2515
qui sanctum relegionis in aeum perpetuae CUSTODIAT, et a mundi...   2503
ut similiter COSTODIAT et hos famulos tuos...   737
et inter apostolus christum sequi CUSTODIAT et inter angelus...   3391
ut purum adque inmacolatum ministerii tui dona CUSTODIAT, et obsequium...
  3225
et beate castitatis habitu... te protegente CUSTODIAT, et quibus...   743
qui CUSTODIAT, foveat, protegat, visitet et defendat omnes habitantes...
  1493
Mentem tuam inluminet et sinsum tuum CUSTODIAT, gratiam suam...   334
ut bono et prospero sociata consortio leges aeterna iussa (aeternae iura)
  CUSTODIAT memineritque (meminereque)...   2541, 2542
per misericordiam (misericordia) CUSTODIAT, per gratiam muneretur.   326
ut iugi super aeam angelicae protectionis CUSTODIAT perseverit.   1493
ut famulus tuos per hoc navigationis lignum CUSTODIAT, qui pro saluti...
  3666
Inlese CUSTODIAT quod accepit...   920
... Et quod est professa CUSTODIAT scrutatori pectorum...   759
Benedicat nos dominus et CUSTODIAT semper.   333
Corpus tuum CUSTODIAT, sensum tuum dirigat...   335
Corpus domini nostri iesu christi CUSTODIAT te in vitam aeternam. Amen.
  544
benedicat tibi dominus et CUSTODIAT te.   336
... Per te quem diligere super omnia appetit, quod est professa CUSTODIAT
  ut et hostem...   760
et a mundi inpedimento vel seculare desiderio aeius corda CUSTODIAT, ut
  sicut...   2503
Benedicat vos (vobis) dominus et CUSTODIAT vos.   339, 356
et ab omni pravitate defendat atque CUSTODIAT.   3523

ut adsumptam castitatis graciam te auxiliante (auxiliantem) CUSTODIAT.
   2820
mittas ad eos angelum pacis, qui introitum exitumquae CUSTODIAT.   310
ut sanctae virginitatis propositum quod te inspirante suscepit, te
   gubernante CUSTODIAT.   3096
Purificet nos indulgentia tua ds et ab omni semper iniquitate CUSTODIAT.
   2948
et mente sibi et corpore beatae Mariae intercessione COSTODIAT.   79, k25,
   126
et ab omne temptatoris incursu, te protegente, CUSTODIAT.   849
ut remedia salutis aeternae percipit... te protegente CUSTODIAT.   4240
et beatae castitatis habitum quem te inspirante susceperit te protegente
   CUSTODIAT.   1237
tua CUSTODIATUR gratia, tua intellegat sacramenta...   326
(et) te servante CUSTODIATUR in mente.   2980
qui et humilitatis CUSTODIENDAE... sequenda exempla monstravit.   3855
Ad CUSTODIENDAM gregem huius animarum...   44
ad CUSTODIENDAM oboedientiam (et) inrepraehensibilem (inreprehensibile)
   disciplinam...   1493
gratias (grates) tibi exsolvimur (exsolvimus) CUSTODIENDI per noctem...
   1665
Tu autem dne nec dormis nec dormitas ad CUSTODIENDOS nos.   3089
ad CUSTODIENDOS omnes in hac habitatione.   1717
Benedicat tibi dominus CUSTODIENSQUE te...   337
ut te parcente sit libera, te CUSTODIENTE a malis omnibus sit secura.
   1596
quos te CUSTODIENTE beatitudinis sinus intercludit...   3723
gratias tibi exsolvimus CUSTODIENTES per noctem...   1665
aecclesia... quam pacificare CUSTODIRE adunare et regere digneris...
   3464
nosque contra superbos spiritos humilitate tribuas rationabilem CUSTODIRE
   cum gratiam...   3834
et quos per singula diei momenta servasti, per noctis quietem CUSTODIRE
   dignare.   1448
ut has famulas tuas perducere et CUSTODIRE digneris ad gratiam baptismi
   tui.   752
aeosque in itinere CUSTODIRE digneris.   4008
ut quod in me largire dignatus es, propitius CUSTODIRE digneris.   1777
ut eam deus et dominus noster pacificare adunare et CUSTODIRE dignetur
   per universum...   2507
ut habitaculum istum... benedicere atque CUSTODIRE dignetur tenebras...
   725
ut pacificare (adunare) et CUSTODIRE dignetur toto orbe (totum orbem)...
   2507, 2508
corpore tuo in servitio suo CUSTODIRE et conservare fatiat.   334
te obsecramus nos CUSTODIRE iubeas.   857
hac est et vitam ammoneris CUSTODIRE perpetuam...   2321
et illam perseveranter regulam CUSTODIRE qua idem...   2741
eumque inter vitae et viae huius varietates digneris CUSTODIRE quatenus...
   3590
et non servando potius CUSTODIRENT hac simul pietatis...   4075
et cum misericordia, si se CUSTODIRENT, iudicare.   1333
deputans eis angelum pietatis tuae, qui CUSTUDIRET eos die ac nocte...
   737
facturam tuam multiplicas pietatem (multiplici pietate) CUSTODIS ad
   invocationem...   1356

Deus, qui in sanctorum martyrum multiplicatione CUSTODIS da ut quorum...
1121
qui CUSTODIS israhel famulos tuos... custodi ab inlusionibus fantasmaticis
satanae...   314
0. s. ds, qui sanctorum tuorum nos intercessione CUSTODIS praesta ut
quorum...   2452
Ds, qui ad vitam ducis et confitentes in te paterna protectione CUSTODIS
qs ut praesenti...   897
Summa ds qui hima et media summaque CUSTODIS qui omnem creaturam...   3332
ditas pauperis, CUSTODIS veracis.   395
sed per apostolos tuos iugiter custodis et sine fine CUSTODIS.   4133
scientia ordinas, piaetatem CUSTODIS.   1248
et nos a totius adversitatibus incursu perpeti protectione CUSTODIS.
1029
quod si illa humani generis mater interdicta sibi arbore CUSTODISSIT...
4182
Gracias tibi agemus, dne, CUSTODISTI (CUSTODITI) per diem...   1665

      CUSTOS
ut te CUSTODE pervigile ac pastore aeterno...   3102
ut de CUSTODE servata hereditatem benediccionis aeternae percipiat.   4255
ut te CUSTODE servati ab omnibus vitae huius periculis liberemur.   1037
et mitte CUSTODEM angelum in circuitu supplicantum...   325
Da (huic) plebi angelum CUSTODEM qui filium...   805, 945
ut te CUSTODEM servati ab omnibus vite...   1037
ut te in omnibus ducem, te mereatur habere CUSTODEM.   1590
caelestium clastrorum (claustrorum) presolem CUSTODEMQUE fecisti...
3728, 4158
securos fac nostros semper esse CUSTODES.   210
Ds qui es CUSTUR animarum et corporum...   980
Timentium te, dne, salvator et CUSTUS averte...   3480
... Qui abrahae isaac et iacob... CUSTOS dux et comes esse voluisti...
3590
qui CUSTOS es pacis et iudicas aequitatem...   850
CUSTOS fidelium animarum, o. ds, protege...   567
Protector in te sperantium, ds, et subditarum tibi mentium CUSTUS
habitantibus...   2909
et aditarum (subditarum) tibi mencium CUSTUS, inclina...   2908
Ds, vita fidelium, timentium te salvator et CUSTUS qui famulum tuum...
1262
Sit ipse confessor huius populi assiduus CUSTUS, qui, te vocante...   1176
Operis tui, ds, initiator et CUSTUS suscipe...   2492
Tu esto, qs, dne, populi tui munimen et CUSTUS tu vitae...   3504
Esto, dne, plebi tuae sanctificator et CUSTUS ut apostolicis...   1418
et esto populi tui defensor et CUSTUS ut sanctorum...   2804

      CYMBALUM
iucunditatem per CIMBALUM, quatenus invitare valeant...   308

      CYPRIANUS
VD. Tuamque in... cornelii simul et CYPRIANI festivitate praedicare
virtutem...   4197
... Xysti Corneli CYBRIANI Laurenti Crisogoni...   417, 418
... Corneli et CYPRIANI natalicia nos tibi, dne qs, commendet oratio.
3171
VD. Beati CUPRIANI natalicia recensentes...   3611
VD. Beati CYBRIANI natalis gloriam recurrentes...   3611

Beatorum... Corneli et CYPRIANI nos, dne, qs, festa tueantur...   291
beati CYPRIANI sacerdotis et martyris in tua dne virtute laeticiam...
   3174
beati CYPRIANI sacerdotis et martyris mox praeclara subiungitur.   3155
quae maiestati tuae pro... Corneli et CYPRIANI sollemnitatibus sunt
   dicata.   2595a
VD. Tuamque in... Cornelio simul etiam CYPRIANO praedicare virtutem...
   4196

        CYRIACUS
Ds qui nos annua beati CYRIACI... sollemnitate laetificas...   1098
interveniente sancto CYRIACO et...   3432

        CYRINUS
Sanctorum CYRINI Naboris et Nazari, qs, dne, natalicia nobis vota
   resplendeant...   3233
Pro sanctorum CYRINI Naboris et Nazari sanguine venerando...   2850
Semper, dne, sanctorum martyrum (basilidis) CYRINI Naboris et Nazari
   solemnia caelebramus...   3271

        CYTHARA
Ds qui inter CYTHARA potentia miracula...   1043
adque sic super daviticam CYTHARAM dilectatus...   2262

        DAEMON
confundo te, DEMONAE, per deum verum...   507
ut sit spiritalis imperator ad abiciendos DAEMONES de corporibus...   726,
   727
ad abieciendos (abiendus) DAEMONES (DAEMONIS) et morbusque pellendos...
   896

        DAEMONIACUS
qui enmitas distruxit, ita DEMONIACUS effugatur...   2552

        DAEMONIUM
manus inponite, DAEMONIA expellite, paralyticos curate...   1852
Exorcizo te inimice diabule DEMONII vane...   1551
Sed tu, ds o., propicius adesto, ut corporibus DAEMONIIS obsessus...
   3270
ut eripias hominem a ruina et DAEMONIO meridiano...   1354, 1355
in co oportit tibi, inmundissime DAEMONIORUM, finem habere...   1852
... Inmundissime DAEMONIORUM, non facias nec pavore nec tremore...   1529
... Proiectus es de caelo... meritis tuis, inmundissimi DAEMONIORUM victus
   est...   3259
apud DEMONIUS habentes, mili partibus.   1860
sanctorum tuorum meritis, fuga DAEMONUM, angeli pacis ingressus.   2291,
   2292
per quam aeripuisti mundum a potestatem DEMONUM et superasti...   309
causa discordiae, excitator dolorum, DAEMONUM magister...   744
ad expellendas et excludendas omnes DAEMONUM te temptaciones...   1545

        DAMASUS
quibus sancti confessoris tui DAMASI deposicione recolimus...   622
interveniente beato confessore tuo DAMASO...   2102
beatus DAMASUS pontifex obtineat.   3351

        DAMIANUS
Magnificet te, dne, sanctorum (tuorum) Cosme et DAMIANI beata solempnitas
   ...   2040

... Cosme et DAMIANI Dionysii Rustici...   417
cosme et DAMIANI, et omnium sanctorum tuorum...   418
cosme et DAMIANI, helarii, marthini...   419
quae beatorum martyrum tuorum Cosme et DAMIANI meritis inploratur
  (imploratur, imploramus).   3299
ut qui sanctorum tuorum cosmae et DAMIANI natalicia colimus...   2771

      DAMNABILIS
latro DAMNABILIS exterminetur per aeum qui te per eliseum...   1547

      DAMNATIO
atque ab aeterna DAMNATIONE nos eripe (eripi).   1769
ut natura humana... nequaquam in aeterna DAMNATIONE periret...   4032
simili nunc DAMPNATIONE super hanc miserere plebem...   3102
qualiter in tremendi iudicii die, sententiam DAMNATIONIS aeternae evadat
  ...   823
et conlata praesidia, non ad cumulum reis DAMNATIONIS eveniant...   3803
nec debito DAMNATIONIS obnoxii...   397
ut iam non teneamur obnoxii sententia (obnoxiis sentenciae) DAMNATIONIS
  humanae...   2981
... Fecitque filios adoptionis, qui tenebantur vinculis iustae DAMNATIONIS
  per ipsum...   3949

      DAMNO
frontis aeorum quem nos DAMNAMUS...   1411
... Et ideo pro tua nequicia, damnate atque DAMNANDAE, da honore deo...
  2175, 2176
in conspectu tuo adstiterint, non DAMPNANDAM, sed mitem...   1319
elegis potius eraegere iactantiam quam ponere DAMNANDUM, te supplicis...
  782
ihesus christus dominus noster tecum DAMNARE (faciat) in sempiternum...
  2180
et mors quae olim fuerat aeterna morte DAMNATA...   861
et in exilio DAMNATAE condicionis humanae...   4079
... Et ideo pro tua nequicia, DAMNATE atque damnandae, da honore deo...
  2175, 2176
... Proinde, DAMNATE, da honorem deo vivo et vero...   2174, 2177
non occupavis... nec intestinum minimum nec in maiorem, DAMNATE interdicitur...   394
quomodo seperatum est... vita a morte, sic te et tu sepera, DAMNATE non
  communicabis...   394
Per illum... te adiuro, DAMNATE, non per aurum, neque per argentum...
  224, 225
... Ipse enim tibi imperat, maledicte, DAMNATE qui ceco nato...   1550
... Ipse enim tibi imperat, maledicte, DAMNATE qui pedibus...   1549
... Victus es, DAMNATE. Vincit te qui vinci non potest...   3259
... Illuc te collige, DAMNATE.   224
tenebrosa praesumptione fuerat in servitute DAMNATUM huius noctis...   861
VD. Qui genus humanum prevaricationem suam ipsis origenis radice DAMNATUM
  per florem...   3930
VD. Cuius bonitas hominem condidit, iustitia DAMNAVIT, misericordia
  redemit...   3636
cum per haec ipsi potius inprobos mores suos et profiteantur et DAMNENT...
  3653
... Quia non vis invenire quod DAMNES, sed esse potius quod corones...
  4009a

DAMNUM
ne de familiae tuae DAMNO inimicus exultet... 822, 823
et nullum DAMNUM floribus invenitur. 862
... Legunt pedibus flores et nullum DAMNUM in floribus invenitur... 861
ne redemptione tuae inferas DAMNUM tolle... 3463

DANIEL
sicut liberasti DANIHAELEM de lacum leonis. 2023

DAPS
qui nos docuit operari non (solum) cibum qui terrenis DAPIBUS apparatur...
3880
Nam ut DAPIBUS (et) poculis corpora... saginantur. 3794, 3889
ut cras venerabilis caenae DAPIBUS sacies... 3950
aeternarum DAPIUM vobiscum aepulas reportetis. 353

DARIA
Beatorum martyrum dne saturnini et crisanti mauri, DARIAE adsit oratio...
290

DATOR
Ds auctor omnium iustorum honorum, DATOR cunctarum dignitatum... 748
Ds vite DATOR et humanorum corporum reparator... 1263
Ds bonorum virtutum DATOR et omnium benedictionum largus infusor... 751
VD. misericordiae DATOR et totius bonitatis auctor... 3807
... DATOR graciae (gratiam) spiritalis, largitor aeternae salutis... 549
Adesto, qs, o. ds, honorum DATOR ordinum distributor... 136, 137, 138
Offerendorum tibi munerum, (ds) auctor et DATOR presta ut quod (hoc)...
2222
ut cari nostri illius animam ad te DATOREM proprium revertentem... 1289

DATUM
offerimus praeclare maiestati tuae de tuis donis ac DATIS hostiam puram...
3567
qui nos satiare dignatus es de tuis donis hac DATIS presta qs... 1675
Satiati sumus, (satiasti nos) dne, de tuis donis ac DATIS reple nos...
3261, 3265
Reficiamus, (reficiamur) dne, de donis et DATIS tuis... 3047

DAVID
sicut liberasti DAVID de manu saul regis et goliae... 2023
... Et DAVID dicit (dixit) de persona Christi : Renovabitur sicut aquilae
iuventus tua... 1953, 1954
et pacis non erit finis super solium DAVID et super regnum eius... 3677
... Liber generationis Iesu Christi filii DAVID, filii Abraham... 1633
cuius potentiam guliam spurium DAVID fortis manu prostravit lapidis hictu
suo... 3473
sicut unxit samuhel DAVID in regem et prophetam... 3568
quod eum oleo laeticiae prae consortibus suis ungendum DAVID propheta
caecinisset. 3945
... Nam (et) DAVID prophetico spiritu gratiae tuae sacramenta (sacramentum) praenoscens... 3945, 3946
erigens nobis cornum salutis in domo DAVID pueri tui... 3763
sicut exaudisti famulum tuum DAVID regem... 2113
qua beatus DAVID rex in psalterio psalmorum filius... 842
sicut exuadisti famulum tuum regem DAVID qui te in aera... 2113

DAVIDICUS
veraciter impleverunt quod DAVIDICA voce canitur... 3612
adque sic super DAVITICAM cytharum dilectatus... 2262

DEALBO
nec saltim deforis sunt vel DEALBATI vel loti... 3879

DEAURO
tabulis DEAURATIS, holochaustis, (tabulas DEAURATAS holocaustas) hostiis
... 1283

DEBELLATIO
gentium infidelium barbararum DEBELLATIONE contrita te... 3466

DEBELLO
exurge pro (huius) infancia DEBELLATA... 1371
quantum non DIBELLIMUR ab ordine veritatis. 3885

DEBEO
qui ex ipsis flagellationibus errores (et erroris) nostros DEBEAMUS
agnuscire... 4135
gratiarumque tibi actiones... sine cessatione DEBEAMUS cum et... 3903
quibus modis ad invisibilia tendere DEBEAMUS denique... 4060
et ideo licet in singulis... conpetens DEBEAMUS officium... 4188
ut eius nec inicium DEBEAMUS praeterire nec finem. 1651
... Cum enim docente te, dne, probos mores nobis optare DEBEAMUS tunc
proximos... 3980
quantum DEBEANT de confirmata in Christo renascentium glorificatione
gaudere. 2332
in nobis tamen, quod merito DEBEANT lacerare, non habeant. 1189
sed tanto propensius veniam DEBEAT postulare... 4135
et quamvis incessabiliter delinquentibus continua poena DEBEATUR praesta
qs... 2531, 2532
et solo miserantes quo DEBEMUS affectu. 3653
... Hic spiritalem cybum intellegere DEBEMUS christus... 1778
quanto magis ab ipsius mentis DEBEMUS excessibus abstinere... 3964
Pro sanctorum... munera tibi dne sommemoratione quae DEBEMUS exsolvimus...
2851
sic eorum qui a veritate sunt devii flere DEBEMUS interitum... 3922
... Promptiusque DEBEMUS omni ritu... caelestis vitae novitate gaudere...
4139
quod ita nos semper inmunitatem petere DEBEMUS peccati... 1778
laudare et benedicere DEBEMUS per christum dominum nostrum. 3805
prius ordinam insinuare DEBEMUS, quid est (sit) evangelium... 203
maiestati tuae iugiter et reddimus et DEBEMUS. 2228
quod ad honorem nominis tui in... Eufymiae festivitate DEBEMUS. 3164
ita summa DEBENT humilibus unitatis affectum. 3632
Palle vero que sunt in substraturio in alio vase DEBENT lavi (lavari)...
4228, 4231
... Et clauso ostio deum adorare DEBERE, id est, ut a mala cogitacione...
1373
habitus DEBERE indesinenter accingi. 4176
et deus homo nasci dignatus congruentibus non DEBERE nisi virgine...
3779
ut per hoc amoneamor in hactu nostro DEBERE succinctus... 4176
etiam si id quod digne agimus digne agerimus, id quoque tibi DEBERIMUS...
3792

discipulis suis petentibus, quemadmodum orare DEBERENT... 1373
et deus homo nasci dignatus congruentius non DEBERET nisi virgine matre
  generari.   3779
amodo (a modo) DEBIS (DEBES) esse adsiduus...   4228, 4231
DEBET hac fidem habere caritas vestram...   3021
Sacrificium, dne, celebramus, quod ita nobis DEBET esse perpetuum...
  3150
cummunis aeorum DEBET esse sententia...   3021
ita summa DEBET humilibus unitatis affectum.   3632
De ipsis oblationibus tantum DEBIT in altario (altari) poni...   4231
nullum linteamen (lentiaminum) ibidem aliud DEBET lavari (lavi)...   4228,
  4231
ipsa aqua in baptisterio DEBET vergi.   4228, 4231
propitiationem domini nostri perseverantiam DEBETE servitutes.   1853
caritas vestram quam... et deo exhibere DEBETIS et proximu...   3021
et ad gloriam nominis tui nytimur DEBETIS magnificare praeconiis.   3781a
Et ideo hanc brevissimam plenitudinem ita DEBETIS vestris cordibus
  inherere...   1706
Et idio aelectionem vestram DEBITIS vocem puplica profideri.   3021
et quibus merita DEBETUR poena perversis...   4205
quidquid eidem DEBETUR pro castigatione delicti...   705
quod maiestati tuae semper et redditur et DEBETUR.   29
quam DEVITA castigatione conpelli...   3919
VD. Natalem diem sancti... Xysti DEVITA festivitate recolentes...   3810
... DEBITA nomini tuo servitute placeamus.   3594
da, qs, ut indignatio DEBITA reis praecantibus transferatur ad veniam.
  1169
... Unde benedicimus te, dne, teque DEBITA servitute laudamus.   3902
qui nos de virtute in virtute DEVITA veneratione currentes...   2105
VD. Beatae (ceciliae) (illius) natalicium diem DEBITA veneratione
  prevenientes laudare...   3605, 3606, 3607
et DEBITAE servitutis actione perfrui (sectari).   3208
ut quod DEVITAE servitutis celebramus officio...   3170
propiciationem (propitiatione) dei nostri perseverantiam DEVITAE
  servitutis obteneat.   1832, 1854
... DEBITAE venerationis contingamus affectu (effectu).   3626, 3682
... DEBITAM (DEBITA), qs, peccatis nostris, (dne) suspende vindictam...
  952
huic iure DEVITAM reddidit servitutem...   3774
ut et tibi semper exhibeant DEVITAM servitutem et ad remedia...   66
VD. (Et) Tibi DEBITAM servitutem per ministerii huius inplecionem
  persolvere...   3737, 4174
Respice, dne, famule tuae DEBITAM servitutem ut inter humane...   3111
ut ad promissam hereditatem adgredi valeamus per DEBITAM servitutem.   882
universos reperiat sospites ac DEBITAS exsolvat tuo nomine gratis.   897
Maiestati tuae, dne, DEBITAS laudes offerimus...   2056
VD. (Et) Tibi DEBITAS laudes pio honore deferre...   3738, 4175
quo et DEBITIS honor sacris martyribus exhibetur...   3175
et tui nominis gloriam DEBITIS praeconiis magnificamus.   3693
Mysteria tua, dne, DEBITIS servitiis exsequentes...   2166
illius (sancti iohannis) nativitatem honore DEBITO celebrantes...   3509,
  3510
ut dona caelestia, quae DEBITO frequentamus obsequium (obsequio)...   3491
sollemnia, quae cultu tibi DEBITO praevenimus prospero suscipiamus
  effectu.   194
quo et DEBITUS honor sacris martyribus exhibetur...   3175

DEBITOR
... Sint sapientibus et insipientibus DEBITORES.   820
Et demitte nobis debita nostra, sicut et nos demittimus DEBITORIBUS
  nostris...   1791
quo idem non tenebatur, exsolvens pro DEVITORIBUS repensavit...   3956

DEBITRIX
... DEVITRICI (suae) quondam naturae redderetur obnoxius...   4203

DEBITUM
ne temporalibus DEBITA bonis ad praemia sempiterna non tendat...   4010
Et demitte nobis DEBITA nostra, sicut et nos demittimus debitoribus
  nostris...   1791
et praeteritorum criminum DEBITA relaxare digneris...   2837
et festivitatem martyrum tuorum... DEBITA tibi persolvi praecibus concede
  sanctorum.   2928
Libera nos, dne, qs, a nostrorum DEBITIS peccatorum adque ut nos...   2028
per quod nos liberas a nostorum DEBITIS peccatorum ergo suscipe...   3715
quemque morte (mortem) redemptum, DEBITIS solutum...   701
nec DEBITO damnationis obnoxii...   397
Concede, qs, o. ds, ut qui sub peccati iugo ex DEBITO depraemimur...   495
DEBITUM, dne, nostrae reddimus servitutis suppliciter exoranter...   700
et veteris piaculi cautionem pio cruore DEBITUM haec sunt enim...   3791
DEBITUM humani corporis sepeliendi officium fidelium more conplentes...
  701, 702
hymnum tibi DEBITUM iure meritoque reddamus.   884
VD. Qui non solum DEBITUM mortis antique...   3956
DEBITUM nostrae reddimus servitutis suppliciter exorantes...   703
tibique possit hic servus tuus... DEBITUM praebere famulatum.   764
... Qui pro nobis aeterno patri adae DEBITUM solvit...   3791

DECANTATIO
ita erudire populos tuos sacri carminis tui DECANTATIONE voluisti...   761

DECANTO
laudem tui nominis DECANTANTES, (te) supplices...   1224, 1225
sed omnes habitantes interius voce, corde et opere DECANTENT...   1330

DECEDO
ut qui de hac vita in tui nominis confessione DECESSIT...   2317

DECENTER
virtutum etiam omnium percipiat incrementa, quibus DECENTER ornatus...
  2993
... Aptius siquidem adque DECENTIUS his diebus...   4028

DECEPTIO
... DECEPTIONEMQUE Evae matris ulciscens...   3788

DECEPTOR
per virilem sexum martyrum beatorum meritum DECEPTORI reciprocas ultionem
  ...   4034

DECERNO
et tuae deffensionis DECERNAS ala protegis...   1233
et peragenda DECERNAT, unde tibi in perpetuum placere valeat.   1069
et apostolicam tuitionem supplici DECERNE propitiatus...   220
VD. Qui humanum genus iusta sinceraque DECERNENS societate constare...
  3934

et tamquam ad benedictionem pristinam se excludi DECERNERENT, dolore...
   3918
cui devotum pectore DECREVIT ad alta contemplatione suspendere.   4126
cui habraam holocaustum offerere DECREVIT, cui iacob...   4126

          DECET
... DECEBAT enim, ut ineffabile domini sacramentum...   4095
et rapiat de proposito virginum, quod etiam moribus DECET inesse nuptarum
   (nupciarum).   758, 759

          DECIDO
ut qui de paradiso non abstinendo DECIDEMUS ad eundem nunc...   4182
ut, DECIDENTIBUS aliis quique dignissime subrogentur...   3281
qui divina praecepta violando (a) paradisi felicitate DECIDIMUS ad
   aeternae...   188
ut sicut per inlicitos appetitus a beata regione DECIDIMUS sic ad aeternam
   ...   3636
ut sicut per inlicitos adpetitos de indultae (indulgentiae) beatitudinis
   regione DECIDIMUS sic per alimoniam...   2454

          DECIMUS
Hac ebdomade nobis mensis DECIMI sunt recensenda ieiunia...   1682

          DECIPIO
respice ad animas diabolica fraude DECEPTAS...   2434, 2449
aeumque credula persuasione DECEPTUM reparare...   4129
Sed ne unum fortasse vel paucus aut DECIPIAT adsensio aut fallat affectio
   ...   3021
ne vanitas mendaciorum DECIPIAT quos erudicio veritatis inluminat.   3480
et nihil (e)os inimicus aut violentia subripiat, aut fraude DECIPIAT.
   1227

          DECLARO
Ds, qui ad DECLARANDA tua miracula maiestatis post resurrectionem a
   mortuis...   892
palam manifesteque DECLARANT...   3653
angelico ministerio beate mariae semper virgine DECLARASTI adesto
   propitius...   2380
et salutarem (salutare) tuum cunctis gentibus DECLARASTI hodiernum...
   3816
qui prophaetarum tuorum praeconio praesentium temporum DECLARASTI mysteria
   ...   2473
Ds qui beatum iohannem baptistam... maximum DECLARASTI per verbum.   910
qui spiritum tuum sanctum... humani (humanae) DECLARASTI salutis auctorem
   ...   2350
dum simul (et) experientiam fidei DECLARAT adflictio...   4071, 4073
aeclesiae tuae spiritali constructione DECLARAT ostendens...   3943
Quod in novissimis temporibus manifestis (manifestum) est effectibus
   DECLARATUM cum baptismatis...   3945, 3946
... Hoc in ipsis generis humani parentibus DECLARATUM est...   4100
quo in nostri salvatoris infantia miraculis coruscantibus DECLARATUR et
   corporalibus...   615
venturusque ad iudicandos (iudicandum) vivos et mortuos DECLARATUR hic
   spiritus...   1706
sed hisdem muneribus DECLARATUR immolatur et sumitur.   1389
unigeniti tui nobis gratia DECLARAVIT per quem nos...   3789
tua iustissima veritas hoc DECLARETUR, tua virtute...   850

DECLINATOR
iustitiae DECLINATOR, malorum radix...   744

DECLINO
ad iram venturi iudicii DECLINANDAM...   665
ut cuncta pericula mentis et corporis te propellente DECLINANS.   15
... Quapropter huiusmodi DECLINANTES actu...   3653
... DECLINANTES laquaeos falsitatum...   2965
ut te annuente valeamus quae mala sunt DECLINARE et quae bona sunt...
   3749
semper nos et quae prava sunt DECLINARE perficias...   3804
VD. De tua gratia confidentes qs (dne) DECLINARE que mala sunt...   3671
per quod et noxia quequae DECLINAT et obtata reperiat.   2599
ut semper DECLINEMUS a malis...   630
ut sub specie gratiae nocere cupientium DECLINEMUS in qua student perseverare malitiam.   3981
Presta, qs, dne ds noster, ut DECLINEMUS noxios adpetitos...   2711
ut in hac diae ad nullum DECLINEMUS peccatum...   1323
ut et praesentia pericula te protegente DECLINENT...   238
et mala cuncta DECLINET, et omnia quae bona sunt adpraehendat.   2622
per quod et noxia quaeque DECLINET, et optata repperiat.   2599
per quam et terrores (errores) DECLINET humanos...   2619
mens quoque nostra sensus DECLINET inlicitos...   3731, 3732

DECOR
famulum tuum iuvenilia (iuvinale) aetatis DECOREM laetantem...   796
qui beatae virgini ill. concessit et DECOREM virginitatis...   341

DECORO
Da, qs, dne, famulae tuae, quam (quod) virginitatis honore (honorem)
   dignatus es DECORARE inchoati...   640
aecclesiae tuae dignatus es pulchritudine DECORARE, praesta, qs...   2406
in honore beati illius aecclesiae tuae dignatus es pulchritudinem
   DECORARE.   2406
sapientiae ceterarumque virtutum ornamentis facias DECORARI et quia tui...
   3912
... Quatenus centesimi fructus dono virginitatis DECORARI virtutumque...
   760
quam in hoc saeculo commorantem sacris muneribus DECORASTI caelesti sede
   ...   2721
ut quom tantae sedis honore DECORASTI moribus...   3670
ante DECORASTI professione, secundo funere.   546
et quod insigni DECORATIS vocabulo praeferebat...   3777a
oblatio cuius vitalibus DECORRATUR exemplis.   2544
castimoniam (castimonia) DECORET, adque sinsus vestros...   340, 356

DECORUS
... DECORI monachorum gregis dignus pastur offulsit...   3766

DECUS
tibique placuerunt et virginitatis DECORE et passionis vigore...   3854
ut tam fecunda quam speciosa non utile DECORE luxorient...   1155
... Sicque virtute fidei et DECORE pudicitiae polleret...   3716
naturali per tuam gratiam DECORE servato...   1653, 2307
Et qui illis voluit centesimi fructus donum DECORE virginitatis...
   conferre...   2264
hominem... ad speciem tui DECORIS animasti...   4129

Ds qui... vobis contulit et bonum redemptionis et DECUS adoptionis...
     1157
ut antistitum DECUS priorum qui tibi placuerunt mereamur consortia
     optinere.   956

          DEDECUS
... Nihil ergo iubat eos, qui DEDECORA sua notasque non cernunt...   3653
... Nam cum in his quae videntur obscura sint malae famae nigra DEDECORE
     ...   3879
nec visibili DEDECORI subiacevit...   3888

          DECURRO
et toto orbe salutaria verba DECURRANT.   4037
hoc in oris subiecta DECURRAT hoc in totius...   819, 820
hoc in horis subplecta DECURRIT ; huc in totius...   820
Ds, (sub) cuius arbitrio omnium saeculorum (caelorum) ordo DECURRIT
     respice (adesto) propitius...   765, 779, 780, 781
Ds (sub) cuius nutibus vitae nostrae momenta DECURRUNT...   1253

          DECURSUS
et post istius temporis DECURSUM, ad aeternam perveniat hereditatem.
     1685
adque pro aecclaesiae tuae unitatem iubeas amovere DECURSUM.   3637
Plantati secus DECURSUS aquarum...   541

          DEDICATIO
... Ideoque huius basilicae DEDICACIONE, (DEDICATIONEM) quam...   4031,
     4033
ut altare hoc sanctis usibus praeparatum caelesti DEDICACIONE sanctifices
     ...   3844
templi huius cuius anniversarium DEDICATIONIS diem celebramus...   193
et ecclesia tua in templo cuius anniversarius DEDICATIONIS dies celebratur
     tibi collecta...   976

          DEDICATOR
O. ds ieiunii ceterarumque virtutum DEDICATOR atque amator...   2248
primus caelestis martyrii DEDICATOR.   3761

          DEDICO
clementissimus DEDICA, miserator (miseratus) inlustra...   1249, 1733,
     1777
quos (quem) tuis sacrariis servituros (serviturum, serviturus) in officium
     diaconii (diaconi) suppliciter DEDICAMUS et nos quidem...   136, 137,
     138
super hos famulos tuos, quos praesbyterii honore DEDICAMUS manum tuae...
     3225
quem tuis sacris serviturum in officium diaconatus suppliciter DEDICAMUS.
     136
tuo quoque nomine munera iussisti DEDICANDA constitui...   1306
quam tibi offerunt hanc DEDICANTES aecclesiam...   1733
primitias martyrum gloriosi levitae Stefani sanguine DEDICASTI da nobis...
     2443, 2453
VD. Qui ieiunii quadragesimalis observationem in moyse et helia DEDICASTI
     et unigenito...   3940
O. s. ds, qui primitias martyrum in sancti (beati) levitae Stefani sangui-
     ne (sanguinem) DEDICASTI tribue qs...   2238, 2444
quia ieiunium nobis venerabile DEDICASTI ut ad paradisum...   3889
VD. Qui precorsore fili tui tanto munere DEDICASTI ut et...   4000
Ds, qui loca nomini tuo DEDICATA sanctificas...   1065

qui ieiunium nobis venerabile DEDICATI...   3794
hoc baptisterium caelesti visitacione DEDICATUM (DEDICATO) spiritus...
  2345
ut quod solempnitatem (solempnitate) praesente suo nomine DEDICAVIT et
  intelligebile...   4234
quae nobis huius solempnitatis effectu (effectum, affectum) et confessionem (confessione) DEDICAVIT et sanguinem (sanguine).   2141
et qui hoc quadraginario curricolu... suo DEDICAVIT ieiunio...   357
VD. Qui continuatis quadraginta diebus et noctibus hoc ieiunium non
  esuriens DEDICAVIT postea enim...   3880
ieiunii subsequentis primitias DEDICAVIT ut quia post...   3996

        DEDIGNOR
qui non es DEDIGNATUS nasci per virginem.   2461

        DEDISCO
ut mali esse DEDISCANT vel inpossibilitate peccandi.   3981

        DEDO
... DEDITA bonas ad premia sempiterna contendit...   4010
ut et corda mandatis tuis DEDITA et hostium...   734
ut et corda nostra mandatis tuis DEDITA et tempora...   2300
VD. Qui rationabilem creaturam nec temporalibus DEDITAM bonis...   4010
Respice, dne, famulae tuae tibi DEDITAM servitutem...   3111
quae et sacre nos DEDITOS faciat servituti...   1657
ut regnum maiestati (maiestatis) tuae DEDITUM tua semper sit virtute
  defensum.   2861, 2862

        DEDUCO
O. s. ds, DEDUC nos ad societatem caelestium gaudiorum...   2333, 2334
... DEDUCAT vos mirabiliter dextera dei...   2905
... DEDUCATUR cum triumpho choro coniuncta angelico...   3392
... DEDUCENDAM in sinu (sinum) amici tui patriarchae Abrahae (abrahae
  patriarchae)...   747, 771
qui habit potestatem... DEDUCERE ad inferus et reducere...   2481
in praeparatis habitaculis DEDUCI facias beatorum.   2747
qui fideles tuos in tua via DEDUCIS...   3590
Per cuius quoque umbram mors aspera (aspera mors) populis lignum
  (ligno) DEDUCTA cucurrit...   3847
dona que de tua largitatem (largitate) nobis ad remedium DEDUCTA sunt...
  332
et filius israel de terra aegypti DEDUXISTI...   737

        DEFECTUS
helementia DEFECTUM tui converte mysterii...   1324

        DEFENDO
et ab externis erroribus perpetua virtute DEFENDANT.   5
et ab huius saeculi adversitatibus DEFENDAS dona aeis...   1924
qs, o. ds, ut ab hoste maligno DEFENDAS quos per ligno...   3063
et ab huius seculo adversitate DEFENDAS.   1924
ut pietate perpetua supplicibus potiora DEFENDAS.   1072
ut hanc abundantiam in nostra quoque salvatione DEFENDAS.   1792
ita semper supplicatione DEFENDAS.   2045
adque mortifero vastatore DEFENDAS.   1088
et ab omni pravitate DEFENDAT atque custodiat.   3523
Ab omni vos pravitate DEFENDAT et donis caelestibus...   2244
sua vos semper protectione et virtute DEFFENDAT et ita...   340

In praesentis vitae sptasio vos ab omni adversitate DEFENDAT et se vobis
... 2241
spiritus sanctus DEFENDAT illos... 1330
et a cunctis DEFENDAT inimicis (inimicus). 2193
qui custodiat, foveat, protegat, visitet et DEFENDAT omnes habitantes...
1493
Ipse vos protegat adque DEFFENDAT omnibus diebus vite vestrae... 319
DEFENDATQUE vos a cunctis adversis apostolicis praesidiis... 1243
dextera sua te DEFENDAT, qui sanctos suos... 334
... Quatenus illius nos a malis omnibus DEFENDAT sublimitas... 3650
quae eum semper et purget a crimine et ab hoste DEFENDAT temporalibus...
157
a mundi impedimento vel saeculari desiderio cor eius DEFENDAT ut sicut...
2503, 2761
et ab hostium incursione DEFENDAT. 462
vos dominus benedicat et ab omni malo DEFENDAT. Amen. 275
et ab omni pravitate DEFENDAT. 3523
et perpetua protectione DEFENDAT. 4244
sua vos semper protectione et virtute DEFFENDAT. 356
et mistico nos mundet effectu et perpetua virtute (virtutem) DEFENDAT.
3128
sanguinis tui DEFFENDE conmercium. 1333
quia propensius audire poterit et DEFENDE cum ea tibi... 2724
DEFENDE, dne, familiam tuam... 704
DEFENDE, dne, plebem tuam in sola tuae misericordiae venia confidentem...
705
Tua nos dne protectione DEFENDE, et... 3517
DEFENDE aeum abire serpentis incursibus... 330
ab hostium nos DEFENDE formidine... 2301, 2916
Populum tuum, dne, perpetua municione DEFENDE nec dificultas... 2611
ut qui tua expectant protectione DEFENDE omnibus sint... 1216
et ab hostium nos DEFENDE periculis... 2916
a cunctis nos DEFENDE periculis. 2209, 2213, 3543
et tua mysteria caelebrantes ab omnibus DEFENDE periculis. 3450
et ab inminente morte DEFENDE placatus. 1088
Quos donis caelestibus satias, dne, DEFENDE praesidiis ut noxiis... 3027
et apostolicis DEFENDE praesidiis ut eorum praecibus... 1594
et perpetuis DEFENDE praesidiis ut omni semper... 1592
quorum nos adsiduis festitatibus consolaris, DEFENDE praesidiis. 3255
et quos (quae) tuis mysteriis recreasti, perpetuis DEFENDE praesidiis.
116
et fragilitatem nostram tuis DEFENDE praesidiis. 3545
ab hostium nos DEFENDE propitiatus incursu. 99
Ab omnibus nos DEFENDE, qs, dne, semper adversis... 9
O. s. ds, Romani nominis DEFENDE rectores ut in tua dextera... 2468
et propter nomen tuum (romani imperii) (christiani nominis) DEFENDE
rectores ut salus... 2866, 2867
et beatorum apostolorum DEFENDE subsidiis... 3534
et statum Romani nominis ubique DEFENDE ut pax... 2868
Beatorum martyrum tuorum nos, dne, praecibus et intercessione DEFENDE ut
qui nostrae... 292
sed omnibus auxiliare adque DEFENDE. 1500
ab hostium furore DEFENDE. 87
ab hostium incursione DEFENDE. 87
et ab omni propicius iniquitate (iniquitatem) DEFENDE. 3551
quos redemisti caelesti protectione pius DEFENDE. 2097

percepti sacramenti (percepta sacramenta) tui nos virtute DEFENDE.   265
et benedicere a te mereatur et tua semper virtute DEFENDE.   660
per quam nos expiare tribues et DEFENDENDI.   1805
et ab omni miseratus dignetur DEFENDERE pravitate.   361
dignare hoc in nobiscae fonte DEFENDERE quos dispensantes...   740
hanc familiam tuam brachii tui deffensionis protegere hanc DEFENDERE ut
   nulla...   980
quia quos DEFENDES etiam delinquentes...   658
O. s. ds, qui nos ab hostibus DEFENDES inmeritos...   2421
quia sine dubitatione DEFENDES quos tuis...   106
VD. Qui nos sanctorum tuorum et commemoratione refoves et oratione
   DEFENDES.   2840
quia propinsius audire poterit et DEFENDI, cum aea...   2724
... Ut qui se expetunt se protectione DEFENDI omnibus sint...   4134
da eum in ipsorum DEFENDI praece membrorum de quorum excellentia
   gloriatur.   1381
per quam (quas) (et) nos expiare tribuis (facias) et DEFENDI.   1805
tua (tuae) semper (virtutis, virtute) mereatur (mereamur) protectione
   DEFENDI.   656
ubi nox (nox ubi) nulla suas DEFENDIT atras (atra) tenibras...   3770
Media nocte ab angelo vastatore sanguis agni israel DEFENDITUR...   2065
ab omni pravitate DEFENSA donis celestibus prosequatur.   1591, 1599
Ab omni aeos peccatorum lave DEFENSA, et ad tua aeterna...   124
ab omne sit inpugnatione DEFENSA per dominum...   896
ut salubritas... ab omnibus sit inpugnationibus DEFENSA.   896
ita tui sanguis DEFENSE commercium.   1334
ut dexterae tuae virtute DEFENSAE liberis tibi mentibus serviamus.   2359
et ab omni pravitate DEFENSAM donis caelestibus prosequatur...   1591
ut in illo tremendo discussionis tempore aeorum DEFENSENTUR praesidio...
   971
sed sub tuo nomine ab omnibus malis DEFENSIS, ad locum...   4008
tua iugi misericordia sint DEFENSI, adque ad aeternam...   2461
ut ab omnibus inpugnationibus DEFENSI, tua opitulatione salventur...
   3247
spei suffragium, in adversis DEFFENSIS, in prosperis iuvamentum.   903
ut DEFENSIS laudibus in gloria tua laetemur.   781
ut regnum maiestati (maiestatis) tuae deditum tua semper sit virtute
   DEFENSUM.   2861, 2862
quatenus a cunctis adversitatibus tuam opitulationem DEFENSUS, gratiarum
   ...   1458
ab omnibus adversitatibus tua opitulatione DEFENSUS iustorum...   1457,
   1460
a cunctis adversitatibus tua miseratione DEFENSUS profectionis...   3590
totis aeos DEFENSUS qui praestat...   167

          DEFENSIO
Sit plebi tuae, dne, continuata DEFENSIO divini participatio sacramenti...
   3303
tu in iniuria DEFENSIO, in tribulatione patientia...   758, 759, 760
Tu sis circumstantium sine intermissione DEFFENSIO, ipsi sint...   920
Fidelem populum, qs, dne, potentiae tuae muniat invicta DEFENSIO
   sanctumque...   1620
DEFENSIO tua, dne, qs, adsit humilibus...   706
haec contra omnia tela inimici robusta DEFENSIO, ut etsi contentionis...
   1508

Fidelem (hunc) (quoque) populum, (tuum) (qs, dne) potentiae tuae muniat
   invicta DEFENSIO ut pio semper...   1621, 2610, 4030
ut gratiam se catholicae fidei percipisse pietatis tuae DEFENSIONE
   cognoscant.   1192
perpetua DEFENSIONE conserva percipiant...   74
et ab omnibus nos perturbationibus saeculi huius tua DEFENSIONE conserva
   ut qui unigeniti...   4014
libens protege, dignanter exaudi, aeterna DEFENSIONE conserva ut semper...
   1249
et apostolorum patrocinio confidentem perpetua DEFENSIONE conserva.   2930
et ab omnibus nos perturbationibus seculi huius tuae (tua) DEFFENSIONE
   conserva.   4190
et devoto tibi pectore famulantes perpetua DEFENSIONE custodi...   1477
Ad DEFENSIONE fidelium, dne, qs, dextera tuae maiestatis extende...   45
et in sanctorum tuorum patrocinio confitentem perpetua DEFENSIONE guberna.
   2931
ut qui iugiter apostolica DEFFENSIONE muniamur (munimur)...   2777
da qs ut sua nos DEFENSIONE munitos...   1239
et quam benigna DEFENSIONE non deseris...   3546
fac eorum et consideratione devotum et DEFENSIONE securum.   1415
perpetua DEFENSIONE senciamus.   2923
ut qui DEFENSIONE tua fidemus, (confidimus) nullius hostilitatis arma
   timeamus.   749
sua tueatur gratissima DEFENSIONE. Amen.   348
Ad DEFENSIONEM fidelium, dne, qs, dexteram tuae maiestatis extende...   45
quia tunc DEFENSIONEM non diffidimus adfuturam...   3598
atque ad DEFENSIONEM nostram dexteram tuae maiestatis extende (magistatis
   ostende)...   3007, 3008
perpetuam DEFENSIONEM sentiamus.   2933
... Quia tunc DEFENSIONEM tuam non diffidimus adfuturam...   3598, 4165
ut armata virtute caelestis DEFENSIONIS ad consecrationem...   549
angelum licis, angelum DEFENSIONIS adsignare dignetur...   167
... DEFENSIONIS auxilium senciatur.   1200
tribue DEFENSIONIS auxilium.   719
Ds... auxilium nobis tuae DEFENSIONIS benignus impende.   754
et devota tibi peccatore famulantis perpetuae DEFFESIONIS custodi...
   1477
et tuae DEFFENSIONIS decernas ala protegis...   1233
sanctificacionis tutamine, DEFENSIONIS donaciones implere dignetur...
   2524
et inpugnatores in te sperantium potentiae tuae DEFENSIONIS expugnas.
   932
Tua sancta nobis... et auxilium perpetuae DEFENSIONIS inpendant.   3529
Protege aeum tuo scuto DEFENSIONIS, pro qua...   330
dignare hanc familiam tuam brachii tui DEFFENSIONIS protegere...   980
ut armata virtute caelestis DEFENSIONIS, qui ex aea gustaverent...   548
Sub tuae DIFFENSIONIS testitudine insidiis inimici totus permaniat...
   2475
et hic et ubique DEFENSIONIS tuae auxilio muniantur.   314
... DEFENSIONIS tuae auxilium senciatur.   1200
Mitte in aeis, dne, DEFENSIONIS tuae semper arma victricia...   2609
ut qui iugiter apostolica DEFENSIONUM munimur...   2777

       DEFENSOR
ut familiae (famulae) tuae DEFENSOR ac totius...   2353

Tu igitur qui es creature auctor, humani DEFENSOR est(o) da operi tui...
3592
et esto populi tui DEFENSOR et custus...   2804
Populi tui, ds, DEFENSOR et rector, concede propitius...   2604
Ds conditor et DEFENSOR generis humani...   764
quia tu es protector et DEFENSOR omnium in te sperantium...   4048

      DEFERO
... DEFER dne exitum (exito) mortis et spatium vitae extende (distende)...
2064, 3463
sacrificium tibi placatum DEFERAMUS et plebi (plebs) et praesolis.   676
ut hostias placationis et laudis, sincero tibi DEFERAMUS obsequio.   187
ut in eorum traditione sollemniter honoranda conpedens DEFERAMUS obsequium.
806
sollemniter honore (honorem) tibi placito (placitum) DEFERAMUS obsequium.
4235
ne longius DEFFERAS gemitus nostris tuae piaetatis auxilium quod possimus.
3466
sacrificium tibi placitum DEFERATUR et plebis et praesulis.   2759
oblaciones, quas pro peccatis nostris nomini tuo consecrandas DEFEREMUS...
2813
quae sic ad honorem nominis tui DEFERENDA tribuisti...   3477
rectoris navem et navigium DEFERENDIS aeadem est...   3021
qui conversum peccatorum non longa tempora DEFERENDUM, sex mox...   858
nam et angelo DEFERENTE migantium...   758
praeces, quae tibi gratae sunt pia munera DEFERENTES fiant expiatis...
2940
Votiva, dne, munera DEFERENTES in tuorum Petri et Marcellini martyrum
   passione...   4252
ut illis reverentiam DEFERENTES nobis veniam consequamur (inpetremus).
49, 50
Pro anima famuli tui illius, dne, tibi, sacrificium DEFERENTES supplices
   exoramus...   2844
quas tibi pro peccatis nostris nomini tuo consegrandas (consecrandas)
   DEFERIMUS, benignus...   2813, 2874
Suscipe dne munera quae in aeius tibi solemnitate DEFERIMUS cuius nos...
34
Sacrificium DEFERIMUS de perceptione tuorum, dne, prestitorum...   3149
Munera, quae DEFERIMUS, dne, benignus adsume...   2134
et quae pro illorum sollemnitate DEFERIMUS, eorum commendet oratio.   155
quas in honore beatae... Mariae annua solempnitate DEFERIMUS et
   coaeternus...   2203
Suscipe dne munera quae pro filii tui gloriosa ascensione (gloriosam
   ascensionem) DEFERIMUS et concede propitius...   3401
ut munera quae DEFERIMUS, et devotionis gratiam nobis conferant et
   salutem.   3371
in honore beati apostoli Petri cui haec est basilica sacrata DEFERIMUS
   et eius praecibus...   3423
munera quae DEFERIMUS et medellam nobis operentur et gloriam.   1380, 3494
quas et pro renatorum expiatione peccati DEFERIMUS et pro acceleratione...
1802
quae et pro sanctorum tuorum commemoratione DEFERIMUS et pro nostris...
3113
quas tibi in honore sancti martyris tui illius nomini tuo consecrandas
   DEFERIMUS et pro requie...   3439
de tuae munificentiae largitate DEFERIMUS et pro temporali...   3388

muneribus, quae pro sanctorum martyrum Gerbasi et Protasi honore
  DEFERIMUS et te placemus...
Hostias tibi, dne, DEFERIMUS inmolandas...   1820
et qui de meritorum qualitate DEFERIMUS non iudicium...   1510
ut in eorum tradicione sollempniter honorum tibi placitum DEFERIMUS
  obsequium.   4235
Sacrificium, dne, pro filii tui supplices venerabili nunc ascensione
  DEFERIMUS praesta qs ut et nos...   3153
te, dne, mirabilem praedicantes munera votiva DEFERIMUS praesta qs ut
  sicut illorum...   1891
praeces nostras, (qs dne) quas in famuli tui Silvestri episcopi depositione DEFERIMUS propitiatus adsume...   767, 2827
Munera quae pro apostolorum tuorum... sollemnitate DEFERIMUS propitius
  suscipe...   2121
Sanctorum, dne, sancta DEFERIMUS quae cum in omnium...   3235
spiritalem tibi, summe pater, hostiam supplici servitute DEFERIMUS quae
  miro...   3054
Munera tibi, dne, pro sanctae Felicitatis gloriosa commemoracione
  DEFERIMUS quae nobis huius...   2141
maiestati tuae haec sacra DEFERIMUS quae nobis ipse...   3645
quam tibi pro animas famulorum famularumquae tuarum venerantes (veneranter)
  DEFERIMUS qs dne placatus intende et tua...   1756
quam tibi pro deposicione famuli et sacerdotes tui illius DEFERIMUS qs
  dne placatus intende pro qua...   1758
Munera nomini tuo, dne, cum gratiarum actione DEFERIMUS qui nos ab
  infestis...   2128
Munera tibi, dne, occisione (passione) DEFERIMUS qui dum finiuntur
  (finitur)...   2142, 2144, 2145
Accipe (dne) munera, (dne) quae in beatae Mariae iterata solempnitate
  DEFERIMUS quia ad tua...   27, 33
Accipe munera, dne, (dne munera) quae in eorum tibi sollemnitate
  DEFERIMUS quorum scimus (confidemus)...   34
quia (qualiter) tunc eadem in sanctorum tuorum digna commemoratione
  DEFERIMUS si (et) actus...   3294
Hostias tibi, dne, pro sanctorum martyrum... commemoracione DEFERIMUS
  simpliciter...   1852
Hostias tibi, dne, pro martyrum tuorum (Coronatorum) commemoracione
  DEFERIMUS supplicantes ut...   1829
Respice, qs, dne, munera, quae pro beati Andreae... commemoratione
  DEFERIMUS suppliciter exorantes ut eius...   3114
Hostias tibi, dne, pro nati tui filii apparitione DEFERIMUS suppliciter
  exorantes ut sicut...   1830
exaudi praeces nostras, quas tibi pro illius populi obcaecationem
  (obcecatione, obligationem) DEFERIMUS ut agnita...   2389
Hostias tibi, dne, humili supplicatione DEFERIMUS ut anima famuli...
  1822
Hostias tibi, dne, humili placatione DEFERIMUS, ut anime...   1821, 1822
Respice, dne, munera quae in sancti Tiburti (sancto laurentio, sancti
  laurentii) commemoracione DEFERIMUS ut cuius honore...   3087
Omnipotens tua, dne, prumta mente laudantes ieiunia tibi sacrata DEFERIMUS
  ut dum ingrati...   2480
Suscipe munera, qs, dne, quae tibi de tua largitate DEFERIMUS ut haec
  sacrosancta...   3436
quas in sanctorum tuorum commemoratione DEFERIMUS ut qui nostrae...   81
praeces nostras, quas in sancti... Marcelli solempnitate DEFERIMUS ut
  qui tibi...   1469

quas pro famula tua illa clementiae tuae supplici mente DEFERIMUS ut
  quia affectum...   3407
munera, quae in sanctorum (apostolorum philippi et iacobi) tuorum
  commemoratione DEFERIMUS ut quorum honore...   3087
VD. (Et) Tibi debitas laudes pio honore DEFERRE et mirabilium...   3738,
  4175
tribuis (tribuas) solemne tibi DEFERRE ieiunium...   434, 3578, 4024
Honor martyrum beatorum DEFERRE nos tibi munera, dne, fidenter hortatur
  ...   1794
Da nobis, qs, dne, semper haec tibi vota DEFERRE quibus sanctorum...   622
hoc totum non solum de caelo substantia DEFERRET et nomine...   4074
beati Laurenti... pro cuius commemoratione DEFERTUR, existat.   21
oblatio, quae cum pro sanctorum tuorum commemoratione DEFERTUR indulgentiam...   3356
Ds, ante cuius conspectu DEFERTUR omnem quod genitur...   745
Oblatio tibi, dne, votiva (vota) DEFERTUR praecamur...   2198
Oblatio tibi, dne, nostra DEFERTUR, quae ut tuo sit digna conspectu...
  2196
ut quod nostra fragilitas DEFERTUR, tua virtute sacretur.   2892
ut quorum (eorum) nobis fiat supplicatione salutaris, pro quorum
  sollemnitate DEFERTUR.   19
pro quorum DEFERUNTUR honore concede.   1936
ut pro quorum triumphis tuo nomini DEFERUNTUR ipsorum digna...   2132
eorum (sanctorum) supplicatio pro quorum gloria DEFERUNTUR obtineat.
  3293
ut sacrificia pro sancte Caeciliae sollemnitate DELATA desideriorum...
  3010
Ne, qs, dne, pro nostris excessibus munera DELATA despicias...   2173
et promissionis filios sacra adoptione DELATA ut quod...   2363
ut quae in praecum vota DETULIMUS...   1410
... DETULIT famularum perfecti baptismatis mysterium consecranti...   3774

        DEFICIO
Ut dum regales non DEFECIT de sterpe successio...   395
ut quae sui condicione DEFECIT, tua vegetatione reparetur.   2101
Ds qui nos conspicis ex nostra infirmitate DEFICERE...   1109
ut non DEFICIAMUS infirmi...   2852
victum nobis spiritalem ne DEFICIAMUS inpende.   1028
DEFICIANT ergo artis diabuli in diae, in nocte...   2180
tribuli spinaeque DEFICIANT, et fruges pura succedat...   3827
et nec castigationem DEFICIANT nec prosperitatibus insolescant...   4010
et DEFICIANT te ante conspecto dei ubi tu potes caelare...   2552
et ne sine terminis operum fragilitas humana DEFICIAT ipsa...   1507
nec in tribulatione supplicare DEFICIAT nec inter...   4005, 4006
ut nec castigatione DEFICIAT, nec prosperitatibus (pro spiritalibus)
  insolescat...   4010
et DEFICIENDO praevalent interempti...   3951
ut qui in tot adversis ex nostra infirmitate DEFICIMUS intercedente...
  682
prius DEFICIMUS, quam merita supplicia perferamus...   1209
Ds ; per cuius providentiam nec praeteritorum momenta DEFICIUNT nec ulla
  ...   877
qui praevalendo DEFICIUNT persequentes...   3951

        DEFIDEO
ut quid aenim meritis DEFIDEMUS de tua indulgentiam placere possimus.
  2253

DEFIGO
et sensum mentis humanae stupore DEFIGIT...   764

DEFLECTO
genu DEFLEXO obsecrantes...   4217

DEFLEO
ut et admissam DEFLEAM, et postmodum non amitas...   1264
ut sic in hac mortalitate peccata sua te adiuvante DEFLEAT...   823

DEFLUO
etiam hoc donum in quasdam mentes de largitatis tuae fonte DEFLUXIT...
    758, 759

DEFORIS
nec saltim DEFORIS sunt vel dealbati vel loti...   3879

DEFUGIO
et sensum mentes humane stupore DEFUGIT, terrore...   763

DEFUNCTUS
ut, in locum DEFUNCTI, talis successor preparetur aecclaesiae...   3281
aliquis pro DEFUNCTIS a viventibus piae voluisti placere sacrificiis.
    3837
His, qs, dne, sacrificiis, quibus purgationem et viventibus tribuis et
    DEFUNCTIS animam famuli...   1783
... DEFUNCTIS domicilium perpetuae felicitatis adquiritur.   3915, 3916
da restaurationem DEFUNCTIS et resurgentibus...   1026
Redemptor (Redemptio) animarum, ds, aeternitatem concide DEFUNCTIS neque
    vacuari (aevacuare)...   3038
ut et viventibus sint tui illa et DEFUNCTIS obteneant veniam.   3334
oblationem, quam tibi pro DEFUNCTIS offerimus...   1757
et tam viventibus quam DEFUNCTIS proficiat ad salutem.   2646
Fac qs dne hanc cum servo tuo DEFUNCTO illo misericordiam...   1584
Ds, confitentium te portio DEFUNCTORUM praeces nostras...   767
ad indulgenciam proficiat DEFUNCTORUM.   1782
Tibi dne commendamus animam famuli tui illiius, ut DEFUNCTUS seculo tibi
    vivat...   3475

DEFUNDO
per omnia elimenta voluntatis tuae DEFUNDAS affectum...   1372
in totam mundi latitudinem spiritus tui dona DEFUNDE.   1198a
per omnia aelimenta voluntatis tuae DEFUNDIT affectum...   1372

DEGENERO
qui ab eius voluntate DEGENERAT...   1695
nec mens adflicta DEGENERET.   357

DEGERO
praesta qs ut aea que accipimus salubriter DEGERAMUS.   1675

DEGO
praetende super hos famulos DEGENTES in hac domo (domum) spiritum
    gratiae salutaris...   2390, 2391
... DEGENTIBUS glorificare deum patrem omnipotentem. Oremus.   2507, 2508

DEGUSTO
ipse vos et in praesenti saeculo DEGUSTARE faciat... dulcedinem gaudiorum
    ...   349

DEHINC
... DEHINC aelectus iacob aerexit et unxit in titulum.   3997

DEICIO
per muliebrem quoque fragilitatem mutuo DEICERETUR obtritus.   4125
de indulgenciae beatitudines regione DEICIMUS...   2454
humilitatis, que superbia nostri hostis DEIECIT...   634
et videat DEIECTA erigi, inveterata novari...   837
generis humani principia DEIECTA erigi inveterata renovari...   4042
VD. Quia vetustate distructa renovantur universa DEIECTA et vitae...
   4078
... Dum magis vis salvos esse correctos, quam perire DEIECTOS.   3967
atque hominem remeans invidia inimici DEIECTUM mirantibus intulit
   astris...   3596
qui hominem invidia diabuli ab aeterniate DEIECTUM unici tui...   822, 823
qui DEIECTUS in terris, levatur in caelum...   4055

DEINCEPS
in sacramentis tuis sencera DEINCEPS devocione permaneat (permaneant)...
   922, 923
ut eum non solum virilis sexus tuorum DEINCEPS fidelium subiugaret...
   3788
ut securus mereatur DEINCEPS inter tuos bene meritis currere...   850a
ut percipientes (paschali) (hoc) munere veniam peccatorum DEINCEPS peccata
   vitemur (vitemus).   2692
haec DEINCEPS sanctificatas familiae tuae potabilis tribuas...   1365

DEINDE
... DEINDE capitalem sententiam subiit...   4000
... DEINDE magistri sui vicarium per ordinem subrogando...   4127
... Illum metue qui... in homine crucifixus, DEINDE triumphator...   744

DEITAS
virginea crederet puritas, ineffabilis perficeret DEITAS...   3870
... Hic spiritus sanctus in eadem qua pater et filius DEITATE indiscretus
   accipitur...   1706
ut non solum mortalibus tua DEITATE succurreris...   3593
et unam te cum filio tuo patefecit habere DEITATEM...   3613
quia in tuae (tui) DEITATIS confessione permansit.   3856
ut in confessione (confessionem) verae sempiternique et in personis...
   3887
per quem potestas DEITATIS Moyse apparere dignata est...   861
ut in hanc invocationem trinae potestatis atque virtutem DEITATIS omnis
   nequissima...   1536
... O magna clementia DEITATIS quae virum non cognovit (novit) et mater
   (est)...   3974, 4062
et DEITATIS scientiam indedit (inderet) et loquellam...   4049
ut quorum doctrinis ad confessionem DEITATIS unius institutus est mundus
   ...   2330, 2331

DELECTABILIS
quo possit... sexagesimum gradum percipere munus DELECTABILE sanctitatis.
   529

DELECTAMENTUM
in carnis vero DELECTAMENTIS ea quae mulceant...   3866

DELECTATIO
... Et quae terrena DELECTATIONE carnalibus aepulis abnegamus...   3732
aeternitatis tuae potius DELECTATIONE laetentur.   2336
ut spiritali DELECTATIONE sit libera...   3303
ut tua inspiratione conpuncti noxias DELECTATIONES (DELECTATIONIS) vitare
  praevaleant...   1624, 1625
ut a terrenis DELECTATIONIBUS abstinentes...   2471
ut, quae corporeis non vis DELECTATIONIBUS inpediri...   2592
tuorum potius (propitius) repleantur DELECTATIONIBUS mandatorum.   1425
... Et quos inlecebrosis DELECTATIONIBUS non vis inpediri...   3718
sed ab ipsius animi noxiis DELECTATIONIBUS praecipis ieiunare...   3964
Mensa (Munera) tua nos, ds, (et) a DELECTATIONIBUS terrenis expediat
  (expediant)...   2078, 2148, 2149
et terrenae DELECTATIONIS insolentia refrenata...   4039

          DELECTO
quia nemo potest summi virique regis celsitudine DELECTARI.   4215
adque sic super daviticam cytharam DILECTATUS...   2262
quo eorum pariter et actu DELECTEMUR (DELECTEMUS) et fructu (fructum).
  2641, 2811
nobis prophetica et apostolica potius instituta quam filosophiae verba
  DELECTENT...   3480
ut vobiscum immo in vobis eum iugiter habitare DELECTET. Amen.   1268

          DELEO
DELE in aeis omnem peccati maculam...   323
DELE, qs, dne, conscriptum peccati lege cyrografum...   711
et omnes iniquitates meas DELE redde mihi...   58
Averte faciem tuam a peccatis meis et omnes iniquitates meas DELE.   59
cuius praeconia ac meritis nostra DELEANTUR cyrographa peccatorum...
  3469
... Hic omnium peccatorum maculae DELEANTUR hic natura...   720, 1045
et omnes iniquitates eius caeleri indulgentia DELEANTUR.   2812
remissionis tuae misericordia DELEANTUR.   3410
miseracionis tuae venia (veniam) DELEANTUR.   129
DELEAS aeius delicta adque peccata usque in novissimo quadrantem...   3462
te suppliciter depraecamur ut nostra DELEAS peccata...   1374
tu, ds, inoleta bonitate clementer DELEAS, pie indulgeas...   1289
tu, ds, in olim bonitatem clementer DELEAS, piaetatem...   1289
totum ineffabili pietate ac benignitate sua DELEAT et abstergat...   2584
cum baptismatis aquis omnium criminum commissa DELENTIBUS...   3945
peccata paenitencium (delinquentium) DELES et praeteritorum...   859
ut omnium peccatis tua remissione DELETIS...   761
... O certe necessarium adae peccatum nostrum, quod christi morte
  DELETUM est...   3791

          DELEGO
sed ad observantiam dei sanctorum pignorum custodiae DELEGATAM...   2541
totumque servitium DELEGATUM rationabiliter exsequentes...   3796

          DELIBAMENTUM
instituisti tibi propitiatore DELIBAMENTA libaminis...   3997

          DELIBERO
... Idque in hoc conventu te opitulante DELIBERENT...   4198

          DELICIAE
praesentis saeculo voluptates ac DELICIAS contempserunt...   3854

... Nam si ideo DELICIAS corporales abnuimus...   3964
DILITIAS, dne, mirabiles mensae caelestis ambimus...   712
... praesentis saeculi voluptates (voluntatis) (omnes) ac DILICIAS
    neglexerunt...   3805, 3853
Ds, qui nos ad DELICIAS spiritales semper invitas...   1093
et nox inluminatio mea in DELICIIS meis...   3791
Caelestibus, dne, pasti DELICIIS quaesumus, ut...   385

        DELICTUM
dones ei (deleas aeius) DELICTA atque peccata usque ad novissimam
    (novissimo) quadrantem...   3462
et divinam laceramus aequitatem quam nostra DILECTA corregimus
    (corrigamus)...   4135
lignum crucis simul quo nostra secum christo adfixit DELICTA dedisti...
    3847
DELICTA, dne, qs, miseratus absolve...   713
Haec hostia dne qs emundet (mundet) nostra DELICTA et sacrificium...
    1690
DILECTA fragilitatis nostrae, dne, qs, miseratus absolve...   714, 1285
ipse ad agnuscendum se, DELICTA ignuscendo concedat.   855
ius habere demittendi DELICTA mortalium...   4055
... Cuius mors DELICTA nostra detersit...   3949
DELICTA nostra, dne, quibus adversa dominantur absterge...   715
ut et DELICTA nostra miseratus absolvas...   1826
nec aput te DELICTA nostra praevaleant...   2589
et DELICTA nostra quorum merito nobis dominantur emunda...   531
... DELICTA populi tui, qs, averte propiciatus...   792
Absolve, dne, qs, (qs dne) tuorum DELICTA populorum...   15, 17
quia non plus ad perdendum valeant nostra DELICTA quam ad salvandam...
    3826
nec ante conspectum tuum veniant parentum DELICTA qui nec pro filio...
    1371
et cum DELICTA remittit indignis...   3284
Offerentium tibi munera, qs, dne, ne DELICTA respicias...   2223
ita in hac publica confessione DELICTA sanentur...   724
quem immolando totius mundi tribuisti relaxari DELICTA.   190
quidquid eidem debetur pro castigatione DELICTI...   705
ut omnes isti in te credentes obteneant veniam pro DELICTIS ab omnibus...
    4227
Huius dne qs virtute mysterii, et a propriis nos munda DELICTIS et
    famulum tuum...   1836
ut haec (sancta) quae gerimus et praeteritis nos DELICTIS exuant et
    futuris.   2051
Famulorum tuorum dne DELICTIS ignosce...   1604
VD. Cui proprium est veniam DILECTIS inpendere...   3635
ut qui propriis oramus absolve DELICTIS, non gravemur externis (aeternis).
    1779
iustitiam tuam, quam DELICTIS nostris incessanter offendimus...   4205
sacrificium dne quod tibi pro DILECTIS nostris offerimus...   2646
ut a DELICTIS omnibus abstinentes...   2604
nos quoque DELICTIS omnibus expiati remediis tuae pietatis aptemur...
    4133
ut non solum corpus ad (a) cibis sed a DELICTIS omnibus liberares.   3787
emundatis DILECTIS omnibus me angelus sanctitatis suscipiat.   1264
placationis tibi hostias non solum pro DILECTIS populi...   4221
Obteniat aput te pro corrigendis DELICTIS, qui claudo.   913

... Cuius interventus nos qs a nostris mundet DELICTIS qui tibi placuit...
    3643
et mortiferis DELECTIS renascatur...   2818
propriis (et) alienisque propitius (qs propitiatus) absolve DELICTIS ut
    (et) divino munere...   3031, 3032
et a suis semper et ab alienis abstinere DELICTIS ut pura...   1999
ut et DELICTIS veniam postulemus...   401
emacules (emundes) a DELICTO, tuaearis in seculo...   4184
obteniat ipsius passio veniam pro DELICTO.   1227
Inlumina caecus qui te per DELICTORUM caliginis obscuraverunt.   4004
ut quos DELICTORUM catena constringit...   773, 2288
sitque aedificantibus in praecio DELICTORUM dum ad te...   1734
spiritus... nos ab omni facinore DELICTORUM emundet benignus.   2203
ut (et) praeteritorum (nobis) concedas veniam DELICTORUM et ab omni...
    3598, 4165
ut fiat ei ad veniam DELICTORUM et actuum emundationem...   1749
ut fiat aei ad veniam DELICTORUM et ad obtata aemendactione...   1767
a cunctis eum emundes sordibus DELICTORUM et dites...   3710
Concede nobis, dne, (qs) veniam DELICTORUM et eos qui nos...   445, 446
ut mereatur per hoc sacrificium a cunctis emundare sordibus DELICTORUM,
    et reconciliatur...   3920
Cursum vite suae impleant sine ullis maculis DELICTORUM, et superent...
    312
ut haec hostia (hostias) salutaris et nostrorum fiat purgatio DELICTORUM
    et tuae...   437, 441
et per DELICTORUM facinus corruimus in ruinam...   4004
nobis eorum meritis DELICTORUM indulgencia (indulgentiam) largiatur...
    2187
Ds, qui renatis fonte baptismatis DELICTORUM indulgentia (indulgentiam)
    tribuisti...   1193
subripientium DELICTORUM laqueos evadamus (salubriter evadatis).   502,
    722
omnium DELICTORUM maculis careatis.   802
te suppliciter deprecor ut concedas mihi veniam DELECTORUM meorum ut et...
    1264
ut omnium DELICTORUM meorum veniam consequi mereamur...   1768
ut omnium DELICTORUM nostrorum remissionem consequi mereamur...   1723
sed concessa sibi DELICTORUM omnium venia...   746
et omnes grados famulatus nostri perfecta DELICTORUM remissione
    sanctifica...   967
... Scinde DELICTORUM saccum et indue eum laeticiam salutarem...   2055
ut omnium DELECTORUM suorum veniam consequi mereatur.   3386
indulgenciam omnium DELICTORUM tuo munere consequantur (tui muneris
    consequatur).   2345
... In qua baptismate DELICTORUM turba perimitur, filii lucis oriuntur...
    4160
Absolve dne animam famuli tui ill. vel illa ab omni vinculo DELICTORUM
    ut in resurrectionis...   13
ut reatus nostri confessio indulgentiam valeat percipere DELICTORUM.
    984, 2387
nec sibi quisquam aut non cessum indicet fuisse DELICTUM aut laesum...
    3981
... Iniquitates meas ego agnosco et DELICTUM meum contra me est semper...
    58
sic fatentibus relaxare DELICTUM ut coerceamus...   670

DELIGO

sed ad observanciam fidei sanctorum pignorum DILIGATAM... 2542

DELINIO

Ds qui legiferi ne lederetur israel iussisti postis agni sanguine DELINIRE,
ut plaga... 1059

DELINQUO

Deus, qui populum tuum sic corrigis DELINQUENTEM... 1169
quia quos defendes etiam DELINQUENTES maiore... 658
Deus, qui DELINQUENTES perire non pateris, donec convertantur et vivant...
952
VD. Qui DELINQUENTES perire non pateris sed ut ad te... 3892
nisi prius nos in nobis DELINQUENTIBUS aliis relaxemus... 1791
et quamvis incessabiliter DELINQUENTIBUS continua poena debeatur...
2531, 2532
ne, (nec) sicut meremur, DELINQUENTIBUS irascaris... 3750, 4216
qui... peccata DELINQUENTIUM deles... 859
Ds qui culpas DELINQUENTIUM districte feriendo percutis... 940
nec plus aput te valeat offensio DELINQUENTUM quam miseratio (misericordia)... 1474
... Nosque DELINQUERE manifestum est... 4022
ut dum me famolum tuum... graviter DELIQUISSI confiteor... 3381
quicquid in hoc saeculo proprio reatu DELIQUID... 2584

DELIVATIO

hic Israheliticae DELIVATIONIS instituens aeclesiam primitivam... 3666

DELUO

peccatorum sarcine DELUUNTUR. 862

DEMERGO

qui te de superna (supernis) caelorum in inferiora terrae DEMERGI
precaepit. 744
famulum tuum qui ab infesta saeculi tempestate DEMERSUS... 1368

DEMITTO

... Quorum retenuerint peccata, detenta sint ; et quorum DEMISERINT, tu
demittas... 820
... Nisi DEMISERETIS peccata hominibus, nec vobis pater vester demittis
peccata vestra. 1791
sic constringe ut numquam DEMITTAS malum omnem... 1296
... Quorum retenuerint peccata, detenta sint ; et quorum demiserint, tu
DEMITTAS qui benedixerit... 820
nec cumsimiles aegyptiorum perire DEMITTAS sed cum sanctis... 2065
et omnia peccata sua DEMITTAS, severitate... 3920
et omnia peccata aeius DEMITTAS, tuaque... 1512
... DEMITTE ei, dne, omnia crimina... 850a
Et DEMITTE nobis debita nostra, sicut et nos demittimus debitoribus
nostris... 1791
ius habere DEMITTENDI delicta mortalium... 4055
et quia potens es peccata DEMITTERE... 1475
Et dimitte nobis debita nostra, sicut et nos DEMITTIMUS debitoribus
nostris... 1791
nec vobis pater vester DEMITTIT peccata vestra. 1791
non dicat... Deum non novi nec Israel DEMITTO... 1354

DEMONSTRO

et viam iusticiae DEMONSTRA ei... 3389

in similitudinem futuri (divini) muneris columba DEMONSTRANS per olivae
   ramum...   3945, 3946
ut huic famulo tuo... viam veritatis et agnicionis tuae iubeas
   DEMONSTRARE...   3460
qui super unigenitum suum spiritum sanctum DEMONSTRARI voluit per
   columbam...   853
quis essis DEMONSTRASTI in operibus virtutum miraculis.   855
Ds... qui peccatorum remidia ieiuniis orationibus et elymosinis
   DEMONSTRASTI respice...   873
O. s. ds, qui per unicum filium tuum aecclesiae tuae DEMONSTRASTI te
   esse cultorem...   2442
ut redemptorem mundi quem superius digito DEMONSTRAVERAT et iam...   4000
... Et quem in mundo digito DEMONSTRAVIT, ad inferos pretiosa morte
   praecessit.   4000
... Dicendo quippe erat, perpetuitatem sine initio DEMONSTRAVIT addendo...
   3613
ut nunc etiam perseverare DEMONSTRES...   4037

          DEMULCEO
nec blandimentis carnalibus DEMULCEATUR...   3942

          DEMUTO
flammae sevientes incendium sanctis tribus pueris in splendore DEMUTATUM
   est animarum...   776

          DENARIUS
ut accepto a patrefamilias remunerationis DENARIO...   347

          DENEGO
O. s. ds, qui maternum affectum nec in ipsa sacra semper virgene Maria...
   DENEGASTI...   2417

          DENIQUE
... quod ipsa DENIQUE cogitacione diabolica fraude viciatum est...   858
... DENIQUE commonemur anni docente (ducente) successu...   4060
... Gloriosum DENIQUE virum nec inferior beatitudo discipuli...   4015

          DENS
Exite... de sublingua, de DENTIBUS, de ore...   1888

          DENSITAS
ut omnium que imbrium DENSITATE iactantur...   3637

          DENUNTIO
ut manifestandus mundo deus et caelesti DENUNTIARETUR inditio...   3726,
   4157
quod DENUNTIATUM est in ultionem transeat in salutem.   761

          DENUO
conceptos (per fidem) (fide) DENUO felicius peperit martyres ad coronam...
   4091, 4092
ut nos DENUO, ne deteriora subeamus, errare prohibeat...   3981

          DEPELLO
ut sic vitia nostra DEPELLAS...   3804
morbos auferat, famem DEPELLAT, aperiat carceces...   2505
fugiat ex aeis adque DEPELLAT quicquid erroris...   3191
et noxia semper a nobis cuncta DEPELLAT.   3343
quae et errores nostros semper amoveat, noxia cuncta DEPELLAT.   2986
Muneris divini perceptio, qs, dne, semper a nobis... et externa DEPELLAT.
   2154

DEPELLE dne conscriptum peccati lege chirographum...   711
... Omnes nequissimi spiritus ab eo venena DEPELLE et salutare...   1611
et cunctas benignus DEPELLE nequitias.   2816
dissensionum causas placatus DEPELLE nostrum...   1231
et seviencium (servientium) morborum DEPELLE perniciem...   250
occulta mentium noxiarum tu figmenta DEPELLE propitius et sinciram...
   957
inormitatem aquarum a nobis DEPELLE propitius ut omnium...   3637
ut digneris a nobis tenebras DEPELLERE viciorum.   3467
magnifica pietate DEPELLES ut nos ad tuae...   3737, 3961
omnem languorem et omnem infirmitatem praecepti tui potestate DEPELLIS
   adesto propitius...   4237
Ds, qui tenebras ignoranciae verbi tui luce DEPELLIS auge in cordibus...
   1223
O. s. ds, qui egritudinis et animorum (animarum) DEPELLIS et corporum...
   2377
et prospera tribuis et adversa DEPELLIS universa obstacula...   1070
ut omni heredica perversitate DEPULSA errantium corda...   2434
ut tuae virtutis auxilio, omnem hostilitate DEPULSA, et securitas...   991
ut omni vexacione DEPULSA hereditas tua...   801a
omnem hoste nostrae infestatione DEPULSA id in homine...   3191
ds, qui nos DEPULSA noctis caligine (caliginem) ad diei huius principium
   perduxisti...   1664
ut omnem (omni) inmundicia DEPULSA, sint tuis...   2352
ut omni (omnem) adversitate DEPULSA sit hoc semper...   3409, 3427
... DEPULSIS atque abiectis vetusti hostis atque primi facinoris
   intentoris insidiis...   3459
diabolico fetore DEPULSO et odore...   2299

        DEPENDO
Purifica nos, dne, hisdem quibus servitium DEPENDIMUS sacramentis...
   2939
ut qui nomini tuo ministerium fidele DEPENDIT perpetua...   767, 2827

        DEPEREO
ut quod hic tua misericordia pie contulit nostro merito non DEPEREAT.
   2284
ergo iniusti resolutus in naturam fluctibus obpraessi funditus DEPERIRENT
   ...   880

        DEPLORO
ut qui praeterita peccata DEPLORAT...   850a

        DEPONO
hic peccatorum honera DEPONANTUR ; hic fides...   3828
veteris hominis excubias DEPONAT...   1611
veteris hominis excubias DEPONATUR, et novitate...   1611
ut huic famulo tuo illi qui ad DEPONENDAM comam capiti (capitis) sui...
   festinat...   2761, 2503
ut veterem cum suis rationibus (actibus) hominem DEPONENTES.   501
Concede nobis, m. ds, et (ut) studia perversa DEPONERE et sanctam...   449
seculare habitum hunc famulum tuum ill. dum ignominia DEPONIT, tua
   semper...   2374
Vetus homo DEPONITUR et iustus egreditur.   1707
... Vetus homo DEPONITUR et novus sumitur...   1706
ut omni heretica pravitate DEPOSITA errantium...   2449
ita vetustate DEPOSITA sanctificatis mentibus innovemur.   184, 2739

membris ex feretro DEPOSITIS tumulo... 2217
quae tribus pueris in camino sentencia tyranni DEPOSITIS vitam... 861
et in quo electorum animae DEPOSITO carnis onere plena felicitate
   laetantur... 746
quod DEPOSITO corpore animar tibi creatori reddidit quam dedisti... 1721
... Agnosce DEPOSITUM fidelem quod tuum est... 3389
quam (cuius) odiae capiti (capitis) coma (comam) suam pro divinum
   (divino) amore DEPOSUIMUS ut... 2703, 2704

DEPORTO

sed quocumque loco ex huius aliquid sanctificationis fuerit mysterio
   DEPORTATUM... 3588

DEPOSCO

et intellectum quo iusta DEPOSCAS... 654
et intellectum quo iusta DEPOSCAT et propitiationem... 654
hostias... sanctus ille (benedictus) qs in salutem provenire (pervenire)
   DEPOSCAT. 3166
VD. Et pietatem tuam supplici devotione DEPOSCERE, ut ieiunii... 3709
VD. Et tuam immensam clementiam supplici voto DEPOSCERE, ut nos... 3744
ut dum postulata concedes, confidentius facias speranda DEPOSCI... 3903
ut quod in eius veneracione (venerationem) DEPOSCIMUS, te propiciante
   consequi mereamur. 2456
piaetatem tuam humile prece DEPOSSIMUS, ut famulorum... 3914
clemenciam tuam, dne, humile praece (humilem praecem) DEPOSCIMUS ut
   nocturnis... 4225
quibusquae (quibus) maiestatem tuam magnificare DEPOSCIMUS. 535
maxima nos sine merito obtinere DEPOSCIMUS. 2305
quam per aeos qui tibi placere (placuere) DEPOSCIMUS. 3895
et quod fideliter a tuae piaetatis DEPOSCIS obteneat. 1145
Percipiat dne qs populus tuus misericordiam quam DEPOSCIT et quam
   precatur... 2569
et quod fideliter a tua pietate DEPOSCIT obteneat. 1145
ut quae te inspirante DEPOSCIT sanctorum... 1595
et tribuat veniam quam ab eo DEPOSCITIS. Amen. 2243
pro quo in hac habitatione auxilium tuae maiestatis DEPOSCO (DEPOSTO)
   ut mittere... 1717
O. ae. ds tuae gratiae pietatem supplici devotione DEPOSCO ut omnium...
   2239

DEPOSITIO

cari nostri illius, cuius hodie DEPOSITIO celebratur... 201
ut cuius DEPOSITIONE annuo (annua) caelebramus obsequia (obsequio)...
   3194
cuius diem septimum vel trigesimum sive DEPOSICIONE celebravimus... 2312
Praeces nostras (qs dne) quas (quos) in famuli tui... DEPOSITIONE
   deferimus propitiatus... 767, 2827
et quod tua DEPOSITIONE expeditur, tua gratia compleatur. 94
quam tibi pro DEPOSICIONE famuli et sacerdotes tui illius deferimus qs
   dne... 1758
quibus sancti confessoris tui damasi DEPOSICIONE (DEPOSITIONEM) recolimus
   ... 622
cuius in DEPOSICIONE sua officium commemoracionis inpendimus... 128
et beati martiris sthephani DEPOSITIONE sustentas. 1663
cui in DEPOSITIONEM suam officium conmemorationis agimus... 2495
pro commemoratione DEPOSITIONIS animae famuli et sacerdotis tui illi
   episcopi... 1747

... DEPOSITIONIS antique munus explevit... 3784
cuius diem ill. DEPOSITIONIS caelebramus... 2312
anima famuli tui illius, cuius anniversarium DEPOSITIONIS diem celebramus
    his... 2660
pro anima famuli tui cuius DEPOSICIONIS diem caelebramus quod... 1721,
    1741, 1745
cuius DEPOSITIONIS diem celebratis, illi possitis in caelesti regione
    adiungi. 2263
cuius anniversarium DEPOSICIONIS diem commemoramus... 840
perpendens mirandae DEPOSITIONIS effectus... 4081
cuius DEPOSICIONIS hodie officia (officiae) (pia) (humanitatis) praestamus
    ... 1053
famuli tui ill. cuius diem DEPOSICIONIS recolemus... 3837
quam tibi offerimus ob diem DEPOSITIONIS septimum vel trigesimum... 96
ob diem DEPOSITIONIS tertium, septimum vel tricesimum... 95

          DEPOTO
et perennibus quandoquidem suppliciis DEPOTANDUS, operum... 782
et sanctis marteribus tuis ill. famolus tuus ill. in hoc aedificio
    DEPOTAVIT, digno... 1065
et sicut famolus tuus ill. pro suis animae requiae DEPOTAVIT, in huius...
    672

          DEPRECATIO
et DEPRAECATIO collata iustorum. 2919
sic pro nobis eorum DEPRAECATIO continuata non desit. 4155
aeius DEPRAECATIO nobis indulgentiam valeat obtinere. 1949
eorum, qs, DEPRAECATIO, (DEPRECATIONE) quorum sollemnia celebramus,
    (praevenimus) efficiat. 2126, 2127
Purificit nos... et gloriosa DEPRECATIO sancte sabinae. 2947
nostra minus idonea DEPRAECATIO servitutis... 2183
Protege nos, dne, tuorum DEPRAECATIONE iustorum (sanctorum)... 2935
fiant tibi placitae (placita) tuorum DEPRAECATIONE iustorum. 2206
sanctorum nos martyrum DEPRAECATIONE muniri... 3631
sanctorum tuorum DEPRAECATIONE pensetur. 1948
et martiris tui praeiecti DEPRECATIONE pietati... 3417
ut pia ieiunantium DEPRAECATIONE placatus et praesentia... 2439
sanctorum DEPRAECATIONE placatus quae eum... 157
ut haec nos dona martyrum tuorum (martyris tui) DEPRECACIONE sanctificent.
    381
Adesto, dne, martyrum DEPRAECATIONE sanctorum et quos pati... 69
ut tuorum DEPRAECATIONE sanctorum et tuitionem... 217
et tuorum DEPRAECATIONE sanctorum pietati tuae... 3416
Adiuva nos, dne, qs, eorum DEPRAECATIONE sanctorum qui filium tuum...
    149
nisi misearis nobis tuorum DEPRAECATIONE sanctorum. 2551
ut eorum nobis fiant DEPRAECATIONE salutaria, quorum celebrantur affectu.
    3341
Munus populi tui, dne, qs, apostolica DEPRAECATIONE sit gratum ut
    aeclesia... 2161
sed sancti archangeli tui Michael DEPRAECATIONE sit gratum. 2162
et martyrum beatorum (et beati martyris stephani) DEPRAECATIONE sustentas.
    1663
fiant tibi placata (placita) aeius DEPRECATIONE. 2206
Ds cui proprium est misereri semper et parcere, suscipe DEPRAECATIONEM
    nostram et quos delictorum... 773

Exaudi (nos) o. ds DEPRAECATIONEM nostram pro famulo tuo illo...   1500
DEPRECATIONEM nostram qs dne benignus exaudi...   719
quae tantis intercessionum (intercessionem) DEPRECACIONIBUS adiuvatur.
   2597
ut sanctae martyris Eufimiae tibi placitis DEPRAECATIONIBUS adiuvemur.
   198
et sanctorum tuorum DEPRAECATIONIBUS confidentem...   328
ut beatorum martyrum tuorum Nerei (et) Achillei (et pancratii)
   DEPRECACIONIBUS sacramenta...   2974
beati Michahelis archangeli fac supplicem DEPRAECACIONIBUS sublevari.
   123, 124
ut in ipsa quoque DEPRAECATIONIS diuturnitate proficiant...   3935
ut opem nobis suae DEPRAECATIONIS inpendant...   195

          DEPRECATOR
... DEPRECATORUM tota cordis confessione poscentem depreactus exaudi.
   859

          DEPRECOR
sed coronari DEPRAECABATUR in caelis.   3776, 3777
te dne trementes et supplices DEPRECAMUR ac petimus...   848
da famulis tuis pro quibus tuam DEPRECAMUR clementiam salutem mentis et
   corporis...   921
Sumentes dne perpetuae sacramenta salutis, tuam DEPRECAMUR clementiam
   ut per ea...   3326
Hanc igitur oblationem... placatus suscipias DEPRAECAMUR cui tu dne...
   1714
Omnipotentis dei misericordiam DEPRECAMUR, cuius iudicio...   2484
DEPRAECAMUR dne clementiam pietatis tuae...   717
Vespertino sub tempore DEPRAECAMUR, dne, nostris praecibus...   4226
Te igitur DEPRAECAMUR, dne, sanctae pater, omnipotens aeternae ds per
   christum.   3945
Innumeras medillae tuae curas DEPRAECAMUR dne sanctae pater quas
   distribuit...   1931
Te DEPRECAMUR dne sanctae pater omnipotens aeterne ds ut hunc...   3460
te DEPRECAMUR, dne, ut hanc craeatura salis et aqua benedicere digneris...
   1352
O. et m. ds, pater domini nostri Iesu Christi, te supplices DEPRAECAMUR
   impera...   2275
humiliter te DEPRECAMUR intercedente beato benedicto abbate...   2563
DEPRECAMUR misericordiam tuam o. aeterne ds, ut hoc altare...   718
Hanc igitur oblacionem... placatus suscipias DEPRAECAMUR ob hoc igitur...
   1719a
Te DEPRAECAMUR, o., ae. ds, ut benedicas...   3459
Te DEPRAECAMUR, o. ds, ut benedicas hunc fructum novum pomorum...   3459
Vespere et mane et meridiae maiestatem tuam suppliciter DEPRAECAMUR, o.
   ds ut expulsis...   2479
Repleti cibo spiritali alimoniae supplices te DEPRAECAMUR, omnipotens ds
   ut huius participatione...   3065
clementiam tuam DEPRAECAMUR, omnipotens ds ut tribuas...   3306
ut indulgeas DEPRECAMUR per christum dominum nostrum.   1958, 2074
te supplicis DEPRECAMUR pro fidele famola ill...   1317
Sanctum ac venerabilem retributorem bonorum operum dominum DEPRAECAMUR
   pro filio nostro...   3256
Hanc igitur oblationem... placatus suscipias DEPRAECAMUR pro quo in hac...
   1717

Hanc igitur oblationem... placatus suscipias DEPRAECAMUR pro quo
  maiestati...   1715, 1716
Te dne... supplices DEPRECAMUR pro spiritu famuli tui illius...   3462
suppliciter DEPRECAMUR pro spiritum cari nostri ill...   2583
Hanc igitur oblationem, dne, ut propitius suscipias DEPRECAMUR quam
  tibi offerimus...   1726
auxilium nobis tuae propitiationis adfore DEPRAECAMUR quoniam credimus...
  3895
ut maiestati tuae placens atque iocunda sit, DEPRAECAMUR simul eciam...
  4050
... Cum quibus et nostras voces ut admitti iubeas DEPRAECAMUR supplice
  confessione...   2556, 3589
... Per ipsum te, dne, supplices DEPRAECAMUR, supplici confessione
  dicentes.   3867, 3868
Itaque te DEPRECAMUR te, dne sanctae pater o. ae. ds...   3918
aquarum spiritalium sanctificator, te suppliciter DEPRECAMUR ut ad hoc
  ministerium...   1336
te supplicis DEPRECAMUR ut ad te elevatio manuum nostrarum...   1666
VD. Per quem te supplices DEPRAECAMUR, ut altare hoc...   3844
... Per ipsum te, dne, suppliciter DEPRECAMUR, ut anima famuli tui...
  3840
preces nostras quibus misericordiam tuam supplices DEPRECAMUR ut animam
  famuli tui...   1899
Dne sanctae pater o. aeternae ds, te suppliciter DEPRECAMUR ut benedicere
  ...   1370
... Te igitur cum interno rugitu DEPRECAMUR, ut ut carnalis...   3657
Salutari (salutaris) tuo (tui) (munere) dne satiasti (satiati) supplices
  DEPRECAMUR ut cuius laetamur...   3173, 3176
Te lucem veram et lucis auctorem, dne, DEPRECAMUR ut digneris a nobis...
  3467
pro anima famuli tui ill. fratris humiliter DEPRECAMUR ut dum de
  qualitate   2273
te sanctae pater humiliter DEPRECAMUR ut dum reatum...   4004
O. s. ds, vespere (et) mane et meridiae maiestatem tuam suppliciter
  DEPRECAMUR ut expulsis...   2479
clementiam tuam suppliciter DEPRECAMUR ut famulo tuo illo intercedente...
  3662
suppliciter DEPRAECAMUR ut famulo tuo in tua misericordia...   1512
maiestatem tuam suppliciter DEPRECAMUR, ut famulum tuum de tua
  misericordia...   1051
O. et m. ds, maiestatem tuam supplices DEPRAECAMUR ut famulum tuum
  digneris...   2274
Maiestatem tuam, dne, suppliciter DEPRAECAMUR ut haec sancta...   2051
per sanctum et tremendum fili tui nomen, supplicis DEPRECAMUR, ut hanc
  creaturam...   849
et tibi subnixis precibus DEPRECAMUR, ut hanc vestem...   1298
deum, cui omnia vivunt, fideliter DEPRECAMUR, ut hoc corpus...   701
Satiati munere salutari tuam, dne, misericordiam DEPRAECAMUR ut hoc
  eodem...   3263
supplices te, (ds omnipotens), (dne) DEPRAECAMUR ut hoc idem semper.
  388, 3199
te supplicis DEPRECAMUR, ut hoc singulare signum...   2321
Maiestatem tuam, dne ; supplices DEPRAECAMUR ut huic famulo tuo...   2042
maiestatem tuam humiliter (suppliciter) DEPRECAMUR, ut huic prumptuario...
  2289, 2294

Repleti cibo spiritalis alimoniae supplices te dne DEPRECAMUR ut huius
    participatione...   3065
te supplicis DEPRECAMUR, ut huius tabernaculi...   782
te ergo dne supplices DEPRECAMUR, ut hunc famulum tuum eruas ab hac
    valitudine...   2064
Deum patrem omnipotentem suppliciter (supplices) DEPRECAMUR ut hunc
    famulum suum (tuum) nomine...   727, 728, 729
Refecti cibo potuque caelesti ds noster te supplices DEPRAECAMUR ut in
    cuius...   3040
(te) supplices DEPRECAMUR, ut in hac nave...   1224, 1225
Tuam... omnipotentiam tuam suppliciter DEPRAECAMUR, ut infundere...   3521
Sumpto, dne, sacramento suppliciter DEPRAECAMUR ut intercedentibus...
    3350
Dne sancte pater o. ae. ds, supplicis te DEPRECAMUR, ut misericordiam...
    1369
VD. Per quem maiestatem tuam suppliciter DEPRECAMUR, ut nos ab...   3833
Maiestatem tuam, dne, supplices DEPRAECAMUR, ut nos et caelestibus...
    2043
te suppliciter DEPRAECAMUR ut nostra deleas peccata...   1374
O. s. ds, misericordiam tuam suppliciter DEPRECAMUR, ut oblationis...
    2362
Supplices, dne, DEPRAECAMUR, ut per haec dona...   3361
Suppliciter ds pater o. qui es creator noster ut omnium rerum DEPRECAMUR
    ut per intercessionem...   3379
te supplicis DEPRECAMUR ut placatus accipias.   23
te supplicis confitentes peccata nostra DEPRECAMUR ut pus obitum...
    1329
te humiliter DEPRECAMUR, ut principibus nostris propitius adesse digneris
    ...   4134
... Pro quibus maiestatem tuam supplices DEPRAECAMUR ut propositum...
    1709a
... DEPRAECAMUR ut que per eius caelebrata sunt gloriam...   2564
Perceptis dne sacramentis beatis apostolis intervenientibus DEPRAECAMUR
    ut quae pro illorum...   2564
suppliciter DEPRECAMUR ut quae sedula servitute te donante te gerimus...
    3328, 3330, 3331
Aeius misericordiam suppliciter DEPRECAMUR, ut qui ex gentibus...   2441
Supplices tuam, dne, clementiam DEPRAECAMUR ut qui praevenis...   3378
Munerum tuorum, dne, largitate gaudentes (sumentes) supplices DEPRAECAMUR
    ut quibus donasti...   2156, 2157
Annuae festivitatis cultum, supplicis te, dne. DEPRECAMUR, ut quicumque...
    186
Sacro munere satiati supplices, (te) dne, DEPRAECAMUR ut quod devitae...
    3170
beatis apostolis intervenientibus DEPRAECAMUR ut quod temporaliter...
    3349
supplices te dne DEPRECAMUR ut quorum gloriamur...   387
Tua dne sancta sumentes suppliciter DEPRECAMUR ut quorum veneramur...
    3512
supplices te, dne, DEPRAECAMUR, ut quos honore...   260
te quoque nos dne DEPRAECAMUR ut quos sacro sanguine tuo redemisti...
    2065
Maiestatem tuam, dne, supplices DEPRAECAMUR ut sicut nos...   2044, 2045
te supplices DEPRECAMUR ut suscipi iubeas animam famuli tui illius...
    747, 771

locum refrigerii lucis et 'pacis indulgentiam (indulgeas) DEPRECAMUR. 2075

et ut nobis fiat perpetua, DEPRAECAMUR. 3264

et pro concedendis suppliciter DEPRECAMUR. 2224

aeos placatus suscipias DEPRECAMUR. 1719

ad portum beatitudinis tui nos ut suscipias DEPRECAMUR. 880

fratres karissimi, supplicis DEPRECAMUS, ut cum diabulus... 841

pro concedendis suppliciter DEPRAECAMUS. 2224

VD. Cuius potentiam (potentia, omnipotentia) DEPRAECANDA, est, misericordia adoranda... 3660, 3662

ad DEPRAECANDA miserationis tuae lucra devoti... 297

ut et perseverantiam nobis tribuas DEPRAECANDI et pium pandas... 4187

et mentem nobis tribues DEPRAECANDI et tua supplicibus... 3927

sumamus et DEPRAECANDI fiduciam... 2725

... DEPRAECANDI miserationis tuae lucra devotio. 296

da nobis affectum maiestatem tuam iugiter DEPRAECANDI ut piaetate... 1072

Deus, qui ad DEPRAECANDUM te conscientiae nostrae prespicis non sufficre facultatem... 893

quaeso placatus accipias, maiestatem tuam suppliciter DEPRAECANS... 1753

quae munera nostra DEPRAECANTE beatae Eufimiae tibi reddat accepta... 369

Ds, qui famulum tuum Isaac pro sterilitate coniugii sui te (coniuge suae et) DEPRAECANTE exaudire... 990

... DEPRECANTE sancto marco confessore tuo adque pontefice... 369

et idem semper DEPRECANTE, te mereamur habere rectorem. 2602

Tueatur, (Tueantur) (qs) dne, dextera tua populum de DEPRAECANTEM purificet (et purificatum). 3532, 3533

praeces famulae tuae illius pro sua sterilitate DEPRAECANTES propitius respice... 977

per eos tuam misericordiam DEPRAECANTES quorum nos voluisti... 2550

te dne DEPRECANTES ut cum depularum restrictione... 3154

maiestatem tuam suppliciter DEPRAECANTES, ut cum temporalibus... 181

sacro munere vegitate tuam misericordiam DEPRAECANTES ut dignus eius... 1674

Hostias tibi, dne, laudis offerimus suppliciter DEPRAECANTES ut easdem angelico... 1825

VD. Maiestatem tuam (dne) suppliciter DEPRECANTES ut expulsi... 3799

VD. Tuam misericordiam DEPRAECANTES ut mentibus nostris beati laurentii... 4195

VD. Maiestatem tuam suppliciter DEPRECANTES ut mentibus nostris medicinalis... 3800

VD. Misericordiam tuam, dne, DEPRAECANTES, ut nos... 3808

VD. Maiestatem tuam suppliciter DEPRECANTES ut opem tuam... 3801

Sumpsimus, dne, sacri dona mysterii humiliter DEPRAECANTES ut quae in tui ... 3338

VD. Maiestatem tuam suppliciter DEPRAECANTES ut qui rei sumus... 3802

taum clementiam DEPRAECANTES ut quod ad illorum... 2225

VD. Maiestatem tuam totis sensibus DEPRAECANTES ut sic vitia nostra... 3804

suppliciter DEPRAECANTES, ut sicut ille praebuisti sacri fidei largitatem ... 1827

et pro concedendis (semper) suppliciter DEPRAECANTES. 2224

Porrige, qs, dexteram, dne, populo DEPRAECANTI... 2622

qui ubique sanctis tuis DEPRAECANTIBUS exoramus... 2182

et partem habeat in prima resurrectione quam facturus est, DEPRECANTIBUS
, nobis.   2523
nisi DEPRAECANTIBUS sanctis tua nos propitiatione...   2205
eique DEPRAECANTIBUS sanctis tuis remissionem tribue peccatorum...   1423
quae et munera nostra DEPRECANTIBUS sanctis tuis tibi reddat accepta...
369
presta DEPRAECANTIBUS sanctis tuis, ut eadem consequamur...   2412
... DEPRAECANTIBUS sanctis tuis ut quod in nobis...   3329
Ipsis intercedentibus et DEPRECANTIBUS te... deprecamur...   4004
et aeternam vitam tribuant nobis DEPRECANTIBUS.   527
Miserere, dne DEPRAECANTIS aeclesiae...   2094
quidquid fiducia non habet DEPRAECANTIS gratia tua...   3553
qui terrena sapientes ideo DEPRAECANTIUM te verba fastidunt...   3879
VD. Maiestatem tuam cunctis sensibus DEPRAECARI ne propriis...   3796
VD. Et tua (tuam) misericordiam DEPRECARI ut mentibus nostris...   3748
qs, o. ds, quod pro famula tua illa DEPRAECATI sumus.   383, 391
et ecclesiae tuae misericordiam tuam quam DEPRECATUR ostende...   3634
placatus suscipias DEPRECATUR.   1713
ut omnes qui huc DEPRAECATURI conveniunt...   1048
tota cordis confessione poscentem DEPRAECATUS exaudi...   859
... DEPRECEMUR clemenciam dei patris pro anima (spiritu) cari nostri
illius...   2216, 2217
Omnipotentis dei misericordiam, dilectissimi fratres, DEPRAECEMUR cuius
iudicio...   2483
humiliter trementerque DEPRECEMUR pro anima famuli tui ill...   2481
omnipotentis dei misericordiam DEPRAECEMUR pro spiritu cari nostri illius
cuius hodie...   201
dominum DEPRAECEMUR pro spiritu cari nostri illius uti eum...   723
Deum omnipotentem ac misericordem... fratres karissimi, supplices
DEPRECEMUR ut converso...   724
Deum omnipotentem... supplices DEPRECAEMUR ut habitaculum...   725
Dei (Deum) patris omnipotentis misericordiam, dilectissimi fratres,
DEPRAECEMUR ut hoc altare...   707
deum cui omnia vivunt fideliter DEPRAECEMUR ut hoc corpus...   701, 702
Deum patrem omnipotentem supplices DEPRAECEMUR, ut ut hunc famulum tuum...
726
Recensisti offerentium nominibus, deum indulgentiae DEPRECEMUR, ut respici
...   3035
omnipotentis dei misericordia DEPRECEMUR ut spiritum...   201
Sancti tui, dne, qs, tuam misericordiam DEPRAECENTUR...   3212
Vox nostra te semper DEPRECETUR et ad aures tuae pietatis ascendat.   4258
hoc oro pariterque DEPRECOR clementiam tuam...   3476
te supplex DEPRAECOR, dominator dne...   2299
Aeternam ac iustissimam (eterna hac iustissima) pietatem tuam DEPRECOR
dne sancte pater o. ae. ds luminis...   165
Te DEPRAECOR, dne, sanctae pater, omnipotens aeternae ds, ut huic famulo
...   3460
Medellam tuam DEPRECOR dne sancte pater o. aeternae ds qui subevenis...
2064
te supplex DEPRECOR, dne, ut liberes has famulas tuas...   738, 739
Per aeum te igitur DEPRAECOR, o. ds, ut hanc oblationem...   3920
humiliter DEPRECOR ut ad conversationem...   3476
te suppliciter DEPRECOR ut concedas mihi veniam delectorum meorum...
1264
suppliciter te ds pater omnipotens... DEPRAECOR ut dum me...   3381
supplicis DEPRECOR ut quibus donasti huius...   2157

DEPREHENDO
ne inparis loco DEPRAEHENDANTUR... 3300
ne inpar loco DEPREHENDATUR obteniat. 3300
... DEPREHENDERE seculi blandiciis et adbueri... 4176

DEPRIMO
hic plebes tua semper et sua vota DEPRAEMAT... 208
Concede, qs, o. ds, ut qui sub peccati iugo ex debito DEPRAEMIMUR... 495
qui beati sthephani... commemoratio gloriosa DEPREMIT. 1649
Ds protectur DEPRAESSORUM et ultor contomacium... 880
erige (hunc) famulum tuum egredinis languore (languoris) DEPRAESSUM...
1931
nec tamen mortis nexibus DEPRIMI potuit... 3586
ut quia sub peccati iugo ex vetusta servitute DEPRIMIMUR... 496

DEPROMO
hic plebs tua semper et sua vota DEPROMAT et desiderata percipiat. 208
et pia conversatione DEPROMERE ut aeclesia... 2329
saltim sine cessatione DEPROMERE ut quas... 4104
quam beati Stefani martyris tui commemoratio gloriosa DEPROMIT. 1649
ut quod mea celebranda (celebrandum) voce DEPROMITUR, tua sanctificacione
firmetur. 863
... Qua maiestatis aeternae claritate DEPROMPTA... 3613

DEPULSO
et inter pulsantes DEPULSANS, portas... 3391

DEPUTO
... DEPUTANS eis angelum pietatis tuae, qui custudiret eos die ac nocte...
737
quos tantis DEPUTARE dignaris officiis. 239
quem tubiae DEPUTARE dignatus es... 737
qui illum refugam tyrannum gehennae DEPUTASTI qui unigenitum... 1354,
1355
sanctorum martyrum praesidia DEPUTATA commendent... 2201
quae nuptis DEPUTATA terrenis nubsit in caelo... 4103
ut eius meritis hanc aecclesiam DEPUTATAM clementer inlustres... 2482
et ipsius, cui sacerdotale ministerium DEPUTATUM est, natalis colitur
sacramenti... 4028
ut et quod actum est per obsequium DEPUTATUM ct fidelium... 2489
et sanctis martiribus illis famulus tuus ille in hoc aedificio DEPUTAVIT
... 1065
quam suppliciis DEPUTEMUR aeternis. 538

DERELINQUO
ocd apostolorum DERELICTO consortio sanguinis praecium a Iudeis accepit...
3867
ut nec humanis incertus consilii DERELINQUAS, sed tua que... 3834
aut dolores in anima istius, vel carne sive ossa DERELINQUAS. 1888
Qs o. ds ne nos tua misericordia DERELINQUAT quae et errores... 2986
Gratia tua nos qs dne non DERELINQUAT quae nobis opem... 1656
in domini ihesu christi servitio in perpetuum DERELINQUE. 1888
nosque DERELINQUERE manifestum est... 4022
et qui non DERELINQUIS devium, adsume corruptum (correctum)... 822, 823
quam dominus noster Iesus Christus ad te veniens DERELIQUID... 2438

DERIPIO
sub conspectum nostris manibus DERIPIANTUR aliaenis... 3598

DERIVO
per ligni vetiti gustum humanumque (humanoque) in genere DIRIVATUM...
3847

DESCENDO
et DISCENDAT ad nos dne gratia tuae piaetas.   2180
quid est evangelium, et unde DISCENDAT, et cuius in eo verba ponantur...
203
Benedictio, dne, qs, in tuos fideles cupiosa DISCENDAT et quam subiectis
...   366
benedictio caelestis copiosa DISCENDAT, et sicut...   2386
et DISCENDAT gloriosa benedictio tua super nos...   4224
DISCENDAT in hanc plenitudinem (hac plenitudine) fontis virtus spiritus
tui...   720, 1045
Super populum tuum, qs, dne, benedictio copiosa DESCENDAT indulgentia...
3354
et haerearum DISCENDAT malignitas tempestatum.   3
Super has qs (dne) hostias (dne) benedictio copiosa DESCENDAT quae et
sanctificationem...   3353
Benedictio tua, dne, larga DISCENDAT quae munera...   369
DESCENDAT qs dne ds noster spiritus sanctus tuus super hoc altare...   721
desuper DISCENDAT spiritus sanctus...   2262
... DISCENDAT super caput...   898
ut DISCENDAT super aea gratiae tuae benedictio larga...   2907
et DISCENDAT super aeum pia benedictio tua...   1500
... DISCENDAT super aeum pia sanctificatio adque protectio tua...   1975
... DISCENDAT super habitantes in ea gratiae tuae larga benedictio...   92
Benedictio patris et fili et spiritus sanctus DISCENDAT super te ; sis
benedictus...   367
Benedictio tua, dne, super populum supplicantem copiosa DESCENDAT ut qui
te factore...   370
hoc in totius corporis extrema DESCENDAT ut tui spiritus...   819, 820
cum tua victus invidia tremens gemensque DISCENDE.   223
VD. Quem iohannes praecessit... et ad inferna DESCENDENDO...   3869
qui ex summa caeli archae (arte) DISCENDENS perturbatis...   222, 223
... Qui propter nos homines et propter nostram salutem DESCENDENTEM de
caelis...   554
Ad huius ergo festivitatis reverentia fervore spiritus DESCENDENTES...
861
propter quam ad terras (terris) tua pietate DISCENDERAS.   404
nec moreris DISCENDERE ab homine...   1354
propter quos dignatus es DISCENDERE ad infernum.   1219
Ut qui dignatus es hodiae ad iordanis fontem... DISCENDERE, et tuo...
1175
ad iordanis fontem fons aquae vive, DISCENDERE, ut lavacrum...   855
co operante omnes (qui) (quia) in haec fluenta DESCENDERINT ab universorum
...   3836
ut qui in haec fluenta DISCEDERINT, (eos) in libro vitae adscribi...
2108, 2109
aego sum panis vivos qui de caelo DISCENDI, maiestatem tuam...   2386
Ds qui ad hoc in iordanis alveum sanctificaturus aquas DISCENDISTI...
893
mortuus et sepultus, DISCENDIT ad inferna...   551
... DISCENDIT autem evangelium ab eo, quod ad nuntiet et ostendat...   203
dominus de caelo DISCENDIT confringere terram...   3563

quando dominus noster Iesus Christus DISCENDIT cum multitudinem angelorum?
   ... 3563
Propter nos homines et propter nostram salutem DISCENDIT de caelis.   555
et ad inferna dominum praecursorem DESCENDIT et quem... 4000
qui de caelo DESCENDIT mundum ab ignorantiae tenebris liberarae...   3829
Ds, de cuius gratiae rore DISCENDIT ut ad mysteria... 806, 4235
donum omne perfectum optimumque DESCENDIT.   3879
filius qui a paterna (superna) side (pro nobis) (pronos) salvandus
   DISCENDIT.   363

      DESCENSUS
... Cuius DESCENSUS genus humanum doctrina salutari instruit...   3829

      DESCRIPTIO
Spiritum sapientiae et intelligentiae, DISCRIPTIONISQUE eis concedere
   digneris.   3531

      DESERO
et temporalibus usquequaque non DESERAMUR alimentis...   3827
diem in quo triste seculum DESERANS, ad...   3766
nec eam umquam DESERANT aut lassitudinem aut timore superati...   820
Sanctorum tuorum nos, dne, patrocinia conlata non DESERANT quae
   fragilitatem...   3253
et terrestribus non DESERAS adiumentis...   63
ut benigna consolatione non DESERAS da qs...   1169
Numquam DESERAS dne quam plantare dignatus es viniam tuam...   2188
ut gregem tuum, pastor aeternae, non DESERAS et per beatos...   4138
et ut eam perpetua bonitate non DESERAS piis operibus...   85
sic eius principes sublimasti, ut minimos quosque non DESERAS praesta qs
   ...   1186
et temporali consolatione (temporale consolatione) non DESERAS, quam
   (quae) vis ad aeterna contendere.   84, 1420
Beati martyris tui illius nos qs dne patrociniis conlatus non DESERAS qui
   fragilitatem...   276
ut gregem tuum pastor aeterne non DESERAS sed per beatos...   4146
Beati martyris tui illius nos qs dne patrocinius conlatus non DESERAT,
   qui...   276
et praesentiae corporalis misterii (mysteriis) non DESERAT quos redemit.
   3811
qui nubis ignisque claritatis tuae columnae non DESERAT.   2640
tu tamen gratiae tuae dona non DESERENS etiam ad nostras...   1045, 1046
VD. Qui aeclesiam tuam sempiterna pietate non DESERENS per apostolos...
   3910
tu tamen gratiae tuae dono non DESERES.   1047
nec aeam umquam DESERINT, aut lassitudinem timorem superati.   820
VD. Qui sic rationabilem non DESERIS creaturam...   4025
ut quorum sollemnia devota mente non DESERIS eorum piis...   2847
Ds, qui infideles DESERIS et iuste indevotis irasceris...   1039
ut quos non DESERIS in tribulatione subiectos...   3355
ita non DESERIS in tua misericordia gloriantes.   585
Ds, qui in sanctis habitas et pia corda non DESERIS libera nos...   1036
certi, quod qui iniustos malosque non DESERIS multo magis...   4022
et quam benigna defensione non DESERIS propensius...   3546
et quos non DESERIS sacramentis, necessariis adtolle praesidiis.   1486
qui nos continuis caelestium martyrum non DESERIS sacramentis praesta qs
   ...   2093
VD. Qui ecclesiam tuam sempiterna pietate non DESERIS sed per apostolos...
   3911

Ds, qui in sanctis habitas et pia corda non DESERIS suscipe...   1037
nisi quod ideo tua nos clementia usquequaque non DESERIT...   3652
ut sicut sanctorum tuorum natalicia celebranda non DESERUNT, ita iugiter
    ...   2672

DESERTUM
Ds qui in DESERTI regione multitudinem populi tua virtute satiasti...
    1028
VD. Quem iohannes praecessit... et in DESERTIS heremi praedicando...
    3869
qui te in DESERTO amaram suavitatem inditam (suavitate indita) fecit
    esse potabilem...   1045, 1046, 3565
septem panis in DISERTO in escas populorum benedicens multiplicasti...
    2386
per moysen famulum tuum de custodia mandatorum tuorum in DESERTO
    monuisti...   739
incipit dicens : Vox clamantis in DESERTO parate viam...   2059
sicut benedixisti quinque panes in DESERTO ut omnes...   300
quam beati iohannis baptistae in DESERTO vox clamantis edocuit.   2326

DESERTUS
... In gregem porcorum, in DESERTA loca, ubi non aratur nec seminatur...
    224, 1852
et DESERTAM iam exaustamque sarmenta praeciosis vitibus novellasti.   1155

DESERVIO
maiestate tuae pura mente DESERVIANT consecuti graciam spiritus sancti...
    2275
et in tua laetari protectione, ut tibi secura mente DESERVIANT et in tua
    pace...   1218
et suavi odore praeceptorum tuorum laeti tibi in aecclesia DESERVIANT et
    proficiant...   2369
ut toto tibi corde DESERVIANT et sub tua protectione...   2884
et sibi subditu famulatu DESERVIANT.   2610
et secura tibi mente (mentem) DESERVIANT.   1998
laetus tibi in ecclesia tua DESERVIAT et proficiat...   2369, 2467
et toto tibi corde DESERVIAT et sub tua semper...   2884
ut libera tibi mente DESERVIAT et te protegente...   1612
in filio qui ad credulitatem tibi huius populi pure DESERVIAT fecundetur.
    794
Praesta, qs, dne, ut aecclesia tua prumta tibi voluntate DESERVIAT quia
    propinsius...   2724
ut tranquillitate (tranquillitatem) percepta devota tibi mente DESERVIAT.
    520, 525
sed ab utrisque libera tibi semper et purgata DESERVIAT.   1593
et conversatione (conversatio) tibi placeat et secura DESERVIAT.   1418
sine reprehensione tibi mundo corde DESERVIENS, ad pravium...   2303
ut plebs tua toto tibi corde DESERVIENS et beneficia...   3000
ut pura tibi mente DESERVIENS pietatis...   1999
tibi etiam placitis moribus dignanter DESERVIRE concedas (tribuas
    DESERVIRE).   3377
... Sicque me facies tuis altaribus DESERVIRE ut ad eorum...   3893
ut sacrificiis tuis ac divinis altaribus DESERVIREM...   1724
quarum fructus sacro chrismati DESERVIRET nam david...   3945
quatenus beatae genetricis integritate probata (dilecti) (dilectique
    discipuli) virginitas DESERVIRET nam et in...   3608, 3609

DESIDERABILITER

fideliter colere, DESIDERABI(li)TER exspectare.   3485
caelestis doni capiamus DESIDERABILIUS ubertatem...   4060

DESIDERANTER

Familiam suam ds et ad caelebranda principia suae redemptionis DESIDERAN-
   TER adquirat.   1586
quam glorificacionis eius... et DESIDERANTER expectemus adventum.   272
Familia tua, ds, et ad caelebranda principia suae redemptionis
   DESIDERANTER occurrat...   1586
Sacrificium dne quod DESIDERANTER offerimus...   3156
et DISEDERANTER sacramenta expectare (exspectant) venture (venturum)...
   643, 3733, 3817
paenitentiam DESIDERANTER voluisse sufficiat.   2268

DESIDERIUM

... et iusta DESIDERIA conpleantur (impleantur).   2554, 3382
eiusdem conditorum (aeiusdemque conditorem) omnia DESIDERIA cordis
   conplacita tibi pius adimple...   1733, 1777
ut DESIDERIA de tua inspiratione concepta nulla possint temptacionum
   mutari.   960
... Et (Ut) cuius praecepto terrena in semetipso crucifixerat DESIDERIA
   eius exemplo...   3906, 4084
Ds, a quo sancta DESIDERIA et recta sunt consilia et iusta sunt opera...
   734
quo terrena DESIDERIA mitigantes discamus habere caelestia.   1781
et caelestia DESIDERIA perficiat.   160
Inspice, pius arbiter, ad DESIDERIA plebis...   3048
(O. s.) ds, a quo (sola) sancta DESIDERIA, recta consilia et iusta sunt
   opera...   734, 2300
et reatum nobis ingerentia DESIDERIA respuamus...   2711
ut terrena DESIDERIA respuentes discamus iniare caelestia.   2538
perfice miseratus pia DESIDERIA singulorum.   2912
ut DESIDERIA tenebrosa non teneant (teneat)...   2063
ut a terrenis cupiditatibus in (ad) caelestia DESIDERIA transeamus.
   1413, 2891
nesciat etiam incentiva (nexciat aenim sicentiva) DESIDERIA ut soli tibi
   ...   529
quando non secundum nostra DESIDERIA vel fructum...   3652
et DESIDERIA voti aeorum ad affectum tuae miserationis perducas...   3461
et ebrietatem, quae (cur) suscitavit furor male DESIDERII licet...   3389
sancti DESIDERII pii exaudias pro percipiendam prolem...   3918
caelestibus DESIDERIIS accensi fontem vitae sitiamus.   487, 494
libera nos a terrenis DESIDERIIS et (a) cupiditate carnali...   1036
et a transituris DESIDERIIS expiari mereamur...   2700
pro votis et DESIDERIIS suis adque pro incolomitate domus suae...   1717
in caelestibus DESIDERIIS transeamus.   2891
quidquid iusto expetierunt (expeierint) DESIDERIO, caeleri consequantur
   effectu.   844
a mundi impedimento vel saeculari DESIDERIO cor eius defendat...   2503,
   2761
et a mundi inpedimento vel seculare DESIDERIO aeius corde custodiat...
   2503
ut apud te mens nostra tuo DESIDERIO fulgeat...   3084
promissiones tuas quae omni DESIDERIO superant consequamur.   959

ut cum adventum unigeniti tui quem summo cordis DESIDERIO sustenimus...
2815
Animae nostrae, qs, o. ds, hoc pocientur DESIDERIO ut a tuo spiritu...
178
ut sacrificia... DESIDERIORUM nos temporalium doceant habere contemptum...
3010
iustorum DESIDERIORUM potiatur effectibus (affectibus).   1460
ut ad vota DESIDERIORUM suorum perveniat.   3662
et ad bonorum DESIDERIORUM vota perveniat...   3660
quam tibi offeret ob DESIDERIUM animae suae...   1714
... DESIDERIUM famulae tuae illius ut fecundetur propicius perfice...
2381
in ieiuniis DESIDERIUM, in impiaetatibus misericordiam...   2303
... DESIDERIUM nos temporalem (temporale) doceant habere contemptum...
3010
promissiones tuas que omnem (omne) DESIDERIUM superant consequantur.   959
conple in bonum DESIDERIUM suum, corona...   2269

         DESIDERO
ut quemadmodum nos purgari DESIDERAMUS a vitiis...   4025
cum ea, quae tibi sunt placita et nobis salutaria, DESIDERAMUS adpetere...
3665
sicut nos eius opere fieri iugiter DESIDERAMUS aeternum.   3150
quibus et iugiter sociamur (satiamur) et semper DESIDERAMUS expleri.
3179
ut paschalis muniris sacramentum... quod fide recolimus (colimus) et spe
    DESIDERAMUS intenti (intenta)...   402
ut proterva despiciens et matura quaeque DESIDERANS.   570
Benedictionis tuae gratiam quam DESIDERANT consequantur.   312
nihil inlicitum vellent, nihil turpo DESIDERANT, innocentia...   854
et quae temporaliter celebrare DESIDERANT, sine fine percipiant.   1997
qui... benedicionum tuarum dona DESIDERANT.   1248
... DESIDERANTE poenitenciae conpensacione percipiat.   3268
et repleti omnibus (castitatem) donis tuis DESIDERANTES ad te pervenire...
307
et DESIDERANTIBUS benignus tribuas profutura.   3801
qua pie DESIDERANTIBUS quae sint profutura proficiat (perficiat, perficias).
654
... DESIDERANTIS praevenimus officiis...   4123
et ad caelestia DESIDERARE perficiat.   160
ut non DESIDERARE que ipse contempsit...   4176
et DESIDERARE quae recta sunt, et desiderata percipere.   3488
et diligere quod praecipiunt, et DESIDERARE quo (quod) ducunt.   1258
da populis tuis... id DESIDERARE quod promittis...   993
vivifica (itaque) (hunc famulum tuum) quem tibi nullatenus mori DESIDERAS
    et qui non reliquis (dereliquis)...   822, 823
Ds qui digne tibi servientium nos imitari DESIDERAS famulatum...   956
Ds, qui non mortem, sed paenitenciam DESIDERAS peccatorum...   1087, 1088
aeternam consequi gratiam spiritali generatione DESIDERAT accipe...   829
episcopatum qui DESIDERAT, bonum opus concupiscit...   4171
promissio muneris se domino DESIDERAT consecrare...   674
ut quod te iubente DESIDERAT, te largiente percipiat.   3380
Praeveniant (Praebeant) nobis, dne, qs, apostoli tui DESIDERATA conmercia
    ...   2810
ut et (et ut) petentibus (penitentibus) DESIDERATA concedas fac tibi eos
    ...   2540

et qui deviis etiam DESIDERATA concedes prestis meliora...   452
vota suscipias, DESIDERATA confirmes...   866
Fideles, tuos, dne, benedictio DESIDERATA confirmet...   1623
VD. Adest enim nobis sancti... Xysti DESIDERATA festivitas...   3597
et desiderare quae recta sunt, et DESIDERATA percipere.   3488
hic plebs tua semper et sua vota depromat et DESIDERATA percipiat.   208
ut... Andreae semper nobis adsint et honoranda sollemnia et DESIDERATA
   praesidia.   2491
ecclesiae tuae... cum omni DESIDERATA prosperitate restituas.   1356
... DESIDERATA subole gaudere perficias (proficias)...   1729
beatorum Petri et Pauli DESIDERATA sollemnia recensemus...   211
Beatorum apostulorum dne petri et pauli DESIDERATA sollemnia recensentes
   ...   287
et DESIDERATAE noctis lumen advenit...   3596
... DESIDERATAE paenitentiae conpensatione percipiat.   1440, 3267
... DESIDERATAS prevenimus officiis...   4123
qua apostolica beati Andreae merita DESIDERATIS praevenimus officiis...
   4123
Et ad DESIDERATUM sanctae resurrectionis tuae diem...   3110
et mentibus DESIDERATUS virtutum succedat affectus.   1838
et quod de hoc loco DESIDERAVIT obteneat.   813
sed animarum DESIDERAVIT potius sanctitatem...   3880
ac temporalibus solaciis incitati promptius aeterna DESIDERENT.   3061
que non iam alimentis DESIDERIT lactis...   355
premia caelestia DESIDERIT sempiterna.   2303

          DESIDIOSUS
VD. Qui cum DESIDIOSIS et duris operariis semper adsint inmensa praesidia
   ...   3883

          DESIGNO
et corporalibus incrementis manifesta DESIGNATUR humanitas.   615
qui in chana gallileae te DESIGNAVIT dominum virtutis et gloriae...   855

          DESINO
nec DESINAMUS misericordiam tuam persequentibus inpetrare...   3980
non DESINAMUS tuo nomini supplicare...   2712
numquam reddere DESINAMUS.   4104
que semper esse non DESINANT admiranda.   2738
ut non DESINANT sancti tui pro nostris supplicare peccatis...   2964
ut DESINAS ab his, quos omnipotens deus ad imaginem suam fecit...   142
ut DESINAS ab hoc famulo dei, quem omnipotens deus ad imaginem suam fecit
   ...   1355
ita non DESINAS adiuvare...   4046
ut nos et temporalibus praesidiis tovere non DESINAS et aeternis...   3482
Hunc panem minestrare (nobis) non DESINAS (DESINIS) et ut eum...   3786
et perpetuis non DESINAS fovere praesidiis.   2043
perpetuis non DESINAS gubernare praesidiis.   2594
perpetuis non DESINAS praesidiis gobernare.   2594
et beneficia tua non DESINAS prestare correctis.   2991
qui licet aeclesiam tuam... largitate munerum ditare non DESINAS sedem
   tamen...   1320
et tuam nobis non DESINAT placare iustitiam...   1944
ut cuius perpetuus doctor existit, semper esse non DESINAT suffragator.
   159
et pietati tuae commendare non DESINAT.   1636
ita non DESINES adiuvare, ut recte facienda...   4046

et divino munere vivificare non DESINES.   2562
et quem (salutaribus) (sanctorum tuorum) praesidiis non DESINIS adiubare
   perpetuis...   517, 518
VD. Qui ecclesiae tuae filios sicut non cessas erudire, ita non DESINIS
   adiuvare ut et scientiam...   3900
et qui neglegentibus etiam subsidia ferre non DESINIS beneficia...   3800
et quos fovere non DESINIS, dignus fieri sempiterna redempcione concede.
   3026
VD. Qui aeclesiam tuam et fovere beneficiis et non DESINIS exercere
   promissis...   3903
et humanis non DESINIS fovere subsidiis et reformare divinis...   4074
quia non DESINIS propitius intueri...   285
VD. Qui sempiterno consilio non DESINIS regere, quod creasti...   4022
ut quos divinis reparare non DESINIS sacramentis...   2969
qui etiam necessariis humane fragilitatis tua pietate consulere non
   DESINIS te humiliter...   742
... Diabulus, qui hominem temptare non DESINIT...   1706
quae semper esse non DESINUNT admiranda.   2738
ut qui in sanctis tuis te honorare non DESINUNT perpetua...   3099

        DESISTO
nec inter gaudia gracias referre DESISTAT, quia te sine...   4006
et tuam nobis indulgenciam poscere non DESISTAT.   3188
nec inter gaudia gratias referre DESISTAT.   4005
ut, quos pascere non DESISTIS inmeritos...   403
quia protegere non DESISTIS, quos tuis semper indulseris inherere
   mysteriis.   461
Deus, qui nos sacramentis tuis pascere non DESISTIS tribue qs...   1132
... DESTITIT pelagi profunda rimari...   3610

        DESPERATIO
in eis fecunditatem etiam in sua DISPIRATIONE mirabiliter operaris...
   901

        DESPERO
nec DISPERAMUS (DESPERAMUS) de veniam (veniae) largitatem...   3895, 4044
et nullius sit DESPERANDA conversio...   3639
nec est nobis seminum DISPERENDA fecunditas...   4122
ut promissa (promissam) non DESPEREMUS aeterna (aeterna).   1820

        DESPICIO
ut DISPECTIS falsitatibus iniquorum (iniquarum)...   453, 3009
quem DISPECTIS ignibus consummavit in terris...   690
qui DISPECTO diabulo confugiunt sub titulo Christi...   2658
qua beata gloriosaque (quia beatam gloriosamque) Caecilia DESPECTO mundi
   coniungio...   3993
... Romanae utbis, cuius propter te DESPEXERAT dignitatem...   4127
Si DISPEXERIS pereo, si iustitia mea intenderis...   219
doceas nos terraena DISPICERE et amare caelestia adque omni...   3065
Presta nobis, qs, dne, terrena DESPICERE et amare caelestia ut per haec
   sacra...   2700
tribue pro amore tuo prospera mundi DESPICERE et nulla eius...   914
ut omnem terrena DISPICIAM de caelestia ab pedam.   3476
Terrene transiturua DISPICIANT, aeterna...   1297
Ne DESPICIAS, dne, qs, in adflictione clamantes...   2171
Ne DESPICIAS o. ds populum tuum in afflictione clamantem...   2172
ne DISPITIAS opera manuum tuarum que nobis retenenda mandasti.   71
quos fecisti non DISPITIAS, quos redemisti...   2097

Ne, qs, dne, pro nostris excessibus munera delata DESPICIAS sed pro
    tuorum...   2173
populum tuum, qs, ne DISPITIAS supplicantem...   991
Tota ab odia diabolica conversatione DISPITIAT ; te, dne...   2303
ut proterva DESPICIENS (et) (quaecumque) matura quaeque desiderans...
    570, 571
que terreno (terrenae) generositatis oblectamenta DISPICIENS simul est...
    3686
qui dignaris infima et abiecta non DESPICIS adtolle...   1358
Ds, qui non DISPICIS corde contritos et adflictos miseriis...   1086

          DESTINO
qui beatum iohannem (baptistam) tua providentia DESTINASTI...   2278, 2279
qui eum salvum atquae incolomem perducat usque ad loca DISTINATA iterato
    ...   1714
direge angelum pacis nobiscum qui nos ad loca DISTINATA perducat.   1360
... DISTINATA sanctis praemia consequatur.   2498
ad locum DISTINATUM perveniant...   4008

          DESTITUO
ut et corporeis non DESTITUAMUR alimentis...   1177
Presta, dne, qs, ut temporalibus non DESTITUAMUR auxiliis...   2673
tuis non DESTITUAS benignus auxiliis.   2969
ut nec fragilitatem DESTITUAS et coherceas insolentes...   3954
clementi nullatenus (ullatenus) gubernatione DESTITUAS.   4022
nec (et) temporalibus DESTITUATUR auxiliis...   1038, 3049, 3051
quia numquam tuam gubernationem (tua gubernatione) DISTITUES quos in
    solidate...   3207
Ds, qui nos (nostra, nostram) conspicis semper infirmitatem (infirmitate)
    DISTITUI adventus tui...   1137
Ds qui conspicis omni nos virtute DESTITUI interius...   926
Ds qui conspicis familiam tuam omni humana virtute DESTITUI paschali...
    925
et (ut) DESTITUTIS adversitatibus universis, secura tibi serviat
    libertate.   1388
et quas merita nostra DESTITUUNT...   1478

          DESTRUCTIO
ut qui ad DESTRUCTIONEM diaboli et remissionem natus est hodie peccatorum
    ...   462
utantur nec glorientur potestatem quam tribues in aedificacionem, non in
    DESTRUCCIONEM quodcumque...   820

          DESTRUO
et ipse te DISTRUAT inimici profanus distruxit.   2552
et omnis falsitas DESTRUATUR inimici.   4222
ut DISTRUCTA malignitate quae nocuit...   831
VD. Quia vetustate DISTRUCTA renovantur universa deiecta...   4078
nisi qui pestifera (DESTRUCTA) subversa tyranni iura calcarit.   4215
ut DESTRUCTIS adversantibus (adversitatibus) universis...   1388
... Haec nox est, in qua DESTRUCTIS vinculis mortis, christus ab inferis
    victor ascendit...   3791
ut cereus iste... ad noctis huius caliginem DESTRUENDAM indeficiens
    perseveret...   3791
virtute filii tui et sancti spiritus DESTRUENDO.   1236
verbi tui potentia Iudaicam DESTRUENS constanti voce perfidiam...   4186
verbi tui potentia perfidiam DESTRUENS iudaeorum...   4185

non solum per Christum dominum nostrum diabolicam DESTRUERES tyrannidem...
  4034
quo (quod) diabulus cum sua pompa DISTRUETUR.   3269
fetus non quassat, (quassant) nec filii DISTRUUNT castitatem.   3791, 4206
qui mortem nostram moriendo DISTRUXIT et vitam...   4159, 4161, 4162
qui enmitas DISTRUXIT, ita demoniacus effugatur...   2552
qui te expoliavit, qui regnum tuum DISTRUXIT qui te vinctum (victum)...
  574
VD. Qui sic hostis antiqui machinamenta DESTRUXIT ut diabulo...   4023
et ipse te distruat inimici profanus DISTRUXIT.   2552

        DESUDO
et quae DESUDANTIBUS famulis nasci tribuis...   3598

        DESUM
quia tunc propitiatio superna non DEERIT...   4139
nostrum te DEESSE tuis cultoribus promisisti.   879
quibus et angelica praestetisti suffragia non DEESSE.   2582
ne eruditio (herudicia) doctrinae tuae ulli DEESSET aetati...   819, 820
et magnifice benedictionis non DEESSET auxilium.   3865
mereatur indulgenciam sempiternam, (indulgentia sempiterna) que in eius
  mente non DEFUIT poenitendi.   1741
quia tibi pleno atque perfecto aeternae (plenum atque perfectum aeterni)
  patris nomen non DEFUIT praedicamus...   3638
sicut ad petitionem famuli tui haeliae non DEFUIT viduae farinae (farina).
  2280
Ds, qui nec aeclesiae tuae usque ad consommationem te saeculi DEFUTURUM...
  1029
et salutaria cuncta non DESINT.   2106a
huic orreo famulorum tuorum non DESIT benedictione (benedictionis) tuae
  habundantia.   2280
ut nec pastori oboedientia gregis, nec grex DESIT cura pastoris.   808
ut eorum et corporibus nostris subsidium non DESIT et mentibus.   1018
ut utrumque et iustitia non DESIT et pietas.   661
intercessio pro his non DESIT martyrum continuata sanctorum.   45
Sanctorum (Sancti, beati)... nobis (qs) dne (nobis) (dne) pia (nobis)
  non DESIT oratio quae et munera...   274, 3249
ut pro nobis eorum non DESIT oratio quorum nos...   3220, 3222
ut et cautelae nostrae non DESIT socianda benignitas...   3980
nec grege DESIT umquam cura pastoris.   1165
ac simul alimonia carni non DESIT unde subsistat...   4033
sic pro nobis eorum depraecatio continuata non DESIT.   4155

        DESUPER
et porta caeli DESUPER aperiretur oraculum...   3292
... DESUPER discendat spiritus sanctus...   2262
Exiat DESUPER famulo isto aput rugis...   1860
diabuli, longe a te DESUPER famulo isto de suas...   2552
tremiscas diabuli et exeas DESUPER famulo isto.   1551
tu exias DESUPER famulo isto.   1950
tu modo exias et fuge DESUPER famulo isto.   1950
Exconmunico vos, inimici, DESUPER hominem istum...   507
ut spiritu sancto in columbae similitudinem (similitudine) DESUPER misso
  ...   3945, 3946

        DETERGEO
iudaici (iudaeice sui) supersticionis foeditate DETERSA in honorem...
  2406

et glaciali seni verni temporis moderata DETERSERINT... 3791
... Cuius mors delicta nostra DETERSIT... 3950
quo peccatis vitae prioris abluti reatuque DETURSO... 1336

DETERIOR
ut nos denuo, ne DETERIORA subeamus, errare porhibeat... 3981
sed hoc constat esse DETERIUS... 4072

DETERREO
nec sexus fragilitate DETERRITA sed inter... 3993, 3994, 3995
nec sexus fragilitate DETERREATUR... 3942
... Isti non solum ad tuam gratiam venientes sui foeditate DETERRENT...
3879

DETINEO
poenae obnoxium diabulus DETENEBAT...
impera diabulo, qui hunc famulum tuum illum DETENET, ut ab eo recedat...
2275
Neque aenim poteras mortis dominus DETENERI a morte... 4217
... Quorum retenuerint (detenuaerint) peccata, DETENTA sint ; et quorum
demiserint, tu demittas... 820
Quorum detenuaerint peccata, DETENTA sint, et quorum... 820
Quorum DETENUAERINT peccata, detenta sint... 820

DETRAHO
ut DETRAHENTIS vomitum aeorum cenosa contagia... 2027

DETRIMENTUM
... Qui licet divisus in partes, mutuati luminis DETRIMENTA non novit...
3791
nec (ne) grex tuus DETRIMENTUM susteneat... 822, 823
et nullum redempcionis aeternae susteneant (sustineat) DETRIMENTUM. 922

DETRUDO
carchaeris obscuritate DETRUDITUR, ubi... 4000

DEUS
quod in nomine tuo et in fili tui DEI hac domini nostri iesu christi et
spiritum... 1367
per inlustratione unici filii tui redemptoris DEI ac domini Iesu Christi
et spiritus... 3459
qui filiis DEI ad similitudinem proficientibus angelorum... 4074
... Quo ita supplicanti et misericordiam (misericordia) DEI adflicto corde
poscenti... 58, 59
ut unus Christus in DEI adque hominis veritate... 2710
ille hunc eundem verbum sapientiam DEI adque virtutem... 3666
et dixisti ei : Quid nobis et tibi, Iesus Nazareni, fili DEI altissimi ?
... 224
que nobis additum est christus filius DEI benedicat. 2644
que nobis ad remedium prolata christus filius DEI benedicat. 282
ut discedas ab homine, discedas ab aecclesia DEI contremisce et effuge...
141, 1355
adiuvet te christus filius DEI, corpore... 334
ut qui vere eam genetricem DEI credimus... 946
per quem una DEI cum patre sanctoque spiritu... 1283
adiuratus per nomen aeterne dei et salvatoris nostri fili DEI cum tua
victus... 222
... Hic unigenitus DEI de Maria virgine et spiritu sancto secundum carnem
natus ostenditur... 1706

vox DEI erant ut aquarum pedibus aeius...   1860
talis esto moribus, ut templum DEI esse iam possis...   39
aeiusdem quoaeterni tibi sapientiae tuae DEI et domini nostri iesu
    innoxia morte...   232!
adimple eum spiritum timoris DEI et domini nostri Iesu Christi et iube
    eum...   869
... Mariae genetricis DEI et domini nostri Iesu Christi sed et beatorum...
    417, 418, 419
ut et filii DEI et fratres Christi esse possitis...   1695
mediatoris DEI et hominum hominis iesu christi...   3793
VD. Per mediatorem DEI et hominum iesum christum dominum nostrum...   3829
(per) invocationem nominis DEI et iesu christi fili sui...   1540, 1541
Illius obtentu tribuat vobis DEI et proximi caritate semper exuberare...
    915
adiuratus per nomen aeterne DEI et salvatoris nostri fili dei...   222
Exorcizo te creatura aqua in nomine domini iesu christi filii DEI et
    sancti spiritus...   1530
ingressusque ecclesiam DEI evasisse te laqueos mortis laetus agnosce...
    39
qui dispositis universitatis exordiis homini ad imaginem DEI facto...
    1171
... Quodquot crediderunt in eum, dedit eis potestatem filios DEI fieri.
    1695
que adpositum nobis est christus DEI filius benedicat.   716
quae nobis ad medium sunt prolata, christus DEI filius benedicat.   282
que nobis oblatum est unigenitus DEI filius benedicat.   269
sed imperat tibi agnus inmaculatus christus deus DEI filius.   2180
intercedente beata et gloriosa semperquae virgine DEI genetrice Maria ab
    omni nos...   3023
intercedente beata et gloriosa semperquae virgine DEI genetrice Maria ad
    redemptionis...   3346
intercedente pro nobis beata et gloriosa semperque virgine DEI genetrice
    Maria ad vitam nobis...   1987
beata et gloriosa semperque virgine DEI genetrice Maria et sanctis
    apostolis...   2030
intercedente... semperque virginem DEI genetricae maria populo tuo...
    2096
ut qui festa DEI genetricis colimus...   2079
... Et praecipue pro meritis beatae DEI genetricis et perpetuae virginis
    mariae...   3820
ut qui in nativitate DEI genetricis et virginis congregamur...   3357
in honore beatae et gloriosae semper virginis DEI genetricis Mariae annua
    solemnitate...   2203
per intercessione beatae et gloriosae semperquae virginis DEI genetricis
    Mariae auxilium nobis...   2620
pro nativitate beatae et gloriosae semperquae virginis DEI genetricis
    Mariae et sanctis eius...   3421
Sanctae DEI genetricis mariae gloriosae et intemeratae virginis
    orationibus...   3186
Beatae et gloriosae semper virginis DEI genetricis mariae intercessio...
    255
Beatae et gloriosae semperquae virginis DEI genetricis Mariae nos dne qs
    ...   264
Beatae et gloriosae semperquae virginis DEI genetricis Mariae qs o. ds...
    255

ut intercessio nos sanctae DEI genetricis mariae sanctorumque letificet...
482
Subveniat dne plebi tuae DEI genetricis oratio quam etsi...   3318
Magna est dne apud clementiam tuam DEI genetricis oratio quam idcirco...
2032
ut aeiusdem DEI genetricis precibus...   2417
ut qui sanctae DEI genetricis requiem caelebramus...   430
beata DEI genetrix intemerata virgo Maria...   3815
in qua sancta DEI genetrix mortem subiit temporalem...   3586
ut eiusdem DEI genetrix praecis famula tua illa esse genetrix mereatur.
2417
Inter quas beata DEI genetrex (intemerata) effulsit...   3815
inter quas intemerata DEI genetrix virgo maria... gloriosa effulsit...
3725
et expectantes horam, qua possit circa vos DEI gratia baptismum operari.
1632
benignitas omnipotentis DEI graciae suae tribuat largitatem.   2510
servi DEI gratias perenni deo referant semper...   222
et zelum DEI habuit et deum fecisse omnia adoravit.   3389
a faciae domini mota est terra, a faciae DEI iacob.   2378
... Nihil tibi sit commune cum servis DEI iam caelestia cogitantibus...
222
... Non in solo pane vivit homo, sed in omne verbo DEI ille tibi
  imperat...   1881
ut exias et recidas ab hoc famulo DEI illo et eum deo suo reddas...   2175
omnis fantasma satane : eradicare et effugare ab hoc famulo DEI illo ita
  ut in eo...   3566
ut ab hoc famulo (hunc famulum) DEI illo qui ad aecclesiae praesepia
  concurrit...   142, 1354
et da honore deo vivo et vero et recede ab hoc famulo DEI illo tibi ego
  praecipio...   3566
adimple eos (dne) spiritum (spiritu) timoris DEI in nominc domini...
  867, 868, 1313
et inter cherubin et syraphin claritatem DEI inveniat...   3391
ut exeas et recedas ab his famulis (famulabus) DEI ipse enim tibi...
  1549, 1550
Imperio DEI, ministerio christi, pater o...   1860
habiturus... partem cum his, qui verbum DEI ministraverunt (ministraveint).
31
ut ad exoranda ac praecipienda (percipienda) DEI misericordia perfecti
  in Christo esse possitis...   226, 3310
... Potens est enim DEI misericordia quae et vos...   1706
omnipotentis DEI misericordia deprecamur...   201, 2484
omnipotentis DEI misericordiam depraecemur pro spiritu cari nostri illius
  ...   201
Omnipotentis DEI misericordiam, dilectissimi fratres, depraecemur...
2483
ut quod magno DEI munere geritur...   3714, 3814
sit tibi formido imago DEI nec resistas...   142, 1355
... Quamvis enim a divitiis bonitatis et pietatis DEI nihil temporis vacet
  ...   58
excommunico te ut ab hominem istum ad imaginem DEI non advenies...   1551
Per deum tibi coniuro qui sedit ad dexteram DEI non lite commitas...
2552
qui pro DEI nostri amore sanguinem suum effuderunt...   2490

in nomine domini DEI nostri iesu christi per quem...   1408
resurrectionis domini DEI nostri iesu christi secundum carnem.   421
dilectissimi filii tui domini DEI nostri Iesu Christi.   3011
genetricis filii tui domini DEI nostri intercessione salvemur.   1604
propitiationem (propitiatione) DEI nostri perseverantia (perseverantiam)
   devitae servitutis optineat.   1682, 1832, 1854
... Christi filii tui domini DEI nostri tam beatae passionis...   3567
obsecrantes misericordiam DEI nostri ut ipse ei...   2583, 2584
per os ipsius domini DEI nostri verbi tui vocatum in apostolatum...   4158
... Cuius genitor et verbi DEI nuntium dubitans... nasciturum...   3754
Per invocationem virtutem nominis DEI omnipotentis, exite...   1888
una mecum quaeso DEI omnipotentis misericordiam invocate...   1564
per potentiam sanctae trinitatis et nominis DEI omnipotentis.   1888
et in hominis casu DEI opus subruisse plaudebat...   4103
Oremus et pro famulo DEI papa nostro sedis apostolicae Illo...   2515
Benedictio DEI patris et filii et spiritus sancti...   18, 349, 915, 2246,
   2252, 2254
In nomine DEI patris et fili et spiritus sancti.   1888, 3568
... Hic DEI patris et filii (fili) una (et) aequalis pronuntiatur
   potestas...   1706, 1707
in nomine DEI patris omnipotentis et Iesu Christi filii eius...   1545
Exorcizo te, creatura salis, (olei) in nomine DEI patris omnipotentis et
   in caritate...   1538, 1542, 1544
Exorcizo te, creatura aquae, (olei) in nomine DEI patris omnipotentis et
   in nomine iesu...   1531, 1532, 1534, 1536
sedit ad dexteram DEI patris omnipotentis inde venturus...   551
DEI patris omnipotentis misericordiam, dilectissimi fratres, depraecemur
   ...   707
in nomine DEI patris omnipotentis qui te creavit...   2856
deprecemur clemenciam DEI patris pro anima (spiritu) cari nostri illius...
   2216, 2217
et cum benedictis ad dexteram (dextera) DEI patris venientibus (venientis)
   veniat...   3433
Tibi coniuro... per septem tronis DEI, per similia crucis...   3474
et inter angelos et archangelos claritatem DEI pervideat...   3391
deducat vos mirabiliter dextera DEI, praebeatque...   2905
et unigenitum DEI prescia exultatione praenuntians...   3774
et inter angelus et archangelus claritatem DEI providiat...   3391
ut exeas et recedas ab hoc famulo DEI quem hodie dominus (deus)...   2174,
   2177
ut desinas ab hoc famulo DEI, quem omnipotens deus ad imaginem suam fecit
   ...   1355
ut ab hoc famulo DEI quem omnipotens deus qui ad ecclesiae... cum metu et
   exercitu furoris tui festinus discedat...   1355
... Agnus DEI qui tollis peccata mundi miserere nobis.   2547
et recede ab his famulis DEI quia istos sibi...   1411
Ibi terra indutus tremiscit diabolicum virtutis DEI quia per deum te...
   1860
et recede ab his famulis et famulabus DEI quos hodie deus...   2176
Accipe et esto verbi (verbum) DEI relator...   31
quam in honorem DEI rutilans ignis accendit...   3791
Recaepta itaque dispensatione DEI sacerdoto et vestro...   3281
in nomine Iesu Christi DEI salvatoris nostri...   1313
sed ad observantiam DEI sanctorum pignorum custodiae delegatam...   2541
... Ergo DEI sermo et DEI sapientia, Christus dominus noster...   1373
Separa te famulo DEI, sicut separavit...   2180

per cuius gratiam vobis confertur, ut filii DEI sitis...   1706
quae sunt spiritus DEI, stulta mente non capiunt...   3879
ordo aecclesiam et credentium fides in DEI timore melius convaliscat.
   3281
exorcizo te... per sancto iorgio famulo DEI tu exias desuper...   1950
Elegunt te fratres tui, ut sis lector in domo DEI tui (et) ut agnoscas...
   31, 1403
et deficiant te ante conspecto DEI ubi tu potes caelare...   2552
... Et in unum dominum Iesum Christum filium DEI unigenitum...   554
Oremus, dilectissimi nobis, (in primis) pro ecclesia sancta DEI ut etiam
   (eam) deus...   2507, 2508
ab eo quem ille a dextris DEI vidit stantem mereamini benedici. Amen.
   915
et qui ex aea baptizatus fuaerit, fiat templum DEI vivi et spiritus...
   1533
et cum baptizatus fuerit, (hic famulus domini) fiat templum DEI vivi in
   remissione (remissionem) peccatorum...   1530, 1531
hic Christum filium DEI vivi pronuntiavit divinitus inspiratus...   3666
et in nomine iesu christi fili DEI vivi qui pro te passus est...   2856
ihesu christi fili DEI vivi, regis et iudices nostri...   1548
et in nomine nazareni ihesu christi fili DEI vivi unigeniti...   1540
in nomine domini nostri Iesu Christi Nazareni filii DEI vivi ut sis
   purgatio...   1539, 1541
et discedas ab homine, discedas ab aecclesia DEI.   1354
et exias et recedas ab has famulas DEI.   1550
... Tu autem effugare, diabule, adpropinquavit enim iudicium DEI.   1397
Oremus... et pro omni populo sancto DEI. Oremus.   2517
ad regendum populum sanctum DEI.   2512, 2515
adimple famulum tuum spiritum timoris DEI.   3192
Scimus tamen quod est acceptabilis DEO, adaerit...   3021
conservata iustitia a DEO, carne vinceretur adsumpta.   3930
Sit, sit ab omne victus DEO, condempnatus et reus...   1547
et offeras placabilis hostias... omnipotenti DEO, cui est honor...   367
... Reus omnipotente (omnipotenti, omnipotentis) DEO cuius statuta
   transgressus es...   574, 1354, 1355
sed propria (propterea) DEO decata sit domus...   725
pro DEO et propter deum cum fiducia exeat et dicat...   237
Auxiliante domino DEO et salvatore nostro Iesu Christo...   237
Ad hoc igitur reddunt tibi vota sua, verum DEO et vivo...   1719
caritas vestram quam... et DEO exhibere debetis et proximu...   3021
quod homine (hominem) similem quem (quam) quod tibi DEO feceras...   2541,
   2542
tibi DEO fulgore flammarum placida luminaria exibemus...   861
referamus DEO gratias, et presentium...   359
ad altare tuum recurrentes tibi DEO gratias referamus.   1024
commendans tibi DEO iter suum...   1714
inculpabilem DEO iubante ministerio peragere valeamus.   3269
ac labiis clausis incorrupta mente DEO loquamur...   1373
absque te DEO monstrarentur inania...   4055
regnum... a DEO nobis promissum, Christi sanguinem et passionem quaesitum.
   865
spiritaliter lumbis ad DEO nostrae opus veriliter preparare...   4176
ut... mortalis mortalem, cinis cinerem, tibi domino DEO nostro audeat
   commendare...   3470
... Gratias agamus domino DEO nostro. Respondetur : Dignum et iustum est.
   1978, 2556, 3384, 3791

VD. Tibi domino DEO nostro tota flagrantis fidei firmitate servire...
   4176
ut laetantes in eis, referant tibi DEO omnipotenti laudes et gratias.
   1357
et soli DEO pateat, cuius templum esse cognoscitur...   1373
cole DEO patrem omnipotentem et iesum...   39
et oboedientia DEO patri et filio et spiritu sancto.   302
regenerans eum DEO patri et filio et spiritui sancto...   1535
regno tibi DEO patri in resurreccione tradendos.   2108
Per ipsum et cum ipso et in ipso est tibi DEO patri omnipotenti...   2555
DEO placentium adque servientium interventionibus...   2490
Idio te admoneo, tu, (ita) (talem) te exibi ut DEO placere possis.   4228,
   4231
conversatio ill... probata ac DEO placita est...   3021
Oremus, dilectissimi nobis, omnipotenti DEO pro filio nostro illo...
   2509
Sic age quasi redditurus DEO racionem (ratione)...   3288
servi dei gratias perenni DEO referant semper...   222
providentes bona non solum coram DEO, sed etiam coram hominibus...   3653
haec devocio... ita (sic) sit DEO semper accepta.   2509
creatam sed a (ad) te DEO solo vero et vivo...   3389
offeramus DEO spiritale ieiunium...   179
ut exias et recidas ab hoc famulo dei illo et eum DEO suo reddas...   2175
in nomine omnis humanu generis quod a DEO susceptus est...   2856
potestatum hymnica laude DEO te coramini...   3736
sanctificata DEO templum (templo) et habitum perficiat (perficiant)...
   222
quid de meritu censeatis, DEO teste, consolemus.   3021
in excelsis DEO tibi cantet gloria plebs protecta.   1175
per divinae reconciliationis gratiam fac hominem proximum DEO ut qui
   antea...   58
serviens DEO vero devota muniat infirmitatem suam robore discipline...
   2542
pro hoc reddo (ob hoc igitur reddunt) tibi vota mea DEO vero et vivo...
   1719, 1724
lumen de lumine, deum verum de DEO vero natum...   554
da honore (honorem) DEO vivo, da honore (honorem) Iesu Christo filio eius,
   da honore (honorem) spiritui sancto...   2175, 2176
et da honorem DEO vivo et vero et da honorem iesu christo filio eius...
   1411, 2174, 2177
et da honore DEO vivo et vero et recede ab hos famulo dei illo...   3566
da honorem DEO vivo et vero iesu christo filio aeius...   1411
ob hoc igitur reddit tibi vota sua DEO vivo et vero pro quo maiestati...
   1719
tibi reddunt vota sua aeterno DEO vivo et vero.   2068
da nobis in aeterna laetitia DEORUM sotietate gaudere.   1108
... DEUM a nobis infirmis saltim tenuiter laudare...   4143
Oremus DEUM ac dominum nostrum, ut super...   2498
... Et clauso ostio DEUM adorare debere...   1373
DEUM iudicem universitatis, DEUM caelestium et terrestrium... depraecemur
   ...   723
quem tecum et cum spiritu sancto unum DEUM caeli caelorum...   4176
ut dum visibiliter DEUM cognoscimus...   4061
induatur novum qui secundum DEUM creatus est...   1359
... DEUM cui omnia vivunt fideliter depraecemur...   701, 702
pro deo et propter DEUM cum fiducia exeat et dicat...   237

... Addendo et deus erat verbum et hoc erat in principio aput DEUM
    dicendo...   3613
... Hoc erat in principio apud DEUM et david dicit...   1953
... In principio erat verbum et verbum erat apud DEUM et deus erat verbum
    ...   1953, 3608, 3609
Et qui eum cum thoma DEUM et dominum creditis...   802
et unicum filium eius iesum christum DEUM et dominum nostrum...   2519
et in divinitatis gloriam (gloria) DEUM et hominem confitemur...   4162
per (aeondem) filium tuum DEUM et hominem recrearis...   3930
per DEUM et propter dominum cum fiduciam exiat et dicat.   237
et inter videntes DEUM facie ad fatiem videat...   3391
et DEUM fecisse (fecissit) omnia adoravit.   3389
... In quibus omnibus evidenter DEUM hominemque cognoscimus...   3677
Terrore omnium conditorem DEUM in cuius manu regum corda consistunt...
    3473
VD. (et) Te laudare mirabilem DEUM in omnibus operibus tuis...   3726,
    4157
VD. Teque (Et te) laudare mirabilem DEUM in sanctis tuis...   3727, 3728,
    4158, 4169
Recensisti offerentium nominibus, DEUM indulgentiae deprecemur...   3035
et in principio verbum, quod deus erat apud DEUM ipsi prae ceteris...
    3610
inculpabiles DEUM iubentem misterium peragere valeamus.   3269
Te igitur ineffabilem adque invisibilem DEUM laudamus...   4175
... Teque ineffabilem atque inenarrabilem DEUM laudare benedicere
    adorare.   3738
... Quem in susceptione mortalitatis DEUM maiestatis agnoscimus...   4162
qui pro quantitate vestis exiguae et vestire DEUM meruit et videre.   4148
ut in unigenitum tuum in carne nostri corporis DEUM natum esse fatentur
    ...   2383
non dicat... DEUM non novi nec Israel (non) demitto...   1354, 1355
dominum DEUM nostrum iesum christum cuius intercessione...   3586
DEUM omnipotentem ac misericordem... supplices deprecemur...   724
... Credis in DEUM omnipotentem creatorem caeli et terrae. R. Credo.
    3019
DEUM omnipotentem, fratres karissimi, supplices deprecaemur...   725
VD. Ut invisibilem DEUM omnipotentem patrem filiumque... personare...
    3791
Exorcizo te, creatura olei, per DEUM omnipotentem qui fecit...   1538
ut dum te DEUM patrem benedictione laudamus...   884
te unum DEUM patrem in filio et filium in patre cum sancto spiritu
    recognoscat...   3460
cole DEUM patrem omnipotentem et Iesum Christum...   39
Credo in unum DEUM patrem omnipotentem factorem caeli...   554
per DEUM patrem omnipotentem invisibilem et incumpraehensibelem...   3566
Te DEUM patrem omnipotentem oramus pro hac domum...   3461
confundo te, inimici, per DEUM patrem omnipotentem qui venturus est...
    507
Credis in DEUM patrem omnipotentem ? Respondet : Credo...   551
DEUM patrem omnipotentem suppliciter (supplices) deprecamur, ut...   726,
    727, 728, 729
quemadmodum doceat discipulos suos orare DEUM patrem omnipotentem tu
    autem...   1373
Oremus, dilectissimi nobis, DEUM patrem omnipotentem ut cunctis mundum...
    2505

Oremus, dilectissimi, DEUM patrem omnipotentem ut super hos (super hunc)
  ... 2499, 2500, 2501, 2502
vitam degentibus glorificare DEUM patrem omnipotentem.   2507, 2508
elevatis oculis in caelum ad te DEUM patrem suum omnipotentem tibi
  gratias... 3014
... Nam patrem suum DEUM quem (qua) temeritate dicere praesumit... 1695,
  2543
Exorcizo te per DEUM qui caelum fecit... 1551
... DEUM qui cor credum peccatis originalibus mundum adventum sui nitore
  purificavit... 841
et animis vestris veram conversationem mutatis ad DEUM qui mentium...
  1287, 1288
per iohannem hominem magnum ad eundem dominum nostrum hominem DEUM qui
  sicut venit... 3869
per DEUM qui te in principio verbo separavit ab arida... 3565
per DEUM qui te per heliseum prophetam in aquam mitti iussit... 1546
Unde benedico te, creatura aquae, per deum vivum, per DEUM sanctum per
  deum... 3565
per DEUM sanctum qui te in principio verbo separavit... 1046
ut conscientiae vestrae DEUM sapiant... 1185
Ds indultorum criminum, DEUM sordium mundatorum... 841
... Per DEUM te adiuro, qui Petrum mergentem manum porrexit... 224, 225
quia per DEUM te coniuro qui septem tronus sedit quia de supore.   1860
Per DEUM tibi coniuro qui natus est de maria virgine... 2552
Per DEUM tibi coniuro qui sedit ad dexteram dei... 2552
per DEUM totius dulcidinis creaturae... 1535
Aeternum adque omnipotentem DEUM unianimiter orantis petamus... 167
semper ubique patri maiestati defusa unius potentiae DEUM verum a quos
  sancta... 3501
lumen de lumine, DEUM verum de deo vero... 554
ut qui conceptum de virgine DEUM verum et hominem confitemur... 1887
... Unde exorcizo te, creatura aquae, per DEUM verum et per deum vivum...
  1532
et relictis idolis suis convertantur ad DEUM verum et unicum... 2518
ad te cognoscendum DEUM verum et vivum... 1719a
Exorcizo te... per DEUM verum, per DEUM sanctum... 1546
per DEUM verum, per DEUM vivum, per DEUM sanctum, et per... 1531
Confundo te diabulae per DEUM vivum confundo te... 507
ita ad confitendum te DEUM vivum et dominum nostrum Iesum Christum...
  4169
... Exorcizo te per DEUM vivum et per DEUM verum quae te ad tutelam...
  1542
et da honorem DEUM vivum et vero da honorem iesu... 1411
Exorcizo te, creatura salis, per DEUM vivum et verum et patrem et filium
  ... 1547
convertantur ad DEUM vivum et verum et unicum filium... 2519
Exorcizo te, creatura salis, per DEUM vivum et verum per patrem et filium
  ... 1547
per deum verum, per DEUM vivum per deum sanctum et per dominum... 1531
Unde benedico te, creatura aquae, per DEUM vivum per deum sanctum per
  deum qui te in principio... 3565
Unde benedico te creatura aquae per DEUM vivum per DEUM sanctum... 1045
per deum verum et per DEUM vivum, per DEUM sanctum... 1532
per DEUM vivum, per DEUM sanctum, per DEUM totius dulcidinis creatorem...
  1535
... Exorcizo te per DEUM vivum, per DEUM verum... 1544

Exorcizo te creatura salis per DEUM vivum per deum verum per deum sanctum
    per deum qui te per eliseum...   1546
humiliatus atque prostratus prophetica ad DEUM voce clamat dicens...   58
Oremus, et pro hereticis et schismaticis ut DEUS ac dominus noster...
    2516
omnibus quos omnipotens DEUS ad gratiam suam vocare dignatus est...
    1548
ut desinas (ab his) (ab hoc famulo dei) quos omnipotens DEUS ad imaginem
    suam fecit...   142, 1355
... DEUS autem noster fidei et non vocis auditor est...   1373
... Pascit igitur mitis DEUS barbarum Iudam...   3867
Benedicat vobis o. DEUS beati iohannis baptistae intercessione...   342
que nobis adposita sunt omnipotens DEUS benedicat.   2486
... Qui es DEUS benedictus et regnas per omnia saecula saeculorum.   332
quia tu es DEUS benedictus qui cum patre et spiritu sancto vivis et
    regnas...   3261
Omnipotens DEUS caelesti vos protectione circumdet...   2240
Benedicat te DEUS caeli, adiuvet te...   334
sicut separavit DEUS caelum a terra...   2552
Benedicat vobis omnipotens DEUS cui... placare studetis.   343
Omnipotens DEUS cuius unigeniti adventum...   2241
Benedicat vobis omnipotens DEUS, cuius unigenitus hodierna die caelorum...
    344
DEUS cuius unigenitus hodierna die discipulis suis ianuis clausis dignatus
    est apparere...   802
Omnipotens DEUS cuius unigenitus hodierna die ne legem solveret quam
    adimplere venerat...   2242
sed imperat tibi agnus inmaculatus christus DEUS dei filius.   2180
omnipotens DEUS devotionem vestram diganter intendat...   2243
Omnipotens DEUS dexterae suae perpetuo vos circumdet auxilio...   2244
Omnipotens DEUS dies vestros in sua pace disponat...   2245
Omnipotens DEUS dignetur vobis... benedicere...   2246
qui tamquam sponsus procedens de talamo suo DEUS dominus et inluxit nobis
    ...   3763
quia istos sibi DEUS dominus noster Iesus Christus ad suam sanctam gratiam
    ...   1411
Benedico te, sicut benedixit DEUS domum habraham...   2180
... Nam dicit scriptura : DEUS enim intemptatur malorum est...   1847
VD. Orantes potentiam tuam, ne dicant gentes : ubi est DEUS eorum ?...
    3826
et in principio verbum, quod DEUS erat apud deum ipsi prae ceteris...
    3610
... Addendo et DEUS erat verbum et hoc erat in principio aput deum et
    distinctionem...   3613
... In principio erat verbum et verbum erat apud deum et DEUS erat verbum
    hoc erat in principio...   1953
quia in principio erat verbum et DEUS erat verbum qui hoc erat...   3613
et verbum erat apud Deum et DEUS erat verbum.   3608, 3609
Et qui pro veritate quae DEUS est caput non est cunctatus amittere...
    1242
qui natus est, et infans et DEUS est merito caeli...   3646, 3648
et vocamus nomen eius Emmanuhel et nobiscum DEUS est quia verbum...   3677
quia natus est, et infans et DEUS est.   3648
ut manifestandus mundo DEUS et caelesti denuntiaretur inditio...   3736,
    4157
Quem tecum DEUS et cum spiritu sancto...   4184

quos hodie DEUS et dominus noster ad suam gratiam... 2176
ut DEUS et dominus noster adaperiat aures praecordiorum ipsorum... 2513
ut DEUS et dominus noster auferat velamen de cordibus eorum... 2520
ut DEUS et dominus noster eruat eos ad erroribus universis... 2516
quem hodie DEUS et dominus noster iesus christus ad suam... ad suam
   sanctam gratiam... vocare dignatus es... 2177
ut DEUS et dominus noster ihesus christus dit illi ea sapere... 2506
ut eam DEUS et dominus noster pacificare (adunare) et custodire dignetur
   ... 2507
ut DEUS et dominus noster qui elegit eum in ordinem episcopatus... 2512
ut DEUS et dominus noster subditas illis faciat omnes... 2514
Benedicat vos omnipotens DEUS, et mentes... 360
Benedicat vos DEUS filius a superna sede... 352
et vocabitur admirabilis, consiliarius, DEUS fortis... 3677
Benedicat vos omnipotens DEUS hodierna... 361
et DEUS homo nasci dignatus congruentibus non debere nisi virgine...
   3779
Omnipotens DEUS ieiunii ceterarumque virtutum dedicator atque amator...
   2248
Omnipotens DEUS ieiuniorum vestrorum victimas clementer accipiat... 2249
solusque trinitatis individuae DEUS in solatium vestrum... 2095
... Pascit igitur mitis DEUS inmitem iudam... 3868
qui cum patre vivis dominator et regnas DEUS in unitate sancti spiritus
   in secula. 404
cum quo vivis et regnas DEUS in unitate spiritus sancti per omnia seccula
   ... 3465
vivit et regnat DEUS in hunitate spiritui sancto (spiritus sancti). 727,
   729, 848, 2498, 3946
Protegat te DEUS israel et adiciat sanitatem tuam... 2180
DEUS lumen verum... sua vos dignetur benedictione ditate. 853
Quis DEUS magnus sicut deus noster ? 3558
... DEUS magistatis intonuit, dominus super aquas multas. 3557
... DEUS martyrum, DEUS virginum, DEUS omnium... 753
Concedat vobis omnipotens DEUS munus suae benedictionis... 425
DEUS namque noster quando non regnat, maxime cuius regnum est inmortale ?
   ... 865
Benedicat vos dominus DEUS noster adque... 355
ut dominus et DEUS noster auferat velamen de cordibus aeorum... 2520
ut dominus DEUS noster calicem suum... caelestis graciae inspiractione
   sanctificet... 2504
Exaudiat vos dominus DEUS noster et pro sua... 1513
... Potens (est) dominus DEUS noster et vos qui ad fidem... 226, 3310
quem hodie dominus DEUS noster Iesus Christus ad suam sanctam gratiam...
   2174
Quis deus magnus sicut DEUS noster ? 3558
non quod DEUS nostris sanctificetur orationibus qui semper est sanctus...
   1848
Tu es aenim DEUS nullum tibi perire vis... 4126
Benedicat vobis omnipotens DEUS, ob cuius... 345
Benedicat vos DEUS omni benedictione caelesti (caeleste benedictione)...
   350
ut DEUS omnipotens auferat iniquitatem a cordibus eorum... 2518, 2519
ut DEUS omnipotens hoc ministerium corporis filii sui... implere dignetur
   ... 2524
...(Unus) (Unde et) DEUS omnipotens ita a nobis orandus... 1789
ut DEUS omnipotens qui elegit eos in ordine episcopatus... 2515

ut DEUS omnipotens subditas illis faciat omnes barbaras nationes...   2514
Christe, DEUS oriens ex alto...   395
Benedicat vos DEUS, pater domini nostri iesu christi...   351
imperat tibi DEUS pater, imperat tibi filius et spiritus sanctus...   1355,
1437
sicut separavit DEUS pater omnipotens caelum (a) terra...   2180
Benedicat vos DEUS pater qui in principio...   352
qui cum patre et spiritu sancto vivit et gloriatur DEUS per omnia saecula
saeculorum.   18, 915, 2246
vivis et regnas DEUS, per omnia saecula saeculorum. Amen.   3261
vivit et regnat DEUS per omnia saecula saeculorum.   179, 511, 2522
quia non est DEUS praeter te solum et non est secundum opera tua...   3389
Omnipotens DEUS pro cuius unigeniti veneranda infantia...   2252
DEUS qui de ecclesiae suae intemerato utero novos populos producens...
948
Omnipotens DEUS qui incarnatione unigeniti sui mundi tenebras effugavit...
2254
DEUS qui hodierna die discipulorum mentes spiritus paraclyti infusione
dignatus est inlustrare...   1002
DEUS qui per beatae mariae virginis partum genus humanum dignatus est
redimere...   1149
DEUS qui per resurrectionem vobis contulit et bonum redemptionis...   1157
Benedicat vos DEUS qui per unigeniti (filii) passionem vetus pascha in
novum voluit converti...   353
Benedicat vobis omnipotens DEUS qui per unigeniti sui...   346
Benedicat vobis omnipotens DEUS qui quadragenarium...   347
Omnipotens DEUS qui unigeniti sui passione tribuit humilitatis exemplum...
2255
Omnipotens DEUS qui unigenitum suum... in adsumpta carne in templo voluit
praesentari...   2256
DEUS qui vos ad praesentium quadragesimalium dierum medietatem dignatus
est perducere...   1241
DEUS qui vos beati iohannis baptistae concedit solemnia frequentare...
1242
Benedicat vobis omnipotens DEUS qui vos beati petri...   348
Benedicat vos omnipotens DEUS qui vos gratuita miseratione creavit...
362
DEUS qui vos in apostolicis tribuit consistere fundamentis...   1243
dicentes : Sanctus, sanctus, sanctus, dominus DEUS sabaoth...   3258, 3589
Prosperum iter faciet vobis DEUS salutarium nostrorum...   2905
Benedicat te DEUS, sanet te DEUS (filius)...   335
ut sicut homo genitus id est praefulsit et DEUS sic nobis...   2130
Omnipotens DEUS sua vos clementia benedicat...   2258
... DEUS tibi imperat, pater et filius et spiritus sanctus...   1852
DEUS unitas DEUS trinitas in cuius magna confido valde misericordia.
3792
Omnipotens DEUS universa a vobis adversa excludat...   2260
VD. Qui cum unigenito filio tuo et sancto spiritu unus es DEUS, unus es
dominus...   3887
potens est enim DEUS, ut augeat tibi graciam.   31, 1403
Benedicat vobis omnipotens DEUS, vestramque ad supernam excitet
untentionem...   349
Purificet omnipotens DEUS vestrorum cordium archana...   2951
qui cum patre et filio unus DEUS vivit et regnat...   345
Omnipotens DEUS vos placito vultu respiciat...   2261

iesu christo qui cum patre et spiritu sancto vivit et regnat DEUS.   702
... Suscipe, dne, creaturam tuam non ex DIIS alienis creatam...   3389

          DEVINCO
ut diabolum (diabolus) qui adam in fragili carne DEVICERAT...   3930
Ds qui mortem nostram... in hac nocte DEVICISTI virtute devina.   1073
beatus Laurencius edaces incendii flammas contemto (contemptum)
   persequutore DEVICIT concede.   784
cum per mortem passionis mundum DEVICIT per gloriam...   3929
... Mortemque quae per lignum vetitum venerat, per ligni trophaeum
   DEVICIT ut mirabilis...   3992
per quam sanctus martyr ill. omnia corporis tormenta DEVICIT.   2649
Ds, qui per unigenitum tuum aeternitatis (DEVICTA morte) nobis aditum
   DEVICTA morte reserasti...   1003, 1159, 1160
induique iubeas DEVICTA morte vigorem (vigore)...   3770
... DIVICTIS gemitibus inferni animas ad lucem produxit (perduxit)...
   142, 1355
utque tam inmensis beneficiis DEVICTIS hostium...   4143
ut DEVICTO adversario cui renunciatis (cuius renuntiastis)...   1706
cum DEVICTO mortis suae auctore gratuletur.   58
corde firma et mens sincere DEVICTUM presere famulatum.   763
ne facerent plaga preputium, poena fersum, flamma DEVICTUM.   546
ut et hostem antiquum DEVINCAT, et vitiorum squalores expurget...   760
et ea DEVINCENS coronam perpetuitatis promeruit.   3720, 3858
valeatis et antiquum hostem DEVINCERE et ad regna caelestia...   341
quibus... DEVINCERE valeatis antiqui hostis sagacissima temptamenta.   347
illa meruit et sexus fragilitatem et persequentium rabiem DEVINCERE vos
   possitis...   341
et regio DEVINCTIS hostibus valeat obtinere quiaeti.   3501

          DEVIO
quantum ab aequitatis tramite DEVIAMUS et tantum...   3885
quoniam sicut eius praeteriuntes tramitem DEVIAMUS sic integro...   2267
cum vel a te DEVIANS homo diabolicae subicitur potestati...   4054
ut ecclesiae tuae sanctae, a cuius integritate DEVIARAT peccando...   2716
quam prosperitate mundana a beatitudinis sempiternae tramite DEVIARE inter
   que...   3812
VD. A quo DEVIARE mori, coram quo ambulare vivere est...   3590
permittis a sempiternae beatitudinis itinere DEVIARE per quae...   3972,
   3973
et hi, qui ab illorum tramite DEVIASSENT, haberentur externi...   3947
a vitae numquam semitis DEVIEMUR.   1071
nec in dextera nec in leva DEVIENT, te...   2475
prave adversionis impiaetas DEVIET, et nec suprae...   329

          DEVITO
et vitiorum monstra DEVITARE et ad te qui...   2993
... DEVITARE quod nocet et amare quod solvit.   660

          DEVIUS
sic eorum qui a veritate sunt DEVII flere debemus interitum...   3922
et qui DEVIIS etiam desiderata concedes...   452
et quos merito flagellas DEVIOS.   250
et qui non derelinquis DEVIUM, adsume corruptum (correctum)...   822, 823

          DEVORO
non solum viduarum facultates, sed DEVORANTES etiam maritarum...   3879

DEVOTE

ut hoc quod DEVOTE agimus etiam rectitudine vitae teneamus.   836
ut ea quae DEVOTE agimus te adiuvante fideliter teneamus.   1126
... DEVOTE et probabiliter usque ad diem obitus vivat...   2475
qui DEVOTE populis penitentiam predicavit.   3048
et maiorem DEVOTE tibi humilitatis gratiam consequamur...   634
Quatenus praesentis quadragesimae diebus DEVOTISSIME celebratis...   2249
ob odierna diae solemnitate DEVOTISSIME confluenti.   124
tanto DEVOTIUS ad eius digne celebrandum proficiamus paschae (paschale)
   mysterium.   3798
ut quanto tibi DEVOTIUS famulamur...   616
et DEVOTIUS recolere principaliter inquoatas.   1578
quia tanto nobis salubrius aderit, quanto id DEVOTIUS sumpserimus.   3305

DEVOTIO

ut tuo munere dirigantur et Romana securitas et DEVOTIO christiana.   2186
Sacrificium, dne, quod pro sanctis martyribus... praevenit nostra DEVOCIO
   eorum merita...   3159
Accepta sit in conspecto tuo dne sancta DEVOTIO et eius nobis...   19
et quia sine te non potest solida constare DEVOTIO et firmis...   3639
ut in uno eodemque spiritu sit tibi grata DEVOTIO et plebis et praesulis.
   1358
grata tibi tamen est tuorum DEVOTIO famulorum...   4040
crescat in aeis DEVOTIO fidei...   1154
et in huius solempnitate ieiunii omnium tibi sit DEVOCIO grata fidelium.
   2092
quantum (quanto) DEVOTIO humana exigit...   861, 862
mariae, cuius solemnitatem nostra prevenit DEVOTIO, intercessio...   2835
quatenus (qua nos) haec DEVOCIO ipsius, sicut nobis est necessaria...
   2509
ut DEVOTIO paenitentiae... perpetuae salutis consequatur effectum.   177
ita eum DEVOTIO perducat ad veniam...   3710
haec solempnitatis DEVOTIO perseveret.   1202
ut nostra DEVOCIO quae natalicia (beati Laurenti) martyris antecedit...
   2999
Anniversaria... nos commonet illius mensis instaurata DEVOCIO quarta...
   179
ut huius misterii nostri DEVOTIO, quem maiestati...   3592
quorum tibi fides cognita est et nota DEVOTIO qui tibi offerunt...   2068
per quam tanti doni particeps DEVOTIO quieta proficiat...   3625
sed hoc potius fiat eius gloriosa DEVOTIO quo nullis...   4010
ut quod illos passio gloriosos nos DEVOTIO reddat innocuos.   3398
ut per dignum pontificis institutum crescat tuorum DEVOTIO sancta
   fidelium.   2111
ut quos ieiunia votiva castigant ipsa quoque DEVOTIO sancta laetificet...
   2788
Noverit vestra DEVOCIO, sanctissimi fratres, quod...   2187
ut DEVOTIO supplicantum ad gratiarum transeat actionem.   377
ita aeum DEVOTIONEM te iubente perducat ad veniam...   3920
qui relegiosa corda hac DEVOTIO tibi optat servire.   3736
ut orandi ad te nobis sit fida DEVOTIO tuaque donetur...   236
Accepta sit in conspectu tuo, dne, nostra DEVOTIO ut eorum nobis...   19
et victoriosissima semper perseveret, te adiuvante DEVOTIO.   4071
placentium tibi praecibus fiat grata DEVOTIO.   3397
depraecandi miserationis tuae lucra DEVOTIO.   296

secura tibi serviat Romana DEVOTIO.   2349
Ds, qui ob ammarum (ad animarum) medillam ieiunii DEVOTIONE castigare
   corpora praecepisti...   889, 1139
... Huius igitur triumphi diem hodierna DEVOTIONE celebrantes...   4169
VD. Quoniam quidquid christianae professionis DEVOTIONE celebratur...
   4100
hanc eadem festivitatem solita (sollicita) DEVOCIONE caelebremus.   2187
populum tuum ieiunii ad te DEVOTIONE clamantem propitiatus exaudi...
   1086
fidelium facis DEVOTIONE clariscere...   4015a
et pia tibi DEVOTIONE conplaceant...   691, 692
Ds cui beata caecilia ita castitatis DEVOTIONE conplacuit...   758
et a vitiis omnibus expeditos in sancta faciat DEVOTIONE currentes.   2158
VD. Et pietatem tuam supplici DEVOTIONE deposcere, ut...   3709
O. ae. ds tuae gratiae pietatem supplici DEVOTIONE deposco...   2239
et illam (eorum) sequi pia DEVOTIONE doctrinam...   2742
ut et illorum passioni sit veneratio ex nostra DEVOTIONE et nobis
   auxilium...   3601
et praesentis vota ieiunii placita tibi DEVOCIONE exhibere concede.   104
VD. Et maiestatem tuam supplici DEVOTIONE exorare, ut beatorum...   3702
VD. Et maiestatem tuam cernua DEVOTIONE exorare, ut modulum...   3699
VD. Et te supplici DEVOTIONE exorare, ut per ieiunia...   3730
VD. Et pietatem tuam supplici DEVOTIONE exposcere, ut...   3710
tibique domino piae DEVOTIONE famuletur...   2269
calicem istum in usum ministerii tui pia (famuli tui) DEVOCIONE formatum
   ...   1281
ut in (hac) populi tui DEVOCIONE fructus praeveniat (proveniat) gaudiorum.
   2463
Da nobis (fac nos) qs dne ds noster... in tua (semper) DEVOTIONE gaudere
   quia perpetua...   612, 1574, 1582
frequenti tribuas DEVOCIONE gaudere ut crebrior...   3600
da nobis in festivitate... congrua DEVOTIONE gaudere ut et potentiam...
   2385
quod pia (frequenti) DEVOTIONE gerimus, certa redemptione capiamus.   543,
   3135
sed exhibita potius sollemni DEVOTIONE ieiunii (ieiunia)...   3717, 3758
tibique dne pia DEVOTIONE iugiter famuletur...   2269
Ds, qui fidelium DEVOTIONE laetaris...   992
et aeclesia tua tranquilla DEVOTIONE laetetur.   581
quam tibi offerunt ob DEVOCIONE mentis suae...   1720
congruentem nostrae DEVOTIONE offerimus effectum.   2662
Et qui DEVOTIONE omnium expectamus...   3021
parsimoniae DEVOTIONE ornati...   3949
ut quae temporali DEVOTIONE percepimus...   1307
ut ieiuniorum veneranda sollemnia... et secura DEVOTIONE percurrant.
   2653
Da nobis (dne qs) observantiam, (dne) legitimam (legitima) DEVOTIONE
   perfectam...   600
hereditas tua in numero augeatur et DEVOCIONE perficiat.   801a
senceram (sincera) deinceps DEVOTIONE permaneant...   922, 923
et ut tibi in populi tui DEVOTIONE placeamus tu sancto...   860
plena tibi atque perfecta corporis (corpore) et animae DEVOTIONE placeamus
   ut dum haec...   186, 193
cuius adsumptionis diem omni DEVOTIONE praesenti sacrificio caelebramus.
   3815
nobis fiat (tribuat) in DEVOTIONE praesidium.   2222, 2223

quos pia DEVOTIONE praesumpsit...   3045
... Te humili DEVOTIONE precamur, ut...   3807
exaudi praeces quas speciali DEVOTIONE pro anima famuli tui... fundimus...
    1263
ut ieiuniorum veneranda solempnia... et secura DEVOCIONE procurant.   2715
salutaris parsimoniae DEVOTIONE purificati...   3829
ut observationes sacras (observationis sacrae) annua DEVOTIONE recolentes
    et corpore...   2730
... Cuius hodie natalem passionis diem, annua DEVOTIONE recolentes hostias
    tibi...   3906
... cuius diem passionis annuae (annua) DEVOCIONE recolimus...   2655,
    2718
nos DEVOTIONE reddat innocuos.   3442
atque ornatus curis modulis spiritali DEVOCIONE resonet aeclesiae.   1340
et intellectu capere quod DEVOTIONE sectatur...   2657
et fidem congrua DEVOTIONE sectemur.   609, 621
ut secura libertas in tua DEVOCIONE semper exultet (exultent).   2608
ut tuo semper auxilio secura tibi possit DEVOTIONE servire.   1450
et mutua DEVOTIONE sincire.   521
ut maiestati tuae plena sit DEVOTIONE subiecta...   3303
... Ideoque solicita DEVOTIONE succidente sequente...   3269
sed per offerentum fuerat (fuaerit) DEVOCIONE suscepta.   1734
VD. Per annua DEVOTIONE tabernaculi huius...   3828
ut quo (quod) sancta est DEVOTIONE   tractandum,(DEVOTIONE est tractandum)
    senceris mentibus exequamur.   1153
... pia DEVOTIONE tractemus.   3673, 3753
cum nos vel in hac DEVOTIONE tribues permanere...   3642
mutuas mortes tibi inpendere praetiosa DEVOTIONE tribuisti.   3901
cum per (pro) supplicacionibus nostris annua DEVOCIONE venerandus...
    4120, 4122
et apostolorum natalicia nos tuorum continua DEVOTIONE venerari et in
    suis...   2709
et quae (quem) extrinsecus annua tribuis DEVOTIONE venerari interius...
    1416
frequenti tribuis DEVOTIONE venerari ut crebrior...   3599
natalem diem plena DEVOTIONE venerari ut quorum doctrinis...   2330, 2331
sanctorum (tuorum) martirum palmas incessabile DEVOTIONE venerari ut quos
    digna...   579
ut in huius celebritate mysterii perpetua DEVOTIONE vivamus.   3882
in nostris mentibus firmes DEVOTIONEM concedasque...   3681
et illam sequi DEVOTIONEM doctrinae...   3944
ut DEVOTIONEM famuli tui illi confirmis in bono...   2155
et que haberet gratiam per DEVOTIONEM fidaei...   976
pia famuli tui DEVOTIONEM furmatum...   1281
cuius modolis spiritali DEVOTIONEM gratia resonat aecclaesiae.   1340
ut quae haberet gratiam per fidei DEVOTIONEM, haberet etiam ex nomine
    pietatem...   976
in affectu DEVOTIONEM, in hactu prosperitatem...   318, 1332
quam tibi offeret (offerunt) ob DEVOCIONEM mentis suae (eorum, sui)...
    1730a
sollemnitas et DEVOTIONEM nobis augeat et salutem.   604
et ita DEVOTIONEM nostram placatus semper (..) rogatis.   340
Da nobis observantiam dne legitimam, DEVOTIONEM perfectam...   600
O. s. ds, respice propitius ad DEVOCIONEM populi renascentis...   2464
DEVOTIONEM populi tui dne qs benignus intende...   1266

ut sacris et DEVOTIONEM proficiens incrementis...   242
et illam sequi pia DEVOTIONEM qua dilectus...   3944
DEVOTIONEM, qs, dne, nostrae mentis informa...   1267
Quesumus o. ds ut nostram DEVOTIONEM quem...   2999
vel famuli tui ill. finem vel DEVOTIONEM respicere digneris...   1725
et puram tibi DEVOTIONEM semper exhibeat...   1399
respice super hanc famulam tuam illam quae tibi DEVOTIONEM suam offert a
    quo et ipsa eundem...   760
ei DEVOTIONEM suam offerunt, (offeret) a quo ipsa vota sumpserunt...
    758, 759
Idioque solicita DEVOTIONEM succendentem.   3269
Omnipotens deus DEVOTIONEM vestram diganter intendat...   2243
DEVOTIONEM vestram dominus dignanter intendat...   1268
Et ita DEVUTIONEM vestram placatus semper suscipiat...   356
et quod nostrae DEVOTIONI concedis effici temporalis...   3443
sed exhibita tociens solemni DEVOTIONI ieiunii...   3758
(ut et) DEVOTIONI nostrae proficiant et saluti.   288, 3148
et oblata DEVOTIONI nostrae servitutis asscribis...   2433
non solum nostrae reputans DEVOTIONI quae tua sunt...   942
Populum tuum... aeternumque perficiant tam DEVOTIONIBUS acta (apta)
    sollempnibus...   2615
fructibus nostrae DEVOTIONIS adcrescat.   3233
Hostias, qs, dne, nostrae DEVOTIONIS adsume...   1816
Da plebi tuae dne piae semper DEVOTIONIS affectu ut quod...   2606
Proficiat, dne, qs, (qs dne) plebs tibi decata pie DEVOCIONES affectu
    ut sacris...   2855
ad plenae DEVOTIONIS affectum beati baptistae...   2732
Accendat in vobis piae DEVOTIONIS affectum et praebeat...   2248
et quibus prestas DEVOTIONIS affectum praebe...   3219
infundas aetiam DEVOTIONIS affectum quo efficiantur ingrati.   3795
Da plebi tuae, dne, pie semper DEVOTIONIS affectum ut quae prava...   631
ut per hanc ieiuniorum observationem crescat nostrae DEVOTIONIS affectus
    quatenus te...   3679
Fiat, (Fiant) (qs, dne,) (per gratiam tuam) (tua gratia) fructuosus
    (fructuosius, fructuosior) nostrae DEVOTIONIS affectus quia tunc...
    1619
ut illuc (semper) tendat christianae nostrae DEVOTIONIS affectus quo tecum
    est...   3498
quibus proficiat nostrae DEVOTIONIS affectus.   2848
Sancti Felicis, dne, confessio recensita conferat nobis pie DEVOCIONIS
    augmentum qui in confessione...   3195
crescat in aeis DEVOTIONIS augmentum ut festinantes...   308
prestare cognosceris DEVOTIONIS aumentum.   3935
Hostias qs dne nostrae DEVOTIONIS benignus assume...   1816
ad bona quoque perpetua piae DEVOTIONIS crescamus accessu.   1210
fructibus nostrae DEVOCIONIS crescat.   3233
et DEVOCIONIS cunctorum crescere filiorum.   1014
ut populus tuus ad plene (plena) DEVOCIONIS effectum beati baptistae...
    2732
et tua sancta celebrantibus auge DEVOTIONIS effectum ut et tibi semper...
    66
ut pie DEVOTIONIS effectus substantiam nobis et mentium prestet et
    corporum.   2422
ita piae DEVOCIONIS erudiamur effectu.   1485
Ds, auctor sincerae DEVOTIONIS et pacis da qs...   750

VD. Tua nobis enim munera conferri posse confidimus abundantiam DEVOTIONIS
   et pacis ut et securitatem...   4192
et aliis praebere facias perfectae DEVOTIONIS exemplum.   762
piae nobis DEVOCIONIS fructus adcrescat.   2737
ut ex ipsius (ipso) DEVOTIONIS genere nosceremus (nos cernemus)...   3969,
   3970
et DEVOTIONIS gratiam nobis conferant et salutem.   3371
Grata tibi sint, dne, munera, qs, DEVOTIONIS hodiernae...   1649
Tibi dne ds meus, (noster) meae (nostrae) DEVOTIONIS hostias immolo
   (immolamus)...   3476, 3476a
pariterque nobis DEVOTIONIS huius tempora largiora tribuas et profectum.
   3368
tu (et) spiritum nobus (in nobis) tante DEVOTIONIS infundas...   3664,
   4214
ut in eo semper oblationes famulorum suorum studio suae DEVOCIONIS
   inpositas...   707, 718
sed studio piae DEVOTIONIS intendis...   2420
veneranda solemnitas DEVOTIONIS nobis augeat et salutem.   604
DEVOTIONIS nostrae tibi, dne, qs, (qs dne) hostia iugiter immoletur...
   1269
Accepta tibi sit, (in conspectu tuo) dne, nostrae DEVOTIONIS oblatio...
   22, 26
ut haec piae DEVOTIONIS obsequia et rectores sanctificent et regendos.
   1353a
munus oblatum et gratiam nobis DEVOTIONIS obtineat...   469
ut dicato muneri congruentem nostrae DEVOTIONIS offeramus affectum.   2662
obsequio religiosae DEVOTIONIS offerimus magnum...   861
Munera tibi dne nostrae DEVOTIONIS offerimus quae et pro...   2140
ut per haec piae DEVOTIONIS officia ad caelestem gloriam transeamus.
   3394
pro tuae reverentia potestatis, per haec piae DEVOTIONIS officia quoddam
   retinere...   4170
munera... prosint nobis et ad piae DEVOTIONIS officium...   3451
et quibus DEVOTIONIS praestas affectum...   3219, 3226
ut sacrae DEVOCIONIS proficiens incrementis...   241, 242
Sumpsimus dne corporis et sanguinis DEVOTIONIS remedia...   3334
christianae DEVOTIONIS sequatur (sequeretur) universitas.   2413
et continuate DEVOTIONIS sumat augmentum.   1528
... DEVOTIONIS tibi ieiunio placeamus.   3740, 4183
VD. Referentis graciarum de praeteritis muneribus DEVOCIONUM...   4122

          DEVOTUS
et quas in honorem sanctorum tuorum DEVOTA concelebrat...   1811
sed ut potius tui corporis ubique DEVOTA compago te dispensante
   suscipiat...   4077
quibus et aeclesiae totius observantiae DEVOTA concurrit...   4028
mente DEVOTA conprehendere possitis.   346
et praeveniat conpetenter et DEVOTA conversatione perducat.   2091
cingulare reverentiam, plebs DEVOTA custodia...   740
ut universa familia tua et toto tibi sit corde DEVOTA et pura sibi...
   972
fac nos tibi semper et DEVOTA gerere voluntatem...   2340
et DEVOTA maneat, et secura consistat.   1985
et quas in honore nominis tui DEVOTA mente caelebrant...   1801
et quas in honore sanctorum tuorum DEVOTA mente caelebrat...   1810

Et qui ad celebrandam redemptoris nostri caenam DEVOTA mente convenistis
    ... 353
Quatenus sic per viam salutis DEVOTA mente curratis...   722
Concede, qs, o. ds, ut viam tuam DEVOTA mente currentes...   502
Ut qui de adventu redemptoris nostri secundum carnem DEVOTA mente
    laetamini... 2261
ut quorum sollemnia DEVOTA mente non deseris...   2847
et ad perpetuam graciam DEVOTA mente perveniat.   143
et quas in honorem nominis tui DEVOTA mente pro eis celebramus...   1801
Iterata misteria, dne, pro sanctorum martyrum DEVOTA mente tractamus...
    1977
serviens deo vero DEVOTA muniat infirmitatem suam robore discipline...
    2542
... Quae dum humanis DEVOTA nuptiis...   3775
ut gratiam tuam, quam sumit indebita, cupiosius DEVOTA percipiat.   3546
ut aecclesia tua et martyrum... confisa suffragiis DEVOTA permaneat et
    eorum praecibus...   2723
adque eorum praecibus gloriosis et DEVOTA permaneat et secura consistat.
    1985
illuc plebs occurrat DEVOTA perveniat...   1509
quae et dispensante DEVOTA subsequitur...   4021
experiatur DEVOTA suffragium.   973
natalicia veneranda, dne, qs, (dne qs) aeclesia tua DEVOTA suscipiat...
    262
te fiat operante DEVOTA, te protegente secura.   4257
benedictionem suppliciter inploratam DEVOTA tibi familia consequatur...
    3511
ut tranquillitate (tranquillitatem) percepta DEVOTA tibi mente deserviat.
    520, 525
et DEVOTA tibi peccatore famulantis perpetuae deffensionis custodi...
    1477
mente DEVOTA venerari studetis...   343
gloriam tuam plebs DEVOTA veneretur.   672
et in bonis actibus tuo nomini sit DEVOTA.   1598
et mirabilium tuorum inenarrabilia praeconia DEVOTAE mentis veneratione
    celebrare...   3738
et quam tibi facis esse DEVOTAM benigno refove...   1419
O. (s.) ds, fac nos (nobis) tibi semper et DEVOTAM gerere voluntatem...
    2247, 2340
et tibi sine cessatione DEVOTAM perpetua redemptione confirma.   2183
et quam martyrum tuorum adsidua tribues festivitate DEVOTAM tibi semper...
    2929
quibus mentium nos tui nomine (tuo nominum) DEVOTARUM et a terrenis...
    3438
Suscipe, dne, qs, hostias mentium tuo nomini DEVOTARUM quibus nos et...
    3420
(et) DEVOTAS, (dne), humilitatis nostrae praeces... praecedat auxilium...
    1265, 3364
ut tibi semper simus DEVOTI cuius sapientiae (sapientia)...   3275, 3276
Sicque efficiamini in eius supplicatione DEVOTI et in mutua dilectione
    sinceri et...   722
ut sincera (tibi) mente DEVOTI et praesentis...   3322
et in quorum sunt celebritate DEVOTI fiant in eorum...   1861
... DEVOTI semper in tua laude vivamus.   2768
... DEVOTI semper tibi existere mereantur.   987
adsumptione... tuae genetricis beate mariae caelebramus DEVOTI.   2461

tua gratia possint (possent) esse DEVOTI.   819, 820
et maiestati tuae propensius esse DEVOTI.   458
ad depraecanda miserationis tuae lucra DEVOTI.   297
et corpore tibi simus (sumus) et mente DEVOTI.   1300
et de non abnegata pietate DEVOTI.   3652
et fiat magnae glorificationis amore DEVOTIOR.   262
ut et DEVOTIS eadem mentibus caelebremus...   1099
et mentem quam tibi DEVOTIS existat...   654
et ut DEVOTIS hoc mentibus exequamur obteneat.   154
ut quae conlata nobis honorabiliter recensimus, DEVOTIS mentibus adsequa-
    mur.   147
tribuat vobis et eadem DEVOTIS mentibus celebrare...   1242
Et qui ad eius celebrandam festivitatem... DEVOTIS mentibus convenistis...
    1149
VD. Tuamque immensam clementiam DEVOTIS mentibus et inmensis implorare...
    4198
et maiestatem tuam DEVOTIS mentibus exoramus pro (ut) anima famuli tui
    ill...   3837, 3915, 3916
teque DEVOTIS mentibus exoramus ut hunc famulum tuum quam conibentia...
    561
VD. Maiestatem tuam DEVOTIS mentibus implorantes...   3797
cuius DEVOTIS mentibus in terra celebratis triumphum.   275
continuata subsidia DEVOTIS mentibus ministrabis...   3802
VD. Et DEVOTIS mentibus natale beati martyris tui laurentii praevenire...
    3685
VD. Et tuam cum celebratione ieiunii pietatem DEVOTIS mentibus obsecrare...
    3743
VD. Et te DEVOTIS mentibus supplicare, ut...   3718
Has famulas tuas DEVOTIS mentibus tibi servientes...   1297
sacrandis tibi liminibus DEVOTIS occurrit...   534
VD. DEVOTIS omnipotentiam tuam mentibus obsecrantes...   3674
ut qui beati andreae... festum solemnibus ieiuniis et DEVOTIS praevenimus
    ieiuniis...   3705
VD. Et tuam omnipotentiam DEVOTIS praecibus implorare, ut...   3751
... DEVOTIS semper excubiis est propinquus.   1653, 2307
et DEVOTIS semper frequentare serviciis...   1578
accipe sacrificium a DEVOTIS tibi famulis...   1058
et quietis celebremus mentibus et DEVOTIS.   4137
ut qui talia dona prestas inmeritis, praeveas maiora DEVOTIS.   2474
beneficia praebeas potiora DEVOTIS.   3800
ut nos famulos tuos omnem clerum et DEVOTISSIMUM populum...   3791
Da illis DEVOTO corde te colere, se cavere...   1180
VD. Supplicantes, ut tibi nos placatus DEVOTO facias corde sectari...
    4136
hoc sollemne ieiunium... DEVOTO servitio celebremus.   112
et DEVOTO tibi pectore famulantes perpetua defensione custodi...   1477
... Ut et hic DEVOTORUM actuum sumamus augmentum...   3752
Suscipe, dne, qs, (qs dne) DEVOTORUM munera famulorum...   3418
pariterque et DEVOTORUM munus et remunerantis est praemium.   3054
et obsequia munerum fiant praesidia DEVOTORUM.   3231
Ut tuam dne misericordiam consequamur, fac nos tibi toto corde esse
    DEVOTOS.   3583
et tibi semper fac esse DEVOTOS.   2678
ad celebrandam unigeniti filii tui domini nostri passionem facias esse
    DEVOTOS.   3659

et mente et corpore semper tibi esse DEVOTOS. 889
concide nos opere mentis et corporis semper tibi esse DEVOTOS. 2418
maiore pietate tueris (et) sincera (tibi) mente DEVOTOS. 658
maiestati tuae fac semper DEVOTOS. 1468
fac eorum et consideratione DEVOTUM et defensione securum. 1415
et nostrum (nomen) tibi DEVOTUM iugiter efficere famulatum. 1944
cui DEVOTUM pectore decrevit ad alta contemplatione suspendere. 4126
Benedic dne populum tuum, et DEVOTUM respicere pater... 323
qua beatus Xystus... DEVOTUM tibi sanguinem exultanter effudit... 3773
Conserva populum tuum, ds, et tui nomine (tuo nomine) fac DEVOTUM ut
    divinis... 523
populum tuum, qs, sanctis tuis fac (facis) esse DEVOTUM ut qui ab eorum...
    992
tuo semper nomini fac DEVOTUM. 562
fac eum praemio beatum, quem fecisti pietate DEVOTUM (DETUUM). 1170
et pio tibi semper (ut pio semper tibi) DEVOTUS affectu... 1620, 1621,
    2610, 4030
famulos tuos ill. DEVOTUS erexit... 2321
Da, qs, dne, populo tuo et mentem quam tibi DEVOTUS existat... 654
ut dum tibi DEVOTUS exteterit, iracundiae (tuae ab eo) flagella amoveas.
    1087, 1088
et salubri conpunctione DEVOTUS gratanter... 2853
ut te largiente et DEVOTUS in ecclesia persistere... 97
ut qui in odore sanctorum sacrandis tibi luminibus DEVOTUS occurrit...
    534
ut (et) DEVOTUS tibi populus semper existat... 432
fac nos toto tibi corde DEVOTUS. 2583
tua gratia possit esse DEVOTUS. 819
tuo nomini fac nos semper esse DEVOTUS. 277
maiestati tuae fiat etiam voluntate (voluntatem) DEVOTUS. 647

DEVOVEO
et tibi fideles tui quod (te inspirante) (in te sperantem) DEVOVERUNT
    impleantur... 4031
illius thalamo, illius cubiculo se DEVOVIT qui sic... 758
quas pro... Eufymiae natalicia passione maiestati tuae prompta DEVOVIT.
    3419

DEXTERA
Ds, cuius DEXTERA beatum Petrum apostolocum ambulantem in fluctibus ne
    mergeret (mergeretur) erexit... 785, 786
inter sanctos et electos suos eum in parte DEXTERA collocandum
    resuscitari faciat... 2522
resurrectionis beatae primitias... in tua secum DEXTERA collocavit. 3953
in gloriae tuae DEXTERA collocavit. 410, 411
ut gentes... potentiae tuae DEXTERA conprimantur. 2348
ut in tua DEXTERA confidentes fiant cunctis hostibus fortiores. 2468
ut qui nos inpetere moliuntur, potentiae tuae DEXTERA conterantur. 1236
tua conlocetur in DEXTERA cuius est aelectione vocata in gloria. 3216
et cum benedictis ad DEXTERA dei patris venientis inveniat... 3433
deducat vos mirabiliter DEXTERA dei prae beatque... 2905
ut tua DEXTERA gubernante nec nostra nobis praevaleant nec aliena
    peccata. 566
tua DEXTERA hoc evactiere dignetur. 850
nec in DEXTERA nec in leva devient... 2475

Ds qui... martyribus regiam caelestis aule potenti DEXTERA pandis...
   1227
et confessio in DEXTERA paterne maiestatis agnoscitur...   1706
Protegat dne qs tua DEXTERA populum supplicantem...   2920
ut tua nos ubique DEXTERA protegentc...   245
tua semper DEXTERA sint protecti.   2461
Laetetur, dne, qs, populus tuus tua DEXTERA sublevatus...   1984
Propter quod multum a terris in DEXTERA sua nomen subiit caput.   3847
... DEXTERA sua te defendat...   334
cuius auctorem lavacri sacra DEXTERA tincxit in fonte.   910
et hunc famulum tuum... DEXTERA tua erigas...   1356
Potens est aenim DEXTERA tua et anima mea...   3792
ut qui se DEXTERA tua expediunt (expetunt) protege...   1217, 4030
Hunc DEXTERA tua gradientem in aelimento liquido, dum mergeretur, erexit
   ...   3823
... DEXTERA tua in eis demicante vicerunt.   3861
Vinia ex egypto propagata DEXTERA tua, ne malus...   4233
erige nos ad consedentem in DEXTERA tua nostrae salutis auctorem...   887
Propter quod multum a terris in DEXTERA tua nostrum subiit caput.   3847
Familiam tuam, (qs) dne, DEXTERA tua perpetuo circumdet auxilio...   1591,
   1599
Tueatur, (qs) dne, DEXTERA tua populum depraecantem...   3532, 3533
... Urguat (Urgeat) illum, dne, DEXTERA tua potens discedere a famulis
   tuis (famulo tuo)...   1354, 1355
viniam (i)stam quam plantavit DEXTERA tua, spiritalis...   3082
vide et viseta viniam istam quam plantavit DEXTERA tua.   3081
Ad defensione fidelium, dne, qs, DEXTERA tuae maiestatis extende...   45
... DEXTERAE caelestis auxilii ut te toto corde perquirant...   2806
cum electis resurgat in parte DEXTERAE coronandus.   3470
ut sicut inmutatur in vultu, ita manus DEXTERAE eius ei virtutis tribuat
   incrementa...   2503
et eius DEXTERAE sociati regnum (rcgno) mereantur possidere caelesti.
   667
ita manus DEXTERE suae in aeum virtutem perfectionis... tribuat...   2503
Omnipotens deus DEXTERAE suae perpetuo vos circumdet auxilio...   2244
et tuae (tu se) se DEXTERAE suppliciter inclinantes.   74
Sit fortitudo DEXTERE tuae ad protectionem huius familiae tuae...   1518
Humilitatibus dne (humiliata tibi) omnium capita DEXTERAE tuae benedictione sanctifica...   44, 1845
ita manus DEXTERAE tuae in cum virtutis tribuat...   2761
... DEXTERE tuae iuvamina illi largiaris.   2250
dum quod uni populo... DEXTERAE tuae potencia contulisti...   777
ut gentes... DEXTERAE tuae potentia conprimantur.   2447
et virtute DEXTERE tuae prosterne hostium contumacium.   2610
sub ope (opem) DEXTERAE tuae quidquid iusto...   844
ut DEXTERAE tuae virtute defensae liberis tibi mentibus serviamus.   2359
DEXTERAE tuae virtute prosterne.   530, 1833
prosternat haereas potestates DEXTERE tuae virtutis...   1154
Praetende dne... DEXTERAM caelesti auxilii ut te toto corde perquirant.
   1802, 2802, 2803, 2805
fragilitatis nostrae substantiam in gloriae tuae DEXTERAM collocavit.
   411
qui te sedere ad patris DEXTERAM confitentur in caelo.   1219
Per deum tibi coniuro qui sedit ad DEXTERAM dei non lite...   2552
sedit ad DEXTERAM dei patris omnipotentis inde venturus est...   551
et cum benedictis ad DEXTERAM dei patris venientibus veniat...   2423

Porrige, qs, DEXTERAM, dne, populo depraecanti... 2622
et ascendentem in caelis, et sedentem ad DEXTERAM patris. 554
Ascendit ad celos sedit ad DEXTERAM patris. 555
et Petro mergenti (petrum mergentem) DEXTERAM porrexit. 1549
Porrige DEXTERAM, qs, dne, plebi tuam misericordiam postulanti... 2619
Extendat in vos DEXTERAM suae propitiationis... 275
... DEXTERAM super nos tuae propitiationis (protectionis) extende. 249
Ad defensionem (fidelium), (nostram) (dne, qs), DEXTERAM tuae maiestatis
   extende. 45, 2824, 3007
atque ad protegendum nos DEXTERAM tuae maiestatis extende. 2351
et ad custodiam (a custodia) Romani nominis DEXTERAM tuae protectionis
   extende (ostende)... 2861, 2862
Porrege nobis, dne, DEXTERAM tuae (tuam) veneracionis... 2621
et sanitatem donatam DEXTERAM tuam aeregas... 1356
Porrige nobis ds DEXTERAM tuam, et auxilium nobis supernae virtutis
   impende. 2620
Porrege nobis, ds, (dne) DEXTERAM tuam et per intercessione... 2620
adque a defensionem nostram DEXTERAM tuam magistatis ostende... 3008
erege nos ad consedentem in DEXTERAM tuam nostrae salutis auctorem...
   887
Porrige DEXTERAM tuam qs dne plebi tuam misericordiam postulanti... 2619
sedensque ad DEXTERAM tuam promissum spiritum... 3876, 3877
ab eo quem ille a DEXTRIS dei vidit stantem mereamini benedici. Amen.
   915
... Et similitudo vultus eorum ut facies hominis et facies leonis a
   DEXTRIS illius... 203
ut ante tronum gloria christi tui segregatus cum DEXTRIS, nichil... 1684
a DEXTRIS virtutis inmensae filium (hominis cerneret) (cerneret hominis)
   constitutum... 4185, 4186
stantem a DEXTRIS virtutis tuae... 4193

        DIABOLICUS
Tota ab odia DIABOLICA conversatione dispitiat... 2303
Cuncta, dne, qs, his muneribus a nobis semper DIABOLICA figmenta seclude
   ... 558
a fidelibus tuis DIABOLICA figmenta tractentur... 4139
respice ad animas DIABOLICA fraude deceptas... 2434, 2449
quod ipsa denique cogitatione DIABOLICA fraude violatum est et unitate...
   858
vel quicquid DIABOLICA fraude violatum est in unitate... 859
qui humanam substantiam in primis hominibus DIABOLICA fraude vitiatam...
   758, 759
... Renova in eum... quod ipsa denique cogitacione DIABOLICA fraude
   viciatum est... 858
a DIABOLICA iubes abstinere convivio... 2458
ut fugata ab aea cuncta DIABOLICA macinatione... 331
qui fraude DIABOLICA malignitatis a baptismi unitate discendunt... 2297
et oves... DIABOLICA non simas incursione lacerari. 1676
ut exias, satanas et omnis DIABULICA potestas, de homine isto. 1888
... Tibi hominem DIABOLICA quondam fraude prostratum... 3788
ne DIABOLICA sectando vestigia a Christi consortio recedamus... 4215
VD. Qui aeclesiam tuam a DIABOLICA simulatione vis esse purgatam... 3902
Da, qs, dne, populo tuo DIABOLICA vitare contagia... 652, 653
procul tota nequitia DIABOLICAE fraudis absistat... 1047
et ab ea quidquid DIABOLICAE fraudis inrepit... 1399
ut inter condicionis humanae et DIABOLICAE fraudis incursus... 3178

expulsa DIABOLICAE fraudis nequitia virtus tuae maiestatis adsistat...
   3588
effugiat atque discedat... omnis fantasia et nequitia vel versutia
   DIABOLICAE fraudis omnisque...   1546
qui fraude DIABOLICAE malignitatis a baptismi unitate discedunt...   2297
et virtute feminea rabiem DIABOLICAE persecutionis elidens...   3783
cum vel a te devians homo DIABOLICAE subicitur potestati...   4054
et ita ex eo fugare digneris omnem DIABOLICAE temptationis incursum...
   717
confusio malignitatis hac fraudis DIABOLICAE temptationis infuderit...
   3191
non solum per Christum dominum nostrum DIABOLICAM destrueres tyrannidem...
   4034
in DIABOLICAM non reccidant servitutem.   1488
totam nequiciam DIABOLICAM tuam potenciam sint purgati...   3270
quae DIABOLICAS ab eodem repellat insidias...   3587
contra (nostrae) condicionis (errorem) (errore) et contra DIABOLICAS
   armemur insidias.   2168
... DIABOLICAS cavere vigilanter insidias...   4176
aut pro herbas DIABOLICAS peccatum tegere voluaerit...   850
et contra DIABOLICIS armemur insidiis.   2168
et ab omnibus DIABOLICIS et humanis insidiis...   340, 356
et ad DIABOLICIS furores nos potenter libera.   1613
Ds, qui creationem condicionis humanae DIABOLICIS non es passus perire
   nequitiis...   933
repulsis hinc fantasmaticis caliditatibus adque insidiis DIABOLICIS
   purificatus...   1314
a DIABOLICIS quibus renuntiavit laqueis abstinere...   651
liberatoremque suo (suum) DIABOLICO fetore depulso...   2299
qui tuae mensae participes a DIABOLICO iubes abstinere convivio...   2458
et a DIABOLICOS furores (DIABOLICO furore) nos potenter elibera (libera).
   1613
et contra DIABOLICOS tueantur semper incursus.   3522
Ibi terra indutus tremiscit DIABOLICUM virtutis dei...   1860

          DIABOLUS
... Tu autem effugare, DIABULE, adpropinquavit enim iudium dei.   1397
Exorcizo te inimice DIABULE demonii vane...   1551
tu maledicte DIABULE numquam audeas violare.   1411, 3270
Confundo te DIABULAE per deum vivum...   507
... Ipse tibi imperat DIABOLE qui ventis et mari vel tempestatibus
   imperavit...   744
exorcizo te, DIABULE, quia tu persecutor es.   1860
Ergo, maledicte DIABULE, recognusce sententiam tuam...   1411
in nullo ibi stare non possis, DIABULE sed exias...   1551
ubi tu potes caelare, DIABULE, ubi tu potest fugire ante iracundiae
   domini.   2552
ut liberent te ab omnibus malis et arteficis DIABULE.   2180
qui hominem invidia DIABULI ab aeternitate deiectum...   822, 823
Absit a vobis invidia DIABOLI, causa dispendii...   2905
quam te vincente DIABOLI cernimus esse victricem.   3850
et in omnibus frementis machinamenta DIABOLI dextera tua...   3861
si qua incursio DIABOLI eradicare et effugare ab hac creatura aquae...
   1530
tremiscas DIABULI et exeas desuper famulo isto.   1551
solve opera DIABULI et mortifera...   831

et omnis incursio DIABULI et omnes fantasma...   1531
qui ad destructionem DIABOLI et remissionem natus est hodie peccatorum...
   462
... Repelle dne virtutem DIABOLI, fallacesque eius insidias amove...   764
nulla possent (possit) DIABOLI falsitate corrumpi.   2383
ut quod in eo DIABULI fraude commissum est conmissus est...   1007
necessitas hostilis et DIABULI fraude subreptum est...   1007
procul DIABULI fraudis adsistat...   2907
Deficiant te artis DIABULI in diae, in nocte...   2180
nec nos foveas et DIABOLI laqueos patiaris incidere...   48
Propterea interdico te et contradico tibi, DIABULI longe a te...   2552
nulla DIABOLI nocevit obreptio.   446
omnis incursio DIABOLI, omnes (omne) fantasma...   1531, 1532
... Omnis (omnes) virtus adversarii, omnis (omnes) exercitus DIABULI,
   omnis incursus...   1538, 3566
omnis inveterata malicia DIABULI, omnis violenciae occursio...   1536
omnemque nefariam vim DIABOLI pellendam...   1539
excommunico te DIABULI per confessoris et tronis et dominationis...   1551
quam fuaerit DIABULI pollutum...   841
adque ideo in nulla remaneat DIABOLI portione...   4189
Per illo te coniuro, DIABULI qui pulmum mensus est in caelo.   1860
... DIABULI quibus capti (captivi) tenentur laqueis resepiscant.   992
... DIABULI ritu ut liberati hospitalis agamus tibi, dne, pater o. laudes
   et gratias.   1346
de DIABOLI saevitia triumphavit...   3856
Coniuro te, DIABULI super quatuor candelabra sedias...   1860
quod DIABOLI temptaciones exuberans...   2187
Quod DIABOLI temptamenta vincentes...   2187
et cum fraudibus suis DIABULI turmenta perpellatur.   782
Sit nobis in protectionem corporis nostri contra expugnatione DIABOLI.
   2003
exiet gladius ab oriente ut tibi habet interficere DIABULI.   1860
et liberentur ab omni temptatione DIABULI.   298
qui dispecto DIABULO confugiunt sub titulo Christi...   2658
et quicquid vitiorum fallente DIABOLO contraxit...   771
et incrassatum DIABOLO cor induratum...   850
liberis a DIABULO, et christo tuo coniungas in gaudio sempiterno.   4184
de DIABOLO et mortis aculeo ad hanc gloriam vocaremur...   3645
virtutem tuam totis exoro gemitibus pro huius (famuli tui) a DIABOLO
   opraessa infantia...   1371
ne sine baptismate facias (facies) eius animam a DIABULO possideri...
   1371
ut DIABOLO, quem sua virtute prostraverat...   4023
impera DIABULO, qui hunc famulum tuum illum detenet, ut ab eo recidat...
   2275
redintegra in eo... quicquid DIABULO scindente corruptum est...   58
... Tolle ocansionem DIABULO triumphandi...   3463
et si quid de regione mortali tibi contrarium contraxit fallente DIABOLO
   tua pietate...   747
et triumphato DIABOLO victor a mortuis resurrexit...   4160
et DIABOLUM caelestis operis inimicum...   3692, 3785
unde resistere DIABULUM et insidiis ipsius possimus...   1670
VD. Qui vicit DIABOLUM et mundum...   4038
... O noctem quae videre meruit, et vinci DIABOLUM et resurgere christum
   ...   4160
VD. Qui vicit DIABOLUM, paradisum restituit...   4038

ut DIABOLUM qui adam in fragili carne devicerat... 3930
Tolle occansionem DIABULUM triumphandi... 3463
patiendo DIABULUM vicit... 4013
... DIABULUM vincere quem patientiae suae mortis occidit... 4176
et qui eius acceperat potestatem DIABOLUS calcaretur... 4096, 4110
ut caeleste misterium quod DIABOLUS cum sua pompa distruetur... 3269
poenae obnoxium DIABULUS detenebat... 1611
per quem DIABOLUS extetit filio suo vincente captibus. 3735, 4142
ut cum DIABULUS furentis insidiis fortis nobis pugnatur sistat... 841
ut DIABULUS inpugnatus, expugnatus, tremefactus expaviscat. 1547
VD. Quoniam sicut humanum genus in utroque sexu DIABOLUS merito pravae...
  4103
penae obnoxium DIABOLUS obtenebat... 1611
... Ut DIABOLUS qui adam in fragile carne devicerat... 3930
... DIABULUS, qui hominem temptare non desinit, munitos vos hoc symbulo
  semper inveniat... 1706
Signo omnia menbra, qui ex ipsis expellatur DIABULUS qui ledit... 2180
ut DIABOLUS, qui virum per inbecillitatem mulieris inpulerat in ruinam...
  4125
... DIABULUS vero est temptator... 1847

        DIACONATUS
quos ad presbyterii vel DIACONATUS gradus promovere dignatus es... 1748
qui in DIACONATUS ministerio praeparantur... 405

        DIACONIUM
quos tuis sacrariis (sacris) servituros in officium DIACONII (DIACONATUS)
  suppliciter dedicamus... 136, 137, 138
famulos tuos, quos ad officium (officio) DIACONII (DIACONATUS) vocare
  dignatur... 2499

        DIACONUS
elegimus in ordine DIACONI sive praebyterii subdiaconum sive diaconum...
  237
Oremus et pro omnibus episcopis, praesbyteris, DIACONIBUS, subdiaconibus
  ... 2517
elegimus ergo DIACONO sive presbitero ill. subdiaconum sive diaconum...
  237
elegimus (ergo) (in ordine) diaconi (diacono) sive praesbyterii (vel
  presbitero) subdiaconum sive DIACONUM de titulum... 237
qui in DIACONUS ministerio preparatur... 405

        DICO, DICARE
Gratanter (dne) ad munera DICANDA concurrimus... 1655
tuo quoque nomini munera iussisti DICANDA constitui... 1306
Consecra, qs, dne, quae de terrenis fructibus nomini tuo DICANDA mandasti
  ... 510
et benediccionibus tuis DECANDA praecedis... 1065
Oblatio nos dne tuo nomini DICANDA purificet... 2194
Offerimus tibi, dne, quae DICANDA tuo nomini tu dedisti... 2234
quorum tibi DECANDA veneramur infantia. 70
tuoque nomine munera iussisti DICANDAM constitui... 1306
VD. Qui praecursorem filii tui tanto munere DICASTI, ut pro veritatis...
  4000
et mundano DICATA coniungo divinum est sortita consortium... 4103
et corda sacris DICATA mysteriis (pervigili tuere pietate) (pietate tuere
  pervigili)... 4240

In honorem beati archangeli Michael loca nomini tuo DICATA mystico...
1880
quo DICATA nomini tuo basilica beatus Stefanus martyr suo honore signavit
... 3761
DICATA nomini tuo munera, dne. 1273, 1274
Proficiat, qs, dne, (dne qs) plebi (plebs) tibi DECATA pie devotionis
affectus (affectu, affectum)... 2855
Oblatio nos, dne, tuo nomini DECATA purificet... 2194
Quae tuo nomini, dne, sunt DICATA, qs aeclesiae tuae... 2955
Munera, dne, tibi DECATA, qs,sanctifica... 2125
Tibi, dne, sacrificia DECATA reddantur... 3477
Munera (tibi) (qs) dne tibi DICATA sanctifica et intercedente... 2125
Nomini tuo, dne, munera, qs, DICATA sanctifica ut et sacramentum...
2178a
Ds, qui loca nomine tuo DECATA sanctificas... 1064, 1065
Praesenti sacrificio nomine tuo nos, dne, ieiunia DECATA sanctificent...
2648
Suscipe, dne, munera passionibus tuorum DICATA sanctorum... 3396
sed propria deo DECATA sit domus... 725
et in hostiis DICATA tibi plebis suscipere... 938
ut haec hereditas nomini tuo DICATA tua paschatur quo pia (copia). 326
quorum tibi DICATA veneramur infancia. 70
ut inter reliquas feminas tua cognuscatur DICATA. 1298
quae maiestati tuae pro... Corneli et Cypriani sollemnitatibus sunt
DICATA. 2595a
DICATAE tibi, dne, qs, capiamus oblationis effectum... 1275
degnare praecibus et hostiis (praeces et hostias) DECATE tibi plebis
suscipere... 936
respice super hanc basilicam in honore (honorem) beati illius nomine tuo
DECATAM ut (et) vetustate (vetustatem)... 886
quorum tibi DICATAM veneramur infantiam. 70
Hostias tibi, dne, DICATAS meritis benignus adsume... 1832
Hostias nostras, dne, tibi DECATAS placatus adsume... 1812
Hostias tibi dne beati caesarii... DICATIS meritis benignus adsume...
1832
... Donati, quem ad laudem nominis tui DECATIS muneribus honoramus...
2737
cum muneribus nomini tuo DICATIS occurrimus (offerimus)... 49, 50
VD. Reverenciae tuae DECATO ieiunio gratulantes... 4123
ut DICATO muneri congruentem nostrae devotionis offeramus affectum. 2662
O. s. ds, altare nomini tuo DICATUM caelestis virtutibus benedictione
sanctifica... 2304
cuius nascendo civis, sacer minister, et DICATUM nomini tuo munus est
proprium... 3863
ut DICATUM nomini tuo sacrificium purgatis moribus offeramus. 2691
et DECATUM tibi sacrificium beatae (beata) Soteris (martyr) commendet...
2826
Qs o. ds ut hoc in loco quem nomini tuo indigni DICAVIMUS... 2994

             DICO, DICERE
VD. Orantes potentiam tuam, ne DICANT gentes : ubi est deus eorum ?...
3826
non DICANT malum bonum nec bonum malum... 820
quasi uno ore laudent, proclamant et DICANT : Sanctus, sanctus. 4143
sed exias ET DICAS mihi tu qui es et fuge... 1551
et agenda DICAT, et dicta opere compleat... 1337

cum aeis affectu gedionis proeliante utatur et DICAT : Gladius...   4143
nec DICAT, sicut in Faraone (faraonem) iam dixit : Deum non novi nec
   Israel demitto...   1354
pro deo et propter deum cum fiducia exeat et DICAT verumtamen...   237
per deum et propter dominum cum fiduciam exiat et DICAT.   237
... Flammae lux quippe DICENDA est...   861
... DICENDO quippe erat, perpetuitatem sine initio demonstravit...   3613
... DICENS : Accipite et bibete ex eo omnes...   3014
qui divina vocem oris sui locutus est DICENS bonum est sal...   1547
dedit discipulis suis DICENS : Accipite et manducate ex hoc omnes...
   3014
... DICENS : Aego sum panis vivos qui de caelo discendi...   2386
et discipulis suis iussit, ut credentes baptizarentur in te DICENS : Ite
   ...   1045, 3565
humiliatus atque prostratus prohetica ad deum voce clamat DICENS peccavi
   ...   58
VD. Cuius inspiratione beatus Paulus apostolus aeclesiae DICENS
   providentes...   3653
incipit DICENS : Vox clamantis in deserto...   2059
Caerubyn quoque et syraphyn... conlaudant et DICENT : Sanctus, sanctus.
   4176
VD. Audivimus etenim profetam DICENTEM...   3603
decantent DICENTES : Magnus dominus noster ihesus christus...   1330
qui gloriam tuam concinunt sine cessatione DICENTES : Sanctus.   3612
quem laudant angeli et non cessant clamare DICENTES : sanctus.   4003
indesinente iubilo conlaudant DICENTES : Sanctus.   4184
hymnum gloriae tuae proclamamus humile confessione DICENTIS : Sanctus.
   3792
depraecamur supplice confessione DICENTES : Sanctus.   2556, 3589, 3867
ymnum gloriae tuae canimus sine fine DICENTES : Sanctus.   4061, 4161
ymnum gloriae tuae concinnunt sine fine DICENTES.   3876
qui gloriam tuam concinnunt sine fine DICENTES.   4039
angelicae concinunt potestates hymnum gloriae tuae sine fine DICENTES.
   3931
cohortes indesinenti iubilo conlaudant ita DICENTES.   4184
incaessabile voce proclamant DICENTES : Sanctus, sanctus, sanctus.   4004
satis evidenter apparet haec eos in occulto gerere, quae etiam turpe sit
   DICERE isti non solum...   3879
nos docuit verba sanctis orare et DICERE : Pater Noster.   3282
et quia dignatus es DICERE : petite et accipietis...   829
... Nam patrem suum deum quam (qua) temeritate DICERE praesumit, qui
   ab eius voluntate degenerat ?...   1695, 2543
et divina institutione formati audemus DICERE.   2526
... Nam cum filius tuus... mundum DICERET universum in suum nomen esse
   cessurum...   3957
cum ad hoc sacramentum genus humanum DICERETUR esse venturum...   4115
aelegat quod iusseris, amplectatur quod DICES, impleat quod placatis.
   431
conplete orationem vestram in unum, et DICETE : Amen.   2496, 3573
... Quem cotidianum DICIMUS, quod ita nos semper inmunitatem petere
   debemus peccati...   1778
barbam benedicendam DICIMUS, te supplicis...   898
... Sed cum DICIMUS : Veniat regnum tuum : nostrum regnum petimus
   advenire...   865
... Et David DICIT de persona Christi : Renovabitur sicut aquilae
   iuventus tua...   1953

sub conspectu ingemiscentis aeclesiae... protestatur et DICIT :
  Iniquitates...   58
sicut in evangelio dominus DICIT : Nisi demiseretis...   1791
... Nam DICIT scriptura : deus enim intemptatur malorum est...   1847
... Ad quem evincendum dominus DICIT : vigilate et orate...   1847
et DICITE a me quia mitis sum et humiles corde...   1446
Conplete orationem vestram in unum, et DICITE Amen.   2629
consonatus laudibus clamate et DICITE : Dignum est.   3281
... Evangelium DICITUR proprie bona adnuntiatio...   203
sacramentum hoc magnum, ego autem DICO in Christo et in aeclesia...   4100
... Num quid hoc DICTURUS eris, quod tibi hoc non fuerit imperatum ?...
  3563
quem mundi tollere DIXERAT venisse peccatum.   3774
nec inmerito, ut DIXIMUS, huic mysterio adsignata est Mathei persona.
  1633
summi sacerdos sacerdotum secundum ordinem Melchisedech, ut DIXIMUS
  patenam...   1283
Ds qui congregatis in nomine tuo famulis medium te DIXISTI adsistere...
  924
et DIXISTI ei : Quid nobis et tibi, Iesus Nazareni, fili dei altissimi ?
  ...   224
talium DIXISTI esse regnum caelorum.   396
sed mox ut (in te) gemuisset (ingemuisset) DIXISTI esse salvandum
  (salvatum).   858
qui DIXISTI paenitentiam te malle peccatorum quam mortem...   1308
Ds, qui tuorum corda fidelium per aelymosinam DIXISTI posse mundare...
  1228
... Ille tibi imperat... a quo tu DIXISTI, ut tibi fierint panes de
  lapidibus...   1881
cuius apostolus tuus subolus esse DIXISTI.   166
qui DIXIT ad discipulos suos : Ite in nomine meo...   1852
... Hoc ideo ait, quia DIXIT apostolus : Nescitis, quid vos oporteat
  orare...   1789
In illo tempore, respondens iesus DIXIT : Confiteor...   1446
Et david DIXIT de persona christi...   1954
nec (et) dicat, sicut in Faraone (faraonem) iam DIXIT : Deum non novi
  nec Israel demitto...   1354, 1355
... Christus enim panis est noster qui DIXIT : Ego sum panis vivus...
  1778
qui DIXIT : "Lux fiat" ante seculum.   1158
et ille tibi DIXIT : Non in solo pane vivit homo, sed in omne verbo dei...
  1881
et benedixit eam et DIXIT : Sanavit dominus aquas istas...   1346

        DICTO
sanctus etenim spiritus, qui magistris ecclesiae ista DICTAVIT...   1287

        DICTUM
et agenda dicat, et DICTA opere compleat...   1337
quae tibi sunt placita (placita sunt) et DICTIS exequamur et factis.
  2793
quid et DICTIS exsequantur et factis nec eos...   3653
quo factis probantur et DICTIS labem moribus...   4139
qui sacris quod admonuit DICTIS, sanctis inplevit operibus...   3766
Ut sic quicquid DICTO, facto, cogitationibus peccaverent...   980
ut obediens (facto) adque DICTO parens tua gracia (tuam gratiam)
  consequatur.   1339

ut non vacet DICTUM illud : Iuda filius meus catulus leonis...   2059

    DIES

et per integro DIAE ab omni peccato liberos esse concede.   1885
ut sint oculi tui aperti super domum istam DIE hac nocte hancque
    basilicae...   1249
ut in lege tua DIE ac nocte, o., meditantes quod elegerent et credant...
    3225
deputans eis angelum pietatis tuae, qui custudiret eos DIE ac nocte te
    qs dne...   737
ut sint oculi tui aperti super domum istam DIE ac nocte templumque...
    1733
ut in hac DIAE ad nullum declinemus peccatum...   1323
tercia DIAE ad superos resurrexisti...   4217
Et qui hac DIAE, adsumptione sacratissime virginis... caelebramus devoti.
    2461
... Qui ac DIE, antequam traderetur, accepit panem in suis sanctis manibus,
    elevatis...   3013
Salutarem nobis aedidit hodierna DIAE beati cypriani...   3174
ds, cuius unigenitus hodierna DIE caelorum alta penetravit...   344
qui stilla in DIE clarificatus es rex salutis.   1175
Ds qui hodierna DIE corda fidelium sancti spiritus inlustratione docuisti
    ...   1001
quo DIE cum de maternis visceribus in hunc mundum nasci iussisti...   95,
    1719a
ut sicut unigenitus filius tuus hodierna DIE cum nostrae in templo est
    praesentatus...   2356
quod in hac DIAE de sacris misteriis tuis susciperunt in aures.   122
Et qui ad eius celebrandam festivitatem hodierna DIE devotis mentibus
    convenistis...   1149
Deus cuius unigenitus hodierna DIE discipulis suis... dignatus est
    apparere...   802
Deus qui hodierna DIE discipulorum mentes spiritus... infusione dignatus
    est inlustrare...   1002
una fide eademque DIE diversis licet temporibus consonante...   4196
resuscitandamque in novissimo magni iudicii DIE et quicquid vitiorum...
    771
Ds, qui nos hodierna DIE exaltacione sanctae crucis annua solemnitate
    laetificas...   1119
sanctum Xystum... hodierna DIE felici martyrio coronasti...   4017
VD. (Et) In DIE festivitatis hodiernae, qua beatus iohannis exhortus est
    ...   3688, 3772
VD. In DIE festivitatis hodiernae, qua beatus Xystus...   3773
VD. In DIE festivitatis hodiernae, quo beatus ille baptista...   3774
VD. Teque profusis gaudiis praedicare in DIE festivitatis hodiernae quo
    in honorem...   4170
VD. In DIE festivitatis hodiernae, quo sancta Caecilia... martyr effecta
    est...   3775
qui mediante DIE festo ascendit in templo docaere...   3829
VD. Te quidem omni tempore, sed in hac potissimum DIE gloriosius
    praedicare...   4161
sabbatorum DIE hic ipsum vigiliis sollemnibus expleamus...   1682
sabbatorum DIE hic sacras acturi vigilias...   182
quam tibi offerimus in DIE hodiernae sollemnitatis...   1765
ad DIAE huius principium perduxisti...   1664
quam tibi offerunt ob DIE ieiunii caenae dominicae...   1712

O. ds qui unigenitum suum hodierna DIE in adsumpta carne in templo voluit
   praesentari...   2256
et de DIE in diem ad caelestis vitae transferat actionem.   2194
et ut in te de DIAE in diem meliorata proficiat...   3741, 4184
ut de DIE in diem quae tibi non placent respuentes...   1424
et proficiat de DIE in diem signatus promissae gratiae tuae.   2467
et proficiant de DIE in diem ut idonii efficiantur accedere...   2369
promissum spiritum sanctum hodierna DIE in filios adoptionis effudit
   onfudit...   3876
Deficiant te artis diabuli in DIAE, in nocte...   2180
quam tibi offerunt ob DIE, in qua dominus noster Iesus Christus...   1736
VD. Praecipuae in DIAE ista in qua fili tui...   3847
Ut in DIAE iudicii tui non sint sinistro numero...   1219
in DIE iustitiae aeternae (aeterni) iudicii...   3225
VD. Te quidem omni tempore, sed in hoc praecipue DIE laudare...   4162
... In cuius veneratione hodierna DIE maiestati tuae haec festa
   persolvimus...   3728
O. ds cuius unigenitus hodierna DIE ne legem solveret quam adimplere
   venerat...   2242
Adesto, dne, praecibus nostris et DIE nocteque protege...   80
resuscitandam in DIE novissimo magne iudicii...   747
una fide eademque DIE pari nominis tui confessione coronasti.   4197
Ds qui nos fecisti hodierna DIE paschalia festa caelebrare...   1115
qui hac DIAE pedes discipulorum, humiliata maiestate, propriis lavasti
   manibus.   330
Ds qui hodierna DIE per unigenitum tuum aeternitatis nobis... reserasti...
   1003, 1159
ad quem illi alter cruce alter gladio hodierna DIE pervenere.   348
Ds, cuius hodierna DIE praeconium Innocentes martyris non loquendo
   (preconia innocentum martyrum non loquendus)...   788
ut de die in DIE quae tibi non placent respuentes...   1424
VD. Et in hac DIE quam beati clementis passio consecravit...   3690
VD. Et in hac DIE quam transitu sacro beati confessoris tui ill.
   consecrasti...   3692
VD. In hac DIE, quo Iesus Christus filius tuus dominus noster divini
   (divino)...   3692, 3784, 3785
VD. Hoc praesertim DIE, quo ipsum salutis nostrae sacramentum...   3763
cuius triumphum in DIAE quo sanguine suo signavit colentes...   3933
famuli tui illius, quem hodierna DIE rebus humanis eximi...   2215
et inter suscipientes corpora in DIE resurrectionis corpus (suus)
   suscipiat...   3433
tertia DIAE resurrexit a mortuis...   551
... DIE sacro sabbati, ab omnibus operibus quievisti...   1162
Et resurrexit tercia DIAE secundo scripturas.   555
et resurgentem tertia DIE secundum scripturas...   554
qualiter in tremendi iudicii DIE, sententiam damnationis aeternae
   evadat...   823
ob odierna DIAE solemnitate devotissime confluenti.   124
VD. In DIE sollemnitatis hodiernae, qua beati Laurenti...   3776, 3777
VD. Et in DIE solemnitatis hodiernae qua beatus laurentius...   3689
VD. In DIE sollemnitatis hodiernae, qua sanctus Stefanus...   3777a
VD. In DIE sollemnitatis hodiernae, quo humanam...   3778
VD. In DIE sollemnitatis hodiernae, quo licet ineffabile... editur
   sacramentum...   3779
qui unigenitum suum hodierna DIE stella duce gentibus voluit revelare...
   853

... Hic eiusdem crucifixo et sepultura ac DIE tertia resurrectio
praedicatur...   1706
Ut cum DIAE tui adventus effulseris...   3109
Ds qui hodierna DIE unigenitum tuum gentibus stella duce revelasti...
1004
ut qui hodierna DIE unigenitum tuum redemptorem ad caelos ascendisse
credimus...   489
Ds, qui in hodierna DIE unigenitus tuus in nostra carne quam adsumpsit
pro nobis...   1031
et profitiant de diem in DIAE ut aedonii efficiantur...   2369
Et qui odierna DIAE, ut legis tollerit iugum...   2441
ut adveniente DIE venerabilis paschae...   1953
Ds qui hodierna DIE verbum tuum beatae virginis alvo coadunare voluisti...
1005
... DIE vero sabbati (sabbatum) apud beatum Petrum... sanctas vigilias
christiana pietate caelebrimus...   179, 180
ut sit ei fidelissima (fidelis) cura in DIEBUS ac noctibus...   728, 729
in DIEBUS beati baptistae Iohannis inplesti...   2415
in DIEBUS beati famuli tui Iohannis inplesti...   2415
Quatenus praesentis quadragesimae DIEBUS devotissime celebratis...   2249
... Aptius siquidem adque decentius his DIEBUS episcopalis...   4028
VD. Qui continuatis quadraginta DIEBUS et noctibus hoc ieiunium non
esuriens dedicavit...   3880
... Ille tibi imperat qui ieiunavit quadraginta DIEBUS et quadraginta
noctibus...   1852
Effunde (qs) super nos in DIAEBUS ieiuniorum (nostrorum) spiritum gratiae
...   4014, 4190
Da aeis sic in DIEBUS ieiuniorum suam conpore vitam...   3110
Libera aeam a DIAEBUS malis et a cogitatione bellorum...   3102
tanto DIEBUS nostris prospera cuncta succedant.   616
ut dono gratiae tuae in DIEBUS nostris (ut) merito et numero...   587,
1311, 1325
da propitius pacem in DIEBUS nostris ut ope misericordiae...   2030
Et qui expletis ieiuniorum sive passionis dominicae DIEBUS paschalis
festi...   361
VD. Qui nos beatorum martyrum palmas in DIEBUS quod suo sanguine...   3966
O. s. ds, propensius his DIEBUS tuam misericordiam consequamur...   2373
et te benedicant (benedicat) omnibus DIEBUS vitae suae.   1719a
Ipse vos protegat adque deffendat omnibus DIEBUS vite vestrae...   319,
320
salubriter ex huius DIEI anniversaria solemnitate...   3459
O. et m. ds, qui nos ad celebritatem venire huius DIEI contulisti...
2285
qui nos... per huius DIEI cursum in hac ora vespertina pervenire tribuisti
...   1666
Transacto DIEI et consummate noctis arbiter ds...   3483
interdicitur tibi duodecem oras DIEI et duodicem hore noctes...   394
Ds qui nos hodierna DIAE exultatione sanctae crucis... laetificas...
1119
Veneranda nobis dne huius est DIEI festivitas...   3586
etiam in huius DIEI festivitate veneramur...   4098
ad DIEI huius principium perduxisti...   1664
O. s. ds solemnitatem DIEI huius propius (propitius) intuaere...   2472
Ds qui nos cursum DIEI laetis mentibus transire iussisti...   1111
VD. Adesti aenim nobis DIAEI magnifici votiva misteria...   3595

Quaesumus, dne ds noster, DIEI molestias noctis quiete (quiaetem)
  sustenta... 2956
et quos per singula DIEI momenta diei servasti, per noctis quitem
  custodire dignare. 1448
Dne ds qui ad principium huius DIAEI nos pervenire fecisti... 1323
(R) in huius DIEI processione dicimus : Qui ac die... 3013
solempnitatem hodierni (hodiernae) DIEI propicius intuere... 2344
succidente sequente illa feria circa oram DIEI sexta convenire dignimini
  ... 3269
Ds qui sanctam nobis huius DIAEI sollemnitatem... fecisti... 1203
qui ora DIAEI tertia ad crucem poenam per mundi salutem ductus es...
  1374
in ora DIAEI tertia spiritum sanctum... emisisti... 3479
ut peracto DIEI tibi suppliciter gratias agentes... 2497
qui huius DIAEI venerandam (venerandum) sanctamque leticiam... tribuisti
  ... 2399
ita nunc DIEM absque ullis maculis peccatorum transeamus... 741
et de die in DIEM ad caelestis vitae transferat actionem. 2194
... Cuius hodie natalem passionis DIEM, annua devotione recolentes...
  3906
ut quorum venerabilem DIEM annuo frequentamus obsequio... 3234
Qui hanc DIEM antequam traderetur accepit panem... 3013
Ds qui hodiernam DIEM apostolorum tuorum petri et pauli martyrio
  consecrasti... 1006
ut DIEM adque noctem qui nubis ignisque claritatis tuae columnae non
  deserat. 2640
... Cuius gloriae nobis DIEM beata caecilia martyr inlustrat... 4103
VD. (Recensentis, recensemus) (enim) (et) DIEM beatae agnetis martyrio
  consecratum (consecratam)... 3686
qui (quique) hunc DIEM beati andreae martyrio consecrasti... 983
VD. Praevenientes natalem DIEM beati Laurenti... 3848
etiam hunc nobis venerabilem DIEM beati Xysti... sanguine consecrasti.
  4089
Deus, qui hunc DIEM beatorum apostolorum Petri et Pauli martyrio
  (mysterio) consecrasti... 2402, 2403
quique (quibusque) hunc (hodiernam) DIEM beatorum apostolorum... martirio
  consecrasti... 982, 1023
templi huius cuius anniversarium dedicationis DIEM celebramus ambitum
  continemur... 193
virgo maria cuius adsumptionis DIEM caelebramus gloriosa effulsit...
  3725
anima famuli tui illius, cuius anniversarium depositionis DIEM celebramus
  his purgate... 2660
ut quorum nunc regenerationis sacrae DIEM caelebramus octavum... 1192
Ds qui bonis nati salvatoris DIEM celebrare concedis octavum... 917
cuius depositionis DIEM celebratis illi possitis... 2263
quorum festivitatis DIEM celebratis ovantes. 3232
cuius anniversarium deposicionis DIEM commemoramus refrigerii sedem...
  840
cuius septimum obitus (obitum) sui DIEM commemoramus sanctorum... 2975
cuius DIEM conmemorationis caelebramus... 1684, 3915, 3916
et hunc DIEM cum filicitatem precurrunt... 318
VD. Beatae (ceciliae) natalicium DIEM debita veneratione prevenientes
  laudare... 3605, 3607
famuli tui ill. cuius DIEM deposicionis recolemus... 3837

quam tibi offerimus ob DIEM depositionis septimum vel trigesimum... 96
ob DIEM depositionis tertium, septimum vel tricesimum... 95
Scrutinii DIEM, dilectissimi fratres, quo ellecti nostri divinitus
 instuantur (instaurantur). 3269
Deus, qui DIEM discernis et noctem (a nocte, hac noctem)... 953
Et ad desideratum sanctae resurrectionis tuae DIEM, aeos mundo... 3110
custodi aeos a sagitta volante per DIEM et a negutio... 567
VD. Cuius hodie circumcisionis DIEM et nativitatis octavum celebrantes...
 3646
Ds qui nobis per singulos annos huius sancti templi tui consecrationis
 reparas DIEM et sacris semper... 1085
illius tremendi examinis DIEM exspectetis interriti. 2241
Ds qui presentem DIEM future remonerationis munere figurasti. 1173
... DIEM gloriosae passionis eorum subdito (corde) (multiplici sollemnitate) veneramur. 3972
Gracias tibi agemus, dne, custodisti (custoditi) per DIEM gratias tibi
 (grates tibi)... 1665
... Huius igitur triumphi DIEM hodierna devotione celebrantes... 4169
Deus, qui praesentem DIEM honorabilem nobis in beati iohannis... 1174
ut donis nobis DIEM hunc sine peccato transire... 1667
ut anima (animam, animae) famuli tui illius, cuius DIEM illum celebramus
 indulgentiam largire... 3840
pro anima famuli tui illius, cuius deposicionis DIEM illum caelebramus
 qs dne ut placatus... 1741, 1745
cuius depositionis DIEM ill. caelebramus quo deposito corpore... 1721
cuius DIEM ill. depositionis caelebramus... 2312
et profitiant de DIEM in diae... 2369
et qui hunc DIEM in laevitae tui Laurenti (laurentio) martyrio
 consecrasti... 864, 1077
ut usque ad resurrectionis DIEM in lucis amoenitate requiescat. 1910
hodiernum eligens DIEM, in qua ad adorandam veri regis infantiam... 4058
quam tibi offerimus ob DIEM in qua dominus noster... 1771
ob DIEM in quo aeum in livitarum sacrarii ministeriis contullisti...
 1731
VD. Honorandi patris benedicti gloriosum caelebrantes DIEM in quo hoc
 triste... 3766
ob DIEM, in quo me dignatus es ministerio sacro constituere sacerdotem...
 1777
Migrante in tuo nomine DIEM instabilem... 2090
Ds qui presentem DIEM ita dignaris diligere... 1175
inminere tibi DIEM iudicii, diem qui venturus est... 2174
... inminere tibi DIEM iudicii, DIEM supplicii, DIEM qui venturus est...
 2174, 2175, 2176, 2177
Ut cum ante tremendi DIEM iudicii in conspectu tuo adstiterint... 1319
... Hoc tibi signum erit in DIEM iudicii, quod tu non dissipavis in
 aeternum... 3563
et quartum DIEM Lazarum de monumento suscitavit... 1852
usque in quadragensimum DIEM manifestus apparuit... 3998
et ut in te de diae in DIEM meliorata proficiat... 3741, 4184
tamen quia non solum DIEM mortis, sed et qualitatem pectoris (qualitate
 peccatoris) ignoramus... 2297
da nobis DIEM natalis eius honore praecipuo celebrare... 2443, 2453
quam tibi offerimus ob DIEM natalis eius quo eam sacro... 1728
qui famulum tuum illum ad hanc DIEM natalis sui genuinui exemto perducere
 dignatus es... 1262

quam tibi offeret ob DIEM natalis sui (suis) genuinum (genuini, genuine)
    ... 95, 1719a
quam tibi offeret ob DIEM natalis sui in quo eam... 1727
qui hanc sacratissimam DIEM nativitate filii sui fecit esse solemnem.
    Amen. 349
conpetentibus gaudiis DIEM nos celebrare concedas... 3368
quam ad statum maturitatis et ad DIEM nupciarum perducere dignatus es pro
    qua... 94
quam perducere dignatus es ad statum mensurae, et ad DIEM nuptiarum pro
    qua maiestati... 1737
devote et probabiliter usque ad DIEM obitus vivat... 2475
cuius adsumptionis DIEM omni devotione praesenti sacrificio caelebramus.
    3815
cuius (quorum) DIEM passionis annuae (annua) devocione recolimus...
    2655, 2718
et DIEM Pentecosten sacratissimum... celebrantes... 406
O. s. ds, qui hunc (hanc) DIEM per incarnationem verbi tui... consecrasti
    ... 2404, 2405
(praecipuorum apostolorum) (petri et pauli) natalem DIEM plena devotione
    venerari... 2330, 2331
hodiernum quondam DIEM profuit ad beatitudinem... 1319
ut de die in DIEM quae tibi non placent respuentes... 1424
... DIEM qui venturus est velut clibanus ardens... 2176, 2177
quam tibi offerimus ob DIEM, quo eum in laevitarum sacrarii ministeriis
    contulisti... 1731
quam tibi offerimus ob DIEM, quo eum pontificali benedictione ditasti...
    1764
cuius assumptionis DIEM quo exaltata est super choros angelorum... 3815
cuius etiam DIEM quo filix eius est inquoata nativitas meminimus
    (celebramus). 153
Hanc igitur oblacionem quam tibi offero ego tuus famulus hodie ob DIEM
    quo me nullius... 1753
ob DIEM, quo me sacris altaribus sacerdote consecrare iussisti... 4050
Communicantes, et DIEM sacratissimum caelebrantes... 407, 408, 409, 410,
    411, 412, 413, 414, 420, 421
et DIEM sacratissimum Pentecosten celebrantes (praevenientes)... 406,
    415, 416
qui nobis hunc DIEM sancti Laurenti martyrio tribuisti venerandum...
VD. Natalem DIEM sancti Xysti devita festivitate recolentes... 3810
cuius deposicionis DIEM septimum vel trigesimum celebramus... 1721
cuius DIEM septimum vel trigesimum sive deposicione celebravimus... 2312
... DIEM sibi (hec) introductum tenebrae inveteratae senserunt... 861,
    862
et proficiat de die in DIEM signatus promissae gratiae tuae. 2467
et praesentem DIEM solemnibus laudibus honoratis. 345
VD. In DIEM solempnitatis hodiernae qua... 3777
ut resurrectionis DIEM spe certae gratulationis expectet. 1783
quam tibi offeret ob DIEM trecesimum coniunctiones suae vel annualem...
    1719
et proficiant de die in DIEM ut idonei... 2369
Per DIEM vos salutaris domini umbra circumtegat... 2905
... DIEMQUE iudicii cum fidutia voto gratulationis expectet. 3862, 4099
et vitam tuam longitudinem DIAERUM adimpleat. 874
nos quoque per partes DIERUM facias adimplere. 1116
quotiens in aeclesia tua horum DIERUM festa celebrantur... 4201

et ne nocturnas hac DIAERUM inimici terroribus fatigentur...   567
Deus qui vos ad... quadragesimalium DIERUM medietatem dignatus est
    perducere...   1241
Deus, qui DIERUM nostrorum numeros temporumque mensuras (mensurasque
    temporum)... dispensas...   954a
et praesentium DIERUM observatione placare studetis.   343
Ds, DIERUM temporumque nostrorum potens et benigne moderator...   808
qui pascale sacramentum quinquaginta DIERUM voluisti mysterio contineri...
    2436
VD. Cuius salutiferae passionis et gloriosae resurrectionis DIES adpro-
    pinquare noscuntur...   3669
ut quando aei extrema DIES advenerit...   3914
VD. Qui est DIES aeternus, lux indeficiens, claritas sempiterna...   3917
famuli tui ill., cuius hodie annua DIES agitur placatus qs...   1722
cuius hodie annua DIES agitur, pro qua tibi offerimus sacrificium laudis
    ...   2879
ut cum DIES agnicionis tuae venerit...   2312
et DIES annorum nomerisitatem... ad principatum...   1262
et ecclesia tua in templo cuius anniversarius dedicationis DIES celebratur
    tibi collecta...   976
Stetit sub incerte lumine DIES DIES clausus...   3661
quae et linteamina fieri famulo tuo Moysi per quadraginta DIES docuisti...
    1318
Tuus est DIES, dne, et tua est nox...   3561
et DIES eius annorum numerositate multiplica...   1262
quo DIES eos iugali vinculo sociare dignatus es...   1719
Qui rursus hic ille DIES est qui in chana...   855
ut cum extrema mihi DIES finesque vitae advenerit...   1264
sed cum magnus DIES ille resurrectionis et remunerationis advenerit...
    3462   •
recurrens una DIES in aeternum et una corona sociavit.   3666
Et qui hos DIES incarnatione unigeniti sui fecit solemnes...   2261
... Haec nox est, de qua scriptum est, et nox ut DIES inluminabitur...
    3791
quod beati martyris illius anniversarius DIES intrat...   2187
et cum DIES iudicii advenerit, cum sanctis et ellectis tuis, eum
    resuscitari iubeas.   2215
ut cum DIES iudicii advenerit inter sanctos et electos...   2522
VD. Post illos enim DIES laetitiae quos... exegimus...   3846
VD. (Quoniam) Adest (enim) DIES magnifici votiva martyrii...   3595, 4084
... DIESQUE meos clementissima gubernatione disponas.   1754
Expavit DIES non solida nocte...   3661
VD. Ut quia in manu tua DIES nostri vitaque consistit...   4213
... DIESQUE nostros (nostris) in tua pace disponas (dispone)...   1481,
    1747, 1765, 1769
DIES nostros, (qs) dne, placatus intende...   1279, 1280
Adest... DIES propitiationis divine et salutis humane...   58
et ad aeternam beatitudinem mereat pervenire, DIESQUE nostros.   1767
ut placatus suscipias DIESQUE nostros.   1771
VD. (quia) Post illos enim laetitiae DIES quos in honorem (honore)...
    3846
sed cum magnus ille DIES resurrectionis hac remunerationis advenerit...
    3462
tibi DIES sacrata celebratur...   4177, 4178, 4180
ut quanto magis (quantum maius) DIES salutiferae festivitatis accedit...
    3798

nos possit DIES sanctus venturus excipere.   3835
vere aenim huius honorandus (orandus) est DIES (DIESQUE) sic terrena...
   3604
ut cum DIES tuae adventus effulserit...   1090
ut sanctificatos nos possit DIES venturus excipere.   3835
Omnipotens deus DIES vestros in sua pace disponat...   2245

         DIFFERENTIA
hoc de filio tuo, hoc de spiritu sancto sine DIFFERENTIA discritione
   sentimus...   3887
qui gregalium (legalium) DEFERENCIAS hostiarum (in) unius (huius)
   sacrificii perfecciones sancxisti...   2397

         DIFFERO
... DIFFER, dne, exitum mortis et spacium vitae distende...   3463
qui conversum peccatorem non longa temporum spatia DIFFERENDUM...   858
in aecclaesia sanctorum DIFFERENTIS in sono tubae preconium...   308
Munera dne que apostulorum tuorum... solemnitatem DIFFERIMUS...   2121
VD. Et ideo DIFFERS vota poscentium...   3935

         DIFFICILIS
... Ut enim in principio DIFFICILE videretur...   4115
quia nullius animae in hoc corpore constituti DIFFICILIS apud te aut
   tarda curatio est...   858

         DIFFICULTAS
nec DEFICULTAS quod piae quod iuste postolat consequatur...   2611
... Quibus praeceptis duobus totam legem sine DIFFICULTATE conplentes...
   4025
ut bona tua et fiducialiter imploremus et sine DIFFICULTATE sumamus.
   2659
et vocum varietas aedificationi aeclesiaticae non DIFFICULTATEM faceret...
   3762
nihil illius adversitatis noceat, nihil DIFFICULTATIS obistat...   844

         DIFFICULTER
... Nec bona tua DIFFICULTER inveniant...   704
nec DIFFICULTER quod pie quod iuste postulat consequatur...   2611, 3360

         DIFFIDO
... Quia tunc defensionem (tuam) non DIFFIDIMUS adfuturam...   3598
ut dum de qualitate vite aeius DEFFIDEMUS de habundantia...   2273
quia non DIFFIDIMUS eum fidelibus tuis specialiter suffragari...   2443,
   2453
ut qui de meritorum qualitate DIFFIDIMUS non iudicium...   1510, 2360,
   2457

         DIFFUNDO
in totam mundi latitudinem spiritus tui sancti dona DEFUNDE ut quod
   inter...   1199
nunc quoque per credentium corda DEFUNDE.   1199
in totam mundi latitudinem spiritus tui dona DIFFUNDE.   1199
unde se evangelica veritas per tota mundi regna DIFFUNDERET...   2413,
   3947
Facito aeam propagine fructuosa DIFFUNDI, qui te vitem...   1960
promissionis tuae filios DIFFUSA adoptione (adoptionis gratia)
   multiplicas...   811, 812
qui licet ae(c)lesiam tuam toto terrarum orbe DIFFUSA largitate...   1320
Redundet in aeis caritas DIFFUSA per spiritum sanctum...   1327

ut aecclesia tua toto orbe DIFFUSA stabili fide...   2395
semper ubique patri maiestati DEFUSA unius potentiae deum verum...   3501
da aeclesiae (tuae) toto terrarum orbe DIFFUSAE eorum semper...   1023,
2402
da aeclesiam tuam toto terrarum orbe DIFFUSAM.   1320, 2403
et diuturna tempora DIFFUSIS nubibus siccitatem.   2586
qui per cuncta DEFFUSUS es, maiestatem...   2289
Ds invisibilis, instimabilis, qui per cuncta DIFFUSUS es, piaetatem...
849

       DIGERO
dum (tunc) per ordinem flueret DIGESTA posteritas ac (et) priores
ventura sequerentur...   2541, 2542

       DIGITUS
ut redemptorem mundi quam superius DIGITO demonstraverat...   4000
... Et quem in mundo DIGITO demonstravit, ad inferos pretiosa morte
praecessit.   4000
Quatenus ipsius agni quem ille DIGITO ostendit...   342
Ds, qui iustitiam tuam elegis in cordibus credentium DIGITO tuo
elegis...   1056

       DIGNANTER
a temporalibus culpis DIGNANTER absolve.   398, 3117
ut hanc creaturam salis et aquae DIGNANTER accipias...   848
ut eam in numero sanctorum (tuorum) tibi placentium facias DIGNANTER
adscribi.   1740, 1755
in adoptionis sorte facias DIGNANTER adscribi.   1255
Sacrifitia dne... immolata DIGNANTER adsume quibus ecclesia...   3137
Munus populi tui, dne, qs, DIGNANTER adsume quod non nostris...   2162
eosdem (isdem) protegas DIGNANTER aptandos.   88
tibi etiam placitis moribus DIGNANTER deservire concedas.   3377
ut ad tuam misericordiam conferendam perpetuam DIGNANTER eius vota
perficias.   2844
qui et populi tui dona sanctificet et sumentium corda DIGNANTER emundet.
721
et ut nos ab hostibus DIGNANTER eripias...   106
et a mundanis cladibus DIGNANTER eripiat.   3704, 4208
populum deprecantem et purificatum DIGNANTER herudiat...   3532, 3533
et quem aeternis DIGNANTER es renovare misteriis...   3117
libens protege, DIGNANTER exaudi, aeterna defensione conserva...   1249
... DIGNANTER exaudi et aeterna eos proteccione conserva...   1718, 1720
Clamantes ad te ds DIGNANTER exaudi ut nos de profundo...   399
Clamantium ad te qs dne preces DIGNANTER exaudi ut sicut ninivitis...
400
praeces nostras DIGNANTER exaudi.   2878
plagatus accipias nostrasque praeces DIGNANTER exaudias...   1733
et fragilitatis nostrae subsidium DIGNANTER exoret.   3237
VD. Ut nos ab operariis iniquitatis (operibus iniquis) DIGNANTER expedias
...   3833, 4209
cum a nobis (a, ea) quibus (te) offendimus DIGNANTER expuleris (expleres).
3598, 4165
ut spiritus... templum nos gloriae suae DIGNANTER habitando perficiat.
2799
annuae DIGNANTER huius institutor misterii...   871
Suscipe, dne, sacrificium, cuius te voluisti DIGNANTER immolatione
placari (placere)...   3430

VD. Qui, sicut nos per apostolum tuum DIGNANTER informas...   4027
et tibi placitis moribus DIGNANTER informes.   3372
VD. Ut sensibus nostris DIGNANTER infundas...   4215
tu in eis quod tibi placitum sit DIGNANTER infunde ut et digni sint...
   3505, 3506
et aridam terrae faciem fluentis (aquis) caelestibus DIGNANTER infunde.
   588
et terram aridam aquis fluentibus (fluenti) caelestis DIGNANTER infunde.
   2448
cum tuorum sensibus DIGNANTER infundis totis tibi mentibus supplicare...
   3642
ds, qui nos donis tuis praevenis DIGNANTER inmeritos...   2424
ut opem tuam petentibus DIGNANTER impendas et desirantibus...   3801
ut fidelibus tuis DIGNANTER inpendas, quo et paschalia capiant sacramenta
   ...   3733, 3817
et obsequentibus sibi beneficia DIGNANTER inpendat.   4015a
Adesto, qs, dne, (tuae) (adesto) familiae (tuae) et DIGNANTER inpende
   ut quibus fidei...   133
Paschalibus nobis, qs, dne, remediis DIGNANTER inpende ut terrena...
   2538
(Omnipotens deus) devotionem vestram (dominus) DIGNANTER intendat.   1268,
   2243
qs, (dne), DIGNANTER intende, ut aulam...   1734
Accipe, (Suscipe) (qs), dne, munera DIGNANTER oblata...   36, 3393
et DIGNANTER operare, ut quod...   38
eique (tuas) consolationes (tuas) iugiter per caelestem (caeleste)
   gratiam DIGNANTER operari.   2591
Suscipe, qs, dne, munus oblatum et DIGNANTER operare...   3444
Deus, qui mysteriorum tuorum DIGNANTER operaris effectus...   1079
... Sed ut DIGNANTER ostendas, quia non plus ad perdendum nos valeant
   nostra delicta...   3826
et eis DIGNANTER pietatis tuae inpende custodiam.   1608
etiam mane DIGNANTER respicias vota solventes.   2497
quaesumus dne ut DIGNANTER suscipias...   1751
da cordibus nostris et DIGNANTER tibi orationem persolvere...   1251
tibi etiam placitis moribus DIGNANTER tribuis deservire.   3377
que pro aeorum meritis possis audire DIGNANTER.   3724

         DIGNATIO
operata est divina DIGNATIO nunc quoque...   1199
... O mira circa nos tuae pietatis DIGNATIO O inaestimabilis...   3791
ut sicut me sacris altaribus tua DIGNATIO pontificali (sacerdotalis)
   servire praecipit officio...   1753, 2072
Accipe, qs, dne, hostias tua nobis DIGNATIONE collatas...   35
et tua DIGNATIONE concede, ut...   1756
qui fragilitatem conditionis nostrae infusa virtutis tuae DIGNATIONE
   (DIGNATIONEM) confirmas...   1361
Ds, humilium visitator, qui nos fraterna DIGNATIONE consolaris...   827
Oblationes nostras, qs, dne, tua tibi DIGNATIONE fac placitas...   2205
et fidelium vota populorum tua potius DIGNATIONE firmentur.   2489
... Beatum quoque apostolum Paulum, dne, simili DIGNATIONE glorificas...
   4055
apostolicae confessioni superna DIGNATIONE largiaris...   4021
et sicut Melchisedech sacerdotis praecipuae oblacionem DIGNACIONE
   mirabili suscepisti...   3844
Ds qui DIGNATIONE misericordiae, maiestate potenti...   955

ut tua DIGNATIONE mundati sacramentis magnae pietatis aptemur.   1556
indulgentiae tuae DIGNATIONE pensetur.   3458
offerentium tua sanctificatione DIGNATIONE praesentum.   3367
sed sola gratiae DIGNATIONE promovisti...   4172
(quibus quod) (et que) eius DIGNATIONE suscipiunt, eius exsequantur
  auxilio.   2500
da nobis gratia tuae DIGNATIONIS augeri...   1343

DIGNE

da populis tuis DIGNE ad graciam tuae vocationis intrare.   812
etiam si id quod DIGNE agimus DIGNE agerimus...   3792
tanto devotius ad eius DIGNE celebrandum proficiamus paschae (paschale)
  mysterium.   3798
Da nobis qs dne DIGNE caelebrare mysterium...   615
ut eorum sollemnia DIGNE celebrare possimus.   872
qui eas tibi DIGNE conplacuit offerendas.   1813
DIGNE ei arrianorum subiacuit feritas...   4148
ut tibi a (ad) fidelibus tuis DIGNAE et laudabiliter serviatur...   2270
da nobis DIGNE flere (mala) quae fecimus...   1215
ut qui tibi DIGNE meruit famulari...   1469
fiatque tua propitiatione tuis sacris sanctis qui DIGNE misteriis.   1734
DIGNE nos tui (tue tuae) nominis qs, dne, famulari...   1284
... DIGNE paenitenciae fructus te miserante perficiat (percipiat)...
  2297
ut quicquid in tuo nomine DIGNE perfecteque agitur...   2291
tribue tibi DIGNE persolvere ministerium sacerdotalis officii...   1089
quos DIGNE possis audire.   893, 2428
et qui DIGNE postulant adsequantur.   2802, 2806
et quae DIGNE postulant consequi mereantur.   2803
tibi dignitate facte ut DIGNE predicemus, te laudare factorem...   3792
cum ea tibi DIGNE praesteteris famulare.   2724
... DIGNE sancti gregorii pontificis tui caelebrare misteria...   463
da aeclesiam tuam DIGNAE talium celebrantes sollemnia...   1133
... DIGNE tanto amore martyrii persecutoris tormenta non timuit.   4148
Ds qui DIGNE tibi servientium nos imitari desideras famulatum...   956
et DIGNE tibi servire perficias...   403
Da nobis, qs, dne, tua DIGNE tractare mysteria...   623
et ut DIGNE tuis famulemur altaribus...   2131
ut DIGNE tuis servire semper altaribus mereamur...   2689
ut aeadem nos et DIGNE venerari...   3053
ut dum DIGNE vitiis nostris irascimur...   1049
decidentibus aliis quique DIGNISSIME subrogentur...   3281
ut eandem sacris mysteriis expiati DIGNIUS caelebremus.   1645

DIGNITAS

ut DIGNITAS condicionis humanae per inmoderantiam sauciata (satiata,
  satiaetas)...   2754
Ds, cui omnis est potestas et DIGNITAS, da famulo tuo...   772
ut et DIGNITAS regia fulgiat gentium de subiectione...   3501
que in aeius ordine DIGNITATE caelestis miliciae meruit principatum.
  4128
successionis DIGNITATE conspicuus...   3690
fidelem quamvis peccatis squalentem sacerdotii DIGNITATE donasti...   3893
... DIGNITATE aelecta permaneat...   2303
Ds, qui humanae substantiae DIGNITATE et mirabiliter condedisti...   1010
tibi DIGNITATE facte ut digne predicemus, te laudare factorem...   3792

Da, qs, o, ds pater, in hoc famulo tuo ill. presbiteri DIGNITATE ; innova
    ... 2549
Ds, qui in humanae substantiae DIGNITATE mirabiliter condedisti...   1032
ut quod DIGNITATE praeferimus, iustis actionibus exsequamur.   2708
ut DIGNITATE pristinae... per tuam gloriam reformentur.   638
ut qui in conspectu tuo clarus exstitit DIGNITATE sacerdotii et palma
    martyrii...   3611
famulum tuum ill. pontificale fecisti DIGNITATE vigitare...   1040
et dota caelestium DIGNITATEM ab ipso percipere mereamur.   2643
... Percipiantque DIGNITATEM adoptionis, quos exornat confessio veritatis.
    3634
spem resurrectionis per renovatam originis DIGNITATEM adsumpsit.   3712
ut consecuti tui gratiam DIGNITATEM aeternae vitae...   1751
... Et praeterita peccata nostra dissimulas, ut nobis sacerdotii
    DIGNITATEM concedas...   3898
sacerdotii DIGNITATEM concedis indignis...   3893
nobis indignis sacerdotalem conferis DIGNITATEM da nobis qs...   3894
affluas indomentorum caelestium DIGNITATEM donati...   4176
spem resurrectionis per renovatam originis DIGNITATEM donavit.   4118
tribue, qs, ill. famulo tuo adeptam bene gerere DIGNITATEM, et ad te
    sibi...   2487
Ds qui humanae substantiae (substantia) DIGNITATEM et mirabiliter
    condidisti...   1010, 1011
quae reliquam spiritalem superat DIGNITATEM grata tibi sit...   2307
... Da,qs, (omnipotens) pater, in hos famulos tuos presbyterii DIGNITATEM
    innova...   1348, 1349, 1350
ut ad paradisi perteniant DIGNITATEM ; planta...   1932
et summam recipit civitatis propriae DIGNITATEM praesentem vitam...   3616
ad suam quoque pertinere non ambigunt DIGNITATEM quidquid excellit...
    3632
Ds, qui humanam naturam supra primae originis praeparas (reparas)
    DIGNITATEM respice...   1012, 2400
ut quorum perpetuam DIGNITATEM sacro mysterio frequentamus in terris...
    2810
caelestem meruit DIGNITATEM societatis...   3686
... Romanae urbis cuius propter te despexerat DIGNITATEM tenere...   4127
et in Abrahae filios et in Israheliticam DIGNITATEM tocius mundi transeat
    plenitudo.   777
qui beati Petri apostoli DIGNITATEM ubique facis esse gloriosam...   905
famulum tuum illum pontificale fecisti DIGNITATEM vegere...   1040
spem resurrecciones accepit per renovatam originis DIGNITATEM.   4119
ut ad paradisi perteneant DIGNITATEM.   316
perpetuae DIGNITATIS apostolicae percipiat portionem.   1775
in apostolicae DIGNITATIS culmen ascitum...   4169
da famulo tuo ill. prosperum suae DIGNITATIS effectum...   772
sequentis ordinis viros et secundae (esse concede) DIGNITATIS elegeris sic
    in eremo...   1348, 1349, 1350, 2549
et apostolicae reverentiam (ad apostolica reverentia) DIGNITATIS et ad
    nostrum...   2198
et apostolicae principem DIGNITATIS et magistrum gentium collocasti.
    4035
apostolicae collegio DIGNITATIS et martyrii est claritate germanus...
    3782
famulum tuum illum regalis DIGNITATIS fastigio voluisti sublimari...
    3912

ut famulus tuus ill. ad peragendum regalis DIGNITATIS officium inveniatur
  semper idoneus...   457
et cum praesolibus apostolicae DIGNITATIS, quorum est secutus officium...
  1766
et apostolicae numerum DIGNITATIS simul passione supplevit et gloria...
  3595
quos DIGNITATIS tuae similitudinis condignus facere dignatur...   3792
quam competens actio DIGNITATIS ut quae secundum...   4171
votiva recolimus sumptae primordia DIGNITATIS ut quae tuis...   2492
et vota caelestium DIGNITATUM ab ipso percipere mereamur.   2643
Ds auctor omnium iustorum honorum, dator cunctarum DIGNITATUM et piorum...
  748
ds, honorum auctor, et distributor omnium DIGNITATUM per quem proficiunt
  ...   1348
Deus honorum omnium, ds omnium DIGNITATUM quae gloriae tuae...   819, 820
honorum omnium et omnium DIGNITATUM quae tibi militant distributor...
  1349, 1350
Ds, conlator sacrarum magnifice DIGNITATUM qs ut hos famulos...   762
honorum omnium adtributor, DIGNITATUMQUE largitor...   3912

          DIGNOR
Suscipe, dne, sacrificium, cuius te voluisti DIGNANTI immolatione
  placare...   3430
et mittere (aemittere) DIGNARE angelum tuum sanctum de caelis...   1493
et refrigerare DIGNARE animam famuli tui illius...   1684
nupcias eorum sicut primi (plurimis) hominis confirmare DIGNARE
  avertantur...   1353
... DIGNARE circa aeos divino inpertire presidii...   122
O. s. ds, conlocare DIGNARE corpus (et) anima et spiritu (animam et
  spiritum) famuli tui illius...   2312
Adesto dne supplicationibus nostris, et hunc famulum tuum benedicere
  DIGNARE cui in tuo sancto...   97
DIGNARE, dne, calicem istum... ea sanctificacione perfundere...   1281
DIGNARE dne ds noster calicem istum... ea sanctificatione perfundere...
  1282
DIGNARE, dne ds omnipotens, rex regum et dominus dominancium...   1283
... DIGNARE, dne o., benedicere et sanctificare has ovium mundarum
  carnis...   1257
... DIGNARE dne ut qui fontem benedictionis tuae impleti sumus...   1366
... DIGNARE eadem sacro baptismati (sacrum baptismate) praeparata
  maiestatis tuae praesenciam consecrare...   2343
DIGNARE aeius intercessione plebem tuam illas petitiones effundere...
  906
Gregem tuum propitius visita DIGNARE, acourientem pasce...   1333
ita aeam benedicere DIGNARE, et praesta, clementissime pater...   1508
et preces nostras propitius exaudire DIGNARE et sicut exaudisti...   2114
hoc sacrificium quod indignis manibus meis offero acceptare DIGNARE et ut
  ipse...   1220
... DIGNARE exaudire eum, qui tibi cervices suas humiliat...   1359
et precis nostras propitiatus DIGNARE exaudire sicut...   2113
... DIGNARE hanc familiam tuam brachii tui deffensionis protegere...   980
... DIGNARE hoc in nobiscae fonte defendere...   740
Respicere DIGNARE hos (omnes) populos tuos qui...   1248, 1319
benedicere DIGNARE hunc famulum tuum...   2342
hos quoque famulos tuos nostri speciali DIGNARE inlustrare aspecto
  (aspectum)...   1372

et per omnem quam acturi (ituri) sunt viam dux eis et comis esse DIGNARE
   nihil illius...   844
... DIGNARE perpetuam praeclaro in corpore vitam...   3770
... DEGNARE praecibus (praeces et hostias) et in hostiis (praeces et
   hostias) decate (dicata) tibi plebis suscipere...   936, 938
ut viam famuli tui ill. saluti DIGNARE prosperitate diregere...   1490
propicius DIGNARE respicere...   1249
... Ita tu, dne, DIGNARE sanare aquas istas...   1346
et praeces nostras propitius exaudire DIGNARE sicut exaudisti...   2113
DIGNA(RE) super hanc familiam tuam lumen misericordiae tuae ostendere...
   2461
O. s. ds... respicere DIGNARE super hos famulos tuos...   2369, 2467
O. s. ds pater domini nostri... respicere DIGNARE super hunc famulum tuum
   ...   2369
Hoc sacrificium... benigniter DIGNARE suscipere...   857
et omnem sensum est (eius) DIGNARE tuis visitationibus refovere...   1931
Famulum tuum... respicere et conservare DIGNARE ut in tui...   1611
ad sanctificacionem loci huius propicius adesse DIGNARE ut qui haec...
   1201
habitantibus in hac domo famulis tuis propicius adesse DIGNARE veniat
   super eos...   2909
Has famulas tuas... omni benedictione spiritali benedicere DIGNARE.   1297
et quos per singula diei momenta servasti, per noctis quietem custodire
   DIGNARE.   1448
tu pius semper in omni adversitate protector esse DIGNARE.   124
cuius remediis DIGNARIS absolvere peccatores.   1838
quos (quod) DIGNARIS aeternis informare mysteriis.   1681
famulos tuos... quos ad officium levitarum vocare DIGNARIS altaria...
   762
et non solum peccata dimittis, verum etiam ipsos peccatores iustificare
   DIGNARIS cuius est muneris...   3893
Ds qui supplicum tuorum vota per caritatis officia suscipere DIGNARIS
   da famulis tuis...   1218
Ds qui presentem diem ita DIGNARIS diligere...   1175
VD. Qui rationabilem creaturam... ea dispensatione DIGNARIS erudire
   (herudi)...   4010
Dne, sancte pater, omnipotens ds, qui DIGNARIS infima...   1358
qui pia (pie) vota DIGNARIS intueri...   1053
quos tantis deputare DIGNARIS officiis.   239
dum etiam infirmis tuis inesse DIGNARIS ostende...   1029
Ds, qui humanum genus... Christi tui netivitate salvare DIGNARIS praesta
   qs...   1021
ut per ea, quae nobis munera DIGNARIS praevere caelestia...   3075
qui sacerdotum ministerio ad tibi serviendum et supplicandum uti DIGNARIS
   qs inmensam...   2292
VD. Qui famulos tuos informare DIGNARIS ut non tam...   3922
quos tantis sanctorum martyrum praesidiis munire DIGNARIS.   48
per quem potestas deitatis Moyse apparere DIGNATA est quae de terra...
   861
quo sit aelectio tua sibi consecrare DIGNATA est ut beati petri...   3823
famulum suum quem in sacri ordine DIGNATUR adsumere...   2502
famulos tuos, quos ad officium (officio) diaconii (diaconatus) vocare
   DIGNATUR benedictionem...   2499
quos dignitatis tuae similitudinis condignus facere DIGNATUR et
   racionabile...   3792
quam utique dominus sequi DIGNATUS carnalem...   861

et deus homo nasci DIGNATUS congruentius non deberet nisi virgine matre
    generari.   3779
rursus lapidem es DIGNATUS aerigere...   3635
per florem virginalis utero (uteri) reddere DIGNATUS es absolutum...
    3930
et cuius exaudire praeces in merore DIGNATUS es actione gratiarum...
    3119
qui DIGNATUS es ad imaginem eius offici...   2298
cathenarum conpage DIGNATUS es ad libertatis praemia revocare...   920
quod cunctis viventibus praeparare DIGNATUS es ad medillam.   1763
hos fructos... ad maturitatem perducere DIGNATUS es ad percipiendum...
    306, 317
quam de viride ligno producere (procedere) DIGNATUS es ad refectionem
    mentis et corporis...   1404, 1407, 1408
quam perducere DIGNATUS es ad statum mensurae, et ad diem nuptiarum...
    1737
ut qui me non meis meritis intra levitarum numerum DIGNATUS es adgregare
    ...   1564
ut has primicias... quas aeris (sacris) et pluviae temperamento
    (temperamentum) nutrire DIGNATUS es benedictionis tuae...   2525
Dne dei noster, qui nos vegetare DIGNATUS es caelestibus alimentis...
    1307
Ds qui unigeniti tui... praetioso sanguine humanum genus redemere
    DIGNATUS es concede propitius ut qui...   1232
quique beatum illi paulum... sociare DIGNATUS es concede ut omnes...   970
qui pro vobis DIGNATUS es crucifigi.   4241
quem dominus de laquaeo huius seculi liberare DIGNATUS es, cuius
    corpusculum...   2523
ut iumente, que necessitatibus humanis tribuere DIGNATUS es, cum ex
    aeadem...   849
Ds, qui discipulis tuis spiritum sanctum paraclytum... mittere DIGNATUS es
    da populis tuis...   962
Ds qui virginalem aulam beatae mariae in quam habitare eligere DIGNATUS es
    da qs ut sua...   1239
specialiter pro famulo tuo ill. quae in pacem adsumere DIGNATUS es, da ut
    ...   1026
qui nos satiare DIGNATUS es de tuis donis hac datis...   1675
Da, qs, dne, famulae tuae, quam virginitatis honore (honorem) DIGNATUS es
    decorare...   640
propter quos DIGNATUS es discendere ad infernum.   1219
et quia DIGNATUS es dicere ; petite et accipietis...   829
sicut benedicere DIGNATUS es domum Abraham (et) Isaac et Iacob...   310,
    3461
cuius sacerdocii nobis tempora DIGNATUS es donare praecipua (principia).
    1764
quem in requiem vocare DIGNATUS es donis sedem...   2355
O. (ae) (s) qui humano (humanum) corpori (corpus) ad (a) te (teipsum)
    animam (animum) inspirare (sperare) DIGNATUS es dum te...   2236, 2401
quem ad subdiaconatus officium DIGNATUS es elegere...   1339
Sancte Pater, o. ds, qui famulum tuum ab errore heresorum (hereseus)
    DIGNATUS es eruere...   3192
ad maturitatem perducere DIGNATUS es et dedisti...   305
Suscipe dne animam servi tui illius quam de ergastulo huius saeculi vocare
    DIGNATUS es et libera eam...   3390

et per passionem mortis a perpetua nobis morte DIGNATUS es et per
  passionem... 3932
Ds qui aecclesiam tuam sponsa vocare DIGNATUS es, et que haberet... 976
quem ad ordinem presbyterii promovere DIGNATUS es et ut tibi mea... 780
quos regenerare DIGNATUS es ex aqua et spiritu sancto... 1773, 1774
sicut exaudire DIGNATUS es famulum tuum Moysen in mare rubro... 1346
qui DIGNATUS es famulus et famulas tuas ab herrore et mendacio hereseos
  Arrianae eruere. 1313
sanguine et aqua ex latere pro genere humano DIGNATUS es fundi... 1364
cuique viae cursum curamque solicitidinemque DIGNATUS es gerere... 4008
ad hanc diem natalis sui genuini exemto anno perducere DIGNATUS es
  gratiam in eo... 1262
Ut quid (qui) DIGNATUS es hodiae ad iordanis fontem... 855
O. s. ds qui regenerare DIGNATUS es hos famulos et famulas tuas... 2445
qui DIGNATUS es hunc famulum tuum ab erorem... aeruere... 1312
qui mittere nobis DIGNATUS es iesum christum filium tuum... 1670
pro qua DIGNATUS es in hac sacratissima nocte tuam mundo presentiam
  exhibere. 2616
et quos regenerationis mysterio innovare DIGNATUS es in his dona... 2400
quam tibi offero... pro eo quod me elegere DIGNATUS es in ordinem
  presbiterii... 1724
... DIGNATUS es in templo uteri virginalis includi... 805, 945
aquas mutare DIGNATUS es in vinum... 893
ut quos regenerationis mysterii DIGNATUS es innovare... 1012
universum mundum inluminare DIGNATUS es maiestatem tuam... 1494
ob diem, in quo me DIGNATUS es ministerio sacro constituere sacerdotem...
  1777
quod DIGNATUS es morte redemere... 1233
sicuti accepta habere DIGNATUS es munera pueri tui iusti Abel... 3383
propicius redemptionem (pro cuius redemptione) nasci DIGNATUS es nasci
  de virgine... 996, 3109
sed perfecte sine peccato de virgine DIGNATUS es nasci. 950
pro quo in mundo hoc tempore ex virgine DIGNATUS es nasci. 2616
qui te vitem veram DIGNATUS es nuncupari. 1960
quos ad rudimenta fidei vocare DIGNATUS es (omnem) caecitatem... 2369,
  2467
et quos spiritali civo vivificare DIGNATUS es perpetua... 2926
quo dies eos iugali vinculo sociare DIGNATUS es placatus suscipias...
  1719
quam ad statum maturitatis et ad diem nupciarum perducere DIGNATUS es
  placidus ac benignus... 94
et conceptum Rebeccae donare DIGNATUS es praeces famulae tuae... 990
ad hunc locum perducere DIGNATUS es praesbiterii... 1753
ad aea que perseverantibus in te DIGNATUS es promittere, pertingamus.
  1091
quem ad peragendum in officii indignum DIGNATUS es promovere... 3898
ut quod in me largire DIGNATUS es, propicitius custodire digneris. 1777
pro eo quod (in) ipsum potestatem imperii conferre DIGNATUS es propicius
  et benignus... 1713
pro qua DIGNATUS es propria sustinere turmenta. 330
qui famulum tuum illum ad regni fastigium DIGNATUS es provehere... 2309
aecclesiae tuae DIGNATUS es pulchritudine (pulchritudinem) decorare...
  2406
quo eam (tibi socians) sacro velamine protegere DIGNATUS es qs dne
  placatus (propiciatus) accipias... 1727, 1728

quos ad presbyterii vel diaconatus gradus promovere DIGNATUS es, qs, dne, placatus suscipias et quod... 1748

quem ad episcopatus ordinem promovere DIGNATUS es qs dne ut placatus accipias et propitius... 1770

quam ad pontificalem gloriam promovere DIGNATUS es, qs, dne, placatus accipias ut quod divino... 1750

qui nos transacto noctis spatio ad matutinis horis perducere DIGNATUS es qs ut donis... 1667

quem tubiae deputare DIGNATUS es qui custodiret... 737

vos venire DIGNATUS es redemere in terris. 3109

et quam aeternis DIGNATUS es renovare misteriis (mysterii)... 398, 3117

sicut consolare DIGNATUS es Saraphtenam viduam per Heliam prophetam... 531

... Et quia me indignum et peccatorem ad ministerium tuum vocare DIGNATUS es sic me... 2239

O. s. ds qui famulum tuum ill. regni fastigio DIGNATUS es sublimare... 2393

et ad beneficia recolenda, quibus nos instaurare DIGNATUS es tribue (tribuas) venire. 144, 145

famulum tuum ill. quem ad nova tondendi gratiae vocare DIGNATUS es tribuens ei... 2465

quos ex aqua et spiritu sancto regenerare DIGNATUS es tribuens aeis... 1752

qui tu pedis lavare DIGNATUS es tuis discipulis... 71

Ds, qui emortuam vulvam Sarrae ita per Abrahae semen fecundare DIGNATUS es ut ei etiam... 977

quam ad subdiaconatus officium aelegere DIGNATUS es, ut aeum... 1339

Ds qui ecclesiam tuam sponsam vocare DIGNATUS es ut quae haberet... 976

quem in officium hostiarii elegere DIGNATUS es ut sit ei... 728

ds qui hominem ad imaginem tuam creare DIGNATUS es ut spiritum... 2215

quem ad subdiaconatus officium eligere DIGNATUS es uti eaum sacrario... 1339

pro quibus DIGNATUS es venire ad celo. 1090

pro quos DIGNATUS es venire de caelo. 3109

Numquam deseras dne quam plantare DIGNATUS es viniam tuam... 2188

hominem, quem tu ad imaginem tuam facere DIGNATUS es. 1354, 1355

VD. Ad cuius imaginem hominis hominis formare DIGNATUS es. 3592

quos salutare lavacro spiritali et in vitam aeternam regenerari DIGNATUS es. 854

VD. Qui salute humanae subvenire DIGNATUS es. 4013

dinumerare elegere atque vocare DIGNATUS es. 1726

... Quod etiam salvator et dominus noster... plenissimae DIGNATUS est adimplere. 3648, 3649

Deus cuius unigenitus... discipulis suis ianuis clausis DIGNATUS est apparere... 802

qui pro vobis DIGNATUS est crucefigi. 335

quem dominus de laqueo huius saeculi liberare DIGNATUS est cuius corpusculum... 2521, 2522

omnibus quos omnipotens deus ad gratiam suam vocare DIGNATUS est cuius signum... 1548

qui nasci DIGNATUS est de utero virginis matris... 3698

Quique DIGNATUS est diversitatem linguarum in unius fidei confessione adunare... 1002

VD. Qui humanis miseratus erroribus per (de) virginem nasci DIGNATUS est et per passionem... 3932

... Et ita eius sitire DIGNATUS est fidem... 3872
ad suam gratiam et benedictionem vocare DIGNATUS est in nomine domini...
2176
Ds qui... discipulorum mentes spiritus paraclyti infusione DIGNATUS est
inlustrare... 1002
quem ad subdiaconatus officium evocare (vocare) DIGNATUS est infundat...
2498
qui sacratissimo advento suo subvenire DIGNATUS est mundo... 1375, 2296
VD. Qui saluti humanae subvenire DIGNATUS est nascendo etenim... 4013
qui suscipiendo quod nostrum est, DIGNATUS est nobis conferre quod suum
est. 3677
qui nostrae humanitatis (humanitatis nostrae) fieri DIGNATUS est particeps,
(iesus) Christus filius tuus. 1010
qui humanitatis nostrae fieri DIGNATUS est particeps. 1011, 1032
et benedictionem fontemque baptismatis donum vocare DIGNATUS est per hoc
signum... 1411
Deus qui vos ad... quadragesimalium dierum meditatem DIGNATUS est
perducere... 1241
Deus qui per beatae mariae virginis partum genus humanum DIGNATUS est
redimere... 1149
innoxia morte ad vitam misericorditer revocare DIGNATUS est te supplices
... 2321
ut ad beneficia recolenda quibus instauraret DIGNATUS est tribue venire...
145
ad suam sanctam gratiam et benedictionem vocare DIGNATUS est, ut fiat...
2174
et benedictionem fontemque baptismatis dono vocare DIGNATUS est ut fiat
eius... 2174, 2177
quem in officium ostiarii eligere DIGNATUS est ut sit ei... 729
quoniam dominus noster... eum ad suam graciam et benedictionem vocare
DIGNATUS est. 2175
ac sic homo DIGNATUS exsistere est... 3793
pro qua DIGNATUS hoc tempore carnem induere virginalem. 1518
pro quibus ipse terras DIGNATUS inlustrare. 1180
Ds... conserva in populis tuis quod es DIGNATUS opperare... 834
VD. Qui de virgine nasci DIGNATUS per passionem... 3891
ut quos per lignum sanctae crucis filii tui pio cruore es DIGNATUS
redemere... 769
ut DIGNERIS a nobis tenebras depellere viciorum... 3467
quod nequiter admisi, clementissime DIGNERIS absolvere. 3381
ut... perducere (eas) (et custodire) DIGNERIS ad gratiam baptismi tui...
738, 739, 752, 753
et a cunctis nos protegere DIGNERIS adversis. 2124
ut mihi auxilium praestare DIGNERIS adversus hunc nequissimum spiritum...
744
mittere (ei) DIGNERIS angelum tuum sanctum... 1493, 1714, 1717
Sic liberare DIGNERIS animam hominis istius... 2023
ut anima famuli tui illius... indulgenciam largire perpetuam DIGNERIS
atque contagiis... 3840
ut faciem tocius terrae largioris ymbribus inrigare DIGNERIS auresque
salubres... 2371
ut DIGNERIS benedicere lignum crucis tuae... 3120
de excelsa troni tui respicere DIGNERIS benediccione tua... 4050
coniuctiones famulorum tuorum fovere DIGNERIS benedictiones tuas... 1353
consecrare DIGNERIS benedictionis in lapidum... 3997

et animas famulorum... electorum tuorum iungere DIGNERIS consortio.   3247
et nefas adversariorum per auxilium sanctae (sancti) crucis DIGNERIS
conterere...   114
partem aliquam sotietatis (et societatem) donare DIGNERIS cum (tuis)
sanctis...   2178
eumque inter vitae et viae huius varietates DIGNERIS custodire...   3590
ut DIGNERIS, dne, dare ei locum lucidum, locum refrigerii et quietis...
3562
Benedicere DIGNERIS dne hoc scriptorium famulorum tuorum et omnes
habitantes in eo...   364
Consecrare et sanctificare DIGNERIS, dne, patenam hanc...   513
resuscitare eum DIGNERIS, dne, una cum sanctis et electis tuis (electos
tuos)...   3462
ut DIGNERIS eos inluminare lumen (lumine) intellegentiae tuae...   165
Supra quae propitio ac sereno vultu respicere DIGNERIS et accepta habere
...   3383
ut in sinibus patriarcharum nostrorum... collocare DIGNERIS et habeat...
3433
ut per inposicionem manuum et oris in officium elegere DIGNERIS et
imperium...   1338
ut huius creaturae pinguidinem sanctificare tua benedictione DIGNERIS et
in sancti spiritus...   3945
ut hunc novum fructum (fructum novum) benedicere et sanctificare
DIGNERIS, et multiplicare...   1357
in sinu habraham et isahac et iacob conlocare DIGNERIS, et partem...
2523
sacrificare, benedicere, consaecrarequae DIGNERIS et per manibus nostris
...   3997
et gratia piaetatis tuae sensibus et corda aeorum largiter infundere
DIGNERIS, et prospere...   3736
sanctificare tuae benedictione DIGNERIS et sancti spiritus...   3946
ut ad introitum humilitatis nostrae hos famulos tuos... salutifere
visitare DIGNERIS et sicut visitasti...   2277
oblationes famulorum tuorum... benedicere et sanctificare DIGNERIS et
spiritali...   718
ut ad hoc ministerium humilitatis nostrae respicere DIGNERIS et super
has...   1336
ut in hac area famuli tui illius spiritum tuum... mittere DIGNERIS et
veniat...   2364
ut iam DIGNERIS fluctuantibus in adversis prebere suffragium...   3501
sanctificare benedicere consecrareque DIGNERIS haec lenteamina...   1318
ut benedicere DIGNERIS hanc creaturam tuam salis...   1370
et benedicere et sanctificare DIGNERIS hanc creaturam vini...   1335
ut benedicere DIGNERIS hoc lardarium (lardario) famulorum tuorum...   2284
benedicere DIGNERIS (hunc) famulum tuum (hunc) nomine in officio
(officium) lectoris(exorcistae)...   1337, 1338, 1339, 1340
ita benedicere DIGNERIS hunc famolum tuum ill. in officio acoliti...
1364
benedicere DIGNERIS hunc famulum tuum hostiarium nomine illi (nomine
ill. hustiarium)...   1341
clementissime per aeorum suffragium DIGNERIS indulgere.   3379
beatorum numero DIGNERIS inserere (spirituum).   1742
ut eas sociare DIGNERIS inter illa centum quadraginta quattuor milia
infantum...   3465
qui pia vota DIGNERIS intuaere...   1052

... Quod cum unigenito filio tuo clementi respectu semper DIGNERIS
    invisere...   3706
et ita ex eo fugare DIGNERIS omnem diabolicae temptationis incursum...
    717
ut famulo tuo ill. veniam suorum largiri DIGNERIS peccatorum...   3768
indulgentiam largire DIGNERIS perpetuam...   3840
nunc etiam eandem benedicere et sanctificare DIGNERIS praecamur ut...
    998
ut hunc famulum tuum respicere DIGNERIS propicius...   875
ut eam propitius cum viro suo copulare DIGNERIS qs dne ut...   1737
ut hanc vestem benedicere et sanctificare DIGNERIS, quam famula...   1298
aeosque in itinere custodire DIGNERIS, quatenus angelorum...   4008
Pax perennis in regno, quod ipse praestare DIGNERIS, qui in caelestia...
    395
et praeteritorum criminum debita relaxare DIGNERIS qui humeris...   2837
adque benignissimus aeius uterum fecundare DIGNERIS, quia per servum
    suum...   3918
et hoc sacrificium... sereno vultu DIGNERIS respicere...   756
ut mittere DIGNERIS sanctum angelum tuum...   737
ut famulum tuum DIGNERIS serenis aspectibus praesentari...   2274
ut temporalibus quoque consolari DIGNERIS sic praesentibus...   3734
ut cordibus famulorum tuorum... locum hunc frequentantium semper adesse
    DIGNERIS sit eorum sermo...   2282
tu, dne, spiritum tuum sanctum paraclitum aeum mittere DIGNERIS,
    spiritus...   1312
ut ad hoc misterium humilitatis nostrae respicere DIGNERIS, super has
    aquas...   1336
ut infundere DIGNERIS super hunc famulum tuum illo quem...   3531
sacrificium... benigniter DIGNERIS suscipere...   856
aecclesia... quam pacificare custodire adunare et regere DIGNERIS toto...
    3464
quas tibi de suis primiciis offerunt, suscipere DIGNERIS ; tribuae aeis...
    2362
Tu nobis, dne, auxilium praestare DIGNERIS tu opem...   3507
proinde longiore spatio vite aei donare DIGNERIS, ut conversationis...
    898
et subsequente comitare DIGNERIS ut de actu...   2875
ut serenis oculis tuae piaetatis haec vascula ita inlustrare DIGNERIS ut
    descendat...   2907
loco huic frequentantium semper adesse DIGNERIS, ut aeorum...   2282
sanctificare et bonis omnibus amplificare DIGNERIS, ut et sint...   3461
ut per impositionem manuum et oris officium eum eligere DIGNERIS ut
    imperium habeat...   1338
Quam oblationem... ratam rationabilem acceptabilemquae facere DIGNERIS ut
    nobis corpus...   3011
ut huic famulo tuo... miserationes tuae veniam largire DIGNERIS ut
    nuptiale veste...   2042
sublimitatis tuae potentiae ita aemundare DIGNERIS, ut omnem...   2352
benedicere alimentorum panis substantiam adque multiplicare DIGNERIS, ut
    omnes...   2386
et haec vascula arta fabricata gentilium... ita emundare DIGNERIS ut omni
    immunditia...   2352
caelesti tua benedictionem sanctificare DIGNERIS ut omnibus hic...   2321
vel famuli tui ill. finem vel devotionem respicere DIGNERIS ut opera
    manuum...   1725

ita inposita novo huic altare munera super accepto ferre DIGNERIS ut
  populus tuus...   3844
ut principibus nostris propitius adesse DIGNERIS ut qui tua...   4134
habitantibus in hac domo (domus) famulis tuis propitius adesse DIGNERIS
  ut quos nos humana...   2906
ut hanc creaturam salis... benedicere et sanctificare tua pietate DIGNERIS
  ut sit omnibus...   1929
tenebras de cordibus nostris auferre DIGNERIS ut splendore...   1238
hanc creaturam salis et aqua benedicere DIGNERIS, ut ubicumque...   1351,
  1352
benedicere consecrare et sanctificare DIGNERIS vasa haec...   1283
et collocare inter agmina sanctorum tuorum DIGNERIS veste quoque celesti
  ...   1263
universas procellas et grandinis amovere DIGNERIS.   1369
effectibus (nos) eorum veraciter aptare DIGNERIS.   3033
Spiritum sapientiae et intelligentiae, discriptionisque eis concedere
  DIGNERIS.   3531
in sinibus patriarcharum nostrorum habraham isaac et iacob conlocare
  DIGNERIS.   3433
ut nos... in his paschalibus gaudiis conservare DIGNERIS.   3791
ut eam sanctorum tuorum coetibus consociare DIGNERIS.   2880
et vulnera nostra... munus tuae salubritatis curare DIGNERIS.   3821
ut quod in me largire dignatus es, propitius custodire DIGNERIS.   1777
viam dux eius et comis esse DIGNERIS.   844
et tales nos esse perficere, ut propicius fovere DIGNERIS.   2603
da nobis tua gratia tales existere, in quibus habitare DIGNERIS.   1221,
  1222
et hilaritatem tui vultus nobis inpertire DIGNERIS.   2978
ita et nos ad peccatis nostris liberare DIGNERIS.   2066
et praeteritorum criminum (debita) relaxare DIGNERIS.   2837
populus ab incursu satane salvare DIGNERIS.   908
et hanc vestem... benedicere et sanctificare DIGNERIS.   751
ut aeam sanctorum tuorum consortio sociare DIGNERIS.   2879, 2880
et caelestis vobis regni ianuas DIGNETUR aperire.   802
benedicere vobis DIGNETUR beati apostoli sui ill. intercedentibus
  meritis.   1243
Omnipotens dominus... vos DIGNETUR benedicere qui de antiquo hoste...
  2264
ipse vos sua miseratione DIGNETUR benedicere.   1241
Deus lumen verum... sua vos DIGNETUR benedictione ditare.   853
sua vos DIGNETUR benedictione locupletare.   1149
ita huic populo spiritaliter DIGNETUR circumcedere corda.   2441
Quod ipse praestare DIGNETUR cuius regnum (et imperium).   275, 338, 339,
  341, 343, 347, 348, 349, 361, 722, 853, 1002, 1243, 1268, 1903, 2243,
  2249, 2254, 2258, 2260, 2263, 2264, 3232
et ab omni miseratus DIGNETUR defendere pravitate.   361
et comis nobis DIGNETUR esse spiritus sanctus.   1360
uti eum dominus in requiem collocare DIGNETUR et in parte...   723
ut eum domini pietas inter sanctos et electos suos... collocare DIGNETUR
  et partem...   2521
ut in eo semper oblaciones famulorum suorum... benedicere et sanctificare
  DIGNETUR et spiritali...   707
vos DIGNETUR et vitiorum squaloribus expurgare...   2264
hoc ille ut possimus (possumus propitius) nobis conferre DIGNETUR Iesus
  Christus dominus noster.   1789

ut hunc famulum suum (nomine illo) benedicere DIGNETUR in officium
  exorcistae...   726, 727
defensionis donaciones implere DIGNETUR orantibus (orationibus) nobis.
  2524
ut ipse ei tribuere DIGNETUR placitam (placidam) et quietem mansionem...
  2583, 2584
ut huic promptuario gratia tua adesse DIGNETUR quae cuncta adversa...
  2294
ut hunc famulum tuum (nomine ille) benedicere DIGNETUR quem in officium...
  728, 729
Quod ipse praestare DIGNETUR, qui cum patre (et spiritu sancto).   18,
  342, 344, 345, 347, 353, 362, 425, 802, 915, 948, 1242, I149, 1157,
  1242, 2117, 2240, 2241, 2242, 2244, 2245, 2246, 2252, 2255, 2261, 2584,
  2951
ut huic prumptuario gratia tua adesse DIGNETUR, qui cuncta...   2289
aeterna tua DIGNETUR revocare maiestas.   2297
ut habitaculum istum... benedicere atque custodire DIGNETUR tenebras...
  725
angelum licis, angelum defensionis adsignare DIGNETUR, totis aeos...   167
ut eam deus et dominus noster pacificare (adunare) et custodire DIGNETUR
  toto orbe (totum orbem) terrarum...   2507
ita et ibi populo tuo exorare DIGNETUR, ubi gratiam...   1088
ut eum pietas domini in sinu abrahae et isaac et iacob collocare DIGNETUR
  ut cum dies...   2522
Omnipotens deus DIGNETUR vobis... benedicere...   2246
et praesentia sancti spiritus nobis... ubique adesse DIGNETUR.   848
et in sinibus Abrahae et Iacob collocare DIGNETUR.   2483, 2484
ipse te adiuvare et conservare DIGNETUR.   334
tua dextera hoc evactiere DIGNETUR.   850
misericordiae tuae resolvere hac indulgere DIGNETUR.   980
Quod ipse prestare DIGNETUR.   561, 1241, 2248, 2256
benignitate ab homine usque ad pecus praestare DIGNETUR.   167
et ad sanctam matrem aeclesiam catholicam atque apostolicam revocare
  DIGNETUR.   2516
Convenire DIGNIMINI, ut caeleste misterium quod diabolus...   3269

        DIGNUS
quia (qualiter) tunc eadem in sanctorum tuorum DIGNA commemoratione
  deferimus...   3294
quae ut (tuo) sit DIGNA conspectu (conspectui)...   2196, 2235, 3406
et affectus eius DIGNA conversatione sectemur.   455
ut omnis haec plebs... huius vocabuli consortio DIGNA esse mereatur...
  976
et quia nostris meritis non est DIGNA fiducia...   3397
ut quos DIGNA mente non possumus celebrare...   579, 580
fiatque tua propiciacione tuis sacris sanctis que DIGNA mysteriis...
  1734
et oratio iustorum DIGNA perducat.   2416
ipsorum DIGNA perficiantur et meritis.   2132
placatum tuorum DIGNA postolacione sanctorum.   2054
quorum DIGNA pro nobis interventione confidimus.   605
... DIGNA salutis veneratione sectemur.   2693
et ut DIGNA sint munera quae oculis tuae maiestatis offerimus...   1466,
  1467
et aeius DIGNA sollemnia caelebrantes...   277
ut que DIGNA sunt iugiter exsequentes...   678

ut ubi nulla conscientiae meae te DIGNA sunt merita...   1066
et quae te DIGNA sunt postulemus...   591
et DIGNA, ut arbitror, aecclesiastici honoris augmentum.   3021
et cum illa sit DIGNA venerari...   3809
... DIGNAQUE locum hunc tuae senciat maiestate...   1734
et si quae illi sunt dne DIGNAE cruciatibus culpae...   3470
Presta, qs, aeclesiae tuae, dne, de tantis DIGNAE gaudere principibus...
  2741, 2742
ut ad caelebrandum DIGNAE paschale mysterium...   3813
tribuae tibi DIGNAE persolvere ministeriorum sacerdotalis officii...
  1089
quos DIGNAE possis audire.   2428
ut te toto corde perquirant et quae DIGNAE postolant adsequantur.   2805
qui DIGNAE pro nobis possint intercedere, contulisti...   3958
eadem largiente DIGNAE quae tua sunt et cogitatione valeamus et facere.
  2685
... Talia igitur, dne, DIGNAE sacris altaribus tuis munera offeruntur...
  861
et DIGNAE semper tractare mysteria et conpetenter honorare primordia.
  666
et tantos DIGNAE studeris celebrare rectores...   4002
et ut DIGNAE tuis famulemur altaribus...   2822
Concede nobis, misericors ds, et DIGNAE tuis servire semper altaribus...
  448
da cordibus nostris DIGNAM pro aeorum conmemoratione laetitiam...   2440
da cordibus nostris et DIGNAM tibi orationem persolvere...   1251
pio praevenientes officio DIGNAS maiestati (maiestatis) tuae laudes
  offerimus.   4031, 4033
ut DIGNI efficiantur accedere ad gratiam baptismi tui...   165
... DIGNI efficiantur fruge fecundi.   1034
et caelesti beatitudine te donante DIGNI efficiantur.   3624
DIGNI aei arrianorum subiacuit feritas...   4148
et indulgentiam puriores eorum gradu... DIGNI existant...   1372
ut qui tua miseratione sunt DIGNI fiant pietatis...   645
... DIGNI inveniamur aeternae vitae convivio...   2643
remissionem omnium peccatorum DIGNI inveniantur in Christo...   2513
et ad aeterna percipiamur, et eorum interventu DIGNI iudicemur.   4070
Ut sacris dne reddamur DIGNI muneribus...   3581
accensis lampadibus eius DIGNI praestulemur occursum.   382
sed etiam per quorum praeces his DIGNI reddamur.   2035
ut DIGNI simus caelestibus alimentis.   1778
ut et DIGNI sint et tua (tuae) valeant beneficia promereri.   3505, 3506
... DIGNI sint vitam et gloriam promereri.   311
ut offensae nostrae per eos qui in conspectu tuo DIGNI sunt relaxentur.
  1273
tua redemptione sint DIGNI, tua semper gratia sint repleti.   524
ut eadem nos et DIGNI venerari et pro salvandis congruenter exhibere
  perficias.   3052
ut qui tua miseratione sunt digni, fiant pietatis officii DIGNIORES.   645
Da, qs, dne, electis nostris DIGNIS adque sapienter ad confessionem...
  638
ita DIGNIS celebremus officiis.   1095
ut aeadem sacris misteriis expiati DIGNIS caelebremus.   1645
... DIGNIS conversationibus ad eius mereamur pertinere (pertingere)
  consortium.   613

ut DIGNIS flagellationibus castigatus in tua miseratione respiret.   2533
VD. Cuius primi adventus mysterium ita nos facias DIGNIS laudibus et
    officiis celebrare...   3663
ut sicut tuam cognoscimus veritatem, sic eam DIGNIS mentibus adsequamur.
    1124
sic eam DIGNIS mentibus moribus assequamur...   1125
ut haec tibi munera DIGNIS mentibus offeramus.   3554
ut et DIGNIS mentibus suscipiat pascale mysterium...   1528
ut liberatorem suum DIGNIS mereamur preconiis laudare.   3666
sic eam DIGNIS moribus (et mentibus) adsequamur.   1124, 1125
... DIGNIS necesse est laudibus cumulari...   861
eorum qui tibi placuerunt DIGNIS praecibus propitiatus intenderis...
    4155
ut abstinentiae nostrae restaurationis exordiis conpetentem DIGNIS
    praecurramus officiis.   671
... DIGNISQUE successibus de inferiori gradu...   137, 138
... DIGNIS sensibus tuo munere capiamus.   3328, 3330, 3331
testimonium boni operis aelectum DIGNISSIMUM sacerdocium...   3281
perpetua caelorum luce conspicuum DIGNO fervore fidei veneremur.   690
et puro cernamus intuiti et DIGNO parcipiamus effectu.   379
... DIGNO praeparetur officio.   1065
hisdem proficiamus et fideli consortio, et DIGNO servitio.   2286
... DIGNO tanto amore martyrii persecutoris turmenta non timuit.   4148
ieiunia quae (expiando) nos (et expiando) gratiae tuae (tua gratia)
    DIGNOS efficiant...   20, 2185
ut quos tanti mysterii tribues esse consortes, eosdem DIGNOS efficias.
    3316
Atque idem spiritus sanctus ita vos hodie sua habitatione DIGNOS efficiat
    ut cras...   345
et sua vos benedictione DIGNOS efficiat.   2249
ut donis suis ipsi nos DIGNOS efficiat.   1559
ac sui ministerio pariter et participatione DIGNOS efficiat.   2194
Haec hostia... tua nos propitiatione DIGNOS efficiat.   1689
ut DIGNOS eius nos participatione perficias.   1674
ut quos ad te placandum praevideris DIGNOS eorum qui tibi...   4155
... Unde vos, dilectissimi, DIGNOS exibete adoptione divina.   1685
... DIGNOS fieri quibus meliora tribuantur hortaris.   3883
ut DIGNOS nos eius participatione efficias.   1674
fructusque DIGNOS paenitentiae faciendo...   3869
et DIGNOS per tuam gratiam ministros offerre.   1062
et DIGNOS quibus sua beneficia prestet efficiat.   3525
et tuo DIGNOS reddat obsequio.   3273
ut DIGNOS sacra participatione perficiat (percipiat).   2950
... DIGNOS salutis fructus iugiter operetur.   665
nos propitiatione DIGNOS semper efficiat.   1688
... DIGNOSQUE semper sui perceptione perficiant.   2736
... Tuum est enim me ad ministrandum altari tuo DIGNUM efficere...   3898
et me ad peragendum iniunctum officium DIGNUM efficias...   815
ut per gratiam tuam nosmetipsos, sicut te DIGNUM est, exhibentes...   627
ad maiestatem (magnificentiam) tuam, sicut DIGNUM est, exorandam...
    1120, 2428
consonatus laudibus clamate et dicite : DIGNUM est.   3281
... Gratias agamus domino deo nostro. Respondetur : DIGNUM et iustum est.
    1978, 3384, 3791
Vere DIGNUM et iustum est, aequum et salutare...   2556, 3589, 3945

Et sine ulla offensione maiestati tuae DIGNUM exhibeant famulatum. 312
et quod arte vel mettalo officii non potest altaribus tuis DIGNUM fiat
 tua... 1281, 1282
... DIGNUM fiaeri sempiterna redemptione concede. 3026
quo me nullius DIGNUM meritis, sed solo tuae misericordiae dono... 1753
Praesta, qs, dne, huic famulo tuo DIGNUM paenitentiae fructum... 2716
ut per DIGNUM pontificis institutum crescat tuorum devotio sancta
 fidelium. 2111
ita (et) DIGNUM prestet et merito (meritum). 1753, 2072
ut sine qua nihil potest a te DIGNUM prorsus efficere... 3092
... DIGNUM regenerationis suae mentes ornatum. 947
... DIGNUM sacris altaribus fac ministrum... 863
et DIGNUM tibi nos exhibere ministerium concede propitius... 1062
... DIGNUMQUE est pro honorificentia nos eorum tuam suscipere maiestatem
 ... 4167
... DIGNUMQUE locum huic tua sentiat maiestate... 1734
que expianda nos tua gratia DIGNUS efficiant... 20
Haec, quae nos reparent, qs, dne, beata mysteria suo munere DIGNUS
 efficiant. 1704
... Da ei scientiam veram, ut DIGNUS efficiaris accedere ad gratiam
 baptismi tui... 165
ut domis suis ipsa nos DIGNUS effitiat. 1559
ut DIGNUS eius nos participacione perficias. 1674
et ita DIGNUS es cui agitur, ut ita DIGNUS non sit a quo agitur. 3792
dne ds sancte pater o. : te invocor, quia tu DIGNUS es invocare... 755
... Quis enim hoc DIGNUS exsistat officio... 4166
... DIGNUS extat, et virtutibus universis... 1372
ut possit tibi DIGNUS fieri et ad aeternam... 1512
et quos fovere non desinis, DIGNUS fieri sempiterna redempcione concede.
 3026
qui apostolici pontificatus DIGNUS in sua aetate successor... 3810
ut DIGNUS nos aeius participatione perficias. 1674
decori monachorum gregis DIGNUS pastur offulsit... 3766
ut per haec te opitulante efficiar sacris mysteriis DIGNUS quae de tua...
 1837
Si facta hominum respicis dne nimo est DIGNUS qui patrem appellit...
 3282
... Illiusque frequentatione efficiar DIGNUS, quod ut frequentarem suscepi
 indignus. 3145
sed DIGNUS semper afferat fructus. 2188
qui nec invocatione tui nominis DIGNUS sum... 1709
... DIGNUSQUE successibus de inferiori gradu... 136

   DIGREDIOR
sed quos iure corripis a veritate DIGRESSOS... 2184

   DILATO
ut sacrificia pro sanctae tuae luciae solemnitate DILATA desiderium...
 3010
... DILATA sanctae huius congregationis habitaculum (temporalem)
 (temporale) caelestibus bonis... 1195
et promissionis filios sacra adoptione DILATA ut quod priores... 2363
in aumentum templi tui crescere DILATARIQUE largiris... 136, 137, 138
hac DILATATIS utrisque marginibus... 880
viam mandatorum (tuorum) DILATATO corde curramur (curramus). 1206
in quo exterior homo noster affligitur, (exterior) DILATATUR interior...
 3740, 4179, 4183

sicut isaac in fruge, iacob est DILATATUS in gregi.   924
ut et cor nostrum ad expurgandas (expugnandas) DELATES passionis...   1049

DILECTIO

... O inestimabilis DILECTIO caritatis, ut servum redimeres filium
   tradidisti...   3791
et illa que in aeo flagravit fortis DILECTIO, (in nobis adspira benignus).
   3417
... Audiat nunc DILECTIO vestra, quemadmodum doceat discipulos suos orare
   deum...   1373
ut paschalis muniris sacramentum... perpetua DILECCIONE capiamus.   402
O. s. ds, qui timore sentiris, DILECTIONE coleris, confessione placaris...
   2457
cum eis mutua DILECTIONE connexus...   3912
famulosque tuos cum DILECTIONE corripere...   3796
da famulis tuis ill. et ill. in tua proficere DILECTIONE et in tua
   laetari...   1218
pro quorum DILECTIONE, haec tuae obtulimus maiestati.   1294
Et praesentem vitam cum honestate et relegiosa DILECTIONE, ita sit...
   397
Ds, qui DELICTIONE nos mutua docis habere...   957
et quae tibi placita sunt, tota DILECTIONE perficiant.   921
ut in tua semper DILECTIONE permanentes...   962
ut in tua DILECTIONE perpetua maneat...   2703
Ds, qui sacra legis omnia constituta in tua et proximi DILECTIONE posuisti
   da nobis horum...   1197
Deus, qui plenitudinem mandatorum in tua et proximi DILECTIONE posuisti
   hanc nobis...   1164
ut et in tua sint supplicatione devoti et mutua DILECTIONE sentire.   506
et (in) mutua DILECTIONE sinceri (sinceris).   506, 521, 536, 722
nihil (habeat) in DILECTIONE terrenum, nihil (habeat) in confessione
   diversum.   82, 2688
in DILECTIONE tuae divinitatis et proximi...   972
ipsut animae meae inserere ut iugis DILECTIONEM aeius ipse sis...   575
in fidem DILECTIONEM, in doctrinam pervigilantiam...   2303
alternam vobis DILECTIONEM indulgeat...   169
ut in tua DILECTIONEM perpetua maneat...   2704
VD. Per quem discipulis spiritus sanctus in terra datur ob DILECTIONEM
   proximi...   3830
et de caelo mittitur propter DILECTIONEM tui...   3830
et in nostris cordibus aeam DILECTIONEM validam infundant...   2649
... Et ideo commonemus DILECCIONEM vestram...   1286
tuorum potius repleantur DILECTIONIBUS mandatorum...   1424
qui in sanctorum tuorum cordibus flammam tuae DILECTIONIS accendis...
   2411
Patientia praetiosa iustorum tuae nobis, dne, qs, affectum DILECTIONIS
   adcumulet...   2545
... Sit in ea iugum DILECTIONIS et pacis...   1171
... Quapropter fidem vestrae DILECTIONIS hortamur...   1682
quos in soliditate (soliditatem) tuae DILECTIONIS instituo.   3207
famulos tuos quos sanctae DILECTIONIS nobis familiaritate coniuncxisti...
   3624
... Abundet in his... puritas DILECTIONIS, sinceritas pacis...   819, 820
da nobis legitimae DILECTIONIS tenere mensuram...   1189

DILECTUS
... DILECTARUM tibi ovium adesto pastori... 2281
ut in nomine DILECTI filii tui mereamur bonis operibus abundare. 2335
probati DILECTIQUE discipuli, virginitas deserviret... 3609
quatenus beatae genetricis integritate probata DILECTI virginitas
     deserviret... 3608
Oremus, DILECTISSIMI, deum patrem omnipotentem, ut super hos... 2499,
     2500, 2501, 2502
... Unde vos, DILECTISSIMI, dignos exibete adoptione divina... 1695
... Audistis, DILECTISSIMI, dominicae orationis (oratione) sancta
     mysteria... 226, 3310
Vos itaque, DILECTISSIMI, ex vetere homine in novum reformamini... 1706
qui nos corporis et sanguinis DILECTISSIMI filii tui domini nostri
     comunione vegetasti... 1668
fiat DILECTISSIMI fili tui domini nostri iesu christi. 3011
Oremus, DILECTISSIMI fratres karissimi, dominum... 2503
(Dei patris) omnipotentis (dei) misericordiam, DILECTISSIMI fratres,
     depraecemur... 707, 2483
Oremus DILECTISSIMI fratres dominum nostrum iesum christum pro hoc famulo
     suo ill... 2503
Servanda est, DILECTISSIMI fratres, in excessum sacerdotum... 3281
DILECTISSIMI fratres, inter cetera virtutum solemnia... 1286
Scrutinii diem, DILECTISSIMI fratres, quo electi nostri divinitus
     instruantur (instaurantur)... 3269
Quoniam, DILECTISSIMI fratres, rectoris navem... 3021
Hunc ergo, DILECTISSIMI fratres, testimonium... 3281
Oremus, DILECTISSIMI fratres, ut dominus deus noster... 2504
Anniversarii fratres DILECTISSIMI ieiunii puritatem... 180
Annua nobis est, DILECTISSIMI, ieiuniorum celebranda festivitas... 182
DILECTISSIMI nobis, accepturi sacramenta baptismatis... 1287
Oremus, DILECTISSIMI nobis, deum patrem omnipotentem... 2505
Oremus DILECTISSIMI nobis et pro christianissimo rege francorum... 2506
Haec summa est fidei nostrae, DILECTISSIMI nobis haec verba... 1706
Oremus, DILECTISSIMI nobis, in primis pro ecclesia sancta dei... 2507
Oremus, DILECTISSIMI nobis, omnipotenti deo pro filio nostro illo...
     2509
Oremus DILECTISSIMI nobis pro ecclesia sancta dei... 2508
Oremus, DILECTISSIMI nobis, ut his viris... 2510
Ergo, DILECTISSIMI, praefatum symbulum fidei catholicae in praesente
     cognovistis... 1706
Omnipotentem hac misericordem, fratres DILECTISSIMI, qui habit... 2481
animas vestras corporaque purificet a DILECTO. 1375
qua DILECTOS tibi greges sacris mysteriis inbuerunt. 2741, 2742
et DILECTUM meum cora(m) me est semper. 59
... Qui ab unigenito tuo sic familiariter est DILECTUS et inemensae...
     3609, 3613
qua DILECTUS tuus tibi gregis pane aerudicionis pavit... 3944

     DILIGO
et diligendo timuit et timendo DILEXIT... 3866
et omnes homines rationabili DILIGAMUS affectu. 436
homines, sicut nosmet ipsos tamquam consortes nostri generis DILIGAMUS
     tunc circa... 4025
et caelestis DILEGANT actus... 3082
... DILEGANT caritatem, absteneant se a cupiditate... 842

ut te tota virtute DILIGANT, et quae tibi placita sunt, tota dilectione
   perficiant.   921
... In caritate ferveant, et nihil extra te DILIGANT laudabiliter...   758
humilitatem DILEGANT, nec aeam umquam deserint...   820
ut et fideles tui DILIGANT praesules suos et ab eis mutuo diligantur...
   661
ut te timeant, te DILIGANT, te sapiant...   2310
... Odiant superbiam, DILIGANT veritatem...   820
aeterna et invisibilia intenta meditatione DILEGANT.   1297
ut et fideles tui diligant praesules suos et ab eis mutuo DILIGANTUR...
   661
prumpte suum DILIGAT dominum...   431, 950
... Et te solum semper tota virtute DILIGAT et ad tuae...   3768
... In caritate ferveat et nihil extra te DILIGAT laudabiliter...   759,
   760
te colat, se muneat, te DILEGAT, se praeparet.   920
te timeat, te DILEGAT, te sequatur...   976
eisque nos similiter (spiritum sanctum) DILIGENDI (spiritum) benignus
   infunde...   2759, 2800
Ds, qui DILIGENDO castigas et castigando nos refoves...   958
et DILIGENDO timuit et timendo dilexit...   3866
fieret semet ipsam DILIGENS esset mens una cunctorum.   3923, 3924
Ds, qui cum omnes creaturas DILIGENS feceris...   943
ut ad te adtente DILEGENS, fugiat lascivitas carnis iniqui.   3048
ut te in omnibus et super omnia DILIGENTES...   959
Ds, qui DILIGENTIBUS te bona invisibilia praeparasti...   959
Ds, qui DILIGENTIBUS te facias (facis) cuncta prodesse...   960
Ds qui DILIGENTIBUS te misericordiam tuam semper inpendis...   961
... In te habeat omnia, quem DILEGERE appetat super omnia...   759
Ds, quem DILIGERE et amare iusticia est...   881
ut discamus et inimicos DILIGERE quia eius...   617
et (ad) caelesti munus DILIGERE quod frequentant.   650
perseveremus et DILIGERE quod praecipiunt, et desiderare quo (quod)
   ducunt.   1258
et nosmetipsos veraciter libereque DILIGERE, quos fecisti.   3937
Da illis... te semper DILEGERE, se muneri.   1180
integritatem consvientiae DILIGERE semper et famae.   1577
... Per te quem DILIGERE super omnia appetit, quod est professa custodiat
   ...   760
Ds qui presentem diem ita dignaris DILIGERE ut cum tot...   1175
ut sancti tui... sanctas animas odiendo DILIGERENT et non servando...
   4075
sed DILIGERENT quod nuptiis praenotatur...   758, 759
tunc proximos nostros sicuti nosmet ipsos vere DILIGIMUS si esi quae...
   3980
quoniam sanctum Laurentium martyrem tuum te inspirante DILIGIMUS ut eius
   natalicia...   1669
Ds, qui iustitiam DILIGIS et iniusta condemnas...   1054
amplectatur quod DILEGIS, impleat quod placaris.   950
non hoc te ieiunium DELIGISSE profetica voce testaris...   4072
famulis tuis, quos ad summi sacerdotii ministerium DELIGISTI...   819

        DILUO
ita, dne, luciscente maiestati tuae imperro peccatorum sarcinae DELUANTUR.
   861

Haec dne salutaris sacrificii perceptio famuli tui ill. peccatorum
   maculas DILUAT et ad regendum...   1686
quod gustu DILUAT, moribus adpraehendat...   2600
ut omnis hoc lavacro salutifero DILUENDI operanti in eis spiritu sancto...
   1045, 1047
ut lavacrum sancti corporis, ipsas aquas DILUERIS, cum ablui...   855
ut omnes qui DILUINTUR sacro baptismate...   1326

          DILUCULUM
tuaque donetur nobis DILUCULO contemplatio...   236

          DILUVIUM
regenerationis speciem in ipsa DILUVII effusione signasti...   1045, 1047
quae sola nec per originalis peccati poenam nec per DILUVII est ablata
   sententia.   1171
... Et cum mundi crimina DILUVIO quondam expiarentur effuso...   3945,
   3946
Libera, dne, anima servi tui illius sicut liberasti noae per DILUVIUM.
   2023

          DIMICO
quia tu in eis et fortitudinem DIMICANDI...   4193
pro qua sancti tui inter supplicia DIMICANDO sempiternam gloriam sunt
   adepti.   2893
dextera tua in eis DEMICANTE vicerunt.   3861
qui eos DIMICANTES contra antiqui serpentis machinamenta...   3722
qui aeos DEMIGANTES contra vetusti serpentis vitia...   4149
pro qua sancti tui inter supplicia DEMICANTES sempiternam gloriam sunt
   adepti.   2893
illa fide DEMICET qua caelis victur marthyr intravit.   546

          DIMITTO
ut DEMITTAS quae conscientia metuit...   2375
nec vobis pater vester DIMITTE peccata vestra.   1791
VD. Qui non solum peccata DIMITTIS sed ipsos etiam...   3962a
et non solum peccata DIMITTIS, verum etiam ipsos peccatores iustificare
   dignaris...   3893
et dicat, sicut in pharaone iam dixit, deum non novi nec israhel DIMITTO
   urgeat...   1355
deum non novi, nec israel non DIMITTO.   1354

          DINOSCO
... Et sicut nihil in vera religione manere DINOSCITUR quod non eius
   condierit disciplina...   3703

          DINUMERO
... DINUMERARE elegere atque vocare dignatus es.   1726

          DIONYSIUS
... Cosme et Damiani DIONYSII Rustici et Eleutherii...   417

          DIRECTIO
ita illa legis iteracio fieret etiam nostra DIRECTIO...   761

          DIRIGO
ut potenti moderatione DIRECTA...   1680
pateantque in vias DIRECTAS arduam montium...   2905
quos DIRECTUS terrarum partibus greges...   4197
VD. Qui properantes iacob sub felicitates quomoda itinera DIREXISTI,
   cuique...   4008

sic integro tellore (tenore) DIRICAMUR ad illius semper ordinem
   recurrentes.   2267
VD. Ut qui te autore subsistimus, te dispensante DIRIGAMUR non nostris...
   4210
VD. Ut qui te auctorum subsistimus, te dispensante DIREGAMUR.   4210
ut (te) (inter innumeros vitae) praesentis errores tuo semper moderamine
   DIRIGAMUR.   2763
ad veritatem tuam concessae nobis divinitus viae tramite DIRIGAMUR.   2965
et caelestis DIREGANT actos...   3081
ut tuo munere DIRIGANTUR et Romana securitas et devotio christiana.   2186
ut hisdem rectoribus DIRIGANTUR quos operis tui...   4138
tua semper inspiratione DIRIGANTUR.   1326
in viniae tuae ordinibus DIRIGANTUR.   1155
ut viam illius et praecendente gracia tua DIRIGAS et subsequente...   2875
eiusque viam in voluntate tua DIRIGAS eumque a cunctis...   3660
et viam illius et precedente gratia tua DIREGAS, ut de actu...   2875
et notantia corda tu DIRIGAS.   1826
Corpus tuum custodiat, sensum tuum DIRIGAT, ad supernam vitam...   335
vias DIREGAT, cogitationis sanctas instruat...   218, 319
Sensos vestros DIREGAT, corda conpungit...   351
DIRIGAT corda nostra, dne, qs, tuae miserationes operatio...   1290
DIRIGAT corda vestra per tempora...   1158
tua iugiter providentia DIRIGAT.   1592
... DIRIGATUR aeclesia, quibus principibus gloriatur.   206
ut et mundi cursus pacifico nobis tuo ordine DIRIGATUR et aeclesia tua...
   581
et mundi cursus pacifico eis tuo ordine DIRIGATUR et in sanctis...   3913
ut illuc filiorum tuorum DIRIGATUR intentio.   2477
ut omni semper inordinatione seclusa tua iugiter providentia DIRIGATUR.
   1592
tuis semper auxiliis et abstrahatur a noxiis et ad salutaria DIRIGATUR.
   563
ut tua providentia eius vita inter adversa et prospera ubique DIRIGATUR.
   2854
O. s. ds, DIRIGE actus nostros in beneplacito tuo...   2335
... DIRIGE ad te tuorum corda famulorum (servorum)...   810, 846, 847
... DIREGE angelum pacis nobiscum qui nos ad loca distinata perducat.
   1360
et in hunc affectum DIRIGE cor plebis et praesulis...   808
DIRIGE, dne, qs, aeclesiam tuam dispensatione caelesti...   1291
ut ita profectione famuli tui illi cum suis omnibus DIRIGE, aeosque in
   itinere...   4008
et DIRIGE eum secundum tuam clementiam in viam salutis aeternae...   2358
... DIREGE francorum regnum in tua voluntate...   2250
et omnium fidelium mentes DIRIGE in viam salutis (et pacis) (aeternae).
   1174
... DIRIGE nos in eam quam inmaculati ambulant viam...   1258
... DIRIGI viam famuli tui illius in voluntate tua (voluntatem tuam)...
   961
Actur aeorum in tua DIREGE voluntate...   124
et ad tuorum observantiam mandatorum tu omnium DIRIGE voluntates.   860
et ad ea quae recta sunt tuorum DIRIGE voluntates.   2984
qui claudo medella fuit pro DIRIGENDIS vestigiis.   913
ut iter famuli tui illius cum suis in prosperitate DIRIGERE eumque inter
   ...   3590

ut viam famuli tui ill. salutis dignare prosperitate DIREGERE, ut omnes...
  1490
... Quibus non solum praesentem vitam suo splendore DIRIGERET...   4056
Ds qui sanctorum tuorum DIRIGES gressos...   1206
ds qui es ductur sanctorum et DIREGIS itinera iustorum...   1360

     DIRIPIO
quaesita sub conspectu nostro manibus DIRIPIANTUR alienis...   3598

     DIRUS
omnibus (intercedentibus) (in te credentibus) DIRA serpentis venena
  extingui...   769
nulla DIRARUM atrocitate poenarum...   4082
Defende aeum a DIRI (abire) serpentis incursibus...   330
DIRI vulneris novitate perculsi...   1289

     DISCEDO
... DISCEDANT omnes insidiae latentis inimici...   896
numquam a tuae veritatis luce DISCEDANT.   847
ut DISCEDAS ab homine, DISCEDAS ab aecclesia dei...   141, 1354, 1355
cum exercito furoris tui festinos DISCEDAS coniuro te...   142
cum metu et exercitu furoris tui festinus DISCEDAS.   1354
et effugiat atque DISCEDAT ab eo loco quo aspersus fueris, omnis
  fantasia...   1546
ut ab hoc famulo dei... cum metu et exercitu furoris tui festinus
  DISCEDAT adiuro te...   1355
ut omnis a nostro DISCEDAT corde profanitas...   4139
et aeriarum DISCEDAT malignitas potestatum (tempestatum).   2, 3
Omnis a nobis te, dne, qs, expiante pravitas humana DISCEDAT ut puris...
  2485
hic iniquitas aemendata DISCEDAT.   3828
numquam a tuae virtutis luce DISCEDAT.   810
eradicare et effugare et DISCIDE a creatura olei...   1536
cum tua victus invidia tremens gemensque DISCEDE nihil tibi...   222
eradicare, effugire et DISCEDERE a creatura huius olei...   1537
... Urguat (Urgeat) illum, dne, dextera tua potens DISCEDERE a famulis
  tuis (famulo tuo)...   1354, 1355
nec discedas (resistas) nec moreris DISCEDERE ab homine...   142, 1355
et tanto nos a tua participatione DISCEDERE quantum...   3885
qui a principali nullatenus traditione DISCEDERENT.   3947
ne de fide tamen conubii promissa DISCEDERET...   4034
quam operum pravitate DISCEDITUR...   2297
qui fraude diabolicae (diabolica) malignitatis a baptismi unitate
  DISCEDUNT nulla...   2297
qui per ligni gustum a florigera sede DISCESSERAMUS...   3992
ut qui de hac vita in tui sominis confessione DISCESSIT, sanctorum...
  2317

     DISCERNO
Hic ipse inter bonum et malumque DISCERNAS, cum causam...   3828
adque ut a fictis sincera DISCERNAS ex operum...   3902
infusa mihi caelitus sanctitate DISCERNAS ut omnem...   3476
et a pravitatibus mundi tuorum DISCERNE corda fidelium...   1488
iubeas famulum tuum ill. a numero DISCERNERE malorum...   3770
qualiter a fidelibus tuis falsos fratres DISCERNEREMUS ostendis...   3879
Deus, qui diem DISCERNIS et noctem (a nocte, hac noctem)...   953
VD. Tu etenim, dne, DISCERNIS populum tuum...   4189
et quos aut sexus in corpore aut aetas DISCERNIT in tempore...   1047

qui haec exhoramenta naribus corporis DISCERNUNT, labentia...   2293
quos DISCRETIS terrarum partibus greges sacros divino pane pascentes...
    4196
tempore licet DISCRETO...   3666
... DISCRITORUM tuorum dispensatione causamur...   4022
nec a nostra divisus natura, nec a tua DESCRETUS adoretur essentia.   2710

        DISCESSIO
a nostra non est humilitate DISCESSIO...   3793

        DISCESSUS
et tocius nequitiae purgata DISCESSU.   1045, 1047

        DISCIPLINA
... State cum DISCIPLINA et (cum) silentio, audientes intente...   3310
... Et sicut nihil in vera religione manere dinoscitur quod non eius
    condierit DISCIPLINA ita peragenda...   3703
traditur cunctis credentibus DISCIPLINA ut sanctificatos...   3835
misericordia providentiae, actuum DISCIPLINA.   3082
indulgeat offensa, temperit DISCIPLINA.   360
... innocentiae (innocentia) (puritas) et spiritalis observantia
    DISCIPLINAE in moribus...   136, 137, 138
muniat infirmitatem suam robore DISCIPLINAE sit verecunda...   1171
sed freno DISCIPLINE tuae constringe me...   1296
... Muniat infirmitatem suam robore DISCIPLINAE uni toro...   2541, 2542
da spiritum sapientiae quibus dedisti regimen (tradedisti regnum)
    DISCIPLINAE ut de profectu...   1165, 1166
Da nobis, qs, dne, sancte regimen DISCIPLINAE ut per tuam gratiam...   620
Sit magni consilii, industriae, censurae, efficatiae DISCIPLINAE.   2303
ad custodiendam oboedientiam (et) inrepraehensibilem (inreprehensibile)
    DISCIPLINAM infantibus...   1493
regnantum victoria, populi DISCIPLINAM, qui ab hoc praeconis...   740
novam tui paracliti spiritalis observantiae DISCIPLINAM ut mentes nostrae
    ...   618
indulgeat offensam, ingerat DISCIPLINAM.   360
indulgeat offensa, temperit DISCIPLINAM.   360
reddamur et intenti caelestibus DISCIPLINIS et de nostris temporibus
    lectiores.   483
VD. Qui caelestibus DISCIPLINIS ex omni parte nos instruens...   3879
et cruciati spiritalis observantiae DISCIPLINIS illorum sunt...   3959
... Nam beatissimi Petri mox tradito DISCIPLINIS parentes...   4127
his instituti (institutis) DISCIPLINIS quas Tito et Timotheo Paulus
    exposuit (disposuit)...   3225
quos eius non convenerit DISCIPLINIS, quem hodiae vas...   3908a
honeraret austerioribus DISCIPLINIS sed proficientibus...   3996
mentes nostras caelestibus institue (instrue) DISCIPLINIS.   532
et tuis nos semper instruae DISCIPLINIS.   1505
Tuere, qs, dne, familiam tuam et spiritalibus instrue (instruere)
    DISCIPLINIS.   3547
quorum iugiter instruitur DISCIPLINIS.   2161
tuis apta propitius DISCIPLINIS.   3575

        DISCIPULUS
... Gloriosum denique virum nec inferior beatitudo DISCIPULI nec
    tardior...   4015
quo apostoli apostolorumque DISCIPULI omnium charismatum spiritalia dona
    sumpserunt.   416

... Quatenus beatae genitricis integritati... DISCIPULI, virginitas
   deserviret...   3609
qui divini oris sui voce DISCIPULIS ait... Vos estis sal terrae...   1545
qui te, cum DISCIPULIS contempneris, elisum et prostratum exire iussit
   ab homine...   1859
post resurrectionem dominus... cum DISCIPULIS corporaliter habitavit...
   3673, 3753
qui DISCIPULIS in sui commemoratione hoc fieri... monstravit.   1956
qui tu pedis lavare dignatus es tuis DISCIPULIS ; ne dispitias...   71
VD. Per quem DISCIPULIS spiritus sanctus in terra datur ob dilectionem
   proximi...   3830
qui DISCIPOLIS sui in sui commemorationem hoc fieri...   1956
... Christus tradidit DISCIPULIS suis corporis et sanuiinis (sui)
   mysteria caelebranda...   1712, 1736, 1771
item tibi gratias agens benedixit dedit DISCIPULIS suis dicens accipite...
   3014
Deus cuius unigenitus... DISCIPULIS suis ianuis clausis dignatus est
   apparere...   802
et DISCIPULIS suis iussit, ut credentes baptizarentur in te dicens...
   1045, 3565
VD. Qui post resurrectionem suam omnibus DISCIPULIS suis manifestus
   apparuit...   3999
... DISCIPULIS suis petentibus, quemadomodum orare deberent...   1373
... DISCIPULIS suis visu conspicuus tantoque palpabilis...   3998
Ds, qui DISCIPULIS tuis spiritum... in ignis fervore tui amoris mittere
   dignatus es...   962
Dne iesu christi qui DISCIPULIS tuis tuum spiritum tribuisti...   1327
qui dedit DISCIPULIS tunc doctrinam.   1173
ut sicut post resurrectionem suam DISCIPULIS visus est manifestus...   344
qui DISCIPULORUM christi tui per sanctum spiritum corda succendit.   3140
pedes DISCIPULORUM, humiliata maiestate, propriis lavasti manibus.   330
Ds qui... DISCIPULORUM mentes spiritus paraclyti infusione dignatus est
   inlustrare...   1002
Ds qui DISCIPULORUM tuorum pedibus abluens...   963
pedes voluit lavare DISCIPULORUM. Amen.   353
Ille ignis qui super DISCIPULOS apparuit...   1002
... Imperat tibi iesus nazarenus qui te cum DISCIPULOS eius contempneres
   ...   1355
VD. Qui promissum spiritum paraclytum super DISCIPULOS misit...   4007
qui dixit ad DISCIPULOS suos : Ite in nomine meo...   1852
quemadmodum doceat DISCIPULOS suos orare deum patrem omnipotentem...
   1373
qui domini nostri... vocatione suscepta factus ex piscatore DISCIPULUS et
   ab unigenito...   3608
in confessione DISCIPULUS, in honore successor...   4219

          DISCO
ut DISCAMUS et inimicos diligere...   617
quo terrena desideria mitigantes, DISCAMUS habere (habere, amare) caelestia.   1781
ut terrena desideria respuentes DISCAMUS iniare caelestia.   2538
DISCAT aecclesia tua, ds, Infantum... sinceram tenere pietatem...   1292
ut te tanti agone certaminis DISCAT populus christianus...   438
... Ego sum panis vivus qui de caelo DISCENDI...   1778
sicque donis temporalibus (uteremur transitoriis) uteremur, ut DISCEREMUS
   inhiare perpetuis.   3969

ut DISCERENT habitatores archae per spiritum sanctum...   3955
et plenius DISCERENT quod docerent.   3998
... Intentis itaque animis symbulum DISCITE...   1287
quam opere pravitate DISCITUR.   2297

DISCORDIA
causa DISCORDIAE, excitator dolorum, daemonum magister...   744

DISCORDO
quod nequaquam a tua voluntate DISCORDET...   4198

DISCREPO
et qui faciles a tua rectitudine DISCREPAMUS...   4211
quae eos et a tua voluntate numquam faciat DISCREPARE...   1623

DISCRESCO
quid agit, nisi ut crescendo DISCRESCAT...   3290

DISCRETIO
aeclesiam tuam... suorumque conexam (conexa) DISCRETIONE membrorum...
   136, 137
hoc de filio tuo, hoc de spiritu sancto sine differentia (differentiae)
   DISCRITIONE sentimus...   3887

DISCRIMEN
inter utraque DISCRIMINA veritatis adsertur...   3683, 3684
illum autem tercio naufragantem pelagi fecit aevitare DISCRIMINA.   3823
nec plebs fidelis per infidelium DISCRIMINE te opitulante...   3501

DISCURRO
nec DISCURRERE, nec latere, nec servire in corpore istius...   1888

DISCUSSIO
ut in illo tremendo DISCUSSIONIS tempore aeorum defensentur praesidio...
   971

DISCUTIO
ut DISCUSSIS tenebris (tenebras) viciorum...   1558
hac si quid in nobis tenibrosum est, DISCUTE...   1316
... Sed ut noxia quaeque DISCUTIAS et prospera iugiter largiaris...   3804
non in terrore DISCUTIAT, sed in gloria remunerandus adsummat.   1375,
   2296
et si conscienciam DISCUTIS dne nimo est qui non reus sit ante te.   3282

DISIUNGO
docens quod ex uno placuisset institui, numquam liceret DISIUNGI...   1171

DISPENDIUM
causa DISPENDII, ruina peccati...   2905
quia aeternarum rerum non vis subire DISPENDIUM et quoniam facilis...
   3972, 3973
quia aeternarum rerum non vis subire DISPENDIUM meliusque est...   3812
non timemus lucis huius subire DISPENDIUM quia misericordiae...   3915
te opitulante, ullum patiantur habere DISPENDIUM, ut et dignitas...   3501
non timemus lucis huius subire DISPENDIUM.   3916

DISPENSATIO
sed divinorum nobis multiplicata proveniat DISPENSATIO talentorum.   3796
Dirige, dne, qs, aeclesiam tuam DISPENSATIONE caelesti...   1291
de secretorum (discritorum) tuorum DISPENSATIONE causamur...   4022
Recaepta itaque DISPENSATIONE dei sacerdoto et vestro...   3281

VD. Qui rationabilem creaturam... ea DISPENSATIONE dignaris erudire
    (herudi)...   4010
... Sic DISPENSATIONE diversa unam Christi familiam congregantes...   3666
sua DISPENSATIONE, et tua administratione... faciat feliciter gubernari.
    337
apostolicae confessionis superna DISPENSATIONE largiris...   4020
pietatis operarius DESPENSATIONE mensarum...   4186
O. s. ds, qui in omnium operum DISPENSATIONE mirabilis es...   2408
aeclesiae tamen tuae speciali DISPENSATIONE moderaris...   1062
VD. Per quem humani generis reconciliationem mirabili DESPENSATIONE
    operatus es...   3831
sanctumque sibi caelesti DISPENSATIONE percipiat...   1620
ut mirabilis suae pietatis DISPENSATIONE qui per ligni...   3992
per quod mundus est divina DISPENSATIONE redemptus.   1686
qui mirabili DISPENSATIONE sapientiae tuae...   4155
ut bonum rationem DISPENSATIONEM sibi credita redditurus...   2549
ita transigere praesentis vitae DISPENSATIONEM ut accepto...   347
qui DISPENSATIONIS et castitatis aegregiae... nobis exempla veneranda
    proposuit...   3617
commissae sibi DISPENSATIONIS exsecutor egregius...   3863
fuisse provisos huius DISPENSATIONIS magistros...   3943
... O admirandam divinae DISPENSATIONIS operationem...   3989
ut bonam rationem DISPENSATIONIS sibi creditae reddituri (redditurus)...
    1348, 1349, 1350

           DISPENSATOR
beatus Stefanus... fidelis apostolicae DISPENSATOR alimoniae...   3761
... Qui (laurentius) DISPENSATOR egregius et usque ad sanguinem nominis
    tui confessor...   3614, 3644
et praedicancium DISPENSATOR ipse linguator.   4049

           DISPENSO
Qs, o. ds, aeclesiae tuae tempora clementi gubernatione DISPENSA...   2979
quae et DISPENSANTE devota subsequitur...   4021
VD. Ut qui te autore (autorum) subsistimus, te DISPENSANTE dirigamur...
    4210
sed ut potius tui corporis ubique devota conpago te DISPENSANTE suscipiat
    ...   4077
cum tua DISPENSANTE virtute non de gloriosis humilia...   4055
quos DISPENSANTES te sacerdote...   740
mensurasque temporum maiestatis tuae potestate DISPENSAS ad humilitatis...
    954a
VD. Qui singulis quibusque temporibus convenienter adhibenda DISPENSAS
    aptius...   4028
Ds qui miro ordine angelorum ministeria (mysteria) hominumque DISPENSAS
    concede propitius...   1068
et singulis quibusque temporibus (temporalium) aptanda DISPENSAS cuius
    corpus...   136, 137, 138
cum et singulis quibusque temporibus convenienter aptanda DISPENSAS et nos
    a totius...   1029
Deus qui in auxilium generis humani caelestia simul et terrena DISPENSAS
    in inferiore (inferiorum)...   1027
VD. Qui profutura tuis et facienda providis et facta DISPENSAS mirisque...
    4005, 4006
temporumque mensuras maiestatis tuae potestate DISPENSAS propitius...
    954, 1165

tuaque (tua) gracia (ineffabilibus modis) utrumque DISPENSAT ut quod
  generatio... 3925
... DISPENSATIS mentis et corporis alimentis per humanorum foves crementa
  provectuum... 3982

DISPERDO
neque DISPERDAT novella in gulgotarum rupe plantate. 4233
ad vocem tubae, DISPERSA ossa, menbra ad iuncturas corporum... 3668
... DISPERSAEQUE per agros libratis paululum pennis cruribus suspensis
  insidunt... 3791, 4206
et DISPERSAS absque pastore ovis fur nocturnis invadat. 3281
Prostratum colleva, DISPERSUM congrega... 323

DISPERSIO
ut gentium facta DISPERSIO (DISPERSIONE) divisione (divisio, divisiones)
  linguarum... 2436, 2437

DISPLICEO
ut qui antea in suis perversitatibus DISPLICEBAT... 58
que tuis DISPLICERE possit obtutibus... 1932, 1933

DISPONO
diesque nostros in tua pace DISPONAS atque ab aeterna... 1769
Ds, qui licet universum genus humanum caelesti lege DISPONAS aeclesiam
  tamen... 1062
sed per (pro) tua pietate in via recta semper DISPONAS ne (nec) sicut
  meremur... 3750, 4216
diesque meos clementissima gubernatione DISPONAS. 1754
sed tua, que falli non potest, gubernatione DISPONAS. 3834
et tua in nobis dona multiplices, et tempora nostras DISPONAS. 3370
Omnipotens deus dies vestros in sua pace DISPONAT et suae vobis... 2245
ut ita in praesenti collecta multitudine, cunctorum in commune salutem
  DISPONAT quatenus... 2393
Exercitatio veneranda, dne, ieiunia salutaris pupuli tui corda DISPONAT ut
  et dignis... 1528
qui mentes omnium spiritali vegitatione DISPONAT ut pro opera... 156
tu DISPONE correctam, tu propitius tuere subectam... 3508
Tua nos, dne, qs, pietate DISPONE quia nullis... 3521
et dies nostros in tua pece DISPONE ut a cunctis... 1481
salva populum tuum, tuere, DISPONE ut a peccatis... 2913
Exercitatio veneranda dne ieiunii salutaris populi tui corda DISPONE ut et
  dignis... 1528
et viam famuli tui illius in salutis tuae prosperitatis DISPONE ut inter
  omnes... 107
diesque nostros in tua pace DISPONE. 1747, 1765
Ds, qui propterea aeclesiae tuae gubernacula DISPONENDA sic eius... 1186
presentium ordinem in tua voluntate DISPONENS... 3898
ita in visceribus matrem, te DISPONENTE, est inditum... 3918
Ds qui universa... prudentissimae DISPONIS, consultissimae moderaris.
  1233
Ds, qui absque ulla temporis mutabilitate cuncta DISPONIS et ad
  meliorandam... 886
Ds qui miro ordine universa DISPONIS et ineffabiliter gubernas... 1069
et cuncta DISPONIS per verbum virtutem (virtutum) sapientiam... 136,
  137, 138
sic nos tua moderatione DISPONIS, ut ad superna tendentes... 3827
qui nos ea lege DISPONIS ut coercendo in aeternum perire... 3884, 4009
et DISPONIT omnia suaviter... 3637

sed vera divinitus ratione DISPOSITA...   1706
qui in caelestibus et terrenis (aeternis) angelorum ministeriis ubique
   DISPOSITIS per omnia...
qui DISPOSITIS universitatis exordiis homini ad imaginem dei facto...
   1171
per ordinem congrua ratione DISPOSITUM.   1348, 1349, 1350
ut te instruente DISPOSITUS et conversatione tibi placeat...   374
his institutis disciplinis quas tito et timothaeo paulus DISPOSUIT, ut in
   lege...   3225

      DISPOSITIO
ut quod tua DISPOSITIONE expeditur, tua gratia conpleatur.   94
Ds, cuius providencia in sui DISPOSICIONE non fallitur...   795
quam tuis DISPOSITIONIBUS adversa mente nocituri...   3808
huius providentiae tuae DISPOSITIONIBUS exhibere...   1320
ut tuis DISPOSITIONIBUS gubernata...   2657
... DISPOSITIONIS antique munus explevit...   3785
ordinem tui DISPOSITIONIS cotidiae cernimus adimplere.   3918
et opus salutis humanae perpetuae DISPOSICIONIS effectu tranquillus
   operare...   837
cum supernae DISPOSITIONIS ignari...   4022

      DISPOSITOR
O. s. ds, nostrorum temporum vitaeque DISPOSITOR famulo tuo...   2366
ordinum distributor officiorumque DISPOSITOR qui in te manens...   136,
   137, 138
et cuius creator (largitor) es operis, esto DISPOSITOR.   3429

      DISPUTO
Quis aenim DISPOTARE potest opus omnipotentiae tuae ?   3662

      DISRUMPO
... DISRUMPE omnes laqueos satanae quibus fuerant conligati...   2369,
   2467
et mortifera peccati vincula DISRUMPE ut distructa...   831
... Hic namque inferorum claustra DISRUMPENS carissimam...   3596
... Qui inferorum claustra DISRUMPENS victoriae suae...   4160
qui te vinctum ligavit et vasa tua DISRUMPIT...   574
da locum christo... qui te victum ligavit, et vasa tua DISRUPIT...   1355
ut DISRUPTA hodiae fomite pacifica muniamur.   766

      DISSENSIO
... DISSENSIONUM causas placatus depelle nostrum...   1231

      DISSENTIO
ut qui a iuste pacis puritate DISSENTIUNT...   1189

      DISSERO
Corripe in misericordiam, ne DISSERAS, nec in ira corripias.   219
ut non obliviscaris oblitum tui, et exquirentem te ne DISSERAS.   3792
certe quod, qui iniustus malusque non DISSERIS, multum...   4022
et nequaquam DISSERIS precepta tua.   3792
procreandum novissimis temporibus humani generis DISSERUIT redemptorem.
   3754

      DISSIDO
et pietate tuae nos conmendare non DISSIDAT.   1636

      DISSIMILIS
ne imago... DISSIMILIS haberetur ex mortem (morte)...   3635

ut natura humana... DISSIMILIS per peccatum et mortem effecta...   4032
ut non inveniantur voluntates aeorum a tua voluntate DISSIMILIS ; sed
   sint...   3110

        DISSIMULATIO
et presta propitius, ne DISSIMULATIO cumulet ultionem...   952
hac non hisdem potius perniciosa DISSIMULATIONE contemptis...   3652
ne ad DISSIMULATIONEM tui cultus prospera nobis collata succedant...
   2983

        DISSIMULO
aut familiam DISSIMULARE commissam...   3796
sic DISSIMULARE culpas...   3981
ad te pertinere non reputans, quos vel DISSIMULARE quae tua sunt...   3902
... Et praeterita peccata nostra DISSIMULAS, ut nobis sacerdotii dignitatem concedas...   3898
VD. Qui DISSIMULATIS humanae fragilitatis peccatis...   3893
... DESIMULATIS lacerationibus (lacerationis) inproborum...   2667
VD. Qui DISSIMULATIS peccatis humanae fragilitatis...   3894

        DISSIPO
dum gentes belligerantes DISSIPAS, iugiter...   4143
... Hoc tibi signum erit in diem iudicii, quod tu non DISSIPAVIS in
   aeternum...   3563

        DISSOLVO
Tu duc quod placit et non DISSOLVAS...   1296
vincula DISSOLVAT, peregrinantibus reditum...   2505
te protinus excitatum imperantem DESOLVAT tu necessitatibus...   2262
et iniustitias nostras tot oratio beatorum pro nobis fusa DISSOLVAT.
   2897
qui ad hoc mortuus es ut iure DISSOLVERES mortis...   4217

        DISSONO
qui ab electorum tuorum principali traditione non DISSONANT.   4020, 4021

        DISTENDO
... Differ, dne, exitum mortis et spacium vitae DISTENDE...   3463

        DISTILLO
O. s. ds, a cuius facie caeli DISTILLANT montes...   2299

        DISTINCTIO
suorumque conexam (conexa) DESTINCTIONE (DISTRICTIONEM) membrorum...   138
ad DISTINCCIONEM horarum certarum ad invocandum nomen domini.   728, 729
et DISTINCTIONEM protulit personalem...   3613

        DISTINGUO
actus nostros a tenebrarum DISTINGUAE caligine (caliginem)...   953
... Cuius corpus, ecclesiam tuam caelestium gratiarum varietate DISTINCTA
   ...   136
aeclesiam tuam, caelestium gratiarum varietate DISTINCTAM suorumque...
   136, 137, 138
ut assiduitate leccionum DISTINCTUS atque ornatus...   1337, 1340

        DISTRAHO
ut vitam perderet quam DISTRAXIT.   3867, 2868

        DISTRIBUO
sic per alimonia tuo munere DESTRIBUTAM, et transitoria...   2454
quas DISTRIBUIT humanis infirmitatibus Christus...   1931

DISTRIBUTOR
variarumque gratiarum DISTRIBUTUR idem unus effector...   4049

ds, honorum datum, ordinum DISTRIBUTOR, officiorumque dispositor...   136, 137, 138

ds, honorum auctor, et DISTRIBUTOR omnium dignitatum...   1348

honorum omnium (et omnium) dignitatum quae tibi militant DISTRIBUTOR per quem proficiunt...   1349, 1350

DISTRICTE
Ds qui culpas delinquantium DISTRICTE feriendo percutis...   940

DISTRICTIO
suorumque conexa DISTRICTIONEM membrorum...   136

DITO
qui licet aeclesiam tuam... largitate munerum DITARE diffusam...   1320

Deus lumen verum... sua vos dignetur benedictione DITARE. Amen.   853

quo tota mundi possessione DITARIS, longe...   4090

respices humilis, DITAS pauperis...   395

et ex magnificis beneficiis habunde DITASTI a seculo...   3837

temporalia dona DITASTI habunde...   2290

... Qui me non existentem creasti, creatum fidei firmitate DITASTI fidelem...   3893

quam tibi offerimus ob diem, quo cum pontificali benedictione DITASTI qs dne placatus...   1764

VD. Qui beatum augustinum... et virtutum ornamentis DITASTI quem ita...   3878

VD. Qui praecursorem filii tui tanto munere DITASTI ut pro veritatis...   4000

iubilei remissione DITATI ad gaudia...   2242

Frequenti sacramentorum perceptione satiati (DITATI) qs dne...   1638

et sancti spiritus infusione DITATOS.   4012

ut caelesti munere DITATUS et tuae gratiam...   1464

O vere beata nox quae expoliavit aegyptios, DITAVIT hebraeos...   3791

in secundo... praemiis aeternae vitae DITEMINI. Amen.   2261

ut Spiritus tui sanctificatione muniti perpetua fruge DITENTUR.   2442

ut qui tibi iugiter famulantur, continua remuneracione DITENTUM (DITENTUR).   90

ut omnes... spiritali remuneratione DITENTUR.   970

et DITES fructu operum bonorum.   3710

in utraque parte persecurata cont(in)entia DITETUR.   1508

DIU
ut qui DIU pro nostris peccatis afficimur (affligimur).   610

et noli DIU retinere vindictam...   1371

Filii karissimi, ne DIUCIUS ergo vos teneamus...   1633

non DEUCIUS esurire permittas...   875

ianuam misericordiae tuae pulsando DIUTIUS inpetrare posse docuisti...   4187

ne DIUCIUS praesumat (presumas) captivum (captivam) tenere hominem...   1354

DIURNUS
Domine ds noster, DIURNO labore fatigatos soporis quiete nos refove...   1300

Dne ds o. qui... tenebras DIURNO lumine mundus inluxit...   1316

DIUTURNITAS
ut in ipsa quoque depraecationis DIUTURNITATE proficiant...   3935

DIUTURNUS
et DIUTURNA tempora diffusis nubibus siccitatem.   2586
per DIUTURNA tempora faciat feliciter gubernari.   337
et DIUTURNIS calamitatibus laborantem respirare concede...   2706

DIVERSITAS
in DIVERSITATE donorum mirabelis operatur unitatis...   4049
natalicia recolentes rerum DIVERSITATE mirabili...   4125
cuius ex ossibus ossa crescentia parem formam admirabili DIVERSITATE
  signarent...   2541, 2542
In qua DIVERSITATE substantiae sic tuo moderamine nos gubernas...   4033
... DIVERSITATE tamen operis replet tuorum corda fidelium.   3751
ut qui DIVERSITATEM gentium unius sacrae paraclyti spiritus dona voluisti
  congregare...   4198
et linguarum DIVERSITATEM in iunius fidei confessione sociaret...   4007
et per DIVERSITATEM linguarum gentes in unitate fidei solidaret...   4029
Quique dignatus est DIVERSITATEM linguarum in unius fidei confessione
  adunare...   1002
Ds, qui DIVERSITATEM (omnium) gentium in confessione (confessionem) tui
  nominis (unum esse fecisti) (adunasti)...   964, 965
nec sui status potuit DIVERSITATIBUS inmutari...   3684
quos ad DIVERSITATIS tuae praemia venire promittis.   3582

DIVERSUS
... DIVERSA donorum tuorum solatia, et munerum salutarium gaudia
  contulisti...   4131
Ut sicut illi per DIVERSA genera tormentorum caelestis regni sunt
  sortiti...   338
... DIVERSA supplicia spiritu fervente suscipiens...   4114
qui (pro confessione iesu christi filii tui) (beatus martyr georgius)
  DIVERSA supplicia sustinuit...   3720, 4151
... Sic dispensatione DIVERSA unam Christi familiam congregantes...   3666
ut sicut passione sua Christus... DIVERSA utrisque (utriusque) intulit
  suspendia meritorum...   731
... Hoc patriarchae DIVERSIS actionibus et vocibus signaverunt...   4100
Ds qui de DIVERSIS floribus tuam semper exornans aecclesiam...   947
... Non DEVERSIS languoribus doloribus in illius membrorum non occupavis.
  1529
una fide eademque die DIVERSIS licet temporibus consonante...   4196
DIVERSIS plebs tua, dne, gubernata subsidiis...   1293
... DIVERSIS terrae aedendis germinibus sumamus.   3459
quos DIVERSIS terrarum partibus greges sacros divino pane pascentes...
  4197
apostoli mente una locuti sunt, ore DIVERSO.   1173
nihil (habeat) in dilectione terrenum, nihil (habeat) in confessione
  DIVERSUM.   82, 2688
et nullam (nulla) umquam ad (a) te es commutacione DIVERSUS propiciare...
  3633, 3634
... Qui cum a tua substantia nullo modo sit DIVERSUS sed tibi et...   3751

DIVES
Et aeam multorum fuere DIVITEM morte tua spoliatam traxisti...   1073
non facundos aut DIVITES, sed abiectos et pauperes...   4055

DIVIDO
et in quattuor fluminibus DIVIDENS totam terram rigare praecepit...   1535
qua idem inter verum falsumque DIVIDENTES...   2741
... DIVISO subito rubro mari grassotoque liquore constringens...   880
... Qui licet DIVISUS in partes, mutuati luminis detrimenta non novit...
    3791
nec a nostra DIVISUS natura, nec a tua descretus adoretur essentia.   2710

DIVINITAS
fac, qs, nos (esse) (eius) perpetua DIVINITATE munere (munire)...   917
Quo eius documento de DIVINITATE nostri redemptoris edocti...   2246
summae DIVINITATI cederet vocata gentilitas...   3613
et ideo licet in singulis, quae ad cultum DIVINITATIS aspiciunt...   4188
ita omnem hanc aecclesiam tuam tuae DEVINITATIS clipeo protege.   1518
ut ad DIVINITATIS consortium perveniret.   3604
da (nobis) qs nobis (qs eius) iesu christi filii tui DIVINITATIS esse
    consortes...   1011, 1032
in dilectione tuae DIVINITATIS et proximi...   972
ut exsecutor DIVINITATIS exsisteret...   3774
et in DIVINITATIS gloriam (gloria) deum et hominem confitemur...   4162
spiritu DIVINITATIS impleta est...   3754
et propitiatio tuae DIVINITATIS ore formasti...   763
unius summe (summeque) DIVINITATIS participes effecisti...   1124
per DIVINITATIS potentiam vitae reddidit...   3917
ad verae DIVINITATIS salutaria mandata currentes...   4139
ut (et) nos DIVINITATIS suae tribueret esse participes.   3999, 3793
ubi (sole, solius) DIVINITATIS tuae (sole) (lumine) inluminabitur
    (servaretur, frueretur)...   4000
spiritum (spiritu) DIVINITATIS vita (vita) caelestis asseritur viam
    (via) domini preparare.   3755

DIVINITUS
viventibus quae DIVINITUS (sunt) aecclesiae (sunt) collata permaneant.
    3846
hic Christum filium dei vivi pronuntiavit DIVINITUS inspiratus...   3666
Scrutinii diem... quod aelicti nostri DEVENITUS instaurantur (instruantur)
    ...   3269
sed vera DIVINITUS ratione disposita...   1706
ad veritatem tuam concessae nobis DIVINITUS viae tramite dirigamur.   2965

DIVINUS
ut eius efficiamur in DIVINA consortes...   1010
Mercimonia DIVINA conversationis peragant...   1961
operata est DIVINA dignatio...   1199
per quod mundus est DIVINA dispensatione redemptus.   1686
ut in caritate (caritatem) DIVINA firmati...   573
et quod creavit verbi tui DIVINA generatio...   1196
quorum DIVINA gratia praevenit et sensum, intellegentiam passio...   3603
ut haec DIVINA ieiuniorum subsidia... ad festa ventura nos praeparent...
    1863
... Qui DIVINA inspiratione flammatus...   3616
et DIVINA institutione formati audemus dicere...   2526
non solum nobis mysteria DIVINA largiris...   2035
ut sicut DIVINA laudamus in sancti Stephani passione magnalia...   2794
DIVINA libantes mysteria quaesumus dne ut haec salutaria...   1294
Sacramenti tui dne DIVINA libatio poenetrabilia (penetralia) nostri
    cordis infundat...   3126

pro filio nostro illo, qui recolens DIVINA mandata...   2509
tu DIVINA munias potestate.   2906
Sumpsimus, dne, DIVINA mysteria, beati...   3335
ut DIVINA (beata) mysteria castis iucunditatibus celebremus.   3059
Exultet iam angelica turba caelorum, exultent DIVINA mysteria et pro tanti
    ...   1564
ut DIVINA mysteria, quae in tuorum commemoratione sanctorum...   2961
ut semper nos beati laurentii laetificent DIVINA mysteria quae semper esse
    ...   2738
dum propria integritate fidendo praesidia DIVINA non quaereret...   4079
ut DIVINA participatione semper mereamur augeri.   4243
quia, ut se velare contendant, volumina DIVINA percurrunt...   3653
ut qui DIVINA praecepta violando (a) paradisi felicitate decidimus...
    188
Aperturi vobis, filii karissimi, evangelia, id est gesta DIVINA prius
    ordinem...   203
malis (potius) praesentibus (praesentibus malis potius) castigatos ad
    DIVINA proficere...   3812, 3972, 3973
... Unde vos, dilectissimi, dignos exibete adoptione DIVINA, quoniam
    scriptum est...   1695
ut haec DIVINA subsidia a vitiis expiatos ad festa ventura nos praeparent.
    1863
Da, qs, o. ds, ut quae DIVINA sunt iugiter ambiantes (exequentes)...   678
et DIVINA supplici redemptio non negetur.   1985a
O. s. ds, qui in terrena substantia constitutos DIVINA tractare concedis
    ...   2412
ut quos (qui) DIVINA tribues participatione gaudere...   2968, 3002
Preveniant nobis, dne, qs, DIVINA tua sancta fervorem...   2811
Praecinge, lumbos mentis nostrae DIVINA tua virtute potencium potenter...
    2643
unigeniti tui DIVINA vestigia comitatus...   3906
qui DIVINA vocem (voce) oris sui locutus est dicens...   1547
Ds qui mortem nostram... in hac nocte devicisti virtute DEVINA.   1073
vel a quolibet potatum, DIVINE benedictionis tuae opolentiae repleatur...
    1335
cuius hodie natalem DIVINAE caelebramus consecraciones mysterii...   1202
salutem semper operetur DIVINAE caelebratio sacramenti...   4053
ut per quos initium DIVINAE cognitionis accepit...   3909
... O admirandam DIVINAE dispensationis operationem...   3989
Adest... dies propitiationis DIVINE et salutis humane...   58
ut ad humanam benedictionem plenitudinem DEVINE favoris accomodet.   2504
salvator, sicut DIVINAE generationis est auctor, ita et inmortalitatis
    sit ipse largitor.   2680
qui (per) beatae Mariae sacri uteri DIVINAE graciae obumbracionem...
    1494
et ineffabile DIVINAE gratiae sacramentum...   3739
ut creatura... DIVINAE gratiae sumat effectus (effectum)...   896
... DIVINAE humanaeque naturae consortium...   3996
ut quotiens triumphum DEVINAE humilitatis... oculus intuaemur...   634
presbyteratus benedictionem DEVINAE indulgentiam muneris consequantur...
    3300
ad intellegenda DIVINAE legis archana...   853
illi advocandus testes DIVINAE legis scientiae contullisti.   3823
in sublime altare tuum in conspectu DIVINE maiestatis tuae...   3375
et quod aeius DIVINE munere contullisti...   1748

VD. Cuius DIVINAE nativitatis potentiam ingenitam (ingenita) virtutis tuae
   genuit magnitudo... 3638
ita (nos et) DIVINAE naturae (eius) facias esse consortes. 2044
sicut DIVINAE nobis generationis est auctor... 2681
ipsorum nunc quoque suffragiis DIVINAE pareat unitati. 2330
ut DIVINAE particeps fieret ipsa potentiae. 2647
ut DIVINAE pollicitationis effectum... ostende... 1029
Sicut gloriae (gloriam) DIVINAE potenciae munera pro sanctis oblata
   testantur... 3289
per DIVINAE reconciliationis gratiam fac hominem proximum deo... 58
quos terrenae generationis amiserat, DIVINAE reddis naturae participes...
   4127
eorum suffragantibus meritis DIVINAE serviat unitati. 2331
Eripe nos, dne, qs, ab his quae DIVINAE sunt contraria voluntati... 1414
... DIVINAE virtutis effectum... 514
O. s. ds, petimus DIVINAM clementiam tuam ut faciem... 2371
pro quo petimus DIVINAM clemenciam tuam ut mortis... 1721
quia et mater virgo non posset nisi subolem proferre DIVINAM et deus
   homo... 3779
VD. Ut DIVINAM iugiter gratiam subsequentes... 4205
et DIVINAM laceramus aequitatem quam nostra dilecta corregimus
   (corrigamus)... 4135
materiam non solum vivificaris extinctam, sed efficeris et DIVINAM. 4090
donet cunctis intra eum habitu constitutos DIVINARUM beatitudine
   largitatem... 1493
ut quicquid hic DIVINARUM scripturarum ab eis lectum vel scriptum fuerit
   ... 364
sed (etiam eum) qui DIVINARUM scripturarum lectione percipitur. 3880
ut quos DIVINARUM sinis esse participes... 2094
ut dum ab ea aquae peteret, in ea ignem DIVINI amoris accenderet... 3872
VD. Quia licet nobis semper salutem operetur DIVINI celebratio sacramenti
   ... 4053
ut per quos initium DIVINI cognitionis accepit... 3909
... DIVINI consummato fine mysterii... 3692, 3785
plenam DIVINI cultus gratiam largiaris... 3825
et DIVINI cultus nobis est indita plenitudo... 2199, 2200
plena DIVINI cultus per infusionem sancti spiritus gratiam largiaris...
   3825
et ad humanam benediccionem plenitudinem DIVINI favoris accommodet. 2504
ut sanctificatione concepta ab immaculato DIVINI fontis utero... 1047
sicut in nomine patris et filii DIVINI generis intellegimus veritatem...
   450
et ineffabilis DIVINI gratia sacramenta... 4181
in similitudinem DIVINI muneris columba demonstrans... 3946
DIVINI (satiati) muneris largitate (satiati) qs... 1295
ut DIVINI operis fructum propensius exsequentes... 1524
qui DIVINI oris sui voce discipulis ait : Vos estis sal terrae... 1545
praebeatque ante fatiem vestram DIVINI pacis angelus comis. 2905
Gratiam tuam nobis, dne, semper adcumulet DIVINI participatio sacramenti
   et sua nos... 1662
Sit plebi tuae, dne, continuata defensio DIVINI participatio sacramenti
   ut carnalibus... 3303
Muneris DIVINI perceptio, qs, dne, semper a nobis et peccata nostra
   submoveat... 2154
Purificet nos dne qs et DIVINI perceptio sacramenti... 2947
Muneris DIVINI perceptis qs dne ut... 2155

ut non possibilitatis humanae, sed doni probaretur esse DIVINI quamque
    universa...   4055
ut DIVINI rebus et corpore famulemur et mente.   2933
Purificet nos qs dne et DIVINI sacramenti perceptio...   2949
... Et nos quidem tamquam homines DIVINI sensus et summae rationis ignari
    ...   136, 137, 138
ut faciant quae non conveniunt, iam de poena DIVINI venire iudicii...
    3653
ut sacrificiis tuis ac DIVINIS altaribus deservirem...   1724
et petitionis vestrae DIVINIS auribus innotiscant.   1185
et humanis non desinis fovere subsidiis et reformare DIVINIS consequens...
    4074
Tu lapidis istus DIVINIS cultibus apparatus benedic et sanctifica...
    3997
... DIVINIS aecclesia tua pascitur alimentis.   3676
ut quod divino munere consecutus est, DIVINIS effectibus exsequatur.
    1750, 1770
et ad tuam magnificentiam capiendam DIVINIS effectibus semper instauret.
    2946
et beati lege conmercii DIVINIS humana mutantur...   4162
ut quam DIVINIS inchoavit oraculis semita...   3766
quatenus DIVINIS inherendo mandatis...   1832
ut DIVINIS instauret nostra corda mysteriis...   1701
... Eatenus DIVINIS instructus eloquiis...   4193
quam natalitiis agenda DIVINIS Iesu Christi domini nostri.   2615
Quatenus DIVINIS monitis parentes...   337
ut DIVINIS operis fructum propensius exsequentes...   1524
Mentes nostras, qs, dne, santus spiritus (spiritus sanctus) DIVINIS
    praeparet sacramentis...   2088
Tuere nos, dne, DIVINIS propicius sacramentis...   3541
et tuis DIVINIS purifica servientes pietate mysteriis...   3418
ut (et) DIVINIS rebus et corpore famulemur et mente.   2933, 2934
ut nos DIVINIS rebus tribuas studere veraciter...   3808
ut quos DIVINIS reparare non desinis sacramentis...   2969
Mentes nostras qs dne spiritus sanctus DIVINIS reparet sacramentis...
    2088
ut fiat haec unctio DIVINIS sacramentis purificata...   1536
ut quicquid hic DIVINIS scripturis ab aeis lectum vel scriptum fuaerit...
    364
Et nos quidem tamquam hominis DIVINIS sensus...   136
ut DIVINIS subiectis (subiectus) officiis et temporalis (temporalia)
    viriliter et aeternae donae (aeterna dona) perficiat.   523
sacrata nomini tuo loca DIVINIS sunt instutua mysteriis...   4170
et quem DIVINIS tribuis profiteri (proficere) sacramentis...   3091
Et quam DIVINIS tribues reficere sacramentis...   3110
ut DIVINIS vegitati sacramentis...   233
et quos beneficiis temporalibus refobis, pasce DIVINIS (perpetuis).   2959
... DIVINO adorare misterium quod humana...   3814
cuius hodie capitis comam pro DIVINO amore deposuimus...   2703
ut eum ministerio DIVINO confirmes...   1339
die, quo Iesus... DIVINO consummato fine misterii dispositionis antique
    manus explevit...   3785
ut beati petri singolarem piscandi artem in DIVINO dogma converteret...
    3823
... DIVINO ei iure concesso, ut quae statuisset in terris, servaretur in
    caelis...   3728

ut que coniugio preparabatur humano, mereretur exaltare DIVINO et sic...
3605, 3606, 3607

... DIVINO fonte purgata pectora (purgato pectore) id est sanctificata
(sanctificato)... 222

ut sicut nomine patris et filii DEVINO generis intelligimus veritatem...
450

dignare circa aeos DIVINO inpertire presidii... 122

hoc in aeorum corda concriscat que tibi in DIVINO iuditio placeat...
296, 297

Sanctificato DIVINO misterio, maiestatem tuam... 3221

ut quod DIVINO munere consecutus est, divinis effectibus exsequatur.
1750, 1770

quod eis DIVINO munere contulisti, in eis propitius tua dona custodi.
1748

ut DIVINO munere purificatis mentibus perfruamur. 3031, 3032

ut sicut lampadas DIVINO munere saciati ante conspectum... 178

ut DIVINO munere satiati et sacris mysteriis innovemur et moribus. 2755

Da, qs, o. ds, ut DIVINO munere saciati et sicut famulus... 672

ut qui DIVINO munere sunt refecti... 1902

et DIVINO munere vivificare non desines. 2562

Perpetuo, dne, fabore prosequere, quos reficis DIVINO mysterio... 2581

quos discretis (diversis) terrarum partibus greges sacros DIVINO pane
pascentes... 4196, 4197

ut munere DIVINO quod sumpsimus salutari nobis prosit effectu. 2997

ut per haec quae DIVINO sacrificio gustaverunt... 2927

vel qui sunt ipsi quattuor qui DIVINO spiritu adnuntiante propheta
signati sunt... 203

Sed ita sit vobis sanctificatum in DIVINO timore ieiunium... 357

Praeveniant nobis dne qs DIVINO tua sancta fervorem... 2811

Quos munere, (dne), caelesti reficis, DIVINO tuere praesidio... 3029,
3030

secretorum scrutator redditus DIVINORUM eo usque procedens... 3610

particeps DIVINORUM meruit esse post poenam. 4055

sed DIVINORUM nobis multiplicata proveniat dispensatio talentorum. 3796

VD. Nos sursum cordibus erectis DIVINUM adorare mysterium... 3714, 3814

ut famulum tuum ill. quam odiae capiti coma suam pro DIVINUM amore
deposuimus... 2704

quis, cum fieri videat, neget esse DIVINUM ? cernensque... 3957

et mundano dicata coniungio DIVINUM est sortita consortium... 4103

sic nobis haec terrena substantia conferat quod DIVINUM est. 2130

nostrae quoque fragilitati DIVINUM praetende subsidium... 2450

Praebeant (Praeveniant) nobis dne DIVINUM tua sancta fervorem... 2641,
2811

Sacrificia dne tuis oblata conspectibus ignis ille DIVINUS adsumat...
3140

DIVISIO
ut gentium facta dispersio DIVISIONE (DIVISIO, DIVISIONES) linguarum...
2436, 2437

DIVITIAE
superhabundent in vos DIVITIAE gloriae eius... 350

secundum DIVICIAS bonitatis in id reparas quod creasti... 825

tribuae aei qs DIVITIAS gratiae tuae... 2269

et spiritales DIVICIAS largiatur... 3256

Ds, qui DIVICIAS misericordiae tuae in ac praecipuae nocte largiris...
967
et potestas innumirabilis habens DIVICIAS spiritales...   2217
... Quamvis enim a DIVITIIS bonitatis et pietatis Dei nihil temporis
vacet...   58

       DIVULGO
et fuge, et DEVULGAVISTE et vos adversarius confundere.   507

       DIVULSIO
Concede menbra sacrosanctae aecclesiae sine DEVULSIONE aliqua...   2298

       DO
... DA ad hanc invocationem nominis tui gratiam...   764
... DE aedificacionis tuae incrementa caelestia...   985
DA auxiliatricem cunctis populis...   397
DA auxilium, dne, qs, maiestati tuae potestatique subiectis...   568
... DA benedictionem super dona tua...   1093
DA consolationem inter praesuras seculi...   1173
... DA continuae (continua) prosperitatis aumenta...   2678
... DA cordibus nostris dignam pro aeorum conmemoratione laetitiam...
2440
... DA cordibus nostris et dignam (dignanter) tibi orationem persolvere...
1251
... DA cordibus nostris illam tuorum rectitudinem semitarum...   2326
... DA cordibus nostris inviolabilem caritatis effectum...   960
... DA cunctis qui christiana professione censentur (recensentur)...
978, 979
DA dne famulo tuo illo sperata suffragia optinere...   569
... DA, dne, terrorem tuum super bestiam quae exterminat vineam tuam...
1354, 1355
... DA ecclesiae tuae de eius natalicia semper gaudere...   983
... DA aecclesiae tuae de natalicia tantae festivitatis laetare...   982
... DA ecclesiae tuae de natalicia tanti apostoli...   983
DA aeclesiae tuae, dne, non superbae (superbi) sapere...   570
DA ecclesiae tuae, dne, qs, sancto Viti intercedente superbe non saperet
...   571
... DA ecclesiae tuae eorum in omnibus sequi praeceptum...   1006
... DA aecclesiae tuae pacem, cui me praeesse voluisti...   1358
... DA aeclesiae tuae, qs, amare quod credidit...   2399
DA aecclesiae tuae qs de tanto gaudere patrono...   3944
... DA aeclesiae (aeclesiam tuam) toto terrarum orbe diffusae...   1023,
2402, 2403
... DA aeclesiam tuam dignae talium celebrantes sollemnia...   1133
... DA ei (et) aeternorum plenitudinem gaudiorum.   890, 2112, 2204
... DA aei dne exorantibus nobis, aeam ex tuam benedictionem substantiam
...   3191
et DA aei in sinibus patriarcharum nostrorum...   3433
et DA ei requiem et regnum (id est) (in) Hierusalem caelestem (caeleste)
...   3433
... DA ei scientiam veram, ut dignus efficiatur accedere ad gratiam
baptismi tui...   165
et DA ei spiritum sapientiae et intellectus...   869
... DA aeis de rore caeli benedictionem...   395
... DA aeis dne aetatem perfectam ut te timeant...   2310
... DA eis, dne, clavis (clavi) regni caelorum...   820
... DA eis, dne, ministerium reconciliacionis in verbo...   820

... DA eis scientiam veram (vera) ut digni... 165
DA aeis sic in diebus ieiuniorum suam conpore vitam... 3110
et DA eis spiritum sapienciae et intellectus (intellectum)... 867, 868
et DA aeis tempora tranquilla adque pacifica... 3102
... DA eum in ipsorum defendi praece membrorum, de quorum excellentia
  gloriatur. 1381
... DA familiae tuae spiritum rectum et habere cor mundum... 2420
DA famulis tuis, ds, indulgentiam peccatorum... 572
... DA famulis tuis ill. et ill. in tua proficere dilectione... 1218
... DA famulis tuis pro quibus tuam deprecamur clementiam salutem mentis
  et corporis... 921
DA famulis tuis, qs, dne, (dne qs) in tua fide et sinceritate constanciam
  ... 573
... DA famulis tuis suorum veniam peccatorum... 1202
... DA famulis tuis, ut advenientis sancti spiritus... 1130
et DA famulis tuis ut hoc quod devote agimus... 836
... DA famulis tuis ut quae a te iussa cognovimus... 1084
et DA famulis vel famulabus tuis ill. et ill... refrigerii sedis, quietem
  beatitudinem... 811
Ds, indulgenciarum dne, DA famulo tui illo... refrigerii sedem... 840
... DA famulo tuo illi cuius depositionis... cum sanctis atque electis
  tuis beati muneris porcionem. 1052, 1053
... DA famulo tuo ill. prosperum suae dignitatis effectum... 772
... DA fidem rectam, caritatem perfectam... 1932, 1933
... DA fiduciam servis tuis contra nequissimum draconem fortiter stare...
  1354, 1355
... DA fiduciam tui muneris exequendi... 101
Nomini tuo, qs, ds aeterne, DA gloriam... 2179
Non ergo nobis, dne, non nobis, sed nomini tuo DA gloriam. 2378
... DA gratiam sacerdotibus quam habrahae in holocaustu... 924
... DA honorem (honore) deo vivo (et vero), DA honorem (honore) iesu
  christo filio eius, DA honorem (honore) spiritui sancto... 2174, 2175,
  2176
... DA honorem (honore) deo vivo et vero iesu christo filio eius et
  spiritui sancto. 1411
et DA honore deo vivo et vero et recede ab hoc famulo dei illo... 3566
DA huic familiae tuae fidaei calorem... 980
... DA huic famulo tuo illo plenam indulgenciae veniam... 850a
DA huic plebi angelum custodem... 945
... DA huic populo hac plebe tuae aeorum precepta incessabiliter
  retinere... 166
... DA igitur honorem advenienre (advenientis, advenientem) spiritui
  sancto... 222, 223
... DA illi honorem, maledicte satanas... 224
DA illis devoto corde te colere, se cavere... 1180
DA in nobis quod amas, et misericors repelle quod odis. 4184
... DA indulgentiam reis et medicina (medicinam) tribue vulneratis...
  922
... DA indulgentiam reis, ut nobis subvenias propitiatus adflictis. 3098
et DA laeticiam mitigando terrorem... 761
... DA locum Christo, in quo nihil invenisti de operibus tuis... 574
DA locum, durissime, DA locum (loco) impiissime... 574, 1354, 1355
et DA locum spiritu (spiritui) sancto... 744
... DA mentes intencionem qua suscipiam profundam bonitatem tuam... 575
... DA mentibus nostris aeadem fidaei caritatisque virtutem... 2411

et DA mentibus nostris, quo redemptor noster conscendit adtolli...   1498
... DA mentibus nostris ut quod professione caelebramus imitemur affectu.
   2435
DA mihi dne peccatori confessionem que tibi sit placita...   575
... DA mihi famulo tuo huius providentiae tuae dispositionibus exhibere
   congruenter officium...   1320
... DA mihi famulo tuo sufficientiam commissi moderaminis...   1358
... DA mihi lacrimas ex tuo affectu internas...   575
DA misericors ds, ut haec (nobis) salutaris oblatio...   576
DA, misericors ds, ut in resurrectionem domini nostri Iesu Christi...
   577
DA, misericors ds, ut quod in tui filii passione mundus exercuit...   578
... DA nobis affectum maiestatem tuam iugiter depraecandi...   1072
... DA nobis caritatis tuae flamma ardere succensi...   956
... DA nobis contra oblectamenta peccati...   1067
... DA nobis diem natalis eius honore praecipuo celebrare...   2443, 2453
... DA nobis digne flere (mala) quae fecimus...   1215
DA nobis, dne ds noster sanctorum (tuorum) martyrum palmas incessabili
   devotione (veneracione) venerari...   579, 580
DA nobis, dne ds noster, ut et mundi cursus pecifico nobis tuo ordine
   dirigatur...   581
DA nobis, dne, fidei tuae miseratus aumentum...   582
... DA nobis dne noctem hanc dominicam quiaetam, tranquillam et securam.
   852
DA nobis, dne, non terrena sapere...   583
DA nobis, dne, qs, ambire quae recta sunt et vitare quae noxia...   584
DA nobis, dne, qs, in te tota mente confidere...   585
DA nobis, dne, qs, ipsius recenseta nativitate vegetari...   586
DA nobis, dne, qs, observantiam legitima devotione perfectam...   600
DA nobis dne qs perseverantem in tua voluntate famulatum...   587
DA nobis, dne, qs, pluviam salutarem...   588
DA nobis, dne, qs, regnum tuum iustitiamque semper inquirere...   589
DA nobis dne qs unigeniti filii tui recensita nativitate respirare...
   590
DA nobis dne qs ut et mundi cursus pacifico nobis tuo ordine dirigatur...
   581
DA nobis, dne, qs, ut in tua gratia veraciter confidentes...   591
DA nobis, dne, rationabilem, qs, actionem...   592
DA nobis, dne, tuae pietatis effectum...   593
DA nobis dne ut animam famuli et sacerdotis tui ill. episcopi...   594
DA nobis, dne, ut nativitatis domini nostri Iesu Christi sollemnia...
DA nobis dne ut sicut publicani precibus et confessione placatus es...
   596
... DA nobis eorum gloriam sempiternam et perficiendo caelebrare...   1123
... DA nobis et de verbere tuo proficere...   941
... DA nobis et eorum imitatione proficere...   1135
... DA nobis et velle et posse quod (quae) praecepis...   965, 1142
... DA nobis exercere ieiunia congruenter...   821
... DA nobis fidei (et) spei (et) caritatis (caritatisque) aumentum...
   1056, 2327
... ds, DA nobis gratia tuae dignationis augeri...   1343
DA nobis haec, qs, dne, frequentata mysteria...   597
Panem nostrum cotidianum (nostro quottidiano) DA nobis hodie...   1778,
   2543
... DA nobis horum propitius efficientiam mandatorum...   1197

... DA nobis in aeterna laetitia (beatitudine) de eorum (deorum)
    societate gaudere. 1108
... DA nobis in beati Clementis annua sollemnitate laetari... 2409
... DA nobis in eodem spiritu (spiritum) recta sapere... 1001
... DA nobis in festivitate sancte martyris... congrua devotione gaudere
    ... 2385
... DA nobis intellegere misericordias tuas (misericordiam tuam)... 1092
O. s. ds, DA nobis ita dominicae passionis sacramenta peragere... 2328
... DA nobis legitimae dilectionis tenere mensuram... 1189
DA nobis mentem, dne, quae tibi sit placita... 598
DA nobis m. ds, ut sancta tua... 599
DA nobis observantiam, dne, legitimam devotione (devotionem) perfectam...
    600
DA nobis, omnipotens ds, beati archangeli Michahelis eotenus honore
    proficere... 601
DA nobis, omnipotens ds, in sanctorum tuorum te semper commemoratione
    laudare... 602
DA nobis, omnipotens ds, remedia condicionis humanae... 603
DA nobis, omnipotens ds, ut beati Laurenti martyris tui veneranda
    sollemnitas... 604
DA nobis o. ds ut baeati mathaei apostoli tui et evangeliste... 604
DA nobis, omnipotens ds, ut eorum semper festa sectemur... 605
DA nobis o. ds ut nativitatem domini nostri ihesu christi... 606
DA nobis, omnipotens ds, ut sicut adoranda filii tui natalicia praevenimus
    ... 607
DA nobis, o. et m. ds, ut sanctorum... 608
... DA nobis patrocinia tuorum continuata sanctorum... 1136
... DA nobis qs contra oblectamenta peccati mentis ratione persistere...
    1067
DA nobis, qs, (dne), ambire quae recta sunt... 584
DA nobis, qs, dne, beati apostoli Thomae solempnitatibus gloriari... 609
DA nobis, qs, dne, de tribulatione laeticiam... 610
DA nobis, qs, dne ds noster, beati apostoli tui Andreae imtercessionibus
    sublevari... 611
DA nobis, qs, dne ds noster, in tua semper devotione gaudere... 612
DA nobis, qs, dne ds noster, ut qui nativitatem domini nostri... 613
DA nobis qs dne digne caelebrare mysterium... 615
DA nobis, qs, dne, firmitatem religionis et pacis... 616
DA nobis qs dne imitari quod colimus... 617
DA nobis, qs, dne, per gratiam spiritus sancti... 618
DA nobis, qs, dne, piae supplicacionis effectum... 619
DA nobis, qs, dne, sancte regimen disciplinae... 620
DA nobis, qs, dne, sanctorum martyrum passionibus gloriari... 621
DA nobis, qs, dne, semper haec tibi vota deferre... 622
DA nobis qs dne semper haec tibi vota gradanter persolvere... 622
DA nobis, qs, dne, tua digne tractare mysteria... 623
DA nobis, qs, dne, ut cum martyrum... 624
DA nobis qs dne ut et mundi cursus... 581
... DA nobis qs eius divinitatis esse consortes... 1011
... DA nobis, qs, et amare quae recta sunt, et perversa vitare. 1054
... DA nobis, qs, et exercere quae recta sunt, et praedicare quae vera...
    2367
... DA nobis, qs, in eius portione censeri... 2407
... DA nobis, qs, in eorum celebritate gaudere... 1061
DA nobis qs omnipotens ds (et) aeternae promissionis... 625

DA nobis qs o. ds ieiuniorum magnificis sacramentum magnifici sacramenti
... 666
DA nobis qs o. ds ut ieiunando tua gratia satiemur... 626
DA nobis qs o. ds ut nativitatem domini... 606
DA nobis, qs, omnipotens ds, ut per gratiam tuam... 627
DA nobis qs omnipotens ds, ut qui sicut... 607
DA nobis qs o. ds, vitiorum nostrorum flammas extinguere... 628
DA nobis, qs, omnipotens et misericors ds, et sempiterne pater, ut...
629
... DA nobis qs ut ad sacrosancta mysteria... cum beneplacitis mentibus
facias introire... 3894
... DA nobis, qs, ut cum rerum vicissitudine mundanarum... 1210
... DA nobis, qs, ut et doctrinis eorum tibi placentia... 2451
... DA nobis qs, ut qui eius hodiae conversionem colimus... 1235
... DA nobis, qs, ut qui eius natalicia colimus... 1076
... DA nobis, qs, ut qui resurrectionis sollempnia colimus... 1159
... DA nobis recte conversationis effectum... 883
... DA nobis salutem mentis et corporis... 1122
... DA nobis, sicut de initiis tuae gratiae gloriamur... 916
Supplicandi tibi, qs, dne, DA nobis sine cessatione constantiam... 3355
... DA nobis spiritum pacis et gratiae... 972
... DA nobis sub patronis talibus constitutis... 2394
... DA nobis tua gratia tales existere, in quibus habitare digneris.
1221, 1222
... DA nobis, ut sicut haec apostolorum tuorum praedicatione cognovimus...
1191
... DA nobis voluntatem tuam (et) fideli mente retinere... 2329
DA, nostrae (nobis) summe conditionis reparator, ut semper... 630
et DA omnibus fidelibus in christo quorum corpora hic requiescunt... 811
et DA omnibus quorum corpora hic quiescunt refrigerii sedem... 811
defensor est(o) DA operi tui... 3592
Hoc DA petere ut petitio non offendat... 219
DA plebi angelum custodem qui filium... 805
DA plebi tuae ad caelestem gloriam et inmortalitatem honorem renati...
947
DA plebi tuae, dne, pia (piae) semper devotionis affectum (affectu)...
631, 2606
... DA plebi tuae redemptoris sui plenum cognuscere fulgorem... 1151,
1175
... DA populis tuis digne ad graciam tuae vocationis intrare. 812
... DA populis tuis id amare quod praecipis... 993
... DA populis tuis in hac caelebritate (caelebritatem) consortium
(laetitiae)... 2404, 2405
... DA populis tuis in unitate fidei esse ferventes... 962
... DA populis tuis perpetua pace gaudere... 828, 1175
... DA populis tuis praecipuorum apostolorum natalem diem plena devotione
venerari... 2330, 2331
... DA populis tuis spiritalium gratiam (gratia) gaudiorum... 1174
DA populo tuo, dne, qs, (qs dne) spiritum veritatis et pacis... 632
Ipsut mihi DA precare quod te audire dilectit ut praestit... 575
Parce, dne, parce supplicibus ; DA propitiationis auxilium... 2534
... DA propitius pacem in diebus nostris... 2030
... DA propitius veniam peccatorum... 789
... DA protectionis tuae munimen et regimen... 758, 759
audi que peto et DA que petam ut audias. 219

DA qs clementissime pater in quo vivimus, movemur et sumus... 634
DA qs dne benedictionem et custodiam tuam... 635
DA, qs, dne ds noster, gratiae tuae donis et iustificari nos semper et
  instrui... 636
DA, qs, dne ds noster, ut sicut tuorum commemoratione... 637
DA, qs, dne, electis nostris dignis adque sapienter ad confessionem...
  638
DA, qs, dne, familiae tuae cum suis pacem habere rectoribus... 639
DA, qs, dne, famulae tuae, quam (quod) virginitatis honore dignatus es
  decorare... 640
DA, qs, dne, famulo tuo ill. sperata suffragia obtenere... 641
DA qs dne fidelibus populis sanctorum tuorum semper veneratione laetari...
  642
DA, qs, dne, fidelibus tuis et sine cessatione capere paschalia sacramenta
  ... 643
DA, qs, dne, fidelibus tuis hunc caritatis affectum... 644
DA, qs, dne, fidelibus tuis ieiuniis paschalibus convenienter aptari...
  646
DA, qs, dne, fidelibus tuis in sacra semper actione persistere... 645
DA, qs, dne, hanc mentem populo tuo, ut... 647
Donis caelestibus DA qs dne libera mente servire... 1380
DA, qs, dne, lumen intellegentiae parvulis tuis... 648
DA, qs, dne, nostris effectum ieiuniis salutarem (nostrae affectus
  ieiunii salutare)... 649
DA, qs, dne, populis christianis et quos providentur agnuscere... 650
DA, qs, dne, populo tuo a diabolicis quibus... 651
DA, qs, dne, populo tuo diabolica vitare contagia... 652, 653
DA, qs, dne, populo tuo et mentem quem tibi devotus existat... 654
DA, qs, dne, populo tuo inviolabilem fidei firmitatem... 655
DA qs dne populo tuo salutem mentis et corporis... 656
DA qs dne populo tuo spiritum veritatis et pacis... 657
DA, qs, dne, populum tuum ad te toto corde converti... 658
DA, qs, dne, rex aeternae cunctorum, ut... 659
DA qs dne sanitate populo tuo mentis et corporis... 660
DA, qs, dne, ut et fideles tui diligant praesules suos... 661
DA, qs, dne, ut ieiunando robore satiemur... 662
DA, qs, dne, ut tanti mysterii munus indultum... 663
DA, qs, aeclesiae tuae, misericors ds, ut... 664
... DA, qs, aecclesiam tuam et nova prole semper augeri... 1014
DA, qs, misericors Ds, ut misticis aecclesiae tuae beati baptistae
  Iohannis exordiis... 665
... DA, qs, nobis Iesu Christi filii tui divinitatis esse consortes...
  1032
DA, qs, nobis omnipotens ds, ieiuniorum... 666
DA, qs, o. ds, cunctae familiae tuae hanc voluntatem... 667
DA, qs, omnipotens ds, illo (illuc) subsequi tuorum membra fidelium...
  668
DA qs o. ds, intra sanctae ecclesiae uterum constitutos... 669
DA, qs, o. ds, sic nostram (nos tuam) veniam (gratiam) promereri... 670
DA, qs, omnipotens ds, ut abstinentiae nostrae... 671
DA qs o. ds, ut beati ill. confessoris tui veneranda solemnitas... 604
DA, qs, omnipotens ds, ut beati Laurenti martyris tui... 604
DA, qs, omnipotens ds, ut divino munere saciati... 672
DA qs o. ds, ut ecclesia tua... 673
DA, qs, o. ds, ut haec famulam tuam... 674
DA, qs, omnipotens ds, ut huius oblationis... 675

DA, qs, omnipotens ds, ut in tua spe et caritate sencera...   676
DA qs o. ds ut mysteriorum virtute saciati...   677
DA, qs, omnipotens ds, ut mysteriorum virtute sanctorum vita nostra
firmetur.   677
DA, qs, omnipotens ds, ut quae divina sunt iugiter ambiantes (exequantes)
...   678
DA qs omnipotens ds, ut qui beatae anastasiae martyris tuae sollemnia
colimus...   679
DA, qs, omnipotens ds, ut qui beati Marcelli... solemnia colimus...   680
DA qs o. ds, ut qui beatorum martyrum gordiani et epimachi...   680
DA, qs, omnipotens ds, ut qui beatus Felix donis tuis extitit gloriosus...
681
DA qs o. ds, ut qui in tot adversis...   682
DA qs o. ds ut qui infirmitatis nostrae consecii...   683
DA qs omnipotens ds, ut qui nova incarnatione (incarnationem) verbi...
684, 685
DA qs o. ds, ut sacro nos purificante ieiunio...   686
DA, qs, omnipotens ds, ut sancte Caeciliae...   687
DA, qs, omnipotens, ds, ut sicut per cuncta mundi spatia...   688
DA, qs, omnipotens ds, ut toto tibi corde famulemur...   689
DA qs o. ds ut triumphum beati laurentii...   690
... DA, qs, (o.ds) pater, in hos famulos tuos (hoc famulo tuo) presbyterii
dignitatem.   1348, 1349, 1350, 2549
... DA, qs, plebi tuae, ut gustu...   2458
... DA, qs, universis famulis tuis plenius adque perfectius (plenus
arque perfectus) omnia festi paschalis introire mysteria...   2332
... DA, qs, ut ad intellegentiam verbi eius per quem nobis splendit
suffragiis accedamus.   904
... DA qs ut beata et sancta virgo (beatae et sanctae virginis) martyra
tua illis adiuvemur meritis...   1043
... DA, qs, ut beati apostoli tui Andreae semper nobis adsint et
honoranda sollemnia...   2491
... DA, qs, ut cuius lucis mysterium in terra cognovimus...   1000
... DA, qs, ut eius efficiamur in divina consortes...   1010
... DA, qs, ut eorum sepius iterata solemnitas nostrae sit tuitionis
augmentum.   2423
... DA, qs, ut et maiestatem tuam convenienter hoc munere veneremur...
750
... DA, qs, ut et nosliberam praeveamus omnibus caritatem...   1016
... DA, qs, ut familia tua huius intercessione praeconis...   2278, 2279
... DA, qs, ut filii tuae adoptionis effecti...   2438
... DA, qs, ut gaudia nobis sancta succrescant...   2848
... DA qs, ut illorum saepius iterata sollemnitas nostrae sit tuitionis
aumentum.   2425
... DA, qs, ut in gratiarum semper actione maneamus.   3071
... DA, qs, ut indignatio debita reis praecantibus transferatur ad
veniam.   1169
... DA, qs, ut per ipsos a terrenis viciis expediti...   1063
... DA qs ut quam veneramur officio (officium)...   1097
... DA qs ut quod illis contulit gloriam, nobis prosit ad salutem.   3163
... DA qs ut reparationis nostrae collata subsidia... sectemur.   824
... DA qs ut sua nos defensione munitos...   1239
... DA qs ut via tibi placite oboedientia... sine errore subsequamur.
2237
et sanctis apostolis tui petro et paulo, DA propitius...   2030
et salutare (salutarem) temporibus nostris propitius DA quietem.   424

... DA restaurationem defunctis...   1026
DA salutem, dne,(qs) populo tuo mentis et corporis...   691
... DA salutem mentis (mentibus) et corporis...   2678
... DA sanctos martyres tuos pro nostris supplicare peccatis...   2428
... DA servis tuis hunc (hanc) caritatis affectum...   943, 1344
... DA servis tuis illam quam mundus (mundis) dare non potest pacem...
   734, 2300
... DA servis tuis regibus nostris illis triumphum virtutis tuae scienter
   excolere...   1246
... DA servis tuis veram cum tua voluntate concordiam...   851
Ds... DA servituti nostrae prosperum cursum...   860
... DA spiritum sanctum qui habitum religionis in eum perpetuum custodiat
   ...   2761
... DA spiritum sapientiae quibus dedisti regimen (tradedisti regnum)
   disciplinae...   1165, 1166
... DA ut bonis operibus inniando...   660
et DA ut cuius hodiae festa caelebramus...   1203
... DA, ut nullis errorum subruatur incursibus...   968
... DA, ut omnes gentes... spiritus tui participatione regenerentur.
   1178
... DA ut omnis hic (haec) plebs nomini tuo serviens...   976
... DA ut quam veneramur officio...   1097
... DA ut quia in te renovatus de hoc mundo migravit...   1026
... DA, ut quorum sollemnia frequentamus, incessabili iubemur auxilio.
   1121
... DA ut renatis fonte baptismatis, una sit fides...   964
... DA, ut tibi gratias referentes efficiamur et meriti.   2424
et DA veniam confitentibus parce supplicibus...   243
... DA veniam peccatis et cor eius ab iniquitate...   2706
... DA veniam peccatis nostris et sacramentis...   2102
gementes et trementes exibimus et DABIMUS honorem...   224
... DAMUS temporalia, ut sumamus aeterna.   172
... Per hoc signum sanctae crucis, (frontibus eorum) quem nos DAMUS tu
   maledicte...   1411, 3270
ad DANDAM scientiam salutis populo tuo in remissionem peccatorum eorum...
   3763
ut digneris, dne, DARE ei locum lucidum, locum refrigerii et quietis...
   3462
... Tuum est ablutionem criminum DARE et veniam praestare...   1308
da servis tuis illam quam mundus (mundis) DARE non potest pacem...   734,
   2300, 2837
ut femineo corpore de virili DARIS carnem principium...   1171
ut per mediatorem nostrum benedictionem DARET...   2242
qui DAS escam omni carni...   742, 3794, 3889
Ds, qui ad imaginem tuam conditos ideo DAS temporalia, ut largiaris
   aeterna...   894
et in beati fine certaminis DAS triumphum.   4111
(ita) (et) nostris (et) studiis DAT profectum...   4094, 4116
sicut eis perpetuum DAT triumphum...   2698
quam recurrentibus DATA lege temporibus...   4098
... Ad haec igitur DATE sint leges instituta venturae (institutam ventura).
   2542
subrii simplices et quieti gratis sibi DATAM gratiam fuisse cognoscant...
   1195
quod gratis accepistis gratis DATE nulla...   1852

Dne ds, bonorum virtutum DATUR, et omnium...   1298
VD. Per quem discipulis spiritus sanctus in terra DATUR ob dilectionem
    proximi...   3830
honorum DATUR, ordinum distributor...   136
Sanctifica plebem tuam, dne, qui DATUS es nobis ex virgine...   202
... Ecce puer natus est nobis, parvulus DATUS est nobis...   3677
quod tui DEDERIS cognitione pollere...   4090
si pacem DEDERIS et mentis et corporis.   2265
vitam nobis DEDISSE perpetuam confidamus.   2001
ut cui (ut sicut illi) DEDISTI caelestis palmam (palma) triumphi...
    3695, 3729, 4163
pio affectu eis exemplum presens mandatum DEDISTI, concede...   963
per idem lignum crucis delicta DEDISTI cuius typum...   3847
ut qui ad haec agenda saluberrimam DEDISTI doctrinam...   3807
et DEDISTI ea ad usus nostros cum gratiarum actione percipere...   305
quique DEDISTI eis (ei) remissionem omnium peccatorum...   867, 869,
    2445, 2446
DEDISTI aenim in mare viam et inter fluctus semitam...   3666
ac universalis ecclesiae tuae doctorem DEDISTI et ad summi...   818
ut quibus DEDISTI fidem largiaris et pacem.   902
et qui DEDISTI fidem inter adversa constantem...   3977
unigenitum tuum per virginis uterum DEDISTI lumen in seculum.   2441
et augebuntur et perficientur que DEDISTI mihi.   3792
quia et sim et quod sum, tu DEDISTI mihi.   3792
... DEDISTI nobis de captivitate victoriam...   1236
qui traditori perfido pium DEDISTI oculum...   1180
quorum nos DEDISTI patrociniis adiubari...   2808
Ds, qui sanctis tuis DEDISTI piae confessionis inter tormenta virtutem...
    1205
Concede hunc familiae pro se hunc intercessorem quem DEDISTI ponteficem.
    981
qui temetipsum nostri causa DEDISTI pro praetio...   1334
quam deposito corpore animam tibi creatori reddidit quam DEDISTI pro
    quo petimus...   1721
qui noae et filiis suis de mundis et inmundis animalibus precepta DEDISTI,
    quique...   1257
da spiritum sapientiae quibus DEDISTI regimen disciplinae...   1166
Ds qui apostolis tuis sanctum DEDISTI spiritum...   902
Offerimus tibi, dne, quae dicanda tuo nomini tu DEDISTI suppliciter
    exorantes...   2234
... Inde eciam Moysen famulo tuo mandata (mandatum, mandato) DEDISTI ut
    aaron...   3945, 3946
conserva in novae familiae tuae progeniem sanctificationis (adoptionis)
    spiritum (gratiam) quem DEDISTI ut corpore...   801, 999, 2398
Offerimus tibi, dne, munera (munere) quae DEDISTI ut et creationis...
    2230
auge in cordibus nostris virtutem fidei quam DEDISTI ut ignis...   1223
Multiplica, dne, qs, in aeclesia tua spiritum gratiae quem DEDISTI ut per
    dignum...   2111
auge super famulos tuos gratiam quam DEDISTI ut qui ab omnibus...   1194
... Et resurrectionis futurae nobis documenta... DEDISTI ut quod per...
    3668
offerimus quae DEDISTI, ut te ipsum mereamur accipere.   1527
ds qui DEDISTI vitam post mortem...   755
tibi gratias agens benedixit (fregit) DEDIT discipulis suis.   3014

qui DEDIT discipulis tunc doctrinam.   1173
... Quodquot crediderunt in eum, DEDIT eis potestatem filios dei fieri.
   1695
Salutarem nobis DEDIT hodierna die... laetitiam...   3174
qui nobis DEDIT hunc intellectum et hanc scientiam...   1670
quique DEDIT tibi remissionem omnium peccatorum...   870
Et qui legem per moysen DEDIT ut per mediatorem...   2242
ne temporalibus DEDITA bonis ad praemia sempiterna contendat...   4010
ut corda nostra mandatis tuis DEDITA, et hostium...   734
Respice propitius, dne, ad DEDITAM tibi tui populi servitutem...   3111
ut nobis indulgentiam largiaris, (largiendo) tuo nomine DENT honorem
   (honore).   1461, 1817
ut DENT illis cibum in tempore necessario...   820
eorum nobis praecibus DENT medellam...   1441
Ut nobis dne tua sacrificia DENT salutem...   3577
et mentibus nostris supernae gratiae DENT vigorem.   3142
nec fulgora et sydera que inmissa DENTUR in hanc arborem...   1540
ut DES aei partem cum sanctis tuis...   745
VD. Qui sempiterno consilio non DES in his regere quod creasti...   4022
ut DES nobis illam sequi doctrinam...   3692
et cum provectu temporis bonorum mihi potius operum DES profectum...
   4172
ut deus... DIT illi ea sapere que tibi placita sunt...   2506
ut quod generatio ad mundit et DET oretatu...   3925
Convertat dominus vultum suum ad te et DIT tibi pacem.   336
ipse vos innocentiam DET vivendi, fiducia sperandi...   1185
DET vobis animarum conpunctionem, inmaculatam fidem...   351
Omnipotens dominus DET vobis copiam benedictionis...   2263
DET vobis dominus munus suae benedictionis...   722
DET vobis fidem integram...   357
et DET vobis gratiam suae benedictionis...   1903
DENT vobis in labore adiutorium...   355
DET vobis leges suae precepta virtute spiritus sancti adprehendere...
   1375, 2296
Convertat dominus vultum suum ad vos et DIT vobis pacem.   333, 356
et DET vobis tranquillitatem tempurum, salubritatem corporum...   354
... DETQUE nobis tranquillam et quietem (quietem et tranquillam) vitam.
   2507, 2508
DETQUE vobis spiritalium virtutum invictricia arma...   347
DETQUE vobis veram mentium innocentiam...   853
... DETUR omnibus in aeo commorantibus sanitas...   3230

         DOCEO
DOCE me dne queso paciencia ad sustinendum adversa...   1296
... DOCE nos et metuere quod irasceris...   1081
tolle nocencia cuncta, DOCE praestancia vite...   1895
... DOCE scientia scripturarum ut sic loquar ne superbiam...   1296
ut sacrificia... desideriorum (desiderium) nos temporalium (temporale)
   DOCEANT habere contemptum...   3010
quod crediderint DOCEANT, quod docuerint imitentur...   3225
ut nullum aput te sanctum propositum DOCEAS esse sine praemio...   3897
ut huius participacione mysterii DOCEAS nos terraena dispicere...   3065
quemadmodum DOCEAT discipulos suos orare deum patrem omnipotentem...
   1373
exemplum patientiam DOCEAT, doctrina...   3281

et instructionem gratiae tuae praeveamus et agendo tuis fidelibus et
   DOCENDO.   2367
... DOCENS quod ex uno placuisset institui, numquam liceret disiungi...
   1171
... Tales cavere bos iubes per apostolum tuum DOCENS separate...   3879
... DOCENSQUE subditos praedicando...   3643
et ad redempcionis aeternae perteneat te DOCENTE consorcium.   241
Ds, quem DOCENTE spiritu sancto paterno nomine invocare praesumimus...
   882
... Denique commonemur anni DOCENTE successu...   4060
... Cum enim DOCENTE te, dne, probos mores nobis optare debeamus...   3980
ut quae secundum beatum apostolum Paulum DOCENTEM episcopatum...   4171
Ds quem DOCENTEM spiritu sancto...   882
ut etsi cum dolore, tamen genetricis vel DOCENTES volunt...   3918
et ad redemptionis aeternae pertingat te DOCERE consortium.   242
qui mediante die festo ascendit in templo DOCAERE qui de caelo...   3829
et plenius discerent quod DOCERENT.   3998
et quaelibet infima per DOCERENTUR esse sublimia...   4055
simul et nullum aput te sanctum propositum DOCES esse sine praemio...
   3896
sic DOCES illorum iugiter relaxare...   3981
dicens : Ite, DOCETE omnes gentes baptizantes eos...   1045, 3565
Ds, qui delictione nos mutua DOCIS habere...   957
quod crediderint doceant, quod DOCUERINT imitentur...   3225
temporaliter nos offerre DOCUISTI ad aeterna...   2596
ianuam misericordiae tuae pulsando diutius inpetrare posse DOCUISTI
   adque ideo...   4187
unigeniti tui domini nostri imitatione (imitationem) DOCUISTI concede
   qs...   1116
Ds qui... corda fidelium sancti spiritus inlustratione DOCUISTI da nobis
   in eodem...   1001
Ds, qui multitudinem gencium (universum mundum) beati Pauli apostoli
   praedicacionis (praedicatione) DOCUISTI da nobis qs...   1076, 1235
cuncta servare caelestia mandata DOCUISTI da nobis spiritum...   972
per venerabilem mariam servare DOCUISTI in qua...   3974
nos DOCUISTI nostrorum consequi remedia peccatorum...   3939
et ideo cuncta refuntanda DOCUISTI quae praepediunt aequitati...   3934
et castigatione (castigatione, castigationum) corporum servare DOCUISTI
   quia strictis (restrictis)...   3740, 4173, 4183
quae et linteamina fieri famulo tuo Moysi per quadraginta dies DOCUISTI
   sive etiam...   1318
secreta tui revelatione DOCUISTI ut in cognoscenda...   4169
quo beatum iohannem intra viscera materna DOCUISTI.   669
VD. Tibi sacrificare ieiunium quod nos ab initio seculi DOCUISTI.   4182
ita ad peragenda ea quae DOCUIT eius obtentu fidelibus tribuatur efficacia
   ...   3703
O. s. ds, cuius sapientiae omnium DOCUIT, et domus...   2322
et amando quod tradidit et praedicando quod DOCUIT et exsequendo...   2246
ut ea quae in oculis nostris DOCUIT et iessit...   2355
doctrinam quam ille et verbo DOCUIT et opere complevit...   3692
qui nos DOCUIT operari non (solum) cibum qui terrenis dapibus apparatur...
   3880
O. s. ds, cuius sapientia hominem DOCUIT ut domus...   2322
... Christus dominus noster, hanc orationem nos DOCUIT, ut ita oremus.
   1373

ut sicut ipse auctor noster salutis DOCUIT velut fulgentes...   475
per orationem quam nos DOCUIT verba sanctis orare et dicere...   3282
et sequendum beatus evangelista, quod DOCUIT.   2170
studeamus amare quod amavit, et opere exercere quod DOCUIT.   1516
da aeclesiae tuae... et praedicare quod DOCUIT.   2399

          DOCTOR
Qui es DOCTOR cordium omnium (humanorum) et magister angelorum...   2282
ut cuius perpetuus DOCTOR existit, semper esse non desinat suffragator.
  159
ille magister et DOCTOR gentium vocandarum...   3666
tam ille pastur suspendio, quam iste DOCTUR per gaudium in congressu.
  1033
ac universalis ecclesiae tuae DOCTOREM dedisti...   818
magistrum et DOCTOREM gentium vocandarum mutato nomine conlocasti.   3908a
eum pro se apud te intercessorem, quem habere cognovit magistrum atque
  DOCTOREM.   3703
nunc caelestium mandatorum laetatur se habere DOCTOREM.   3823
quos nobis huius muneris et DOCTORES constitues et patronos.   3426
Sanctae andreae apostuli atque DOCTORES aecclesiae praecibus...   3184
... Ac providentia, (providentiae) dne, apostolis filii tui DOCTORES
  fidei comites addedisti...   1348, 1349, 1350
Praedicatores adque DOCTORES gentium beati pauli apostoli precibus...
  2644
Hac providentiam, domini, apostolis fili tui DOCTORIS fidaei conmittas
  addedisti...   2549
ut contra adversa omnia DOCTORIS gentium protectione muniamur.   927

          DOCTRINA
... DOCTRINA ad praedicandum erudiit...   3643
nulla iuris inferni subdola DOCTRINA commaculet...   4190
... DOCTRINA relegionis instituat...   3281
... Cuius descensum genus humanum DOCTRINA salutari instruit...   3829
ut et DOCTRINA semper ipsius foveamur et meritis.   905
nulla iuris inferni subdola DOCTRINA subvertat...   4190
cuique habitus, sermo, vultus, incessus, DOCTRINA, virtus sit...   3281
et exitum DOCTRINAE caelestis auctores...   3678
et illam sequi devotionem DOCTRINAE qua dilectus...   3944
ut apostolicae fidei DOCTRINAEQUE vestigia vel longe sequamur imitando...
  1186
ut animas... calamo DOCTRINAE salutaris abstraheret...   3610
qui ad eandem gloriam (gloria) promerendam DOCTRINAE suae filios incitabat
  (incitavit)...   3773
... De quo perenniter manantia caelestis hauriens fluenta DOCTRINAE tam
  profundis...   3608, 3609
ne eruditio (herudicia) DOCTINAE tuae ulli deesset aetati...   819, 820
ut qui ad haec agenda saluberrimam dedisti DOCTRINAM ad complendum...
  3807
per corum DOCTRINAM fides chatolica et relegio christiana subsistit...
  3281
in omnem DOCTRINAM formam boni operis ipse prebeat...   3281
eorum sequi pia devotione DOCTRINAM per quos sumpsit...   2403
in fidem dilectionem, in DOCTRINAM pervigilantiam...   2303
et illam sequi pia devotione DOCTRINAM qua dilectos...   2742
ut des nobis illam sequi DOCTRINAM quam ille...   3692
... Teneant firmam spem, consilium rectum, DOCTRINAM sanctam...   165

secundum magnificam domini nostri Iesu Christi caelestemque DOCTRINAM
    sanctas animas...   4075, 3490
non solum per propheticam et apostolicam DOCTRINAM sed eiusdem...   3668
per quorum DOCTRINAM tenetis fidei integritatem.   1243
vivendi temperantiam, monendi DOCTRINAM.   740
in varitatebus moderatione, in moribus DOCTRINAM.   2303
qui dedit discipulis tunc DOCTRINAM.   1173
ut quorum DOCTRINIS ad confessionem deitatis unius institutus est mundus
    ...   2330, 2331
ut apostolicis beati Iohannis evangelistae inluminata DOCTRINIS ad dona
    perveniat...   1393, 1394
... DOCTRINIS caelestibus educatus...   3690
... DOCTRINIS caelestibus erudita...   1171, 2541, 2542
apostolicis iugiter fultuas DOCTRINIS, centissimo...   561
ut et DOCTRINIS eorum tibi placentia et pio sequamur auxilio.   2451
praeceptorum suorum DOCTRINIS erudiat...   2249
solemnitas et de sacerdotalibus nos instruat te miserante DOCTRINIS et
    de gloriam...   3210
ut sacris intenta DOCTRINIS et intellegant quod sequantur...   1525
Presta nobis, dne, qs, apostolicis DOCTRINIS et praecibus adiubari...
    2685
et his praesolibus gubernetur, quorum (et) DOCTRINIS gaudet et meritis.
    293
ut sicut eorum DOCTRINIS instituimur...   3905
VD. Qui aecclesiam tuam... apostolicis facis constare DOCTRINIS praesta
    qs...   3909
Corda vestra efficiat sacris intenta DOCTRINIS quo possint...   2260
apostolicis facis constare DOCTRINIS ut per quos...   3909
si eorum famulata DOCTRINIS veraciter...   4002
quo aeorum non convenerit DOCTRINIS.   3906
quorum donasti fideles esse DOCTRINIS.   1480, 2930

            DOCUMENTUM
inter cetera caelestis DOCUMENTA culturae (culturem)...   819, 820
ut et patientiae ipsius habere DOCUMENTA et resurrectionis...   1019
... Et resurrectionis futurae nobis DOCUMENTA non solum...   3668
semper fide chatolicae DOCUMENTA sectentur.   2378
cuius patientiae veneramini DOCUMENTA. Amen.   2255
Catholicae fidei vos DOCUMENTIS enutriat...   2258
VD. Qui beatum augustinum... et scientiae DOCUMENTIS replesti...   3878
qui vos eorum voluit ornari et munerari exemplis et DOCUMENTIS. Amen.
    1243
mentes vestras instruat legis suae spiritalibus DOCUMENTIS. Amen.   2256
Quo eius DOCUMENTO de divinitate nostri redemptoris edocti...   2246
et DOCUMENTO simul et exemplo subditis ad calestia regna pergendi ducatum
    praebuit...   3655
veritatis tuae firmius inherere facias DOCUMENTO (DOCUMENTUM).   522
ut et pacientiae eius habere DOCUMENTUM.   1019

            DOGMA
ut beati petri singolarem piscandi artem in divino DOGMA converteret...
    3823
Infunde sinsibus nostris apostolica DOGMATA retenere...   971
Petro in clave, paulo in DOGMATE, ut previantibus ducibus...   1033
paulus est usus DOGMATE.   924
Erudi aeos sanctos DOGMATIBUS, et multiplica...   879

Nulla aeos a rectitudine aecclaesiaticae DOGMATIS prave...   329

DOLEO
nec DOLEAMUS vitare quod inicum est...   3674
cuius confessione sacerdotum integritas intima DOLENS fundit mentem
   lamenta. 3501
gemitus suscipe, DOLENTES paterna piaetate iube consolare.   323

DOLOR
non DOLOR horrendae visionis afficiat...   746
... DOLORE aearum piae consolis...   3918
neque per stientiae, neque per DOLORE, neque dum ambulat...   2552
sine DOLORE parit, et cum gaudio ad meliora provehit.   4160
cuius DOLORE plaga nostra curata est...   3661
ut etsi cum DOLORE, tamen genetricis vel docentes volunt...   3918
et conscio DOLORE victus...   3828
aut DOLORES in anima istius, vel carne sive ossa derelinquas.   1888
ad evacuandos omnes DOLORES, omnem infirmitatem (omnesque infirmitates)...
   1404, 1407
... Non deversis languoribus DOLORIBUS in illius membrorum non occupavis
   ...   1529
licit in DOLORIBUS, tamen generare filios precepisti.   3918
vocem vestri DOLORIS exaudiat...   169
... Manducavit, sicut scriptum est, panem DOLORIS lacrimis...   58, 59
causa discordiae, excitator DOLORUM, daemonum magister...   744

DOLUS
respice super famulum tuum hunc quo DOLIS invidi serpentis appetitur...
   764
exi, seductor, pleni omni DOLO et fallacia...   1437
sed ut sollicite DOLOS caveamus alienos...   3981
in quorum hore DOLUS inventus non est...   3465

DOMICILIUM
ut in homine condito ubi requiesceris tibi DOMICILIUM consecraris.   1162
sit hoc semper DOMICILIUM (DOMICILIO) incolomitatis et pacis.   3409, 3427
defunctis DOMICILIUM perpetuae felicitatis adquiritur...   3915, 3916

DOMINATIO
Ut iam nec iugo DOMINATIONIS obpressi...   397
et potestatis et DOMINATIONIS subiecta sunt...   1354
VD. Qui ut in omni loco DOMINATIONIS tuae beati petri...   4037
manifestati in omni loco DOMINATIONIS tuae satorem te bonorum seminum...
   1034
qui adversae DOMINATIONIS vires reprimis...   848

DOMINATIONES
cui virtutes caelorum et potestatis et DOMINACIONES subiectae sunt...
   141, 1355
adorant DOMINATIONES, tremunt potestates...   2556, 3589
excommunico te diabule per confessoris et tronis et DOMINATIONIS ubicumque
   ...   1551
cum thronis et DOMINATIONIBUS cumque omni militia...   4061
Et cum angelis et cum archangelis, thronis et DOMINATIONIBUS hymnum
   gloriae...   3792
in nomine thronum et DOMINATIONUM, in nomine...   2856

DOMINATOR
ut in aeternum requiae tecum DOMINATUR admittas.   1162

Ds caeli terraeque DOMINATOR auxilium nobis tuae defensionis benignus
   impende. 754
Omnipotens DOMINATOR christe, cuius secundum adsumptionum carnis... 2262
Ds, sanctificacionum omnipotens DOMINATOR cuius pietas... 1249
te supplex depraecor, DOMINATOR dne... 2299
qui cum patre vivis DOMINATOR et regnas deus... 404
Ds, regnorum omnium regumque DOMINATOR qui nos et... 1247
sed illum, qui DOMINATOR vivorum et mortuorum est... 1355, 1859
non solum ius infesti DOMINATORIS evadit... 4054

DOMINICUS

Ds, qui nos resurrectionis, DOMINICAE annua solempnitate laetificas...
   1129
... Hanc etenim festivitatem DOMINICAE apparitionis index stella praecessit... 3726
qui DOMINICAE caritatis imitator etiam pro persecutoribus supplicavit.
   2443, 2453
et hos electos tuos crucis DOMINICAE cuius impressionae virtute custodi...
   2825
Et qui expletis ieiuniorum sive passionis DOMINICAE diebus... 361
Ds, qui nos resurrectionis DOMINICE et ascensionis letabunda solemnia...
   1130
adtingere mereamur resurrectionis DOMINICAE firmitatem. 3818
quam tibi offerunt ob die ieiunii caenae DOMINICAE in qua dominus...
   1712
... Quos exemplo DOMINICAE matris sine corruptione sancta mater ecclesia
   concipit... 4160
... Audistis, dilectissimi, DOMINICAE orationis (oratione) sancta
   mysteria... 226, 3310
cui praesenti mysterio DOMINICAE passionis de cuius... 3155
sicut ante alios imitator DOMINICAE passionis et pietatis enituit...
   2751
O. s. ds, da nobis ita DOMINICAE passionis sacramenta peragere... 2328
ut qui gratiam DOMINICAE resurrectionis agnovimus... 2773
O. s. ds, qui hanc sacratissimam noctem... gloriae (gloriosae, gloria)
   DOMINICAE resurrectionis inlustras... 999, 2398
... In quo DOMINICAE resurrectionis miraculo... 861, 862
qui resurrectionis DOMINICAE sollemnia colimus... 493, 1159, 2782
da nobis dne noctem hanc DOMINICAM quiaetam tranquillam et securam. 852
et aeventum DOMONICI vulneris aelementa tremuerunt. 3661
captivam se trahi DOMINICIS triumphis obstipuit... 861
... Sic fons ille beatus qui DOMINICO latere circumfulxit... 3596
conservis civaria ministrantes tempore conpetenti DOMINICO repperiamur
   adventu... 3796

DOMINOR

rex regum et dominus DOMINANTIUM, corona... 395
Dignare, dne ds omnipotens, rex regum et dominus DOMINANCIUM sacerdos...
   1283
Delicta nostra, dne, quibus adversa DOMINANTUR absterge... 715
et delicta nostra quorum merito nobis DOMINANTUR emunda... 531
Ds, regnorum omnium regnumque DOMINANTUR, qui nos et... 1247
Ds, qui facturae (factore) tuae pio semper DOMINARIS affectum (affectu)...
   986
Ds qui populis tuis indulgentiam consulis (indulgendo consoleris) et amore
   DOMINARIS da spiritum... 1165, 1166

Ds, qui regnis omnibus aeternis DOMINARIS imperio... 1190
tu, dne, qui semper DOMINARIS, praesta, ut sicut... 850
O. s. ds, qui regnis omnibus (et) aeterna potestate DOMINARIS respice...
2447
Ds caeli terrae qui DOMINATUR, auxilium... 754
ne nos ad illum sinas redire actum cui iure DOMINATUR inimicus... 3735,
4142
accipit tua virtute DOMINATUM. 4054
ut et nulla nobis DOMINENTUR adversa et salutaria... 2106a
ne nos talis patiaris exsistere, quibus merito DOMINENTUR adversa sed
huiusmodi... 2971
non ei DOMINENTUR umbrae mortis... 2215
ut iusticiae non DOMINETUR iniquitas sed subdatur... 530
quia nulla eidem nocebit adversitas, si nulla DOMINETUR iniquitas. 3536

         DOMINUS
quos in honorem (honore) DOMINI a mortuis resurgentis... 3846
... In utroque DOMINI ac magistri sui vestigia sequens... 3855
ad distinctionem horarum certarum ad invocandum nomen DOMINI adiuvante...
729
Hac providentiam, DOMINI, apostolis fili tui doctoris fidaei conmittas
addedisti... 2549
Sit manus DOMINI auxiliatrix vestri... 218, 319
in nomine DOMINI dei nostri iesu christi per quem haec omnia... 1408
resurrectionis DOMINI dei nostri iesu christi secundum carnem. 421
dilectissimi filii tui DOMINI dei nostri Iesu Christi. 3011
genetricis filii tui DOMINI dei nostri intercessiones salvemur. 1604
... Christi filii tui DOMINI dei nostri tam beatae passionis... 3567
per os ipsius DOMINI dei nostri verbi tui vocatum in apostolatum... 4158
quibus exemplo DOMINI devincere valeatis antiqui hostis... temptamenta.
347
et dicat : Gladius DOMINI et clarissimi francorum regis ill... 4143
adimple eos spiritu timoris DOMINI et consigna... 2445
sed etiam spiritum sanctum quo matrem DOMINI et salvatoris agnosceret
accepit. 3755
et cum baptizatus fuerit hic famulus DOMINI fiat templum dei vivi...
1530
Nostra in hoc se matrem DOMINI fuisse cognovit... 3974
... Benedictus qui venit in nomine DOMINI, osanna in excelsis. 3258
ut per hanc munera, qui DOMINI Iesu Christi arcanae nativitatis mysterio
gerimus... 2731
passione DOMINI Iesu Christi et sancti spiritus inluminatione reserasti...
3625
per inlustratione unici filii tui redemptoris dei ac DOMINI Iesu Christi
et spiritus... 3459
Exorcizo te creatura aqua in nomine DOMINI iesu christi filii dei et
sancti spiritus. 1530
VD. Fulget enim vox illa piissima DOMINI Iesu Christi qua mundo... 3757
in DOMINI iesu christi servitio in perpetuum derelinque. 1888
qui est arma christianorum et triumphum DOMINI iesu salvatorem nostrum...
1888
... Contremisce et effuge invocato nomen (nomine) DOMINI illius, quem
inferi trement... 141, 1355
Secundum voluntatem ergo DOMINI, in loco... 3281
ut eum pietas DOMINI in sinu abrahae et isaac et iacob collocare dignetur
... 2522

gratiam (incorruptam) DOMINI incorruptam et inmaculatam usque in finem...
    servetis...   1706, 1707
ut sicut illa in iudaico populo praecursorem DOMINE ita famula tua...
    794
praetiosa (est) in conspectu DOMINI mors sanctorum eius...   1886, 3678
a faciae DOMINI mota est terra, a faciae dei iacob.   2378
qui vocem matris DOMINI nondum aeditus sensit...   3772, 3668
qui exemplo iesu christi DOMINI nostri coeperunt esse de resurrectione
    securi...   3668
corporis et sanguinis dilectissimi filii tui DOMINI nostri communione...
    1668
Iesu christi DOMINI nostri corpore saginati...   1851
et Iesu Christi DOMINI nostri cuius muneris manifesta dona conpraehendere
    valeamus...   3818
... Quae utique adnunciatio est Iesu Christi DOMINI nostri discendit...
    203
pro confessione iesu christi filii tui DOMINI nostri diversa supplicia...
    3720
quos propter filii tui DOMINI nostri et salvatoris infantiam...   3851
quod in nomine tuo et in fili tui dei hac DOMINI nostri et spiritum...
    1367
et pascimur et potamur, Iesu Christi DOMINI nostri filii tui.   586
quae ad gloriam pertinent Christi DOMINI nostri hoc quoque...   1286
secundum magnificam DOMINI nostri Iesu Christi caelestemque doctrinam...
    4075
in figura agni DOMINI nostri iesu christi cuius sanguine...   1257
ut nativitatem DOMINI nostri iesu christi cuius solemnia veneramur...
    606
in nomine DOMINI nostri Iesu Christi, cum covivis...   867
Corpus DOMINI nostri iesu christi custodiat te in vitam aeternam. Amen.
    544
et fugiat (fugetur) ab aeo inmundus spiritus per virtute (virtutem)
    DOMINI nostri iesu christi detur omnibus...   3230
familia tua, quae filii tui DOMINI nostri Iesu Christi est nativitate
    salvata...   2707
Coniuro te et obtestor te per nomen DOMINI nostri ihesu christi et
    imperium aeius...   1888
in nomine DOMINI nostri ihesu christi et in nomine nazareni...   1540
et in caritate (nomine, caritatem) DOMINI nostri Iesu Christi et in
    virtute...   327, 1542, 1543, 1544
adimple eum spiritum timoris dei et DOMINI nostri Iesu Christi et iube
    eum...   869
Benedicat vos deus pater DOMINI nostri iesu christi et respectu caelesti
    ...   351
redemptoris, dei hac DOMINI nostri iesu christi et spiritus sancti
    benedictionem...   3459
per invocationem nominis DOMINI nostri Iesu Christi et spiritus sancti
    qui venturus...   1539
et in nomine iesu christi filii eius DOMINI nostri iesu christi filii
    eius...   1534
O. s. ds, qui in DOMINI nostri Iesu Christi filii tui nativitate
    tribuisti...   2407
... Qui DOMINI nostri Iesu Christi filii tui vocatione suscepta...   3608,
    3609a, 3610
hoc ministerium corporis filii sui DOMINI nostri Iesu Christi gerolum
    benediccione...   2524

ut qui de nativitate DOMINI nostri ihesu christi gloriantur... 1997
Corpus DOMINI nostri iesu christi in vitam aeternam.   545
aeiusdem quoaeterni tibi sapientiae tuae dei et DOMINI nostri eisu
    christi innoxia...   2321
ut in resurrectionem (resurrectione) DOMINI nostri Iesu Christi inveniamus
    et nos veraciter portionem.   577
ds pater DOMINI nostri iesu christi invoco sanctum nomen tuum...   744
in nomine DOMINI nostri Iesu Christi Nazareni filii dei vivi...   1539,
    1541
ut qui nativitatem DOMINI nostri Iesu Christi nos frequentare gaudemus...
    613
Ds qui adventum fili tui DOMINI nostri iesu christi omnia tuis...   899
ad conficiendum in ea corpus DOMINI nostri Iesu Christi pacientes crucem
    ...   511
in nomine DOMINI nostri Iesu Christi per quem haec omnia...   306, 1407
ut in resurrectione DOMINI nostri iesu christi percipiamus veraciter
    portionem.   2696
unigeniti tui DOMINI nostri iesu christi praetioso sanguine...   1232
Dne ds omnipotens, pater DOMINI nostri Iesu Christi qui dignatus es
    famulus...   1312, 1313
pater DOMINI nostri Iesu Christi qui illum refugam...   1354, 1355
Ds o., pater DOMINI nostri Iesu Christi, qui regenerasti...   867, 869
corpus et sanguinem filii tui DOMINI nostri Iesu Christi qui tecum
    vivit...   1318
Ds o., pater DOMINI nostri Iesu Christi, qui te regeneravit...   870
in nomine (per virtute, pervitutem) DOMINI nostri Iesu Christi qui
    venturus est...   725, 1370, 1530, 1542, 1544, 1547, 2174, 2176, 2177
salvatorem DOMINI nostri iesu christi qui vos a morte...   3568
per sanguinem unigeniti tui DOMINI nostri iesu christi redemisti de
    duro...   3837
Sacrosancti corporis et sanguinis DOMINI nostri iesu christi refectione
    vegetati...   3172
Omnipotens sempiterne ds, pater DOMINI nostri Iesu Christi respicere
    dignare...   2369
caelebrantes resurrectionis DOMINI nostri iesu christi secundum carnem.
    421, 1922
... Mariae genetricis dei et DOMINI nostri Iesu Christi sed et beatorum...
    417, 418, 420
et in nomine DOMINI nostri iesu christi signo crucis signetur...   1312
Corpus DOMINI nostri Iesu Christi sit tibi in vita aeterna.   545
ut nativitatis DOMINI nostri Iesu Christi sollemnia...   595, 629
O. et m. ds, pater DOMINI nostri Iesu Christi, te supplices depraecamur...
    2275
ubicumque audiaeritis inimici exorcissimo isto DOMINI nostri iesu christi
    tremiscas...   1551
abscede, in nomine DOMINI nostri iesu christi tu ergo nequissime...   744
et suavitatem corporis et sanguinis DOMINI nostri iesu christi unigeniti
    filii tui nostris infunde pectoribus.   2376
ascensionis in caelum DOMINI nostri Iesu Christi.   407
que utique adnuntiatio est DOMINI nostri iesu christi.   204
in nomine DOMINI nostri Iesu Christi.   305, 317, 327, 1404
fiat dilectissimi fili tui DOMINI nostri iesu christi.   3011
ieiunando et orando unigeniti tui DOMINI nostri imitatione (imitationem)
    ...   1116
O. s. ds, qui in filii tui DOMINI nostri nativitate...   2407

Festinantes, o. ds, in occursum filii tui DOMINI nostri nulla impediant...
   1616
Ds, qui peccati veteris hereditaria morte... Christi tui DOMINI nostri
   passione solvisti dona...   1148
iesu christi fili tui DOMINI nostri passione solvisti per quem...   3933
per unigeniti sui iesu christi DOMINI nostri passionem et crucis...   346
ad celebrandam unigeniti filii tui DOMINI nostri passionem facias esse
   devotos.   3659
ut obtineamus vocem fili tui ihesu christi DOMINI nostri per orationem...
   3282
propitiationem DOMINI nostri perseverantiam debete servitutes.   1853
ut in adventu (adventum) filii tui DOMINI nostri placitis tibi actibus
   praesentemur.   2857
aeclesiasticae pietatis et testificationis (testificatione) filii tui
   DOMINI nostri praebuit...   3614, 3644
id est Iesu Christi DOMINI nostri, qui resurgens a mortuis ascendit in
   caelos.   1953
in nomine DOMINI nostri qui venturus est iudicare...   1542
et in caritate Iesu Christi DOMINI nostri qui venturus est...   1538
ut qui de nativitate DOMINI nostri tui filii gloriantur...   1997
pervigiles atque sollicitos adventum expectare Christi filii tui DOMINI
   nostri ut dum venerit...   1575
obsegrantes misericordiam DOMINI nostri, ut ipse ei tribuaere...   2583
quam natalitiis agenda divinis Iesu Christi DOMINI nostri.   2615
designatur humanitas iesu christi DOMINI nostri.   615
et divini cultus nobis est indita plenitudo Iesu Christi DOMINI nostri.
   2199
sanctificatione portemus iesu christi DOMINI nostri.   1148
et resurrectionis eius consortia mereamur, Christi DOMINI nostri.   1019
ita imaginem caelestis gratiae sanctificatione portemus, Christi DOMINI
   nostri.   1148
et da locum spiritui sancto per hoc signum crucis DOMINI nostri.   744
cuius genitor (et) verbi DOMINI nuncium (nuntius) dubitans nasciturum...
   3755, 3756
ut redempta vasa sui DOMINI passione...   2937, 2941
victoriaeque principium sanctus Stefanus... initiaret post DOMINI
   passionem.   4096, 4110
fratri nostri illius, quem DOMINI pietas de incolatu mundi huius transire
   praecepit...   2483, 2484
ut eum DOMINI pietas inter sanctos et ellectos suos... collocare
   dignetur...   2521
vita caelestis asseritur viam DOMINI preparare.   3755
spiritu divinitatis vitae caelestis asseruit via DOMINI praeparetur.
   3756
quia ipse ortavit nos furor DOMINI quia ipse confundit...   507
quam DOMINI resurgentis praedicare virtutem ?...   3596
quando in vinia DOMINI sabaoth sic novorum plantatio facienda est...   58
ut ineffabile DOMINI sacramentum...   4095
qui mox ut vocem DOMINI salvatoris audivit...   3906
regnumque DOMINI salvatoris nondum consummato certamine palam solus
   aspiceret...   4185
et pax DOMINI sit semper vobiscum.   18, 349, 915, 1171, 2246, 2252, 2254,
   2546, 2547
incipit dicens : Vox clamantis in deserto : parate viam DOMINI sive...
   2059

non reatum de neglecto DOMINI subeamus aumento...   3796
... Illic namque agnovit bos possessorem suum et asinus praesepium DOMINI
  sui circumsionem...   3648
gaudium DOMINI sui tribuis benignus intrare.   3931
Fiat sanitas DOMINI super te sicut (dominus) sanavit muliaerem...   2180
intra in gaudium DOMINI tui.   561
Per diem vos salutaris DOMINI umbra circumtegat...   2905
Protegat vos auxilium DOMINI, ut nihil...   2905
qua ipsius DOMINI virtute prostratus est...   3874
qua ineffabilibus modis DOMINI virtute prostratus est...   3873
partem cum his qui verbum dei ministraverint in domo DOMINI.   31
ubi tu potest fugire ante iracundiae DOMINI.   2552
... Benedictus qui venit in nomine DOMINI. Osanna in excelsis.   3589
... Benedictus, qui venit in nomine DOMINI qui tamquam...   3763
in distinctione (ad distinctionem) orarum certarum, ad invocandum nomen
  DOMINI.   728
... DOMINIS ac familiae gubernaculum...   1493
ut tibi DOMINO ac sponso suo venienti...   1727
apostulorum DOMINO beatorum praecibus foveamur...   2537
Auxiliante DOMINO deo et salvatore nostro Iesu Christo...   237
ut... mortalis mortalem, cinis cinerem, tibi DOMINO deo nostro audeat
  commendare...   3470
... Gratias agamus DOMINO deo nostro. Dignum et iustum est...   3791
... Gratias agamus DOMINO (DOMINUM) deo nostro. Respondetur : Dignum et
  iustum est.   1978, 2556, 3384
VD. Tibi DOMINO deo nostro tota flagrantis fidei firmitate servire...
  4176
promissio muneris se DOMINO desiderat consecrare...   674
et unigenito filio tuo legis et prophetarum nostrorumque omnium DOMINO
  exornasti...   3940
ut pro immaculato DOMINO famuli peccatores certatim morerentur, effecit.
  3757
ut veniente DOMINO filio tuo paratam sibi in nobis inveniat mansionem.
  509
... Ut parando in cordibus nostris viam DOMINO fructusque...   3869
tibi DOMINO gloria refferant triumphantes...   4143
in uno semper DOMINO gloriosi quem pariter confessi sunt...   3612
... Sursum corda. Respondetur : Habemus a DOMINO gratias agamus...   1978
ut tibi semper sanctificatori et salvatori omnium DOMINO, gratias agere
  mereatur.   717
sed victori DOMINO gratias referat de triumpho...   2640
Quo exemplo magorum mystica DOMINO iesu christo munera offerentes...   853
nunc iam placere se DOMINO in regione vivorum...   58
evangelicae symbuli sacramentum, a DOMINO inspiratum...   1287
tibi soli DOMINO liberis mentibus serviamus.   1036
salvi et incolumes munera sua tibi DOMINO mereantur offerre.   1736
et quo DOMINO ministratur officium...   1495
qua in aegypto primogenita ad DOMINO missus occisis...   2065
viam DOMINO monuit praeparari...   3754
nos mereamur... et unigenito tuo DOMINO nostro adherere.   3854
ut venienti filio tuo DOMINO nostro bona eius capere valeamus.   1570
sed semper cum DOMINO nostro filio tuo maneant inlesi.   980
ut veniente DOMINO nostro iesu christo filio tuo...   2643
... Adiuvante DOMINO nostro iesu christo qui cum eo vivit et regnat...
  727, 729

Auxiliante DOMINO nostro iesu christo, qui cum et eo vivit... 2498
auxiliante (praestante) DOMINO nostro Iesu Christo, qui cum patre et
  spiritu sancto... 179, 702, 2522
praestante aeodem DOMINO nostro iesu christo unigeniti tui... 4176
in christo iesu DOMINO nostro in vita (vitam) aeternam. 870
ut veniente filio tuo DOMINO nostro paratam sibi in nobis inveniat
  mansionem. 508, 509
sicut sancti omnes mereamini fideli munus infantiae a Christo DOMINO
  nostro percipere. 1953, 1954
ut invenires eos in Christo Iesu DOMINO nostro, qs, dne, placatus
  accipias... 1773
quem misisti filio tuo DOMINO nostro qui tecum vivit et regnat. 2732
in Christo Iesu DOMINO nostro, qui vivit et regnat. 513
tibique DOMINO nostro servire mereatur. 1359
qui filio tuo DOMINO nostro testimonium praebuerent etiam non loquentes.
  1061
in Christo filio tuo DOMINO nostro venienti... 667
parare plebem perfectam iesu christo DOMINO nostro. 2732
digni inveniantur in Christo Iesu DOMINO nostro. Oremus. 2513
ipse te linit chrisma (chrismate) salutis in Christo Iesu DOMINO nostro...
  870
significatur unitio in Christo Iesu DOMINO nostro. 304
confortetur in DOMINO per aeam populus aevocatus... 2262
tibique DOMINO piae devotione famuletur... 2269
ut perfectam plebem Christo DOMINO praepararet... 2278, 2279
ut possimus tibi DOMINO pura mente servire... 2370
... DOMINO purificatis mentibus supplicantes... 182
tibi DOMINO semper valeat adhaerere. 108
offeramus DOMINO spiritale ieiunium. 180
Tibi subnexis precibus christo DOMINO supplicamus... 3479
tibi semper DOMINO valeat adherere. 108
tu per Iesum Christum DOMINUM adoptionis tuae filiis contulisti... 4096
Quis te talem non timeat DOMINUM aut quis... 4217
... Quae laetatur... quod caeli DOMINUM castis portavit visceribus...
  3989
et (quod) caeli DOMINUM clausis portavit visceribus... 3974, 4062
quod te praecelsarum adque caelestium potestatum te DOMINUM confitentur.
  4167
... Ideoque DOMINUM conlaudemus, qui est mirabilis in sanctis suis...
  2187
VD. Quoniam tu nobis non solum per Iesum Christum DOMINUM contulisti...
  4110
et caeli ac terrae DOMINUM corporaliter natum radio suae lucis ostenderet.
  4058
Et qui eum cum thoma deum et DOMINUM creditis... 802
per deum et propter DOMINUM cum fiduciam exiat et dicat. 237
Sanctum ac venerabilem retributorem bonorum operum DOMINUM depraecamur...
  3256
... DOMINUM depraecemur pro spiritu cari nostri illius... 723
Singoli accipiunt christum DOMINUM et in singolis... 3739, 4181
mittendo nobis unigenitum filium tuum DOMINUM et salvatorem nostrum.
  3988
Et spiritum sanctum DOMINUM et vivificantem ex patre procedentem. 555
... Et in spiritu sancto DOMINUM et vivificatorem ex patre procedentem...
  554

Sursum corda. Respondetur : Habemus ad DOMINUM gratias agamus...   2556,
  3384, 3791
... Et in unum DOMINUM Iesum Christum filium dei unigenitum...   554
credere in filium tuum DOMINUM Iesum Christum sed etiam...   4113
quae natum in terra caeli DOMINUM magis stupendibus nuntiaret...   4157
Qui clausus in utero reddedit obsequium DOMINUM, matrem...   910
qui maternis visceribus ante DOMINUM meruit confiteri quam nasci.   910
et iecum christum DOMINUM nostrum cuius muneris pignus accepimus...   3818
honorem tibi gratiasque referrere per christum DOMINUM nostrum, cuius
  virtus...   3828
per inmaculatum Iesum Christum DOMINUM nostrum cum quo vivis...   3465
convertantur ad deum verum et unicum filium eius Iesum Christum DOMINUM
  nostrum cum quo vivit...   2518, 2519
quae filium tuum DOMINUM nostrum de se genuit incarnatum.   3586
non solum per Christum DOMINUM nostrum diabolicam destrueres tyrannidem...
  4034
VD. Sanctae pater, o. ds, per christum DOMINUM nostrum, et laudare...
  4126
qua per Iesum Christum filium tuum DOMINUM nostrum genus electum...   3651
per iohannem hominem magnum ad eundem DOMINUM nostrum hominem deum...
  3869   \
per eundem DOMINUM nostrum Iesum Christum cum quo vivis...   869
Et in unum DOMINUM nostrum iesum christum filium dei unigenitum...   555
ut venientem DOMINUM nostrum Iesum Christum filium tuum digni inveniamur
  ...   2643
Per ipsum DOMINUM nostrum iesum christum filium tuum in secula...   850
per sanctum et gloriosum et admirandum (adorandum) DOMINUM nostrum iesum
  christum filium tuum quem laudant...   4003, 4004
per DOMINUM nostrum Iesum Christum filium tuum qui tecum vivit...   848,
  3588
per DOMINUM nostrum Iesum Christum filium tuum qui venturus est...   720,
  896, 1045
non tantum per DOMINUM nostrum Iesum Christum filium tuum sed etiam
  per sanctos...   4203
qui per unigenitum tuum DOMINUM nostrum Iesum Christum ita regenerationis.
  2297
qui per hunigenitum filium tuum DOMINUM nostrum iesum christum mundum
  salvasti...   850
O. s. ds qui unigenitum filium DOMINUM nostrum iesum christum omnes caeli
  ...   2461
Oremus dilectissimi fratres DOMINUM nostrum iesum christum pro hoc famulo
  suo ill...   2503
per quooperatorem DOMINUM nostrum iesum christum qui tecum et spiritu
  sancto.   2907
per DOMINUM nostrum Iesum Christum, qui venturus est iudicare...   222,
  838, 1240, 1363, 1371, 1531, 1532, 1537, 3270, 3955
ita ad confitendum te deum vivum et DOMINUM nostrum Iesum Christum
  secreta tui...   4169
... Per eundem DOMINUM nostrum Iesum Christum te adiuro...   1529
filiumque unigenitum DOMINUM nostrum iesum christum toto cordis...   3791
per deum sanctum et per DOMINUM nostrum Iesum Christum ut efficiaris...
  1532
qui crediderunt in verbum liberatorem DOMINUM nostrum Iesum Christum ut
  expurgati...   2275
faciat acceptam DOMINUM nostrum iesum christum.   3569

... Qua lingua confiteantur (confitentur) DOMINUM nostrum Iesum Christum ?
   1788, 2952
... Credis et in Iesum Christum... DOMINUM nostrum natum et passum...
   551, 3017
ut unicum filium eius DOMINUM nostrum non loquendo sed moriendo confiterentur...   2252
gratias agere, dne, sancte pater, o. aeternae ds, per Christum DOMINUM
   nostrum per quem maiestatem...   3589
conlaudare et praedicare, per christum DOMINUM nostrum qui inferorum...
   4160
VD. Per mediatorem dei et hominum iesum christum DOMINUM nostrum qui
   mediante...   3829
... Benedico te et per Iesum Christum filium eius unicum DOMINUM nostrum
   qui te in chana...   1045, 3565
per eundem Iesum Christum DOMINUM nostrum, qui venturus est...   1536
per Christum DOMINUM nostrum, qui venturus est iudicare vivos et mortuos.
   1931
non tantum per filium tuum DOMINUM nostrum sed etiam per sanctos...   4203
non solum credere in filium tuum DOMINUM nostrum sed etiam pro eo...
   4112
sapientiamque tuam Iesum Christum filium tuum DOMINUM nostrum sempiterna
   providentia (sempiternam providentiam)...   136, 137, 138
sic per Iesum Christum filium tuum DOMINUM nostrum sui tribuisti victores
   ...   3788
Te igitur, clementissime pater, per Iesum Christum filium tuum DOMINUM
   nostrum supplices rogamus...   3464
et per iesum christum filium tuum unicum DOMINUM nostrum te obsecramus...
   3918
et iesum christum DOMINUM nostrum ut cuius muneris pignus accepimus...
   3818
... Adiuro te per Iesum Christum filium eius unicum DOMINUM nostrum ut
   efficiaris...   1535
per (eundem) Iesum Christum filium tuum DOMINUM nostrum ut huius
   creaturae...   3945
Oremus deum ac DOMINUM nostrum, ut super...   2498
ut et ipsi cognuscant christum DOMINUM nostrum.   2520
qui per filium suum reconciliavit amicus Iesum Christum DOMINUM nostrum.
   1996
laetatur quod redemptorem mundi edidit iesum christum DOMINUM nostrum.
   3989
huic mundo lumen aeternum effudit iesum christum DOMINUM nostrum.   3725
perveniamus ad victum sine fine mansurum iesum christum DOMINUM nostrum.
   4060
imitendo (mittendo) nobis iesum christum DOMINUM nostrum.   4129, 4131
gaudebatque suum paritura parentem, iesum christum DOMINUM nostrum.   4032
et iam ad inferus preciosa mortem praecederit iesum christum DOMINUM
   nostrum.   4000
pia munera praelocuntur Iesum Christum DOMINUM nostrum.   3497
solumque sine peccati contagio sacerdotem iesum christum DOMINUM nostrum.
   3898
largitor admitte : per Christum DOMINUM nostrum.   2178
ut in omnibus protectionis tuae muniamur auxilio : per Christum DOMINUM
   nostrum.   417, 418
laudare et benedicere debemus per christum DOMINUM nostrum.   3805
ut indulgeas deprecamur per christum DOMINUM nostrum.   1958, 2074

nec a tua descretus adoretur essentia par christum DOMINUM nostrum.
  2002, 2710
et in electorum tuorum iubeas grege numerari : per Christum DOMINUM
  nostrum.   1769
et gratia repleamur : per Christum DOMINUM nostrum.   3375
etiam ad inferos preciosa morte precederet christum DOMINUM nostrum.
  4000
ut et ipsi cognoscant Christum Iesum DOMINUM nostrum. Oremus.   2520
laetatur quod edidit redemptorem DOMINUM nostrum.   3974
per quam meruimus auctorem vitae suscipere DOMINUM nostrum.   1214
mittendo nobis iesum christum filium tuum DOMINUM nostrum.   4131
Et qui te simel agnovit principem universitatis et DOMINUM, numquam...
  1073
... O DOMINUM per omnia patientem !...   3867, 3868
et ad inferna DOMINUM praecursurus descendit...   4000
Semper et ubique DOMINUM propitium habeatis...   1903
et te solum DOMINUM pura mente sectari.   653
et te solum DOMINE puro corde sectare.   652
has aquas... digneris ad mundicia revocare per DOMINUM qui in chana...
  893
prumpte suum diligat DOMINUM, qui, sanguinem...   431, 950
lauda hyerusalem DOMINUM, quia confortavit serras portarum tuarum...
  1330
ut mente sint fecis per DOMINUM resurgentem.   397
ut qui DOMINUM sua voce pronuntiant...   1488
prius quam christum DOMINUM videre mereretur...   2576
qui in chana gallileae te designavit DOMINUM virtutis et gloriae...   855
formam servi DOMINUS adsumpsit...   4003, 4004
uti aeis DOMINUS angelum pacis...   167
et benedixit eam et dixit : Sanavit DOMINUS aquas istas (has)...   1346
Inclinet DOMINUS aurem suam ad preces vestrae humilitatis...   1903
Benedicat vobis DOMINUS beatorum martyrum suorum ill. suffragiis...   338
Beati martyris sui ill. intercessione vos DOMINUS benedicat...   275
ut DOMINUS caelestis sua misericordia terrenam aelymosinam (helimosina)
  conpenset...   3256
Benedicat vos DOMINUS caelorum rector et conditor...   354
... DOMINUS caelum plicavit tamquam librum in manu sua...   3563
Tribuat vobis DOMINUS caritatis donum...   3485
quorum numerum et nomina tu solus DOMINUS cognuscis...   1751, 2806, 3385
et eum in cruce DOMINUS constitutus...   3610
Multiplicet in vobis DOMINUS copiam suae benedictionis...   2117
Benedicat tibi DOMINUS custodiensque te...   337
... DOMINUS de caelo discendit confringere terram...   3563
quem DOMINUS de laqueo huius mundi liberavit lucubris laetali...   2216,
  2217
quem DOMINUS de laquaeo huius seculi liberare dignatus es...   2521, 2522,
  2523
Neque aenim poteras mortis DOMINUS de teneri a morte...   4217
quem DOMINUS de temptacionibus huius saeculi adsumpsit...   2583, 2584
Omnipotens DOMINUS det vobis copiam benedictionis...   2263
Bendicat vos DOMINUS deus noster adque animas vestras...   355
ut DOMINUS deus noster calicem suum... caelestis graciae inspiracione
  sanctificet...   2504
Exaudiat vos DOMINUS deus noster et pro sua...   1513
... Potens est DOMINUS deus noster et vos qui ad fidem...   226, 3310
quem hodie DOMINUS deus noster Iesus Christus ad suam sanctam gratiam. 2174

dicentes : Sanctus, sanctus, sanctus, DOMINUS deus sabaoth...   3258, 3589
sicut in evangelio DOMINUS dicit : Nisi demiseretis...   1791
... Ad quem evincendum DOMINUS dicit : vigilate et orate...   1847
Devotionem vestram DOMINUS dignanter intendat...   1268
Dignare, dne ds omnipotens, rex regum et DOMINUS dominancium...   395,
   1283
Benedic huic domui, dne, benedic DOMINIS domus huius...   325
quia iudei christum qui DOMINUS et caput prophaetarum est admiserunt...
   4000
Benedicat nos DOMINUS et custodiat semper.   333
benedicat tibi DOMINUS et custodiat te.   336
Benedicat vobis DOMINUS et custodiat vos.   339
Benedicat vos DOMINUS et custodiat vos.   356
ut DOMINUS et deus noster auferat velamen de cordibus aeorum...   2520
qui tamquam sponsus procedens de talamo suo deus DOMINUS et inluxit nobis
   ...   3763
Hic nobis DOMINUS et minister salutis...   4003, 4004
DOMINUS et salvator noster Iesus Christus inter cetera salutaria...   1373
benedicat et sanctificet vos DOMINUS ex sion...   319, 320
Sanctorum confessorum suorum ill. meritis vos DOMINUS faciat benedici...
   3232
Ostendat DOMINUS faciem suam vobis (tibi) et misereatur vester (vestri,
   tui).   333, 336, 356
quem DOMINUS iesus christus misit in terra...   1855
Pro qua DOMINUS iesus christus percussus est in lancea...   4233
DOMINUS iesus christus qui ora diaei tercia ad crucem... ductus es...
   1374
DOMINUS iesus christus qui sacratissimo advento suo subvenire dignatus
   est mundo...   1375
Benedicat vos DOMINUS iesus christus qui se a vobis voluit benedici...
   357
Separa te, inimici, et DOMINUS iesus christus veniat super nos...   2552
qui tibi exconmunicavit DOMINUS iesus christus.   507
imperat tibi DOMINUS, imperat tibi maiestas Christi...   1355, 1437
Sis illis protectur et DOMINUS in aeternum fidaei integritas...   122
ut eum idem DOMINUS in cruce vicarium suae matri virgini filium subrogaret
   ...   3608, 3609
uti eum DOMINUS in requiem collocare dignetur...   723
Agnuscat DOMINUS in vobis proprium signum...   169
et vestem quam eginus acceperat, mundi DOMINUS induisset.   4148
Omnipotens DOMINUS intercedentibus vos dignetur benedicere...   2264
Det vobis DOMINUS munus suae benedictionis...   722
VD. Qui cum unigenito filio tuo et sancto spiritu unus es deus, unus es
   DOMINUS non in unius...   3887
... Quod etiam salvator et DOMINUS noster a symione plenissimae dignatus
   est adimplere.   3648, 3649
quos hodie deus et DOMINUS noster (iesus christus) ad suam gratiam...
   2176, 2177
ut deus et DOMINUS noster adaperiat aures praecordiorum ipsorum...   2513
ut deus et DOMINUS noster auferat velamen de cordibus eorum...   2520
sicut in aevangelio DOMINUS noster dicit...   1791
ut sicut passione sua Christus DOMINUS noster diversa utrisque intulit
   suspendia meritorum...   731
die, quo Iesus Christus filius tuus DOMINUS noster divini consummato...
   3692, 3785
ut deus et DOMINUS noster eruat eos ad erroribus universis...   2516

... Christus DOMINUS noster, hanc orationem nos docuit, ut ita oremus.
     1373
quia istos sibi deus DOMINUS noster Iesus Christus ad suam sanctam gratiam
     ... 1411
quam DOMINUS noster Iesu Christus ad te veniens dereliquid...   2438
post resurrectionem DOMINUS noster Iesus Christus cum discipulis corpora-
     liter habitavit...   3673, 3753
quando DOMINUS noster Iesus Christus discendit cum multitudinem angelo-
     rum ?... 3563
ut deus et DOMINUS noster iesus christus dit illi ea sapere...   2506
quoniam DOMINUS noster iesus christus eum ad suam graciam et benedictionem
     vocare dignatus est.   2175
magnus DOMINUS noster iesus christus et magna virtus...   1330
... Patitur itaque DOMINUS noster iesus christus filius tuus cum hoste
     novissimo participare convivium...   3867, 3868
cum filius tuus, DOMINUS noster Iesus Christus lavare a iohanne...   3945
quem DOMINUS noster iesus christus misit in terram...   1855
... Nam cum filius tuus DOMINUS noster Iesus Christus mundum...   3957
pro qua DOMINUS noster iesus christus, non dubitavit manibus tradi
     nocentium...   3101
quo DOMINUS noster iesus christus pro nobis est traditus.   409
ut filius tuus DOMINUS noster Iesus Christus, qui se usque in finem...
     3811
quo traditus est pro nobis DOMINUS noster iesus christus, sed...   412
in qua DOMINUS noster Iesus Christus tradidit discipulis suis.   1712,
     1736, 1771
diem sacratissimum caelebrantes, quo traditus est DOMINUS noster Iesus
     Christus.   412
cum filius tuus iesus christus DOMINUS noster lavari exegisset...   3945,
     3946
ut eam deus et DOMINUS noster pacificare adunare (et custodire) dignetur
     ...   2507, 2508
ut veniens filius tuus DOMINUS noster paratam sibi in nobis inveniat
     mansionem.
ut deus et DOMINUS noster qui elegit eum in ordinem episcopatus...   2512
ut filius tuus iesus christus DOMINUS noster qui se... fidelibus promisit
     adfuturum...   3811
absolvat, Iesus Christus DOMINUS noster, qui tecum vivit et regnat.   1183
ad dona pervenire mereamini quae idem iesus christus DOMINUS noster
     repromisit.   2246
ut Iesus Christus filius tuus DOMINUS noster sua nos gratia protegat et
     conservet...   3747, 3849
ut deus et DOMINUS noster subditas illis faciat omnes...   2514
... Sed filius tuus DOMINUS noster tamquam pia hostia...   3867, 3868
ihesus christus DOMINUS noster tecum damnare (faciat) in sempiternum...
     2180
quo DOMINUS noster unigenitus filius tuus...   410, 411
hoc ille ut possimus nobis conferre dignetur Iesus Christus DOMINUS
     noster.   1789
ipsa sui manifestacione veritas eloquatur, Iesus Christus DOMINUS noster.
     2415
hodierna traditione monstravit iesus christus DOMINUS noster.   1956
ad nos venit ex tempore natus, iesus christus DOMINUS noster.   3647
et solus sine peccati macula pontifex iesus christus DOMINUS noster.
     3893

et suam nobis gloriam (gratiam) repromisit iesus christus DOMINUS noster. 3799

et vitam resurgendo restituit, Iesus Christus DOMINUS noster.   4162

ipse sit misericors et susceptor, Iesus Christus DOMINUS noster.   1830

etiam matri virgine fructu (matris virginis fructus) salutaris intervenit Christus DOMINUS noster.   4120, 4122

sicut signavit DOMINUS oculus aeorum caecorum qui in aevangelium leguntur. 2180

Benedicat vobis DOMINUS omnipotens et (per) habundantiam...   340, 356

sicut signavit DOMINUS omnipotens infirmus in chana gallileae...   2180

... DOMINUS pars hereditatis meae, et gloria...   3503

Benedicat vobis DOMINUS qui beatae...   341

Benedico te, sicut benedixit DOMINUS quinque millia virorum...   2180

quam utique DOMINUS sequi dignatus...   861

deus magistatis intonuit, DOMINUS super aquas multas.   3557

Vitam suam vobis (nobis) DOMINUS tribuat...   335, 4241

... Animae eius (Spiritui huius) subveniat sublimis DOMINUS ut ardore... 2216, 2217

Accendat in vobis DOMINUS vim sui amoris...   18

famuli tui ill. quem DOMINUS vocavit a presente seculo...   2481

DOMINUS vobiscum. Et cum spiritu tuo...   1978, 2556

Convertat DOMINUS vultum suum ad vos et dit vobis pacem.   333, 336, 356

rex gloriae DOMINUSQUE virtutum...   3953

       DOMIT = DONET

       DOMUS

et DOMI forisque spurcitiam contrahentes...   3879

ut quicquid in loci vel in DOMIBUS (in DOMIBUS vel in locis) fidelium (fidelibus) haec unda resperserit...   896

0. et m. ds, qui famulos tuos in hac DOMO alis refectione carnali... 2283

erigens nobis cornum salutis in DOMO David pueri tui...   3763

Elegunt te fratres tui, ut sis lector in DOMO dei tui...   31, 1403

partem cum his qui verbum dei ministraverint in DOMO domini.   31

ut si qua sunt adversa, si qua contraria in hac DOMO famuli tui illius... 1496

habitantibus in hac DOMO famulis tuis propicius adesse dignare...   2906, 2909

in campo custodia, in DOMO fultura.   903

... Spiritus sanctus habitet in DOMO hac...   1532

in cuius DOMO mansionis multe sunt...   725

habitasti DOMO muliaeris in hutero...   996

famulos tuos in hac DOMO quiescentes post laborem...   314

ut ubicumque effusa fuerit, vel aspersa, sive in DOMO, sive in agro... 1532

praetende super hos famulos degentes in hac DOMO spiritum gratiae salutaris...   2391

Dona aei in hac DOMO tua ita agere, ut...   3531

et praesta ut in hanc DOMO tua iugiter permaneat...   1331

huic famulo tuo ill. qui hac DOMO tua nunc usque fideliter laboravit... 1331

Ds, qui unianimis nos in DOMO tua praecipis habitare...   1231

A DOMO tua, qs, dne, spiritalis (spalis) nequiciae pellantur...   2

... De his sunt, qui penetrant DOMOS et captivas...   3879

ut populus tuus in hac aecclesiae tuae DOMUI conveniens...   3844

Benedic huic DOMUI, dne, benedic dominis domus huius... 325
et ita patrocinantibus sanctis perenni DOMUI huic beatitudinem praestet... 1493
ut sanctificatio sit DOMUI huius nostre (nostri) introitus... 1493
atque huic DOMUI in remissione peccatorum... 1545
famulos tuos huic DOMUI quiescentes post laborem... 315
quae DOMUI tuae conveniunt, rationabiliter exsequamur. 2665
Benedico te, sicut benedixit deus DOMUM habraham et isaac et iacob fiat... 2180
sicut benedicere dignatus es DOMUM Abraham (et) Isaac et Iacob it in his ... 310, 3461
petamus pro hanc DOMUM atque omnes habitantes in aea... 167
effunde super hanc oraciones DOMUM benediccionem tuam... 1200
et muro custodiae tuae hanc DOMUM circumda... 3427
Benedic, dne, hanc DOMUM et omnes habitantes in ea... 310
oramus pro hac DOMUM et pro domus huius habitatoribus hac spe... 3461
in hac DOMUM famuli tui ill. auctoritate maiestati tuae pellantur. 1496
ut super habitationibus DOMUM famulorum tuorum... 2386
effunde super hanc oracionis DOMUM graciam tuam... 1064
ut plaga egypti ad DOMUM illam non tangeret quam cruore sacrificiis egelaret... 1059
ut sint oculi tui aperti super DOMUM istam die hac nocte... 1249, 1733
Respice, qs, de caelo, et vide, et visita DOMUM istam, ut si quis... 3828
Deum omnipotentem... in cuius DOMUM mansiones multae sunt... 725
... Cubiculum quod nominat, non occultam DOMUM ostendit... 1373
et in hanc manentibus DOMUM praesentiae tuae concede custodiam... 2353
ut populus tuus in hac aecclesiae DOMUM sanctam conveniens... 3844
... Ecce vere in qua, sicut scribtum est, fabricavit sibi sapientia DOMUM septem... 3780
et hanc DOMUM serenis oculis tuae pietatis inlustra... 92
pretende super hos famulos tuos degentes in hac DOMUM spiritum... 2390
DOMUM tuam, dne, qs, propitiatus inlustra... 1377
DOMUM tuam qs dne clementer ingredere... 1378
et muro custodiae tuae hac DOMUS circumda... 3427
habitantibus in hac DOMUS famulis tuis propitius adesse digneris... 2906
et DOMUS haec careret aliquando frigorem (frigore) a vicinitate ignis... 2322
oramus pro hac domum et pro DOMUS huius habitatoribus hac spe... 3461
Benedic huic domui, dne, benedic dominis DOMUS huius respice... 325
et infra pariaetis DOMUS ipsius angelum lucis tuae inhabitet. 3461
qui in lateribus DOMUS istius iugiter excubet... 325
ut ponas omnes fines DOMUS istius sancti illi pacem... 1330
in honore beati illius fiat DOMUS oracionis... 1260
et in hanc manentibus DOMUS praesentiae tuae concede custodiam... 2353
... DOMUS sedem honorificatam et fructum beatitudinis sempiternae... 2355
quam tibi offert... atque et pro incolomitate DOMUS suae... 1717
ut ipse oracionum DOMUS supplicum mentes ad invocacionem tui nominis incitarent... 3886
et inmutatum nomine confirmatum in fundamentum DOMUS tuae caelestium... 4158
qui mysticis operationibus DOMUS tuae fidelibus excubiis permanentes... 136, 137, 138
in fundamento DOMUS tuae mutato nomine... custodemque fecisti... 3728

in atriis DOMUS tuae tamquam potamina viva plantati...   1155
ut ubicumque asparsae fuerint per (agros aut) angulos DOMUS ubi inimicus
    ...   1346
sed propria (propuerea) deo decata sit DOMUS ut nullam...   725

DONARIA
Adesto, dne, populis tuis, qui sacra DONARIA contigerunt...   73

DONATIO
et perpetua DONATIONE firmentur.   2942
defensionis DONACIONES implere dignetur orantibus nobis.   2524

DONATUS
in sancti confessoris et episcopi tui DONATI commemoracione deferimus...
    81
Votiva, dne, pro beati... DONATI commemoratione dona percipimus...   4253
ut sancti... DONATI cuius festa gerimus senciamus auxilium.   1256
ut sancti... DONATI quam ad laudem nominis tui piae nobis devocionis
    fructus adcrescat.   2737
ut intercedente beato sancto tuo DONATO aeisdem...   2286

DONEC
Ds, qui delinquentes perire non pateris, DONEC convertantur et vivant...
    952
... DONEC inmortalem (inmortalitatem) satiaetatem(que)...   3982
... DONEC se suo laqueo perderet qui de magistri sanguine cogitaret...
    3867

DONO
... Requiem aeternam DONA ei dne.   1886
DONA aei in hac domo tua ita agere, ut...   3531
... DONA aeis firmitatem fidei, expectationem spei, dulcidinem caritatis
    ...   324
... DONA eis propositum mentis, ut exhibeant pudicitiam castitatis...
    1924
et tua DONA in nobis custodias...   4213
et DONA omnibus quorum hic corpora requiescunt refrigerii sedem...   2306
... DONA, ut conformes (confirmes) eidem facti...   1148
qui in pauperes tuus semina(t) DONA, ut veres...   1008
ut quod nobis DONABIT cenubialiter profitetur.   4176
et beatae requiei te DONANTE coniunctus...   3470
ut quicquid sperantes a te poscimus te DONANTE consequi mereamur.   2807
et caelesti beatitudine te DONANTE digni efficiantur.   3624
et electorum tuorum virginum consortium, te DONANTE mereatur uniri.   760
et ad aeternae pacis gaudia te DONANTE pervenire mereatur.   2309
quod, te DONANTE, promisemus impleamus...   1091
ut qui voluntatis tuae viam te DONANTE sequimur...   1071
eorum merita nobis augeat te DONANTE suffragium.   3159
ut quae sidula servitate (servitute) DONANTE te gerimus...   3328, 3330
ut te DONANTE tibi placita cupiat, et tota virtute perficiat.   2358
ut qui voluntatis tuae viam, DONANTEM (DONANTE) te, sequimur...   1071
... DONANTI patri pio pro salute humani generis...   3017
et sicut fidelibus tuis tricesimum atque sexagesimum vel centesimum
    fructum DONARE consuisti...   2110
et conceptum Rebeccae DONARE dignatus es...   990
partem aliquam sotietatis (et societatem) DONARE digneris cum sanctis...
    2178

proinde longiore spatio vite aei DONARE digneris ut conversationis...
898
cuius sacerdocii nobis tempora dignatus es DONARE praecipua (principia).
1764
et vel (velut) indignis DONARE quae poscimus (possimus)...   136, 137
tuorum nobis praecibus veniam DONARE sanctorum.   3287
VD. DONARI nobis suppliciter exorantes...   3675
et reis non tantum poenam relaxas, sed DONAS et praemia.   3962
... Qui etiam indignis inter praessuras DONAS praesidium...   1371
Famulos et famulas, dne, qs, intuere, quibus in te sperare DONASTI ac
    pariter aeis...   1605
et cui (quibus) DONASTI baptismi sacramentum, longeva tribuas sanitatem.
    2204, 2112, 2274
et cui DONASTI celerem (caelestem) et incontaminatum (transitum) post
    babptismi (baptismum) sacramentum...   890
quorum DONASTI fideles esse doctrinis.   1480, 2930
ut quibus DONASTI huius ministerii (mysterii) facultatem (servitutem)...
    2156, 2157
Ds qui famulo tuo ezechiae ter quinos annos ad vitam DONASTI ita et
    famulum...   988
ut cui DONASTI laevitae ministerii facultatem...   1731
ut cui pontificale DONASTI meritum, donis et praemium.   3422
sed etiam pro eodem pati posse DONASTI nostrae quoque...   2450
quorum nos DONASTI patrocinio (patrociniis) gubernari.   3220, 3222
ut per quos aeclesiae tuae divini muneris rudimenta DONASTI per eos
    subsidia...   611
ut cui pontificale DONASTI praemium, donis et meritum.   3422
qui eum tot meritorum DONASTI praerogativis...   3722
sicut animae famuli tui paenitentiam (paenitentiae) velle DONASTI sic
    indulgentiam...   733, 734, 735, 736
fidelem quamvis peccatis squalentem sacerdotii dignitate DONASTI tuam
    igitur...   3893
tribue consequi, quod sperare DONASTI.   328
Perpetua, qs, dne, pace custodi, quos in te sperare DONASTI.   2579
famulum tuum liberatam egritudinem et sanitate DONATAM dextera tua.   1356
affluas indomentorum caelestium dignitatem DONATI, ut de fructibus...
    4176
et hunc famulum tuum illum, liberatum aegritudine et sanitate DONATUM
    dextera tua...   1356
sed etiam pro eo pati posse DONATUM est ut quos...   4112, 4113, 4218
et societas principaliter ordinata es benedictione DONATUR...   1171
et fecunditatem tribuas et filium que DONAVERIS benedicas.   977
ut illum gracia tua sicut DONAVIT baptismo, ita donet et regno.   783
nascendo etenim nobis DONAVIT gloriam...   4013
et per suam ascensionem ad caelos nobis spem ascendendi DONAVIT.   3929
spem resurrectionis per renovatam originis dignitatem DONAVIT.   4118
... DONES ei delicta atque peccata usque ad novissimam quadratem...   3462
ut quibus fidaei christiane meritum contullisti, DONES et praemium.   1818
... DONET cunctis intra eum (aeius) habitu constitutos divinarum
    beatitudine largitatem...   1493
ut DONET (DOMIT) ei spiritum sanctum qui habitum religionis in eo
    perpetuum conservet...   2503
ut illum gracia tua sicut donavit baptismo, ita DONET et regno.   783
DONET vestris orationibus gratiae donum...   3485
Convertat vultum suum ad vos et DONET vobis pacem.   339
tuaque DONETUR nobis diluculo contemplatio...   236

eius nobis intercessione DONETUR.   263
eius nobis qui tibi placuit oratione (orationem) DONETUR.   3200, 3201
aeorum nobis qui ante te iusti inventi sunt, oratione DONETUR.   3239
eorum nobis postulatione DONETUR.   3245
ut qui pontificale donasti praemium, DONIS et meritum.   3422
et quibus fidei christianae neritum contulisti, DONIS et praemium.   1818
ut cui pontificale donasti meritum, DONIS et praemium.   3422
ut DONIS nobis diem hunc sine peccato transire...   1667
tuaque in eo munera ipse custodias DONISQUE ei annorum spacia...   1755a
ut famulo tuo... DONIS sedem honorificatam et fructum beatitudinis
   sempiternis...   2355
DONIT aetiam veriliter cepti operis consomatione perficere...   4176

         DONUM
Sumentes DONA caelestia gratias tibi referimus...   3327
Libantes, dne, DONA caelestia praesidium nobis...   2021
ut DONA caelestia quae debito sencera professione sentiamur.   3491
Sumentes DONA caelestia suppliciter deprecamur ut...   3328
ut haec DONA caelestia tranquillis cogitationibus capare valeamus.   2116
et ut nobis DONA caelestis gratiae largiaris...   1989
Tantis, dne, repleti muneribus, ut (et) salutaria (semper) DONA capiamus
   praesta qs ut...   3455
ut apostolorum praecibus paschalis sacramenti DONA capiamus quorum nobis
   ...   809
Caelestia DONA capientibus, qs, dne...   384
inmensa (inmensae) clementiae tuae DONA cognoscimus fulget namque...
   3851
pietatis quod tua erga nos DONA cognoscimus quamvis enim...   3640
inmensa clementiae tuae DONA cognuscimus.   3851
cuius muneris pignus accepimus, manifesta DONA conprehendere valeamus...
   3818, 3843
sed et miseris uberiora DONA concedas qui dignae pro nobis...   3958
et misericordiae tuae in nobis DONA concedas.   779
et indulgentiam nobis tribuas et salutaria DONA concedas.   2887
et suae vobis benedictionis DONA concedat.   1268, 2243, 2245
et misericordiae tuae in nobis DONA concede.   779
et continentiae salutaris propicius nobis DONA concede.   1497
et tuae pietatis in nobis propitius DONA concede.   118
et salutaris tui DONA concede.   2527
sed ut miseris uberiora DONA concedis...   3958
sed fidelibus suis etiam haec DONA concessit...   3963
tanto nobis tua magis DONA conciliat.   3591
et indulgentiae tuae nobis DONA concilient...   3139
et tuae nobis misericordiae DONA conciliet (concilient).   1692, 1696,
   1798
et nobis graciae tuae DONA conciliet.   3203
quae bene meritis DONA conferrent, qui tuentur etiam peccatores.   4002
tua in me misericorditer DONA conserva.   780
et ut tibi servitus nostra conplaceat, tua in nobis DONA conserva.   779
et consecrationis indultae (adulte) propitius DONA conservet.   2499
quia cum haec DONA contuleris, cuncta nobis utilia non negabis.   464
gratiae tuae DONA custodi ut bona quae...   2372
Adesto nobis m. ds et tua circa nos propitiatus DONA custodi.   117
et propitius in eodem tua DONA custodi.   3402, 3425
quod eis divino munere contulisti, in eis propitius tua DONA custodi.
   1748

et propitius in eo tua DONA custodias.   1770
in totam mundi latitudinem spiritus tui (sancti) DONA defunde (diffunde)
    ...   1198a, 1199
qui... benedictionum tuarum DONA desiderant.   1248
temporalia DONA ditasti habunde...   2290
et ambire DONA faciant caelestium gaudiorum.   3010
Fidelibus tuis, (dne), (dne) perpetua (per tua) DONA firmentur...   390,
    1622, 1627
per sanctum spiritum (spiritum sanctum) largiris DONA graciarum et sue
    coheredibus...   4011, 4012
adque ad aeterna DONA gratiarum venire mereantur.   1370
suae vobis benedictionis tribuat DONA gratissima.   2252
benedicas (uti accepta habeas) haec DONA, haec munera, haec sancta
    sacrificia inlibata...   3464
Accepta tibi sint, dne, (qs) nostri DONA ieiunii (ieiunia)...   20
misericordiae tuae DONA in me placatus exsequere...   1066
et suae in vos benedictionis DONA infundat.   948
aecclaesiae tuae catholicae DONA largire.   1327
et aeternitatis promissa DONA largire.   1423
ita et famulo tuo ill. praesentis temporis uberius tua DONA largire.
    2110
... Et reis non tantum poenas relaxas, sed DONA largiris et praemia...
    3962a
et tua supplicibus DONA largiris.   3927
tu, clementissimae dne, DONA locopletans...   2907
ut haec nobis DONA martyrum tuorum duplicacio (supplicatio) beata
    sanctificet.   380
ut aeternitatis DONA mente libera sectaretur...   3608, 3609a, 3610
et ut tua DONA mereamur percipere...   14
Sacrae festivitatis, nobis, qs, dne, DONA multiplica cum et salutis...
    3121
O. et m. ds, propitiationis tuae DONA multiplica et cunctis hostibus...
    2276
Rege, (qs) dne, populum tuum, et gratiae tuae, (qs) in eo DONA multiplica
    ut ab omnibus...   3049
ineffabilis gratiae tuae in nobis DONA multiplica ut qui fecisti...   881
et tua in nobis DONA multiplices, et tempora nostra disponas.   3370
adque ut ei tua DONA multiplices sanctorum martyrum...   428
super hos famulos tuos... caelestia DONA multiplicet quibus quod eius...
    2500, 2501
ut idem spiritus veritatis aecclesiae tuae DONA multiplicet.   2350
Sumpsimus, dne, sacri DONA mysterii (mysteria)...   3338
tu tamen gratiae tuae DONA non deserens...   1045, 1046
Ds qui caritatis DONA per gratiam sancti spiritus tuorum cordibus fidelium
    infudisti...   921
Votiba, dne, DONA percepimus quae (quia) sanctorum...   4251
et adimplentes ea quae praecepit, DONA percipere mereamur quae promisit.
    3940
ut possimus DONA percipere quae promittis.   4210
tribuat vobis... et suae benedictionis DONA percipere.   1242
sic praesentia DONA percipiat, ut capere mereatur aeterna.   816
et aeterna DONA percipiat.   523
et aeternae beatitudinis DONA percipiat.   1396
quae tibi semper fiat obediens, et tua DONA percipiat.   1588

Votiva dne pro beati martyris tui... commemoratione (passione) DONA percipimus qs... 4253, 4254
et ad caelestia DONA perducat. 3223
et temporalis viriliter et aeternae DONAE perficiat. 523
et eius DONA perseveranter adquirat. 1586
et colata non perdant et ad aeterna DONA perveniant. 3446
ad inmortalitatis DONA perveniant. 706
ad DONA perveniat, quae de tua fidelibus retributione promisit. 1393
ad DONA perveniat sempiterna. 1394
ad DONA pervenire mereamini quae idem iesus christus dominus noster repromisit. 2246
ut per haec ad incommutabilia DONA pervenire valeamus... 3707
benedictionum tuarum DONA poscentem. 3102
et spiritalia nobis DONA potenter infundat. 2720
VD. Et in pretiosis mortibus parvulorum... inmensa clementiae tuae DONA praedicare... 3696
quia omnia DONA prestabis... 85
sed insuper etiam consolationis tuae DONA prestas inmeritis magis nos... 3919
ut qui talia DONA prestas inmeritis, praeveas maiora devotis. 2474
ut sancti spiritus sacerdotalia DONA privilegio virtutum... obteneant. 3300
et suae super vos benedictionis DONA propitiatus infundat. 2260
Ecclesiae tuae qs dne DONA propitius intuere... 1389
ut ad superna (sempiternam) perducas DONA propitius. 516
benignus efficias, et tua in eis DONA prosequaris. 1776
tua DONA prosequendo perficias... 4172
(gratiae tuae (operis tui) in nobis) DONA prosequere et quod possibilitas ... 805, 1347
annua festivitatis huius DONA prosequere ut observantia... 1211
O. s. ds, qui sic hominem condedisti, ut... ad caelestia DONA provehis (proveheres)... 2454
Benedicantur nobis tua DONA que de tua largitatem (largitate)... 332
ut DONA quae suis participibus contulit, largiat et nobis. 787
Tua nos, dne, DONA reficiant et tua gratia consoletur. 3515
Multiplica dne in hanc aream frumenti tua DONA repleta... 2110
Quos caelesti, dne, DONA saciasti, praesta, qs, ut... 3025
ut per haec DONA sacrificii singularis... 3361
Sit huic familiae tuae DONA salutis adquirere... 1509
Propitius, dne, qs, haec DONA sanctifica et hostiae... 2888
Apostolorum tuorum (Apostoli tui pauli) praecibus, dne, qs, plebis tuae DONA sanctifica ut quae tibi... 205, 212
et tua potius DONA sanctifica. 3445
qui et populi tui DONA sanctificet et sumentium corda dignanter emundet. 721
nec tantis mysteriis collata DONA sentimus et tua nobis... 401
quorum suffragiis protectionis tuae DONA sentimus (sentiamus). 1579
Offerimus tibi, dne, fidelium tuorum DONA sollemnia... 2229
tamen clementiae tuae DONA, spe futurae inmortalitatis aeregimur... 3916
sed propitiationis tuae capiamus DONA subiecti. 2455
et humanam (humana) reduceret ad superna DONA substantiae (substantiam). 3692, 3784, 3785
sed ad praesidium sempiternum caelestia DONA sumamus. 2963
caelestia DONA sumentes gratias tibi referimus. 3072
omnium charismatum spiritalia DONA sumpserunt. 416
quia non difidimus tua nos DONA sumpturos pro quibus... 1560

multo potiora DONA sumpturos si praeceptionum...   4045
ut fides eorum haec tibi conciliet...   2420
ut dum DONA tua in tribulatione percipimus...   4248
ut haec nos DONA tua martyrum et confessorum tuorum illor. deprecatione
    sanctificent...   381
in his DONA tua perpetua gratiae protectione conserva.   2400
et caelestium thaesaurorum DONA tua perveniat.   2303
Benedic, dne, DONA tua, quae de tua largitate sumus sumpturi.   303
da benedictionem super DONA tua ut ea quae...   1093
Exaudi preces supplicum ad DONA tuae clementiae fideliter occurentum.
    1162
ut qui eius beneficia poscimus DONA tuae gratiae consequamur.   1103
in his DONA tuae perpetuae gratiae benedictionisque conserva.   1012
et DONA tuae pietatis semper utamur.   2426
Ipse ergo unigenitus tuus qui nobis iam DONA ut non desiderare...   4176
auge super anima famuli tui illius graciae tuae DONA ut quae ab omnibus...
    919
auge semper super famulos tuos gratiae tuae DONA ut qui ab omnibus...
    891
famulo tuo illo, qui in pauperes tuos tua seminat DONA ut verius...   1008
que inmutabilis (ut ad inmutabile) bonum ad mutabilia DONA veniamus...
    3825
conserva famulo tuo tuarum DONA virtutum et concede...   1015, 1020
Effunde super aeum spiritalia DONA virtutum ut nihil os...   1227
ut qui diversitatem gentium... paraclyti spiritus DONA voluisti
    congregare...   4198
Caelestis DONI benedictione percepta (praecepta)...   388
Mentes nostras et corpora possedeant, dne, qs, DONI caelestis operatio...
    2085
caelestis DONI capiamus desiderabilius ubertatem...   4060
ipsius DONI medicatione curetur.   444
... Cum ergo tui DONI, non nostri sit meriti...   4166
per quam tanti DONI particeps devotio quieta proficiat...   3625
ut non possibilitatis humanae, sed DONI probaretur esse divini...   4055
ut qui solemnitate DONI spiritus sancti colemus...   494
ut DONI tui fiat nobis et benedictio copiosa et larga protectio.   3241
offerimus praeclare maiestati (maiestatis) tuae de tuis DONIS ac datis
    hostiam...   3567
qui nos satiare dignatus es de tuis DONIS hac datis praesta qs...   1675
Satiati sumus, (Saciasti) dne, de tuis DONIS ac datis reple nos...   3261,
    3265
quoniam tuis DONIS atque muneribus beati... passionem (passione)
    solemnitate veneramur.   3720, 4114, 4151
VD. Qui nos de DONIS bonorum temporalium ad perceptionem provehis
    aeternorum...   3968
DONIS caelestibus cum sanctorum tuorum recordatione satiati gratias tibi
    referimus.   1379
DONIS caelestibus da qs dne libera mente servire...   1380
et DONIS caelestibus exuberare concedat.   2244
et ab omni pravitate defensam (defensa) DONIS caelestibus prosequatur...
    1591, 1599
Quos DONIS caelestibus satias, dne, defende praesidiis...   3027
ut quos DONIS caelestibus satiasti...   3376
Repleat corda vestra spiritalibus DONIS, et habundare...   351
Reficiamus, dne, de DONIS et datis tuis...   3047

Da... gratiae tuae DONIS et iustificari nos semper et instrui...   636
et eiusdem spiritus DONIS exuberare.   1002
et variis virtutum DONIS exuberavit, et miraculis coruscavit...   3655
et pro pullis columbarum spiritus sancti DONIS exuberetis.   2256
tuis DONIS exultent, te semper et ubique conlaudent...   2937
et perpetuis DONIS firmentur.   2942
cunctisque DONIS gratiae redundantes...   762
... DONIS gratiae tuae corda nostra purifica...   1153
omnesque simul caelestibus DONIS inriga.   323
Tribue, qs, dne ds noster, ut DONIS interioribus fecundemur...   3493
presta, qs, ut DONIS interioribus fecundemur.   1182
... DONIS mereamur caelestibus propinquare.   678
tot DONIS mirabilis nasceretur.   4098
qui populo tuo ex aegypto educto DONIS mirificis contullisti inmerito...
    2290
quanto maiestati tuae fit gratior, tanto DONIS potiora (potioribus)
    augeatur.   2855
... DONIS semper mereamur caelestibus propinquare.   678
renovet et DONIS societ sempiternis.   3136
ut DONIS suis ipsi (ipsa) nos dignos efficiat.   1559
VD. Qui fragilitatem nostram non solum misericorditer DONIS temporalibus
    consolaris...   3928
sicque DONIS temporalibus uteremur, ut disceremus inhiare perpetuis.
    3969, 3970
Saciati, (satiasti) dne, opulentiae tuae DONIS tibi gratias agimus...
    3262
accipe propitius, quae de tuis DONIS tibi nos offerre voluisti...   942
et quotiens fuaerint tuis repleta DONIS tua semper...   1315
Ds, qui omne meritum vocatorum DONIS tuae bonitatis anticipas...   1141
de DONIS tuis caereum tuae suppliciter offerimus maiestati...   861
ut repleti omnibus (castitatem) DONIS tuis desiderantes ad te pervenire
    mereantur.   307
Refice nos, dne, DONIS tuis et opulenciae...   3046
Da, qs, o. ds, ut qui beatus Filix DONIS tuis extitit gloriosus...   681
et quam DONIS tui facis esse consortem...   2590
Repleti, dne, DONIS tuis in tuorum festivitate sanctorum...   3070
Tribue, qs, dne, (dne qs) DONIS tuis libera nos mente servire...   3494
ds, qui nos DONIS tuis praevenis dignanter inmeritos...   2424
Gracias ago tibi de DONIS tuis, sed mihi ea serva.   3792
et reple eam DONIS tuis spiritalibus...   307
et DONIS uberioribus prosequaris.   403
... Sicque DONIS uteremur transitoriis, ut disceremus inhiare perpetuis.
    3970
ut eruditionibus tuis (semper) multiplicetur et DONIS.   519
VD. Cuius providentia DONISQUE concessum est...   3666
... Quoniam tuo DONO actum est ut... sexus fragilis esset fortis...   3854
quo me nullius dignum meritis, sed solo tuae misericordiae DONO ad hunc
    locum...   1753
eiusdem spiritus DONO capere mente valeatis.   2246
quicquid in nostra mente viciosum est, (vulneratum est) ipsius
    medicationes DONO curetur.   442, 443
Qui sancti spiritus repletus DONO decori...   3766
illius DONO et praesentis vitae perturbationibus careamus...   3962a
ut quem non electio (electione) meriti sed DONO gratiae tuae constituisti
    operis huius ministrum...   101

uterque sexus, DONO gratiae tuae in cuncta aetate accipiant.   397
ut DONO gratiae tuae in diebus nostris...   1325
ut quibus tuo DONO imperat, eis tua opitulatione fultus salubriter prosit.
   748
suae vos benedictionis DONO locupletare...   802
et suae benedictionis DONO locupletet.   2240
et ecclesiasticae pacis DONO muniatur...   2309
tu tamen gratiae tuae DONO non deseres...   1047
... Cuius DONO petimus, et inlecebrosas a nobis excludi voluptates...
   4029
populum tuum quaesumus caelesti DONO prosequere ut et perfectam...   1212
populum tuum caelesti DONO prosequere ut inde post...   1146
ut famulum tuum ill. vel illam... gratiae tuae DONO prosequere ut te
   largiente...   473, 479
caritatis DONO repleat...   2249
Quos caelesti dne DONO satiasti, praesta qs ut...   3025
tamen clementiae tuae DONO spe futurae inmortalitatis erigimur...   3915,
   4099
ut qui sollemnitatem DONO spiritus sancti colimus...   494
quibus uberiore DONO spiritus sancti sufficienter instructi...   3996
qui sancti spiritus tui DONO succensus...   4148
ut qui aeius beneficia possimus, DONO tuae gratiae consequamur.   1103
a te qs presentia mysteria sunt DONO tuae gratiae sanctificata...   1315
... DONO tuae pietatis indulgeas et extergeas.   128, 2495
et DONO tuae pietatis semper utamur.   2426
... Quatenus centesimi fructus DONO virginitatis decorari...   760
et benedictionem fontemque baptismatis DONO vocare dignatus est...   2174,
   2177
et benedictionum suarum repleat DONO. Amen.   2244
Donet... DONORUM beatitudinem largitate...   1493
atque caelestium DONORUM consortium esse perceptorum.   2465
quem tuorum largitate DONORUM et instantius...   2573
Tuorum nos, dne, largitate DONORUM et temporalibus adtolle praesidiis...
   3559
et cras tribuas spiritalium incrementa DONORUM hodie ieiuniorum...   3950
in diversitate DONORUM mirabelis operatur unitatis...   4049
DONORUM omnium, ds, auctor adque largitor...   1381
Repleti sumus, dne, DONORUM participatione caelestium...   3076
qui tibi placuit tot DONORUM praerogativis.   3643
ut qui solemnitatem DONORUM sancti spiritus colimus...   494
perpetua DONORUM tuorum largitate potiantur...   3099
diversa DONORUM tuorum solatia, et munerum salutarius gaudia contulisti...
   4131
tua consecret (conferat) largitas invicta DONORUM.   102, 110
spiritalium (spiritali) capiat largitate DONORUM.   1385
eique DONUM consecrationis indulgeat...   2502
... Et eo nascente, et sermonis usum, et prophetiae suscepit DONUM
   cuiusque...   3755
ut purum adque inmaculatum ministerii tui DONUM custodiant...   3225
Et qui illis voluit centesimi fructus DONUM decore virginitatis...
   conferre...   2264
qui in ea creaverat fidei DONUM et ita eius...   3872
sexagissimum fructus DONUM, et sibi ergo...   1508
etiam hoc DONUM in quasdam mentes de lagitatis tuae fonte defluxit...
   759, 761

et DONUM in vos spiritus paraclyti infundat.   2243
Tribuat vobis dominus caritatis DONUM, indulgentiae...   3485
et in vos suae benedictionis DONUM infundat.   2261
postque perceptum (preceptum) sancti spiritus DONUM necessariae nobis...
    3846
... DONUM omne perfectum optimumque descendit.   3879
Donet vestros orationibus gratiae DONUM perpetuaque...   3485
Et quo redimente percepistis DONUM perpetuae libertatis...   1157
te invoco super hunc famulum tuum, qui baptismi tui DONUM petens...   829
ut pacis DONUM proficiat ad fidei et caritatis augmentum.   2365
ut caritatis DONUM quod fecisti anobis sperare... adpraehendi.   1094
tamen clementiae tuae DONUM, spe...   3862
... Sit in eis, (ea) dne, per DONUM spiritus tui prudens modestia...
    758, 759, 760
et per ieiuniorum observantiam infundat in vobis DONUM suae benedictionis.
    18
et ad correctionis effectum DONUM tuae pacis utamur.   2426
et benedictionem fontemque baptismatis DONUM vocare dignatus est...   1411
et vobis suae misericordiae conferat DONUM.   169
per eandem humilitatem percipere suae benedictionis ineffabile DONUM.
    Amen.   2255

        DORMIO
cuius secundum adsumptionum carnis, DORMIENTE in nave...   2262
Non superveniens vigilantem, nec DORMIENTEM nec mentem...   2180
non vigilantem nec DORMIENTEM nec sedentem nec ambulantem...   394
ut vigilantes seo DORMIENTES sub tuae nominis...   567
... DORMIENTES te per soporem sentient...   314, 315
ut nobis DORMIENTIBUS tua maiestas vigilet in sensibus nostris.   3089
non DORMIENTES peccatis sed vigilantes et in suis inveniat laudibus
    exultantes. ·1575
et hic omnium (catholicorum) DORMIENCIUM hostiam, dne, suscipe benignus
    oblatam...   2845
quam tibi in commemoracione animarum in pace DORMIENCIUM suppliciter...
    1757
pastor bone, qui DORMIRE nescis in vigilia...   44
Tu autem dne nec DORMIS nec dormitas ad custodiendos nos.   3089
Benedic dne hoc famulorum tuorum dormitorium qui non DORMIS neque dormitas
    qui custodis...   314
neque dum vigilat, neque dum DORMIT, neque dum bibit...   2552
Tu autem dne nec dormis nec DORMITAS ad custodiendos nos.   3089
Benedici dne hoc famulorum tuorum dormitorium qui non dormis neque
    DORMITAS qui custodis...   314
et DORMIUNT in somno pacis...   2073, 2074, 2075
recubans DORMIVIT ut leo et sicut catulus leonis, quis excitavit eum ?
    2059

        DORMITORIUM
Benedic, dne, hoc famulorum tuorum DORMITURIO, qui non dormis...   314,
    315

        DORSUM
Exite... de interscapulas, de DORSO, de cervice...   1888

        DOTO
ipse suae DOTARE sanctificationibus hubertate precipiat...   3292

DOTUM
et DOTA caelestium dignitatem ab ipso percipere mereamur.   2643

DRACO
Adiuro ergo te, DRACO nequissime, in nomine agni inmaculati...   141, 1355
qui conculcavit leonem et DRACONEM, et discedas...   1354
... Da fiduciam servis tuis contra nequissimum DRACONEM fortitter stare...
    1354, 1355
qui conculcat (conculcavit) leonem et DRACONEM ut discedas...   141, 1355

DUBIETAS
Et qui ab orum pectoribus adtactu sui corporis vulunus amputavit
    DUBIETATIS...   802

DUBITATIO
quia sine DUBITATIONE defendes...   106
... Quia praesentiam tuam sine DUBITATIONE sentimus...   1029

DUBITO
... Cuius genitor et verbi dei nuntium (nuntius) DUBITANS nasciturum...
    3754, 3755, 3756
vel de promissae beatitudinis aeternitate DUBITARENT...   4023
... Cuius genitorum dum eum DUBITAT nasciturum, sermonis amisit officium
    ...   3755
ut quod priores sancti non DUBITAVERUNT futurum...   2363
pro qua dominus... non DUBITAVIT manibus tradi nocentium...   3101
... Cernensque promissa conpleri, merito secutura non DUBITET quae pariter
    ...   3957
largitore omnium bonorum esse plenissima fide non DUBITIT.   1331

DUBIUM
pro inmortalibus et bene quiescentibus animabus sine DUBIO caelebramus...
    3668
in cunctis tamen te sine DUBIO praedicamus...   4188
sic que ultro ambit, vel inportunus se ingerit, est procul DUBIO (est)
    repellendus...   3290

DUBIUS
... Qui hoc ipso pravi spiritus non DUBIUM est quo factis...   4139
... Hii quattuor has figuras habentes evangelistas esse non DUBIUM est
    sed nomina...   203
si quid DUBIUM, remove...   1316
ut huic famulo tuo, qui in saeculo (seculi) huius nocte vacatur incertus
    et DUBIUS viam...   3460

DUCATUS
quae de terra servitutis populo exeunti salutifero lumine DUCATUM exibuit
    ...   861
ad caelestia regna pergendi DUCATUM praebuit...   3655

DUCO
Tu DUC quod placit et non dissolvas...   1296
ad perpetuae (perfectum) DUCANT salvacionis effectum.   2945
et ad redemptionis aeternae pertineat, te DUCENTE consortium.   242
ad caelestia promissa te DUCENTE pervenire mereatur.   976
ut in illam perpetuam, te DUCENTE, possint intrare.   955
anno DUCENTE successu de preteriti in futura...   4060
praesentemque vitam inculpabilem DUCERE...   3663
ut Valerianum... secum DUCERET ad coronam.   3775

VD. Qui, ut de hoste generis humani maior pompa (victoria) DUCERETUR non
   solum...   4034
animam quam de huius mundi voragine caenulenta DUCIS ad patriam...   3470
et DUCIS curam agat et reducis.   2905
Ds, qui ad vitam DUCIS et confitentes in te paterna protectione custodis
   ...   897
nunc confessio puellaris virum praecedens DUCIT ad praemium.   4079
qui ora diaei tertia ad crucem poenam per mundi salutem DUCTUS es...
   1374
et captivas DUCUNT mulierculas...   3879
perseveremus et diligere quod praecipiunt, et desiderare quo (quod)
   DUCUNT.   1258, 1265
Ds, qui nativitatis tuae exordio (exordia) pro nostra necessarium
   (necessaria) salvatione DUXISTI...   1080
laboriosius DUXIT longa antiqui hostis sustinere temptamenta...   3866
captivitatem nostram sua (suam) DUXIT virtute captivam...   787

        DUCTOR
ds qui es DUCTUR sanctorum et diregis itinera iustorum...   1360
ut te DUCTORE confidens, et mala cuncta declinet...   2622

        DUDUM
ut perditi DUDUM adque prostrati...   3645
quem adventus tui potentiam DUDUM liberasti per gratiam.   1518
et festivitatem DUDUM muneris immolati annua festivitate concelebrant...
   4124
ut DUDUM perditi adque prostrati ad eam nunc gloriam rediremus...   3651
sicut profetica DUDUM voce testatus es...   3598

        DULCEDO
et DULCEDINE mentibus nostris tuae suavitatis infundant.   6
totius virtutis ac sanitatis DULCEDINE perfruatur...   717
haec turba illius refitiatur DULCEDINE, supra cuius pectus...   1229
et caelestis mensae DULCEDINE vegetati...   3074
dona aeis firmitatem fidei, expectationem spei, DULCIDINEM caritatis...
   324
degustare faciat aeternorum DULCEDINEM gaudiorum...   349
et DULCEDINEM mentibus nostris tuae suavitatis infundant.   6
per deum vivum, per deum sanctum, per deum totius DULCIDINIS creatorem
   (creaturae)...   1535
et evangelicae nobis DULCEDINIS fluenta manavit...   3722
sonitu DULCIDINIS populus monitus ad te adorandum fiaerit preparatus...
   1154
quos tuae DULCIDINIS reddiderunt innotius baptismatis flumina medicata.
   2298
O. et m. ds, sempiterna DULCIDO et aeterna suavitas...   2293

        DULCIS
per DULCES sermones suos seducentes corda fallacia...   3653
et quae gustu corporeo DULCI veneratione contingimus...   3060, 3073
et DULCIBUS botrus bonorum operum exuberantia glorientur.   1155
... DULCIORA mentibus sentiamus.   3060, 3073

        DULCORO
in ulla (olla) heremica gustus amarissimos DULCORASTI, ut sufficiente...
   742

        DUO
quomodo percussisti DUAS civitates Sodomam et Gomorram...   755

quia DUO cornua DUO testamenta...   2031
... DUOBUS enim gavisa est muneribus...   3974, 3989, 4062
additus fortiori sexus infirmior unum efficeret (efficieris) ex DUOBUS et
    pari...   2541, 2542
qui ex quinque panibus et DUOBUS piscibus quinque milia hominum satiasti
    ...   1335
qui pavit in heremo quinque milia virorum... de quinque panibus et DUOBUS
    piscibus unde...   1881
... Quibus praeceptis DUOBUS totam legem sine difficultate conplentes...
    4025

           DUODECIM
unde exsuperaverunt DUODECEM cophani fragmentorum, quod est typus
    DUODECIM apostolorum.   1881
interdicitur tibi DUODECEM oras diei et DUODICEM hore noctes...   394
quae DUODECIM solidata lapidibus apostolorum chorus...   3943
dum splendorem gemmarum DUODICEM totidem apostulorum nomina presignasti...
    1330

           DUPLEX
... Quae dum DUPLICEM vult sumere palmam in sacri certaminis agone...
    3866
munus, quod sicut DUPLICI sumentes corde condemnat...   2232
ut DUPPLICIS mali principem humiliatum...   397

           DUPLICATIO
ut haec nobis dona (munera) martyrum tuorum DUPLICACIO beata sanctificet.
    380

           DURITIA
meritis non efficiamur nostram DURICIAM contumacis...   3802
ut qui te per DURITIAM inrelegiosae mentis semper offendunt (offendent)...
    1039
ds, DURITIAM nostri cordis averte...   401

           DURUS
quanto magis DURIORA certamina sustenentes...   3897
et praeter DURIORA certamina fragiles...   3896
VD. Qui cum desidiosis et DURIS operariis semper adsint inmensa praesidia
    ...   3883
Da locum, DURISSIME, da locum (loco) impiissime...   574, 1354, 1355
per sanguinem unigeniti tui... redemisti de DURO servitio inimici...
    3837
... DURUM tibi est Christo velle resistere...   1355, 1859
... DURUM tibi est contra stimulum calcitrare...   1355, 1859
ut DURUS hymbre lapides non timeret...   1230

           DUX
beato Stephano DUCE adque praevio sancto spiritu auctore...   1372
ut cum tuum DUCE angelum victur exteterit...   2640
qui unigenitum suum... stella DUCE gentibus voluit revelare...   853
ut salvatoris mundi stella DUCE manifestata nativitas...   2791
Ds qui... unigenitum tuum gentibus stella DUCE revelasti...   1004
ut te rectore, te DUCE sic transeamus per bona temporalia...   2915
necnon et tobi famulo tuo angelum tuum DUCEM previum praestetisti...
    4008
te DUCEM sequamur et principem.   1664
ut te in omnibus DUCEM, te mereatur habere custodem.   1590
beato stefano DUCI hac previum...   1372

Petro in clave, paulo in dogmate, ut previantibus DUCIBUS, illic grex...
    1033
et per omnem quam acturi (ituri) sunt viam DUX eis et comis esse dignare
    ...   844
viam DUX eius et omnis esse digneris.   844
... Qui abrahae isaac et iacob... custos DUX et comes esse voluisti...
    3590
et cum prima mulier viro suo DUX fuisse referatur ad labsum...   4079

SPICILEGIUM FRIBURGENSE

Textes pour servir à l'histoire de la vie chrétienne
édité par
G. G. Meersseman – A. Hänggi – P. Ladner

En préparation

SPICILEGII FRIBURGENSIS SUBSIDIA

édité par

G. G. Meersseman – A. Hänggi – P. Ladner

Vol. 15 ss: ITER HELVETICUM
Edité par P. LADNER

Vol. 15: Teil I: Die liturgischen Handschriften der Kantons- und Universitätsbibliothek Freiburg. Beschrieben von JOSEF LEISIBACH. 256 S., 1976.
Fr. 60.—

Vol. 16: Teil II: Die liturgischen Handschriften des Kantons Freiburg (ohne Kantonsbibliothek). Beschrieben von JOSEF LEISIBACH. 218 S., 32 Abb., 1977.
Fr. 55.—

Vol. 17: Teil III: Die liturgischen Handschriften des Kapitels-archivs in Sitten. Beschrieben von JOSEF LEISIBACH. 324 S., 48 Abbildungen, 1979. Fr. 68.—

En préparation

Vol. 18: Teil IV: Die liturgischen Handschriften des Kantons Wallis (ohne Kapitelsarchiv von Sitten). Beschrieben von JOSEF LEISIBACH (erscheint 1983).

Vol. 19: Partie V: Les manuscrits liturgiques du canton de Genève.

Vol. 20: Partie VI: Les manuscrits liturgiques des cantons de Vaud et de Neuchâtel.

ÉDITIONS UNIVERSITAIRES FRIBOURG SUISSE

PRINTED IN SWITZERLAND

SPICILEGII FRIBURGENSIS
SUBSIDIA
11

JEAN DESHUSSES – BENOIT DARRAGON
Moines bénédictins d'Hautecombe

CONCORDANCES ET TABLEAUX POUR L'ÉTUDE DES GRANDS SACRAMENTAIRES

TOME III, 1
CONCORDANCE VERBALE
(A–D)

1982
ÉDITIONS UNIVERSITAIRES FRIBOURG SUISSE